A LITERATURA PORTUGUESA

através dos textos

Do Autor

Obras Escolhidas de Machado de Assis, 9 vols., S. Paulo, Cultrix, 1960-1961. (Organização, introdução geral, cotejo e texto, prefácios e notas)
A Literatura Portuguesa, S. Paulo, Cultrix, 1960; 33ª ed., 2005.
Romantismo-Realismo e Modernismo, vols. II e III da *Presença da Literatura Portuguesa*, S. Paulo, Difusão Européia do Livro, 1961; 2ª ed., vol. III, 1967, vol. V, 1971; 4ª ed., vol. III, 1974.
Camões, Lírica, S. Paulo, Cultrix, 1963; 14ª ed., 2001. (Seleção, prefácio e notas)
A Criação Literária, S. Paulo, Melhoramentos, 1967; 13ª ed., *Poesia*, S. Paulo, Cultrix, 2006; 17ª ed., *Prosa-I*, S. Paulo, Cultrix, 2006; 20ª ed. *Prosa-II*, S. Paulo, Cultrix, 2005; 19ª ed.
Pequeno Dicionário de Literatura Brasileira, S. Paulo, Cultrix, 1967; 6ª ed., 2001. (Co-organização, co-direção e colaboração)
A Literatura Portuguesa Através dos Textos, S. Paulo, Cultrix, 1968; 30ª ed., 2006.
A Literatura Brasileira Através dos Textos, S. Paulo, Cultrix, 1971; 25ª ed., 2005.
A Análise Literária, S. Paulo, Cultrix, 1969; 15ª ed., 2005.
Dicionário de Termos Literários, S. Paulo, Cultrix, 1974; 11ª ed., 2002.
O Conto Português, S. Paulo, Cultrix/EDUSP, 1975; 6ª ed., 2005. (Seleção, introdução e notas)
Literatura: Mundo e Forma, S. Paulo, Cultrix/EDUSP, 1982.
História da Literatura Brasileira, 5 vols., S. Paulo, Cultrix/EDUSP, 1983-1989; 3 vols., S. Paulo, Cultrix, 2001, vol. I — *Das Origens ao Romantismo*, 1ª ed., 2001; vol. II — *Realismo, Simbolismo*, 1ª ed., 2001; vol. III — *Modernismo*; 1ª ed., 2001.
O Guardador de Rebanhos e Outros Poemas, de Fernando Pessoa, S. Paulo, Cultrix/EDUSP, 1988, 8ª ed., 2006. (Seleção e introdução)
Fernando Pessoa: O Espelho e a Esfinge, S. Paulo, Cultrix/EDUSP, 1988; 2ª ed., 1998.
A Literatura Portuguesa em Perspectiva, 4 vols., S. Paulo, Atlas, 1992-1994. (Organização e direção)
As Estéticas Literárias em Portugal. vol. I — *Séculos XIV a XVIII*, Lisboa, Caminho, 1997; vol. II — *Séculos XVIII e XIX*, 2000.
Machado de Assis: Ficção e Utopia, S. Paulo, Cultrix, 2001, 1ª ed., 2001.
Guia Prático de Redação, 1967; 13ª ed., 2002.

Massaud Moisés

A LITERATURA PORTUGUESA

através dos textos

30ª Edição

EDITORA CULTRIX
São Paulo

A Literatura Portuguesa Através dos Textos.

1ª edição, 1968.

Dados Internacionais de Catalogação na Publicação (CIP)
(Câmara Brasileira do Livro, SP, Brasil)

Moisés, Massaud, 1928-
A literatura portuguesa através dos textos / Massaud Moisés ; -- 30. ed. -- São Paulo : Cultrix, 2006.

30ª reimpr.
ISBN 85-316-0232-7

1. Literatura portuguesa - História e crítica I. Título.

06-4689 CDD-869-09

Índices para catálogo sistemático:

1. Literatura portuguesa : história e crítica 869.09

O primeiro número à esquerda indica a edição, ou reedição, desta obra. A primeira dezena à direita indica o ano em que esta edição, ou reedição foi publicada.

Edição	Ano
30-31-32-33-34-35-36	06-07-08-09-10-11-12

Direitos resrvados
EDITORA PENSAMENTO-CULTRIX LTDA.
Rua Dr. Mário Vicente, 368 – 04270-000 – São Paulo, SP
Fone: 6166-9000 – Fax: 6166-9008
E-mail: pensamento@cultrix.com.br
http://www.pensamento-cultrix.com.br

Impresso em nossas oficinas gráficas.

(...) língua, na qual quando imagina,
Com pouca corrupção crê que é a Latina.

(*Camões, Os Lusíadas,* c. I, est. 33)

SUMÁRIO

PREFÁCIO

*Quando, na segunda edição d*A Literatura Portuguesa, *incluí breves trechos antológicos, a medida se impunha pelo próprio caráter didático da obra. Sabia, contudo, que se tratava de solução provisória, enquanto não chegasse o momento de organizar uma antologia para servir de complemento ao panorama das letras portuguesas que ali se oferece. Ora, tal ocasião surge com a presente obra, intitulada A* Literatura Portuguesa através dos textos. *Sua finalidade precípua cumpre-se, por isso, em funcionar como crestomatia do livro inicialmente referido. Entretanto, é obra autônoma, que pode ser encarada em si, com princípio, meio e fim, e características próprias. Para tanto, os textos foram organizados em ordem histórica (conforme a divisão adotada nA* Literatura Portuguesa), *e cada época, período, tendência ou autor abre com uma rápida informação que visa exclusivamente situar, do ponto de vista cronológico, os textos antológicos e orientar o consulente na sua leitura. E como os textos é que interessam, foi-lhes dada a máxima atenção possível: à sua entrada, colocou-se uma "notícia" histórico-crítica, e cada fragmento, além de anotado sempre que necessário, é comentado do ângulo crítico. No tocante ao comentário, é preciso entender que não tive propósito de esgotar a análise dos problemas entrevistos nos excertos; limito-me a registrar alguns pontos de referência e interpretação, deixando ao professor e ao aluno a tarefa de completá-los e ampliá-los, com o exame do texto e a consulta da eventual indicação bibliográfica inserta no corpo do comentário. Este, bem por isso, incide tanto sobre aspectos gerais, evidentes no texto (como, por exemplo, o ele pertencer a determinada estética, etc.), como sobre aspectos particulares.*

*Agora, uma palavra acerca do critério geral que presidiu à elaboração d*A Literatura Portuguesa através dos textos. *Como se tratasse de* exemplificar *uma literatura, dentro das fronteiras de um volume só e de porte normal, não me restava outro meio senão lançar mão de um critério dúplice: convocar os textos* melhores, *isto é, qualitativamente julgados em primeira plana, segundo opinião do compilador e/ou do consenso geral, e os textos* representativos, *ou seja, que dessem uma idéia das várias facetas assumidas pela Literatura Portuguesa no curso de sua história, mesmo que o valor dos textos, enquanto documento literário, fosse inferior. Por outro lado, o critério não podia ser aplicado rigidamente, pois seria desconhecer as variações históricas havidas e as perspectivas correspondentes. Assim, certos poetas do Arcadismo, por exemplo, ganharam lugar na antologia, ao passo que outros, dos fins do século XIX, foram excluídos: é que, se o critério de escolha fosse* *idêntico para as duas épocas, determinados nomes arcádicos cederiam a vez para confrades seus oitocentistas, o que comportaria uma visão da Literatura Portuguesa diversa da que se pretende alcançar no momento. Se a antologia se baseasse apenas nos melhores textos, em lugar de Nicolau Tolentino punha-se, por exemplo, João Penha ou Antônio Feijó. Visto desejar-se uma idéia orgânica da evolução histórica da Literatura Portuguesa,* através dos textos, *pareceu-me que esse procedimento não cabia. Pela mesma razão, atribuiu-se um pouco mais de ênfase aos autores modernos: a Literatura Portuguesa contemporânea, além de interessar de perto ao leitor, apresenta uma diversidade e uma riqueza que justificam plenamente o elenco de escritores atuais enfeixados. Somente lastimo que seu número não pudesse ter sido ainda maior, para que a imagem dessa riqueza e diversidade estivesse mais próxima dos fatos; o que fica, porém, constitui a meu ver um punhado de* exemplos *sugestivos e insinuantes.*

M.M.

NOTA

Além de revisto e corrigido, o texto da presente edição sofreu vários acréscimos, tendo em vista sua atualização. Fico muito grato ao amigo e escritor português Luís Amaro pelas oportunas sugestões.

M.M.

TROVADORISMO

Preliminares

A primeira época da história da Literatura Portuguesa inicia-se em 1198 (ou 1189), quando o trovador Paio Soares de Taveirós dedica uma cantiga de amor e escárnio a Maria Pais Ribeiro, cognominada A *Ribeirinha,* favorita de D. Sancho I, — e finda em 1418, quando D. Duarte nomeia Fernão Lopes para o cargo de Guarda-Mor da Torre do Tombo, ou seja, conservador do arquivo do Reino. Durante esses duzentos anos de atividade literária, cultivaram-se a poesia, a novela de cavalaria e os cronicões e livros de linhagens, nessa mesma ordem decrescente de importância.

A Poesia

De origem ainda obscura (quatro teses têm sido aventadas: a arábica, a folclórica, a médio-latinista e a litúrgica), o lirismo trovadoresco instalou-se na Península Ibérica por influência provençal. Na transladação, sofreu, como seria de esperar, o impacto do novo ambiente e alterou algumas de suas características. Provavelmente, a principal modificação tenha consistido no recrudescimento do aspecto platonizante da confidência amorosa: dentro do trovadorismo português, o ponto mais alto do processo sentimental situava-se *antes* de a dama atender aos reclamos do apaixonado. Duas eram as espécies de poesia trovadoresca: a lírico-amorosa, expressa em duas formas, a *cantiga de amor* e a *cantiga de amigo;* e a satírica, expressa na *cantiga de escárnio* e de *maldizer.* O poema recebia o nome de "cantiga" (ou ainda de "canção" e "cantar") pelo fato de o lirismo medieval associar-se intimamente com a música: a poesia era cantada, ou entoada, e instrumentada. Letra e pauta musical andavam juntas, de molde a formar um corpo único e indissolúvel. Daí se compreender que o texto sozinho, como o temos hoje, apenas oferece uma incompleta e pálida imagem do que seriam as cantigas quando cantadas ao som do instrumento, ou seja, apoiadas na pauta musical. Todavia, dadas as circunstâncias sociais e culturais em que essa poesia circulava, perderam-se numerosas cantigas bem como a maioria das pautas musicais. Destas, somente restaram sete, pertencentes a Martim Codax, trovador da época de Afonso III (fins do século XIII). Recentemente (1991), Harvey L. Sharrer comunicou a descoberta da notação musical de sete cantigas de amor de D. Dinis. O acompanhamento musical fazia-se com instrumentos de corda, sopro e percussão (viola, alaúde, flauta, adufe, pandeiro, etc.). O espólio trovadoresco conserva-se em "cancioneiros" (= coletâneas de cantigas), dos quais os mais valiosos são o *Cancioneiro da Ajuda* (composto nos fins do século XIII, durante o reinado de Afonso III, apenas encerra cantigas de amor), o *Cancioneiro da Vaticana* (cópia italiana do século XVI sobre original da centúria anterior, contém as duas espécies de poesia trovadoresca) e o *Cancioneiro da Biblioteca Nacional* (também chamado *Colocci-Brancuti,* em homenagem a seus dois possuidores italianos, é cópia italiana do século XVI sobre original do século anterior, e abriga trovadores da época de Afonso III e D. Dinis e cantigas das duas espécies). Recebiam o título de *trovadores* os poetas que compunham, cantavam e instrumentavam suas próprias cantigas. *Jogral* chamava-se o bobo da Corte, o mímico, o bailarino; às vezes também compunha.

Segrel era o trovador profissional e, via de regra, andarilho. *Menestrel,* o músico. O idioma empregado era o galaico-português.

Cantiga de Amor

Contém a confissão amorosa do trovador, que padece por requestar uma dama inacessível, em conseqüência de sua condição social superior ou de ele afastar para longe a preocupação com a sua posse, impedido pelo sentimento espiritualizante que o domina.

PAIO SOARES DE TAVEIRÓS

Como primeiro exemplo dessa fôrma lírico-amorosa, tomemos a cantiga com que Paio Soares de Taveirós (séculos XII-XIII) deu começo ao histórico da Literatura Portuguesa, a qual, no dizer de Carolina Michaëlis de Vasconcelos *(Cancioneiro da Ajuda,* ed. crit. e com. por. . ., 2 vols., Halle, a.S., Niemeyer, 1904, vol. I, p. 82n), parece "cheia de desigualdades"; e "há no fim espaço branco para mais uma estrofe. — O princípio da 2ª está evidentemente viciado nos versos 1-4. A restituição é todavia difícil. Transpondo o *ai!* final do verso 9 para o 10, de sorte que ganhemos para esta a sílaba e a rima que lhe faltam, fica ainda aquela sem a consoante precisa, em *elha,* e sem o número devido de sílabas":

Cantiga

No mundo non me sei parelha,
mentre me for como me vai,
ca já moiro por vós — e ai!
mia senhor branca e vermelha,
queredes que vos retraia
quando vos eu vi en saia!
Mau dia me levantei,
que vos enton não vi fea!
E, mia senhor, dês aquel di', ai!
me foi a mi mui mal,
e vós, filha de don Paai
Moniz, e ben vos semelha
d'haver eu por vós guarvaia,
pois eu, mia senhor, d'alfaia
nunca de vós houve nen hei
valia d'ũa correa.

(*Cancioneiro da Ajuda,* ed. cit.,
vol. I, p. 82, cantiga 38.)

O exame dos aspectos formais da cantiga de Paio Soares de Taveirós nos pode ensinar quanto a certos termos de técnica poética empregados durante a florescência trovadoresca. A estrofe recebia o nome de *cobra, cobla ou talho.* O verso denominava-se *palavra,* e quando sem rima (como se afigura o segundo verso da segunda *cobra:* "me foi a mi mui mal"), *palavra-perduda.* O encadeamento (ou "enjambement") entre dois versos, ocorrido entre o quinto e o sexto da primeira *cobra* ("queredes que vos retraia quando vos eu vi em saia!"), era designado pelo vocábulo *atafinda*. Repare-se que a cantiga, formada de duas oitavas, não possui estribilho ou refrão: por isso, chama-se *cantiga de maestria*.

A presente cantiga, que apenas o *Cancioneiro da Ajuda* registra, sob o nº 38, é de equívoca classificação porquanto apresenta simultaneamente elementos lírico-amorosos e satíricos. O trovador nos dá a impressão de encobrir, sob o manto da reverência imposta por sua condição de cavalheiro em "serviço amoroso" de uma dama, suas setas embebidas em sarcasmo ou despeito. Por essa causa, e pelo fato de o texto ainda apresentar várias dúvidas aos filólogos, a canção vem resistindo valentemente à sondagem dos estudiosos, que continuam a discordar quanto à sua interpretação. Decerto, algo de sua peregrina e persistente beleza resultará justamente do caráter dúbio assumido pelo sentimento do trovador em relação à cortesã de D. Sancho I. Em vista disso, as observações subseqüentes objetivam tão-somente aflorar a questão e encaminhar o leitor para o âmago dos problemas colocados pela cantiga, e, ao mesmo tempo, de aspectos gerais da lírica trovadoresca.

Embora a cantiga toda sugira interpretações controversas, as maiores dificuldades, tendo por base a lição de Carolina Michaëlis de Vasconcelos, residem nos seguintes pontos: 1. "branca e vermelha"; 2. "retraia"; 3. "en saia!"; 4. "filha de don Paai/Moniz"; 5. "por vós".

1. "branca e vermelha" — Dependendo de a vírgula estar onde a situa a romanista supracitada, ou de transferir-se para depois de "mia senhor", indicará: a) a alvura e o rosado da tez feminina (ou a cor ruiva de seus cabelos), ou b) a cor da "guarvaia", vestuário de Corte e de luxo, provavelmente de "cor escarlate" (Carolina Michaëlis de Vasconcelos, "Glossário do *Cancioneiro da Ajuda*", *Revista Lusitana*, Lisboa, vol. XXIII, nº 1-4, 1920, p. 44).

2. "retraia" — Do verbo "retraer" com o significado de: a) "retratar", "descrever", "relatar", ou b) "afastar-se de", "retirar-se de", "desviar-se de", "recuar", ou c) "desistir de", "renunciar a".

3. "en saia!" — Significa: a) "estar sem manto", "ser vista na intimidade", ou b) "estar de luto".

4. "filha de don Paai/Moniz" — A palavra "filha" tem sido considerada a) substantivo ou b) forma verbal, do verbo "filhar", que significa "tomar de presente", "apropriar-se".

5. "por vós" — Significaria a) "por intermédio de vós", ou b) "por amor de vós", "para vós", ou c) "em troca de vós", "em substituição da vossa pessoa".

Em face de tais dificuldades, como interpretar a cantiga? Creio que a falta da terceira *cobra* (que na maioria dos casos existia) manterá a questão sempre aberta, sem contar as obscuridades em parte assinaladas. Todavia, talvez coubesse sugerir a seguinte hipótese, *meramente* com o intuito de convidar o leitor a entrar no debate e buscar a sua interpretação: os três primeiros versos, de sentido transparente, contêm o lamento passional do trovador: "não conheço ninguém no mundo igual a mim enquanto me acontecer o que me acontece, pois eu morro por vós — ai!". Os três versos seguintes possivelmente expressem algo como: "minha senhora alva e rosada, quereis que vos descreva quando vos vi na intimidade!"; ou "minha senhora alva e rosada, quereis que vos lembre que já vos vi na intimidade?". E o final da *cobra* diria: "mau dia aquele (em que vos vi sem manto), pois vi que não sois feia". A segunda *cobra* encerraria o seguinte: "e, minha senhora, desde aquele dia, ai!, venho sofrendo dum grande mal, e enquanto vós, filha de dom Paio Moniz, julgais forçoso que eu vos cubra com a 'guarvaia' (ou: "que eu vos ofereça uma 'guarvaia' para que vós cubrais as formas belas que entrevi quando estáveis sem manto"), eu, minha senhora, de vós nunca recebi a coisa mais insignificante".

Portanto, quer-me parecer que o trovador, havendo sido beneficiado com os favores da dama, padece por se recordar do bem recebido e do mal que lhe ficou na lembrança. Mas também padece por despeito, quem sabe resultante de a dama se lhe tornar antipática ao admitir que agora, visto ter sido promovida à categoria de favorita do Rei, era merecedora do manto da Corte. Movido pelo ressentimento, insurge-se contra a circunstância de ela pretender a "guarvaia" por vaidade e petulância, ou para com a vestimenta apagar a memória das antigas concessões (ou seja, ter-se deixado ver "en saia" pelo trovador). E insurge-se ainda porque d*A Ribeirinha* jamais recebera presente algum, não os favores, que já os merecera, mas os benefícios que, como dama alçada ao nível régio, ela poderia conceder-lhe.

O caráter plangente, sobretudo dos primeiros versos, evidencia desde logo que se trata dum cantar de amor. Mas a indiscrição do trovador ao revelar que a dama se lhe mostrara "en saia", e a alusão à "guarvaia" (através da qual o apaixonado parece recriminar à dona, ainda que veladamente, o seu desejo de ser paga pelos favores concedidos) permitem supor um à-vontade próximo da ironia ou do desrespeito que, além de patentear o grau de intimidade entre o trovador e a dama, não se compadece com as estritas normas do amor cortês. Este, postulava o máximo de subserviência e veneração, e o emprego duma linguagem sutil que antes disfarçasse que escancarasse os conflitos sentimentais do trovador. Em suma, seria um *escárnio de amor* (ver, mais adiante, a *cantiga de escárnio e maldizer).*

D. DINIS

A cantiga seguinte, sendo inequivocamente de amor, ressaltará, por contraste, o que no cantar de Paio Soares de Taveirós constitui licença poética tomada de empréstimo à cantiga de escárnio. Para tanto, recorremos ao rei D. Dinis (1261-1325), protetor de poetas, amante da cultura (fundou a Universidade de Lisboa, primeira do País, em 1290) e trovador dos mais insignes e o que mais cantigas escreveu (são-lhe atribuídas 138 composições, das quais 76 de amor, 52 de amigo e 10 de maldizer). A cantiga selecionada, uma das mais densas dentre as que elaborou o Rei-Trovador, aparece registrada no *Cancioneiro da Vaticana,* sob o nº 97, e no *Cancioneiro da Biblioteca Nacional,* sob o nº 459:

Cantiga

Hun tal home sei eu, ai ben talhada,
que por vós ten a sa morte chegada;
vede quem é e seed'en nenbrada;
eu, mia dona.

Hun tal home sei eu que preto sente
de si morte chegada certamente;
vede quem é e venha-vos en mente;
eu, mia dona.

Hun tal home sei eu, aquest'oide:
que por vós morr' e vo-lo en partide,
vede quem é e non xe vos obride;
eu, mia dona.*

(J. J. Nunes, *Cantigas d'Amor,* Coimbra, Imprensa da Universidade, 1932, pp. 93-94.)

---

* *ben talhada* = formosa; *seed'en nenbrada* = lembrai-vos disso; *preto* = perto; *venha-vos en mente* = tende em mente; aquest'oide = ouvi isto; *vo-lo en partide* = afastai-o disso *(en* = da morte); *non xe vos obride* = não vos olvideis.

Ao contrário da de Paio Soares de Taveirós, a presente cantiga não encerra maiores problemas de interpretação textual. Trata-se duma *cantiga de refrão,* visto repetir-se o mesmo verso ("eu, mia dona") no final de cada *cobra.* Os versos da primeira *cobra* recorrem, com alterações formais que não de sentido, nas *cobras* seguintes: esse processo repetitivo denomina-se *paralelismo,* e cantigas *paralelísticas (ou cossantes)* os poemas que o empregam. Ambos, o *refrão* e o *paralelismo,* constituem recursos típicos da poesia popular. Observe-se, especialmente se utilizarmos o recurso da leitura à meia voz, que o sentimento do poeta evolui como um lamento ininterrupto e crescente, cujo ponto máximo se localiza no refrão da última *cobra.* E como o seu torturante sofrimento amoroso (a *coita* de amor) se tornou obsessivo, pois que fruto duma causa única e persistente (a indiferença ou a inacessibilidade da bem-amada), para expressá-lo o trovador somente encontra as mesmas ou equivalentes palavras. Assim, a reiteração paralelística decorre do próprio caráter exclusivista da paixão que inunda o poeta. Repare-se que o tormento sentimental pressupõe incorrespondência amorosa da *dona* ou/e despeito do trovador. O clima geral da cantiga, de submissão e reverência, deixa-se perpassar por uma aura de espiritualidade platônica que, porém, não dissimula o contorno erotizante do apelo masculino: a *coita* é mental e física a um só tempo, mas o confidente se esmera em sublimá-la, em atenuar-lhe os matizes sensuais e acentuar-lhe os traços denotadores duma ansiosa expectativa de bens ultraterrenos. Daí resulta uma cantiga de alta tensão lírica e "verdade" emocional, perante a qual apenas o leitor distraído ou insensível permanecerá frio ou insatisfeito.

Cantiga

En gran coita, senhor,
que peior que mort'é,
vivo, per boa fé,
e polo voss'amor
    esta coita sofr'eu
    por vós, senhor, que eu

Vi polo meu gran mal,
e melhor mi será
de morrer por vós já
e, pois meu Deus non val,
    esta coita sofr'eu
    por vós, senhor, que eu

Polo meu gran mal vi,
e mais mi val morrer
ca tal coita sofrer,
pois por meu mal assi
    esta coita sofr'eu
    por vós, senhor, que eu

Vi por gran mal de mi,
pois tan coitad'and'eu.*

(D. Dinis, *ibidem*, pp. 77-78.)

---

* *coita* = sofrimento; *senhor* = senhora; *per boa fé* = com toda a verdade; *ca* = do que.

Cantiga

Ai senhor fremosa, por Deus
e por quam boa vos El fez,
doede-vos algũa vez
de mim e destes olhos meus,
    que vos viron por mal de si,
    quando vos viron, e por mi.

e, porque vos fez Deus melhor
de quantas fez e mais valer,
querede-vos de min doer
e destes olhos meus, senhor,
    que vos viron por mal de si,
    quando vos viron, e por mi.

E, porque o al non é ren,
senon o bem que vos Deus deu,
querede-vos doer do meu
mal e dos meus olhos, meu ben,
    que vos viron por mal de si,
    quando vos viron, e por mi.*

(*Idem, ibidem*, pp. 136-137.)

Cantiga

Quer' eu en maneira de proençal
fazer agora hun cantar d'amor
e querrei muit' i loar mia senhor,
a que prez nem fremosura non fal,
nen bondade, e mais vos direi en:
tanto a fez Deus comprida de ben
que mais que todas las do mundo val.

Ca mia senhor quiso Deus fazer tal
quando a fez, que a fez sabedor
de todo ben e de mui gran valor
e con todo est' é mui comunal,
ali hu deve; er deu-lhe bon sen
e des i non lhe fez pouco de ben,
quando non quis que lh' outra foss' igual.

---

* *doer* = condoer; "Entre *por* e *mi* subentenda-se *mal de* do verso precedente" (nota de J. J. Nunes); *al* = outra coisa, tudo o mais; *ren* = coisa, nada; *ben* = boas qualidades.

Ca en mia senhor nunca Deus pôs mal,
mais pôs i prez e beldad' e loor
e falar muit ben e rir melhor
que outra mulher; des i é leal
muit', e por esto non sei oj' eu quen
possa compridamente no seu ben
falar, ca non há, tra-lo seu ben, al.*

(*Idem, ibidem*, pp. 140-141.)

Cantiga

A dona que eu am'e tenho por senhor
amostrade-me-a Deus, se vos en prazer for,
se non dade-me a morte.

A que tenh'eu por lume destes olhos meus
e por que choram sempre amostrade-me-a Deus,
se non dade-me a morte.

Essa que Vós fizestes melhor parecer
de quantas sei, ai Deus, fazede-me-a veer,
se non dade-me a morte.

Ai Deus, que me-a fizestes mais ca mim amar,
mostrade-me-a u possa con ela falar,
se non dade-me a morte.**

(Bernal de Bonaval, *ibidem,* p. 423.)

Cantiga de Amigo

Contém a confissão amorosa da mulher, geralmente do povo (pastora, camponesa, etc.). Sua *coita* nasce de entreter amores com um trovador que a abandonou, demora para chegar, ou está no serviço militar (*fossado).* A moça dirige-se à mãe, às amigas, aos pássaros, às fontes, às flores, etc., mas quem compõe ainda é o trovador. Ao invés do idealismo da cantiga de amor, a de amigo respira realismo em toda a sua extensão; daí o vocábulo *amigo* significar *namorado* e *amante.* Conforme o lugar ou as circunstâncias em que transcorre o episódio sentimental, a cantiga recebe o título de *cantiga de romaria, serranilha, pastorela, marinha*

---

* *loar* = louvar; *prez* = boas qualidades; *fal* = falta; "O pronome *en* substitui *mia senhor*" (nota de J. J. Nunes); *comprida* = plena; *ben* = boas qualidades; *ca* = pois; *sabedor* = ciente, dotada; *con todo* = contudo, apesar disso; *comunal* = sem vaidade; *hu* = onde; "Para completar *deve*, subentenda-se *sê-lo*" (nota de J. J. Nunes); *er* = além disso; *des i* = depois, desde então; *compridamente* = completamente; *tra-lo* = traz o, exceto o; *al* = algo mais.

** *en* = por isso, nisso; *se vos en prazer for* = se tiverdes prazer nisso.

ou barcarola, bailada ou *bailia, alba* ou *alvorada.* Vistas no seu conjunto, essas configurações da cantiga de amigo traduzem os vários momentos do namoro, desde a alegria da espera ou do diálogo entre moças acerca dos seus amores, até a tristeza pelo abandono ou a separação forçada.

AIRAS NUNES

Tomemos para exemplo a *bailada* de Airas Nunes, trovador galego da segunda metade do século XIII, coevo de Afonso X, o Sábio, e de D. Sancho IV, dos mais inspirados de toda a lírica medieval. Dentre as composições que legou, a escolhida para figurar nesta antologia constitui decerto sua obra-prima. A cantiga é conhecida por dois registros, no *Cancioneiro da Vaticana,* sob o nº 462, e no *Cancioneiro da Biblioteca Nacional*, sob o nº 818:

Cantiga

Bailemos nós já todas três, ai amigas,
so aquestas avelaneiras frolidas,
e quen for velida, como nós, velidas,
se amig'amar,
so aquestas avelaneiras frolidas
verrá bailar.

Bailemos nós já todas três, ai irmanas,
so aqueste ramo destas avelanas,
e quem for louçana, como nós, louçanas,
se amig'amar,
so aqueste ramo destas avelanas
verrá bailar.

Por Deus, ai amigas, mentr'al non fazemos,
so aqueste ramo frolido bailemos
e quen ben parecer, como nós parecemos,
se amig'amar,
so aqueste ramo so lo que nós bailemos
verrá bailar.*

(J. J. Nunes, *Cantigas d'Amigo,* 3 vols., Coimbra, Imprensa da Universidade, 1926-1928, vol. II, p. 235.)

Dado o seu conteúdo esvoaçante e alegre, esta cantiga fixa um raro momento festivo na vida sentimental da moça do povo. A beleza diáfana do poema parece evolar da melopéia

---

* so = sob; *aquestas* = estas; *velida* = formosa; *verrá* = virá; *louçana* = formosa; *mentr'al* = mentre al = enquanto outra coisa; *quen ben parecer* = quem for bela.

primaveril que norteia a confidência feliz das bailadeiras. A simplicidade da sintaxe e do próprio ritmo não deve confundir: o virtuosismo do trovador reside justamente em saber atingir a naturalidade da alegria juvenil e descontraída, e fundamentá-la num esquema rítmico que parece emergir do ato mesmo de respirar ou de cantar. A análise de alguns pontos do poema revela esse virtuosismo de poeta inspirado e senhor dos segredos de ofício: são três as bailadeiras ("Bailemos nós já todas três, ai amigas"), uma para cada *cobra;* e a inserção dos dois versos curtos (quadrissílabos) logo após o 3º e o 5º obedece à simetria existente entre serem três as moças e três as *cobras* integrantes da cantiga. Em verdade, cada jovem atua como solista de cada uma das *cobras,* e todas reúnem suas vozes em coro nos versos menores, que assim funcionam como verdadeiros estribilhos. Observe-se que a cantiga possui nítida fisionomia descritiva: as bailadeiras não perscrutam seu sentimento, apenas o relatam, como pessoas do povo que são, sensíveis mas incultas, viçosas mas primitivas. Para o leitor dos nossos dias, deve impressionar que o trovador haja conseguido exprimir dum modo tão flagrante e sugestivo a psicologia da mulher de humilde condição, graças à experiência direta do fato (o trovador seria o *amigo* a que as bailadeiras se reportam) e um alto poder de personificação dramática. Em suma, a cantiga de Airas Nunes constitui um inesquecível momento de estesia musical e emocional, que ressoa em nós muito depois de enunciado o derradeiro verso.

NUNO FERNANDES TORNEOL

A segunda cantiga de amigo que escolhemos para integrar a presente antologia pertence a Nuno Fernandes Torneol, trovador da primeira metade do século XIII. Dos mais autênticos e talentosos poetas do tempo, escreveu 13 cantigas de amor, uma de escárnio e 8 de amigo, das quais se considera obra-prima a que se segue, registrada no *Cancioneiro da Vaticana,* sob o nº 242, e no *Cancioneiro da Biblioteca Nacional,* sob o nº 641:

Cantiga

Levad', amigo, que dormides as manhãas frias;
todalas aves do mundo d'amor dizian:
leda m'and'eu!

Levad', amigo, que dormide'-las frias manhãas;
todalas aves do mundo d'amor cantavan:
leda m'and'eu!

Todalas aves do mundo d'amor dizian;
do meu amor e do voss'en ment'avian:
leda m'and'eu!

Todalas aves do mundo d'amor cantavan;
do meu amor e do voss' i enmentavan:
leda m'and'eu!

Do meu amor e do voss'en ment'avian;
vós lhi tolhestes os ramos en que siian:
leda m'and'eu!

Do meu amor e do voss'i enmentavan;
vós lhi tolhestes os ramos en que pousavam:
leda m'and'eu!

Vós lhi tolhestes os ramos en que siian
e lhi secastes as fontes en que bevian:
leda m'and'eu!

Vós lhi tolhestes os ramos en que pousavam
e lhi secastes as fontes u se banhavan:
leda m'and'eu!*

(*Ibidem,* vol. II, pp. 71-72.)

Apesar da atmosfera amorosa, não se trata de uma *alba*, visto que lhe faltam, como assinala Giuseppe Tavani ("Motivi della Canzone d'Alba in una Cantiga di Nuno Fernandes Torneol", *Annali*, Napoli, III, 1, 1961, pp. 199-205), os ingredientes próprios, como a recorrência do vocábulo "alba" no estribilho e a sentinela (ou *gaita*, alba provençal), que acordava os amantes, avisando-os de qualquer perigo, sobretudo a presença do marido ciumento. A cantiga encerra o monólogo da moça ao amanhecer, desperta pelo canto da passarada: ao mesmo tempo que a sua alegria de amar parece comunicar-se às aves ou nelas encontrar sua expressão musical, a jovem exorta o amante a levantar-se e a comungar com ela da festiva revoada que a cobre e a encanta. Ausentes as notações eróticas a cantiga "versa sobre um tema tradicional, popular ainda no presente século na Galiza e em algumas vilas portuguesas" (Carolina Michaëlis de Vasconcelos, *Cancioneiro da Ajuda*, vol. II, p. 344) e constitui "das coisas mais prodigiosas do nosso antigo lirismo" (Rodrigues Lapa, *Lições de Literatura Portuguesa*, Época Medieval, 3ª ed., Coimbra, Coimbra Ed., 1952, p. 144). O contentamento da moça afigura-se resultar mais da lembrança do afeto vivido, e porventura acabado, que da continuidade da relação amorosa no dia novo que desponta. Assim, o secar das fontes e o tolher dos ramos insinuam o término do sentimento entre o par de namorados, embora o estribilho, superlativando a persistência da alegria da jovem, acentue a impressão de que o amor permanecerá apesar de o bem-amado haver cortado os ramos e secado as fontes. A aliciante atmosfera lírica e de flagrância sentimental origina-se precisamente do simbolismo polivalente que emoldura o monólogo da apaixonada após uma noite de amor.

D. DINIS

Das numerosas cantigas de amigo compostas por D. Dinis, salienta-se uma que tem tido espaço obrigatório nas antologias do vernáculo, e que aparece registrada no *Cancioneiro da Vaticana,* sob o nº 171, e no *Cancioneiro da Biblioteca Nacional,* sob o nº 533:

Cantiga

— Ai flores, ai flores do verde pino,
se sabedes novas do meu amigo?
ai, Deus, e u é?

---

* *levad* = levantai; *leda* = contente; i = aí, nos cantos; *en ment'avian* = traziam na mente (= referiam-se a); *enmentavan* = equivalente a *en ment'avian; siian* = pousavam.

Ai flores, ai flores do verde ramo,
se sabedes novas do meu amado?
ai, Deus, e u é?

Se sabedes novas do meu amigo,
aquel que mentiu do que pôs comigo?
ai, Deus, e u é?

Se sabedes novas do meu amado,
aquel que mentiu do que mi á jurado?
ai, Deus, e u é?

— Vós me preguntades polo voss'amigo?
E eu ben vos digo que é san'e vivo:
ai, Deus, e u é?

Vós me preguntades polo voss'amado?
E eu ben vos digo que é viv'e sano:
ai, Deus, e u é?

E eu ben vos digo que é san'e vivo
e seerá vosc'ant'o prazo saído:
ai, Deus, e u é?

E eu ben vos digo que é viv'e sano
e seerá vosc'ant'o prazo passado:
ai, Deus, e u é?*

(*Ibidem,* pp. 19-20.)

Esta cantiga, das mais belas de quantas escreveu o Rei-Trovador, pode ser considerada de múltipla classificação: trata-se de uma *tenção,* isto é, cantiga dialogada, porquanto a moça interroga o "verde pino" nas quatro primeiras *cobras,* e o "verde pino" lhe responde nas restantes; entretanto, seria também uma *pastorela,* cantiga protagonizada por uma pastora: a circunstância de o diálogo estabelecer-se em pleno campo permite supor que a jovem pertence àquela condição, e a cantiga, portanto, ao tipo das *pastorelas.* Ao mesmo tempo, o ritmo, a musicalidade acelerada, resultante dos decassílabos terminados por refrãos em versos redondilhos (de cinco sílabas), conduz à impressão de que a cantiga igualmente pode ser classificada como *bailada:* na verdade, defrontar-se-iam duas solistas; a primeira, que interroga as flores, e a segunda, que faz as vezes delas para a resposta; ambas se aliariam às demais moças presentes para entoar o refrão, em que todas instilariam o mesmo suspirar de amor pelo bem-amado ausente. Por isso, dependendo da perspectiva em que se coloca o leitor, podemos rotular a cantiga de D. Dinis de *tenção, pastorela* e *bailada.* Observem-se, ainda, os seguintes aspectos: 1) o caráter festival e cantante dos decassílabos parece quebrar-se com o grito

---

* *pino* — pinheiro; *u* — onde; *pôs* — combinou; *san'e vivo* = são e vivo; *e seerá vosc'ant'o prazo saído / prazo passado* = e estará convosco quando terminar o prazo do serviço militar.

lancinante e desesperado, expresso no refrão; 2) *o paralelismo* rigoroso, que corresponde, como já sabemos, a uma tendência típica da poesia popular; 3) o primeiro verso da terceira *cobra* repete o último da segunda, e o primeiro da sétima repete o segundo da sexta, apenas mudando a derradeira palavra pelo sinônimo equivalente ("amado"/"amigo") ou alternando a posição dos últimos vocábulos ("viv'e sano"/"san'e vivo"): este processo de composição poética recebia o nome de *leixa-pren,* "deixa-prende".

Cantiga

Amiga, muit'á gran sazon
que se foi d'aqui con el-rei
meu amigo, mais já cuidei
mil vezes no meu coraçon
    que algur morreu con pesar,
    pois non tornou migo falar.

Porque tarda tan muito lá,
e nunca me tornou veer,
amiga, si veja prazer,
mais de mil vezes cuidei já
    que algur morreu con pesar,
    pois non tornou migo falar.

Amiga, o coraçon seu
era de tornar ced'aqui,
u visse os meus olhos en mi;
e por en mil vezes cuid'eu
    que algur morreu con pesar,
    pois non tornou migo falar.*

(D. Dinis, *ibidem,* p. 6.)

Cantiga

Oi' oj' eu uma pastor cantar,
du cavalgava per uma ribeira,
e a pastor estava i senlheira,
e ascondi-me pola ascuitar
e dizia mui bem este cantar:
"So lo ramo verde frolido
  vodas fazen a meu amigo
    e choran olhos d'amor."

---

* *muit'á gran sazon* = há algum tempo; *algur* = algum lugar; *migo* = comigo; *si veja prazer* = se encontra satisfação; *coraçon* = desejo.

E a pastor parecia mui ben
e chorava e estava cantando
e eu mui passo fui-me achegando
pola oi'r e sol non falei rem,
e dizia este cantar mui bem:
"Ai estorninho do avelanedo
cantades vós e moiro eu e peno:
e d'amores ei mal."

E eu oi'-a sospirar enton,
e queixava-s' estando com amores
e fazi' uma guirlanda de flores,
des i chorava mui de coraçon
e dizia este cantar enton:
"Que coita ei tan grande de sofrer:
amar amigu'e non 'ousar veer!
e pousarei so l'avelanal."

Pois que a guirlanda fez a pastor,
foi-se cantand', indo-s'en manselinho,
e tornei-m'eu logo a meu caminho,
ca de a nojar non ouve sabor,
e dizia este cantar ben a pastor:
"Pela ribeira do rio cantando
ia la virgo d'amor: quen amores
á como dormirá, ai bela frol!"*

(Airas Nunes, *ibidem*, pp. 233-234.)

Cantiga

Levou-s'a louçana,
levou-s'a velida;
vai lavar cabelos
na fontana fria,
leda dos amores,
dos amores leda.

---

* *du* = enquanto, quando; *i* = aí; *senlheira* = sozinha; *pola* = para a; *ascuitar* = escutar; *so* = sob; *vodas* = festas; *passo* = devagar; *oir* = ouvir; *sol* = como de costume; *rem* = nada; *estorninho* = pássaro pequeno; *avelanal*, *avelanedo* = plantação de aveleiras; *des i* = enquanto isso; *de coraçon* = do fundo do coração, *coita* = sofrimento; *pois que* = depois que; *manselinho* = de mansinho, devagar; *ca de a nojar non ouve sabor* = pois não tinha prazer algum em vê-la sofrer; *virgo* = virgem, donzela; *á* = tem.

Levou-s'a velida,
levou-s'a louçana;
vai lavar cabelos
na fria fontana,
leda dos amores,
dos amores leda.

Vai lavar cabelos
na fontana fria;
passa seu amigo,
que lhi ben queria,
leda dos amores,
dos amores leda.

Vai lavar cabelos
na fria fontana,
passa seu amigo
que a muit'ama,
leda dos amores,
dos amores leda.

Passa seu amigo,
que lhi ben queria;
o cervo do monte
a augua volvia,
leda dos amores,
dos amores leda.

Passa seu amigo
que a muit'ama;
o cervo do monte
volvia a augua,
leda dos amores,
dos amores leda.*

(Pêro Meogo, *ibidem*, pp. 375-376.)

Cantiga

Ondas do mar de Vigo,
se vistes meu amigo!
e ai Deus, se verrá cedo!

---

* *louçana* = formosa; *velida* = formosa; *fontana* = fonte; *leda* = contente; *augua* = água.

Ondas do mar levado,
se vistes meu amado!
    e ai Deus, se verrá cedo!

Se vistes meu amigo,
o por que eu sospiro!
    e ai Deus, se verrá cedo!

Se vistes meu amado
por que hei gran cuidado!
    e ai Deus, se verrá cedo!*

(Martim Codax, *ibidem,* p. 441.)

Cantiga de Escárnio e Maldizer

As diferenças entre estas duas modalidades irmãs da sátira trovadoresca residiriam, segundo a *"Arte de Trovar"* que antecede o *Cancioneiro da Biblioteca Nacional,* no seguinte: a cantiga de escárnio conteria sátira indireta, realizada por intermédio do sarcasmo, da zombaria e de uma linguagem de sentido ambíguo; a cantiga de maldizer encerraria sátira direta, agressiva, contundente, e lançaria mão duma linguagem objetiva e sem disfarce algum. Entretanto, tal distinção nem sempre se torna patente, pois volta e meia topamos com cantigas que misturam os dois processos. A maior parte, porém, das cantigas satíricas era de maldizer.

PÊRO GARCIA BURGALÊS

Para representar esse tipo de poesia trovadoresca, escolhemos inicialmente uma composição de Pêro Garcia Burgalês, trovador galego da segunda metade do século XIII, que escreveu numerosas cantigas de amor, de amigo e de escárnio e maldizer. A cantiga selecionada para representar-lhe o talento constitui, sem dúvida, um dos momentos mais altos a que subiu a sátira trovadoresca. Registram-na o *Cancioneiro da Vaticana,* sob o nº 998, e o *Cancioneiro da Biblioteca Nacional,* sob o nº 1331:

Cantiga

Rui Queimado morreu con amor
en seus cantares, par Sancta Maria,
por ũa dona que gran ben queria,
e, por se meter por mais trobador,
porque lh'ela non quis [o] ben fazer,
fez-s'el en seus cantares morrer,
mas ressurgiu depois ao tercer dia!

Esto fez el por ũa sa senhor
que quer gran ben, e mais vos en diria:

---

* *verrá* = virá; *levado* = encapelado, cheio de ondas.

porque cuida que faz i maestria,
e nos cantares que fez a sabor
de morrer i e desi d'ar viver;
esto faz el que x'o pode fazer,
mas outr'omen per ren non [n] o faria.

E non há já de sa morte pavor,
senon sa morte mais la temeria,
mas sabe ben, per sa sabedoria,
que viverá, dês quando morto for,
e faz-[s']en seu cantar morte prender,
desi ar viver: vede que poder
que lhi Deus deu, mais que non cuidaria.

E, se mi Deus a min desse poder,
qual oi' el há, pois morrer, de viver,
jamais morte nunca temeria.*

(J. J. Nunes, *Crestomatia Arcaica, 3ª* ed., Lisboa, Clássica, 1943, p. 400.)

Esta cantiga enquadra-se entre as de escárnio, visto que Pêro Garcia procura mofar de Rui Queimado (trovador dos fins do século XIII e princípios do XIV) com "palavras cobertas que hajam dous sentidos". Do prisma formal, repare-se que a cantiga apresenta quatro *cobras,* uma a mais do que era freqüente. A última *cobra,* com estrutura própria (um terceto, enquanto as outras *cobras* constituem estrofes de sete versos), mas vinculada ao corpo da cantiga pela rima, — recebia a denominação de *fiinda.* As quatro *cobras* equivalem a três fases do percurso satírico: a primeira *cobra* funciona como prólogo, ou súmula dos antecedentes do tema escolhido; as duas seguintes encerram a perquirição intelectual do quadro insólito que Rui Queimado oferecia na sua relação com a dama eleita e a morte: morria (nas canções. . .) mas permanecia vivo; a *fiinda,* servindo de fecho às *cobras* restantes, guarda a "moral da história", o conceito, a sentença moral, que o trovador extrai do caso de Rui Queimado. No tocante à matéria da canção, Pêro Garcia satiriza o vezo que tinha esse poeta, e não poucos outros confrades do tempo, de confessar, nas suas cantigas, que se consumia de amor pela "dona" dos seus cuidados. Mas como sua reiterada morte fosse apenas lírica, o trovador acabou por cair em ridículo. E nesse estado Pêro Garcia o surpreendeu. O tom da composição é, pois, irônico e conceituoso; todavia, na primeira *cobra* o trovador enfatiza a sátira ao dizer que o seu desafeto "fez-s'el en seus cantares morrer" porque sua dama "non quis [o] ben fazer" (ou seja: atender-lhe os rogos). Note-se, inclusive, o terceiro verso da mesma *cobra:* "mas ressurgiu depois ao tercer dia!". Seu conteúdo sarcástico e irreverente, e a exclamação final dão idéia de ápice do relato da situação grotesca em que se enfiara Rui Queimado. Por fim, cabe salientar o seguinte ponto: embora a cantiga de escárnio tenda, no geral, a ser *à clef* (quer

---

* *par* = por; *en* = disso; *porque cuida que faz i maestria* = porque pensa que possui talento; *sabor* = gosto; i = aí; *desi* = depois; *ar* = re *(ar viver* = reviver), de novo, outra vez; *dês* = desde; oi = hoje; *pois morrer, de viver* = viver depois de morrer.

dizer: referir-se a circunstâncias e pessoas encobertas ou dissimuladas), o cantar de Pêro Garcia ainda nos diz alguma coisa graças à sua equação humana, viva nos dias que correm, na medida em que perdura a dissociação entre o poeta-criador e o poeta-homem: Rui Queimado morria como poeta, em imaginação, ao passo que, como homem, se mantinha vivo.

JOÃO GARCIA DE GUILHADE

A segunda cantiga satírica que a seguir se transcreve, pertence a João Garcia de Guilhade, trovador do século XIII, importante não só pelos recursos poéticos de que era possuidor, como pelo número de cantigas que compôs: 21 cantigas de amigo, 15 de maldizer e duas *tenções*. A canção que escolhemos, uma das mais sugestivas e vivazes de quantas criou, vem registrada no *Cancioneiro da Vaticana*, sob o n.º 1097, e no *Cancioneiro da Biblioteca Nacional*, sob o nº 1399:

Cantiga

Ai dona fea! foste-vos queixar
porque vos nunca louv'en meu trobar
mais ora quero fazer un cantar
en que vos loarei toda via;
e vedes como vos quero loar:
dona fea, velha e sandia!

Ai dona fea! se Deus mi perdon!
e pois havedes tanto gran coraçon
que vos eu loe en esta razon,
vos quero já loar toda via;
e vedes qual será a loaçon:
dona fea, velha e sandia!

Dona fea, nunca vos eu loei
en meu trobar, pero muito trobei;
mais ora já un bon cantar farei
en que vos loarei toda via;
e direi-vos como vos loarei:
dona fea, velha e sandia!*

(Oskar Nobiling, *As Cantigas de D. Joan Garcia de Guilhade,* Erlangen, 1907, p. 67.)

Trata-se, como se vê, duma cantiga de maldizer, porquanto o trovador se dirige diretamente à "dona fea, velha e sandia". Sua estrutura revela nitidamente o caráter popular desse tipo de cantiga: além de se arquitetarem segundo o esquema paralelístico, as *cobras* finalizam

* *ora* = agora; *toda via* = sempre, completamente; *sandia* = louca; *que vos eu loe en esta razon* = mereceis a justiça de eu louvá-la; *loaçon* = louvor; *pero* = todavia.

em estribilho. Quanto ao conteúdo, é fácil imaginar as causas da invectiva do trovador: com certeza, a mulher a que ele destina a sátira se julgara merecedora duma cantiga de amor, e, quem sabe, as atenções do poeta. Este, na resposta, observa as leis do comedimento, visto a interlocutora possuir os defeitos que tornavam improcedente e ridícula sua pretensão: "dona fea, velha e sandia". Na zombaria altiva e superior, posto que cortante e frontal, e na feliz concentração de notas satíricas que o trovador alcança realizar no estribilho, reside a vitalidade da cantiga, igualmente viva naquilo em que retrata uma situação social que persiste, ou seja, a duma "dona fea, velha e sandia" que anseia ser cortejada por um jovem. Atente-se para o fato de que a sátira trovadoresca, sobretudo na vertente de maldizer, por circular em ambientes tabernários, somente por exceção apresentava a moderação de João Garcia de Guilhade: não raro acolhia as expressões mais chulas e licenciosas de que é capaz a Língua Portuguesa, num verismo que amortece a possível carga poética em presença, e enaltece a relevância das cantigas desse naipe como documento histórico e sociológico (Ver: *Cantigas d'Escarnho e de Mal Dizer,* ed. crit. por Rodrigues Lapa [Coimbra], Editorial Galáxia, 1965).

Cantiga

Hun infançon me-á convidado
que seja seu jantar loado
por mi, mais non no ei guisado
e direi-vos por que me-aven,
ca iá des antan' ei jurado
que nunca diga de mal ben.

Diss'el: "poi' lo jantar foi dado,
load' este jantar honrado":
dix' eu: "faria-o de grado,
Mais jurei antan' en Jaen,
na oste, quando fui cruzado,
que nunca diga de mal ben".*

([João] Nunes [Camanês]?, J. J. Nunes, *Crestomatia Arcaica*, p. 395.)

Cantiga

Don foão que eu sei
que á preço de livão,
vedes que fez ena guerra
(d'aquesto son certão):

* *infançon* = fidalgo de categoria inferior; *loado* = louvado, elogiado; *mais non no ei guisado* = mas não estou disposto; *me-aven* = isso me acontece; *ca* = é que; *ei* = hei, tenho; *des antan* = desde antanho, desde há muito tempo; *que nunca diga de mal ben* = que nunca diga bem de coisas más; *poi'lo* = depois que o; *de grado* = de bom grado, com prazer; *Jaen* = cidade da Espanha; *oste* = exército; *cruzado* = guerreiro que tomava parte nas cruzadas.

sol que viu os ginetes,
come boi que fer tavão,
sacudiu-s' e revolveu-se,
alçou rab' e foi sa via
a Portugal.

Don foão que eu sei
que á preço de ligeiro,
vedes que fez ena guerra
(d'aquesto son verdadeiro):
sol que viu os ginetes,
come bezerro tenreiro,
sacudiu-s' e revolveu-se,
alçou rab' e foi sa via
a Portugal.

Don foão que eu sei
que há prez de liveldade
vedes que fez ena guerra
(sabede-o por verdade):
sol que viu os ginetes,
come can que sal de grade,
sacudiu-s' e revolveu-se,
alçou rab' e foi sa via
a Portugal.*

(D. Afonso Mendes de Besteiros, *ibidem*, pp. 398-399.)

A Prosa

A prosa, na época do trovadorismo, é representada pelas novelas de cavalaria, os livros de linhagens, as hagiografias e os cronicões. Os livros de linhagens eram listas de nomes estabelecendo nexos genealógicos entre famílias fidalgas. Os cronicões, não raro escritos em Latim, apresentam escasso valor literário, embora constituam os primeiros documentos historiográficos em Portugal. Menor ainda é a valia literária das hagiografias, também redigidas em Latim. No conjunto, apesar da existência duma obra-prima como *A Demanda do Santo Graal,* a produção prosística dessa época ofuscou-se pelo brilho da poesia trovadoresca.

* *foão* = fulano; *que á preço de livão* = que se vangloria de ser ligeiro; *son* = sou, estou; *certão* = certo; *sol que* = logo que; *ginetes* = cavalos de raça; *fer* = fere, morde; *tavão* = inseto; *rab* = rabo; *foi sa via* = foi-se embora; *tenreiro* = tenro; *que há prez de liveldade* = que se vangloria de ligeireza; *come can que sal de grade* = como cão que sai de rastos.

Novelas de Cavalaria

Originárias da França e, remotamente, da Inglaterra, as novelas de cavalaria resultaram da prosificação das *canções de gesta* (poemas de assunto épico). Organizavam-se em três ciclos: o *ciclo bretão ou arturiano,* em torno do Rei Artur e os seus cavaleiros; o *ciclo carolíngio,* protagonizado por Carlos Magno e os doze pares de França; o *ciclo clássico,* de temas greco-latinos. Somente o *ciclo bretão* vingou em Portugal, através das narrativas vertidas do Francês. Delas restaram três espécimes: a *História de Merlim,* o *José de Arimatéia* e *A Demanda do Santo Graal.* Da primeira ficou unicamente a tradução espanhola, baseada na portuguesa, que se perdeu. O *José de Arimatéia* (ms. n.º 634 da Torre do Tombo) foi publicado em 1967.

A Demanda do Santo Graal francesa, que teria sido composta por Gautier Map cerca de 1220, pertencia a uma trilogia integrada por *Lancelote* e *A Morte do Rei Artur*, e foi vertida para o vernáculo no século XIII. Sua edição completa, mas estropiada, deu-se em 1944, com base no manuscrito de nº 2594, de Viena da Áustria, que seria uma cópia, refundida em fins do século XIV e princípios do XV, daquela tradução e adaptação. Reeditou-se, em 1955 e 1970, com aparato filológico mais exigente. O texto contém a referida novela e um resumo d*A Morte do Rei Artur*, induzindo a supor que o copista tivesse diante de si a trilogia toda.

A Demanda do Santo Graal

A novela inicia-se em Camaalot, reino do Rei Artur. É dia de Pentecostes, e os cavaleiros estão reunidos à volta da "távola redonda". Galaaz chega, ocupa o assento reservado para o "cavaleiro escolhido" e tira a espada fincada no "padrom" (pedra de mármore) que boiava n'água. Durante a refeição, o Graal (cálice com que José de Arimatéia colhera o sangue derramado por Cristo na cruz) perpassa o ar, nutre os presentes com o seu manjar celestial e desaparece. No dia seguinte, após ouvir missa, os cavaleiros saem na "demanda" (procura) do Santo Vaso. Daí por diante, vão-se entrelaçando as várias aventuras, que culminam quando Galaaz é beneficiado com a aparição do Graal enquanto celebra o ofício religioso. O episódio que se transcreve a seguir, correspondente aos capítulos 250-253, intitula-se "A Barca Misteriosa — O Torneo Forte e Maravilhoso":

Quando Boorz se partiu da abadia, ũa voz lho disse que fosse ao mar, ca Persival o atendia i. El se partiu ende, assi como o conto o há já devisado. E quando chegou aa riba do mar, a fremosa nave, coberta de um eixamete branco aportou, e Boorz desceu e encomendou-se a Nostro Senhor, e entrou dentro e leixou seu cavalo fora. E tanto que entrou dentro, viu que a nave se partiu tam toste da riba, como se voasse. E catou pela nave e nom viu rem, que a noite era muito escura; e acostou-se ao boordo e rogou a Nostro Senhor que o guiasse a tal lugar u sua alma podesse salvar. E, pois fez sa oraçom, deitou-se a dormir. E manhã, quando se espertou, viu na nave ũu cavaleiro armado de loriga e de brafoneiras. E, pois o catou, conhecê-o e tolheu logo seu elmo e foi-o logo abraçar e fazer com ele maravilhosa ledice. E Persival foi maravilhado, quando o viu vir contra si, ca nom podia entender quando entrara na nave. E pero, quando o conheceu, foi tam ledo, que nom poderia chus. E ergueu-se e abraçou-o e recebê-o como devia. E começou o um ao outro a contar de sas aventuras, que lhes aveerom dês que entraram na demanda. Assi se acharom os amigos na barca que Deus lhes guisara, e atendiam i quais aventuras lhes el quisesse enviar. E Persival disse que lhe nom falecia de sa promessa, fora Galaaz.

Mais ora leixa o conto falar deles e torna a Galaaz, ca muito há gram peça que se calou dele.

Conta a estória que, pois que o boõ cavaleiro se partiu de Persival e que o livrara dos XX cavaleiros que o perseguiram pola donzela, entrou no grã caminho da fresta e andou pois muitas jornadas, aa vezes acá, aa vezes alá, assi como a ventura o levava. E pois andou gram peça pelo reino de Logres em muitos logares u lhe diziam que havia aventuras de acabar, tornou-se contra o mar, assi como sa vontade lhe deu.

Uum dia lhe aveo que a ventura o levou per ante uũ castelo, u havia uũ torneo forte e maravilhoso; e havia i gram gente da ũa parte e da outra, e dos da Mesa Redonda havia i muitos, uũs que ajudavam os de dentro, e outros os de fora, e nom se conheciam, polas armas que haviam cambadas. Mais aquela hora que veo i Galaaz, eram os de dentro tam desbaratados, que nom atendiam se morte nom. E Tristam, que a ventura adussera aaquel torneo e que ajudava os de dentro, sofrera já i tanto que tinha já mui grandes IIII chagas, ca todolos de fora estavam sobre ele polo prenderem, porque viram que era melhor cavaleiro que nẽnhũ dos outros; e nom havia i tal dos outros que lhe tanto mal fezesse como Galvam e Estor, que eram da outra parte, e nom no conheciam, e pero el se defendia tam vivamente, que todos os que o viam eram maravilhados. Galaaz estava já muito preto da porta, e viu ante si uũ cavaleiro mal-chagado, que saíra do torneo e ia fazendo tam gram doo, que nom vistes maior. E Galaaz se chegou a ele e preguntou-o porque fazia tam gram doo:

— Por quê? disse el: polo milhor cavaleiro do mundo, que vejo morrer per grã maa-ventura, ca todo o mundo é contra el, assi como veedes, e ainda nom quer leixar o torneo.

— E qual é? disse Galaaz.

E el lho mostrou.

— Par Deus, disse Galaaz, verdadeiramente el é mũi boõ cavaleiro. Assi Deus vos salve, dizede-me como há nome.

— Senhor, disse el, há nome dom Tristam.

— No nome de Deus, disse Galaaz, eu o conhosco mui bem. Ora me terriam por mau, se o nom fosse ajudar.

Entom se leixou correr a eles e meteu Gilflet em terra; dês i, Estor; dês i, Sagramor; dês i, Lucam. E depois que lhe quebrou a lança, meteu mão aa espada, como aquel que se sabia bem dela ajudar, e meteu-se u era a maior pressa, e começou a derribar cavaleiros e cavalos, e fazer tam gram maravilha de armas, que quantos o viam se maravilhavam em. E Galvam disse a Estor e aos outros seus companheiros que já cavalgarom:

— Por esta cabeça, este é Galaaz, o boõ cavaleiro. Ora será fol quem no mais atender, ca a seu golpe nom pode durar arma.

E el isto dizendo, aveo que chegou Galaaz a ele, assi como a ventura o trazia, e deu-lhe ũa cuitalada, que lhe talhou o elmo e o almofre e o coiro e a carne atee o testo, mais aveo-lhe bem que nom foi chaga mortal. E Galvam, que bem cuidou a seer morto, leixou-se cair em terra. E Galaaz, que nom pôde ter seu golpe, acalçou o cavalo pelo arçom de ante, assi que o talhou per meo das espáduas, e o cavalo caiu morto a-cabo seu senhor.

Quando Estor viu este golpe, maravilhou-se e afastou-se afora, ca bem entendeu que seria mal-sem e folia demais atender. Sagramor disse entom:

— Per boa fé, ora posso bem dizer que este é o melhor cavaleiro que eu nunca vi. Nunca me creades de rem, se este nom é Galaaz, o mui boõ cavaleiro, aquel que há de dar cima aas aventuras do regno de Logres.

— Sem falha, esse é, disse Estor.

E eles em esto falando, Galaaz viu que os de fora começaram a fugir, e os do castelo iam empós eles, prendendo em eles a seu plazer. E quando Galaaz viu que os de fora eram já assi desbaratados, que nom podiam já recobrar, partiu-se ende tam escundidamente, que nenguũ nom no entendeu, fora Tristam. Aquel verdadeiramente o seguiu de longe, que aquel dia viu em el tam gram bondade de cavalaria, que disse que jamais nom seria ledo taa que nom soubesse quem era. Assi se foram ambos tam escondidamente, que os da assumada nom poderam saber que fora deles. E Galvam, que foi tam coitado do golpe, que nom cuidou a escapar vivo, disse a Estor:

— Par Deus, dom Estor, ora vejo eu que é verdade o que me disse Lançalot ante vós todos, em dia de Penticoste, que, se provasse de tirar a espada do padrom, que me acharia eu mal, ante que o ano passasse, e que seria per aquela espada mesma. E, sem falha, esta é aquela espada com que me el feriu. E esto vejo que assi me aveo como me foi adevĩado.

— E sodes mal-ferido? disse Estor.

— Non som tam mal-ferido, disse el, que nom possa guarecer. Mais o pavor me fez peor que al.

— Mais que podemos fazer? disse el. Semelha-me que já ficaremos, disse Estor.

— Non ficaredes vós, disse el, mais eu ficarei taa que seja guarido.

E eles em esto falando, chegarom-se os do castelo a eles. E quando souberom que era Galvam, muitos houve i a que pesou. E filharam-no e levaram-no ao castelo e desarmarom-no, e meterom-no em uã câmara escura e longe de gente, e fezerom-lhe catar sua chaga a uũ mui boõ mestre, que mũi bem sabia de tal mestria, que os fez seguros, que o daria são a pouco tempo. Assi ficou Galvam no castelo, e Estor, que o nom quis leixar ataa que saasse. Os outros se foram, e quando se partiram do castelo, começaram a falar de Galaaz e disserom:

— Que faremos? Aquel boõ cavaleiro nom é longe; vamos empós el, ataa que o achemos; e se Deus quer que o achemos, tenhamos-lhe companhia mentre podermos, ca, sem falha, maravilhas haveremos del.

A esto i se acordaram, e per u iam, iam demandando por Galaaz. Mais porque o nam acharam esta vez, se cala ora ende o conto e torna a Galvam.*

(*A Demanda do Santo Graal,* Rio de Janeiro, INL, 1955, vol. 1, pp. 375, 377, 379, 381.)

---

* *ca* = pois; atendia = esperava; *ende* = daí; *eixamete* = antigo veludo oriental felpudo; *leixou*

Este episódio divide-se em duas partes distintas, conforme o próprio título sugere. Na primeira, protagonizada por Boorz e Perseval, dois dos principais cavaleiros de Camaalot, observa-se, de um lado, a presença de ingredientes místicos que fazem da *Demanda* uma novela "ao divino", isto é, cristã e transcendental; de outro, a magia, o maravilhoso pagão, representado pela barca que partiu "como se voasse", que lembra a faceta fantástica e supersticiosa da Idade Média. A segunda parte, encetada no segundo parágrafo, contém o recheio mais freqüente nesse tipo de narrativa épica: a "justa", quando a troca de armas se realizava homem a homem, e o "torneio", quando coletiva. Aqui, Tristão enfrenta sozinho, em torneio, vários adversários, pois "nom se conheciam, polas armas que haviam cambadas". Vale dizer: como o reconhecimento entre os cavaleiros se fazia por meio das inscrições que adornavam o escudo, estando este "cambado", é natural que lutassem entre si julgando-se cavaleiros inimigos ou desconhecidos. Tal pormenor constitui lugar-comum na novela de cavalaria medieval. Observe-se também que Galaaz se coloca ao lado de Tristão, embora não o reconheça: bastava que o outro estivesse inferiorizado para que sentisse obrigação de ajudá-lo, mesmo que contra seus amigos, Estor e Galvam. Essa adesão fraternal, que contrabalança o ímpeto guerreiro motivado por desconhecimento, guarda um símbolo de extração cristã: o herói corre em socorro de Tristão porque este, batalhando contra numerosos cavaleiros, representa o Bem a se bater com o Mal. É que Galaaz, tanto quanto os demais companheiros de jornada, não só procurava aperfeiçoar-se física e moralmente na defesa de donzelas e cavalheiros desprotegidos ou injustiçados, como fazia disso sua própria razão de viver. Assim, por trás da interferência altruística de Galaaz, percebe-se que o cavaleiro simbolizava Cristo em sua peregrinação entre os homens, a fim de pacificá-los e defender os pobres contra os ricos, os fracos contra os fortes, etc. E por seu intermédio se patenteia o intuito do autor da *Demanda:* exortar os leitores à prática das virtudes cristãs e pregar a salvação do mundo pelo exemplo de Cristo e seus apóstolos, encarnados em Galaaz e irmãos de armas. Do ponto de vista estrutural, observe-se a expressão "ora leixa o conto", ou "conta a estória", ou "ora ende se cala o conto", em que as palavras "estória" e "conto" encerram o mesmo significado que "narrativa", e funcionam apenas como elementos de ligação entre as partes ou episódios da novela.

= deixou; *toste* = rápida, depressa; *catou* = olhou; *rem* = nada; u = onde, *loriga* = saiote de malha com lâminas de aço ou escamas de ferro; *brafoneiras* = peça que cobria a parte superior dos braços dos cavaleiros; *ledice* = alegria, *contra* = na direção de; *pero* = mas; *chus* = mais; *que nom poderia chus* = a mais não poder; *aveerom* = aconteceram; *dês* = desde; *guisara* = preparara; *gram peça* = há muito tempo; *froesta* = floresta; *se morte nom* = senão a morte, apenas a morte; *adussera* = levara; *preto* = perto; *dês i* = depois; *em* = disso; *fol* = louco; *cuitalada* = cutilada; *almofre* = elmo; *testo* = cabeça; *a-cabo* = junto de; *dar cima* = realizar; *empós* = atrás de; *taa* = até; *assumada* = ajuntada; *padrom* = padrão, pedra de mármore; *seria* = sararia; *sem falha* = sem dúvida; *guarecer* = curar; *al* = outra coisa; *mestre* = médico: *saasse* = sarasse.

25. Como os da Mesa Redonda houverom da graça do Santo Graal. — Grande foe a lidice e o prazer que os cavaleiros da Távola Redonda houverom aquele dia, quando se virom todos de~[consũu]. E sabede que, depois que a Távola Redonda foi começada, que nunca todos assi forom assũados, mas aquele dia sem falha avẽo que forom i todos, mas depois nunca i er forom.

Contra a noite, depois de vésperas, quando se assentarom aas mesas, ouvirom viir ũu torvam tam grande e tam spantoso, que lhes semelhou que todo o paaço caía. E logo depois que o torvam deu, entrou ũa tam grande claridade, que fez o paaço dous tanto mais claro ca[1] era ante. E quantos no paaço siam, logo todos forom compridos da graça do Spíritu Santo e começarom-se a catar ũus aos outros, e virom-se mui mais fremosos mui gram peça que soíam a ser, e maravilharom-se ende muito desto que aveo, e nom houve i tal, que podesse falar por ũa gram peça, ante siam calados e catavam-se ũus aos outros. E eles assi seendo, entrou no paaço o Santo Graal, cuberto de ũu eixamete branco; mas nom houve i tal, que visse quem no tragia. E tanto que entrou i, foi o paaço todo comprido de boõ odor, como se tôdalas spécias do mundo i fossem. E ele foe per meo do paaço, de ũa parte e da outra, darredor das mesas. E per u passava, logo todalas mesas eram compridas de tal manjar, qual em seu coraçom desejava cada ũu. E depois que houve cada ũu o que houve mester a seu prazer, saiu-se o Santo Graal do paaço, que nhũu nom soube que fora dele, nem por qual porta saíra. E os que ante nom podiam falar, falarom entam. E derom graças a Nosso Senhor, que lhes fazia tam grande honra e que os assi confortara e avondara da graça do Santo Vaso. Mas sobre todos aqueles que ledos eram, mais o era rei Artur, porque maior mercee lhe mostrara Nosso Senhor que a nhũu rei que ante reinasse em Logres. Desto forom maravilhados quantos i eram, ca[2] bem lhes semelhou que se lembrara Deus deles, e falaram i muito. E el-rei disse aos que cabo dele siam:

— Certas, amigos, muito devíamos a seer ledos, que Deus nos mostrou tam gram sinal de amor, que em tam boõa festa, como hoje, de Penticoste, nos deu a comer do seu santo celeiro.

26. Como Galvam começou a gram demanda do Santo Graal. — Galvam, que siia ante el-rei, disse:

— Senhor, ainda i al há, que vós nom cuidades. Sabede que non há cavaleiro no paaço, que non houvesse de comer quanto pensou cada ũu em seu coraçom. E esto nunca houve em nhũa corte, senam em casa del-rei Peles. Mas de tanto fomos enganados, que o nom vimos senam cuberto. [E porém], quanto em mim é, prometo ora a Deus e a toda cavalaria, que, de manhaã, se me Deus quiser atender, entrarei na demanda do Santo Graal, assi que a manterrei ũu ano e ũu dia e, pola ventura, mais; e [a]inda mais digo: que jamais nom tornarei aa corte, por cousa que avenha, [ataa que] milhor e mais a meu prazer veja o que ora vi; mas se nam poder seer, tornarei entam.

27. Como os da Mesa Redonda começarom a demanda do Santo Graal. — Quando os cavaleiros da Távola Redonda ouvirom que aquele era Galvam e virom o que disse, [sofrerom-se] ataa que per comerom; mas tanto que as mesas foram levantadas, foram todos ante el-rei e fezerom aquela promessa que fezera Galvam, e disserom que jamais nom quedariam de andar, ataa que vissem atal mesa e tam saborosos manjares e atam guisados, como eram aqueles que eles aquel dia comerom, se era cousa que lhes outorgada fosse, por afam e por trabalho que sofrer podessem.

28. Como el-rei disse a Galvam mal. — E quando el-rei viu que todos haviam feita esta promessa, houve gram pesar e grande amargura em seu coraçom, ca[3] viu ca[4] os nom podia tornar em nhũa guisa. E disse a Galvam:

— Vós me havedes morto e scarnido, ca por esta promessa, que fezestes, me tolhestes a milhor companha e [a] mais leal, que nunca foe no mundo — a companha da Távola Redonda; ca[5], depois que se ora partirem daqui, eu sei bem que nom tornaróm acá tam cedo, ante morrerám gram peça deles em esta demanda, ca nom haverá tam cedo cima como cuidades; e por esto me pesa, ca sempre lhes fiz honra de todo meu poder, e quis-lhe bem e quero, como se fossem meus irmaãos ou meus filhos. E por esto me é grave seu partimento, e quando eu, [que] os soía veer e haver sua companha, os nom vir, grã coita sofrerei e gram pesar.

Depois que esto disse, el-rei começou a pensar muito; e el pensando, começarom-se-lhe ir as lágrimas dos olhos polas faces, assi que todos o viiram. E á-cabo de ũa peça, disse, assi que todos o ouvirom:

— Galvam, Galvam, vós me metestes tam gram pesar no coraçom, que jamais nom sairá ende, ataa que a esta demanda veja cima, ca [terrei] gram pesar e pavor de perder i meus amigos.

— Ai, Senhor! disse Lançarot, que dizedes? Tal homem como vós nom deveria haver pavor, mas sforço e boõa sperança. Certas, se nós morrêssemos todos em esta demanda, maior honra nos seria ca[6] de morrermos alhur.

— Ai, Lançarot! disse el-rei, o mui grande amor que eu sempre houve a vós e a eles me faz esto dizer. E nom é gram maravilha, se eu hei gram pesar, ca nunca [rei] cristaão houve tantos cavaleiros, nem tantos homeẽs boõs aa sua mesa, como hoje eu hei, nem haverá jamais. E por esto me temo que jamais nom sarám assũados aqui nem algur, como ora som.*

(*Ibidem*, pp. 29, 31, 33, 35.)

---

* *de-consuũ* = juntos, juntamente; *assũados* = assumados, reunidos; *er* = de novo; *torvam* = trovão; *ca*[1] = do que; *siam* = pousavam; *compridos* = cheios; *catar* = olhar; *peça* = pedaço, quantidade; fração de tempo (*gram peça* = muito mais; mais tempo); *soiam* = costumavam; *ende* = daí; *avêo* = aconteceu; *eixamete* = antigo veludo oriental felpudo; *ledos* = contentes; *ca*[2] = *cabo* = lado; *por cousa que avenha* = aconteça o que acontecer; *sofreram-se* = abstinham-se; *per* = completamente; *quedavam* = deixariam de; *afam* = cuidado, trabalho, fadiga, ânsia; *ca*[3] = pois; *ca*[4] = que; *guisa* = maneira; *ca*[5] = pois; *partimento* = partida; *coita* = sofrimento; *cima* = fim; *á-cabo de ũa peça* = ao fim de algum tempo; *certas* = certamente; *ca*[6] = do que; *algur*, *alhur* = noutro lugar; *ora* = agora.

HUMANISMO

Preliminares

A época do Humanismo inicia-se em 1418, quando D. Duarte nomeia Fernão Lopes para as funções de Guarda-Mor da Torre do Tombo, e termina em 1527, quando Sá de Miranda, retornando da Itália, inicia em Portugal a campanha em prol da cultura clássica. No seu decurso, em que se opera a implantação das idéias humanísticas, cultivam-se a historiografia, a prosa doutrinária, a poesia, o teatro e a novela de cavalaria *(Amadis de Gaula)*.

A Historiografia

A atividade historiográfica, que na época do Trovadorismo não passara da fase embrionária e improvisada, entra agora em sua fase madura, graças especialmente a Fernão Lopes, seguido de Gomes Eanes de Azurara e Rui de Pina.

FERNÃO LOPES

Pouco se conhece de sua biografia. Como vimos, em 1418 D. Duarte nomeia-o Guarda-Mor da Torre do Tombo, e em 1434 incumbe-o de escrever a crônica dos reis da primeira dinastia. Faleceu depois de 1459. De suas obras, apenas três nos restaram: *Crônica d'El-Rei D. Pedro, Crônica d'El-Rei D. Fernando* e *Crônica d'El-Rei D. João I* (até 1411).

Crônica de D. Pedro

Filho de Afonso IV, D. Pedro I reinou entre 1357 e 1367. Aos vinte anos, casou-se com D. Constança, filha do Infante João Manuel, regente de Castela. Entre as damas de companhia de D. Constança contava-se Inês de Castro, filha do fidalgo galego Pedro Fernandes de Castro, da qual D. Pedro logo se apaixonou. Mas seu pai, que então reinava, interpôs-se. Com o falecimento de D. Constança, em 1345, os enamorados passaram a entreter livremente os seus amores. Todavia, o rei se deixa convencer por seus conselheiros a permitir o assassínio de Inês, que se consumou a 7 de janeiro de 1355. Enfurecido de dor e de indignação, D. Pedro, quando já erguido ao trono, conseguindo aprisionar os matadores de Inês, ordenou que morressem com tal sadismo que ele acabou merecendo os epítetos de "O Cruel" e "O Justiceiro". Nem por isso amainaram as saudades de Inês: torturado pela ausência, passava noites e noites de horrores e pressentimentos, de que se julgava livrar saindo às ruas para dançar e confraternizar com o povo. É precisamente uma cena como essa que se vai ler a seguir:

Em três cousas, assinadamente, achamos, pela mor parte, que el-Rei D. Pedro de Portugal gastava seu tempo. A saber: em fazer justiça e desembargos do Reino;

em monte e caça, de que era mui querençoso; e em danças e festas segundo aquele tempo, em que tomava grande sabor, que adur é agora para ser crido. E estas danças eram a som de umas longas que então usavam, sem curando de outro instrumento, posto que o aí houvesse; e se alguma vez lho queriam tanger, logo se enfadava dele e dizia que o dessem ao demo, e que lhe chamassem os trombeiros.

Ora deixemos os jogos e festas que el-Rei ordenava por desenfadamento, nas quais, de dia e de noite, andava dançando por mui grande espaço; mas vede se era bem saboroso jogo. Vinha el-Rei em batéis de Almada para Lisboa, e saíam-no a receber os cidadãos, e todos os dos mesteres, com danças e trebelhos, segundo então usavam, e ele saía dos batéis, e metia-se na dança com eles, e assim ia até o paço.

Parai mentes se foi bom sabor: jazia el-Rei em Lisboa uma noite na cama, e não lhe vinha sono para dormir. E fez levantar os moços, e quantos dormiam no paço; e mandou chamar João Mateus e Lourenço Palos, que trouxessem os trombas de prata. E fez acender tochas, e meteu-se pela vila em dança com os outros.

As gentes, que dormiam, saíam às janelas, a ver que festa era aquela, ou por que se fazia; e quando viram daquela guisa el-Rei, tomaram prazer de o ver assim ledo. E andou el-Rei assim gram parte da noite, e tornou-se ao paço em dança, e pediu vinho e fruta, e lançou-se a dormir. . .

E não curando mais falar de tais jogos: ordenou el-Rei de fazer conde e armar cavaleiro João Afonso Telo, irmão de Martim Afonso Telo, e fez-lhe a mor honra, em sua festa, que até aquele tempo fora visto que rei nenhum fizesse a semelhante pessoa; pois el-Rei mandou lavrar seiscentas arrobas de cera, de que fizeram cinco mil círios e tochas; e vieram do termo de Lisboa, onde el-Rei então estava, cinco mil homens das vintenas para terem os ditos círios. E quando o conde houve de velar suas armas, no mosteiro de S. Domingos dessa cidade, ordenou el-Rei que desde aquele mosteiro até os seus paços, que é assaz grande espaço, estivessem quedos aqueles homens todos, cada um com seu círio aceso, que davam todos mui grande lume; e el-Rei, com muitos fidalgos e cavaleiros, andava por entre eles, dançando e tomando sabor.

E assim despenderam gram parte da noite.

Em outro dia, estavam mui grandes tendas armadas no Rossio, acerca daquele mosteiro, em que havia grandes montes de pão cozido, e assaz de tinas cheias de vinho, e logo prestes por que bebessem. E fora estavam ao fogo vacas inteiras em espetos a assar, e quantos comer queriam daquela vianda, tinham-na muito prestes, e a nenhum não era vedada.

E assim estiveram sempre, enquanto durou a festa, na qual foram armados outros cavaleiros, cujos nomes não curamos dizer.*

(*Crônicas de D. Pedro e D. Fernando,* 2ª ed., Lisboa, Bertrand, 1921, pp. 3 1-34.)

---

* *assinadamente* = notadamente; *monte* = caça de monte, caça grossa; *querençoso* = apreciador; *adur* = apenas; *longas* = trombetas longas; *mesteres* = ofícios; *trebelhos* = jogos, danças, bailados; *parai mentes se foi bom sabor* = considerai se foi coisa agradável; *homens das vintenas* = de cada vinte homens destacava-se um para servir o rei; *terem* = trazerem.

Esta passagem, das mais sugestivas de quantas oferecem o retrato de D. Pedro, convida a observar algumas das características marcantes da obra historiográfica de Fernão Lopes. 1) O cronista concentra sua atenção no rei: sua concepção da História, portanto, é regiocêntrica; mas como lhe interessa sobretudo a face política das ocorrências, sua concepção é também política (o que, infelizmente, não pode ser percebido no trecho mencionado); e é igualmente psicológica, visto que o está preocupando a sondagem no interior do monarca, ainda que só do ponto de vista de suas imprevistas e descontroladas manifestações de alegria; pelo flanco político e regiocêntrico, Fernão Lopes revela-se ainda preso à cultura medieval. 2) Pela primeira vez, e para contrabalançar o regiocentrismo, o cronista faz comparecer o povo no palco dos acontecimentos, lado a lado com o rei, duma forma tal que os plebeus "tomaram prazer de o ver assim ledo". 3) O historiador descreve as cenas como se as visse, num visualismo dinâmico que lembra o movimento de uma câmara cinematográfica surpreendendo os pormenores mais flagrantes da personagem central, por fora e por dentro: um visualismo ao mesmo tempo cenográfico e psicológico. 4) Atente-se para a humanidade que Fernão Lopes divisa no íntimo do desditoso rei, denotadora duma sincera compreensão do seu profundo drama e de seu irremediável tormento: nem por se tratar de um monarca o cronista foge de encará-lo antes de tudo como homem. 5) Quanto ao estilo e à estrutura narrativa: por herança da novela de cavalaria e mercê do talento de fino prosador que possuía Fernão Lopes, o estilo caminha com uma naturalidade e um vigor realmente avançados para o tempo, próprios de um ficcionista, corroborados pelo andamento das cenas, obediente a um típico ritmo novelesco; alguns arcaísmos, como "trebelho" e outros, cooperam para conceder ao trecho um sopro de narração viva e espontânea, quase se diria coloquial. 6) Esse estilo ficcional, porém, não empana, pelo contrário, emoldura, a propensão inata do cronista para ater-se à verdade histórica com base no documento, a qual se patenteia nítida no referido trecho, tudo com uma serenidade que assinala um historiador seguro do seu método e infenso a quaisquer extremismos ou paixões desnorteantes.

Crônica de D. João I

D. João I, filho bastardo de D. Pedro I, que o elevou a Mestre de Avis com apenas sete anos, ascendeu ao trono por meio duma revolução popular, em 1383-5. Antes disso, reinava o seu meio-irmão, D. Fernando: casado com Leonor Teles, espanhola de nascimento, em pouco tempo a perigosa influência de Castela se fez notar, sobretudo por causa dos amores ilícitos entre a rainha e um seu compatriota, o Conde João Fernandes de Andeiro. Inconformado com a situação, o povo insurge-se contra o trono, comandado pelo Mestre de Avis. Este, com a vitória da sublevação, é aclamado rei (6-4-1385) e dá início à dinastia de Avis e a um reinado de profícuas realizações, acima de tudo culturais. O trecho selecionado corresponde a um dos momentos mais dramáticos da revolta, quando o Mestre de Avis assassina o amante de Leonor Teles:

Em outro dia pela manhã partiu o Mestre daquela aldeia u dormira, e começou a andar seu caminho, sem trigança alguma desacostumada; e no caminho dizem que descobriu o Mestre esta cousa a alguns seus, convém saber: ao Comendador de Jerumenha, e a Fernando Álvares, e a Lourenço Martins de Leiria, e a Vasco Lourenço que depois foi Meirinho, e a Lopo Vasques que depois foi Comendador-mor, e a Rui Pereira que o foi receber. E disse a um deles:

— *I-vos diante quanto puderdes e dizei a Álvaro Paes que se faça prestes, ca eu vou por fazer aquilo que ele sabe.*

O Escudeiro andou à pressa e deu-lhe o recado e tornou-se pera o Mestre onde vinha. E ele trazia uma cota vestida e até vinte consigo com cotas e braçais e espadas cintas como homens caminheiros; e chegou ao Paço à hora de terça ou pouco mais, sem deter porém em outra parte. E quando descavalgou e começaram de subir acima, disseram uns aos outros mui manso:

— *Sede todos prestes, ca o Mestre quer matar o Conde João Fernandes.*

A Rainha estava em sua câmara e Donas algumas assentadas no estrado, e o Conde de Barcelos seu irmão, e o Conde Dom Álvaro Peres, e Fernando Afonso de Samora, e Vasco Peres de Camões e outros, estavam em um banco; e o Conde João Fernandes que dantes estava em cabeceira deles, estava então ante ela e começava de lhe falar passamente. E em lhe sendo assi falando, bateram à porta, e o Porteiro como entrou o Mestre, quis cerrar a porta por não entrar nenhum dos seus, e disse que o preguntaria à Rainha, não por deles haver nenhuma suspeita, mas porque a Rainha estava com dó, e não era costume de nenhum entrar, salvo esses senhores, sem lhe primeiro fazer saber. E o Mestre respondeu ao Porteiro:

— *Que hás tu assi de dizer?*

E em esto entrou de guisa, que entraram os seus todos com ele; e ele moveu passamente contra onde estava a Rainha; e ela se levantou, e todolos outros que eram presentes.

E depois que o Mestre fez reverência à Rainha e mesura a todos, e eles a ele recebimento, disse a Rainha que se assentassem, e falou ao Mestre dizendo:

— *E pois, irmão que é isto a que tornastes de vosso caminho?*

— *Tornei, Senhora,* disse ele, *porque me pareceu que não ia desembargado como cumpria. Vós me ordenastes que tivesse cargo da comarca de Entre Tejo e Odiana, se por ventura el-Rei de Castela quisesse vir ao reino e quebrar os tratos entre vós e ele; e porque aquela frontaria é grossa de gentes e grandes senhores, assi como do Mestre de Santiago, e do Mestre de Alcântara e doutros e bons fidalgos; e aqueles que vós assinastes pera a guardarem comigo, me parecem poucos; por ende tornei pera me dardes mais vassalos, pera vos eu poder servir, segundo cumpre a minha honra e vosso serviço.*

A Rainha disse que era mui bem, e mandou logo chamar João Gonçalves seu Escrivão da Puridade, que visse o livro dos vassalos daquela comarca, e que lhe desse quantos e quais o Mestre requeresse, e que fosse logo desembargado de todo. João Gonçalves foi chamado à pressa e foi-se assentar com seus escrivães a prover os livros pera desembargar o Mestre.

Em esto começaram de o convidar os Condes cada um per si; e isso mesmo o Conde João Fernandes se aficava mais que comesse com ele que os outros. O Mestre não quis tomar convite de nenhum, escusando-se per suas palavras, dizendo que já tinha prestes de comer que mandara fazer ao seu Vedor; porém dizem que disse mui escusamente ao Conde de Barcelos que o não sentiu nenhum:

— *Conde, i-vos daqui, ca eu quero matar o Conde João Fernandes.*

E que ele respondeu que se não iria, mas estaria i com ele pera o ajudar.

— *Não sejais,* disse o Mestre, *mas rogo-vos todavia que vos vades daqui, e me aguardeis pera o jantar; ca eu Deus querendo tanto que isto for feito, logo irei comer convosco.*

A ventura por melhor azar a morte do Conde João Fernandes, começou de lhe fazer recear a vida do Mestre; per tal guisa que lhe pôs em vontade, que mandasse a todolos seus que se fossem armar e se viessem pera ele; e de qualquer jeito que foi, partirom-se os seus todos do Paço, assim fidalgos que o acompanhavam como os outros, e foram-se armar pera se virem per ele; e esta foi a razão por que ele ficou só de todos eles, e nenhum estava i quando morreu.

A Rainha isso mesmo pôs femença nos do Mestre; e vendo-os assim todos armados, não lhe prougue em seu coração, e disse falando contra todos:

— *Santa Maria val! como os Ingleses hão mui bom costume, que quando são no tempo da paz, não trazem armas, nem curam de andar armados, mas boas roupas e luvas nas mãos como donzelas; e quando são na guerra, então costumam as armas e usam delas como todo o mundo sabe.*

— *Senhora,* disse o Mestre, *é mui grande verdade. Mas isso fazem eles porque hão mui amiúde guerras, e poucas vezes paz, e podem-no mui bem fazer; mas a nós é polo contrário, ca havemos mui amiúde paz e poucas vezes guerra; e se no tempo da paz não usarmos as armas, quando viesse a guerra não as poderíamos suportar.*

E falando em isto e em outras cousas, chegavam-se as horas do comer, e despediu-se o Conde de Barcelos, e desi os outros, ca os mais deles dava a vontade aquilo que se depois fez.

Ficando assim o Conde João Fernandes, gastava-se-lhe o coração, e tornou a dizer ao Mestre:

— *Senhor, vós todavia comereis comigo.*

— *Não comerei,* disse o Mestre, *ca tenho feito de comer.*

— *Sim, comereis;* disse ele, *e enquanto vós falais, irei eu mandar fazer prestes.*

— *Não vades,* disse o Mestre, *ca vos hei de falar uma cousa antes que me vá, e logo me quero ir, que já é horas de comer.*

Então se despediu da Rainha, e tomou o Conde pela mão e saíram ambos da câmara a uma grande casa que era diante, e os do Mestre todos com ele, e Rui Pereira e Lourenço Martins mais acerca. E chegando-se o Mestre com o Conde acerca de uma fresta, sentiram os seus que o Mestre lhe começava de falar passo, e estiveram todos quedos. E as palavras foram entre eles tão poucas e tão baixo ditas, que nenhum por então entendeu quejandas eras; porém afirmam que foram desta guisa.

— *Conde, eu me maravilho muito de vós serdes homem a que eu bem queria, e trabalhardes vós de minha desonra e morte.*

— *Eu senhor!* disse ele, *quem vos tal cousa disse, mentiu-vos mui grande mentira.*

O Mestre que mais vontade tinha de o matar que de estar com ele em razões, tirou logo um cutelo comprido, e enviou-lhe um golpe à cabeça; porém não foi a ferida tamanha que dela morrera, se mais não houvera. Os outros que estavam de arredor, quando viram isto, lançaram logo as espadas fora pera lhe dar, e ele movendo pera se colher à câmara da Rainha com aquela ferida, e Rui Pereira que era mais acerca, meteu um estoque de armas per ele de que logo caiu em terra morto.

Os outros quiseram-lhe dar mais feridas, e o Mestre disse que estivessem quedos, e nenhum foi ousado de lhe mais dar; e mandou logo Fernando Álvares e Lourenço Martins que fossem cerrar as portas que não entrasse nenhum, e dissessem ao seu Pajem que fosse à pressa pela vila bradando que matavam o Mestre, e eles fizeram-no assim.

E era o Mestre quando matou o Conde, em idade de vinte e cinco anos e andava em vinte e seis; e foi morto seis dias de dezembro, era já escrita de quatrocentos e vinte e um.*

(*Crônica de D. João I,* 2 vols., Porto, Civilização, 1945, vol. 1, pp. 19-22.)

Como se vê, confirmam-se as características da passagem anterior, algumas se intensificam e outras se acrescentam: de um lado, a estrutura novelesca da historiografia de Fernão Lopes, agora evidenciada pelo desenrolar da ação e pelo emprego sistemático do diálogo, numa alternância peculiar à melhor prosa de ficção; de outro, o dramatismo da cena, posto em relevo por essa mesma estrutura ficcional, em que o diálogo, evoluindo num crescendo, nos vai insinuando a calma interior do Mestre de Avis, sua determinação calculada, sua firmeza de homem audacioso, intemerato, astucioso, dotado duma inabalável retidão de caráter, nascido para a ação esportiva e a liderança de povos e exércitos: tudo se passa como se fosse a descrição da psicologia dum herói novelesco, pleno de força íntima e de poder de presença, "vivo" enfim à frente do leitor. A descrição do modo como o Mestre de Avis executa o Conde de Andeiro (no antepenúltimo parágrafo) impressiona por sua concisão e precisão: Fernão Lopes possuía o sentido aguçado para a economia sintática e para a impressão que deveria causar no ânimo dos leitores. Em resumo: um extraordinário cronista, iniciador da historiografia portuguesa a sério, e um notável escritor.

Das razões que os fidalgos e povos houveram com o mestre, e como foi alçado por rei

Havido tal acordo como dizemos, os prelados e fidalgos e procuradores dos conselhos, todos juntamente foram então a ele e lhe pediram por mercê e requeriram que lhe prouguesse consentir em esta eleição que feita haviam; e quisesse aceitar e tomar em si o nome e dignidade e honra de rei, tomando cargo de defender os reinos, ca pera ele os tinha Deus guardados, que isto assim ordenara.

---

* *u* = onde; *trigança* = pressa; *que se faça prestes* = que se prepare; *ca* = porque; *passamente* = vagarosamente; *de guisa* = de modo; *trautos* = tratos, tratados; *assinastes* = designastes; *ende* = isso; *aficava* = teimava; *mandasse* = mandasse dizer; *femença* = atenção; *contra todos* = para todos; *prougue* = agradou; *val* = valha (como na expressão "Valha-me Deus"); *desi* = depois; *vontade* = pressentimento; *todavia* = sempre, completamente; *acerca* = próximo de; *quejandas* = quais; *quedos* = quietos; *era já escrita de quatrocentos e vinte e um* = 1383.

O Mestre, ouvindo estas razões, respondeu então e disse que ele dava a Deus muitas graças e lhe era mui teúdo de lhes pôr em coração e vontade, de o haverem de eleger pera tão alto estado; e a eles agradecia muito o bom desejo que contra ele mostravam. Mas que eles viam bem, e ele outrossim sentia em si, que não era nem podia ser suficiente pera receber nem suster em si tal honra e dignidade, como era o regimento real; mormente que eles eram certos que havia tais embargos, assim no defeito de sua nascença, como na profissão que à Ordem de Avis fizera, que não havia poder de receber tal encargo e honra como aquela a que eles o haviam elegido; e que, portanto, não podia consentir em elo.

Além desto dizia que sua vontade não se outorgava de o ser por outra razão, dizendo que ele prestes era por defensão do reino trabalhar quanto pudesse até a morte; e de esperar el-Rei de Castela com todo seu poder, e pelejar com ele, e desto não tivessem dúvida. E que, vencendo-o, ele sendo cavaleiro assi como era, o que esperava em Deus que assi fosse, que cobraria mui grande honra, e eles isso mesmo; e quando se de outra guisa acertasse, o que Deus não quisesse, que mor míngua lhe era, sendo rei e vencido, que posto que o fosse sendo cavaleiro. E que porém sobre o ajuntamento das gentes e a maneira como se o reino poderia defender e haver dinheiro para elas, se trabalhassem de determinar, e sobre outra cousa não fossem detidos.

Então todos os prelados e fidalgos e procuradores dos concelhos houveram grã nojo e desconforto de tal resposta como esta, entendendo que, se o dito dom João não tomasse nome e dignidade de rei, que o encargo da defensão dos reinos nem tomaria com tanto amor e diligência quanto a eles era cumpridoiro; por a qual razão enfraqueceriam os corações dos povos, não curando de se defender nem aguardar seus contrários como fazia mister; e que porém os ditos reinos estariam em grã perigo de vir em mãos de seus inimigos, mormente cismáticos e revéis à Santa Igreja.

Assim que, estando todos em seu firme propósito, não se entendendo de partir do que começado tinham, tornaram a dizer ao Mestre que, por as muitas necessidades em que eram postos, que deste só remédio queriam prover a todas, em haverem ele por rei e senhor. Por o qual remédio entendiam ser feita provisão e a todos os outros remédios, pera menos sentirem os danos e perigos com que os ameaçava el-Rei de Castela; e pois eles haviam vontade de se defender dele e de levar adiante a honra do Santo Padre Urbano VI, verdadeiro Papa de Roma, que porém lhe pediam por mercê e rogavam aficadamente, dizendo altas vozes que os não quisesse desamparar, nem pôr em tamanho desconforto. Mas que lhe prouguesse de tomar e haver em si o nome e dignidade e honra de rei, porque bem via ele quanto esto era necessário a ele e ao reino, e quanto mal e dano se seguiria se ele a esto não desse consentimento e obra. Prometendo de o ajudar com os corpos e haveres, e manter em estado e honra de rei, e pera levar sua guerra adiante; e mais de enviarem à corte de Roma seus honrados embaixadores ao Papa, para haverem dele quaisquer dispensações e graças; assi pera cessarem os embargos de sua nascença e profissão, como pera ele ser firme em aquele estado de rei em que o punham.

Quando o Mestre viu seus aficados rogos, e considerando as grandes necessidades do reino e suas boas vontades e oferecimentos, entendendo que prazia a Deus de o ser, pois se tanto aficavam a esto, como quer que lhe fosse grave de fazer, por as razões que dissera, houve em elo de consentir, e disse que pois se doutra quisa fazer não podia, que ele aceitava sua eleição e nome e dignidade real de rei pera defender o reino, com aqueles oferecimentos que lhe per eles eram feitos, e à honra e reverença do Santo Padre e da Sé Apostólica de Roma.

Esto determinado de todo, e o dia que o alçassem por rei, foi o prazer grande em todos, e dado cargo a Nuno Álvares de mandar correger os paços se esto havia de fazer. E andando ele per uma sala onde el-Rei havia de comer, com muitos que o acompanhavam, com o grã prazer que houve, posto que mui temperado fosse em falar, não se pôde ter e disse contra eles:

— *Desta vez meu senhor, o Mestre, será rei a prazer de Deus e apesar de quem pesar.*

E quando veio a quinta-feira, seis dias daquele mês de abril da era nomeada de quatrocentos e vinte e três, sendo então o Mestre em sua nova e florescente idade de vinte e seis anos e onze meses e vinte e cinco dias, foi alçado por rei. E feito seu ofício, assi eclesiástico como secular, dando-lhe aquele poderoso e real estado, que ele bem merecia, com grande festa e prazer, assi de lançar o tavolado como de outros jogos e trebelhos, segundo usança daquele tempo, não somente em aquele lugar de Coimbra, mas nas outras vilas e cidades que por ele estavam e sua voz mantinham.

Especialmente em Lisboa, onde foi feita uma mui honrada e solene procissão, que partiu da Sé e foi a São Domingos; e depois de comer com muito prazer e alegria, trouveram bandeira pela cidade, com muitos jogos e trebelhos, apregoando: *Arreal! por el-Rei dom João!* E alçaram então na rua Nova por tavolado, um grande e alto mastro de carraqua da parte do mar, de guisa que não torvava a rua.*

(*Ibidem*, pp. 421-424.)

GOMES EANES DE AZURARA

Nascido depois de 1410 e falecido entre 1473 e 1474, como segundo Cronista-Mor do Reino, procurou continuar a obra de Fernão Lopes. Escreveu a 3ª parte da *Crônica de D. João I (ou Crônica da Tomada de Ceuta), Crônica dos Feitos de Guiné, Crônica do Infante D. Henrique (ou Livro dos Feitos do Infante), Crônica de D. Pedro de Meneses, Crônica de D. Duarte de Meneses, Crônica de D. Fernando,* Conde de Vila-Real (desaparecida).

---

* *prouguesse* = prouvesse, agradasse; *ca* = pois; *teúdo* = tido (p.p. do v. *ter*), que tem por obrigação, obrigado; *eram certos* = tinham certeza, sabiam; *elo* = isto; *prestes* = pronto; *defensão* = defesa; *guisa* = maneira; *míngua* = falta; *nojo* = aborrecimento; *porém* = portanto, por isso; *era cumpridoiro* = tinham obrigação de levar a termo; *cismáticos e revéis* = separados e rebeldes; *ser feita provisão* = seria dado atendimento; *Urbano VI* = papa entre 1378 e 1389; *aficadamente* = teimosamente, insistentemente; *dispensações* = licenças; *correger* = corrigir, preparar, prover do necessário; *temperado* = sóbrio; *era de quatrocentos e vinte e três* = 1385; *tavolado* = mesa de jogo de cartas ou damas; *trebelhos* = jogos, danças, bailados; *trouveram* = trouxeram; *arreal!* = *real!*, grito que se levantava na aclamação dos reis de Portugal; *carraqua* = carraca, navio de carga e de grande lotação, usado pelos primeiros navegantes portugueses; *torvava* = estorvava.

Crônica dos Feitos de Guiné

Como declara o título, esta crônica trata da empresa de conquista da Guiné, em seguida à instalação da Escola de Sagres, do Infante D. Henrique. Lá chegados, após ultrapassarem as superstições em torno do Cabo Bojador, os nautas portugueses travam seguidas batalhas contra os mouros, as quais são narradas em todas as suas minúcias. Mas outros pontos da África e arredores também se tornam cenário de acontecimentos relevantes, como o Rio Nilo, as ilhas atlânticas (as Canárias, as Palmas, a Madeira), etc. Até que, por fim, as novas terras acabam sendo conquistadas para a coroa portuguesa. O passo que se vai ler, contém o relato das crendices e fantasias que, no crepúsculo da Idade Média, desencorajavam os navegantes de intentarem contornar o Cabo Bojador, e corresponde ao capítulo 8º, intitulado "Por que razom non ousavam os navios passar além do Cabo do Bojador":

Posto assim o infante em aqueste movimento, segundo as razões que já ouvistes, começou de aviar seus navios e gentes, quais a necessidade do caso requeria: mas tanto podeis aprender, que pero a enviasse muitas vezes, e ainda homens que per experiência de grandes feitos, entre os outros haviam no ofício das armas avantejado nome, nunca foi algum que ousasse passar aquele Cabo do Bojador pera saber a terra de além, segundo o Infante desejava. E isto por dizer verdade, nem era com míngua de fortaleza, nem de boa vontade, mas por a novidade do caso, misturado com geral e antiga fama, a qual ficava já entre os mareantes de Espanha, quase por sucessão de gerações. E já seja que fosse enganosa, porque a experiência dello ameaçava com o postumeiro dano, era grande dúvida qual seria o primeiro que quisesse pôr sua vida em semelhante ventura. Como passaremos, diziam eles, os termos que puseram nossos padres, ou que proveito pode trazer ao Infante a perdição de nossas almas, juntamente com os corpos, ca conhecidamente seremos homicidas de nós mesmos? Por ventura non foram em Espanha outros príncipes, nem senhores tão cobiçosos desta sabedoria como o Infante nosso senhor? Por certo non é de presumir que entre tantos e tam nobres, e que tam grandes e tam altos feitos fizerom por honra de sua memória, non fora alguũ que se dello non atremetera. Mas sendo manifestos do perigo, e fora da esperança da honra nem proveito, cessarom de o fazer. Isto é claro, diziam os mareantes, que depois deste cabo non há i gente nem povaroçom algũa; a terra non é menos areosa que os desertos de Líbia, onde non há água, nem árvore, nem erva verde; e o mar é tam baixo, que a ũa légua de terra non há de fundo mais que ũa braça. As correntes são tamanhas, que navio que lá passe, jamais nunca pudera tornar. E portanto os nossos antecessores nunca se antremeteram de o passar. E por certo non foi a eles o seu conhecimento de pequena escuridom, quando o non souberom assentar nas cartas, por que se regem todolos mares, per onde gentes podem navegar. Ora qual pensais que havia de ser o capitam do navio, a que pusessem semelhantes dúvidas diante, e mais per homens a que era razom de dar fé e autoridade em tais lugares, que ousasse de tomar tal atrevimento, sob tam certa esperança de morte como lhe ante os olhos apresentavam? O' tu virgem Têmis, diz o autor, que entre as nove musas do Monte Parnaso, havias especial prorrogativa de escoldrinhar os segredos da cova de Apolo! Eu duvido se o teu temor era tam grande de pôr os teus pés sobre aquela sagrada mesa, onde as revelações divinas te davam trabalho pouco menos de morte, quanto era em aquestes, ameaçados non somente de medo, mas de sua sombra, cujo grande engano foi causa de mui grandes despezas, ca doze anos continuados durou o Infante em aqueste trabalho, mandando em cada ano àquela parte seus navios, com grande gasto de suas rendas, nos quais nunca foi alguũ que se atrevesse de fazer aquela passagem. Bem é que eles non se tornavam sem honra, ca por emendar o que faleciam em non cumprir perfeitamente o mandado de seu senhor, uũs iam sobre a costa de Granada, outros corriam per o mar de Levante, até que filhavam grossas presas de infiéis, com que se tornavam honradamente pera o reino.*

(*Crônica dos Feitos de Guiné,* Lisboa, Agência Geral das Colônias, 1949, pp. 47-52.)

A primeira observação que cumpre fazer, diz respeito à linguagem de Azurara: comparando-a com a de Fernão Lopes, percebe-se que houve algo como um retrocesso, pois que o estilo do segundo Cronista-Mor se caracteriza por ser pétreo, enredado, artificioso. Numa palavra, dir-se-ia que se tornou historiográfico (no sentido menor desta palavra) e que perdeu a feição literária adquirida com o autor da *Crônica de D. Pedro.* Quais seriam as causas desse empobrecimento estilístico? De um lado, as limitações naturais de que padecia Azurara, falto que era de sensibilidade estética e de inteligência analítica, o que significa um pendor para a descrição e para a minúcia nem sempre relevante. De outro, a influência pronunciada dos prosadores latinos, cuja sintaxe procurou assimilar e imitar. Bem por isso, a presença de elementos clássicos já se estadeia nítida, inclusive pelo gosto duvidoso e postiço da citação erudita e meramente ornamental (veja-se a referência a Têmis, Monte Parnaso e Apolo); e via de regra bebida em segunda mão. Ainda lhe compromete a visão das coisas o fato de historiar acontecimentos muito recentes, apoiando-se mesmo em testemunhos orais, embora submetendo-os a rigoroso crivo. Paradoxalmente, esses depoimentos, dado o seu caráter subjetivo e fantasista, em vez de estimularem as aptidões literárias de cronista, mais lhe acentuam a ausência de imaginação plástica e a inclinação para uma historiografia predominantemente descritiva. Salva-o, porém, o mérito de haver iniciado a crônica dos descobrimentos, com uma ufania que viria a fazer longa carreira nas décadas seguintes. Observe-se, por último, que tais restrições se atenuam no caso da *Crônica da Tomada de Ceuta.*

RUI DE PINA

Quarto Cronista-Mor do Reino, viveu entre 1440 e 1522. Das nove crônicas que escreveu *(Sancho I, Afonso II, Sancho II, Afonso III, D. Dinis, Afonso IV, D. Duarte, Afonso V* e *D. João II),* somente a derradeira parte da antepenúltima e a última lhe pertencem: as demais seriam refundição de obra alheia, inclusive de Fernão Lopes.

---

* *aqueste* = este; *aviar* = preparar; *pero* = posto que; *postumeiro* = último; *dello* = disso; *atremetera* = arriscara; *i* = aí; *escoldrinhar* = esquadrinhar, vasculhar; *filhavam* = tomavam, apossavam-se de; *Têmis* = personificação da justiça e da ordem estabelecida; *Monte Parnaso:* monte na Grécia, consagrado às musas; *Apolo:* deus da luz, da música e da poesia.

Crônica de D. João II

D. João II, filho de Afonso V, reinou entre 1481 e 1495. Denominado o "Príncipe Perfeito", dele conta Rui de Pina que, subido ao trono com 26 anos (nasceu em 1455 e faleceu em 1495), tratou logo de consolidar o poder régio em suas mãos e resolver as questões internas, sobretudo no que toca às finanças. A seguir, cuidou de estimular a empresa dos descobrimentos em África. O trecho que se transcreve, foi extraído do penúltimo capítulo da crônica, intitulado "Feições, virtudes, costumes e manhas d'El-Rei D. João", e parece resumir, pelo retrato do monarca, o que havia sido o seu reinado:

Foi el-Rei D. João homem de corpo, mais grande que pequeno, mui bem feito, e em todos seus membros mui proporcionado; teve o rosto mais comprido, que redondo, e de barba em boa conveniência povoado. Teve os cabelos da cabeça castanhos, e corredios; e porém em idade de trinta e sete anos, na cabeça, e na barba era já mui cão, de que mostrava receber grande contentamento, pola muita autoridade que a sua Dignidade Real suas cãs acrescentavam: e os olhos de perfeita vista, e às vezes mostrava nos brancos deles umas veias, e mágoas de sangue, com que nas cousas de sanha, quando era dela tocado, lhe faziam o aspecto mui temeroso. E porém nas cousas de honra, prazer, e gasalhado, mui alegre, e de mui real, e excelente graça: o nariz teve um pouco comprido, e derribado algum tanto sem fealdade. Era em todo mui alvo, salvo no rosto que era corado em boa maneira. E até idade de trinta anos foi mui enxuto das carnes, e depois foi nelas mais revolto. Foi príncipe de maravilhoso engenho, e subida agudeza, e mui místico pera tôdalas cousas; e a confiança grande que disso tinha, muitas vezes lhe fazia confiar mais de seu saber, e creu conselhos de outrem menos do que devia. Foi de mui viva, e esperta memória, e teve o juízo claro, e profundo: e porém suas sentenças, e falas que inventava, e dizia, tinham sempre na invenção mais de verdade, agudeza, e autoridade, que de doçura, nem elegância nas palavras, cuja pronunciação foi vagarosa, entoada algum tanto pelos narizes, que lhe tirava alguma graça. Foi rei de mui alto, esforçado e sofrido coração, que lhe fazia suspirar por grandes, e estranhas empresas; polo qual conquanto seu corpo pessoalmente em seus reinos andasse polos bem reger como fazia, porém seu espírito sempre andava fora deles, com desejo de os acrescentar. Foi príncipe mui justo, e mui amigo de justiça, e nas execuções dela mais rigoroso, e severo, que piedoso; porque sem alguma exceção de pessoas de baixa, e alta condição, foi dela mui inteiro executor: cuja vara, e leis nunca tirou de sua própria seeda, por assentar nela sua vontade, nem apetites; porque as leis que a seus vassalos condenavam, nunca quis que a si mesmo absolvessem; ca sendo senhor das leis, se fazia logo servo delas, pois lhe primeiro obedecia. E porém de sua condição com pena, e dificuldade entendia nas petições, e despachos das partes, o que pareceu ser em seu tempo com muito bem de seus reinos, e vassalos; porque com isso dava causa, cessarem entre eles demandas, e grandes litígios, e principalmente desordenados, e cobiçosos requerimentos, pera que a facilidade do despacho muitas vezes convida; porque aquilo, que nos homens cobiça, e perfia espertavam pera requererem, e litigarem, a tardança do despacho que esperavam lho fazia com paciente assossego e honesto contentamento reprimir, e escusar.

Foi o príncipe de seu tempo mais privado de privados, e não devidos familiares, de que se esperasse, que contra razão, honestidade, e justiça, e com quebra de sua honra, estima, e estado se governasse, e regesse; porque como mui perfeito rei, assim ordenou sua vida, e neste passo tão livre de repreensão, que sendo senhor de senhores nunca quis ser, nem parecer servo dos servidores: e disto principalmente procedia, que em sua vida foi havido por seco de condição, e não humano, nem pareceu em vivendo de todos assim amado, e estimado, como o foi depois de sua morte. Mas este novo, tão grande, e tão geral amor, que a ele, e a sua memória per todos depois sobreveio, não nasceu tanto dos merecimentos de seu corpo, em que houve muitos, e de grande louvor, como da gloriosa salvação, e bem-aventurança de sua alma, a que este privilégio de graça só Deus por sua misericórdia depois de sua morte quis conceder. Foi príncipe sobre todos em suas determinações tão constante, e nas palavras tão verdadeiro, que em sua só palavra, quando a dava, iam os homens mais contentes, e seguros, do que poderiam ir nos assinados, e selos de muitos. Foi rei de tão grande, e tão geral nobreza, sem mágoa, nem vício de pródigo, que nunca pôde, nem soube dar pouco, nem a poucos, mas muito, e a muitos.*

(*Crônica d'El-Rei D. João II,* Coimbra, Atlântida, 1950, pp. 202-204.)

Observe-se que 1) o estilo de Rui de Pina difere do de seus antecessores na medida em que se caracteriza por fluência, sobriedade e espontaneidade, apesar de tender para os períodos longos, fruto de o cronista ressentir-se, mais do que Azurara, do impacto clássico sobre a sua formação; note-se como o historiador procura a ordem direta do pensamento, numa lógica simples, metódica, acessível ao leitor menos preparado; 2) do ponto de vista historiográfico, Rui de Pina falha pelo vezo de vincar demasiado as qualidades do rei e de sempre lhe justificar as fraquezas, o que denotaria um recriminável anseio de agradar o seu mecenas, D. Manuel, primo e cunhado de D. João II; assim, compromete-se a verdade histórica e acentua-se a impressão de pouco honesto que cerca Rui de Pina desde o século XVI; 3) o cronista dobra-se à tentação de fazer história moral, ou de vestir a roupagem de doutrinador, como se pode observar no final do primeiro parágrafo; e quando o faz, o seu estilo ganha algo de obscuro; na verdade, já transpirava o clima renascentista que se adensava desde o lusco-fusco do século XV; 4) mais do que Azurara, sua historiografia é descritiva, narrativa, linear e isenta de dramaticidade.

PROSA DOUTRINÁRIA

Durante a vigência do Humanismo, entrou a desenvolver-se a prosa doutrinária, voltada para a formação integral do homem, sobretudo o pertencente à fidalguia, em razão de serem reis e aristocratas os seus autores (D. João I, D. Duarte, D. Pedro, o Regente, Pêro Menino), e de a educação ser então privilégio das classes abastadas.

---

* *cão* = grisalho, com cabelos brancos; *creu* = acreditou em; *seeda* = cadeira, lugar; *ca* = porque.

D. DUARTE

Filho de D. João I, nasceu em 1391 e faleceu em 1438, e subiu ao trono em 1433. A ele se devem os atos que propiciaram a Fernão Lopes criar sua notável obra historiográfica. Escreveu o *Leal Conselheiro* e o *Livro da Ensinança de Bem Cavalgar Toda Sela*.

Leal Conselheiro

Redigida entre 1437 e 1438, esta obra somente foi dada a público em 1842. Dividida em cento e três capítulos, consiste numa espécie de tratado moral para a edificação da aristocracia, girando em torno de temas fundamentais, como o entendimento, a memória, a vontade, o siso, a soberba, a vanglória, a inveja, a sanha, a avareza, a gula, a caridade, o amor, a prudência, etc. A doutrina moral de D. Duarte resume-se em fazer a apologia das virtudes e a admoestação dos pecados. Dentre os vários tópicos de que se compõe a obra, escolheu-se o referente à *saudade,* que integra o capítulo XXV:

E a saudade não descende de cada uma destas partes, mas é um sentido do coração que vem da sensualidade, e não da razão, e faz sentir às vezes os sentidos da tristeza e do nojo. E outros vêm daquelas cousas que a homem praz que sejam, e alguns com tal lembrança que traz prazer e não pena. E em casos certos se mistura com tão grande nojo, que faz ficar em tristeza. E pera entender isto, não cumpre ler per outros livros, ca poucos acharão que dele falem, mas cada um vendo o que escrevo, consiire seu coração no que já per feitos desvairados tem sentido, e pudera ver e julgar se falo certo.

Pera maior declaração ponho disto exemplos. Se alguma pessoa por meu serviço e mandado de mim se parte, e dela sinto saudade, certo é que de tal partida não hei sanha, nojo, pesar, desprazer nem aborrecimento, ca praz-me de ser, e pesar-me-ia se não fosse. E por se partir algumas vezes vem tal saudade, que faz chorar e suspirar, como se fosse de nojo. E porém me parece este nome de saudade tão próprio, que o Latim nem outra linguagem que eu saiba não é pera tal sentido semelhante. De se haver algumas vezes com prazer, e outras com nojo ou tristeza, isto se faz, segundo me parece, por quanta saudade propriamente he sentido que o coração filha por se achar partido da presença de alguma pessoa, ou pessoas que muito per afeição ama, ou o espera cedo de ser. E isso medês dos tempos e lugares em que per deleitação muito folgou. Digo afeição e deleitação, por que são sentimentos que ao coração pertencem, donde verdadeiramente nasce a saudade mais que da razão nem do siso. E quando nos vem alguma lembrança dalgum tempo em que muito folgamos, não geral, mas que traga rijo sentido, e por conhecermos o estado em que somos ser tanto melhor, não desejamos tornar a ele por leixar o que possuímos, tal lembramento nos faz prazer. E a míngua do desejo per juízo determinado da razão nos tira tanto aquele sentido, que faz a saudade, que mais sentimos a folgança por nos lembrar o que passamos, que a pena da míngua de tempo ou pessoa. E aquesta saudade é sentida com prazer mais que com nojo nem tristeza.

Quando aquela lembrança faz sentir grande desejo, outorgado per toda maior parte da razão, de tornar a tal estado ou conversação, com esta saudade vem nojo ou tristeza mais que prazer. E por que sobre esta lembrança que traz saudade muitos incorrem em pecado, tristeza e desordenança da vontade, lembrando-lhes por vista de homens e mulheres casadas, cantigas, cheiros, ou per saltamento doutras falas e cuidados algumas pessoas com que houveram algumas folganças quais não deviam ou puderam compridamente haver como desejavam, e o leixavam de fazer, e por ello lhes vem desejo de tornar a tal estado e conversação, não havendo reprendimento do mal que fizeram, mas hão desprazer do que não cumpriram, estes proveitosos avisamentos pensei declarar da boa maneira que devemos ter em tal caso.*

(*Leal Conselheiro,* Lisboa, Bertrand, 1942, pp. 94-96.)

Com esta página, em que revela um agudo senso das mazelas morais que acometem o ser humano, D. Duarte realiza pela primeira vez a análise psicológica do complexo sentimento da saudade. Que ele existia antes, desde o despontar da poesia trovadoresca, provou-o à saciedade Carolina Michaëlis de Vasconcelos (A *Saudade Portuguesa,* 2ª ed. rev. e acresc., Porto/Lisboa/Rio de Janeiro, Renascença Portuguesa/Seara Nova/Anuário do Brasil [1922]), mas o primeiro que empreendeu o seu exame foi D. Duarte. E fê-lo, como declara no primeiro parágrafo, não "per outros livros", mas baseando-se na própria experiência e na observação direta dos fatos. Além disso, tornou-se o iniciador da idéia segundo a qual se considera intraduzível a palavra "saudade" para qualquer outra língua, ao afirmar "que o Latim nem outra linguagem que eu saiba não é pera tal sentido semelhante". Observe-se que o escritor distingue uma saudade negativa, feita da "tristeza e do nojo", e uma saudade positiva, composta "daquelas cousas que o homem praz que sejam". Importa, ainda, atentar para o fato de que D. Duarte, tratando da saudade com vistas a edificar o fidalgo, esquadrinhou a essência desse sentimento (daí a palavra "sensualidade", que significa "sensibilidade", "sensação") dum tal modo que acabou equacionando antinomias mais tarde glosadas por poetas de várias tendências e feitios. Como se fundamentou na experiência, suas palavras adquiriram uma vitalidade e uma dimensão próximas da poesia, o que as conserva ainda hoje válidas e ressoantes.

A Poesia

A poesia na época do Humanismo desliga-se do formalismo trovadoresco graças ao divórcio havido entre a letra e a pauta musical, e moderniza-se, admitindo novos recursos estilísticos, novas fôrmas poemáticas (a trova, a esparsa, o vilancete) e novos temas (influência

---

* *sensualidade* = sensibilidade, sensação; *nojo* = sofrimento; *homem* = a gente; *casos certos* = certos casos; *ca* = pois; *consiire* = considere; *feitos desvairados* = circunstâncias diversas; *ca praz-me de ser* = pois me agrada de haver-me separado; *porém* = por isso; *espera cedo de ser* = espera de cedo separar-se; *medês* = mesmo (ou seja: a saudade viria do afastamento dos lugares e tempos em que a pessoa foi feliz); *siso* = juízo; *não geral, mas que traga rijo sentido* = não vaga, mas determinada; *míngua*= diminuição; *desordenança* = perturbação; *saltamento* = associação; *ello* = isso; *reprendimento* = arrependimento, remorso; *proveitosos avisamentos* = D. Duarte tece, a seguir, considerações acerca de como vencer o apelo da saudade mórbida por meio do exercício da vontade.

greco-latina e italiana). Encontra-se compendiada n*O Cancioneiro Geral,* organizado por Garcia de Resende e vindo a lume em 1516.

GARCIA DE RESENDE

Nasceu em torno de 1470 e faleceu em 1536. Favorecido por sucessivos monarcas (D. João II, D. Manuel e D. João III) mercê dos seus dotes pessoais e artísticos, além do privilégio de compilar *O Cancioneiro Geral,* escreveu: *Miscelânea* (1554), longo poema composto em trezentas e onze décimas, e *Vida e Feitos de D. João II* (1545), de menor interesse que sua colaboração n*O Cancioneiro Geral,* da qual se ressaltam suas

Trovas à Morte de D. Inês de Castro

Senhoras, s' algum senhor
vos quiser bem ou servir
quem tomar tal servidor
eu lhe quero descobrir
o galardão do amor.
Por sua Mercê saber
o que deve de fazer,
vej'o que fez esta dama,
que de si vos dará fama,
s' estas trovas quereis ler.

Fala D. Inês:

— Qual será o coração
tão cru e sem piedade
que lhe não cause paixão
uma tam grã crueldade
e morte tão sem razão?
Triste de mim, inocente,
que por ter muito fervente
lealdade, fé, amor,
ao príncipe, meu senhor,
me mataram cruamente!

A minha desaventura,
não contente d' acabar-me,
por me dar maior tristura
me foi pôr em tant' altura
para d'alto derribar-me;
Que, se me matara alguém
antes de ter tanto bem,
em tais chamas não ardera,
pai, filhos, não conhecera,
nem me chorara ninguém.

Eu era moça, menina,
por nome Dona Inês
de Castro, e de tal doutrina
e virtudes, que era dina
de meu mal ser ò' revés.
Vivia sem me lembrar
que paixão podia dar
nem dá-la ninguém a mim.
Foi-m' o príncipe olhar,
por seu nojo e minha fim!

Começou-m' a desejar,
trabalhou por me servir,
fortuna foi ordenar
dous corações conformar
e uma vontade vir.
Conheceu-me, conheci-o,
quis-me bem e eu a ele,
perdeu-me, também perdi-o,
nunca até à morte foi frio
o bem que, triste, pus nele.

Dei-lhe minha liberdade,
não senti perda de fama;
pus nele minha verdade,
quis fazer sua vontade,
sendo mui fremosa dama.
Por m' estas obras pagar
nunca jamais quis casar;
polo qual, aconselhado
foi el-Rei, qu' era forçado,
polo seu, de me matar.

Estava mui acatada,
como princesa servida,
em meus paços mui honrada,
de tudo mui abastada,
de meu senhor mui querida.
Estando mui de vagar,
bem fora de tal cuidar,
em Coimbra d'assossego,
polos campos de Mondego
cavaleiros vi somar.

Como as cousas que hão de ser
logo dão no coração,

comecei entristecer
e comigo só dizer:
— Estes homens d'onde irão?
E tanto que perguntei,
soube logo que era el-Rei.
Quando o vi tão apressado,
meu coração trespassado
foi que nunca mais falei.

E quando vi que descia,
saí à porta da sala;
devinhando o que queria,
com grã choro e cortesia
lhe fiz uma triste fala.
Meus filhos pus derredor
de mim, com grã humildade,
mui cortada de temor,
lhe disse — Havei, Senhor,
desta triste piedade!

Não possa mais a paixão
que o que deveis fazer;
meteis nisso bem a mão,
que é de fraco coração
sem porquê matar mulher.
Quanto mais a mim, que dão
culpa não sendo razão,
por ser mãe dos inocentes,
que ante vós estão presentes,
os quais vossos netos são

e têm tão pouca idade
que, se não forem criados
de mim, só com saudade
e sua grã orfandade,
morreram desemparados.
Olhe bem quanta crueza
fará nisto Vossa Alteza,
e também, Senhor, olhai,
pois do príncipe sois pai,
não lhe deis tanta tristeza.

Lembre-vos o grand' amor
que me vosso filho tem,
e que sentirá grã dor
morrer-lhe tal servidor,

por lhe querer grande bem.
Que s' algum erro fizera,
fora bem que padecera
e qu' estes filhos ficaram
órfãos tristes, e buscaram
quem deles paixão houvera.

Mas, pois eu nunca errei
e sempre mereci mais,
deveis, poderoso rei,
não quebrantar vossa lei
que, se moiro, quebrantais.
Usai mais de piedade
que de rigor nem vontade;
havei dó, Senhor, de mim,
não me deis tão triste fim
pois que nunca fiz maldade!

El-Rei, vendo como estava,
houve de mim compaixão
e viu o que não olhava:
que eu a ele não errava
nem fizera traição.
E vendo quão de verdade
tive amor e lealdade
ao príncipe, cuja são,
pôde mais a piedade
que a determinação.

Que, se m'ele defendera
qu'a seu filho não amasse,
e lh'eu não obedecera,
então com razão pudera
dar-m' a morte que ordenasse.
Mas, vendo que nenhu'hora,
dês que nasci até'gora
nunca nisso me falou,
quando se disto lembrou,
foi-se pola porta fora,

com seu rosto lagrimoso,
co propósito mudado,
muito triste, mui cuidoso
como rei mui piedoso,
mui cristão e esforçado.
Um daqueles que trazia

consigo na companhia,
cavaleiro desalmado,
detrás dele, mui irado,
estas palavras dizia:

— Senhor, vossa piedade
é dina de reprender,
pois que, sem necessidade,
mudaram vossa vontade
lágrimas d'uma mulher!
E quereis que abarregado,
com filhos, como casado,
estê, Senhor, vosso filho?
De vós mais me maravilho
que dele qu' é namorado!

Se a logo não matais,
não sereis nunca temido
nem farão o qu' mandais,
pois tão cedo vos mudais
do conselho qu' era havido.
Olhai quão justa querela
tendes, pois por amor dela
vosso filho quer estar
sem casar e nos quer dar
muita guerra com Castela.

Com sua morte escusareis
muitas mortes, muitos danos,
vós, Senhor, descansareis,
e a vós e a nós dareis
paz para duzentos anos.
O príncipe casará,
filhos de bênção terá,
será fora de pecado;
qu'agora seja anojado
amanhã lh'esquecerá!

E ouvindo seu dizer,
el-Rei ficou mui torvado,
por se em tais extremos ver
e que havia de fazer
ou um ou outro, forçado.
Desejava dar-me vida,
por lhe não ter merecida
a morte nem nenhum mal:

sentia pena mortal
por ter feito tal partida.

E vendo que se lhe dava
a ele tod' esta culpa,
e que tanto o apertava,
disse àquele que bradava:
— "Minha tenção me desculpa
Se o vós quereis fazer,
fazei-o sem mo dizer,
qu' eu nisso não mando nada,
nem vejo essa coitada
por que deva de morrer.

Fim

Dous cavaleiros irosos,
que tais palavras lh'ouviram,
mui crus e não piedosos,
perversos, desamorosos,
contra mim rijo se viram.
Com as espadas na mão,
m' atravessam o coração,
a confissão me tolheram.
Este é o galardão
que meus amores me deram!*

(*O Cancioneiro Geral,* 4 vols., Lisboa, Imprensa Nacional — Casa da Moeda, 1990-1993, vol. IV, pp. 301-307.)

Observe-se de início, que é a própria Inês de Castro quem relata sua "desventura" amorosa. Parece que recobramos momentaneamente o clima das cantigas de amigo, ao menos tendo em vista esse recurso dramático de transferir para a protagonista a incumbência de

* *fama* = notícia, exemplo; *fervente* = ardente; *doutrina* = educação; *era dina / de meu mal ser o revés* = era digna / de merecer sorte contrária; *cru* = cruel; *crueza* = crueldade, *polo seu* = pela necessidade de preservar a sucessão do poder na pessoa de D. Pedro; *de vagar* = calma; *somar* = assomar; *comigo só dizer* = dizer a mim próprio, de mim para mim; *vontade* = arrebatamento; *e viu o que não olhava* = percebeu o que não havia entendido antes; *cuja sam* = de quem sou, a quem pertenço; *determinação* = ordem, resolução (isto é, de assassinar Inês); *ele me defendera / qu'a seu filho nam amasse* = ele me proibira / de amar seu filho; *des* = desde; *necessidade* = motivo justo; *abarregado* = amasiado; *estê* = esteja; *me maravilho* = me espanto; *querela* = queixa; *filhos de bênção* = filhos legítimos; *qu'agora seja anojado* = ainda que agora possa sofrer; *um ou outro* = perdoar ou não; *tal partida* = ter partido para Coimbra.

falar. Por outro lado, o emprego do redondilho maior (verso de sete sílabas) constitui uma nota popularesca que deve ser considerada. Entretanto, nada menos popular que as trovas de Garcia de Resende, seja pelo drama que nelas se contém (o afeiçoamento passional de Inês e D. Pedro, a morte dela por questões de segurança de Estado), seja pelo seu alcance trágico. Com efeito, trata-se dum autêntico poema palaciano, não só porque derivado da ambiência cortesanesca em que viveu o seu autor, como pela essência mesma da tragédia que nele se encerra. O seu ritmo dramático, adensando-se a pouco e pouco, numa ascensão que se diria ultrapassar o plano humano para participar dum plano mítico, ajuda a explicar o halo de tragédia grega que circunda o desenlace infeliz da pobre Inês. Mas a tragicidade da composição leva a um paradoxo: como, sendo Inês castelhana e tendo vivido "em pecado" com D. Pedro, pôde um português de costados aquecidos pelo calor áulico enaltecê-la a tal ponto e, como se não bastasse, deixar entrever uma recriminação aos matadores de Inês, incluindo o Rei? É que a verdade do sentimento sobrelevava, para Garcia de Resende, qualquer outra verdade no caso da desventurada amante de D. Pedro. Realmente, o poema guarda, na pessoa de Inês, um encômio à grandeza trágica do sentimento amoroso quando exacerbado às raias do sacrifício para se cumprir em plenitude. A rigor, a simpatia do poeta deve ser posta na conta de sua psique portuguesa, e quem diz português, diz sentimental e emotivo. Entendido esse ponto, não surpreenderá saber que o retrato apologético pintado por Garcia de Resende veio a fazer imitadores: em Camões *(Os Lusíadas)* e em Antônio Ferreira (*Castro*) é a mesma emoção compungida e compreensiva que enforma a visão de Inês de Castro. Apenas no século XIX, com Eugênio de Castro, é que se tentou, reabilitando Constança, mostrar o reverso da medalha. Mas em vão: nossa perspectiva de Inês continua a ser a que nos oferece esta obra-prima da poesia d*O Cancioneiro Geral.*

JOÃO ROIZ DE CASTELO BRANCO

De origem fidalga, teria freqüentado o paço real durante o reinado de D. João II. Tornou-se um dos mais destacados poetas d*O Cancioneiro Geral,* graças à

Cantiga Sua Partindo-se

Senhora, partem tão tristes
meus olhos por vós, meu bem,
que nunca tão tristes vistes
outros nenhuns por ninguém.

Tão tristes, tão saudosos,
tão doentes da partida,
tão cansados, tão chorosos,
da morte mais desejosos
cem mil vezes que da vida.
Partem tão tristes os tristes,
tão fora d'esperar bem,
que nunca tão tristes vistes
outros nenhuns por ninguém.

(*Ibidem,* vol II, p. 324.)

Nesta cantiga, mais do que parecia suceder ao poema de Garcia de Resende em relação à cantiga de amigo, temos a impressão de que refloresce, enriquecida e modernizada, a cantiga de amor. O verso redondilho maior comparece ainda uma vez para revestir segmentos líricos cuja musicalidade emerge do ritmo, plangente e murmurante, casado à substância psicológica da composição. A dor de partir, de ausentar-se da "senhora", provoca uma melopéia tristonha, de música em surdina. Observe-se que a "senhora" não é mais a fidalga; ao contrário, parece a moça do povo de quem o poeta se afasta sofrendo tanto que a sua confissão se insinua, abafada, em vez de fazer-se diretamente. Percebe-se que a relação entre os namorados se põe no plano das realidades concretas, e que o sentimento transmitido encerra uma sinceridade que logo se comunica ao leitor. A presente cantiga, graças à sua forte carga lírica, ao mesmo tempo que exemplifica uma época em que o homem se dimensiona por sua própria altura e anuncia aquele clima de "vale de lágrimas" que, passando por Bernardim Ribeiro, viria a permanecer como uma das tônicas da poesia portuguesa de sempre. Por último, repare-se que o poema logra efetuar o que constitui marca da autêntica poesia: numa forma simples e condensada, o máximo de significado e de sugestão de ritmo e de sentimento.

De Dom Diogo a uma guedelha de cabelos que viu à señora Dona Briatis de Vilhena.

Cabelos de fremosura,
que me tanto namoraram,
ditosa minha ventura,
que sereis a sepultura
dos olhos que vos olharam.

Ó lembrança assi presente
em minha triste memória,
achada por acidente,
mal de que sam tão contente,
que me fica por vitória!
E pois com isto se cura
os danos que me causaram
vossa nova fremosura,
alta foi sua ventura
dos olhos que vos olharam.*

BERNARDIM RIBEIRO

Outra Esparsa Sua

D'esperança em esperança
pouco a pouco me levou
grand'engano ou confiança,
que me tão longe leixou.

---

* *sam* = sou.

Se m'isto tomara outrora,
cuidara de ver-lhe fim,
mas qu'hei de cuidar j'agora
sem esperança, e sem mim?*

Vilancete Seu

Antre mim mesmo e mim
não sei que s'alevantou,
que tão meu imigo sou.

Uns tempos com grand'engano
vivi eu mesmo comigo,
agora no mor perigo
se me descobre o mor dano.
Caro custa um desengano,
e pois m'e não matou
quão caro que me custou.

De mim me sou feito alheio,
antr'o cuidado e cuidado
está um mal derramado,
que por mal grande me veio.
Nova dor, novo receio
foi este que me tomou,
assi me tem, assi estou.

(*Ibidem*, vol. II, pp. 178-179; vol. IV, pp. 226, 226-227.)

Teatro Popular

Durante a Idade Média, a atividade teatral em Portugal se resumiu aos *momos*, *arremedilhos* e *entremezes*, breves representações de caráter religioso, satírico ou burlesco. Teatro de índole popular, caracterizava-se por uma linguagem, temas e forma de encenação acessíveis ao povo, e às vezes com a sua direta participação. Na origem, constituía o teatro profano, oposto aos *mistérios* e *milagres*, manifestações do teatro religioso então predominante. Assim identificado, o teatro popular foi introduzido em Portugal por Gil Vicente, inspirado no exemplo do espanhol Juan del Encina (1468-1529).

GIL VICENTE

Nasceu em 1465 ou 1466 e morreu entre 1536 e 1540. Iniciou seu teatro a 7 de junho de 1502, ao entrar na câmara da Rainha D. Maria de Castela, que acabara de dar à luz o

---

* *leixou* = deixou.

futuro D. João III. Declama em Espanhol o *Monólogo do Vaqueiro,* também chamado de *Auto da Visitação.* Como os impressionasse vivamente, os monarcas lhe pedem que recite de novo a peça por ocasião do Natal. Em vez de o fazer, representa outra, *o Auto Pastoril Castelhano.* Confirmado o êxito, daí por diante leva o seu teatro, de feição estritamente popular, até 1536, quando encena a *Floresta de Enganos.* Escreveu quarenta e seis peças, entre satíricas, místicas, medievais, renascentistas, comédias e farsas, das quais se destacam as seguintes: *Auto da Alma, Trilogia das Barcas, Farsa de Inês Pereira, Quem tem Farelos?, Juiz da Beira, Auto da Fé, Auto da Índia* e *Auto da Lusitânia.* A esta última pertence o excerto que escolhemos como índice do talento cênico de Gil Vicente.

Auto da Lusitânia

Representada ao Rei D. João III em 1532, esta peça, como o próprio autor declara a certa altura, gira em torno da origem mitológica de Portugal: a ninfa Lisibea, de magnificente beleza, após acender paixão no Sol, dele teve uma filha, Lusitânia, cuja formosura chegara aos ouvidos de Portugal. Este, apaixonado perdidamente por ela, desencadeia tal ciúme em Lisibea, que vem a falecer. Enterrada na montanha Feliz Deserta, sobre ela se edificou uma cidade que, por causa do nome da ninfa, veio a denominar-se Lisboa. Da lenda, Gil Vicente extrai o episódio do encontro entre Lusitânia e Portugal, ao qual também concorrem Mercúrio e algumas deusas, cujos "capelães", Dinato e Berzebu, se dispõem a relatar a Lúcifer "tudo quanto aqui se monta". O diálogo em que ambos se desincumbem de sua missão constitui a cena que a seguir se transcreve. Note-se, ainda, que a primeira parte da peça contém a descrição duma família judaica ao tempo de Gil Vicente.

Todo o Mundo e Ninguém

Entra Todo o Mundo, homem como rico mercador, e faz que anda buscando alguma cousa que se lhe perdeu; e logo após ele um homem, vestido como pobre. Este se chama Ninguém, e diz:

Nin. Que andas tu aí buscando?

Tod. Mil cousas ando a buscar:
delas não posso achar,
porém ando perfiando,
por quão bom é perfiar.

Nin. Como hás nome, cavaleiro?

Tod. Eu hei nome *Todo o Mundo,*
e meu tempo todo inteiro
sempre é buscar dinheiro,
e sempre nisto me fundo.

Nin. E eu hei nome *Ninguém,*
e busco a consciência.

(Berzebu para Dinato)
Esta é boa experiencia!
Dinato, escreve isto bem.

Din. Que escreverei, companheiro?

Ber. Que *Ninguém busca consciência,*
E Todo o Mundo dinheiro.

(Ninguém para Todo o Mundo)
Nin. E agora que buscas lá?

Tod. Busco honra muito grande.

Nin. E eu virtude, que Deus mande.
que tope co ela já.

(Berzebu para Dinato)
Ber. Outra adição nos acude:
escreve aí, a fundo,
que *busca honra Todo o Mundo,*
e Ninguém busca virtude.

(Ninguém para Todo o Mundo)
Nin. *Buscas outro mor bem qu'esse?*

Tod. Busco mais quem me louvasse
tudo quanto eu fizesse.

Nin. E eu quem me repreendesse
em cada cousa que errasse.

(Berzebu para Dinato)
Ber. Escreve mais.

Din. Que tens sabido?

Ber. Que *quer em extremo grado*
Todo o Mundo ser louvado,
e Ninguém ser repreendido.

(Ninguém para Todo o Mundo)
Nin. Buscas mais, amigo meu?

Tod. Busco a vida e quem ma dê.

Nin. A vida não sei que é,
a morte conheço eu.

(Berzebu para Dinato)
Ber. Escreve lá outra sorte.

Din. Que sorte?

Ber. Muito garrida:
Todo o Mundo busca a vida,
E Ninguém conhece a morte.

(Todo o Mundo para Ninguém)
Tod. E mais queria o paraíso,
sem mo ninguém estorvar.

Nin. E eu ponho-me a pagar
quanto devo pera isso.

(Berzebu para Dinato)
Ber. Escreve com muito aviso.

Din. Que escreverei?

Ber. Escreve
que *Todo o Mundo quer paraíso,*
e Ninguém paga o que deve.

(Todo o Mundo para Ninguém)
Tod. Folgo muito d'enganar,
e mentir nasceu comigo.

Nin. Eu sempre verdade digo,
sem nunca me desviar.

(Berzebu para Dinato)
Ber. Ora escreve lá, compadre,
não sejas tu preguiçoso!

Din. Quê?

Ber. Que *Todo o Mundo é mentiroso*
e Ninguém diz a verdade.

(Ninguém para Todo o Mundo)

Nin. Que mais buscas?

Tod. Lisonjar.

Nin. Eu sou todo desengano.

(Berzebu para Dinato)

Ber. Escreve, ande la mano!

Din. Que me mandas assentar?

Ber. Põe aí mui declarado,
não te fique no tinteiro:
Todo o Mundo é lisonjeiro,
*e Ninguém desenganado.**

(*Teatro de Gil Vicente*, Lisboa, Portugália, 1959, pp. 305-308.)

Observe-se que o diálogo se passa entre Todo o Mundo e Ninguém, mas Berzebu e Dinato, decerto às escondidas, escutam-no e registram-no a fim de comunicá-lo a Lúcifer. A cena, que possui unidade e autonomia, parece estar vinculada ao conjunto da peça por mera justaposição. De onde, pode ser destacada sem prejuízo do todo da peça e sem perder nada de sua validez e significação. Tratando-se duma evidente alegoria, os interlocutores devem ser entendidos não como pessoas ou seres "concretos", mas como símbolos de gente viva ou de tendências humanas tão perenes quanto o próprio homem. O intuito do comediógrafo salta à vista: empregando o estilete da sátira, pretende atingir o âmago das fraquezas humanas e, por meio de sua denúncia em forma indireta ou metafórica, chamar a atenção dos espectadores para os seus vícios e debilidades. Daí a carga de moralidade que encerra o episódio, mas uma moralidade despreconcebida, com os pés na terra, realista e objetiva, como, de resto, era típico do teatro de Gil Vicente. Situado no limiar da Renascença, o que equivale a colocar em crise certos valores medievais, e os oportunismos emergentes, seu endereço é o homem como espécie ou como animal gregário vivendo em grupos sociais comprometidos por conveniências e dissimulações de toda ordem. Entretanto, o destinatário próximo e imediato de sua sátira é o português de Quinhentos, aqui retratado com impressionante fidelidade. Realmente, Todo o Mundo seria o protótipo dos contemporâneos do escritor, e Ninguém constituiria a materialização daquilo que lhes faltava. Desse modo, Todo o Mundo busca o respeito social, o dinheiro, o louvor, a vida, o Paraíso, enganar, mentir, lisonjear. Em contrário, Ninguém busca a consciência, a virtude, a correção, a morte, "paga o que deve", diz a verdade, é desenganado. O que cumpre anotar nessa feliz antítese é o seguinte: o conteúdo satírico da cena nem é exclusivo dela nem sequer do próprio teatrólogo, ou seja, anda disseminado pelas demais

* *perfiar* = porfiar, procurar obter; *honra* = respeito social; *ande la mano!* = mãos à obra!.

peças, e outros dramaturgos o vêm explorando desde sempre. Por outro lado, ressalta ao primeiro olhar no texto vicentino 1) a concisão do pensamento, levada a cabo dum modo decididamente lapidar, 2) a felicidade na construção dos versos, que escoam com um ritmo fácil, espontâneo e saltitante, 3) a vibração da cena num nível que se mantém até o desfecho. Assim, a cena, embora breve, concentra um efeito teatral que salta à vista, como se prenunciássemos, pela simples leitura, a representação no palco, com todas as virtualidades que ostenta. Basta a altura dramática deste trecho para evidenciar a grandeza poética e conceptual lograda pelo teatro vicentino.

Farsa de Inês Pereira

Representada pela primeira vez na Corte de D. João III, em 1523, no Convento de Tomar, este auto vicentino gira em torno dum tema proposto por "certos homens de bom saber" que duvidavam "se o autor fazia de si mesmo estas obras, ou se as furtava de outros autores": "mais quero asno que me leve, que cavalo que me derrube". O dramaturgo focaliza Inês Pereira, jovem do povo que, desejando casar com um "homem avisado (...), discreto em falar", que "saiba tanger viola", recusa Pêro Marques, filho de rico proprietário rural, para aceitar Brás da Mata, escudeiro e pelintra. Mas o moço, que a maltrata ("cavalo que me derrube"), é chamado para combater em África e lá morre, covardemente. Inês resolve casar-se com Pêro Marques e, ato contínuo, montada às suas costas ("asno que me leve") vai ao encontro de um ermitão, seu ex-namorado. O diálogo que se transcreve a seguir, surpreende a primeira entrevista entre Inês e seu ingênuo pretendente:

Vem Pêro Marques e diz:

Homem que vai aonde eu vou
não se deve de correr;
ria embora quem quiser,
que eu em meu siso estou.
Não sei onde mora aqui:
olhai que mesquece a mi!
Eu creio que nesta rua,
e esta parreira é sua,
já conheço que é aqui.

Chega a casa de Inês Pereira

Digo que esteis muito embora,
Folguei ora de vir cá,
eu vos escrevi de lá
uma cartinha senhora:
e assim que de maneira. . .

Mãe Tomai aquela cadeira.

Pêro E que val aqui uma destas?

Inês Ó Jesus! que João das bestas!
Olhai aquela canseira!

Assentou-se com as costas para elas, e diz:

Eu cuido que não estou bem:

Mãe Como vos chamais amigo?

Pêro Eu Pêro Marques me digo,
como meu pai que Deus tem:
faleceu perdoe-lhe Deus,
que fora bem escusado,
e ficamos dous eréus
porém meu é o morgado.

Mãe De morgado é vosso estado!
Isso viria dos céus!

Pêro Mais gado tenho eu já quanto,
e o maior de todo o gado
digo maior algum tanto.
E desejo ser casado,
prouguesse ao Espírito Santo,
com Inês; que eu m'espanto
quem me fez seu namorado.
Parece moça de bem,
e eu de bem, er também,
ora vós er ide vendo
se lhe vem melhor ninguém,
a segundo o que eu entendo.
Cuido que lhe trago aqui
peras da minha pereira
hão d'estar na derradeira.
Tende ora, Inês, per hi.

Inês Hei isso de ter na mão?

Pêro Deitai as peias no chão.

Inês As perlas pera enfiar
três chocalhos e um novelo,
e as peias no capelo:
e as peras onde estão?

Pêro Nunca tal me aconteceu:
algum rapaz mas comeu;
que as meti no capelo,
e ficou aqui o novelo,
e o pente não se perdeu:
pois trazia-as de boa mente.

Inês Fresco vinha aí o presente
com folhinhas borrifadas!

Pêro Não que elas vinham chentadas
cá em fundo no mais quente.
Vossa mãe foi-se? Ora bem!
Sós nos leixou ela assi?
Cant'eu quero me ir daqui,
não diga algum demo alguém...

Inês Vós que me havíeis de fazer,
nem ninguém que há de dizer?
O galante despejado!

Pêro Se eu fora já casado,
doutra arte havia de ser,
como homem de bom pecado.

Inês Quão desviado este está!
todos andam por caçar
suas damas sem casar,
e este, tomade-o lá!

Pêro Vossa mãe é lá no muro?

Inês Minha mãe e vós seguro
que ela venha cá dormir.

Pêro Pois, senhora, eu quero-me ir
antes que venha o escuro.

Inês E não cureis mais de vir.

Pêro Virá cá Leonor Vaz,
veremos que lhe dizeis.

Inês Homem, não aporfieis,
que não quero nem me praz;
ide casar a Cascais.

Pêro Não vos anojarei mais,
ainda que saiba estalar;
e prometo não casar
até que vós não queirais.
Estas vos são elas a vós:
anda homem a gastar calçado,
e quando cuida, que é, aviado,
escarnefucham de vós!
Creio que lá fica a peia:
pardeus! bom ia eu à aldeia.
Senhora, cá fica o fato.

Inês Olhai se o levou o gato. . .

Pêro Inda não tendes candeia?
Ponho per cajo que alguém
vem como eu vim agora,
e vós a escuras a tal hora
parece-vos que será bem?
Ficai-vos ora com Deus:
cerrai a porta sobre vós
com vossa candeiazinha;
e siquais sereis vós minha,
entonces veremos nós.*

(*Obras Completas de Gil Vicente,* 6 vols., Lisboa, Sá da Costa, 1942-1944, vol. V, pp. 232-236.)

---

* *João das bestas* = tolo; *olhai aquela canseira* = olhai que homem enfadonho; *eréus* = herdeiros; *e eu de bem, a também* = e eu também sou homem de bem; *er* = isso; *tende ora, Inês, per hi* = Inês, segurai isto aí; *peias* = laços; *chentadas* = plantadas, assentes; *cant'eu* = quanto a mim; *não diga algum demo alguém* = não diga alguém alguma coisa; *despejado* = atrevido; *anojarei* = enfadarei; *estalar* = estourar; *aviado* = correspondido; *escarnefucham* = escarnecem; *ponho per cajo que alguém* = suponho que alguém, por acaso; *siquais* = se porventura.

CLASSICISMO

Preliminares

A época do Classicismo principia em 1527, quando Sá de Miranda, regressando da Itália, entra a divulgar em Portugal os novos ideais estéticos; e termina em 1580, quando falece Camões e Portugal passa para o domínio da Espanha. Constituindo a faceta estética da Renascença, o movimento clássico, assim chamado porque objetivava a imitação dos antigos gregos e latinos, deu margem ao cultivo da poesia, da historiografia, da literatura de viagens, da novelística, do teatro clássico e da prosa doutrinária. A grande figura do tempo é

LUÍS VAZ DE CAMÕES

Teria nascido em 1524 ou 1525, não se sabe se em Lisboa, Alenquer, Coimbra ou Santarém. Originário de família fidalga da Galiza, é possível que na juventude freqüentasse a Corte e algum curso escolar. Nesse tempo, travaria contacto com escritores antigos e modernos, como Homero, Virgílio, Ovídio, Petrarca, Boscán, Garcilaso e outros. Graças aos dotes pessoais, é de crer que houvesse motivado paixão em D. Maria, filha de D. Manuel e irmã de D. João III, e em Catarina de Ataíde (que aparece em sua poesia sob o anagrama de Natércia). Talvez por isso, afasta-se do convívio palaciano, até que segue para Ceuta, em 1549, como soldado. Perdendo um olho em combate, regressa a Lisboa, e na procissão de *Corpus Christi* (1552), fere Gonçalo Borges, servidor do Paço. Escapando da prisão sob promessa de engajar-se no corpo de tropa sediado no Oriente, viaja para a Índia em 1553. Em 1556, dá baixa e assume o cargo de "provedor dos bens de defuntos e ausentes" em Macau, onde teria composto parte d*Os Lusíadas.* Acusado de prevaricar, vai a Goa para defender-se, mas naufraga na foz do Rio Mecon, ocasião em que, segundo a lenda, salvou *Os Lusíadas* e perdeu Dinamene, sua companheira. Em Goa, é preso e solto (1563). Em 1567, está em Moçambique, novamente encarcerado por dívidas. Liberto, vive miseravelmente, até que Diogo do Couto consegue propiciar-lhe condições de regresso à Pátria. Lá chega em 23 de abril de 1569; em 1572 dá a público *Os Lusíadas,* pelo que passa a fazer jus a uma pensão de 15.000 réis anuais. Nem por isso foge do infortúnio: morre pobre e abandonado, em 10/06/1580. Escreveu poesia lírica e épica, de recorte medieval (redondilhas), e clássico (sonetos, oitavas, sextinas, églogas, canções, elegias, *Os Lusíadas),* e teatro popular e clássico *(Auro de Filodemo, El-Rei Seleuco* e *Anfitriões).*

Redondilhas

Mote

Descalça vai pera a fonte

Lianor pela verdura;
Vai fermosa, e não segura.

Voltas

Leva na cabeça o pote,
O testo nas mãos de prata,
Cinta de fina escarlata,
Sainho de chamalote;
Traz a vasquinha de cote,
Mais branca que a neve pura:
Vai fermosa, e não segura.

Descobre a touca a garganta,
Cabelos de ouro entrançado,
Fita de cor de encarnado,
Tão linda que o mundo espanta.
Chove nela graça tanta,
Que dá graça à fermosura:
Vai fermosa, e não segura.*

*
* *

Mote Alheio

Perdigão perdeu a pena,
Não há mal que lhe não venha.

Voltas

Perdigão que o pensamento
Subiu a um alto lugar,
Perde a pena do voar,
Ganha a pena do tormento.
Não tem no ar nem no vento
Asas com que se sustenha:
Não há mal que lhe não venha.

Quis voar a uma alta torre,
Mas achou-se desasado;
E, vendo-se depenado,

---

* *testo* = tampa do pote; *chamalote* = tecido de lã e seda; *vasquinha* = "saia de vestir por cima de toda a roupa com muitas pregas na cintura" (Morais, *Grande Dicionário da Língua* Portuguesa 10ª ed., 12 vols., Lisboa, Confluência [1919-1958], vol. XI, p. 545.); *de cote* = de uso diário.

De puro penado morre.
Se a queixumes se socorre
Lança no fogo mais lenha:
Não há mal que lhe não venha.

(*Obras Completas,* 3ª ed., Lisboa, Sá da Costa [1962], vol. I, pp. 133, 154.)

A primeira observação que cumpre fazer, relaciona-se com a estrutura e o rótulo dessas redondilhas, assim chamadas genericamente porque construídas em versos redondilhos maiores (de sete sílabas). Denominam-se *vilancetes,* correspondentes aos *vilancicos* espanhóis, e caracterizam-se por uma estrofe, o *mote* (= motivo), de sua lavra ou alheio, seguida de *voltas* ou *glosas,* estrofes que comentam o *mote* e que possuem geralmente sete versos, dos quais o último aproveita um verso do *mote,* como tal ou adaptado. Camões, lançando mão do vilancete por influxo do *Cancioneiro Geral* de Garcia de Resende, atendia ao bifrontismo renascentista na sua face medievalizante. Nota-se, todavia, que o lirismo dos vilancetes (e de poemas de semelhante caráter) representa a última floração da poesia medieval, o que significa ter servido de ponte de ligação com a poesia cultivada no século XVI, sob a inspiração dos clássicos. Por isso, Camões, como se pode ver nos dois exemplos, acentua as notas de paradoxo e antítese emergentes na lírica quatrocentista. E acentua-as em razão de seu inato pendor para elaborar conceitos e idéias. Assim, o popularismo típico do vilancete, ainda evidente nas duas peças camonianas pelo assunto e ingredientes plásticos, atenua-se por uma espécie de conceptualismo que pressagia nitidamente o advento da poesia barroca. Observe-se, no caso do primeiro vilancete, popular pela protagonista e pelo sentimento amoroso nele expresso, como o poeta não dissimula sua tendência básica: o verso que serve de estribilho ("Vai fermosa, e não segura") e outras imagens de comparação ("Mais branca que a neve pura"; "Chove nela graça tanta, / que dá graça à fermosura") põem-na logo de manifesto. E o vilancete seguinte, sustentado todo ele no jogo de palavras em torno da ambígua conotação do vocábulo "pena", pronuncia ainda mais o contorno intelectualizado que adquire essa fôrma poética nas mãos de Camões. Inclusive, o protagonista (o perdigão) parece simbolizar o próprio poeta, que, pelo "pensamento / Subiu a um alto lugar". Num caso ou noutro, sentimo-nos perante um poeta ambivalente, indeciso entre o descontraimento e o realismo da cantiga de amigo, e o conceptualismo aprendido com Petrarca e estimulado pelos mestres clássicos. Apesar disso, ou em virtude disso, os vilancetes promovem dois momentos de aliciante beleza lírica, graças à musicalidade cantante e festiva e a um pensamento uníssono, que perduram para além da leitura ou da audição.

Sonetos

1

Sete anos de pastor Jacó servia
Labão, pai de Raquel, serrana bela;
Mas não servia ao pai, servia a ela,
E a ela só por prêmio pretendia.

Os dias, na esperança de um só dia,
Passava, contentando-se com vê-la;
Porém o pai, usando de cautela,
Em lugar de Raquel lhe dava Lia.

Vendo o triste pastor que com enganos
Lhe fora negada a sua pastora,
Como se a não tivera merecida.

Começa de servir outros sete anos,
Dizendo: — Mais servira, se não fora
Para tão longo amor tão curta a vida!

2

Um mover de olhos, brando e piedoso,
Sem ver de quê; um riso brando e honesto,
Quase forçado; um doce e humilde gesto,
De qualquer alegria duvidoso;

Um desejo quieto e vergonhoso;
Um repouso gravíssimo e modesto;
Uma pura bondade, manifesto
Indício da alma, limpo e gracioso;

Um encolhido ousar; uma brandura;
Um medo sem ter culpa; um ar sereno;
Um longo e obediente sofrimento:

Esta foi a celeste formosura
Da minha Circe, e o mágico veneno
Que pôde transformar meu pensamento.

3

Transforma-se o amador na cousa amada,
Por virtude do muito imaginar;
Não tenho logo mais que desejo,
Pois em mim tenho a parte desejada.

Se nela está minha alma transformada,
Que mais deseja o corpo de alcançar?
Em si somente pode descansar,
Pois consigo tal alma está liada.

Mas esta linda e pura semidéia,
Que, como o acidente em seu sujeito,
Assim com a alma minha se conforma,

Está no pensamento como idéia;
E o vivo e puro amor de que sou feito,
Como a matéria simples busca a forma.

4

Busque Amor novas artes, novo engenho.
 Pera matar-me, e novas esquivanças;
 Que não pode tirar-me as esperanças,
 Que mal me tirará o que eu não tenho.

Olhai de que esperanças me mantenho!
 Vede que perigosas seguranças!
 Que não temo contrastes nem mudanças,
 Andando em bravo mar, perdido o lenho.

Mas, conquanto não pode haver desgosto
 Onde esperança falta, lá me esconde
 Amor um mal, que mata e não se vê;

Que dias há que na alma me tem posto
 Um não sei quê, que nasce não sei onde,
 Vem não sei como, e dói não sei por quê.

5

Alma minha gentil, que te partiste
 Tão cedo desta vida, descontente,
 Repousa lá no Céu eternamente
 E viva eu cá na terra sempre triste.

Se lá no assento etéreo, onde subiste,
 Memória desta vida se consente,
 Não te esqueças daquele amor ardente
 Que já nos olhos meus tão puro viste.

E se vires que pode merecer-te
 Alguma cousa a dor que me ficou
 Da mágoa, sem remédio, de perder-te,

Roga a Deus, que teus anos encurtou,
 Que tão cedo de cá me leve a ver-te,
 Quão cedo de meus olhos te levou.

6

Amor é fogo que arde sem se ver;
 É ferida que dói e não se sente;
 É um contentamento descontente;
 É dor que desatina sem doer;

É um não querer mais que bem querer;
 É solitário andar por entre a gente;
 É nunca contentar-se de contente;
 É cuidar que se ganha em se perder;

É querer estar preso por vontade;
É servir a quem vence, o vencedor;
É ter com quem nos mata lealdade.

Mas como causar pode seu favor
Nos corações humanos amizade,
Se tão contrário a si é o mesmo Amor?

(*Ibidem,* pp. 194, 197, 198, 205, 213, 232.)

Tais sonetos, dos mais perfeitos de quantos produziu Camões e dos mais belos da Língua, apresentam pontos de contacto naquilo que diz respeito à estética clássica. Em primeiro lugar, pelo fato de obedecerem ao *princípio da imitação,* quer dizer, da aceitação de modelos preexistentes à elaboração da obra de arte, sejam eles os escritores greco-latinos, sejam os quinhentistas que lhes seguiram as pegadas. E o acatamento de moldes pressupunha, inclusive, o empréstimo de versos inteiros ou de temas. Em troca, exigia-se que o poeta imitador instilasse originalidade, o "engenho e arte" de que fala Camões, na substância poética recebida de fora. Somente nos maus poetas a imitação coagia ou abastardava a inspiração; nos grandes, constituía estímulo para criar obras pessoais, quiçá superiores às dos modelos imitados. Camões coloca-se neste segundo grupo: praticou o princípio da imitação com toda a liberdade de seu gênio poético, e não raro suplantou os mestres. Assim, o soneto nº 1 ter-se-ia inspirado no soneto de Petrarca que se inicia com o verso "Per Rachel ho servito e non per Lia", e no *Gênesis,* XXIX, 25. O soneto nº 2 deve ter-se calcado no de Petrarca que começa com o seguinte verso: "Grazie ch'a poch'l Ciel largo destina". O mesmo ocorre com o soneto nº 3 (cf. Petrarca "L'amante nell'amato si transforma") e com o soneto nº 5 (cf. Petrarca, "Questa anima gentil che si diparte" e "Anima bella, da quel nodo sciolta"). Em segundo lugar, observe-se o *racionalismo:* embora se trate de sonetos lírico-amorosos, percebe-se que o poeta não se abandona ao fluxo emocional ou sentimental. Este, é óbvio que está presente e que irriga os poemas desde a primeira à última palavra, mas aparece controlado, guiado pela Razão, que repele os extravasamentos desnecessários. Com efeito, vigiado pela Razão, que os clássicos erigiam em faculdade matriz no conhecimento do mundo e dos seres, o sentimento ou a emoção contém-se nos limites do *equilíbrio* e da *harmonia,* que por seu turno constituem outras características da estética clássica evidentes nos sonetos. Ora, o equilíbrio e a harmonia conduzem à impressão de *absoluto* e *universalidade:* realmente, o poeta atenua os impulsos do "eu", quer dizer, de sua vida subjetiva particular, em favor de uma *visão impessoal* ou *objetiva* e *universal,* que pressupõe absolutos de beleza, de bem e de verdade. Por isso, interessa-lhe mais a Mulher que a mulher (ou esta como reflexo daquela), mais o Amor que o amor (ou este como reflexo daquele), e assim por diante. Atente-se ainda para o *caráter discursivo* ou *conceptual* dos sonetos: através duma dialética cerrada, o poeta procura comunicar-nos antes um *pensamento* acerca do Amor e da Mulher que um *sentimento* deles. Todo o jogo das imagens que sustenta os poemas serve apenas como meio de expressão aos pensamentos, que se encadeiam num crescendo em forma de silogismo, que culmina no último verso (o fecho de ouro), em que o poeta esculpe o seu *conceito* a propósito da matéria dos poemas. Os sonetos nºs 4 e 6 ilustram, mais do que os outros, essa tendência do poeta para buscar compreender e conceituar o processo amoroso. Como, verdadeiramente, o amor consiste num sentimento vago, inconceituável, não lhe resta outro recurso senão apelar para as antíteses e os paradoxos petrarqueanos e pré-barrocos: o Amor é "Um não sei quê, que nasce não sei onde, / Vem, não sei como, e dói não sei por quê"; "é fogo que arde sem se ver", etc. Entretanto, note-se que a perquirição dum conceito sobre o Amor enraíza-se noutra faceta da mundividência camoniana e mesmo clássica: o *neoplatonismo,* ou melhor, a revivescência das doutrinas de Platão acerca do Amor, como se estampam n*O Banquete.* Segundo o seu pensar, a verdadeira realidade reside no *mundo das idéias,* e o mundo sensível se afigura apenas um aglomerado de sombras vagas, lembranças do outro; e "o Amor é um ser intermediário entre os deuses e os mortais, e filósofo; ele nos inspira o desejo de ter sempre o bem; sua ação é uma geração que garante aos mortais a imortalidade que lhes é possível" (José Cavalcante de Sousa, "Introdução" a *O Banquete,* S. Paulo, Difusão Européia do Livro, 1966, p. 54). Desse modo, torna-se transparente a fala de Jacó ao final de sete anos de trabalho para Labão, pai de Raquel: "Mais servira, se não fora / Para tão longo amor tão curta a vida!". É que seu amor transcendia o plano histórico em que vivia e projetava-se para uma zona *ideal,* infensa à astúcia e à malícia de Labão: Jacó teria sua amada custasse o que custasse, pois o sentimento não era da carne mas do espírito, e este participava da *esfera inteligível* onde assiste, ao ver de Platão, a realidade de tudo; vivia somente para e pelo amor, e a servidão podia atingir-lhe o corpo, nunca a alma, que gozava de plenitude em razão do sentimento que o ligava a Raquel; a rigor, servia a ela, a si próprio ou ao Amor, não a Labão; por isso, servia resignado e contente. Tal neoplatonismo ainda se manifesta límpido no soneto nº 5, provavelmente dedicado a Dinamene, em que o poeta contempla a Bem-Amada transubstanciada em puro-espírito, "lá no assento etéreo", por via do muito amar. O apelo dos sentidos, se existe, tornou-se expectação da alma, visão de transcendências, volúpia de emigrar para as regiões imateriais onde mora Dinamene. No caso, o Céu e Deus devem ser entendidos antes como absolutos míticos ou filosóficos que religiosos ou católicos. Aqui, o pensamento platônico se faz cristalino e exclusivo, o mesmo não acontecendo com o soneto nº 3, de intricada tessitura e de conteúdo complexo e polivalente. Por isso, vamos apenas aflorar a questão. O soneto gravita em torno da doutrina platônica da *idéia* e da doutrina aristotélica da *forma.* Como se sabe, ambas colidiam na sua concepção do real: enquanto a primeira o situava na *idéia,* a outra o situava na *matéria* que se contém na *forma.* No poema camoniano, os dois conceitos completam-se ao invés de repelir-se: pelo pensamento, o apaixonado ("o amador") se transforma "na cousa amada", realizando assim a filosofia aristotélica. Mas a "cousa amada", composta ao mesmo tempo de corpo e espírito ("linda e pura semidéia") e ajustada à alma do poeta ("com a alma minha se conforma") da mesma maneira que o "acidente" (ou o adjetivo) adere intimamente ao "sujeito" (ou o substantivo), "está no pensamento como idéia", isto é, o poeta guarda, no pensamento, a idéia do Amor e da Amada, jamais o Amor e a Amada corporificados (teoria platônica). Por isso, o amor apoderou-se do poeta ("o vivo e puro amor de que sou feito") dum modo análogo àquele em que a "matéria simples busca a forma", em que a substância pura (a "matéria" no conceito aristotélico) implica obrigatoriamente uma "forma" (ainda conforme Aristóteles), pois uma não existe sem a outra. Vê-se, por conseqüência, que as doutrinas platônica e aristotélica se complementam: o poeta diligencia conciliar o amor como idéia e o amor como *forma,* ambos encarnados numa mulher ou na Mulher, visto ansiar pelo amor em sua integralidade e universalidade. Noutros termos, Camões concebe ou procura o amor na sua expressão plena, em que se misturam ao mesmo tempo apelos sensuais e espirituais. Quanto ao soneto nº 2, encerra um retrato da mulher amada por Camões, talvez Dinamene. Trata-se de um acabado retrato clássico: menos que descrição exterior ou física, temos uma descrição interior, psicológica. Somente os olhos, e não na cor ou no formato mas no movimento, e o "riso brando e honesto" são referidos, e, assim mesmo, dum jeito que de pronto enfraquece a menção direta feita pelo poeta. No mais, a mulher é divisada hierática, em "repouso gravíssimo e modesto" e com "um ar sereno", como um alto relevo da estatuária renascentista, referta de qualidades morais, incorpórea, etérea, iluminada por dentro. O retrato, clássico por todos esses pormenores e pela metáfora estruturada com fundamento na figura mitológica de Circe, respira um "misto de simplicidade, bondade, melancolia suavíssima, doçura, serenidade, melindrosa timidez, que bem parece o nosso Poeta copiou do natural" (Hernani Cidade, *Camões. O Lírico,* 2ª ed., Lisboa, Bertrand, 1952, p. 135).

Canção

Junto de um seco, fero e estéril monte,
Inútil e despido, calvo, informe,
Da Natureza em tudo aborrecido;
Onde nem ave voa ou fera dorme,
Nem rio claro corre ou ferve fonte,
Nem verde ramo faz doce ruído;
Cujo nome, do vulgo introduzido,
É Félix, por antífrase infelice;
    O qual a Natureza
    Situou junto à parte
Onde um braço do mar alto reparte
Abássia da arábica aspereza,
Onde fundada já foi Berenice,
    Ficando à parte donde
O Sol, que nela ferve, se lhe esconde;

Nele aparece o cabo com que a costa
Africana, que vem do Austro correndo.
Limite faz, Arômata chamado.
Arômata, outro tempo, que, volvendo
Os Céus, a ruda língua mal composta
Dos próprios outro nome lhe tem dado;
Aqui, no mar, que quer apressurado
Entrar pela garganta deste braço,
    Me trouxe um tempo e teve
    Minha fera ventura.
Aqui, nesta remota, áspera e dura
Parte do Mundo, quis que a vida breve
Também de si deixasse um breve espaço,
    Por que ficasse a vida
Pelo Mundo em pedaços repartida.

Aqui me achei gastando uns tristes dias,
Tristes, forçados, maus e solitários,
Trabalhosos, de dor e de ira cheios;
Não tendo tão-somente por contrários

A vida, o sol ardente e águas frias,
Os ares grossos, férvidos e feios,
Mas os meus pensamentos, que são meios
Pera enganar a própria Natureza,
    Também vi contra mi,
    Trazendo-me à memória
Alguma já passada e breve glória
Que eu já no Mundo vi, quando vivi,
Por me dobrar dos males a aspereza,
    Por mostrar-me que havia
No Mundo muitas horas de alegria.

Aqui estive eu com estes pensamentos
Gastando o tempo e a vida; os quais tão alto
Me subiam nas asas, que caía
(E vede se seria leve o salto!)
De sonhados e vãos contentamentos,
Em desesperação de ver um dia.
Aqui o imaginar se convertia
Num súbito chorar e nuns suspiros
    Que rompiam os ares.
    Aqui, a alma cativa,
Chagada toda, estava em carne viva,
De dores rodeada e de pesares,
Desamparada e descoberta aos tiros
    Da soberba Fortuna;
Soberba, inexorável e importuna.
Não tinha parte donde se deitasse,
Nem esperança alguma onde a cabeça
Um pouco reclinasse, por descanso.
Tudo dor lhe era a causa que padeça,
Mas que pereça não, por que passasse
O que quis o Destino nunca manso.
Oh! que este irado mar, gritando, amanso!
Estes ventos, da voz importunados,
    Parece que se enfreiam
    Somente o Céu severo,
As Estrelas e o Fado sempre fero,
Com meu perpétuo dano se recreiam,
Mostrando-se potentes e indignados
    Contra um corpo terreno,
Bicho da terra vil e tão pequeno.

Se de tantos trabalhos só tirasse
Saber inda por certo que alguma hora

Lembrava a uns claros olhos que já vi;
E se esta triste voz, rompendo fora,
As orelhas angélicas tocasse
Daquela em cujo riso já vivi;
A qual, tornando um pouco sobre si,
Revolvendo na mente pressurosa
    Os tempos já passados
    De meus doces errores,
De meus suaves males e furores,
Por ela padecidos e buscados,
Tornada (inda que tarde) piedosa,
    Um pouco lhe pesasse
E consigo por dura se julgasse;

Isto só que soubesse, me seria
Descanso pera a vida que me fica;
Com isto afagaria o sofrimento.
Ah! Senhora! Senhora! Que tão rica
Estais, que, cá tão longe, de alegria
Me sustentais com doce fingimento!
Em vos afigurando o pensamento,
Foge todo o trabalho e toda a pena,
    Só com vossas lembranças,
    Me acho seguro e forte
Contra o rosto feroz da fera Morte,
E logo se me juntam esperanças
Com que a fronte, tornada mais serena,
    Torna os tormentos graves
Em saudades brandas e suaves.

Aqui com elas fico perguntando
Aos ventos amorosos, que respiram
Da parte donde estais, por vós, Senhora;
Às aves que ali voam, se nos viram,
Que fazíeis, que estáveis praticando,
Onde, como, com quem, que dia e que hora?
Ali a vida cansada se melhora,
Toma novos esp'ritos, com que vença
    A Fortuna e Trabalho,
    Só por tornar a ver-vos,
Só por ir a servir-vos e querer-vos.
Diz-me o Tempo que a tudo dará talho;
Mas o Desejo ardente, que detença
    Nunca sofreu, sem tento
Me abre as chagas de novo ao sofrimento.

Assi vivo; e se alguém te perguntasse,
Canção, como não mouro,
Podes-lhe responder que porque mouro.*

(*Ibidem,* vol. II, pp. 289-293.)

Condenado ao "desterro" no Oriente, como Ovídio, um de seus mestres, o fora no Ponto Euxino, Camões, vibra, num momento de intensa e profunda desolação, as cordas mais finas da sensibilidade e alcança o auge da poesia lírica de ordem reflexiva: é a Canção nº IX. A situação do poeta evidencia-se logo na segunda estrofe: "— Junto de um seco, fero e estéril monte" se localiza o Cabo Guardafui, aonde a fortuna o lançara com sua mágoa. Daí decorre o primeiro aspecto digno de nota: a presença da Natureza. Esta, como se sabe, era ocasional, estática e externa na lírica trovadoresca. Foi preciso que Petrarca a "redescobrisse" para que ganhasse o papel moderno que entrou a representar desde então. Camões, seguindo-lhe o exemplo, e remontando aos clássicos, também ambienta o drama poético num acidente geográfico asiático (o que é raro em sua poesia). Com isso, estabelece identidade entre o conflito que o habita e o contexto natural. Todavia, evite-se interpretar essa identidade como prenúncio da equação estatuída pelo romântico e a Natureza, em que esta era encarada como confidente, consolo e variável de acordo com a alma do artista. No caso presente, trata-se duma *coincidência* apenas, como se o poeta procurasse e encontrasse local físico adequado, pela carência de vegetação ou de qualquer indício de vida, à expansão de sua ebulição interior. É inegável, porém, que a moldura paisagística se presta admiravelmente para sugerir o clima emotivo do poeta: ao descritivo da paisagem física corresponde a desolação em que vive mergulhado. Equação tipicamente camoniana e clássica pela grandeza e universalidade, porquanto "da amargura por suas decepções pessoais, ele chega à amargura pelo sentimento da incompetência e precariedade moral inerentes à condição humana", de forma que "a angústia do indivíduo não se torna agora senão a expressão parcial da angústia da espécie. O sofrimento não é de um, mas de todos, o vício não está no particular, mas no geral". (Cristiano Martins, *Camões,* Rio de Janeiro, Americ Ed. [1944], pp. 155, 160.) Ou seja: no seu "exílio" transparece diáfana a causa de sempre, — o mal de amar alguém distanciado no espaço ou na classe social. Entretanto, o sofrimento amoroso, acrescentado ao do afastamento em terras orientais, longe está de ocasionar uma confissão superficial e lamento fácil. Ao contrário, ganha colorido de verdadeira desolação prometéica, como se o poeta, amarrado às pedras do Cabo Guardafui, tivesse de expiar um tormento sem fim, no qual se estampa a própria solidão do Homem em face do destino, da natureza passiva e adusta e dos próprios deuses. Sobretudo em face da Natureza: observe-se que disso mesmo o poeta tem consciência, ao confidenciar que "os meus pensamentos. . . são meios / Pera enganar a própria Natureza", e que "este irado mar, gritando, amanso!". Percebe-se que Camões, como clássico que era, situava a tônica de sua cosmovisão no pensamento, na Razão, e não fora, dele, ou melhor, na Natureza. Por fim, atente-se para o fato de se tratar dum poema de índole reflexiva em torno da causa de sempre dos seus tormentos — o Amor —, agora engrandecido pelas dores da prolongada ausência e da enorme distância geográfica, e tornado, de súbito, um padecimento que se amplifica para representar a mágoa de todo ente em idênticas condições: seu destino amoroso também simboliza o universal paradoxo de amar e atormentar-se. Desse modo, na Canção nº IX o poeta plasma, em solidão, desesperação e angústia sentimental, o drama do próprio Homem perante o destino

---

* *Onde fundada já foi Berenice* = cidade asiática fundada por Ptolomeu, em homenagem à sua mulher, uma princesa judia; *Dos próprios outro nome lhe tem dado* = Guardafui.

e o anseio de comunicar-se e permanecer para além da “fera Morte”. Que se trata dum poema de feição clássica, parece não haver a menor dúvida: basta ter corrido os olhos pelo comentário aos sonetos para percebê-lo. Na sua falta, notem-se, como claros índices, o racionalismo estóico do quadro e o universalismo alegórico assumido pelas palavras em maiúscula, como Destino, Fado, Fortuna, Trabalho, Morte, Estrelas, Céu.

Sonetos

1

Eu cantarei de amor tão docemente,
Por uns termos em si tão concertados,
Que dous mil acidentes namorados
Faça sentir ao peito que não sente.
Farei que amor a todos avivente,
Pintando mil segredos delicados,
Brandas iras, suspiros magoados,
Temerosa ousadia e pena ausente.
Também, Senhora, do desprezo honesto
De vossa vista branda e rigorosa,
Contentar-me-ei dizendo a menor parte.
Porém, pera cantar de vosso gesto
A composição alta e milagrosa,
Aqui falta saber, engenho e arte.

2

Doces lembranças da passada glória
Que me tirou Fortuna roubadora,
Deixai-me repousar em paz uma hora,
Que comigo ganhais pouca vitória.
Impressa tenho na alma a larga história
Deste passado bem, que nunca fora;
Ou fora, e não passara; mas já agora
Em mim não pode haver mais que a memória.
Vivo em lembranças, mouro de esquecido
De quem sempre devera ser lembrado,
Se lhe lembrara estado tão contente.
Oh! quem tornar pudera a ser nascido!
Soubera-me lograr do bem passado,
Se conhecer soubera o mal presente.

3

Tanto de meu estado me acho incerto,
Que em vivo ardor tremendo estou de frio;

Sem causa, juntamente choro e rio;
O Mundo todo abarco e nada aperto.
É tudo quanto sinto um desconcerto;
Da alma um fogo me sai, da vista um rio;
Agora espero, agora desconfio,
Agora desvario, agora acerto.
Estando em terra, chego ao céu voando;
Numa hora acho mil anos, e é de jeito
Que em mil anos não posso achar uma hora.
Se me pergunta alguém porque assim ando,
Respondo que não sei; porém suspeito
Que só porque vos vi, minha Senhora.

4

Mudam-se os tempos, mudam-se as vontades,
Muda-se o ser, muda-se a confiança;
Todo o Mundo é composto de mudança,
Tomando sempre novas qualidades.
Continuamente vemos novidades,
Diferentes em tudo da esperança;
Do mal ficam as mágoas na lembrança,
E do bem se algum houve, as saudades.
O tempo cobre o chão de verde manto,
Que já coberto foi de neve fria,
E em mim converte em choro o doce canto.
E, afora este mudar-se cada dia,
Outra mudança faz de mor espanto,
Que não se muda já como soía.

5

Ditoso seja aquele que somente
Se queixa de amorosas esquivanças;
Pois por elas não perde as esperanças
De poder nalgum tempo ser contente.
Ditoso seja quem, estando ausente,
Não sente mais que a pena das lembranças;
Porque, inda que se tema de mudanças,
Menos se teme a dor quando se sente.
Ditoso seja, enfim, qualquer estado,
Onde enganos, desprezos e isenção
Trazem o coração atormentado.
Mas triste quem se sente magoado

De erros em que não pode haver perdão,
Sem ficar na alma a mágoa do pecado.

6

Erros meus, má fortuna, amor ardente
Em minha perdição se conjuraram;
Os erros e a fortuna sobejaram,
Que pera mim bastava amor somente.
Tudo passei; mas tenho tão presente
A grande dor das cousas que passaram,
Que as magoadas iras me ensinaram
A não querer já nunca ser contente.
Errei todo o discurso de meus anos;
Dei causa [a] que a Fortuna castigasse
As minhas mal fundadas esperanças.
De amor não vi senão breves enganos.
Oh! quem tanto pudesse, que fartasse
Este meu duro Gênio de vinganças!

Elegia

Não me julgueis, Senhora, a atrevimento
O que me faz fazer um mal tão forte
Que não me basta nele o sofrimento;
Que tal me traz já agora minha sorte,
Que me faz buscar vossa crueldade
Donde só por remédio espero a morte.
Não vos pude calar esta verdade,
Porque força não tem poder humano
Contra outro, que não tem humanidade.
Amor, que tudo faz pera mor dano,
Me deu o mal, levou-me o sofrimento.
Ah! duro Amor, cruel e desumano!
Não vos lembre, Senhora, meu tormento,
Que este bem o merece a ousadia
De eu empregar em vós meu pensamento.
Lembre-vos um amor que, cada dia,
Em mim tão verdadeiro e firme cresce,
Que alheio me traz já do que soía.
Não peço que o pagueis como merece,
Que não mereço eu tanto; mas só peço
Que por mim não cuideis que desmerece.
Porque, se só por si é de tal preço
Que a suprir basta seu merecimento

Quanto eu de minha parte desmereço,
Bem vejo que em tomar o sofrimento
Pera viver, melhor remédio fora
Que um tão desordenado atrevimento.
Mas eu, que do viver, menos, já agora,
Que de todo al curo, pois crescendo
Vão com a vida os males cada hora,
Vos quis manifestar meu mal, sabendo
A quanta desventura se aventura
Quem pretende fazer o que eu pretendo.
Quisesse — Oh! oxalá — minha ventura
Que castigásseis vós esta ousadia
Com uma cruel morte, triste e dura!
Que não seria morte, mas seria
Um suave remédio, doce e brando,
Deste mal, que me mata cada dia.
Até quando, Senhora, e até quando
Terá lugar em vós vossa crueza,
E a morte não em mim, que a estou chamando?
Abrande meu amor vossa dureza,
Que esta alma assim transforma com tal cura,
Que já não é amor, mas natureza.
Abrande já uma vida, em que só dura
A alma, por que veja e exp'rimente
Que não tem fim a grão desaventura.
Abrande já uma dor que juntamente
A vida penetrou e a alma triste,
E lhe roubou o estado seu contente.
Mostrai-vos poderosa em quem insiste
Em desobedecer ou enojar-vos,
E não já contra quem vos não resiste.
Em quem cuidar que digno foi de amar-vos
Mostrai vosso poder, pois o merece;
Em mim não, que o não sou tão-só de olhar-vos.
Atentai por uma alma que se esquece
De si, porque em vós pôs sua lembrança,
E tal que em nenhum tempo desfalece.
Nem suspeito que possa haver mudança
Num coração que mais que a si vos ama.
Dai-lhe já morte, ou vida, ou esperança,
Que tudo será glória, por tal Dama!

Canção

Manda-me Amor que cante docemente
O que ele em minha alma tem impresso,

Com pressuposto de desabafar-me;
E, por que com meu mal seja contente,
Diz que ser de tão lindos olhos preso,
Cantá-lo bastaria a contentar-me.
Este excelente modo de enganar-me
Tomara eu só de Amor por interesse,
Se não se arrependesse,
Com a pena o engenho escurecendo.
Porém a mais me atrevo,
Em virtude do gesto de que escrevo;
E se é mais o que canto que o que entendo,
Invoco o lindo aspeito
Que pode mais que Amor em meu defeito.

Sem conhecer Amor viver soía,
Seu arco e seus enganos desprezando,
Quando vivendo deles me mantinha.
O Amor enganoso, que fingia,
Mil vontades alheias enganando,
Me fazia zombar de quem o tinha.
No Touro entrava Febo, e Progne vinha;
O corno de Aquelôo Flora entornava,
Quando o Amor soltava
Os fios de ouro, as tranças encrespadas,
Ao doce vento esquivas
Dos olhos rutilando chamas vivas.
E as rosas entre a neve semeadas,
Co riso falante
Que um peito desfizera de diamante.

Um não sei quê, suave, respirando,
Causava um admirado e novo espanto,
Que as cousas insensíveis o sentiam.
E as gárrulas aves, levantando
Vozes desordenadas em seu canto
Como no meu desejo, se incendiam.
As fontes cristalinas não corriam,
Inflamadas na linda vista pura;
Florescia a verdura
Que, andando, cos divinos pés tocava;
Os ramos se abaixavam,
Ou de inveja das ervas que pisavam,
Ou porque tudo ante ela se baixava.
Não houve cousa, enfim,
Que não pasmasse dela, e eu de mim.

Porque, quando vi dar o entendimento
Às cousas que o não tinham, o temor
Me fez cuidar que efeito em mim faria.
Conheci-me não ter conhecimento;
E nisto só o tive, porque Amor
Mo deixou por que visse o que podia.
Tanta vingança Amor de mim queria,
Que mudava a humana natureza
Nos montes, e a dureza
Deles em mim, por troca, traspassava.
Oh! que gentil partido!
Trocar o ser do monte, sem sentido,
Pelo que num juízo humano estava!
Olhai que doce engano:
Tirar comum proveito de meu dano!

Assim que, indo perdendo o sentimento
A parte racional, me entristecia
Vê-la a um apetite cometida;
Mas dentro na alma o fim do pensamento,
Por tão sublime causa, me dizia
Que era razão ser a razão vencida.
Assim que, quando a via ser perdida,
A mesma perdição a restaurava;
E em mansa paz estava
Cada um com seu contrário num sujeito.
Oh! grão concerto este!
Quem será que não julgue por celeste
A causa de onde vem tamanho efeito
Que faz num coração
Que venha o apetite a ser razão?

Aqui senti de Amor a mor fineza,
Como foi ver sentir o insensível,
E o ver a mim de mim próprio perder-me;
Enfim, senti negar-se a natureza;
Por onde cri que tudo era possível
Aos lindos olhos seus, senão querer-me.
Depois que já senti desfalecer-me,
Em lugar do sentido que perdia,
Não sei quem me escrevia
Dentro na alma, coas letras da memória,
O mais deste processo,
Co claro gesto juntamente impresso,
Que foi a causa de tão longa história.

Se bem a declarei,
Eu não a escrevo, da alma a trasladei.

Canção, se quem te ler
Não crer dos olhos lindos o que dizes,
Pelo que em si se esconde,
— Os sentidos humanos — lhe responde —
Não podem dos divinos ser juízes,
[Senão um pensamento
Que a falta supra a fé do entendimento].*

(*Ibidem*, vol. I, pp. 187-188, 198-199, 199-200, 213, 228, 257; vol. II, pp. 230-232, 282-285.)

Os Lusíadas

Publicada em 1572 e contendo 10 cantos, que enfeixam 1102 estâncias em oitava-rima (com rima em *abababcc),* ou 8816 versos decassílabos heróicos (com cesura na 2ª sílaba, ou 3ª, ou 4ª e 6ª e 10ª), — a epopéia camoniana divide-se em três partes: a *Introdução,* que ocupa as 18 primeiras estâncias, reparte-se em *Proposição* (estâncias 1-3), ou seja, o assunto do poema "As armas e os barões assinalados", "Cantando espalharei por toda parte"; *Invocação* (estâncias 4-5) às Tágides, musas do Rio Tejo; e *Oferecimento* (estâncias 6-18) ao Rei D. Sebastião, que subvencionou a publicação da obra; a *Narração* (Canto I, estância 19 — Canto X, estância 144) e *Epílogo* (Canto X, estâncias 145-156). Visto a epopéia basear-se na viagem de Vasco da Gama às Índias, a *Narração* principia com as caravelas navegando no Oceano Índico. Realiza-se o Concílio dos Deuses no Olimpo, e Vênus consegue vencer Baco e obter permissão para que os navegantes prossigam caminho. Chegam a Moçambique, onde, com a ajuda de Vênus, se desvencilham das ciladas de Baco. Na chegada a Mombaça, repete-se a cena. Até que aportam a Melinde, cujo rei, vindo à nau capitânia, pede ao Gama que lhe narre a história do seu país. Descrita a Europa, o nauta inicia sua narração com a fundação da Lusitânia por Luso, passa por D. Henrique de Borgonha e continua com os principais eventos históricos: o de Egas Moniz, a batalha de Ourique, a batalha do Salado, Inês de Castro, a batalha de Aljubarrota, a tomada de Ceuta, o sonho profético de D. Manuel, os preparativos da viagem e a largada das naus. A seguir, o Gama relata os incidentes da primeira parte da viagem: o Fogo de Santelmo, a aventura do Veloso, o Gigante Adamastor, a chegada a Melinde. Partindo as naus. Baco incita os ventos contra elas: durante a calmaria, conta-se o caso dos Doze de Inglaterra. Desatada a tempestade, Vênus decide abrandá-la enviando ninfas amorosas ao encontro dos ventos enfurecidos. Chegada a Calecute, termo da viagem. Desembarcado, Vasco da Gama é acolhido festivamente pelo Samorim, enquanto

* *al* = outra coisa; *no Touro. . . vinha* = Febo, o Sol, entra na constelação do Touro em 22 de abril, quando voltam as andorinhas (Progne). Progne, filha de Pândion, Rei de Atenas, e esposa de Tereu; para vingar-se do marido, que lhe fora infiel com a irmã, Filomela, dá-lhe de comer o próprio filho, Ítis. Protegendo-a contra a ira de Tereu, os deuses transformaram Progne em andorinha e Filomela em rouxinol; *o corno. . . entornava* = Flora, deusa das flores e dos jardins, entorna o corno de Aquelôo, símbolo da abundância.

Paulo da Gama recebe a bordo da nau capitânia o Catual e decifra-lhe o sentido das figuras desenhadas nas bandeiras. Alcançado o objetivo, retornam à Pátria. Em caminho, arribam à Ilha dos Amores, onde são recompensados de suas fadigas com os favores das ninfas locais. E Tétis conduz Vasco da Gama ao topo da ilha, de onde lhe descortina a "máquina do mundo" e o destino glorioso do povo português. Partida. Regresso a Portugal. Epílogo, melancólico e triste.

O episódio que se vai ler, é referente ao Gigante Adamastor, situado no Canto V, entre as estâncias 37 e 60:

[Gigante Adamastor]

Porém já cinco Sóis eram passados
Que dali nos partíramos, cortando
Os mares nunca de outrem navegados,
Prosperamente os ventos assoprando,
Quando uma noite, estando descuidados
Na cortadora proa vigiando,
Uma nuvem, que os ares escurece,
Sobre nossas cabeças aparece.

Tão temerosa vinha e carregada,
Que pôs nos corações um grande medo;
Bramindo, o negro mar de longe brada,
Como se desse em vão nalgum rochedo.
"Ó Potestade (disse) sublimada:
Que ameaço divino ou que segredo
Este clima e este mar nos apresenta,
Que mor cousa parece que tormenta?"

Não acabava, quando uma figura
Se nos mostra no ar, robusta e válida,
De disforme e grandíssima estatura;
O rosto carregado, a barba esquálida,
Os olhos encovados, e a postura
Medonha e má e a cor terrena e pálida;
Cheios de terra e crespos os cabelos,
A boca negra, os dentes amarelos.

Tão grande era de membros, que bem posso
Certificar-te que este era o segundo
De Rodes estranhíssimo Colosso,
Que um dos sete milagres foi do mundo
Cum tom de voz nos fala, horrendo e grosso,
Que pareceu sair do mar profundo.
Arrepiam-se as carnes e o cabelo,
A mim e a todos, só de ouvi-lo e vê-lo!

E disse: "Ó gente ousada, mais que quantas
No mundo cometeram grandes cousas,
Tu, que por guerras cruas, tais e tantas,
E por trabalhos vãos nunca repousas,
Pois os vedados términos quebrantas
E navegar meus longos mares ousas,
Que eu tanto tempo há já que guardo e tenho,
Nunca arados de estranho ou próprio lenho:

Pois vens ver os segredos escondidos
Da natureza e do úmido elemento,
A nenhum grande humano concedidos
De nobre ou de imortal merecimento,
Ouve os danos de mim apercebidos
Estão a teu sobejo atrevimento,
Por todo o largo mar e pola terra
Que inda hás de subjugar com dura guerra.

Sabe que quantas naus esta viagem
Que tu fazes, fizerem, de atrevidas,
Inimiga terão esta paragem,
Com ventos e tormentas desmedidas!
E da primeira armada, que passagem
Fizer por estas ondas insofridas,
Eu farei de improviso tal castigo,
Que seja mor o dano que o perigo!

Aqui espero tomar, se não me engano,
De quem me descobriu suma vingança,
E não se acabará só nisto o dano
De vossa pertinace confiança:
Antes, em vossas naus vereis, cada ano,
Se é verdade o que meu juízo alcança,
Naufrágios, perdições de toda sorte,
Que o menor mal de todos seja a morte!

E do primeiro Ilustre, que a ventura
Com fama alta fizer tocar os Céus,
Serei eterna e nova sepultura,
Por juízos incógnitos de Deus.
Aqui porá da Turca armada dura
Os soberbos e prósperos troféus;
Comigo de seus danos o ameaça
A destruída Quíloa com Mombaça.

Outro também virá, de honrada fama
Liberal, cavaleiro e namorado,

E consigo trará a fermosa dama
Que Amor por grão mercê lhe terá dado,
Triste ventura e negro fado os chama
Neste terreno meu, que, duro e irado,
Os deixará dum cru naufrágio vivos,
Pera verem trabalhos excessivos.

Verão morrer com fome os filhos caros,
Em tanto amor gerados e nascidos;
Verão os Cafres, ásperos e avaros,
Tirar à linda dama seus vestidos;
Os cristalinos membros e preclaros
À calma, ao frio, ao ar, verão despidos,
Depois de ter pisada, longamente,
Cos delicados pés a areia ardente.

E verão mais os olhos que escaparem
De tanto mal, de tanta desventura,
Os dous amantes míseros ficarem
Na férvida e implacável espessura.
Ali, depois que as pedras abrandarem
Com lágrimas de dor, de mágoa pura,
Abraçados, as almas soltarão
Da fermosa e misérrima prisão."

Mas ia por diante o monstro horrendo,
Dizendo nossos Fados, quando, alçado,
Lhe disse eu: "Quem és tu? Que esse estupendo
Corpo, certo, me tem maravilhado!"
A boca e os olhos negros retorcendo
E, dando um espantoso e grande brado,
Me respondeu, com voz pesada e amara,
Como quem da pergunta lhe pesara:

"Eu sou aquele oculto e grande Cabo
A quem chamais vós outros Tormentório,
Que nunca a Ptolomeu, Pompônio, Estrabo,
Plínio, e quantos passaram fui notório,
Aqui toda a Africana costa acabo.
Neste meu nunca visto Promontório,
Que pera o Pólo Antártico se estende,
A quem vossa ousadia tanto ofende!

Fui dos filhos aspérrimos da Terra,
Qual Encélado, Egeu e o Centimano;
Chamei-me Adamastor, e fui na guerra
Contra o que vibra os raios de Vulcano;

Não que pusesse serra sobre serra,
Mas, conquistando as ondas do Oceano,
Fui capitão do mar, por onde andava
A armada de Netuno, que eu buscava.

Amores da alta esposa de Peleu
Me fizeram tomar tamanha empresa.
Todas as Deusas desprezei do Céu,
Só por amar das Águas a Princesa.
Um dia a vi, co as filhas de Nereu,
Sair nua na praia: e logo presa
A vontade senti de tal maneira,
Que inda não sinto cousa que mais queira.

Como fosse impossível alcançá-la,
Pola grandeza feia de meu gesto,
Determinei por armas de tomá-la
E a Dóris este caso manifesto.
De medo a Deusa então por mim lhe fala;
Mas ela, com fermoso riso honesto,
Respondeu: "Qual será o amor bastante
De Ninfa, que sustente o dum Gigante?

Contudo, por livrarmos o Oceano
De tanta guerra, eu buscarei maneira
Com que, com minha honra, escuse o dano."
Tal resposta me torna a mensageira.
Eu, que cair não pude neste engano
(Que é grande dos amantes a cegueira),
Encheram-me, com grandes abondanças,
O peito de desejos e esperanças.

Já néscio, já da guerra desistindo,
Uma noite, de Dóris prometida,
Me aparece de longe o gesto lindo
Da branca Tétis, única, despida.
Como doudo corri, de longe, abrindo
Os braços pera aquela que era vida
Deste corpo, e começo os olhos belos
A lhe beijar, as faces e os cabelos.

Oh! Que não sei de nojo como o conte!
Que, crendo ter nos braços quem amava,
Abraçado me achei cum duro monte
De áspero mato e de espessura brava.
Estando cum penedo fronte a fronte,
Que eu polo rosto angélico apertava,

Não fiquei homem, não, mas mudo e quedo
E, junto dum penedo, outro penedo!

Ó Ninfa, a mais fermosa do Oceano,
Já que minha presença não te agrada,
Que te custava ter-me neste engano,
Ou fosse monte, nuvem, sonho ou nada?
Daqui me parto, irado e quase insano
Da mágoa e da desonra ali passada,
A buscar outro mundo, onde não visse
Quem de meu pranto e de meu mal se risse.

Eram já neste tempo meus Irmãos
Vencidos e em miséria extrema postos,
E, por mais segurar-se os Deuses vãos,
Alguns a vários montes sotopostos.
E, como contra o Céu não valem mãos,
Eu, chorando andava meus desgostos,
Comecei a sentir do Fado inimigo,
Por meus atrevimentos, o castigo.

Converte-se-me a carne em terra dura;
Em penedos os ossos se fizeram;
Estes membros, que vês, e esta figura
Por estas longas águas se estenderam.
Enfim, minha grandíssima estatura
Neste remoto Cabo converteram
Os Deuses; e, por mais dobradas mágoas,
Me anda Tétis cercando destas águas."

Assim contava; e, cum medonho choro,
Súbito de ante os olhos se apartou.
Desfez-se a nuvem negra, e cum sonoro
Bramido muito longe o mar soou.
Eu, levantando as mãos ao santo coro
Dos Anjos, que tão longe nos guiou,
A Deus pedi que removesse os duros
Casos, que Adamastor contou futuros.*

(*Os Lusíadas*, Porto, Porto Ed., s. d., canto V, est. 37-60.)

---

* *cinco Sóis* = cinco dias; *De Rodes estranhíssimo Colosso* = estátua de Apolo na Ilha de Rodes, "um dos sete milagres do mundo"; *milagres* = maravilhas; *úmido elemento* = mar; *apercebidos* = preparados; *Quem me descobriu* — Bartolomeu Dias; *primeiro ilustre* = D. Francisco de Almeida (1450-1510), primeiro vice-rei da Índia que morreu no Cabo da Boa Esperança, num

Este episódio, de capital importância no conjunto d*Os Lusíadas,* encerra um mito cuja procedência se perde nas trevas da própria História. Na *Odisséia,* Homero cristaliza-o pela primeira vez, na figura do gigante Polifemo (Hernâni Cidade, *Luís de Camões. O Épico,* 2ª ed., Lisboa, Revista da Faculdade de Letras de Lisboa, 1953, p. 127). Em verdade, "a transformação de um titã em promontório igualmente na Mitologia tinha sua origem. É lembrar o Atlas, gigante filho de Júpiter e de Clímene, encarregado de sustentar o Céu sobre os ombros e que um dia foi convertido em monte, ao ver a cabeça de Medusa" *(Idem, ibidem).* E Sidônio Polinar (séc. V d.C.) foi o primeiro que deu o nome de Adamastor a um gigante (José Maria Rodrigues, nota a *Os Lusíadas,* Lisboa, Imprensa Nacional [1931], pp. CXLIV-CXLV). Quanto aos riscos que a travessia oceânica parecia oferecer para a imaginação antiga e medieval, sabe-se que tal crença deixou rastro em historiadores portugueses, como vimos em Rui de Pina (v. p. 54). Todavia, consideram-se João de Barros *(Décadas,* I, Liv. V, cap. II), a *História Trágico-Marítima* e Fernão Lopes de Castanheda *(História do Descobrimento e Conquista da Índia pelos Portugueses)* como algumas das fontes possíveis do episódio do gigante Adamastor. Este constitui o núcleo dramático e simbólico d*Os Lusíadas:* 1) norteado por sua clarividência raro empanada, o poeta insere-o precisamente no meio da epopéia, como a lhe servir de eixo ou a insinuar que o Cabo da Boa Esperança marcava a metade da viagem e o seu ponto crucial; 2) o episódio representa, a meu ver, o estágio mais elevado atingido por Camões em matéria de grandioso e maravilhoso: a solenidade trágica e espetaculosa da fala do Adamastor casa-se coerentemente com a mistura de ficção e realidade que compõe a personalidade do gigante. Com efeito, não há, n*Os Lusíadas,* outro episódio tão pleno em sua grandiosidade épica e em que o plano do maravilhoso e o plano histórico se concatenem de modo tão admirável. Por outro lado, nele se aglutinam, segundo dois "movimentos" sinfônicos, a epicidade altissonante das profecias e ameaças do gigante, e a elegia lírico-amorosa das estâncias finais. Aqui, nessa dualidade em que imerge o "pobre" gigante, o principal significado simbólico do episódio, que o torna único e fundamental no conjunto do poema: a força indômita das armas, a intemeridade frente ao perigo e aos combates heróicos, aliada a uma ingênita debilidade para com os lances amorosos, ou uma capacidade inalterada para enternecer-se por amor até se transformar em pedra, ou seja, anulado totalmente, em sacrifício à bem-amada. Parece que o episódio, com retratar as duas faces d*Os Lusíadas*, ainda expressa de maneira transparente o próprio binômio moral e psicológico do português, dividido entre a ação ecumênica e o sentimentalismo amoroso. Ou, como o mesmo Camões assevera no Epílogo do poema, dirigindo-se a D. Sebastião: "Para servir-vos, braço às armas feito, / Para cantar-vos, mente às Musas dada" (canto X, estância CLV). E, ao mesmo tempo que trans-

---

combate travado com os cafres, quando procurava reabastecer os navios que comandava de volta à Pátria; foi enterrado na praia, apenas coberto de areia; *porá* = deporá; *outro também virá* = Manuel de Sousa Sepúlveda (1500/1505-1552), fidalgo português que naufragou ao largo do Cabo de Boa Esperança, com sua mulher, Leonor de Sá, "fermosa dama", e seus filhos; ao contrário do que afirma Camões na estrofe que começa com "E verão mais os olhos que escaparem", mortos pelos cafres a mulher e os filhos, Sepúlveda enterrou-os na areia e deixou-se morrer sobre as sepulturas, comido por tigres; *Fermosa e misérrima prisão* = corpo; *Ptolomeu* = geógrafo grego do século II d.C.; *Pompônio* = Pompônio Mela, geógrafo romano do século II d.C.; *Estrabo* = Estrabão, geógrafo grego que viveu no século I a.C. e I d.C.; *Plínio* = Plínio, o Velho, cientista romano do século I d.C.; *Encélado, Egeu e o Centimano* = gigantes; *O que vibra os raios de Vulcano* = Júpiter; *Esposa de Peleu* = Tétis, ninfa, deusa das águas, filha de Nereu e de Dóris; *Deusa* = Dóris; *mensageira* = Dóris; *nojo* = sofrimento; *meus irmãos* = os demais gigantes.

posição da antinomia psíquica do português, o episódio do Adamastor contém a mitificação das dificuldades que a Natureza opunha à penetração lusa "por mares nunca dantes navegados" e do seu malogro ante a impavidez dos nautas quatrocentistas: neste caso, Tétis simbolizaria a própria blandícia e sentimentalidade do português vencendo a fortaleza dum enorme e medonho gigante; ou simbolizaria, na sua pequenez, a brevidade geográfica de Portugal, enquanto Adamastor seria a imagem da terrificante vastidão marítima, afinal submetida e domesticada pela perseverança e astúcia lusitanas. Assim, a fantasia mítica e a realidade histórica se consorciam, como postulava o ideário renascentista, num episódio onde não se sabe mais que admirar, se o arroubo épico e profético da primeira parte, se a plangência da segunda. Seja como for, trata-se duma passagem de rara fulgurância poética, perfeita na sua unidade interior e na sua forma, onde não se nota "nenhuma palavra inútil, nenhuma expressão que não seja mais perfeitamente adaptada à realização plástica da figura, a dar eco às raivas em que estremece ou à elegia em que, por fim, amorosamente abranda" (Hernâni Cidade, *ibidem,* p. 129).

[Inês de Castro]

Estavas, linda Inês, posta em sossego,
De teus anos colhendo doce *fruito*,
Naquele engano da alma, ledo e cego,
Que a Fortuna não deixa durar muito,
Nos saudosos campos do Mondego,
De seus *fermosos* olhos nunca *enxuito*,
Aos montes *ensinando* e às ervinhas
O nome que no peito escrito tinhas.

Do teu Príncipe ali te respondiam
As lembranças que na alma lhe moravam,
Que sempre ante seus olhos te traziam,
Quando dos teus *fermosos* se apartavam;
De noite, em doces sonhos que mentiam,
De dia, em pensamentos que voavam;
E quanto, enfim, cuidava e quanto via
Eram tudo memórias de alegria.

De outras belas senhoras e princesas
Os desejados tálamos enjeita,
Que tudo, enfim, tu, puro amor, desprezas,
Quando um gesto suave te sujeita.
Vendo estas namoradas estranhezas,
O velho pai *sisudo*, que respeita
O murmurar do povo e a fantasia
Do filho, que casar-se não queria,

Tirar Inês ao mundo determina,
Por lhe tirar o filho que tem preso,
Crendo *co* sangue só da morte *indina*

Matar do firme amor o fogo aceso.
Que furor consentiu que a espada fina,
Que pôde sustentar o grande peso
Do furor mauro, fosse alevantada
Contra uma fraca dama delicada?

Traziam-na os horríficos algozes
Ante o rei, já movido a piedade;
Mas o povo, com falsas e ferozes
Razões, à morte crua o persuade.
Ela, com tristes e piedosas vozes,
Saídas só da mágua e saudade
Do seu príncipe e filhos, que deixava,
Que mais que a própria morte a magoava,

Pera o céu cristalino alevantando,
Com lágrimas, os olhos piedosos
(Os olhos, porque as mãos lhe estava atando
Um dos duros ministros rigorosos);
E *despois*, nos *mininos* atentando,
Que tão queridos tinha e tão mimosos,
Cuja *orfindade* como mãe temia,
Pera o avô cruel *assi* dizia:

"Se já nas brutas feras, cuja mente
Natura fez cruel de nascimento,
E nas aves agrestes, que somente
Nas rapinas aéreas *tem* o intento,
Com pequenas crianças viu a gente
Terem tão *piadoso* sentimento
Como *co* a mãe de Nino já mostraram,
E *cos* irmãos que Roma edificaram:

Ó tu, que tens de humano o gesto e o peito
(Se de humano é matar uma donzela,
Fraca e sem força, só por ter sujeito
O coração a quem soube vencê-la),
A estas criancinhas tem respeito,
Pois o não tens à morte escura dela;
Mova-te a piedade sua e minha,
Pois te não move a culpa que não tinha.

E, se, vencendo a maura resistência,
A morte sabes dar com fogo e ferro,
Sabe também dar vida, com clemência,
A quem *pera* perdê-la não fez erro.
Mas, se to *assi* merece esta inocência,

Põe-me em perpétuo e mísero desterro,
Na Cítia fria ou lá na Líbia ardente,
Onde em lágrimas viva eternamente.

Põe-me onde se use toda a feridade,
Entre leões e tigres, e verei
Se neles achar posso a piedade
Que entre peitos humanos não achei.
Ali *co* o amor intrínseco e vontade
Naquele por quem *mouro*, criarei
Estas relíquias suas que aqui viste,
Que refrigério sejam da mãe triste."

Queria perdoar-lhe o Rei *benino*,
Movido das palavras que o magoam;
Mas o pertinaz povo e seu destino
(Que desta sorte o quis) lhe não perdoam.
Arrancam das espadas de aço fino
Os que por bom tal feito ali apregoam.
Contra uma dama, ó peitos carniceiros,
Feros vos amostrais e cavaleiros?

Qual contra a linda moça *Policena*,
Consolação extrema da mãe velha,
Porque a sombra de Aquiles a condena,
Co ferro o duro Pirro se aparelha;
Mas ela, os olhos, com que o ar serena
(Bem como paciente e mansa ovelha),
Na mísera mãe postos, que endoudece,
Ao duro sacrifício se oferece:

Tais contra Inês os brutos matadores,
No colo de alabastro, que sustinha
As obras com que Amor matou de amores
Aquele que *depois* a fez rainha,
As espadas banhando e as brancas flores,
Que ela dos olhos seus regadas tinha,
Se encarniçavam, férvidos e irosos,
No futuro castigo não cuidosos.

Bem puderas, ó Sol, da vista destes,
Teus raios apartar aquele dia,
Como da seva mesa de Tiestes,
Quando os filhos por mão de Atreu comia!
Vós, ó côncavos vales, que pudestes
A voz extrema ouvir da boca fria,

O nome do seu Pedro, que lhe ouvistes,
Por muito grande espaço repetistes.

Assi como a bonina, que cortada
Antes do tempo foi, cândida e bela,
Sendo das mãos *lascivas* maltratada
Da *menina* que a trouxe na capela,
O cheiro traz perdido e a cor murchada:
Tal está, morta, a pálida donzela,
Secas do rosto as rosas, e perdida
A branca e viva cor, *co* a doce vida.

As filhas do Mondego a morte escura
Longo tempo chorando memoraram,
E, *por* memória eterna, em fonte pura
As lágrimas choradas transformaram.
O nome lhe puseram, que *inda* dura,
Dos amores de Inês, que ali passaram.
Vede que fresca fonte rega as flores,
Que lágrimas são a água e o nome Amores.*

(*Ibidem*, pp. 135-138.)

---

* *Inês* = Inês Pires, "bastarda de D. Pedro Fernandes de Castro *o da Guerra*, e, pela mãe deste, D. Violante (também bastarda real), bisneta de D. Sancho IV *o Bravo*" (Vitorino Nemésio, *apud Os Lusíadas*, ed. cit.); *fruito* = por "fruto", rima com "muito"; *engano* = êxtase, enlevo; *nome* = D. Pedro (v. Fernão Lopes, p. 45); *respondiam* = correspondiam; *cuidava* = pensava; *tálamos* = leito nupcial; *gesto* = rosto; *namoradas estranhezas* = loucuras amorosas; *sisudo* = prudente; *fantasia* = capricho; *indina* = indigna; *furor* = loucura (est. 122, v. 5), sanha bélica (ib. v. 123); *mauro* = muçulmano; *algozes* = Álvaro Gonçalves, Pêro Coelho e Diogo Lopes Pacheco; *cristalino* = puro, límpido; *mente* = instinto; *natura* = natureza; *ministros rigorosos* = executores desalmados, carrascos; *mãe de Nino* = Nino, rei da Assíria, era filho de Semíramis, que, abandonada numa floresta após o nascimento, sobreviveu graças às pombas que a alimentaram; *irmãos que Roma edificaram* = Rômulo e Remo; *escura* = triste, tenebrosa; *erro* = crime, delito; *Cítia fria* = Sibéria; *feridade* = ferocidade; *peitos* = corações; *intrínseco* = profundo, íntimo; *relíquias* = os filhos de Inês e D. Pedro; *refrigério* = consolação; *benino* = benigno; *cavaleiros* = valentes; *qual* = o segundo termo da comparação é *tais*, da estrofe seguinte; *Policena* = filha de Príamo, rei de Tróia, e de Hécuba, foi sacrificada por Pirro sobre o túmulo de Aquiles, pai de Pirro; *sombra* = alma; *Pirro* = filho de Aquiles, herói grego da guerra de Tróia; *alabastro* = mármore; *obras* = feições; *colo* = pescoço; *matou* = despertou paixão intensa; *brancas flores* = seios alvos; *Amor* = Cupido, deus do amor, despertou intensa paixão em D. Pedro; *seva mesa* = cruel banquete; *Tiestes* = Atreu, rei de Mecenas, querendo vingar-se do irmão Tiestes, que o havia traído com a esposa, matou os filhos que resultaram dessa união e os ofereceu em banquete. O Sol, segundo a tradição, retrocedeu de pavor, diante da horrível cena; *lascivas* = travessas, brincalhonas; *capela* = coroa, grinalda; *filhas do Mondego* = ninfas do rio Mondego ou mulheres de Coimbra; *fonte pura* = Fonte dos Amores, na Quinta das Lágrimas, em Coimbra.

A Poesia

Oscilando entre os temas clássicos e os medievais, a poesia quinhentista, ofuscada pelo brilho áureo de Camões, manteve-se em altura apenas mediana. Embora numerosos, poucos poetas têm cabimento nesta antologia.

SÁ DE MIRANDA

Francisco de Sá de Miranda nasceu em 1481 e faleceu em 1558. Introduziu o Classicismo em Portugal, depois de uma longa estada na Itália. Embora fidalgo e gozando de regalias junto à Corte, viveu grande parte da vida na sua quinta da Tapada, no Minho, cercado sempre de muito prestígio e respeito. Escreveu "trovas à maneira antiga", poesia clássica e peças de teatro.

Trova

Comigo me desavim,
sou posto em todo perigo;
não posso viver comigo
nem posso fugir de mim.
Com dor, da gente fugia,
antes que esta assi crescesse;
agora já fugiria
de mim, se de mim pudesse.
Que meio espero ou que fim
do vão trabalho que sigo,
pois que trago a mim comigo,
tamanho imigo de mim?*

Sonetos

1

O sol é grande, caem coa calma as aves,
do tempo em tal sazão, que sói ser fria;
esta água que d'alto cai acordar-m'ia
do sono não, mas de cuidados graves.

Ó cousas, todas vãs, todas mudaves,
qual é tal coração qu'em vós confia?
Passam os tempos vai dia trás dia,
incertos muito mais que ao vento as naves.

Eu vira já aqui sombras, vira flores,

---

* *imigo* = inimigo.

vi tantas águas, vi tanta verdura,
as aves todas cantavam d'amores.

Tudo é seco e mudo; e, de mistura,
também mudando-m'eu fiz doutras cores:
e tudo o mais renova, isto é sem cura!

2

Quando eu, senhora, em vós os olhos ponho,
e vejo o que não vi nunca, nem cri
que houvesse cá, recolhe-se a alma a si
e vou tresvariando como em sonho.

Isto passado, quando me disponho,
e me quero afirmar se foi assi,
pasmado e duvidoso do que vi,
m'espanto às vezes, outras m'avergonho.

Que, tornando ante vós, senhora, tal,
quando m'era mister tant'outr'ajuda
de que me valerei, se alma não val?

Esperando por ela que me acuda,
e não me acode, e está cuidando em al,
afronta o coração, a língua é muda.

(*Obras Completas*, Lisboa, Sá da Costa, 1942,
vol. I, pp. 8, 318, 319.)

Apesar de o primeiro poema ser à "medida velha (= à maneira medieval), os três apresentam vários pontos de contacto, através dos quais se põe de manifesto a personalidade grave e reflexiva de Sá de Miranda: uma melancolia tensa, seriíssima, de quem perscruta nas profundezas da alma humana suas recônditas inquietações, e afoga em desalento qualquer gosto de amar e de viver. Estóica, cética, desiludida, a cosmovisão do poeta, integrada perfeitamente nos quadros da cultura clássica, radica num íntimo anseio de encontrar algo de perdurável para além da fugacidade cósmica, e ampara-se numa linguagem castiça e viva, não obstante o andamento do verso nem sempre revele fluência ou espontaneidade. Dos três poemas, o soneto nº 1 é o mais conhecido, mercê da concentrada e magoada beleza que encerra. Depois de Camões, é de crer que Sá de Miranda tenha sido o poeta português que mais sofreu na carne e nos sentidos os desencontros de cultura e as radicais mudanças determinadas pelo advento da Idade Moderna.

Vilancete por outro, que diz: "Serrana onde jouveste", feito meio dormindo

Coração, onde jouvestes
que tam má noite me destes?

Toda a noite pelejei
eu, que já mais não podia;
busquei-vos, não vos achei;
sem vós, eu só que faria?
Destes-me dores de dia
polo que assi me fizestes;
de noite dores me destes.*

Vilancete

Toda esperança é perdida,
tudo veio a falecer,
e o que fica da vida,
ficou para m'eu perder.

Aquela esperança minha,
assi falsa e vã como era,
co's olhos que eu nela tinha
a todo mal me atrevera.
Ora, ela é toda perdida;
mas não m'hão de fazer crer
que não há mais nesta vida
senão nascer e morrer!**

Soneto

Desarrezoado amor, dentro em meu peito,
tem guerra com a razão. Amor, que jaz
i já de muitos dias, manda e faz
tudo o que quer, a torto e a direito.

Não espera razões, tudo é despeito,
tudo soberba e força; faz, desfaz,
sem respeito nenhum; e quando em paz
cuidais que sois, então tudo é desfeito.

Doutra parte, a Razão tempos espia,
espia ocasiões de tarde em tarde,
que ajunta o tempo, enfim vem o seu dia:

---

* *Jouvestes* = estivestes deitado.
** *Ora* = agora.

Então não tem lugar certo onde aguarde
Amor; trata treições, que não confia
nem dos seus. Que farei quando tudo arde?*

Soneto

Amor que não fará? Fez-me enjeitar
tão levemente a mim por quem me enjeita;
castelos de esperanças e suspeita
faz, e não sei que faz, tudo no ar.

Fez-me pedras colher, fez-mas lançar;
aperta-se a alma triste, em si encolheita;
à força que fará, e lei estreita?
queira ou não queira, em fim há-de passar.

Tão cego e tanto era eu, que da vontade
tudo fiei, que tudo a través guia,
tão grande imiga minha e da verdade!

Que al se podia esperar de uma tal guia?
Caí onde ora jaço, oh! crueldade!
Não sei quando é de noite, ou quando é dia.**

(*Ibidem*, pp. 16, 21, 310, 311-312.)

ANTÔNIO FERREIRA

Nasceu em 1528 e faleceu em 1569. Formado em Direito em Coimbra, seguiu à risca os ensinamentos de Sá de Miranda, tornando-se o doutrinador do Classicismo português, por intermédio das *Cartas* a Pêro de Andrade Caminha, a Diogo Bernardes e a D. Simão da Silveira. Poeta, sua produção lírica, sob o título de *Poemas Lusitanos,* somente veio a público em 1598, e, comediógrafo, escreveu três peças, *Castro, Bristo* e *Cioso.*

Sonetos

1

Ó alma pura, em quanto cá vivias,
Alma lá onde vives já mais pura,
Por que me desprezaste? quem tão dura
Te tornou ao amor, que me devias?

---

* *Que ajunta o tempo* = porque vai aumentando o tempo, isto é, vai juntando todos os agravos; *arde* = arde em revolta, em desordem.

** *Enjeitar* = desprezar; *encolheita* = encolhida; *a través* = ao contrário; *jaço* = jazo, estou (estendido); *imiga* = inimiga; *al* = outra coisa.

Isto era, o que mil vezes prometias,
Em que minha alma estava tão segura,
Que ambos juntos uma hora desta escura
Noite nos subiria aos claros dias?

Como em tão triste cárcere me deixaste?
Como pude eu sem mim deixar partir-te?
Como vive este corpo sem sua alma?

Ah! que o caminho tu bem mo mostraste,
Porque correste à gloriosa palma!
Triste de quem não mereceu seguir-te!

2

Co alma nos Céus pronta, o esprito inteiro,
Leve o semblante, a vista graciosa,
Aquela, antes da morte, já gloriosa
Esperava o combate derradeiro.

De santa fé armada, e verdadeiro
Amor divino, venceu a espantosa
Morte, que nela pareceu fermosa,
E nova estrela a fez no Céu terceiro.

E tomando-me a mão leda, e risonha,
Meu doce amigo (diz) vinda é minh'hora,
Quem nos assim cá atou, soltou o nó.

Quem mais cuida que vive, esse mais sonha.
Lá onde se não geme, nem se chora,
T'amará mais est'alma, o corpo é pó.

(*Poemas Lusitanos*, 2 vols., pref. e notas de Marques Braga, Lisboa, Sá da Costa, 1939, vol. I, pp. 64 e 71.)

Estes dois sonetos, dentre os mais bem logrados de quantos compôs Antônio Ferreira, dizem bem das características principais do poeta: ausência de maior comoção ou emoção, tendência ao monocárdio (evidente, no caso, pela repetição do tema da morte nos dois poemas), certo racionalismo beirando com o cerebralismo, filosofismo à Sá de Miranda, rigor formal e purismo de linguagem que parecem tolher o vôo livre da imaginação. Poeta mais para admirar que para sentir, quando o lemos depois de Camões e de Sá de Miranda não podemos deixar de encará-lo como epígono, embora epígono que levou ao extremo do fanatismo seu amor pela Língua Portuguesa. À custa de despojar a inspiração e o talhe do verso, afastou-se das perspectivas franqueadas pela estética clássica e acabou sendo um clássico demasiado ortodoxo para avançar rumo ao Barroco e fazer vibrar o leitor de hoje menos preocupado com pureza vernacular: sem ele, contudo, ficaria incompleta a visão da poesia quinhentista portuguesa.

A Diogo Bernardes

CARTA XII

Fez força ao meu intento a doce, e branda
Musa tua, Bernardes, que a meu peito
Dá novo esprito, novo fogo manda
Como um juízo queres, que sogeito
Vive a tantos juízos, se não guarde
De tanto riso, e rosto contrafeito?
Quanto em mim mais das Musas o fogo arde,
Tanto trabalho mais por apagá-lo,
Quanto o silêncio val, sabe-se tarde.
A medo vivo, a medo escrevo, e falo,
Hei medo do que falo só comigo;
Mas inda a medo cuido, a medo calo.
Encontro a cada passo c'um imigo
De todo bom esprito; este me faz
Temer-me de mim mesmo, e do amigo.
Tais novidades este tempo traz,
Qu'é necessário fingir pouco siso,
Se queres vida ter, se queres paz,
Vida em tanta cautela, tanto aviso,
Quando me deixarás? quando verei
Um verdadeiro rosto, um simprez riso?
Quando a mim me creram, todos crerei
Sem dúvidas, sem cores, sem enganos,
E eu, que de mim mesmo seja Rei!
Ah tantos dias tristes, tantos anos
Levados pelos ares em desejos
De falsos bens, e nossos tristes danos!
A quem os deixa, e foge, quam sobejos
Lhe parecem mais bens, que os que só bastam
Desviar da virtude os cegos pejos.
Quantos as vidas, quantos almas gastam
Em buscar seu perigo, e sua morte,
E trás ela seus jugos cruéis arrastam!
Aqueles vivem só, a que coube em sorte
Ao som da frauta, que dos ombros pende,
O Mundo desprezar com esprito forte.
Toda minh'alma em desejar se estende
A doce vida, que tam doce cantas,

Que quase a força quebra, que me prende.
Mas ajunta a estas forças outras tantas,
Todas quebraria eu, s'asas tivesse,
Com que chegasse onde me tu levantas,
S'eu podesse, Bernardes, se eu podesse
Ser senhor só de mim, eu voaria
Onde do vulgo mais longe estivesse
Ali quam livremente me riria
De quanto agora choro! ali meu canto
Livre por ares livres soltaria.
Em quanto me vês preso, amigo, em quanto
Sem esprito, sem forças, não me chames
Com teus versos, que a ti só honram tanto.
Por mais que me desejes, mais que me ames,
Não empregues em mim tão cegamente
Teu canto, com que é bem que Heróis afames.
Mas tratarei contigo amigamente
Do conselho, que pedes; juízo, e lima
Tem em si todo humilde, e diligente.
Quem tanto a si mesmo ama, tanto amima,
Que a si se favorece, e se perdoa,
Que esprito mostrará em prosa, ou rima?
Tais sam alguns, a que triste a Hera coroa
Roubada do vã povo ao claro esprito,
Que esconder se trabalha, e então mais soa.
Aquele dá de si publico grito:
Este cala, e s'encolhe: o tempo em fim
Um apaga; imortal faz d'outro o escrito.
A primeira lei minha é, que de mim
Primeiro me guarde eu, e a mim não crea,
Nem os que levemente se me rim.
Conheça-me a mim mesmo: siga a vea
Natural, não forçada: o juízo quero
De quem com juízo, e sem paixão me lea.
Na boa imitação, e uso, que o fero
Engenho abranda, ao inculto dá arte,
No conselho do amigo douto espero.
Muito, ó Poeta, o engenho pode dar-te.
Mas muito mais que o engenho, o tempo, e estudo;
Não queiras de ti logo contentar-te.
É necessário ser um tempo mudo!
Ouvir, e ler somente: que aproveita
Sem armas, com fervor cometer tudo?
Caminha por aqui. Esta é a direita

Estrada dos que sobem ao alto monte
Ao brando Apolo, às nove Irmãs aceita.
Do bom escrever, saber primeiro é fonte.
Enriquece a memória de doutrina
Do que um cante, outro ensine, outro te conte.
Isto me disse sempre uma divina
Voz à orelha; isto entendo, e creo.
Isto ora me castiga, ora m'ensina.
Cad'um para seu fim busca seu meo:
Quem não sabe do ofício, não o trata,
Dos que sem saber escrevem o Mundo é cheo.
S'ornares de fino ouro a branca prata
Quanto mais, e melhor já resplandece,
Tanto mais val o engenho, s'à arte se ata.
Não prende logo a planta, não floresce,
Sem ser da destra mão limpa, e regada,
Com o tempo, e arte flor, fruito parece.
Questão foi já de muitos disputada
S'obra em verso arte mais, se a natureza?
Uma sem outra val ou pouco, ou nada.
Mas eu tomaria antes a dureza
Daquele, que o trabalho, e arte abrandou,
Que destoutro a corrente, e vã presteza.
Vence o trabalho tudo: o que cansou
Seu esprito, e seus olhos, algu' hora
Mostrará parte alguma do que achou.
A palavra, que sai uma vez fora,
Mal se sabe tornar: é mais seguro
Não tê-la, que escusar a culpa agora.
Vejo teu verso brando, estilo puro,
Engenho, arte, doutrina: só queria
Tempo, e lima d'inveja forte muro.
Ensina muito, e muda um ano, e um dia,
Como em pintura os erros vai mostrando
Despois o tempo, que o olho antes não via.
Corta o sobejo, vai acrescentando
O que falta, o baixo ergue, o alto modera,
Tudo a uma igual regra conformando.
Ao escuro dá luz, e ao que pudera
Fazer dúvida, aclara: do ornamento
Ou tira, ou põe: com o decoro o tempera.
Sirva própria palavra ao bom intento,
Haja juízo, e regra, e diferença
Da prática comum ao pensamento.

Dana ao estilo às vezes a sentença,
Tão igual venha tudo, e tão conforme
Que em dúvida estê ver qual'deles vença.
Mas diligente assi a lima reforme
Teu verso, que não entre pelo são,
Tornando-o, em vez de orná-lo, então disforme.
O vício, que se dá ao pintor, que a mão
Não sabe erguer da táboa, fuge: a graça
Tiram, quando alguns cuidam que a mais dão.
Roendo o triste verso, como traça,
Sem sangue o deixam, sem esprito, e vida:
Outro o parto sem forma traz à praça
Há nas cousas um fim, há tal medida,
Que quanto passa, ou falta dela, é vício:
É necessária a emenda bem regida.
Necessário é, confesso, o artifício:
Não afeitado; empece à tenra planta
O muito mimo, o muito benefício.
Às vezes o que vem primeiro, tanta
Natural graça traz, que uma das nove
Deusas parece que o inspira, e canta.
Qual é a língua cruel, que inda ouse, e prove
Em vão ali seus fios? deixe inteiro
O bem nascido verso, o mau remove.
Não mude, ou tire, ou ponha, sem primeiro
Vir aos ouvidos do prudente experto
Amigo, não invejoso, ou lisonjeiro.
Engana-se o amor próprio, falso, e incerto,
Também s'engana o medo de aprazer-se,
Em ambos erro há quase igual, e certo.
Por'isto é bom remédio às vezes ler-se
A dous ou três amigos; o bom pejo
Honesto ajuda então melhor a ver-se.
Ali como juiz então me vejo.
Sinto quando igual vou, quando descaio,
Quanto d'outra maneira me desejo.
Quando eu meus versos lia ao meu Sampaio,
Muda (dizia) e tira: hia, e tornava:
Inda, diz, na sentença bem não caio.
O que mais docemente me soava,
O que m'enchia o esprito, por mau tinha,
O que me desprazia me louvava.
Então conheci eu a dita minha
Em tal amigo, tam desenganado
Juízo, e certo, em que eu confiado vinha.

Quem d'olhos tantos lido, quem julgado.
De tanto imigo às vezes há de ser,
Convém tempo esperar, e ir bem armado.
Isto me faz, Bernardes, meu, temer
No teu, como no meu: não val escusa.
Doe muito ver meu erro, e arrepender:
Quem louva o bom? quem bom, e mau não acusa?
Mas tu não tens razão de temer muito,
Assi te alça, e te leva a branda Musa.
Deixa só madurar o doce fruito
Um pouco: deixa a lima contentar-se:
Inventa, e escolhe então o melhor do muito.
Eu vejo cada dia acrescentar-se
Em ti fogo mais claro, e o engenho teu
Cada dia mais vivo levantar-se.
Então darás com glória tua o seu
Grã prêmio às Musas, que te tal criaram,
Vida a teu nome, qual a fama deu
A muitos, que da morte triunfaram.*

(*Ibidem*, pp. 103-110.)

DIOGO BERNARDES

Nasceu em 1530. Com catorze anos, recebeu ordens menores. Áulico da Corte de D. Sebastião, acompanhou o monarca à África e tomou parte na batalha de Alcácer-Quibir. Publicou três volumes de poesia: *Várias Rimas do Bom Jesus* (1594), *Rimas Várias — Flores do Lima* (1596) e *O Lima* (1596). Como tantos poetas do tempo, cultivou a poesia tradicional, de feição medieval, e a poesia da "medida nova", de contorno clássico. Faleceu em 1605.

Sonetos

1

Horas breves de meu contentamento
Nunca me pareceu, quando vos tinha,
Que vos visse tomadas tão asinha,
Em tão compridos dias de tormento,

---

* *Fez força ao meu intento* = os teus conselhos convenceram-me a escrever; *guarde* = acautele; *aviso* = previdência; *a quem os deixa, e foge, quam sobejos, etc.* = a quem abandona os bens, quão demasiados (dispensáveis) lhe parecem os que passam além dos estritamente necessários; *mais* = outros; *doce* = campestre, tranqüila; *afames* = ilustres; *juízo e lima* = o bom gosto poético e a correção dos versos podem obter-se à custa de muito trabalho; *ata* = alia-se com; *Ensina muito, e muda um ano, e um dia* = dar tempo e melhorar constantemente; *sobejo* = exageros; *igual* =

Aquelas torres que fundei no vento,
O vento as levou já que as sustinha,
Do mal, que me ficou, a culpa é minha,
Que sobre cousas vãs fiz fundamento.
Amor com rosto ledo, e vista branda
Promete quanto dele se deseja,
Tudo possível faz, tudo segura:
Mas dês que dentro n'alma reina, e manda,
Como na minha fez, quer que se veja,
Quão fugitivo é, quão pouco dura.

2

As plantas rindo estão, estão vestidas
De verde variado de mil cores,
Cantam tarde, e manhã os seus amores
As aves, que d'Amor andam vencidas.
As neves, já nos montes derretidas,
Regam nos baixos vales novas flores,
Alegram as cantigas dos pastores
As Ninfas pelos bosques escondidas:
O tempo que nas cousas pode tanto,
A graça que por ele a terra perde,
Lhe torna com mais graça, e fermosura.
Só pera mim nem flor, nem erva verde,
Nem água clara tem, nem doce canto,
Que tudo falta a quem falta ventura.

(*Obras Completas*, pref. e notas de Marques Braga, Lisboa, Sá da Costa, 1945, vol. I, pp. 58, 47.)

Estes dois sonetos apenas documentam o lado clássico da fisionomia poética de Diogo Bernardes. No primeiro, o tema do amor, considerado em sua efemeridade, subordina-se à análise racionalista do sentimento afetivo que nos habituamos a encontrar em Camões e noutros poetas coevos. Embora falte maior originalidade e maior tensão dramática ao soneto, percebe-se uma altura da emoção e do pensamento filosófico e um bem logrado travejamento dos versos que fazem lembrar Camões. No segundo, topamos com notas específicas da poesia de Diogo Bernardes: o tema bucólico, inspirado na região do Lima (no Minho), de que ele provinha, e sua resignação, de provado recorte cristão, que a presença da mitologia pagã não empana nem destrói. Assim, o poeta se destaca dentre os seus contemporâneos quando explora temas coerentes com a sua infância bucólica e o seu temperamento cristão.

---

afinado; *estê* = esteja; *diligente* = ativo; *fuge* = evita; em *parto sem forma* = obras imperfeitas; *o muito mimo, o muito benefício* = ornatos exagerados, pretensiosos; *Deusas* = Musas; *na sentença bem não caio* = não percebo o pensamento; *desenganado* = sincero, franco, judicioso; *branda Musa* = terna afetuosidade dos versos; *lima* = revisão (Notas de Marques Braga).

Soneto XI

Olhos, donde procede meu tormento,
Quando mudareis vós vosso costume?
Quando da viva dor, que me consume,
Verei em vós um brando sentimento?
Já, s'esperara tal, meu pensamento
De novo sobre mais seguro cume
Fundara as esperanças sem queixume
De quantas até qui fundei no vento.
Mas vós claras estrelas não olhando
Que não há cousa injusta em meu desejo,
A vista de que vivo me negais:
Se não tenho outro bem, se em mim não ando
Deixando de vos ver, quando vos vejo
Porq' mais brandamente não m'olhais?*

Soneto XIX

Senhora, vós sois de neve, alva e fria,
E tendes coração de pedra dura,
De mim feito de fogo, e d'água pura
Contrária natureza vos desvia.
A neve dentro em si fogo não cria,
Em pedra não s'achou nunca brandura;
Vede que fará logo um sem ventura,
Que por vós arde, e chora noite e dia.
Pudera eu esperar qu'essa dureza
Amor por tempo a fora desfazendo,
E qu'esse duro peito vira brando:
Mas sinto em vós crescer mais a dureza,
Quanto eu mais choro, e quanto mais m'acendo,
Então vos ides vós mais esfriando.**

Soneto XXVI

Eu me parto de vós, campos do Tejo
Quando menos temi esta partida,
E se minh'alma vai à dor rendida,
Nos olhos o vereis com que vos vejo.
Pequenas esperanças, mal sobejo,
Vontade qu'a rezão leva vencida,

---

* *Mas vós claras estrelas não olhando* = Mas vós, olhos, não reparando... (Nota de Marques Braga.)

** *arde* = está apaixonado; *brando* = afetuoso (*Idem*).

Asinha darão fim à triste vida,
Se vos não torno a ver, como desejo.
Em tanto nunca verá noite, nem dia
Apartar-se de vós minha lembrança;
Amor, que vai comigo, o certifica:
Andarão sempre em minha companhia,
Em quanto na tornada houver tardança,
Saudades do bem que em vós me fica.

Soneto CXXXIII

Águas do claro Lima, que corria
Pera mim, noutro tempo, claro, e puro,
Que correr vejo agora turvo, escuro,
Quem afogou em vós minh'alegria?
Cuidei, que com vos ver descansaria
Do mal do cativeiro, triste, e duro;
Mas mais sem gosto aqui, menos seguro
Me vejo, do que me vi em Berberia.
Mudança vejo aqui em arvoredos,
Cresceram muitos, muitos acabaram,
Fez seu ofício em tudo a natureza:
Duas cousas porém não se mudaram,
Lugar, e duro ser destes penedos,
De vossos naturais teima, e dureza.*

(*Ibidem*, pp. 11, 18, 25, 111.)

CRISTÓVÃO FALCÃO

Presume-se que tenha sido o autor da égloga *Crisfal* (1554), entre outras coisas pelo fato de o título da composição ser formado da junção da primeira sílaba do seu nome e do sobrenome. Sua vida permanece rodeada de mistério, apenas se sabendo que teria estado em missão diplomática na Itália e ter sido capitão da fortaleza de Arguim.

Crisfal

Como de hábito nas églogas quinhentistas, o *Crisfal* consta de três partes: uma *introdução,* em que o autor sintetiza os infortúnios amorosos do pastor Crisfal; um *monólogo,* em que o protagonista lamenta seus padecimentos e narra um sonho: em viagem, encontra Natônio, com o qual segue para a Serra da Estrela; mais adiante, acerca-se de Helena e ouve-lhe os queixumes; por fim, chega até Maria, dialogam e apaixonam-se, mas Maria julga que devem separar-se; Crisfal desperta, pleno de mágoas; um *epílogo* em que o autor toma de novo a palavra para concluir a égloga. O trecho que se vai ler corresponde à introdução:

---

* *Berberia* = cativeiro; *ser* = natureza; *dureza* = desumanidade (*Idem.*)

Entre Sintra a mui prezada
E Serra de riba Tejo
Que Arrábida é chamada
perto donde o rio Tejo
se mete n'água salgada:
Houve um pastor e pastora
que com tanto amor se amaram
como males lhe causaram
este bem que nunca fora
pois foi o que não cuidaram.

A ela chamavam Maria
e ao pastor Crisfal
ao qual de dia em dia
o bem se tornou em mal
que ele tão mal merecia:
Sendo de pouca idade
não se ver tanto sentiam
que o dia que não se viam
se via na saudade
o que ambos se queriam.

Algumas horas falavam
andando o gado pascendo
e então se apascentavam
os olhos que em se vendo
mais famintos lhes ficavam:
E conquanto era Maria
pequena: tinha cuidado
de guardar melhor que o gado
o que lhe Crisfal dizia
mas enfim foi mal guardado.

Que depois de assim viver
nesta vida e neste amor,
depois de alcançado ter
maior bem pera mor dor,
enfim se houve de saber:
Por Joana outra pastora
que a Crisfal queria bem
mas o bem que de tal vem
não ser bem maior bem fora
por não ser mal a ninguém.

A qual logo aquele dia
que soube de seus amores

e os parentes de Maria
fez certos e sabedores
de tudo quanto sabia:
Crisfal não era então
dos bens do mundo abastado
não se ver tanto sentiam
tanto como do cuidado
que por curar da paixão
não curava do seu gado.

E como em a baixeza
do sangue e pensamento
é certa esta certeza
cuidar que o merecimento
está só em ter riqueza:
Inquiriram que teria
e do amor não curaram
em que bem se descontaram
riquezas se faleciam
por males que sobejavam.

Então descontentes disto
levaram-na a longes terras
esconderam-na entre umas terras
onde o sol não era visto
e a Crisfal deixaram guerras:
Além da dor principal
pera mor pena lhe dar
puseram-na em lugar
mau pera dizer seu mal
mas bom pera o chorar.

Ali os dias passava
em mágoas da alma saídas
dizer, a quem longe estava
e chorava por perdidas
as horas que não chorava:
Em vale mui solitário
sombrio e saudoso
sendo monte temeroso
pera o choro necessário
pera a vida mui danoso.

Dizer o que ele sentia
em que queira não me atrevo
nem o chorar que fazia

mas as palavras que escrevo
são as que ele dizia.

(*Obras,* 2ª ed., Coimbra, Imprensa da Universidade, 1932, vol. II, pp. 257-260.)

Cabe, inicialmente, lembrar que a égloga é uma composição poética dialogada e de caráter bucólico ou pastoril. Criada por Teócrito e Virgílio, foi introduzida em Portugal com o Classicismo. Embora a primeira parte do *Crisfal* não constitua o fragmento mais sugestivo e rico do poema (é-o a fala do pastor), nela se percebem alguns pontos dignos de nota, a começar da utilização do redondilho maior, verso que por si só gera um ritmo espontâneo, fácil, como se o poeta estivesse em colóquio com os leitores. Sendo o amor a causa-motriz da égloga em geral, observe-se que o afastamento dos namorados decorre de que "Crisfal não era então / dos bens do mundo abastado": parece que estamos presenciando o início do processo que culminará com a novelística camiliana de recorte passional. O perene chorar, suspirar e queixar-se, além de consistir num clichê dentro das églogas, explica-se pelo clima antropocêntrico motivado pela Renascença: os pastores são antes símbolos de situações humanas permanentes que ficções ornamentais e artificiosas, como virão a ser no século XVIII, com o Arcadismo.

O teatro

O teatro clássico, conquanto inaugurado por Sá de Miranda *(Estrangeiros* foi escrita em 1526), não alcançou nivelar-se ao teatro vicentino. Primeiro, cultivou-se a comédia clássica, e só mais tarde apareceu a tragédia. Além de Sá de Miranda, enquadram-se neste capítulo Antônio Ferreira, Jorge Ferreira de Vasconcelos e Henrique Aires Vitória.

ANTÔNIO FERREIRA

Como se sabe, escreveu três peças de teatro: duas comédias, *Bristo* e *Cioso,* publicadas em 1622, e uma tragédia, *Castro* ou, com o título completo, *Tragédia de D. Inês de Castro,* dada a lume em 1587, e que constitui a expressão máxima do teatro clássico em Portugal e uma das obras mais bem acabadas da dramaturgia portuguesa de todos os tempos.

Castro

Divide-se em cinco atos, em tudo obedientes aos cânones clássicos, a começar da unidade de tempo, lugar e ação. Baseando-se na interpretação de Garcia de Resende e na tradição oral, Antônio Ferreira convoca para a cena Inês de Castro, D. Pedro e Afonso IV, na qualidade de protagonistas centrais, cercados de personagens secundárias, como os conselheiros do Rei, a Ama e o Coro, que assume a função que detinha no teatro greco-latino, ou seja, a de comentar a ação e aconselhar ou desaconselhar o procedimento das personagens. Começando próxima do epílogo da desgraça que se abateu sobre Inês de Castro e D. Pedro, a peça principia com os receios da heroína, logo confirmados pelo Coro. Reunidos, os conselheiros persuadem o Rei a permitir que executem a desditosa amante do Príncipe: constitui o ponto alto da peça (ou catástase, no dizer dos gregos e latinos), localizado no ato IV, que se lê a seguir. Morta Inês, D. Pedro, então longe dela, jura vingança, e a peça termina. O tema de Inês de Castro, por influência da glosa de Antônio Ferreira, teve larga voga nos séculos seguintes, dentro e fora das fronteiras de Portugal, chegando a provocar, entre outras, uma peça do francês Houdar de la Motte, com o mesmo nome, publicada em 1723, e que gozou de largo prestígio na Europa do tempo.

Pacheco El-Rei Coro Castro Coelho

Pacheco

A presteza em tal caso, é bom seguro,
E piedade, Senhor, será crueza.
Cerra os olhos a lágrimas, e mágoas,
Que te podem mover dessa constância.

Rei

Esta é, que a mim se vem: ó rosto digno
De mais ditosos fados!

Coro

Eis a morte
Vem. Vai-te entregar a ela: vai depressa,
Terás que chorar menos.

Castro

Vou, amigas;
Acompanhai-me vós, amigas minhas,
Ajudai-me a pedir misericórdia,
Chorai o desamparo destes filhos
Tão tenros, e inocentes. Filhos tristes,
Vedes aqui o pai de vosso pai,
Eis aqui vosso avô, nosso senhor;
Beijai-lhe a mão, pedi-lhe piedade
De vós, desta mãe vossa, cuja vida
Vos vem, filhos, roubar.

Coro

Quem pode ver-te,
Que não chore, e s'abrande?

Castro

Meu senhor,
Esta é a mãe de teus netos. Estes são
Filhos daquele filho, que tanto amas.
Esta é aquela coitada mulher fraca,
Contra quem vens armado de crueza.
Aqui me tens. Bastava teu mandado

Para eu segura, e livre t'esperar,
Em ti, e em minh'inocência confiada.
Escusarás, Senhor, todo este estrondo
D'armas, e Cavaleiros; que não foge,
Nem se teme a inocência da justiça.
E quando meus pecados me acusaram,
A ti fora buscar: a ti tomara
Por vida em minha morte: agora vejo
Que tu me vens buscar. Beijo estas mãos
Reais tão piedosas: pois quiseste
Por ti vir-te informar de minhas culpas.
Conhece-mas, Senhor, como bom Rei,
Como clemente, e justo, e como pai
De teus vassalos todos, a quem nunca
Negaste piedade com justiça.
Que vês em mim, Senhor? que vês em quem
Em tuas mãos se mete tão segura?
Que fúria, que ira esta é, com que me buscas?
Mais contra imigos vens, que cruelmente
T'andassem tuas terras destruindo
A ferro e fogo. Eu tremo, Senhor, tremo
De me ver ante ti, como me vejo.
Mulher, moça, inocente, serva tua,
Tão só, sem por mim ter quem me defenda.
Que a língua não s'atreve, o espírito treme
Ante tua presença, porém, possam
Estes moços, teus netos, defender-me.
Eles falem por mim, eles sós ouve:
Mas não te falarão, Senhor, com língua,
Que inda não podem: falam-te coas almas,
Com suas idades tenras, com seu sangue,
Que é teu, te falarão: seu desamparo
T'está pedindo vida, não lha negues.
Teus netos são, que nunca téqui viste:
E vê-los em tal tempo, que lhes tolhes
A glória, e o prazer, qu'em seus espíritos
Lhe está Deus revelando de te verem.

Rei

Tristes foram teus fados, Dona Inês,
Triste ventura a tua.

Castro

Antes ditosa,
Senhor, pois que me vejo ante teus olhos

Em tempo tão estreito: põe-nos ora,
Como nos outros sóis, nesta coitada.
Enche-os de piedade com justiça.
Vens-me, senhor, matar? por que me matas?

Rei

Teus pecados te matam: cuida neles.

Castro

Pecados meus! ao menos contra ti
Nenhum, meu Rei, me acusa. Contra Deus
Me podem acusar muitos: mas ele ouve
As vozes d'alma triste, em que lhe pede
Piedade. O Deus justo, Deus benigno,
Que não mata, podendo com justiça,
Mas dá tempo de vida, e espera tempo
Só para perdoar: assim o fazes,
Assim o fizeste sempre: pois não mudes
Agora contra mim teu bom costume.

Rei

Tua morte m'estão outras muitas vidas
Pedindo com clamores.

Pacheco

Foge o tempo.

Castro

Oh! triste, triste! meu senhor, não me ouves?
Sossega tua fúria, não a sigas.
Nunca aconselhou bem: nunca deu tempo
De remédio a algum mal a ira. Sempre
Traz arrependimento sem remédio.
Ouve minha razão, minh'inocência.
Culpa é, senhor, guardar amor constante
A quem mo tem? se por amor me matas,
Que farás ao imigo? amei teu filho,
Não o matei. Amor amor merece;
Estas são minhas culpas: estas queres
Com morte castigar? em que a mereço?

Pacheco

Dona Inês, contra ti é a sentença dada.
Despede essa tu'alma desse corpo

Em bom estado, e seja prestesmente.
Não tenhas que chorar mais, que só a morte.

Castro

Ó meus amigos, por que não tirais
El-Rei de ira tamanha? a vós me vou,
Em vós busco socorro: ajudai-me ora
Pedir-lhe piedade. Ó Cavaleiros,
Que as tristes prometestes defender,
Defendei-me, que mouro injustamente.
Se me vós não defendeis, vós me matais.

Coelho

Por mágoa dessas lágrimas te rogo
Que este tempo, que tens, inda que estreito,
Tomes para remédio de tu'alma.
O que el-Rei em ti faz, faz com justiça.
Nós o trazemos cá, não com tenção
De sermos em ti crus: mas de salvarmos
Este Reino, que pede esta tua morte.
Que nunca, ó Deus, quisera que tal meio
Nos fora necessário. A el-Rei perdoa,
Que crueza não faz: se a nós fazemos,
Por ti ante o grã Deus será pedida
Vingança justa, se te não parece
Que perdão merecemos nas tenções,
Com que el-Rei conselhamos. Ó ditosa,
Dona Inês, tua morte! pois só nela
Se ganha uma geral vida a todo Reino.
Bem vês por tua causa como estava,
Além desse pecado, em que te tinha
O Infante forçada (que assim o cremos)
Mas pois para remédio é necessário
A morte sua, ou tua, é necessário
Que tu sofras a tua com paciência,
Que isso te ficará por maior glória
Que aquela, que esperavas cá do Mundo.
E quanto mais injusta te parece,
Tanto mais justa glória lá terás,
Onde tudo se paga por medida.
Nós, que a teu parecer mal te matamos,
Não viveremos muito: lá nos tens
Antes de muito tempo ant'esse trono
Do grã Juiz, onde daremos conta

Do mal, que te fazemos. Não ouviste
Já das Romãs, e Gregas com que esforço
Morreram muitas só por glória sua?
Morre pois, Castro, morre de vontade,
Pois não pode deixar de ser tua morte.

Castro

Triste prática, triste! cru conselho
Me dás. Quem o ouvira? mas pois já mouro,
Ouve-me, Rei senhor: ouve primeiro
A derradeira voz dest'alma triste.
Co estes teus pés me abraço, que não fujo.
Aqui me tens segura.

Rei

Que me queres?

Castro

Que te posso querer, que tu não vejas?
Pergunta-te a ti mesmo o que me fazes,
A causa, que te move a tal rigor.
Dou tua consciência em minha prova.
S'os olhos de teu filho s'enganaram
Com o que viram em mim, que culpa tenho?
Paguei-lhe aquele amor com outro amor,
Fraqueza costumada em todo estado.
Se contra Deus pequei, contra ti não.
Não soube defender-me, dei-me toda.
Não a imigos teus, não a traidores.
A que alguns teus segredos descobrisse
Confiados a mim, mas a teu filho
Príncipe deste Reino. Vê que forças
Podia eu ter contra tamanhas forças.
Não cuidava, senhor, que t'ofendia.
Defenderas-mo tu, e obedecera,
Inda que o grand'amor nunca se força.
Igualmente foi sempre entre nós ambos:
Igualmente trocamos nossas almas.
Esta que te ora fala, é de teu filho.
Em mim matas a ele, ele pede
Vida par'estes filhos concebidos
Em tanto amor. Não vês como parecem
Àquele filho teu? Senhor meu, matas
Todos, a mim matando: todos morrem.

Não sinto já nem choro minha morte,
Inda que injustamente assim me busca,
Inda que estes meus dias assim corta
Na sua flor indigna de tal golpe:
Mas sinto aquela morte triste, e dura
Para ti, e para o Reino, que tão certa
Vejo naquele amor, que esta me causa.
Não viverá teu filho, dá-lhe a vida,
Senhor, dando-ma a mim: que eu me irei logo
Onde nunca apareça; mas levando
Estes penhores seus, que não conhecem
Outros mimos, e tetas senão estas,
Que cortar-lh'ora queres; ai meus filhos,
Chorai, pedi justiça aos altos Céus.
Pedi misericórdia a vosso avô
Contra vós tão cruel, meus inocentes.
Ficareis cá sem mim, sem vosso pai,
Que não poderá ver-vos sem me ver.
Abraçai-me, meus filhos, abraçai-me.
Despedi-vos dos peitos, que mamastes.
Estes sós foram sempre: já vos deixam.
Ah já vos desampara esta mãe vossa.
Que achará vosso pai, quando vier?
Achar-vos-á tão sós, sem vossa mãe:
Não verá quem buscava: verá cheias
As casas, e paredes de meu sangue.
Ah vejo-te morrer, senhor, por mim,
Meu senhor, já que eu mouro, vive tu.
Isto teu peço, e rogo: vive, vive.
Ampara estes teus filhos, que tant'amas.
E pague minha morte seus desastres,
Se alguns os esperavam. Rei senhor,
Pois podes socorrer a tantos males,
Socorre-me, perdoa-me. Não posso
Falar mais. Não me mates, não me mates.
Senhor, não te mereço.

Rei

Ó mulher forte!
Venceste-me, abrandaste-me. Eu te deixo.
Vive, enquanto Deus quer.

Coro

Rei piadoso,
Vive tu, pois perdoas; moura aquele,

Que sua dura tenção leva adiante.*

(*Poemas Lusitanos*, 2 vols., Lisboa, Sá da Costa, 1940, vol. I, pp. 272-282.)

À vista do ato IV da *Castro,* que já sabemos constituir o clímax dramático da peça, podemos fazer as seguintes observações: trata-se de teatro poético, não só porque composto em versos como pela interpretação lírica da figura de Inês e suas longas tiradas declamatórias. Hieráticos, os protagonistas parecem altos-relevos que de repente conquistassem vida mas não o movimento; é que a ação cede lugar à densidade e à intensidade do conflito em que se debatem as personagens, visto que o drama, com ser de fundo ético, está dentro delas e não fora. A solenidade da linguagem, ao mesmo tempo que promove uma atmosfera de elevação e grandeza ao redor dos figurantes, confere à desdita de Inês um sentido mítico, como se no diálogo se jogassem destinos inexoravelmente pré-traçados pelos deuses: esse determinismo corresponde a uma das mais típicas características da tragédia clássica. Aqui, nesta peça, a malograda amante de D. Pedro evolui em nobreza, em altruísmo e em amor aos filhos, relativamente à imagem delineada por Garcia de Resende e que serviu de modelo para Antônio Ferreira. Atente-se para a total ausência de Constança, esposa de D. Pedro, e para a minúcia de o dramaturgo parecer isentar Afonso IV da culpa, ao menos por omissão ou cumplicidade, que lhe caberia no assassínio de Inês (observem-se a última fala do Rei e a do Coro). Embora o autor da peça concebesse a heroína com toda a liberdade lírica que lhe era possível dentro dos quadros estéticos do Classicismo, repare-se que não descura de assinalar a causa, aparente ou real, que teria movido os conselheiros do Rei a defenderem a pena capital como exclusiva solução do impasse criado pela relação amorosa entre Inês e D. Pedro: declaram que pedem "esta tua morte" para "salvarmos / Este Reino", "pois só nela / Se ganha uma geral vida a todo Reino"; na defesa, Inês nos elucida acerca do por que os ministros do Rei se assanharam contra ela: "Não soube defender-me, dei-me toda. / Não a inimigos teus, não a traidores. / A que alguns teus segredos descobrisse / confiados a mim, mas a teu filho / Príncipe deste Reino". Seja esta ou qualquer outra a causa da sentença final contra Inês, o importante da cena reside na altitude do magoado sofrimento da protagonista e o seu completo despojamento: Inês comove-nos ainda hoje porque no seu tormento sentimos que ascendemos um pouco acima de tudo que impede o livre despertar do melhor que trazemos dentro de nós. Nisso, cumpre-se outra exigência do teatro clássico greco-latino: a *catarse,* ou purificação, pelo ato de contemplar e assimilar situações humanas "exemplares".

A Historiografia

A historiografia quinhentista refletiu, nos seus propósitos e realizações, o clima provocado pela euforia dos descobrimentos e a ressurreição do espírito clássico. Visão macroscópica da Pátria, epicidade, imitação dos antigos, estilo literário, ufania consistem nalguns dos seus aspectos característicos. Representam-na: João de Barros, Damião de Góis, Diogo do Couto, Fernão Lopes de Castanheda, Antônio Galvão, e outros.

---

* *sóis* = costumas; *romãs* = romanas; *senhor* = D. Pedro I.

JOÃO DE BARROS

Nasceu por volta de 1496. Áulico de D. João III, exerceu várias e altas funções administrativas. Faleceu em 20/10/1570. Cultivou a ficção *(Crônica do Imperador Clarimundo,* 1520), o pensamento filosófico *(Rópica Pnefma,* 1532), a gramática *(Gramática da Língua Portuguesa,* 1540), a historiografia *(Décadas,* 1552, 1553, 1563), na qual melhor realizou suas virtualidades de escritor culto e sereno.

Décadas

João de Barros concebeu uma ampla História de Portugal, que abrangeria três aspectos, *conquista, navegação* e *comércio,* o primeiro dos quais se fragmentaria conforme as áreas de domínio português, ou seja, *Europa, Ásia, África* e *Santa Cruz* (ou Brasil). Como escolhesse historiar os acontecimentos segundo lapsos de tempo rigorosos, isto é, de dez em dez anos, a obra foi batizada com o nome de *Décadas.* Em vida, o escritor apenas publicou três, referentes à Ásia (1552, 1553 e 1563); após sua morte, surgiram mais quatro. O trecho que se vai ler, corresponde à Primeira Década, Livro IV, Capítulo X, intitulado

"Como por indústria dos mouros Vasco da Gama e os que com ele estavam foram reteúdos. E depois de recolhidos aos navios e postos em terra Diogo Dias e Álvaro de Braga também foram presas: até que o Samori mandou prover nisso e os expediu de todo":

Os mouros, quando souberam o que el-Rei mandava a Vasco da Gama, não ficaram mui satisfeitos, porque todo seu trabalho era ordenar que os seus navios fossem metidos no fundo, com fundamento que ficando a gente em terra poucos e poucos os iriam gastando, e para executar este propósito, fizeram com o Catual que os retivesse e obrigasse a tirar os navios em terra, para de noite lhe porem fogo.

O Catual, como em tudo queria comprazer aos mouros, levou Vasco da Gama fora de Calecute, mostrando que o acompanhavam até o meio caminho de sua embarcação, e secretamente tinha mandado aos oficiais de el-Rei que estavam em Capocate, onde se expediu dele que o retivessem, como homens que faziam aquilo por razão de seus ofícios.

Quando ele viu que o retinham, bem lhe pareceu ser mais indústria dos mouros que mandado pelo Samori, e porque pudesse ir ter a sua notícia começou de se queixar gravemente com os ministros do caso, os quais responderam que ele se queixava mas sem causa do que a eles tinham em o reter, como oficiais que eram de el-Rei, obrigados a olhar o bem e segurança da terra. Porque a ele não o retinham com tenção de o querer anojar, mas com receio de ele fazer algum nojo à gente da terra. Depois que se visse em os navios, segundo se dizia que eles fizeram nos portos por onde vinham que se ele e os seus eram gente pacífica deviam usar o costume daquelas partes, principalmente naquele tempo de inverno, varando seus navios em terra e não estar sempre com a verga de alto como gente que tinha ânimo de cometer algum mal.

Ao que Vasco da Gama respondeu, que os seus navios eram de quilha e não de feição dos da terra, e por isso era cousa impossível poderem ser varados, por não haver ali os aparelhos que no reino de Portugal havia para aquela necessidade.

Finalmente tanto aporfiaram sobre o varar dos navios, ou que deixasse em terra alguns homens com mercadoria, e isto em modo de reféns, enquanto o Samori o não despachava, dizendo que a gente do mar lho requeria, para poderem ir pescar seguramente deles, que conveio a Vasco da Gama deixar em terra com alguma pouquidade disse que levavam para compra de mantimentos a Diogo Dias, por feitor, Álvaro Braga por escrivão, Fernão Martins, língua, e quatro homens do seu serviço, até ver em que parava o despacho do Samori.

Os ministros desta obra tanto que por ela ficaram seguros, consentiram que Vasco da Gama se embarcasse, mas quanto a dar modo para que Diogo Dias comprasse alguma cousa, tudo eram artifícios para o não poderem fazer, de maneira que por espaço de seis ou sete dias, eles se haviam por presos e não por feitores.

Até que à força de queixumes de Vasco da Gama acudiu o Catual, que era o autor destas cousas, e mandou-se desculpar a ele, fingindo não ser disso sabedor, e porém, que os oficiais tinham razão, por quanto o Samori o não tinha de todo despachado. E que, por haver pouco que comprar ou vender naquele lugar, ele mandava levar os seus feitores a Calecute onde havia cópia de tudo, portanto, lhe parecia bom conselho que ele com os seus navios se fosse ao porto da cidade por ser mais perto onde estava o Samori para seus negócios serem mais em breve despachados.

Vasco da Gama, posto que sentisse que todos estes artifícios eram dilações para o deter até a vinda das naus de Meca, segundo lhe tinha dito o mouro Monçaide (o qual já neste tempo escondidamente vinha comunicar com ele), todavia, porque estando mais perto de el-Rei por meio do mesmo Monçaide lhe poderia mandar algum recado, e mais saber o que se fazia com Diogo Dias e Álvaro de Braga, foi-se com os navios pôr ante a cidade de Calecute, onde soube por Monçaide que, se os mouros não temeram poder com isso indignar o Samori, já os tiveram morto.

Vasco da Gama, vendo este negócio tão danado e que o Samori era mudado dos paços donde lhe falara para mais longe sem haver comemoração de seu despacho, e que eles não tinham outro meio para o requerer senão Monçaide, que já não ousava comunicar com eles, senão dando a entender aos mouros que era espia, ajuntou-se com Paulo da Gama, Nicolau Coelho, e os principais da companhia dos navios, e teve conselhos sobre o que devia fazer. E determinaram-se que não devia esperar mais resposta de el-Rei que os desenganos que lhe tinha dado em palavras, e no modo de os expedir, deixando-os em poder de seus inimigos tanto tempo sem lhe mandar resposta.

Assentado este conselho, escreveu, Vasco da Gama por Monçaide a Diogo Dias que o mais secreto que pudessem para tal dia ante manhã se viessem à praia, porque ali achariam batéis para os recolher, pero, como os mouros tinham vigia sobre eles, tanto que os sentiram saltaram com eles e os prenderam, tomando-lhes quanta fazenda levavam.

Vasco da Gama, vendo que a maldade dos mouros não se podia remediar com a paciência e sofrimento que com eles teve, nem tinha esperanças de algum despacho de el-Rei, houve à mão vinte e tantos pescadores que vinham pescar ao mar, e com eles se fez à vela, que foi para os mouros grande prazer vendo alvoroçado todo o gentio com a grita e brados das mulheres desses pescadores.

A nova do qual caso tanto que foi ao Samori, posto que os mouros por seus meios o queriam indignar contra os nossos, dizendo que por ali veria quem eles eram, todavia, por ter sentido o ódio que lhe tinham, antes de se determinar em outra cousa, mandou dois homens principais dos gentios sem suspeita que lhe viessem saber como aquele negócio passava. Por os quais sendo informado, como aquilo parecia ser mais represália por os seus homens que lhe os mouros prenderam que por outra causa, e mais que ele capitão andava à vela uma volta ao mar e outra à terra como quem queria fazer razão de si, se o fizessem com ele, tornou logo a enviar estes mesmos homens que o levassem ante ele Diogo Dias e os outros, que com ele estavam, com os quais teve prática sobre o modo de seu despacho. E mandou-lhe que escrevessem a Vasco da Gama que tratasse bem os homens que tomaram, porque ele e seus companheiros estavam mui bem tratados em poder dele Samori, e por eles lhe queria mandar o despacho.

Vasco da Gama, com esta carta, ficou mui contente, pero, temendo alguma malícia dos mouros, duas ou três vezes se fez na volta do mar e outras tantas surgiu diante da cidade, porque as partes a que tocava a liberdade da gente que tinha tómado, clamassem ao Samori sua liberdade a troco dos nossos.

Finalmente, pela informação que teve da verdade, despachou Diogo Dias mandando por ele a Vasco da Gama uma carta que escreveu a el-Rei Dom Manuel, em que lhe dizia como recebera outra sua, e ouvira seu embaixador e lhe respondera, e que a causa de sua partida por aquele modo, foram diferenças antigas dentre cristãos e mouros. Que ele teria muito contentamento de sua amizade, e do comércio das cousas do seu reino, podendo ser sem aqueles escândalos, porque os mouros, ele os havia por naturais do seu reino por ser gente mui antiga naquele auto do comércio.

Com a qual carta e algumas cousas que deu a Diogo Dias o expediu, mandando àqueles dois senhores gentios que o entregassem a Vasco da Gama com a fazenda que lhe era tomada, e houvesse dele os pescadores que tinha em represália. O que eles fizeram com algumas cautelas no modo da entrega, querendo ainda os mouros usar de suas maldades, mas com tudo recolhidos todos os nossos, por causa de alguma fazenda que lhe não quiseram entregar, Vasco da Gama reteve certos índios que trouxe consigo e assim o fiel Monçaide, partindo logo aquele dia, que eram vinte e nove de agosto, havendo setenta e quatro dias que chegara àquela cidade Calecute.*

(*Décadas*, 4 vols., Lisboa, Sá da Costa, 1945, vol. I, pp. 74-79.)

Este capítulo das *Décadas* serviu de fonte para Camões descrever n*Os Lusíadas* o encontro entre Vasco da Gama e o Samorim de Calecute, como se encontra no Canto VIII, estâncias 79 e seguintes, e no Canto IX, estâncias 1 a 12. Obviamente, o poeta recorria ao historiador porque desejava fundamentar a parte verídica da sua epopéia, mas também porque

---

* *reteúdos* = retidos; *Samori* = Samorim, rei de Calecute; *expediu* = despachou, despediu; *língua* = intérprete; *ministros* = executantes; *pero* = mas.

divisava na obra de João de Barros um sopro épico semelhante àquele que diligenciava insuflar nos seus versos. Dir-se-ia que, ao basear-se no texto das *Décadas,* Camões denunciava a existência dum material historiográfico já preparado pela imaginação para colaborar nos propósitos estéticos que tinha em mira. De qualquer modo, aí demora a primeira característica da historiografia de João de Barros, perceptível no modo como desenha o comportamento de Vasco da Gama e seus companheiros: visualiza-os como heróis no desempenho de grandiosas façanhas, as mais das vezes ultrapassando a força humana, e não como homens, valorosos, sim, por sua coragem e astúcia, mas homens. Essa amplificação epicizante dos protagonistas vincula-se a outras incidências que tiram a João de Barros o respeito que a Fernão Lopes, por sua fidedignidade, se deve ainda hoje, mas lhe atribuem outro mérito, o de escritor, válido pelo estilo e sua equivalente mundividência generosa e idealista. Não recusando abrigar o diálogo, ainda que sem o arranjo novelesco que este adquirira nas crônicas de Fernão Lopes, o estilo de João de Barros, castiço e simples, apesar do influxo da sintaxe latina e de pecar pela falta de maior variedade ou dum ritmo dramático mais vibrante, prenuncia a prosa límpida e escorreita dos escritores seiscentistas.

DAMIÃO DE GÓIS

Nasceu em 2/1502. Cultíssimo, viajado, entretinha amizade com Lutero, Erasmo, Melanchton, Luís Vives, Alberto Dürer (que lhe pintou o retrato), o que lhe trouxe fatais dissabores no fim da vida. Em 1545, após longa permanência no estrangeiro, regressou à Pátria e três anos mais tarde foi nomeado Guarda-Mor da Torre do Tombo. Nessas funções, e por influência de D. Henrique, escreveu a *Crônica do Felicíssimo Rei D. Manuel* (1566-1567), em cuja corte passara a juventude. Ainda publicou a *Crônica do Príncipe D. João* (1567). Moldando seus escritos conforme um amplo humanismo, que as viagens e as leituras lhe ensinaram e a consciência lhe ditava, acabou caindo em desgraça perante a Inquisição. Cruelmente processado, não resistiu aos padecimentos e veio a falecer em 30/1/1574.

Crônica do Felicíssimo Rei D. Manuel

Publicada em 1566 e 1567, trata do reinado de D. Manuel, ou seja, de acontecimentos havidos entre os fins do século XV e o primeiro quartel do século XVI, em Portugal e, sobretudo, na Ásia e na África, tendo por núcleo Vasco da Gama, Pedro Álvares Cabral, Tristão da Cunha e outros. Essa preferência pelos aspectos ultramarinos do reinado de D. Manuel resultaria provavelmente de o cronista ter de aceitar as injunções da Inquisição, a qual ainda o forçou a reescrever ou emendar várias passagens, julgadas desairosas aos seus protagonistas. Quando não, penas alheias "emendaram-lhe" o texto e deformaram-lhe o pensamento em mais de um passo. Nem por isso escapou da sanha inquisitorial. Entretanto, capítulos houve em que o historiador como que burlou o policiamento da censura e neles pôde instilar o seu espírito libérrimo e amante da verdade pura e simples. Está no caso o trecho em que revela condoer-se da injusta perseguição movida contra os judeus, gesto afinal muito coerente com o seu humanismo lúcido, aberto aos quatro ventos e defensor do livre exame dos problemas. Constitui o capítulo CII da primeira parte, volume III, intitulado

"De como El-Rei mandou Tristão da Cunha à Índia por capitão de uma armada, e do alevantamento que se em Lisboa fez contra os cristãos-novos":

Antes que El-Rei fosse de Lisboa pera Almeirim, ordenou de mandar Tristão da Cunha à Índia por capitão de uma armada, da qual, e do que nesta viagem fez se dirá adiante, no ano de mil, e quinhentos, e oito, em que tornou. Pelo que nestes dous capítulos, que são os derradeiros desta primeira parte tratarei de um tumulto, e alevantamento, que se aos dezenove dias de abril deste ano de mil, e quinhentos, e seis, em domingo da Pascoela fez em Lisboa contra os cristãos-novos, que foi pela maneira seguinte. No mosteiro de São Domingos da dita cidade está uma capela a que chamam de Jesus, e nela um crucifixo, em que foi então visto um sinal, a que davam cor de milagre, conquanto os que se na igreja acharam julgavam ser o contrário, dos quais um cristão-novo disse que lhe parecia uma candeia acesa que estava posta no lado da imagem de Jesus, o que ouvindo alguns homens baixos o tiraram pelos cabelos arrasto fora da igreja, e o mataram, e queimaram logo o corpo no rossio. Ao qual alvoroço acudiu muito povo, a quem um frade fez uma pregação convocando-o contra os cristãos-novos, após o que saíram dous frades do mosteiro, com um crucifixo nas mãos bradando, heresia, heresia, o que imprimiu tanto em muita gente estrangeira, popular, marinheiros de naus, que então vieram de Holanda, Zelândia, Hoestlândia, e outras partes, assim homens da terra, da mesma condição, e pouca qualidade, que juntos mais de quinhentos, começaram a matar todolos cristãos-novos que achavam pelas ruas, e os corpos mortos, e meios vivos lançavam, e queimavam em fogueiras que tinham sido feitas na ribeira, e no rossio ao qual negócio lhes serviam escravos, e moços, que com muita diligência acarretavam lenha, e outros materiais pera acender o fogo, no qual domingo da Pascoela mataram mais de quinhentas pessoas. A esta turma de maus homens, e dos frades, que sem temor de Deus andavam pelas ruas concitando o povo a esta tamanha crueldade, se ajuntaram mais de mil homens da terra, da qualidade dos outros, que todos juntos a segunda-feira continuaram nesta maldade com mor crueza, e por já nas ruas não acharem nenhuns cristãos-novos, foram cometer com vaivéns, e escadas, as casas em que viviam, ou onde sabiam que estavam, e tirando-os delas arrasto pelas ruas, com seus filhos, mulheres, e filhas, os lançavam de mistura vivos, e mortos nas fogueiras, sem nenhuma piedade, e era tamanha a crueza que até nos meninos, e nas crianças que estavam no berço a executavam, tomando-os pelas pernas fendendo-os em pedaços, e esborrachando-os de arremesso nas paredes. Nas quais cruezas se não esqueciam de lhes meter a saco as casas, e roubar todo o ouro, prata, e enxovais que nelas achavam, vindo o negócio a tanta dissolução, que das igrejas tiravam muitos homens, mulheres, moços, moças, destes inocentes, desapegando-os dos sacrários, e das imagens de Nosso Senhor, e de Nossa Senhora, e outros santos, com que o medo da morte os tinha abraçados, e dali os tiravam, matando, e queimando misticamente nem nenhum temor de Deus assim a elas como a eles. Neste dia pereceram mais de mil almas sem haver na cidade quem ousasse de resistir, pola pouca gente de sorte que nela havia por estarem os mais dos honrados fora, por caso da peste. E se os alcaides, e outras justiças queriam acudir a tamanho mal, achavam tanta resistência, que eram forçados a se recolher a parte onde estivessem seguros, de lhes não acontecer o mesmo que aos cristãos-novos. Havia entre os portugueses, que andavam encarniçados neste tão feio, e inumado trato tais, que por se vingarem do ódio, e malquerença que tinham com alguns cristãos lindos, davam a entender aos estrangeiros que eram cristãos-novos, e nas ruas, ou em suas casas onde os iam saltear os matavam, sem em tamanha desaventura se poder pôr ordem. Passado este dia, que era o segundo desta perseguição, tornaram a terça-feira estes danados homens a prosseguir em sua crueza, mas não tanto como nos outros dias porque já não achavam quem matar, por todolos cristãos-novos que escaparam desta tamanha fúria, serem postos em salvo, por pessoas honradas, e piedosas que nisso trabalharam tudo o que neles foi, e o tempo, e desordem deles lhes pôde conceder, sem poderem evitar que não perecessem neste tumulto mais de mil, e novecentas almas, que tanto se achou per conta que mataram estes maus, e perversos homens, no que passaram a mor parte daquele dia no qual à tarde acudiram à cidade Aires da Silva regedor, e D. Álvaro de Castro governador, com a gente que puderam ajuntar de suas valias sendo já quase acabado, e pacífico o furor desta gente, cansada de matar, e desesperada de poder fazer mais roubos, dos que já tinham feitos. Esta nova ordem deram a El-Rei na vila de Avis, indo de Abrantes visitar a Infanta D. Beatriz sua mãe, que estava em Beja de que foi muito triste, e anojado, pelo que pera se prover em tamanha desordem logo dali mandou o Prior do Crato, e D. Diogo Lobo, Barão de Alvito com poderes, pera castigarem os que achassem culpados, dos quais muitos foram presos e enforcados per justiça, principalmente dos naturais, porque os estrangeiros com os roubos, e despojos que levavam se acolheram a suas naus, e se foram nelas cada uma pera donde era. Aos dous frades, que andaram com o crucifixo pela cidade tiraram as ordens, e per sentença foram queimados. E El-Rei mandou proceder por seu procurador contra os da cidade, e termo, e oficiais dela de que muitos perderam os ofícios, e as fazendas, e contra a cidade, e termo foi dada sentença, a qual me pareceu de substância pera se pôr de verbo a verbo no capítulo seguinte.*

(*Crônica d'El-Rei D. Manuel,* Lisboa, Biblioteca de Clássicos Portugueses, 1909, pp. 91-94.)

Percebe-se, pela simples leitura deste capítulo, que Damião de Góis, do prisma historiográfico, diferia substancialmente de João de Barros. Historiador na mais rigorosa acepção do termo, da estirpe de Fernão Lopes, Damião de Góis empresta à verdade dos fatos função primacial na sua visão das coisas e dos homens. À verdade soma-se o realismo, que não cede ante os pormenores mais trágicos ou arrepiantes, muito embora deixe transparecer nitidamente para que lado pende o fiel da balança: sua simpatia está com os cristãos-novos, impiedosamente massacrados pela população supersticiosa, tacanha e preconceituosa. Observe-se que o morticínio se originou de um cristão-novo haver sido objetivo e veraz ao considerar o "milagre" nada mais que fruto de "uma candeia acesa que estava posta no lado da imagem de Jesus". Mas foi o bastante para que o obscurantismo, lavrando em "homens baixos", se voltasse contra a evidência, apontada pelo cristão-novo, com o fanatismo que lhe é peculiar, e fosse encontrar apoio em frades não menos ébrios de furor anti-semítico. Em suma: o espírito "velho", misticamente enfurecido e cego, a opor-se ao "novo", lúcido e aberto para as realidades contingentes, e decorrente dos ventos reformadores soprados pelo Renascentismo. Per-

* *Zelândia, Hoestlândia* = Países Baixos; *a saco* = a saque.

cebe-se, ainda, que o cronista procura isentar D. Manuel de qualquer culpa no desvario popular e fradesco, inclusive acentuando a justiça que se praticou contra os matadores dos cristãos-novos, não obstante ficasse longe de cobrir todo o mal cometido, porquanto, para os 1900 cristãos-novos chacinados, apenas alguns poucos "cristãos lindos" foram sentenciados. O humanismo de Damião de Góis, em tudo prenunciando o racionalismo setecentista e acompanhando o desassombro de certos contemporâneos, como, por exemplo, Giordano Bruno, exprime-se num estilo que, nem por direto e despojado, deixa de ser adequado à matéria de sua crônica. Menos literária e ufanista que a de João de Barros, a concepção da História de Damião de Góis engloba conceitos de verdade e coragem moral ainda válidos para a edificação das consciências de hoje.

A Literatura de Viagens

A euforia dos descobrimentos gerou, como se sabe, a crônica ultramarina, encetada por Azurara, e também uma avalanche de documentos oscilantes entre a ficção mais desabrida e a historiografia mais fidedigna. Parte dessa vária biblioteca informativa das novas terras entrevistas veio a ser coletada na *História Trágico-Marítima* (2 vols., 1735-1736), por iniciativa de Bernardo Gomes de Brito (1688-?). Outros autores no gênero: Jerônimo Corte-Real, Francisco Álvares, Fernão Cardim, Fernão Mendes Pinto, etc. Este último é o mais importante de todos.

FERNÃO MENDES PINTO

Pouco se conhece de sua vida, salvo naquilo que sua obra contém de autobiográfico. De origem humilde, teria nascido entre 1510 e 1514, faleceu em 8/7/1583. Entre 1537 e 1558, viajou pelo Oriente e África, entregue às mais inverossímeis aventuras, desde ser cativo treze vezes, vendido dezessete, até subir às funções de embaixador. O transunto dessas andanças, recolheu-o na *Peregrinação,* que escreveu nos derradeiros anos de existência, e que somente viria à luz duas décadas após sua morte (1614).

Peregrinação

O título da obra, longo como era hábito naqueles recuados tempos, declara o seguinte: *Peregrinação de Fernão Mendes Pinto, em que dá conta de muitas e muito estranhas cousas que viu e ouviu no reino da China, no da Tartária, no do Surnam, que vulgarmente se chama Sião, no do Calaminhão, no de Pegu, no de Martavão, e em outros muitos reinos e senhorios das partes orientais, de que nestas nossas do Ocidente há muito pouca ou nenhuma notícia. E também se dá conta de muitos casos particulares,* etc., etc. O enovelamento dos episódios constituintes da obra, e o seu transcorrer numa geografia imaginária e segundo uma cronologia confusa, manifestam-se pelo mero enunciar do título. Fugido de casa, o nosso herói mete-se numa caravela, que é logo depois apreendida por corsários franceses nas cercanias de Setúbal. Liberto numa praia alentejana, entra no serviço de D. Jorge, filho bastardo de D. João II. Em 1537, segue para a Índia, onde tem começo a sua fantástica peregrinação, em grande parte vivida na companhia do pirata Antônio de Faria, protagonista do episódio seguinte, dos mais pitorescos e incríveis de quantos compõem o relato de Fernão Mendes Pinto, localizado entre os capítulos LXXV e LXXVIII, intitulados "Como chegamos a esta ilha de Calemplui e da maneira ordem, sítio e fábrica dela". "Do mais que Antônio de Faria passou nesta ermida até se embarcar". "Como esta primeira noite fomos sentidos, e por que causa, e do mais que sucedeu sobre isso":

Dobrada, como tenho dito, esta ponta de Guinaitarão, descobrimos adiante, obra de duas léguas, uma terra rasa a modo de lizira, situada no meio do rio, a qual, segundo as mostras de fora, podia ser de pouco mais de uma légua em roda.

Antônio de Faria se chegou bem a ela, com muito alvoroço misturado com não pequeno receio, por que até então não entendera ainda o grande perigo em que se metera, a si e a todos, e, sendo já passadas mais de três horas da noite, surgiu, obra de um tiro de berço dela. E como a manhã foi clara, juntos em conselho todos os que para isso foram chamados, assentaram que, visto como uma cousa tão grandiosa como aquela, e que de si mostrava um aparato e majestade tamanha, não parecia possível que estivesse sem alguma gente que a guardasse, lhes parecia bom conselho que, com todo o silêncio possível, se rodeasse primeiro toda por fora para se ver as entradas que tinha, ou que impedimento podia ter a nossa desembarcação, e que, segundo o que visse, se determinaria o que se havia de fazer.

Com esta resolução se mandou Antônio de Faria levar, e, sem estrondo nem rumor nenhum, se chegou bem à terra. E rodeando-a toda, a viu bem à sua vontade, e notou particularmente nela tudo o que a vista podia alcançar.

Era esta ilha toda fechada em roda com um terrapleno de cantaria de jaspe de vinte e seis palmos em alto, feito de lájeas tão primas e bem assentadas que todo o muro parecia uma só peça, cousa de que todos se espantaram muito, porque até então não tinham visto em nenhuma parte, nem da Índia nem de fora dela, cousa que se parecesse com aquela. Este muro vinha criado de todo o fundo do rio até chegar acima à água em altura de outros vinte e seis palmos, de maneira que a sua altura era de cinqüenta e dois palmos. E em cima, no andar do terrapleno, em que o muro acabava a sua altura, tinha uma borda da mesma cantaria, roliça como cordão de frade, da grossura de um barril de quatro almudes, que a cingia toda em roda, sobre a qual iam assentadas umas grades de latão feitas ao torno, que por quartéis de seis em seis braças fechavam nuns balaústres do mesmo latão, em cada um dos quais estava um ídolo de mulher com uma bola redonda nas mãos, que por então se não pôde entender o que isto significava.

Destas grades a dentro ia uma fileira de grandíssima quantidade de monstros de ferro coado, que a modo de dança, com as mãos dadas de uns aos outros, fechavam toda a redondeza da ilha, que, como digo, seria de quase uma légua em roda. Destes monstruosos ídolos a dentro, pela mesma ordem e fileira em que eles cingiam esta lizira, havia outra de arcos, de obra riquíssima, em que os olhos tinham assaz que ver e em que se deleitar. E tudo o mais daqui para dentro era um bosque de laranjeiras anãs muito basto, sem outra mistura de árvore nenhuma, no meio do qual estavam fabricadas trezentas e sessenta ermidas, dedicadas aos deuses do ano, de que esta gentilidade nas suas histórias conta grandes patranhas em retificação de sua cegueira.

Mais acima obra de um quarto de légua, sobre um teso que a terra fazia para a banda do leste, apareciam uns edifícios com sete frontarias de casas a modo de igrejas, todos d'alto a baixo, quanto a vista podia alcançar, cozidos em ouro, com suas torres muito altas, que, segundo o que parecia, deviam ser campanários, e por fora duas ruas de arcos que cingiam estes edifícios. Os quais arcos eram do mesmo teor das sete frontarias das casas, e todos desde o mais alto do espigão dos coruchéus até baixo, cozidos em ouro, pelo qual de todos se julgou que devia isto de ser algum templo muito suntuoso e de grandíssima riqueza.

. . . .

Depois de ser recolhida toda a presa que ali havia, e mandada às embarcações, pareceu bem a todos não se bulir por então com mais nada, assim por não sabermos a terra, como por ser já quase noite, esperando que ao outro dia o poderíamos fazer mais à nossa vontade.

. . . .

E perguntado [o ermitão] se vinham os reis da China àquele lugar algum ano, ou em que tempo, respondeu que não, porque o rei, por ser filho do Sol, ele podia absolver a todos e ninguém o podia condenar a ele. E perguntado se tinham aqueles ermitães alguma maneira de armas, respondeu que não, porque os que pretendiam caminhar para o Céu, não lhes eram necessárias armas para ofender, senão paciência para sofrer. E perguntado por que causa estava aquela prata naqueles caixões de mistura com aqueles ossos, disse que porque era esmola que aqueles defuntos levavam consigo, para lá no Céu da Lua se valerem dela em suas necessidades. E depois de lhe perguntarem outras muitas cousas, perguntando-lhe ultimamente se tinham mulheres, respondeu que os que houvessem de dar vida à alma lhes era muito necessário não gastarem dos deleites da carne, porque claro estava que no favo doce do mel se criava a abelha que bicando escandalizava e magoava aos que o comiam.

Antônio de Faria abraçando-o então, e pedindo-lhe muitos perdões a seu modo, que eles chamam *de charachina,* se veio embarcar já quase noite, com determinação de ao outro dia tornar a cometer as outras ermidas, onde tinha por novas que havia uma muito grande quantidade de prata e alguns ídolos de ouro. Mas nossos pecados nos tolheram vermos o efeito disto que com tanto trabalho e risco das vidas tínhamos procurado havia passante de dous meses e meio, como logo se dirá.

. . . .

Depois de ser embarcado Antônio de Faria e nós todos com ele, que seria já quase às Ave-Marias, nos passamos a remo à outra parte da ilha, e surtos dela obra de um tiro de falcão, nos deixamos assim estar até quase meia-noite, com determinação, como já atrás disse, de tanto que ao outro dia fosse manhã tornarmos a sair em terra, e cometer as capelas dos jazigos dos Reis, que estavam de nós menos de um quarto de légua, para nelas carregarmos ambas as embarcações.

. . . .

Porém, Antônio de Faria, sem fazer caso do que eles diziam [os chins, que imprecavam contra os invasores], saltou em terra com seis homens de espadas e rodelas, e subiu pelas escadas do cais acima, quase afrontado e fora de si. E subindo desatinadamente por cima das grades, de que todo a ilha, como já disse, era cercada, correu como doudo de uma parte para a outra, sem sentir cousa alguma, e tornando-se às embarcações muito afrontado, praticou com todos sobre o que nisto se devia de fazer.

E depois de se darem muitas razões, que ele não queria aceitar, lhe fizeram os mais dos soldados requerimento que em todo o caso se partisse logo. E ele, receoso de haver algum motim, respondeu que assim o faria, mas que para sua honra lhe convinha primeiro saber o de que havia de fugir, e que portanto lhes pedia muito por mercê que o quisessem ali esperar, porque queria ver se podia tomar alguma língua que o certificasse mais na verdade desta suspeita. E que para isso lhes não pedia mais de espaço que só meia hora, visto como ainda havia tempo para tudo antes que fosse manhã. E querendo-lhe alguns dar algumas razões contra isto, as não quis ouvir, mas deixando-os assim a todos com lhes tomar primeiro as mensagens, e lhes dar juramento nos Santos Evangelhos, se meteu, cos seis que levava, por dentro do arvoredo do bosque.

E caminhando por ele mais de quatro tiros de espingarda, ouviu diante tanger um sino, e atinando, pelo tom, onde era, foi dar numa ermida muito mais nobre e rica que a outra em que o dia dantes tínhamos entrado, na qual estavam dous homens quase ambos de uma idade, vestidos em trajos de religiosos e com suas contas ao pescoço, por onde inferiu que eram ermitães. E dando neles de súbito os tomou a ambos, de que um ficou tão pasmado que muito tempo não falou a propósito. Dos nossos seis, os quatro entraram na ermida, e apanharam do altar um ídolo de prata de bom tamanho, com uma mitra d'ouro na cabeça, e uma roda na mão, que não soubemos determinar o que significava. E tomaram mais três candeeiros de prata com suas cadeias muito compridas.

E tornando-se Antônio de Faria a recolher muito depressa, cos dois ermitães quase a rasto, e com as bocas tapadas, chegou onde as embarcações estavam, e recolhido nelas se fez logo à vela com muita pressa, e se foi pelo rio abaixo. E fazendo perguntas a um dos dous que ia mais em seu acordo, e com grandes ameaças se mentisse, respondeu que era verdade que um santo homem de uma daquelas ermidas por nome Pilau Angíroo chegara já muito de noite à casa do jazigo dos Reis, e batendo muito apressadamente à porta dera um grito muito alto dizendo: — "Ó gentes tristes e ensopadas na bebedice do sono da carne, que professastes com juramento solene a honra da deusa Amida, prêmio rico de nosso trabalho, ouvi, ouvi, ouvi o miserável que nunca nascera! Sabei que são entradas gentes estrangeiras do cabo do mundo, com barbas compridas e corpos de ferro, na casa dos vinte e sete pilares, de que um santo homem que me isto disse era vassoura do chão, e roubando nela o tesouro dos santos, botaram com desprezo seus ossos no meio da terra, e os contaminaram com escarros podres e fedorentos, dando muitas risadas como demônios obstinados e contumazes no primeiro pecado. Pelo que vos requeiro que ponhais cobro em vossas pessoas, porque se diz que têm jurado de como for manhã nos matarem a todos. E por isso ou fugi ou chamai quem vos socorra, pois por serdes religiosos vos não é dado tomardes na mão cousa que tire sangue."

— A cujas vozes toda a gente acordou, e acudindo rijo à porta, o acharam quase morto, deitado no chão de tristeza e cansaço por ser já muito velho. Pelo que todos os grepos e menigrepos fizeram os fogos que vistes, e a grande pressa mandaram logo recado às cidades de Corpilem e Fumbana, para que com muita brevidade acudissem com toda a gente que se pudesse ajuntar, e apelidassem toda a terra para que fizesse o mesmo. Pelo que sem dúvida vos afirmo que não tardarão mais que em quanto se ajuntarem, porque pelo ar, se puder ver, virão voando com tanto ímpeto como açores esfaimados quando lhes tiram as prisões. E sabei que esta é a verdade de tudo o que passa, pelo qual vos requeiro que nos deixeis ir e não nos mateis, porque será mor pecado que o que ontem cometestes. E lembre-vos que nos tem Deus tomado tanto à sua conta, pela penitência que fazemos, que quase nos vê todas as horas do dia. E trabalhai por vos pordes em salvo, porque vos afirmo que a terra, o ar, os ventos, as águas, as gentes, os gados, os peixes, as aves, as ervas, as plantas e tudo o mais que hoje é criado, vos há de empecer e morder-vos tanto sem piedade que só Aquele que vive no Céu vos poderá valer.

Certificado Antônio de Faria da verdade deste negócio pela informação que este ermitão lhe dera, se foi logo a grande pressa pelo rio abaixo, depenando as barbas, e dando muitas bofetadas em si por ter perdido por seu descuido e ignorância uma tamanha cousa como a que tinha cometido, se chegara com ela ao cabo.*

(*Peregrinação e outras Obras,* 2 vols., Lisboa, Sá da Costa, 1962, vol. II, pp. 67-69, 74, 76-77, 77-78, 79-82.)

Já vimos como a Renascença, ao menos na pena dum Camões, dum João de Barros, e de tantos outros, foi uma época de infrene patriotismo. Pois bem: a *Peregrinação* impressiona, primeiro que tudo pelo fato de se nos afigurar uma espécie de anti-*Os Lusíadas.* Vejamos por quê. O herói do episódio transcrito, Antônio de Faria, despe-se de qualquer amplificação mítica e reduz-se a um simples, embora astuciosíssimo, pirata: frio, inescrupuloso, entrega-se à pilhagem e ao roubo sem nenhuma turvação de consciência; sua psicologia, que o narrador focaliza como se criasse uma personagem de novela, manifesta antes um cínico, um pícaro desalmado, que um daqueles nautas sublimes, desenhados ou sugeridos pela epopéia camoniana; antes um aventureiro chapado que um daqueles conquistadores do Oriente, plenos de glórias bélicas ou morais. Daí o seu Cristianismo, como aliás o de seus apaniguados, constituir uma religião vazia de todo o conteúdo próprio, diminuída a ponto de se transformar em mera convenção social ou hábito gesticulatório e verbal. À entrada do capítulo LXXVI, em parágrafo omitido, vê-se que os sequazes de Antônio Faria desembarcam "levando todos o nome de Jesus na boca e no coração". E tal menção a Cristo, bem como a Deus, ressurge várias vezes no fio da aventura em Calemplui, confirmando tratar-se de uma religião de fachada e encobrir um cinismo desmedido. Quanto ao cinismo, em que parece haver algo de adolescente, ou da "esperteza" européia em face da "ingenuidade" asiática, observe-se que Antônio de Faria arrepiou caminho "a grande pressa pelo rio abaixo, depenando as barbas, e dando muitas bofetadas em si". Consciência moral? Não: apenas punição do engano em que o corsário se meteria caso prosseguisse na empreitada. Fernão Mendes Pinto não dissimula que seu relato contém sátira, à Gil Vicente e à Erasmo de Roterdão, contra o (mau) português de Quinhentos quando aventurava por terras do Sol Nascente. Mas, pergunta-se: até que ponto? A resposta à indagação implica considerar um aspecto geral da obra: o seu tom novelesco. O escritor

---

* *lizira* = lezíria, terreno alagadiço, às margens de rio; *grepos e menigrepos* = antigos sacerdotes e ermitães do Pegu; *cabo* = fim.

emprega, na reconstituição dos acontecimentos, primordialmente a memória, visto que redigiu a *Peregrinação* doze anos após o seu regresso à Pátria, e, decerto, sem poder recorrer a apontamentos em que registrasse o dia-a-dia das aventuras de que participara. Como se a memória involuntária não lhe bastasse, vinha-lhe em socorro sua riquíssima imaginação, a fim de completar os dados faltantes, ou transfigurá-los na ficção mais desbordante. Nem por isso suas impressões deixam de constituir documento fidedigno do estado de coisas vigentes na Ásia e África no curso da expansão portuguesa ultramarina. Além do que, a *Peregrinação* lê-se como verdadeira novela, uma novela de pirataria e conquista, o avesso d*Os Lusíadas*. Em síntese, pela faceta documental e pela faceta ficcional, a *Peregrinação* merece enquadrar-se entre as obras-primas da Literatura Portuguesa de todos os tempos: é suficiente a leitura atenta das passagens oferecidas na presente antologia para evidenciá-lo de vez.

CAPÍTULO LXX
Do banquete que neste dia se deu a Antônio de Faria e a seus companheiros

Acabada a missa se chegaram a Antônio de Faria os quatro principais do governo daquela povoação ou cidade de Liampoo, como os nossos lhe chamavam, que eram Mateus de Brito, Lançarote Pereira, Jerônimo do Rego e Tristão de Gaa. E tomando-o entre si, acompanhado de toda a gente portuguesa, que seriam mais de mil homens, o levaram a um grande terreiro que estava na frontaria das suas casas, todo cercado de um espesso bosque de castanheiros assi como vieram do mato, carregado de ouriços, ornado por cima de muitos estendartes e bandeiras de seda, e por baixo juncado de muita espadana, hortelã e rosas vermelhas e brancas, de que na China há grandíssima quantidade.

Neste bosque estavam postas três mesas muito compridas ao longo de umas latadas de murta, com que todo o terreiro estava cerrado, onde havia muitos esguichos de água que por cantimprosas corria de uns aos outros, por uns modos e invenções que os chins ordenaram, tão sutis e artificiosas que nunca ninguém pôde entender o segredo deles. Porque com a fúria do assopro de um fole como de órgão a que todos tinham sua correspondência, esguichavam tão alto que quando tornava a água a cair para baixo, vinha tão miúda que não molhava mais que só como orvalho, de maneira que com um só pote de água se borrifava todo o terreiro, que era como uma grande praça. Defronte destas três mesas estavam três aparadores da mesma maneira, com grande soma de porcelanas muito finas e seis gomis de ouro muito grandes, que os mercadores chins trouxeram da cidade de Liampoo, que lá pediram emprestados aos mandarins, porque todo o serviço destes é com baixelas d'ouro, porque a prata é de gente mais baixa e de menos qualidade. E trouxeram mais outras muitas peças, como foram pratos grandes, saleiros e copos também de ouro, com que a vista se deleitava muito, se de quando em quando lhe não causara inveja.

Despedidos logos os que não eram do banquete, ficaram sós os convidados, que seriam setenta ou oitenta, afora os soldados de Antônio de Faria, que passavam de cincoenta. E, assentados à mesa, foram servidos por moças muito fermosas e ricamente vestidas ao modo dos mandarins, que, a cada iguaria que punham, cantavam ao som dos instrumentos que outras tangiam. E a pessoa de Antônio de Faria foi servida com oito moças muito alvas e gentis mulheres, filhas de mercadores honrados, que seus pais, por amor de Mateus de Brito e de Tristão de Gaa trouxeram da cidade. As quais todas vinham vestidas como sereias, que a modo de dança faziam o serviço da mesa ao som de instrumentos músicos que davam muito contentamento a quem os ouvia, de que todos os portugueses estavam assás pasmados, mas gabando muito a ordem, concerto e perfeição do que viam e ouviam. E quando havia de beber, então se tocavam as charamelas e trombetas e atabales. E com esta ordem duraria este banquete perto de duas horas, nas quais houve também seus entremezes de autos, um chim e outro português.

Da perfeição e abastança das iguarias, não trato, porque seria processo infinito querer eu particularizar o que ali houve aquele dia. Mas direi somente que ponho em muita dúvida que em muito poucas partes de pudesse dar banquete que em nenhuma cousa fizesse ventagem a este.

Levantadas as mesas, que seria já perto das duas horas despois de meio dia, se foram para outro terreiro, tapado todo em roda com muitos palanques, em que havia infinidade de gente, no qual se correram dez touros e cinco cavalos bravos, que foi a mais regozijada festa que se pudera ver, acompanhada de muitas trombetas, atabales, pífaros, tambores e de muitos antremeses de diversas invenções.

Despois de isto ser acabado, que era já sobre a tarde, querendo-se Antônio de Faria tornar a embarcar, lho não consentiram, mas Tristão de Gaa e Mateus de Brito lhe deram as suas casas, que já para isso estavam concertadas com seus passadiços de umas a outras, onde ele ficou muito bem aposentado por tempo de cinco meses que ali esteve. Nos quais sempre houve muitos desenfadamentos de pescarias, e caças de altenaria de falcões e açores, e montarias de veados, porcos, touros e cavalos bravos, de que nesta ilha há muita quantidade, e muitos jogos e passatempos de autos e antremeses de muitas maneiras, com banquetes esplêndidos todos os domingos e dias santos, e muita parte dos da somana; de maneira que todos estes cinco meses que aqui estivemos nos não pareceram cinco dias.

No fim do qual tempo se fez Antônio de Faria prestes de embarcações e gente, para ir às minas de Quoangeparú. E porque neste meio tempo falecera Quiay Panjão, que ele muito sentiu, foi aconselhado que as não cometesse, porque se soava por nova certa que andava lá a terra muito inquieta por causa das guerras que o Prechau Muhão tinha co rei do Chiammay e cos Pafuaas e c'o rei do Champaa. Mas enculcaram-lhe aí um cossairo muito afamado que se chamava o Similau, de que ele lançou mão, e houve logo fala dele. O qual lhe contou muito grandes cousas de uma ilha por nome Calempluy, na qual estavam dezassete jazigos dos reis da China em uns presbitérios de ouro, com muita grande quantidade de ídolos do mesmo, em que dizia que não havia mais dificuldade nem trabalho que só em carregar os navios. E também lhe disse outras muitas cousas de tamanha majestade e riqueza que deixo aqui de as contar, porque temo que façam dúvida a quem as ler.

E como Antônio de Faria era naturalmente muito curioso e não lhe faltava também cobiça, se abraçou logo tanto co parecer deste chim, que só por este seu dito, sem outro mais testemunho, determinou de se pôr a todo o risco e fazer esta viagem, sem nesta parte querer tomar outro conselho de ninguém, de que alguns seus amigos se escandalizaram algum tanto, e não sem razão.*

CAPÍTULO LXXIX

Como nos perdemos na enseada do Nanquim, e do que passamos depois disso

Sete dias havia já que fazíamos nossa viagem pelo meio da enseada do Nanquim, para com a força da corrente caminharmos mais depressa, como quem só nela tinha sua salvação, porém todos tão tristes e descontentes que, como homens fora de si, nenhum de nós falava a propósito, quando chegamos a uma aldeia que se chamava Susoquerim. E como ainda ali não havia novas de nós, nem donde vínhamos, surgimos no porto dela, e despois de nos provermos de algum mantimento e nos informarmos dissimuladamente de caminho que havíamos de levar, nos partimos dali a duas horas, e o mais depressa que pudemos entramos em um esteiro menos seguido de gente que a enseada por onde tínhamos vindo, que se chamava Xalingau, pelo qual corremos mais nove dias, nos quais caminhamos cento e quarenta léguas.

E tornando a entrar na mesma enseada do Nanquim, que já aqui era de mais de dez ou doze léguas de largo, velejamos por nossa derrota, com ventos oestes de um bordo no outro, mais treze dias, e bem enfadados do muito trabalho e medo que passávamos, e já com pouco mantimento. E sendo à vista das minas de Conxinacau, que estão em quarenta e um graus e dous terços, nos deu um tempo do sul, a que os chins chamam *tufão*, tão forte de vento e çarração e chuveiros que não parecia cousa natural; e como as nossas embarcações eram de remo e não muito grandes, e baixas e fracas, e sem marinheiros, nos vimos em tanto aperto, que quase desconfiados de nos podermos salvar, nos deixamos ir assi rolando à costa, havendo por menos mal morrermos entre os penedos, que afogados no mar.

E seguindo nós com este propósito nosso caminho, sem podermos efeituar este miserável intento, que então escolhíamos por menos mau e menos trabalhoso, no saltou o vento ao nornoroeste já sôbola tarde, com que os mares ficaram tão cruzados e tão altos na vaga do escarcéu que era cousa medonha de ver. Com este medo começamos a alijar quanto trazíamos, e foi tamanho o desatino neste excessivo trabalho que até o mantimento e os caixões da prata se lançaram ao mar. E após isto cortamos também ambos os mastos, porque já a este tempo as embarcações iam abertas, e corremos assim a árvore seca o que mais restava do dia.

E sendo quase meia noite ouvimos na panoura de Antônio de Faria uma grande grita de "Senhor Deus misericórdia", por onde imaginamos que se perdia, e acudindo-lhe nós da nossa com outra pelo mesmo modo, nos não responderam mais, como

---

* *cantimprosa* ou *canti(m)plora* = vasilha, bilha metálica; *gomil* = jarro de boca estreita; *charamela* = flauta; *atabale* ou *timbale* = tambor de cavalaria; *entremez* = breve composição teatral; *pífaro* ou *pífano* = instrumento musical semelhante à flauta.

que eram já alagados. De que todos ficamos tão pasmados e fora de nós que uma grande hora nenhum falou a propósito.

Passada nesta aflição e agonia aquela triste noite, uma hora antes que amanhecesse, nos abriu a nossa embarcação por cima da sobrequilha, com que logo em proviso nos cresceram oito palmos d'água, de modo que sem nenhum remédio nos íamos ao fundo. Por onde já então presumimos que era Nosso Senhor servido que tivessem ali fim nossas vidas e nossos trabalhos.

Tanto que o dia foi de todo claro e, descobrindo já todo o mar, não vimos Antônio de Faria, acabamos todos de pasmar de maneira que nenhum de nós teve mais acordo para nada. E continuando neste trabalho e agonia até quase as dez horas, com tanto medo e desaventura quanto me não atrevo a declarar com palavras, viemos a dar à costa, e meios alagados nos foram os mares rolando até uma ponta de pedras que está adiante, na qual, em chegando, co rolo do mar nos fizemos logo em pedaços. E pegados todos uns nos outros, com grande grita de "Senhor Deus misericórdia", nos salvamos, dos vinte e cinco portugueses que éramos, os catorze somente, e os onze ficaram ali logo afogados com mais dezoito moços cristãos e sete chins marinheiros.

E esta desaventura sucedeu uma segunda-feira, cinco do mês de agosto, do ano 1542, pelo qual Nosso Senhor seja louvado pera sempre.*

(*Ibidem*, pp. 44-47, 82-84.)

A Novela e o Conto

Como sabemos, durante a Idade Média portuguesa apenas vingou a novela de cavalaria, e, assim mesmo, importada da França e adaptada, por meio de tradução e glosa, à realidade sociocultural contemporânea. Entrado o século XVI, presencia-se o florescimento da matéria cavaleiresca em vernáculo, e o aparecimento da novela bucólica e sentimental de extração italiana, e da narrativa de "proveito e exemplo". Além de Bernardim Ribeiro, Francisco de Morais e Gonçalo Fernandes Trancoso, certamente as mais importantes figuras da novelística e do conto quinhentista, convém assinalar o nome de João de Barros (ver p. 131) e Jorge Ferreira de Vasconcelos (1527-1584/1585), autor d*O Memorial das Proezas da Segunda Távola Redonda* (1567).

BERNARDIM RIBEIRO

Poucas notícias seguras temos de sua biografia. Nasceu numa aldeia alentejana em 1482. Em Lisboa, após bacharelar-se em Leis, entrou para o serviço de D. João III. Nesse tempo, abandonou-se a vários e agitados amores, que teriam motivado sua viagem à Itália. Seus últimos dias, passou-os ensombrado pela demência. Faleceu em 1552. Cultivou a poesia (colaborou no *Cancioneiro Geral* de Garcia de Resende) e a prosa de ficção (*Menina e Moça*, 1554), que constitui a fração mais relevante de sua obra.

---

* *derrota* = rota; *carroção* = cerração; *nornoroeste* = ponto no horizonte entre o norte e o noroeste; *sôbala* = sobre a; *panoura* = embarcação asiática; *em proviso* = improviso, de repente.

Menina e Moça

A novela de Bernardim Ribeiro, também conhecida pelo título de *Saudades*, conheceu duas primeiras edições quase ao mesmo tempo: a de Ferrara (1554) e a de Évora (1557). O fato em si não encerraria maior significado se entre ambas não houvesse discrepâncias dignas de nota: enquanto a edição de Ferrara apresenta um texto corrido e somente a primeira parte da narrativa, a de Évora fragmenta-o em capítulos e acrescenta-lhe uma segunda parte, de forma que esta se divide em 58 capítulos, e a outra, em 31 capítulos. Nessa divergência se põe um problema praticamente insolúvel: dadas as antinomias de estilo e de conteúdo, entre as duas partes, cabe indagar: seria Bernardim Ribeiro autor da obra toda? e a sua alienação mental no fim da vida explicaria alguma coisa, ou teria qualquer mão alheia arrematado a seu modo o que o ficcionista deixara, deliberadamente ou não, por terminar? Tem-se alvitrado como de autoria certa de Bernardim Ribeiro toda a primeira parte e mais uma porção da segunda, ou seja, até o 11º capítulo, ou o 17º ou o 25º. De nítida feição sentimental e bucólica, *Menina e Moça* ainda abriga quadros cavaleirescos, mais para ridicularizar a cavalaria andante, em franco declínio no século XVI, que para atender ao gosto do leitor coevo. Quando não, funcionam como pano de fundo aos embates amorosos travados em clima campesino e saturadamente emotivo. A tônica recai numa mundividência lacrimosa, feminizante e rural, como se pode verificar nos passos que a seguir se transcrevem, correspondentes aos dois capítulos iniciais da novela. Na primeira parte da narrativa estando em cena duas interlocutoras (uma donzela e uma senhora de idade), contam-se os amores entre Aônia (anagrama de Joana) e Bimnarder (= Bernardim) e Belisa (= Isabel) e Lamentor, emoldurados por breves incidentes cavaleirescos. Estes avultam e dominam amplamente na segunda parte. No geral, a fabulação flui intrincada e confusa, como, de resto, pressupunha o termo "novela", que servia para designar tais narrativas.

Menina e moça me levaram de casa de meu pai para longes terras: qual fosse então a causa daquela minha levada, era pequena, não na soube. Agora não lhe ponho outra, senão que já então parece havia de ser o que depois foi. Vivi ali tanto tempo quanto foi necessário para não poder viver em outra parte. Muito contente fui eu naquela terra; mas coitada de mim, que em breve espaço se mudou tudo aquilo que longo tempo se buscou e para longo tempo se buscava. Grande desaventura foi a que me fez ser triste, ou que pela ventura me fez ser leda. Mas depois que eu vi tantas cousas trocadas por outras e o prazer feito mágoa maior, a tanta paixão vim, que mais me pesava do bem que tive que do mal que tinha. Escolhi para meu contentamento (se entre tristezas e saudades há algum) vir-me viver a este monte, onde o lugar e míngua da conversação da gente fosse como para meu cuidado cumpria — porque grande erro fora depois de tantos nojos, quantos eu com estes meus olhos vi, aventurar-me ainda esperar do mundo o descanso, que ele nunca deu a ninguém — estando eu aqui só, tão longe de toda a outra gente, e de mim ainda mais longe, donde não vejo senão serras de um cabo, que se não mudam nunca, e de outro águas do mar, que nunca estão quedas, onde cuidava eu já que esquecia à desaventura, porque ela e depois eu, a todo poder que ambas pudemos, não leixamos em mim nada em que pudesse nova mágoa ter lugar. Antes havia muito tempo que é povoada de tristezas, e com razão. Mas parece que em desaventuras há mudanças para outras desaventuras, porque do bem não na havia para outro bem. E foi assim que, por caso estranho, fui levada em parte onde me foram ante os meus olhos apresentadas em cousas alheias todas minhas angústias: e o meu sentido de ouvir não ficou sem sua parte de dor. Ali vi então na piedade, que houve doutrem, camanha a devera ter de mim, se não fora tão demasiadamente mais amiga de minha dor do que parece que foi de mim quem me é causa dela: mas camanha é a razão por que sou triste, que nunca me veio mal nenhum, que eu não andasse em busca dele. Daqui me vem a mim a parecer que esta mudança, em que eu me vi, já então começava a buscar, quando me esta terra, onde me ela aconteceu, aprouve mais que outra nenhuma para vir aqui acabar os poucos dias de vida, que eu cuidei que me sobejavam. Mas nisto, como em outras cousas muitas, me enganei eu. Agora há já dois anos que estou aqui, e não sei ainda tão-somente determinar para quando me guarda a derradeira hora: não pode já vir longe. Isto me pôs em dúvida de começar a escrever as cousas que vi e ouvi.

. . . .

E crescia-me daquilo um pesar; porque a cabo do penedo tornava a água a juntar-se e ir seu caminho sem estrondo algum, mas antes parecia que corria ali mais depressa que outra parte: e dizia eu que seria aquilo por se apartar mais asinha daquele penedo, inimigo de seu curso natural, que como por força ali estava. Não tardou muito que, estando eu assim cuidando, sobre um verde ramo que por cima da água se estendia se veio pousar um rouxinol. Começou a cantar tão docemente que de todo me levou após si o meu sentido de ouvir. E ele cada vez crescia mais em seus queixumes, que parecia, que como cansado, queria acabar, senão quando tornava como que começava. Então, triste da avezinha, que estando-se assim queixando, não sei como se caiu morta sobre aquela água. Caindo por entre as ramas, muitas folhas caíram também com ela. Pareceu aquilo sinal de pesar daquele arvoredo de caso tão desastrado. Levava-a após si a água e as folhas após ela, e quisera-a eu ir tomar; mas pela corrente que ali fazia e pelo mato que de ali para baixo acerca do rio logo estava, prestesmente se alongou da vista. O coração me doeu tanto então em ver tão asinha morto quem dantes tão pouco havia que vira estar cantando, que não pude ter as lágrimas. Certamente que por cousa do mundo, depois que perdi outra cousa, me não pareceu a mim que assim chorasse de vontade; mas em parte este meu cuidado não foi em vão, porque ainda que a desventura daquela avezinha fosse causa de minhas lágrimas, lá ao sair delas foram juntas outras muitas lembranças tristes. Grande pedaço de tempo estive assim embargada dos meus olhos, entre os cuidados que muito havia que me tinham já então, e ainda terão até que venha o tempo que alguma pessoa estranha, de dó de mim, com as suas mãos cerre estes meus olhos, que nunca foram fartos de me mostrarem mágoas de si. E, estando assim olhando para onde corria a água, ouvi bulir o arvoredo. Cuidando que fosse outra cousa, tomou-me medo. Mas olhando para ali vi que vinha uma mulher e, pondo nela bem os olhos, vi que era de corpo alto, disposição boa, e o rosto de dona, senhora do tempo antigo; vestida toda de preto, no seu manso andar e meneios seguros do corpo e do rosto e do olhar, parecia de acatamento. Vinha só, na semelhança tão cuidadosa, que não apartava os ramos de si, senão quando lhe impediam o caminho, ou lhe feriam o rosto. Os seus pés trazia por entre as frescas ervas, e parte do vestido estendido por elas. E entre uns vagarosos passos que ela dava, de quando em quando colhia um cansado fôlego, como que lhe queria falecer a alma. Sendo acerca de mim e me viu, ajuntando as mãos (à maneira de medo de mulher) um pouco como que vira cousa desacostumada, ficou. E eu também assim estava, não de medo, que a sua boa sombra logo me o não consentiu, mas da novidade daquilo que ainda ali não vira, havendo muito que por meu mal tinha continuado aquele lugar e toda aquela ribeira. Mas não esteve ela muito que, parece conhecendo também como eu estava, com uma boa sombra começou a dizer, vindo contra mim:

— Maravilha é ver donzela em ermo depois que a minha grande desventura levou a todo o mundo o meu.

E dai a grande pedaço, misturado já com lágrimas, disse:

— Filha!

Depois, tirando um lenço, começou a limpar o rosto, e a chegar-se para onde eu estava. Levantei-me eu então, fazendo-lhe aquela cortesia, que me ela com a sua e consigo mesma obrigava. E ela:

— O descostume grande — me disse — que há grande tempo que vivo neste ermo de ver pessoa alguma me faz, senhora, desejar saber quem sois e que fazeis aqui, ou que viestes a fazer, formosa e só.

Eu que um pouco tardava em lhe responder, pela dúvida em que estava do que lhe diria (parece-me que entendendo-me ela).

— A mim podereis dizer tudo — me tornou — que eu sou mulher como vós e, segundo vossa presença, vos devo ainda ser muito conforme, porque me parece (agora que vos olho de mais perto) que deveis ser triste, que vossos olhos têm vossa formosura desfeita, e ao longe não se enxergava.

— Pareceis vós logo ao longe — respondi eu — o que sois ao perto. E não vos saberia negar cousa em que de mim vos servísseis, que os vossos trajos e tudo o que vos eu olho vem cheio de tristeza, cousa a que eu sou há muito tempo conforme. E porque posso mal encobrir o senhorio que eu mesma às longas mágoas sobre mim tenho dado, não me quero rogar, mas antes vos devia ainda de agradecer quererdes saber de mim o que quereis, para ser ao menos meu mal escutado alguma hora.

— Pois dizei-mo, — me tornou ela — que ficardes-me devendo ouvir-vos eu, nova maneira é também de me obrigardes. Mas assim me pareceis vós que, de vos ser obrigada, folgo muito ainda.

Satisfazendo-lhe eu então, disse:

— Fui uma donzela que neste monte de banda de além deste ribeiro pouco há que vivo, e não posso viver muito; noutra terra nasci; noutra, de muita gente, me criei, donde vim fugindo para esta despovoada de tudo, senão de só as mágoas que eu trouxe comigo. Este vale por onde correm estas águas claras que vedes, os altos arvoredos de espessas sombras sobre a verde erva, as flores que por aqui aparecem e a seu prazer se estendem, ribeiras desta água fria, doces moradas e pousos das sós deleitosas aves, são tão conformes a meus cuidados, que o mais do tempo, que o sol assegura à terra, passo aqui; que, em que me vejais só, acompanhada estou. Muito há que tenho andado este caminho: nunca vi senão agora a vós. A grande saudade deste vale e de toda esta terra por aqui derredor me faz ousar vir, assim mulher (formosa bem vedes já que não) e pois não tenho armas para ofender, para me defender já que para que me seriam necessárias? A toda parte posso já ir segura de tudo, senão só de meu cuidado, que não vou a nenhum cabo que ele não vá após mim. Agora dantes estava eu aqui só, olhando para aquele penedo, mas tirando eu então dali como estava anojando aquela água, que queria ir seu caminho, ante os meus olhos, sobre aquele ramo que a cobre, se veio por um rouxinol docemente cantando. De quando em quando parecia que lhe respondia outro lá de muito longe. Estando ele assim no melhor do canto, caiu morto sobre aquela água, que o levava tão asinha, que o não pude eu ir tomar. Camanha mágoa me cresceu disto, que me acordei de outras minhas, de que também grandes desastres causa foram, e levaram-me onde me eu também não podia ir tomar.

A estas palavras se me arrasaram os olhos de água, e fui com as mãos a eles.

— Isto, senhora, fazia quando vós aparecestes, e o faço as mais das vezes: porque sempre eu choro ou estou para chorar.*

(*Obras Completas,* 2 vols., Lisboa, Sá da Costa, vol. 1, pp. 1-3, 10-14.)

Observe-se, de início, que a narrativa é contada na primeira pessoa, por uma representante do sexo feminino: mais uma vez, parece que retomamos o fio da cantiga de amigo, fio esse que recorrerá freqüentemente ao longo da Literatura Portuguesa. E a semelhança com a cantiga de amigo ainda se manifesta no próprio conteúdo desalentado das confidências. Entretanto, percebem-se outras incidências, decorrentes da metamorfose renascentista: a "desavença" coroa todas as experiências humanas, quer exista ou não felicidade, porquanto se vêem sempre "tantas cousas trocadas por outras e o prazer feito mágoa maior". Tem-se a impressão de escutar Camões rascunhando seus versos lapidares e discursivos, pois que a essência paradoxal do pensamento é a mesma, o que se explica facilmente pelo fato de o poeta e o novelista terem respirado idêntico ar, e sofrido, por isso, análogo impacto cultural. Dessa forma, a tristeza que impregna a confissão da narradora se aparenta, em tudo, à desesperança prometéica de Camões. Repare-se que o encontro entre as confidentes se efetua onde não há "senão serras de um cabo, que se não mudam nunca, e de outro águas do mar, que nunca estão quedas". Portanto, ambiente bucólico, traduzindo a fuga para o campo, que caracteriza sociologicamente o desgosto renascentista pela cidade e o desejo de alcançar no sossego campestre a paz que a agitação urbana teria destruído. Nisso, estavam ainda seguindo de perto o modelo dos antigos, que se refugiavam em suas "vilas" afastadas do bulício da Roma, com o fito de reconquistar, na contemplação da Natureza, a tranqüilidade perdida (cf. Alfred von Martin, *Sociología del Renascimiento,* tr. mexicana, Fondo de Cultura Económica, México, 1946). Assim se explica que a paisagem natural compareça na *Menina e Moça* não apenas como simples cenário, mas também como espelho refletidor dos queixumes das interlocutoras. É o caso, por exemplo, do rouxinol no capítulo II, tão humanizado pela visão da narradora que esta, com a morte da avezinha, sofre como se lhe tivesse morrido pessoa amada: "O coração me doeu tanto (...); "não pude ter as lágrimas". Esse permanente chorar, que leva a narradora a dizer que "sempre eu choro ou estou para chorar", decorre da concepção antro-

---

* *camanha* = quão grande; *asinha* = depressa; *nenhum cabo* = nenhuma parte.

pocêntrica do mundo ensinada pelo Renascimento. Ao mesmo tempo, carrega novidades importantes no terreno da ficção, evidentes no retrato da Mulher, composto com notável senso de exatidão: "vi que era de corpo alto, disposição boa e o rosto de dona", etc. Isso evidencia, por parte de Bernardim Ribeiro, surpreendente acuidade psicológica, pouco importa se fruto ou não de experiências pessoais, dirigida para a mulher, como, por exemplo, quando a menina e moça declara que a interlocutora "me viu, ajuntando as mãos (à maneira de medo de mulher)". Classificada, por isso, de sentimental e bucólica, a novela ostenta grande relevância para a história da ficção em Portugal, onde durante os séculos XVII e XVIII não surgiu nenhuma outra que se lhe comparasse.

CAPÍTULO III
Da conta que a dona dá à donzela de sua vinda àquela terra

— Coitada de mim — começou ela — que para me magoar busco ainda desventuras alheias, como que as minhas não abastassem; que são tantas, que muitas vezes neste despovoado eu mesma ando espantada de mim como as posso sofrer! Por isso vos não parecia sem causa triste, que assim o sou eu, que se o soubésseis, ainda muito mais vo-lo pareceria do que cuido que parecerei na presença: porque da longa dor, que há já muito tempo que eu passo, tem o cansado deste meu corpo tão costumado a sofrê-la, que já agora vive nela. Este é um dos queixumes grandes que eu tenho do corpo, que não há cousa para que ele por longo costume não seja; que assim há já muitos anos que eu não vivo para mim, e que vim para estes ermos fugindo das gentes, para quem só anoiteceu e amanheceu. Muito me aprouve achar-vos também conforme à minha tristeza, porque nos consolaremos ambas desconsoladas: que isto vai assim como quem é doente de alguma peçonha e se cura com outra. E quando vos eu da primeira vi em o apartamento de toda a gente — que nesta terra há muito — e o muito que também há, que eu não vi nela cousa com que falasse, me moveu a alteração, e não pus em vós os olhos tanto como depois que vos falei; e quanto mais vos olho mais acho que vos olhar. As passadas palavras vossas me dizem que deveis de ter o coração altamente agravado. Nas mágoas que as lágrimas têm feito no vosso rosto (que para esse efeito parece que não foi dado) entendo eu quão dada deveis ser aos cuidados, que não soem eles fazerem-se debalde. Vejo-vos moça; ainda éreis para viver no mundo. Mal haja a desaventura que tão cedo começou em vós e tão tarde acaba em mim! Muito folgaria de me contardes vossa tristeza, uma e uma, que, assim como vo-la eu ouvi, não me abastou mais que para me magoar. Mas pois vós, senhora, assim fostes servida, eu sou contente, e por outra parte folgo pelo vosso. Cá pois não pudestes escusar desventuras, menos é virdes ter mal, que folgueis ter encoberto, que o pesar há este bem: ainda que não aproveite para ele doer menos, aproveitá-lo quero para se sofrer melhor. Isto é assaz para as tristezas das mulheres, que não têm remédios para o mal, que os homens têm: porque, nesse pouco tempo que há que eu vivo, tenho aprendido que não há tristezas nos homens; só as mulheres são tristes: que as tristezas quando viram que os homens andavam de um cabo para outro, e, como as mais das cousas, com as contínuas mudanças ora se espalhavam, ora se perdiam, e que as muitas ocupações lhe tolhiam o mais do tempo, tornaram-se às coitadas das mulheres, ou porque aborreceram as mudanças, ou porque elas não tinham para onde lhes fugir. Cá certamente, segundo as desventuras são desarrezoadas e graves, aos homens se haviam de fazer: mas quando com eles não puderam, tornaram-se a nós, como à parte mais fraca. Assim que padecemos dois males, um que sofremos e outro que se não fez para nós. Os homens cuidam outra cousa, mais do que das mulheres não cuidam. Logo costumaram ter em pouco as suas tristezas. Mas se eles por isso têm razão de serem mais tristes, sabe-lo-á quem souber que mágoa é manter verdade desconhecida.

A isto não pude eu ter um cansado suspiro de dentro de alma; e ela, sentindo-o (conquanto o encobri) estendeu a sua direita mão e, tomando a minha com dissimulação suspeitosa, tornou a falar para mim dizendo:

— Quando eu era da vossa idade e estava em casa de meu pai, nos longos serões das espaçosas noites do Inverno, entre as outras mulheres de casa, delas fiando e outras dobando, muitas vezes para enganarmos o trabalho ordenávamos que alguma de nós contasse histórias, que não leixassem parecer o serão longo. E uma mulher de casa já velha, que vira muito e ouvira muitas cousas, por mais anciã, dizia sempre que a ela pertencia aquele ofício; e então contava histórias de cavaleiros andantes. E verdadeiramente as afrontas e grandes aventuras, que ela contava a que se eles punham pelas donzelas, me faziam a mim haver dó deles. Que cuidava eu que um cavaleiro, apostamente armado sobre seu formoso cavalo, pela ribeira de um rio de gracioso campo passeando, podia ir tão triste como uma delicada donzela, em alto aposento, encostada a seu estrado, entre paredes, só, podia estar, vendo-se de altos muros cercada e tantas guardas, feitas para tão pequena força: mas para lhe tolherem as vontades fizeram grandes defesas e para lhe entrar o nojo muito pequenas. Mais maneiras têm os cavaleiros para se mostrarem mais tristes do que são; e mui menos têm as donzelas para se mostrarem mais tristes do que parecem aos homens. Ao menos se eu depois que soube muitas cousas pudera tornar atrás, menos me houveram de magoar do que me magoaram. Que também se deve esperar da dor aquilo para que cada um a tem: de outra maneira não se devia ela ter. Digo isto, senhora, por que pelo lugar onde suspirou vosso coração (que vós de mim quanto podíeis vos quiséreis encobrir) suspeito eu que de alguma grande sem-razão deveis trazer o cuidado magoado: porque a vossa idade não era para matos. Se os homens não acostumaram agravar donzelas muito fora de sentir; mas das cousas costumadas quem se deve de agravar? Muito bem vos posso dizer isto (ainda que o conhecimento dentre nós seja pouco) porque sou mais velha que vós, e porque é verdade para que se não deve esperar tempo como para as outras cousas. Quantas donzelas comeu já a terra com a saudade que lhe leixaram cavaleiros, que come outra terra com outras saudades? Cheios são os livros de histórias de donzelas que ficaram chorando por cavaleiros que se iam, e se lembravam ainda de dar de esporas a seus cavalos, porque não eram tão desamorosas como eles. Neste conto não entram sós os dois amigos, de que é a história que vos eu dantes prometi. Neles só cuido que se encerrou a fé que em todo os outros se perdeu: e creio que por isso ordenaram outros homens de os matarem à traição, mamente, porque se não pareciam como eles. Cá o mal não tão somente aborreceu o bem, mas não quisera ainda que o houvera aí. Lembra-me que quando meu pai contava a vileza da maneira que tiveram os falsos cavaleiros para matarem os dois amigos, dizia que mui folgara de a não ouvir pela não saber, pois não viera em tempo para leixar de ir à terra magoado, que já geração deles não havia aí. Mas se muito para sentir foi a morte dos dois, muitos mais para sentir foi a das tristes duas donzelas, que a desventura trouxe a tanta estreita, que não somente conveio aos dois amigos tomarem a morte por elas, mas ainda conveio elas tomarem-na por si mesmas. Os dois amigos no que fizeram satisfizeram a elas e a si mesmos a que eram tidos pela cavalaria que mantinham; elas só satisfizeram com eles, o que eu creio que é de maior estima, porque elas por outros não fizeram aquilo, e eles por outras deveram-no de fazer. Assim que como de pessoas que fizeram mais se deve também a morte de sentir mais, mas ainda que a mim igualmente me doem umas e outras, elas porque eram mulheres, e eles porque eram homens. Isto digo eu para vós e para mim, porque meu filho também era homem como eles.*

(*Idem,* pp. 17-22.)

FRANCISCO DE MORAIS

Nasceu por volta de 1500, nos arredores de Lisboa, e faleceu em 1572, assassinado. Prestigiado junto à Corte de D. João III, em 1540 esteve em Paris como secretário de D. Francisco de Noronha, ocasião em que se enamorou de uma dama francesa, Cláudia Blosset de Torcy. Incorrespondido, converteu em *Desculpa de uns Amores...* (1624) suas desditas amorosas. Teria estado novamente em Paris em 1549, dois anos após haver sido publicada, sob o nome do tradutor, sua obra principal, *Palmeirim de Inglaterra*, uma novela de cavalaria.

Palmeirim de Inglaterra

A primeira edição da novela, infelizmente perdida, deve ter saído em 1544. Como somente fosse conhecida na versão espanhola (1547), supôs-se, até o começo deste século, que tivesse sido escrita por quem a traduziu, ou seja, D. Luís Hurtado. William Purser provou, em 1904, que seu autor foi de fato Francisco de Morais. A primeira edição em Português data de 1567. Pertence ao *ciclo dos Palmeirins,* iniciado em Espanha com o anônimo *Palmeirim de Oliva* (1511) e prolongado até princípios do século XVII. O *Palmeirim de Inglaterra* divide-se em duas partes, englobando dezenas de capítulos, e principia pelo desaparecimento de D. Duardos dc Inglaterra, preso pelo gigante Dramusiando na sua torre. Seus cavaleiros entregam-se, baldadamente, à sua procura, até que Palmeirim, filho de Flérida e de D. Duardos, nascido após o desaparecimento do último, já armado cavaleiro (é o capítulo que se vai ler, intitulado "De como o imperador de Grécia armou cavaleiro a Palmeirim e todolos donzeles da Corte"), parte à aventura, sob o nome de Cavaleiro da Fortuna, com o mesmo objetivo. Daí por diante, sucedem-se as aventuras, guerreiras e eróticas, as primeiras terminando pela vitória de Palmeirim, e as segundas, pelo casamento, mas todas num cenário inverossímil e segundo uma cronologia fantástica. O autor projetou seus infortúnios amorosos no capítulo 138 da segunda parte. Renascentista nos ingredientes e na concepção do amor, do casamento

---

* *delas fiando* = algumas delas; *matos* = lugares inabitados; *mamente* = má mente.

e da mulher (antifeminismo), o *Palmeirim de Inglaterra* constitui a mais importante novela de cavalaria portuguesa do seu tempo.

Tanto tempo o Infante Palmeirim se criou em casa do Imperador de Grécia seu avô, que já era em idade de ser cavaleiro, e tão amado e estimado de todos por seus costumes, como o pudera ser pela valia de sua pessoa, se fora conhecido. E como ele por muitas vezes desejasse ver-se naquele auto pera que se criara, temia pedi-lo ao Imperador, por se não ver apartado do serviço da fermosa Polinarda, filha do príncipe Primaleão, com quem vivia desde o primeiro dia, que ali viera, quando Polendos o trouxe.

E porque ela sentisse nele este desejo, pagava-lho com outro igual ao seu que mui bem sabia encobrir; que a fermosura e parecer de Palmeirim, trazia consigo o merecimento desta afeição.

Pois o Imperador, quem mui contínua tristeza vivia pela perda de seus filhos, e apartamento de seus cavaleiros, que já tinha por mortos, vindo-lhe à memória as palavras da carta da sábia do lago das três fadas, que lhe a donzela trouxe o dia que Palmeirim chegou, quis fazê-lo cavaleiro, crendo que, com ele poderia cobrar o descanso perdido, em que já vivera, se elas fossem verdadeiras: e por desfazer a tristeza, que no ânimo dos seus por tantos dias estava arraigada; que esta perda era tão geral, que a todos abrangia; ordenou de mistura com ele dar a mesma ordem a todolos donzéis, que em sua corte andavam, que eram muitos, e alguns deles príncipes, e infantes, e que no dia desta cerimônia torneassem contra os outros cavaleiros, que se achassem na corte; porque este queria pera experiência das cousas, que se de Palmeirim esperavam.

E mandando-os fazer prestes pera o dia da Páscoa da ressurreição, ordenaram cadafalsos suntuosos e grandes no campo onde o torneio havia de ser; cousa que então era assaz nova, polo muito tempo que havia que o não fizeram; e porque as outras festas passadas estavam já de todo esquecidas; os novéis velaram suas armas na capela véspera de Páscoa, e vindo o dia, o Imperador, Imperatriz e Gridônia ouviram missa com grande solenidade, e acabada, fez cavaleiro por sua mão a Palmeirim de Inglaterra, primeiro que a nenhum. El-Rei Frisol de Hungria, que aí se achou, lhe calçou a espora, e a fermosa infanta Polinarda lhe cingiu a espada; porque o Imperador quis assim pera maior obrigação de seus feitos, e ele a sentiu então por tamanha, que a lembrança disto o pôs em muitos perigos ásperos de acometer, e incertos de acabar.

Trás ele armou Graciano seu neto, príncipe de França, filho de Arnedos, e a Beroldo, príncipe de Espanha, filho d'el-Rei Recindos; Onistaldo, e Dramiante seus irmãos; a Estrelante, filho do príncipe Ditreu de Hungria, neto d'el-Rei Frisol; Dom Rosuel e Belisarte, filhos de Belcar; Vasiliardo, filho d'el-Rei Tarnais de Lacedemônia; Luimão de Borgonha filho de Triolo, duque de Borgonha e neto do Imperador Trineu; a Franciäo o músico, filho de Polendos e da fermosa Francelina; a Polinardo, filho menor do Imperador Trineu, irmão de Vernau; a Dridem filho de Maiortes o grã-cã; a Germão d'Orleans, que viera com o príncipe Graciano; a Tenebrante, filho do duque Tirendos; a Tremorão, filho do duque Lecefim, neto do Imperador Trineu da Alemanha; a Frisol, filho do duque Drapos de Normandia, neto d'el-Rei de Hungria com outros muitos seus naturais.

Porque todos estes príncipes, e infantes, se criaram naquela nobre corte do Imperador, assim porque era a melhor do mundo, e o junto parentesco que nela tinham, como por ser a fonte de todolos singulares exercícios em que se eles deviam criar.

Logo el-Rei Frisol, por rogo do Imperador, armou cavaleiros ao príncipe Florendos, e a Platir seu irmão, filhos de Primaleão, e ao que nasceu primeiro fez o Imperador pôr nome de Florendos, como el-Rei de Macedônia seu pai. Isto acabado, ele e a Imperatriz com Gridônia, e el-Rei Frisol, comeram na sala imperial com tanto aparato de festa como no tempo passado, quando ali se soía celebrar, servidos com todo estado real, havendo tanta abastança de instrumentos e músicas, como se naquela corte não falecera nada do prazer que possuíam ao tempo que se elas mais costumavam.

Os paços ornados de tapeçaria rica de histórias alegres pera alvoroçar os corações tristes, de que aquela cidade então era povoada.

Acabado o comer, o Imperador se foi ao cadafalso onde havia de ver o torneio, acompanhado de alguns senhores, a que as idades antigas detinham em Constantinopla; porque os outros, que ainda ajudaram, despendiam o tempo na demanda da perda destes assinalados príncipes, de que se então não sabia nenhumas novas.

A Imperatriz, e Gridônia com suas donas, e donzelas se puseram em outro, que para elas estava concertado, menos alegres do que em seu parecer mostravam.

Já a esta hora da parte dos casados, e estrangeiros era tanta gente no campo, que à fama destas festas acudia, que o Imperador temeu que os novéis, o não pudessem sofrer, que já saíam da cidade armados de armas brancas, tão airosos e bem postos que começavam dar testemunho do muito que depois fizeram; trazendo por capitão ao esforçado Palmeirim: de que algum tanto os filhos de Primaleão, e os outros príncipes se acharam descontentes, porque o Imperador lhe dera aquela honra sobre todos eles; e dissimulavam por lhe fazer a vontade; que é um bem, de que só os mui confiados e nobres podem participar.*

(*Crônica de Palmeirim de Inglaterra,* 3 vols., São Paulo, Anchieta, 1946, vol. I, cap. XI, pp. 55-57.)

Para o entendimento deste episódio, é preciso observar que o imperador de Grécia era avô de Palmeirim, sem que este o soubesse. Portanto, D. Duardos, pai de Palmeirim, era filho de Palmeirim de Grécia. Quanto à "carta da sábia do lago das três fadas", trata-se duma missiva recebida pelo último, na qual se dizia "que o donzel que hoje te foi trazido [Palmeirim de Inglaterra] d'ambas as partes descende do sangue dos mais poderosos dos reis cristãos" (cf. capítulo VIII da primeira parte). Entendidos tais pontos, observe-se que o trecho contém uma notícia do modo como se armavam os cavaleiros andantes. Em relação ao processo de investidura usado na Cavalaria medieval, vê-se que o cerimonial, de si complexo e minucioso,

* *novéis* = cavaleiros recém-investidos; *soía* = costumava.

aparece simplificado, decerto em conseqüência dos ares renascentistas aspirados por Francisco de Morais (cf. Léon Gautier, *La Chévalerie,* Paris, Senard, 1884). Assim mesmo, o relato do escritor nos oferece uma idéia bastante nítida de como se realizava o ritual segundo a convenção imposta pelos estatutos da Cavalaria depois que esta se cristianizou no século XI. Anote-se: a cerimônia festiva, incluindo um torneio, deverá decorrer no dia de Páscoa; durante a noite de véspera, dá-se a vigília das armas ("velaram suas armas na capela véspera de Páscoa"); ouvida a missa pela manhã, o rei Frisol de Hungria "lhe calçou a espora, e a fermosa infanta Polinarda lhe cingiu a espada; porque o imperador quis assim pera maior obrigação de seus feitos". Causa espécie, à primeira vista, que uma dama cinja a espada ao cavaleiro (geralmente, incumbia a um rei ou cavaleiro fazê-lo), mas tenhamos presente que a instituição da Cavalaria, com a Renascença, perdeu sensível parte do matiz bélico e adquiriu conotação lírica e/ou mundana: antes o cavaleiro era destinado fundamentalmente ao exercício das armas (mesmo numa novela mística como *A Demanda do Santo Graal);* agora, vale dizer, a partir da transformação operada pelo *Amadis de Gaula,* educa-se também, ou precipuamente, para o convívio aristocrático das damas. É por isso que, desobedecendo aos preceitos tradicionais, Polinarda cinge a espada em Palmeirim. Observe-se que o novelista faz questão de mostrar ser outro, que não o medieval, o tempo de sua história, e de frisar que "as outras festas passadas estavam já de todo esquecidas" e que "comeram na sala imperial com tanto aparato de festa como no tempo passado, quando ali se soía celebrar", etc. Afora isso, chama a atenção no capítulo o tom moderado da narrativa e certo laivo de vibração dialética (evidente nessas mesmas referências temporais, e noutras em que aponta a tristeza da Corte), que sugere um ficcionista a ensaiar-se em psicologias novas, alheias aos quadros convencionais da Cavalaria. Daí a inegável importância literária e cultural desse capítulo do *Palmeirim de Inglaterra.*

GONÇALO FERNANDES TRANCOSO

Talvez nascido entre 1515 e 1520, faleceu depois de 1596. Tendo perdido vários familiares na peste que assolou Lisboa em 1569, afugentou a mágoa que o invadia, escrevendo os *Contos e Histórias de Proveito e Exemplo* (1575). Com isso, ganhou o direito de ser considerado o primeiro contista da Literatura Portuguesa. Explorou sobretudo "casos" que circulavam no folclore ou na tradição popular, mas não perdeu de vista as fontes literárias, ou antes, aproveitou sugestões e temas provindos de contistas espanhóis e italianos. Essa duplicidade reflete-se não raro em suas narrativas, cujo estilo e andamento se alterna, conforme o foco inspirador, em coloquialismos ou em repentes de artesanato. Indefectivelmente, porém, os contos encerram intuitos morais, que os aproximam do apólogo ou da fábula. Dos trinta e oito que integram a obra, escolheu-se um, dos mais característicos da "maneira" de Gonçalo Fernandes Trancoso:

Conto IX (da Parte I)
Que há um gênero de ódios tão endurecido, que parece enxerido pelo demônio. Trata-se de dois vizinhos invejosos um do outro

Viviam, em um lugar pequeno, dois homens que se queriam mal e os vizinhos e seu Prelado haviam feito o que neles era pelos fazer amigos. Os quais ainda que em algum tempo se falavam, como o ódio era do coração, não durava neles a amizade, feita por cumprir com quem lho rogava, ou lho mandava, que logo tornavam como de primeiro.

Durou neles este ódio tanto, que, vindo por ali el-Rei, lhe deram conta disto alguns homens da terra, e el-Rei os mandou chamar a ambos perante si, e por eles e por outros inquiriu o melhor que pôde qual seria a causa porque, sabida, atalhando-lhe os princípios, se faria a paz. E achou que era pura inveja que cada um tinha dos bens e fazenda do outro, porque nisto eram quase iguais e abastadamente ricos. Porém, cada um desejava ver-se avantajado do outro, ainda que fosse à custa de por isso o ver destruído e perdido de todo. E o mal que um queria a outro este mesmo lhe queria o outro a ele.

El-Rei, desejoso de os contentar a ambos, fartando-os de fazendas, porque perdessem a inveja, lhes disse:

— Sede amigos, e eu quero que seja à minha custa, e me apraz de vos dar tudo o que souberdes pedir de meu Reino, que eu tenha. Com esta condição: que um de vós há de pedir, à sua vontade, de tudo o que ele quiser, com que fique contente, para não haver inveja do outro e eu, desde agora, lho dou. Ao outro que não pedir, hei de dar em dobro sem míngua alguma.

Eles, à primeira face, parecendo-lhes bem, o aceitaram e agradeceram, crendo cada um que ficaria avantajado do outro; porém, quando caíram na conta que, ainda que um pedisse muito, haviam de dar dobrado ao outro, nenhum queria pedir, por não ficar menos que seu vizinho.

El-Rei, entendendo-os, mandou lançar sortes, e ao que coubesse pedir, pedisse por força, dizendo-lhe:

— Tu, que queres mais do que souberes pedir, pede à tua vontade, farta-te, e depois deixa-me dar a est'outro dois tantos, que não perdes nada nisso.

Nenhum deles não tinha paciência, e por derradeiro, lançaram sortes, e aquele a que coube pedir ficou por isso mui triste, e depois de bem imaginar no que pediria, veio ledo a el-Rei, e disse-lhe:

— Senhor, já sei o que hei de pedir, e se mo deres, cumprindo tua palavra, ficarei contente e amigo de meu vizinho, dando-lhe a ele o dobro.

El-Rei lho prometeu sem falta; ele se pôs de joelhos, e beijou-lhe a mão pela mercê e logo lhe pediu:

— Dê-me Vossa Alteza um destes meus olhos aqui posto na minha mão.

El-Rei, maravilhado do que pedia, lhe disse:

— Jesus! e por quê?

E o homem tornou a dizer:

— Porque, conforme a promessa de Vossa Alteza, se me tirarem um olho a mim, hão-lhe de tirar dois olhos a ele; e assim, vendo-lhe eu este dano, me contento e quero que me arranquem um olho a mim por lhe ver arrancar dois a ele.

Foi muito de espantar a crueldade deste, e ver o endurecido ódio que ambos se tinham. Queira Deus, por sua bondade e misericórdia, que não haja entre nós tal, e não que todos, em caridade, nos amemos uns aos outros, por amor de Nosso Senhor Jesus Cristo que, com o Padre e Espírito Santo vive e reina por sempre, sem fim. Amém.*

(*Contos e Histórias de Proveito e Exemplo,* pref., leitura de texto, glossário e notas por João Palma-Ferreira,Lisboa, Imprensa Nacional/Casa da Moeda, 1974, pp. 32-34.)

---

* *enxerido* = introduzido.

Escritor popular, no sentido mais rigoroso da expressão, Gonçalo Fernandes Trancoso aproxima-se antes da literatura oral que da erudita. Seu estilo, as mais das vezes rudimentar, trai uma concepção equivalente de conto: um "caso" exemplar narrado numa linguagem fácil ao entendimento do leitor menos culto, e segundo uma estrutura narrativa horizontal, embora prolixa e digressiva. No conto transcrito, prevalecem a concentração de efeitos e a simplicidade oral. Observe-se ainda a intemporalidade e a inespacialidade, peculiares às histórias de "era uma vez...", circulantes nos meios populares e infantis. A tais características se junta uma outra: o conteúdo da narrativa remete para um clima semifantástico ou inverossímil (como o pormenor dos olhos arrancados), a que o escritor recorre sem-cerimônia, tão-somente interessado na moralidade que pretende inferir do "caso": a meta é ensinar distraindo, ou melhor, conduzindo o leitor a aproveitar ("proveito") para si a máxima contida no fecho da história ("exemplo"). Como se nota, a moral do conto patenteia a religiosidade católica do ficcionista, primária e simples como os demais ingredientes de sua visão do mundo e dos homens.

CONTO IV

Que diz que as zombarias são prejudiciais e que é bom não usar delas. Conclui-se autorizado com um dito grave.

Neste reino, em tempo de el-rei D. João III, que Deus tem, havia, na corte, um senhor de título, conde nobre, virtuoso muito aceito à pessoa de el-rei e ele, por si, prudente e grave, que sempre teve carregos muito honrosos de fazenda. Era ele tão calado, amigo de sossego e quietação que, nem zombando, queria ver a outros anojados. E, muitas vezes, diante de el-rei e da rainha, príncipe e infantes, em serão, onde todos, com muito gosto, riam e zombavam uns e tiravam palha com outros, ele sempre estava calado e quase que por isso era notado de sotrancão e pesado. E um dia de muita festa, porque o viu calado, outro senhor, grande do reino, lhe disse:

— Senhor Conde, pois todos estamos rindo e folgando e é tempo de festa, aqui diante de el-rei, nosso senhor, que leva disso gosto, por que Vossa Senhoria não zomba?

Ao qual respondeu ele, muito inteiro:

— Senhor, não zombo, porque o zombar tem resposta.

Foi este dito muito notado e, a meu entendimento, deve ser recomendado à memória para não zombar com ninguém que, de necessidade, na hora que vos pondes a zombar com um, vos dispondes a sofrer o que ele vos disser. Portanto, diz bem a regra de viver em paz: Não te rias de quem passa. E os que zombam dos feitos alheios, dão ocasião que lhes descubram os seus, porque é manha de açougue que, quem mal fala, mal ouve. E, às vezes, de pequena zombaria nasce grande briga e é melhor ser os homens moderados, quietos, que zombadores, os quais sempre parece que buscam arruídos e os pacíficos serão chamados filhos de Deus, o qual, por sua piedade, nos leva à sua glória. Ámen.*

---

* *D. João III* = morreu em 1557; *carregos* = cargos, encargos; *anojados* = aborrecidos; *tirar palha* = gracejar, divertir-se com alguém; *sotrancão* = sonso, velhaco; *inteiro* = digno, sério; *arruídos* = confusão, gritaria.

CONTO V

A propósito do passado. Que, já que as zombarias são más, na praça ou na barca são piores. Trata do que aconteceu em uma barca, zombando, e uma resposta sutil.

A propósito do dito grave que fica atrás, me lembra um caso que aconteceu na barca de Alcácer, indo à feira de Beja. E é que, levando vento à popa, ia muita gente assentada no bordo da barca e, da banda da vela estava um homem de Viana, quebrado, que tinha uma grande corcova nas costas. E, como sempre acontece, indo com bom tempo, pendia a barca um pouco à banda da vela e, no outro bordo, estava um mancebo de Beja que ia para sua casa, o qual, querendo zombar do corcovado, lhe disse:

— Gentil-homem, virai o rosto para o mar que, com o peso da corcova que tendes para fora, fazeis pender a barca para lá.

O corcovado picou-se e, levantando os olhos para ele, viu-lhe grande nariz, pareceu-lhe cristão novo e, respondendo, lhe disse:

— Mas virai vós o rosto para essoutra banda que o peso do vosso nariz fará ir a barca direita. E não deixeis de o fazer com pavor da água que já o dilúvio dela passou e o que há-de vir não há-de ser senão de fogo de que Deus vos guarde.

Este dito, em resposta, pareceu então a todos os que iam na barca, tão agudo que houve entre eles grande risada. E assim, o que começou a zombaria sofreu a afronta e ficou injuriado. E depois, indo pelo caminho, fez outra pior que, por se vingar desta, com outros, saltou com o doente e o espancou, pelo que foi preso. E houvera de ser bem castigado, mas sobrevieram-lhe umas febres, na cadeia de Beja, de que morreu. Que parece causar-se sua morte, porque quis tomar gosto e zombar à custa alheia. Assim que, ainda que é mau zombar, como temos declarado, um por um sofre-se melhor que na praça ou na barca donde estão muitos, porque tanto é maior a injúria, quantos mais são os que a viram fazer.

Portanto, bem diz o rifão:

Sempre é mau ser zombador,
E na barca pior.*

---

* *Alcácer* = Referência muito curiosa à importância do porto fluvial de Alcácer do Sal no século XVI. Efetivamente, pelo cais de Alcácer (e também pelo Porto de El-Rei, pelo Pocinho e pela Foz) fez-se, até meados do século XIX, a maior parte do tráfego comercial em direção ao Alentejo e Algarve, aproveitando a navegabilidade do Sado. Muitos produtos agrícolas chegavam, por essa via, a Lisboa; *que Deus vos guarde* = clara alusão à pena máxima do Tribunal do Santo Ofício. A bula papal autorizando a fundação da Inquisição em Portugal é de 1547. (Notas de João Palmas-Ferreira.)

CONTO II

Que quem faz algum bem a outro, não lho deve lançar em rosto e que sempre se deve agradecer a quem nos pede, que nos dá matéria de bem obrar.

Na cidade de Córdova houve, um tempo, falta de pão e não se achava a comprar quando queriam. Porém, a certas horas do dia, se vendia na praça o que havia para vender aquele dia e acudiam ali todas as pessoas que haviam mister, porque era do depósito da cidade que o tinham guardado para trais tempos. E era tão bem repartido que todos ficavam satisfeitos e contentes e, se alguma pessoa se descuidava de ir ao tempo da repartição, depois não achava nenhum. Aconteceu que um pobre homem calceteiro comprou pão que lhe pareceu que bastasse para aquele dia e, chegada a noite, a horas de ceia, porque tinha muitos filhos, não achou pão em casa que bastasse para sua família. E considerando que faria, mandou um moço a casa de um seu vizinho rico, também calceteiro, com o qual lhe mandou dizer que lhe pedia que mandasse emprestar um pão para dar aos seus meninos aquela noite e que o dia seguinte o pagaria. E o vizinho lhe mandou logo dois, dizendo-lhe que tomasse aquele par de pães e que ele folgava muito de os ter para o favorecer em tal tempo e que não lhos tornasse a mandar que haveria disso menencoria. O pobre os agradeceu e deu graças a Deus pelo bom reparo que achara.

Passou o tempo da carestia, que durou pouco. Veio a bonança e, passados quase dois anos, como ambos eram de um ofício, acertou que um dia compraram um pano para o partir e o rico escolheu o melhor quinhão e quiseram levar amostra da peça. Mas o pobre, que também tinha pago sua parte como ele, não quis senão que a parte da amostra se partisse e o pano se fizesse em partes iguais e lançassem sortes para cada um haver o quinhão que lhe coubesse. Fez-se assim e não coube ao rico o que ele desejava, o qual, agastado, na rua, disse diante dos vizinhos:

— Não era muito que levara eu a mostra deste pano, que bem vo-lo merecia, porque, o ano da fome, havendo vós mister um pão emprestado, mo mandastes pedir e eu vos mandei dois com que vos sustentastes vós e vossos filhos que me nunca agradecestes.

A isto respondeu o pobre, alto que o ouviram todos:

— É verdade o que dizeis, que assim foi. Porém eu, então, fiz a vós a honra, mais que vós a mim, que vos escolhi por o mais honrado da vizinhança e como tal vos mandei pedir um pão emprestado, oferecendo-vos a paga que vós não quisestes aceitar. E digo agora que menti na escolha que fiz então, porque o não sois. Porque, se o foreis honrado como eu cuidava ainda que então me mandastes dois pães dados, não mo lançareis agora em rosto.

Com isto que os vizinhos ouviram, ficou o rico envergonhado e o pobre não ficou abatido. E todos entenderam quão miserável coisa é pedir e que não se deve deitar em rosto o que se dá.*

(*Ibidem*, pp. 19-20, 21-22, 248-249.)

---

* *Menencoria* = melancolia, tristeza.

A Prosa Doutrinária

A Renascença em Portugal, como de resto noutros países europeus, consistiu numa quadra de ampla indagação e polêmica. Problemas velhos sofreram ventilação renovada e problemas emergentes entraram a ser debatidos acuradamente. *As* teorias políticas, religiosas e pedagógicas predominaram e determinaram numerosas obras, nem todas, porém, literariamente significativas. Dividida em laica e religiosa, a prosa doutrinária quinhentista apresenta, entre outros, os seguintes representantes: Frei Heitor Pinto, Frei Tomé de Jesus, Frei Amador Arrais, D. Jerônimo Osório, Samuel Usque, Uriel da Costa e Dr. João de Barros.

FREI AMADOR ARRAIS

Nasceu provavelmente em 1530 e faleceu em 1/8/1600. Pertenceu à Ordem dos Carmelitas Descalços e foi orador oficial de D. Sebastião. Seu irmão, Jerônimo Arrais, morrera sem completar os *Diálogos,* que vinha compondo em Latim. Frei Amador Arrais traduziu-os, completou-os e publicou-os (1589). Disposta em dez diálogos, travados entre Antíoco, um homem doente, e uma série de pessoas que o visitam, a obra do carmelita descalço constitui precioso documento da cultura portuguesa do Renascimento. Ortodoxamente cristão e anti-reformista, ainda que enxergue lucidamente os problemas políticos e sociais do tempo, Frei Amador Arrais ostenta sempre uma intransigente visão das coisas, oriunda de sua condição de sacerdote, e de sacerdote comprometido com os poderes reinantes. Lido nos antigos gregos e latinos, que procurava imitar, escreveu numa prosa límpida e castiça que se tornou modelar e "clássica". Dele nos dá conta o excerto que se vai ler, intitulado "Em que consiste a verdadeira sapiência":

Justiniano — Do que tendes razoado com vossa eloqüência parece claramente que em o consentimento suavíssimo e conspiração conforme de duas potências do ânimo humano, consiste o ser sábio, e está constituída a sabedoria. Mas visto como muitas vezes queiramos fazer o que é justo, santo, honesto, e reto, e somos repelidos da força dos maus desejos, e da fera e indômita concupiscência confessemos que o reto estado e boa composição de nossos ânimos não se contém só em o fraco contacto e braço da indústria e potência humana, mas em o socorro e benefício da divina, como nos ensina a piedade Cristã. Pouco aproveita obedecer à razão, se ela está em trevas, e pouco nos importa o seu império, quando a vontade por ser fraca e a tentação ser rija, o não pode executar. De maneira que só Deus é o mestre da veríssima sabedoria, e o formador e moderador do bom estado de nosso ânimo, e desta tamanha felicidade ele só é o feitor, e autor. Na sua notícia e no estudo ardentíssimo da piedade, no amor com que a alma casta e pura se liga, vincula e abraça com a divina mente, se há de colocar a sapiência. Portanto deve o Rei furtar algum tempo a suas muitas ocupações, e livre das turbas e inquietação dos homens em seu íntimo retrete e secreto oratório fechado, gastar alguma hora em colóquio familiar e jucundíssimo de Deus, e pedir-lhe socorro e conselho. Se é soberba e temeridade menosprezar o conselho do homem prudente, que mor soberba e desatino pode ser que não ter conta com procurar o de Deus pai sapientíssimo? E se nas cousas adversas costumam uns Reis pedir ajuda a outros, sendo seu saber e forças fracas, e a fidelidade não é certa, por que o não pediram com mor instância a este supremo monarca e Rei potentíssimo, cuja sapiência, fidelidade, determinação, e potestade, não só é firme, estável e sempre eterna, mas também imensa e infinita? Não estima o conselho e presídio de Deus o que em pedir e procurar o dos homens mete mais cabedal; donde lhe vem por seu justo juízo que desamparado de um e de outro, dê através com Reino, e incorra em perpétua infâmia. Não deixem todavia os Príncipes de se ajudar do parecer de homens letrados, pios, e de boa consciência, que não sejam temerários, nem mal afeiçoados. Que se dermos vista à memória de toda antigüidade, acharemos que os males que deram de avesso com grandes impérios foram pela mor parte causados por homens versados nas letras. Péricles que foi autor daquela guerra que afligiu o império dos Atenienses, foi ouvinte de Anaxágoras. Alcebiades foi peste de sua pátria. E Crítias tiranizou os seus Cidadãos, e um e outro foi discípulo de Sócrates. A suma temeridade às vezes anda aliada com a suma erudição, e extremada eloqüência. Nos tempos em que mais floresciam os oradores e filósofos fizeram naufrágio muitos povos impiedosos, e Roma perdeu sua liberdade. Nem devem ser admitidos no serviço e presença do Rei homens de tão tardo e boto engenho, de ânimo tão baixo, e acanhado, que nenhuns estudos liberais, nem estímulos de louvor, e glória os excitam, acendem, e habilitam a que saibam procurar o bem público, e dar ordem às cousas a ele tocantes. Os bons estudos não são ornamentos de todos os que nas universidades florentíssimas de mestres doutíssimos aprendem filosofia, e se empregam no estudo das ciências, mas somente daqueles que são dotados de bom engenho para as letras, e boa inclinação para o exercício das virtudes. Como as vestes preciosas carregadas de ouro, e margaritas, e as jóias de rico feitio, e singular valor acomodadas ao uso, e culto de alguma bela donzela, aformoseiam e ornam em grande maneira; e quando se aplicam ao ornato de uma disforme mulher, ficam tão longe de encobrir, e dar cor à sua deformidade, que a fazem mais manifesta, e evidente: assim as boas, e excelentes artes cultivam os engenhos claros, e ataviam o ânimo com seus ornamentos, mas quando vão dar em maus vasos, em peitos, e ânimos impuros, e depravados, havendo-os de ilustrar, e ornar, mostram mais claramente aos olhos de todos sua torpeza, e indignidade. Há letrados que nem sabem ter modo nas cousas, nem com a razão compreender o que hão de seguir, e o de que hão de fugir. E que conselho podem dar os que usam para sua perdição, do instituído para sua saúde, e a si mesmos aconselham o pior? Houve filósofos tão estúpidos e rudes que saindo de suas casas, pelo desuso que tinham de ver a luz, e conversar os homens, não sabiam firmar seus pés, nem atentar o lugar em que estavam, e vendo-se entre muita gente assim titubeavam, reparavam, e passavam pelos vizinhos, que parecia claramente não terem notícia dos costumes, e vidas dos homens, nem dos lugares em que se criaram, e nasceram, nem finalmente dos caminhos que iam para as suas praças. De Tales filósofo se conta que andando com os olhos no Céu caiu em um poço, e uma mulherzinha que o viu, rindo-se alrotou dele dizendo, ó que agudeza, e saber tão extremado de filósofo, que ocupado em ver as regiões do céu remotíssimas da terra, deu consigo em o poço que tinha ante seus olhos. Tais são alguns dos que se dão às ciências, que investigando com sumo estudo as coisas remotíssimas da vista, e notícia humana, nem vêem as que andam trilhadas na vida comum, nem os perigos que às suas coisas estão iminentes. Quem assim carece de vista em causa própria que fará em a alheia?

Antíoco — Não são esses os sábios que nas casas dos Príncipes, e nos seus conselhos se hão de achar, mas os que têm as partes que dantes aprovamos, às quais me reporto. Nem é verdadeira filosofia a que com enganosas asas se levanta, e com ventosa jactância de inúteis disputas, voa pelo ar; mas a que com certos, e honestos passos nos guia, e leva ao porto saudável dos moradores do Céu. A verdadeira sapiência não se pode apartar da virtude. Ó se houvera tantos sábios quantos são os mestres da sabedoria? É para espantar a quem poucos com verdade quadra o título de sábio. O que quer conhecer quanto tem de sábio volva os olhos atrás, lembre-se quantas vezes na carreira de sua vida haja tropeçado, quantas caído, quantas errado, quantas cousas vergonhosas, quantas dignas de dor e arrependimento haja cometido, e sobretudo conheça, e confesse suas imperfeições e faltas. Poucos são os verdadeiros letrados, e quase nenhuns os sábios; porque uma cousa é sabiamente falar, e outra sabiamente viver, uma é chamar-se sábio, e outra sê-lo: como também uma cousa é ter nomeada de prudente, e outra sê-lo realmente.*

(*Diálogos,* Lisboa, Sá da Costa, 1944, pp. 232-236.)

A linguagem do trecho evidencia as qualidades que fazem de Frei Amador Arrais um dos mestres do vernáculo. Além do que, é de se notar o estofo do seu pensamento: de um lado, o pensador invectiva os letrados, porquanto "os males que deram de avesso com grandes impérios foram pela mor parte causados por homens versados nas letras". Parece até que estamos ouvindo Platão expulsar os poetas de sua utópica república... De outro, vemos que somente são tolerados os homens de cultura defensores da "verdadeira filosofia", ou seja, "a que com certos, e honestos passos nos guia, e leva ao porto saudável dos moradores do Céu". Ou ainda: "A verdadeira sapiência não se pode apartar da virtude". Portanto, o saber desinteressado, apanágio dos filósofos referidos (Anaxágoras e Sócrates), não constitui valor para o moralista; seria necessário o apoio da virtude, procurar o conselho de "Deus pai sapientíssimo (...), supremo monarca e Rei potentíssimo". Em suma: ao ver de Frei Amador Arrais, inexiste salvação fora da religião católica. Este preceito moral, se bem que coerente com o espírito da Contra-Reforma, despoja o pensamento humanista da objetividade científica que lhe era peculiar, e diminui o alcance da ética proposta, fazendo-a acessível apenas a um grupo de homens. Contudo, quando abstraída essa aderência dogmática, as idéias contidas nos *Diálogos* cobram vitalidade e interesse permanente.

---

* *Péricles* = estadista ateniense, viveu entre 499 e 429 a.C.; a ele se atribuíram os males das guerras do Peloponeso, em que Atenas se envolveu; *Anaxágoras* = filósofo grego, que viveu entre 500 e 428 a.C.; foi mestre de Péricles; *Alcebíades* = general ateniense (450-404 a.C.), que incitou os atenienses para a malograda incursão contra a Sicília (415 a.C.), e foi acusado de mutilação das estátuas de Hermes, *Crítias* = viveu entre 450 e 404 a.C., homem de Estado e filósofo; exilado durante a guerra do Peloponeso, em 404 regressou a Atenas e tornou-se um dos chamados trinta "tiranos"; notabilizou-se por sua crueldade e rapina; *Sócrates* = filósofo grego, viveu entre 470 e 399 a.C.; *boto* = embotado; *notícia* = informação.

SAMUEL USQUE

Judeu português, de sua existência nada se conhece, salvo que viveu na primeira metade do século XVI e publicou sua *Consolação às Tribulações de Israel,* em 1553, em Ferrara (Itália).

Consolação às Tribulações de Israel

Tirante a dedicatória a D. Grácia Nassi, senhora judia, a obra contém um prólogo em que o autor declara "que fingindo o grande patriarca Jacó com nome de Icabo e em hábito de pastor como o ele foi, chora o mal de seus filhos, filhos por sangue, filhos em lei, filhos em espírito". O corpo da obra fragmenta-se em três diálogos, sendo o primeiro um "diálogo pastoril sobre cousas da sagrada escritura"; o segundo, que trata "da reedificação da segunda casa e todo seu sucesso até ser por Tito destruída, e a consolação de tal perda"; o terceiro trata "desde a perda da segunda casa destruída pelos romanos quantas tribulações padeceu Israel até este dia e ao pé todas as profecias que nelas se hão cumprido, e ultimamente sua consolação assim humana como divina". Em suma: o primeiro narra a história judaica na parte bíblica, o segundo, a reedificação e posterior destruição do segundo templo de Jerusalém, e o terceiro, as vicissitudes do povo hebreu durante a Idade Média até os dias do escritor. Escrita com sangue e suor, a *Consolação* documenta a odisséia de padecimentos experimentada pelos judeus através dos séculos, vazada numa linguagem plástica e viva que não esconde a revolta de Samuel Usque, como se pode ver no trecho seguinte, intitulado "A Matança de Portugal. Ano de 5266" (ou seja, 1506):

Não bastou havê-los trazido com tanta sem razão e injustiça a sua fé afastando-os da lei com que nasceram, mas ainda assim os não deixavam viver quietamente, denostando-os, injuriando-os, abatendo-os, e tratando-os com baixeza e desprezo, e isto já o levaram em paciência, se lhe não levantaram aleives e falsos testemunhos pera os destruir e arrancar do mundo, pregoando os pregadores nos púlpitos, e dizendo os senhores em lugares públicos, e os citadinos e vilãos nas praças, que qualquer fome, peste ou terremoto que vinham à terra era por não serem bons cristãos: e que secretamente judaizavam; assim que, alcançando alguns intrínsecos inimigos a vontade do povo quando inclinada estava em seu dano, acharam aparelho pera meterem em efeito seus maus ânimos, entre os quais houve dous frades domínicos que saíram pela cidade de Lisboa com crucifixos às costas amotinando o povo, e clamando viessem todos em sua companhia vingar a morte do seu deus, e com muitos perversos ociosos e gente mecânica que a eles se recolheram, com lanças e espadas nuas em suas mãos arremetendo contra o fraco e desprovido povo dos mal batizados e novos-cristãos mataram quatro mil almas deles, roubando e usando todas aquelas crueldades que em um saco de uma cidade se faz, atassalhando os homens, arremessando as criaturas às paredes e desmembrando-as, desonrando as mulheres e corrompendo as virgens, e sobre isso tirando-lhes a vida, houve muitas que prenhes as lançaram das janelas, sobelas pontas das lanças que já embaixo as estavam esperando, e assim atalhavam o caminho às inocentes criaturas antes que arribassem ao mundo onde o céu piedoso as mandava: entre estas se achou uma que, esforçando-a a muita ira e sua honra a um frade que a queria forçar, matou com umas facas que o mesmo frade trazia. Se este assim terrível mal durara daquele ímpeto, acabaram todolos novos-cristãos que na cidade de Lisboa habitavam, mas provendo a misericórdia divina com as justiças da terra que acudiram, e trás isso el-Rei que com diligência veio a socorro da vila de Abrantes onde então se achava, cessou aquela matança temerosa. Ó senhor piedoso, olha de tua altíssima morada o que padecemos e socorre; e pera testemunha que o secreto de nossos corações nunca de teu conhecimento se mudou. Vê que per amor de ti fomos mortos cada dia, e fomos reputados como ovelhas pera degolar aparelhadas, e esta irosa sentença que por teu mandado sobre mim deu Yehaschel.

Espada, espada aguçada e açacalada pera matança se aguçou e açacalou, esta será no meu povo, esta se desbainhará contra os principais de Israel, esta é espada de matança grande que os penetrara pera lhes desleixar os corações, e pera que muitos caiam ante suas portas; vê-las aqui executada nesta matança. Ora pois tua ira padecemos.

Desperta, por que dormes, ó Senhor, desperta-te, não te alongues de nós pera sempre, por que escondes tua face? por que te esqueces de nossa aflição e opressão? sendo já nossa alma espojada no pó e nosso ventre acaram da terra pegado, levanta, ajuda-nos e rime-nos por tua bondade, traz já sobre eles o dia mau, e com dobrado quebrantamento (do que nós havemos padecido) quebranta tu a eles, O. D. das vinganças.*

(Consolaçam às Tribulaçoens de Israel, 3 vols., Coimbra, França Amado, 1906, pp. XXXI-XXXII.)

Confronte-se o excerto de Samuel Usque com o de Damião de Góis (pp. 134-136), e suas características saltarão logo à vista: o prosador judeu descreve a mesma cena, mas procede de modo a dar a impressão de estar sôfrego, opresso pelo assunto em causa, indignado pela desmesurada crueldade manifesta contra os irmãos de sangue. Percebe-se que a sintaxe, armada sobre orações coordenadas ou justapostas segundo uma lógica fluente e direta, acompanha de perto a "consolação" de Samuel Usque. O realismo observado em Damião de Góis assume aqui, por motivos óbvios, colorido especial, e o relato da mortandade ganha trágica simpatia humana, como se o narrador estivesse descrevendo a cena no instante mesmo em que transcorria. Por outro lado, esse verismo descritivo guarda uma dose mais forte de crítica e denúncia, sobretudo até à altura em que Icabo se põe a clamar pela ajuda divina. Nesse ponto, altera-se completamente o tom narrativo, e o que era antes inflamada repulsa se transforma numa súplica ardente e submissa, inspirada no livro de Ezequiel. Portanto, a ortodoxia étnica e religiosa de Samuel Usque se revela, diferentemente, nas duas frações do episódio: na primeira, sua cólera atinge o máximo de concentração dramática e trágica, tornando-se verrina tensa e condoída contra a injustiça cega do povo português e a força incontrolada do

* *saco* = saque; *sobelas* = sobre as; *Yehaschel* = Ezequiel. O trecho que antecede o nome, iniciado por "Ó senhor piedoso", e o parágrafo seguinte reportam-se ao livro de Ezequiel, cap. 21, v. 14-17. (Fico grato ao Dr. Elias Lipiner pela informação.); *acaram da* = a carão da, à face da.

preconceito teológico e rácico; na segunda, como que aplacada a ira orgulhosa e viril, o escritor enternece-se, humilha-se perante o seu deus e implora-lhe o socorro e a justiça que não pode esperar de seus semelhantes. Por isso, na pena de Samuel Usque brilha, mais do que a revolta de um grupo de oprimidos por questões de sangue e religião, o protesto do intelectual consciente e lúcido contra toda forma de rebaixamento do ser humano por via da narcose da consciência e dos atos inconseqüentes e instintivos: na matança de 1506, é a própria espécie humana que se degradou, e na voz de Samuel Usque ressoa a de todos os seres despertos e vigilantes.

BARROCO

Preliminares

A época do Barroco inicia-se em 1580, quando Camões morre e Portugal perde sua autonomia para a Coroa espanhola, e termina em 1756, com a fundação da *Arcádia Lusitana.* Constituindo-se o Barroco numa tentativa de fusão harmônica entre as duas linhas de força que orientavam a cultura renascentista (a medieval e a clássica, respectivamente teocêntrica e antropocêntrica), durante a sua vigência cultivaram-se a oratória, a prosa doutrinária, a poesia, a historiografia, a epistolografia e o teatro. A maior figura dessa época foi o Padre Antônio Vieira, quer por sua ação pessoal, quer pelos méritos de orador e epistológrafo.

PADRE ANTÔNIO VIEIRA

Nasceu em Lisboa, em 6/2/1608. Aos seis anos, vem para o Brasil, e mais tarde ingressa no colégio jesuítico da Bahia. Ordenando-se em 1634, logo alcança renome de pregador eloqüente e culto. Com o movimento português de restauração da independência (deflagrado a 1º de dezembro de 1640), viaja para Portugal a fim de protestar lealdade ao novo monarca, D. João IV, junto a quem passa a gozar de grande prestígio e respeito, de que resulta ser nomeado para várias embaixadas diplomáticas no estrangeiro. Em 1652, transferindo-se para o Maranhão, dedica-se à catequese e conversão dos indígenas. Nove anos após, regressa a Lisboa e é preso por suas idéias de fundo sebastianista. Confinam-no durante oito anos numa casa jesuítica e cassam-lhe o direito de pregar. Liberto, segue para Roma a pleitear revisão do processo, e torna-se orador oficial do salão literário da Rainha Cristina da Suécia. Depois de alguns anos em Lisboa defendendo a causa dos judeus perante a Inquisição, retorna ao Brasil (1681) e entrega-se à faina de redigir e polir seus sermões e outras obras. Morreu em Salvador, em 18/7/1697. Escreveu: *Sermões* (15 volumes, 1679-1690, 1710-1718), *História do Futuro* (1718), *Esperanças de Portugal* (1856-1857), *Clavis Prophetarum* (inédita) e quinhentas cartas.

Sermão da Sexagésima

Pregado na Capela Real (Lisboa), em março de 1655, o *Sermão da Sexagésima* abre a série de quinze volumes que enfeixam as peças oratórias do Padre Antônio Vieira, e serve-lhes de prólogo, ao mesmo tempo que encerra uma teoria da arte de pregar, inspirada em moldes conceptistas. O *tema* do sermão é extraído, como de regra, duma passagem bíblica escolhida para a ocasião: *Semen est verbum Dei* (S. Lucas, VIII, 2), ou seja, *A semente é a palavra de Deus.* O pregador transforma em indagação o tema da peça: "Se a palavra de Deus é tão eficaz e tão poderosa, como vemos tão pouco fruto da palavra de Deus?" Segue-se o *intróito,* em que expõe o plano que pretende executar na discussão do tema. O trecho que se vai ler (correspondente ao terceiro tópico em que o sermão está dividido), abrange o final do intróito (que termina em "Provo") e princípio do *desenvolvimento* (ou *argumentação),* em que o pregador comenta os vários aspectos da propositura inicial e fundamenta suas opiniões com os textos evangélicos:

Fazer pouco fruto a palavra de Deus no mundo pode proceder de um de três princípios: ou da parte do pregador, ou da parte do ouvinte, ou da parte de Deus. Para uma alma se converter por meio de um sermão há de haver três concursos: há de concorrer o pregador com a doutrina, persuadindo; há de concorrer o ouvinte com o entendimento percebendo; há de concorrer Deus com a graça, alumiando. Para um homem se ver a si mesmo são necessárias três coisas: olhos, espelho e luz. Se tem espelho e é cego, não se pode ver por falta de olhos; se tem espelho e olhos, e é de noite, não se pode ver por falta de luz. Logo há mister luz, há mister espelho, e há mister olhos. Que coisa é a conversão de uma alma senão entrar um homem dentro em si, e ver-se a si mesmo? Para esta vista são necessários olhos, é necessária luz, e é necessário espelho. O pregador concorre com o espelho, que é a doutrina; Deus concorre com a luz, que é a graça; o homem concorre com os olhos, que é o conhecimento. Ora, suposto que a conversão das almas por meio da pregação depende destes três concursos: de Deus, do pregador, e do ouvinte; por qual deles havemos de entender que falta: Por parte do ouvinte, ou por parte do pregador, ou por parte de Deus?

Primeiramente por parte de Deus não falta, nem pode faltar. Esta proposição é de fé, definida no Concílio Tridentino, e no nosso Evangelho a temos. Do trigo que deitou à terra o semeador, uma parte se logrou, e três se perderam. E por que se perderam estas três? A primeira perdeu-se, porque a afogaram os espinhos; a segunda, porque a secaram as pedras; a terceira porque a pisaram os homens, e a comeram as aves. Isto é o que diz Cristo; mas notai o que não diz. Não diz que parte alguma daquele trigo se perdesse por causa do sol ou da chuva. A causa por que ordinariamente se perdem as sementeiras, é pela desigualdade e pela intemperança dos tempos, ou porque falta ou sobeja a chuva, ou porque falta ou sobeja o sol. Pois por que não introduz Cristo na parábola do Evangelho algum trigo que se perdesse por causa do sol ou da chuva? Porque o sol e a chuva são as influências da parte do céu, e deixar de frutificar a semente da palavra de Deus, nunca é por falta do céu, sempre é por culpa nossa. Deixará de frutificar a sementeira, ou pelo embaraço dos espinhos, ou pela dureza das pedras, ou pelos descaminhos dos caminhos; mas por falta das influências do céu, isso nunca é, nem pode ser. Sempre Deus está pronto de sua parte, com o sol para aquentar, e com a chuva para regar; com o sol para aluminar, e com a chuva para amolecer, se os nossos corações quiserem: *Qui solem suum orii facit super bonos, et malos, et pluit super justus et injustus.* Se Deus dá o seu sol e a sua chuva aos bons e aos maus; aos maus que se quiserem fazer bons, como a negará? Este ponto é tão claro que não há para que nos determos em mais prova. *Quid debui facere vineae meae, et non feci?* Disse o mesmo Deus por Isaías.

Sendo pois certo que a palavra divina não deixa de frutificar por parte de Deus; segue-se, que ou é por falta do pregador, ou por falta dos ouvintes. Por qual será? Os pregadores deitam a culpa aos ouvintes, mas não é assim. Se fora por parte dos ouvintes, não fizera a palavra de Deus muito grande fruto, mas não fazer nenhum fruto, e nenhum efeito, não é por parte dos ouvintes. Provo. Os ouvintes, ou são maus ou são bons: se são bons; faz neles grande fruto a palavra de Deus; se são maus, ainda que não faça neles fruto, faz efeito. No Evangelho o temos. O trigo que caiu nos espinhos, nasceu, mas afogaram-no: *Simul exortae spinae suffocaverunt illud.* O trigo que caiu nas pedras, nasceu também; mas secou-se: *Et natum aruit.* O trigo que caiu na boa terra, nasceu e frutificou com grande multiplicação: *Et natum fecit fructum centuplum.* De maneira que o trigo que caiu na boa terra, nasceu e frutificou; o trigo que caiu na má terra, não frutificou, mas nasceu; porque a palavra de Deus é tão fecunda que nos bons faz muito fruto, e é tão eficaz que nos maus, ainda que não faça frutos, faz efeito; lançada nos espinhos, não frutificou, mas nasceu até nos espinhos; lançada nas pedras, não frutificou, mas nasceu até nas pedras. Os piores ouvintes que há na Igreja de Deus, são as pedras e os espinhos. E por quê? Os espinhos por agudos, as pedras por duras. Ouvintes de entendimentos agudos, e ouvintes de vontades endurecidas, são os piores que há. Os ouvintes de entendimentos agudos são maus ouvintes, porque vêm só a ouvir sutilezas, a esperar galanterias, a avaliar pensamentos, e às vezes também a picar a quem os não pica. *Aliud cecidit inter spinas:* O trigo não picou os espinhos, antes os espinhos o picaram a ele: e o mesmo sucede cá. Cuidais que o sermão vos picou a vós, e não é assim; vós sois quem picais o sermão. Por isto são maus ouvintes os de entendimentos agudos. Mas os de vontades endurecidas ainda são piores, porque um entendimento agudo pode-se ferir pelos mesmos fios, e vencer-se uma agudeza com outra maior; mas contra vontades endurecidas nenhuma coisa aproveita a agudeza, antes dana mais, porque quanto as setas são mais agudas, tanto mais facilmente se despontam na pedra. Oh! Deus nos livre de vontades endurecidas, que ainda são piores que as pedras. A vara de Moiséis abrandou as pedras, e não pôde abrandar uma vontade endurecida: *Percutiens virga bis silicem, et egressae sunt aquae largissimae. Induratum est cor Pharaonis.* E com os ouvintes de entendimentos agudos, e os ouvintes de vontades endurecidas serem os mais rebeldes, é tanta a força da divina palavra, que apesar da agudeza nasce nos espinhos, e apesar da dureza nasce nas pedras. Pudéramos argüir ao lavrador do Evangelho, de não cortar os espinhos, e de não arrancar as pedras antes de semear, mas de indústria deixou no campo as pedras e os espinhos, para que se visse a força do que semeava. É tanta a força da divina palavra, que sem cortar nem despontar espinhos, nasce entre espinhos. É tanta a força da divina palavra, que sem arrancar nem abrandar pedras, nasce nas pedras. Corações embaraçados como espinhos, corações secos e duros como pedras, ouvi a palavra de Deus e tende confiança; tomai exemplo nessas mesmas pedras, e nesses espinhos. Esses espinhos e essas pedras agora resistem ao semeador do céu; mas virá tempo em que essas mesmas pedras o aclamem, e esses mesmos espinhos o coroem. Quando o semeador do céu deixou o campo, saindo deste mundo, as pedras se quebraram para lhe fazerem aclamações, e os espinhos se teceram para lhe fazerem coroa. E se a palavra de Deus até dos espinhos e das pedras triunfa; se a palavra de Deus até nas pedras, até nos espinhos nasce; não triunfar dos alvedrios hoje a palavra de Deus; nem nascer nos corações, não é por culpa, nem por indisposição dos ouvintes.

Supostas estas duas demonstrações; suposto que o fruto e efeitos da palavra de Deus, não fica, nem por parte de Deus, nem por parte dos ouvintes, segue-se por conseqüência clara que fica por parte do pregador. E assim, é. Sabeis, cristãos, por que não faz fruto a palavra de Deus? Por culpa dos pregadores. Sabeis, pregadores, por que não faz fruto a palavra de Deus? Por culpa nossa. *

(*Sermões,* Porto, Lello, 1945, vol. I, pp. 8-11.)

Observe-se, primeiro que tudo, um aspecto em que o Padre Antônio Vieira se tornou mestre indiscutível: seu estilo. Clareza, simplicidade, rigor sintático e dialético, rigor da lógica do pensamento, constituem algumas de suas características marcantes. Supondo que o texto do sermão contenha literalmente as palavras proferidas diante do público, percebe-se que o orador atinge os fiéis de modo direto e insinuante. Estes, seduzidos pelo encadeamento seguro das idéias, tomados de surpresa pela avalanche dialética, deixam-se docilmente conduzir pelo orador às conclusões implícitas no discurso. Como se nota, o pregador convoca a assistência, por meio de interrogações, para o íntimo do tema posto em causa. Ao mesmo tempo, lança mão de passagens evangélicas estreitamente vinculadas às idéias que procura expor, e oferece-as ao público com a naturalidade sugerida pelo processo associativo: é a verdade dos textos religiosos que pretende transmitir, mas como está cônscio de que os fiéis reagiriam negativamente à comunicação desassombrada e fria, o orador explora a analogia existente entre as circunstâncias suas coevas e o pensamento contido na Bíblia. Apanhado desprevenido, o ouvinte não tem como escapar e acaba assimilando a mensagem do pregador. E a missão deste se cumpre plenamente. Para consegui-lo, recorre ainda à imaginação, não somente para estabelecer a correspondência assinalada, como para arquitetar as metáforas em que o público poderia visualizar melhor o conteúdo do pensamento.

Os tópicos seguintes do sermão nos ofertam a súmula da doutrina oratória do Padre Antônio Vieira. Quanto ao *estilo:* "O estilo há de ser muito fácil e muito natural". Como se vê, o pregador postula exatamente o que pratica no sermão, e vice-versa. E sendo antigongórico, — conceptista —, vitupera o estilo alambicado comum à eloqüência do tempo: "Este desventurado estilo que hoje se usa, os que o querem imitar chamam-lhe culto, os que o condenam chamam-lhe escuro, mas ainda lhe fazem muita honra. O estilo culto não é escuro, é negro, e negro boçal e muito cerrado". A invectiva destinava-se precipuamente ao dominicano Frei Domingos de S. Tomás, um dos vários pregadores gongorizantes da época. Quanto ao assunto: "O sermão há de ter um só assunto e uma só matéria (...), há de ser duma só cor, há de ter um só objeto, um só assunto, uma só matéria". Quanto aos argumentos: "As razões não hão de ser enxertadas, hão de ser nascidas. O pregar não é recitar. As razões próprias nascem do entendimento, as alheias vão pegadas à memória, e os homens não se convencem pela memória, senão pelo entendimento". Ainda aqui o jesuíta observa à risca os preceitos defendidos. E lembrando que os pregadores "pregam palavras de Deus, mas não

---

* *Qui solem suum orii facit super bonos, et malos, et pluit super justus, et injustus* = Que faz nascer o sol sobre os bons e os maus e chover sobre os justos e injustos *(Mateus,* V, 45); *Quid debui facere vineae meae, et non feci?* = Que tive de fazer à minha vinha e não *fiz? (Isaías,* V, 4)*; Percutiens virga bis silicem, et egressae sunt aquae largissimae* = Batendo a vara duas vezes na pedra, arrebentaram abundantes águas *(Números,* XX, 11), *Induratum est cor Pharaonis* = Endureceu o coração do Faraó *(Êxodo,* VII, 13).

pregam a palavra de Deus", encaminha a análise rumo da *peroração* (ou *epílogo*), em que se plasma o núcleo do pensamento contido no sermão e, mesmo o núcleo de toda a obra e da mundividência do Padre Antônio Vieira: "Semeadores do Evangelho, eis aqui o que devemos pretender nos nossos sermões, não que os homens saiam contentes de nós, senão que saiam muito descontentes de si; não que lhes pareçam bem os nossos conceitos, mas que lhes pareçam mal os seus costumes, as suas vidas, os seus passatempos, as suas ambições, e enfim, todos os seus pecados".

Semen est Verbum Dei

O trigo que semeou o pregador evangélico, diz Cristo, que é a palavra de Deus. Os espinhos, as pedras, o caminho, e a terra boa, em que o trigo caiu, são os diversos corações dos homens. Os espinhos são os corações embaraçados com cuidados, com riquezas, com delícias; e nestes afoga-se a palavra de Deus. As pedras são os corações duros e obstinados; e nestes seca-se a palavra de Deus, e se nasce, não cria raízes. Os caminhos são os corações inquietos e perturbados com a passagem e tropel das coisas do mundo, umas que vão, outras que vêm, outras que atravessam, e todas passam; e nestes é pisada a palavra de Deus, porque ou a desatendem, ou a desprezam. Finalmente, a terra boa são os corações bons, ou os homens de bom coração; e nestes prende e frutifica a palavra divina, com tanta fecundidade e abundância, que se colhe cento por um: *Et fructum fecit centuplum.*

Este grande frutificar da palavra de Deus, é o em que reparo hoje; e é uma dúvida ou admiração que me traz suspenso e confuso depois que subo ao púlpito. Se a palavra de Deus é tão eficaz e tão poderosa, como vemos tão pouco fruto da palavra de Deus? Diz Cristo que a palavra de Deus frutifica cento por um, e já eu me contentara com que frutificasse um por cento. Se com cada cem sermões se convertera e emendara um homem, já o mundo fora santo. Este argumento de fé, fundado na autoridade de Cristo, se aperta ainda mais na experiência, comparando os tempos passados com os presentes. Lede as histórias eclesiásticas, e achá-las-eis todas cheias dos admiráveis efeitos da pregação da palavra de Deus. Tantos pecadores convertidos, tanta mudança de vida, tanta reformação de costumes; os grandes desprezando as riquezas e vaidades do mundo; os reis renunciando os cetros e as coroas; as mocidades e as gentilezas metendo-se pelos desertos e pelas covas; e hoje? Nada disto. Nunca na igreja de Deus houve tantas pregações, nem tantos pregadores como hoje. Pois se tanto se semeia a palavra de Deus, como é tão pouco o fruto? Não há um homem que em um sermão entre em si e se resolva, não há um moço que se arrependa, não há um velho que se desengane, que é isto? Assim como Deus não é hoje menos Onipotente, assim a sua palavra não é hoje menos poderosa, do que dantes era. Pois se a palavra de Deus é tão poderosa; se a palavra de Deus tem hoje tantos pregadores, por que não vemos hoje nenhum fruto da palavra de Deus? Esta tão grande e tão importante dúvida, será a matéria do sermão. Quero começar pregando-me a mim. A mim será, e também a vós; a mim para aprender a pregar; e vós para que aprendais a ouvir.

(*Ibidem*, pp. 6-7.)

Sermão de Santo Antônio

Também conhecido por *Sermão aos Peixes,* o Pe. Antônio Vieira pregou-o em São Luís do Maranhão, no ano de 1654, três dias antes de embarcar para o Reino com o objetivo de encontrar solução para o problema dos índios, barbaramente escravizados pelos colonos. O pregador, manipulando com inexcedível habilidade o estratagema alegórico de falar aos peixes, recrimina contundentemente a má-vida dos espectadores, como se pode verificar no seguinte fragmento:

Antes porém que vos vades, assim como ouvistes os vossos louvores ouvi também agora as vossas repreensões. Servi-vos-ão de confusão, já que não seja de emenda. A primeira coisa que me desedifica, peixes, de vós, é que vos comeis uns aos outros. Grande escândalo é este, mas a circunstância o faz ainda maior. Não só vos comeis uns aos outros, senão que os grandes comem os pequenos. Se fora pelo contrário era menos mal. Se os pequenos comeram os grandes, bastara um grande para muitos pequenos; mas como os grandes comem os pequenos, não bastam cem pequenos, nem mil, para um só grande. Olhai, como estranha isto Santo Agostinho: *Hornines pravis, praeversisque cupiditatibus facti sunt veluti pisces se devorantes.* Os homens, com suas más e perversas cobiças, vêm a ser como os peixes que se comem uns aos outros. Tão alheia coisa é, não só da razão, mas da mesma natureza, que sendo todos criados no mesmo elemento, todos cidadãos da mesma pátria, e todos finalmente irmãos, vivais de vos comer. Sto. Agostinho, que pregava aos homens, para encarecer a fealdade deste escândalo, mostrou-lho nos peixes; e eu, que prego aos peixes, para que vejais quão feio e abominável é, quero que o vejais nos homens. Olhai, peixes, lá do mar para a terra. Não, não: não é isso o que vos digo. Vós virais os olhos para os matos e para o sertão? Para cá, para cá, para a cidade é que haveis de olhar. Cuidais que só os tapuias se comem uns aos outros, muito maior açougue é o de cá, muito mais se comem os brancos. Vedes vós todo aquele bulir, vedes todo aquele andar, vedes aquele concorrer às praças e cruzar as ruas: vedes aquele subir e descer as calçadas, vedes aquele entrar e sair sem quietação nem sossego? Pois tudo aquilo é andarem buscando os homens como hão de comer, e como se hão de comer.

Morreu algum deles, vereis logo tantos sobre o miserável a despedaçá-lo e comê-lo. Comem-no os herdeiros, comem-no os testamenteiros, comem-no os legatários, comem-no os acredores, comem-no os oficiais dos órfãos, e os dos defuntos e ausentes: come-o o médico, que o curou ou ajudou a morrer, come-o o sangrador que lhe tirou o sangue, come-o a mesma mulher, que de má vontade lhe dá para mortalha o lençol mais velho da casa, come-o o que lhe abre a cova, o que lhe tange os sinos, e os que cantando o levam a enterrar: enfim, ainda o pobre defunto o não comeu a terra, e já o tem comido toda a terra. Já se os homens se comeram somente depois de mortos, parece que era menos horror e menos matéria de sentimento. Mas para que conheçais a que chega a vossa crueldade considerai, peixes, que também os homens se comem vivos assim como vós. Vivo estava Job, quando dizia: *Quare persequimini me, et carnibus meis saturamini?* Por que me perseguis tão desumanamente, vós, que me estais comendo vivo e fartando-vos da minha carne? Quereis ver um Job destes? Vede um homem desses que andam perseguidos de pleitos ou acusados de crimes, e olhai quantos o estão comendo. Come-o o meirinho, come-o o carcereiro, come-o o escrivão, come-o o solicitador, come-o o advogado, come-o o inquiridor, come-o a testemunha, come-o o julgador, e ainda não está sentenciado, já está comido. São piores os homens que os corvos. O triste que foi à forca, não o comem os corvos senão depois de executado e morto; e o que anda em juízo, ainda não está executado nem sentenciado, e já está comido.

E para que vejais como estes comidos na terra são os pequenos, e pelos mesmos modos com que vós vos comeis no mar; ouvi a Deus queixando-se deste pecado: *Nonne cognoscent omnes, qui operantur iniquitatem, qui devorant plebem meam, ut cibum panis?* Cuidais, diz Deus, que não há de vir tempo em que conheçam e paguem o seu merecido aqueles que cometem a maldade? E que maldade é esta, à qual Deus singularmente chama a maldade, como se não houvera outra no mundo? E quem são aqueles que a cometem? A maldade é comerem-se os homens uns aos outros, e os que a cometem são os maiores que comem os pequenos: *Qui devorant plebem meam, ut cibum panis.* Nestas palavras, pelo que vos toca, importa, peixes, que advirtais muito outras tantas coisas, quantas são as mesmas palavras. Diz Deus, que comem os homens não só o seu povo, senão declaradamente a sua plebe: *Plebem meam,* porque a plebe e os plebeus, que são os mais pequenos, os que menos podem, e os que menos avultam na república, estes são os comidos. E não só diz, que os comem de qualquer modo, senão que os engolem e os devoram: *Qui devorant.* Porque os grandes que têm o mando das cidades e das províncias, não se contenta a sua fome de comer, os pequenos um por um, poucos a poucos, senão que devoram e engolem os povos inteiros: *Qui devorant plebem meam.* E de que modo se devoram e comem? *Ut cibum panis;* não como os outros comeres, senão como pão. A diferença que há entre pão e os outros comeres, é que para a carne, há dias de carne, e para o peixe, dias de peixe, e para as frutas, diferentes meses no ano; porém o pão é comer de todos os dias, que sempre e continuadamente se come: e isto é o que padecem os pequenos. São o pão quotidiano dos grandes: e assim como o pão se come com tudo, assim com tudo, e em tudo são comidos os miseráveis pequenos, não tendo, nem fazendo ofício em que os não carreguem, em que os não multem, em que os não defraudem, em que os não comam, traguem e devorem: *Qui devorant plebem meam, ut cibum panis.* Parece-vos bem isto, peixes? Representa-se-me que com o movimento das cabeças estais dizendo que não, e com olhardes uns para os outros, vos estais admirando e pasmando de que entre os homens haja tal injustiça e maldade! Pois isto mesmo é o que vós fazeis. Os maiores comeis os pequenos: e os muito grandes não só os comem um por um, senão os cardumes inteiros, e isto continuadamente sem diferença de tempos, não só de dia, senão também de noite, às claras e às escuras, como também fazem os homens.*

(*Ibidem*, vol. VII, pp. 264-267.)

---

* *Quare... saturamini* = Por que me perseguis vós e vos fartais das minhas carnes? *(Job,* XIX, *22); Nonne... panis?* = Porventura não terão conhecimento todos os que cobram a iniqüidade, os que devoram o meu povo, como um pedaço de pão? *(Salmos,* XIII, 4).

A Prosa Doutrinária

A prosa doutrinária da época do Barroco apresenta, como a do Renascimento, duas linhas, a laica e a religiosa. Entretanto, dela se distingue pelo fato de a prosa laica sofrer um processo de mundanização, e a religiosa tender a pragmatizar-se, a servir propósitos edificantes, pedagógicos ou catequéticos. Ambas, porém, lavradas num estilo terso e límpido, evidente na obra de D. Francisco Manuel de Melo, Padre Manuel Bernardes, Cavaleiro de Oliveira, Matias Aires e outros.

D. FRANCISCO MANUEL DE MELO

Nasceu em Lisboa, em 23/11/1608. De origem fidalga, após estudar com os jesuítas, engaja-se no serviço militar e combate os turcos. Armado cavaleiro, divide o tempo entre Lisboa e Madri, e batalhas na Corunha (1635), em Málaga e nas Flandres (1639). Com a restauração de Portugal a 1º de dezembro de 1640, é encarcerado e levado a Madri. Liberto, alcança ser designado para várias missões diplomáticas na Inglaterra e na Holanda. Quatro anos mais tarde, está preso na Torre de Belém. Condenado ao degredo, passa no Brasil os anos de 1655 e 1658. Em 1660, já de volta a Lisboa, torna-se figura central da Academia dos Generosos, fundada em 1647, e é escolhido para outras missões no estrangeiro. A seguir, elege-se deputado. Falece em Lisboa, em 13/10/1666. Dedicou-se à poesia *(Obras Métricas,* 1665), à historiografia (D. *Teodósio,* 1944; *Tácito Português — Vida e Morte, Ditos e Feitos de El-Rei D. João IV,* 1940; *Epanáforas de Vária História Portuguesa,* 1660), ao teatro *(Auto do Fidalgo Aprendiz,* 1665), à epistolografia *(Cartas Familiares,* 1664), à prosa doutrinária *(Apólogos Dialogais,* 1721; *Carta de Guia de Casados,* 1651), à polêmica *(A Aula Prática, Cúria Militar,* 1720; *Manifesto de Portugal,* 1647).

Carta de Guia de Casados

A pedido de um noivo, que acabou permanecendo anônimo, mas que decerto pertencia à fidalguia do tempo, em dois meses de prisão na Torre Velha (situada defronte à Torre de Belém), entre janeiro e março de 1650, D. Francisco Manuel de Melo escreveu a *Carta de Guia de Casados.* Redigiu-a dum só fôlego, sem dividi-la em capítulos ou partes. Texto corrido, portanto, trata duma série de questões pertinentes ao tema implícito no título da obra, especialmente destinadas àqueles que se dispunham a enfrentar as vicissitudes do matrimônio. Estribado na sua variegada e profunda experiência mundana (era solteiro e conquistador), e não no saber contido nos livros, dá conselhos de vária ordem, desde o governo econômico da casa, o trato com as criadas, até o convívio entre os cônjuges, os ciúmes, etc. Fundamentando-se na moral cristã, atribui à mulher função subalterna à do marido e um âmbito geográfico que terminaria nas quatro paredes da casa: a seu ver, a mulher deveria ser praticamente analfabeta e submissa para ser feliz. O moralismo, ainda que sério e grave, não recusa as saídas do humor edificante, sempre a serviço do intuito capital de ensinar os casados a aproveitarem melhor sua vida. A *Carta de Guia de Casados,* além de possuir grande interesse literário, lingüístico, psicológico e histórico, não se assemelha a nenhuma outra anterior dedicada ao mesmo assunto, nem com as escritas por portugueses, um dos quais seu contemporâneo, ou seja, o *Casamento Perfeito* (1630), de Diogo de Paiva de Andrade, e o *Espelho de Casados* (1540), do Dr. João de Barros. Da obra se destacaram dois trechos, acerca das condições do casamento perfeito e dos vários tipos de sentimento amoroso:

Uma das cousas que mais assegurar podem a futura felicidade dos casados, é a proporção do casamento. A desigualdade no sangue, nas idades, na fazenda, causa contradição; a contradição, discórdia. E eis aqui os trabalhos por onde vem. Perde-se a paz, e a vida é inferno.

Para a satisfação dos pais, convém muito a proporção do sangue, para o proveito dos filhos e da fazenda, para o gosto dos casados a das idades. Não porém que seja preciso uma conformidade, de dia por dia, entre o marido e mulher; mas que não seja excessiva a vantagem de um a outro. Deve ser esta vantagem, quando a haja, sempre da parte do marido, em tudo à mulher superior. E quando em tudo sejam iguais, essa é a suma felicidade do casamento.

Dizia um nosso grande cortesão, que havia três castas de casamentos no mundo: casamento de Deus, casamento do diabo, casamento da morte: de Deus, o do mancebo com a moça; do diabo, o da velha com o mancebo; da morte, o da moça com o velho.

Ele certo tinha razão, porque os casados moços podem viver com alegria; as velhas casadas com moços vivem em perpétua discórdia; os velhos casados com as moças apressam a morte, ora pelas desconfianças, ora pelas demasias.

Mas porque estas coisas são muito gerais, e ainda os incapazes têm delas o conhecimento que aos entendidos lhes sobeja, é tempo de passar a alguns mais particulares avisos.

Senhor, saiba V. M. que à sua alma se acrescenta outra alma de novo; à sua obrigação se ajunta outra obrigação. Assim devem crescer seus cuidados, e seus respeitos. E da mesma sorte que, se a um homem que possuísse uma herdade, a qual cultivasse, lhe fosse deixada outra de novo para o mesmo efeito; este tal homem, sem diminuir em sua alegria, era força que na diligência se avantajasse, por abranger com seu trabalho a ambas aquelas suas fazendas; nem mais, nem menos deve o casado multiplicar o tento e a fadiga (sem que por isso se entristeça), por não faltar ao novo cargo, que tomou, e lhe entregaram, com a mulher que lhe deram; não para que a arriscasse e perdesse (e a si mesmo com ela), mas para que com maior cômodo e descanso pudesse passar com ela a vida.

Provemos a ver se será possível dar alguma regra ao amor, ao amor que sói ser a principal causa de fazer os casados mal casados, umas vezes porque falta, e outras porque sobeja. Armemos-lhe, se quer, as redes; caia ele se quiser; e o mais certo será que avoe, e fuja delas, porque quiçá por isso o pintaram com asas.

Ame-se a mulher, mas de tal sorte que se não perca por ela seu marido. Aquele amor cego fique para as damas; e para as mulheres o amor com vista. Ou cure os olhos que tem, ou os peça emprestados ao entendimento desses que lhes sobejam.

Digo, perder pela mulher; perder por ela seu marido a dignidade de homem, a troco de lhe não contradizer sua vontade, quando é justo que lha contradiga.

Saiba-se, e tema-se, que também há Narcisos do amor alheio, como do seu próprio.

Gabavam muito certos Cardeais ao Papa Pio V, um seu criado, que ele mais favorecia. Respondeu-lhes: "Bom é, mas nunca me contradiz." Tão longe está de ser desamor, que antes é perfeição do amor o saber encontrar a vontade de quem se ama, quando ela não deve de ser seguida.

Há alguns, Senhor N., de tão pouco juízo, que fazem ostentação de seu próprio cativeiro. Igual afronta é a um casado saber-se que o manda sua mulher, que saber-se é ela de seu marido escrava, e não companheira.

Este foro, esta prerrogativa, de cada um é bem que use, logo ao princípio convém que se concerte. O marido tenha as vezes de sol em sua casa a mulher as de lua; alumie com a luz que ele lhe der, e tenha também alguma claridade. A ele sustente o poder, a ela a estimação. Ela tema a ele, e ele faça que todos a temam a ela; serão ambos obedecidos.

Dissera eu, que as mulheres são como as pedras preciosas, cujo valor cresce, ou míngua, segundo a estimação que delas fazemos.

Os que casam com mulheres maiores no ser, no saber, e no ter, estão a grandíssimo perigo. Deste livrou Deus a V. M. (e àqueles que assim casarem), porque não que deviam ser iguais mulher e marido, são muito iguais e no que V. M. era bem que excedesse, assim é que excede. Os mais anos são grandes arras no casamento, em favor da autoridade do marido.

. . . .

Persuado-me, Senhor N., que esta coisa a que o mundo chama amor não é só uma coisa, porém muitas com um próprio nome. Poderá bem ser que por isto os antigos fingissem haver tantos amores no mundo, a que davam diversos nascimentos; e também pode ser venha de aqui, que ao amor chamarmos amores, pois se ele fora um só, grande impropriedade fora esta.

Eu considero dois amores entre a gente: o primeiro é aquele comum afeto com que, sem mais causa que a sua própria violência, nos movemos a amar, não sabendo o quê, nem o por que amamos; o segundo é aquele com que prosseguimos em amar o que tratamos e conhecemos. O primeiro acaba na posse do que se desejou, o segundo começa nela; mas de tal sorte, que nem sempre o primeiro engendra o segundo, nem sempre o segundo procede do primeiro.

Donde infiro que o amor que se produz do trato, familiaridade, e fé dos casados, para ser seguro e excelente, em nada depende do outro amor, que se produziu do desejo do apetite, e desordem dos que se amaram antes desconcertadamente; a que, não sem erro, chamamos amores, que a muitos mais empeceram que aproveitaram.

(*Carta de Guia de Casados,* Lisboa, "Ocidente", 1954, pp. 38-40, 42-43.)

A primeira observação que cabe fazer, diz respeito à linguagem de D. Francisco Manuel de Melo: simples, clara, quase coloquial, isenta dos especiosos torneios frásicos que deleitavam os barrocos ortodoxos, ou da limpidez meio árida e racional dos prosadores de estrita linhagem clássica. Dir-se-ia que pressagiava a prosa fluente, cotidiana e subjetiva de Garrett, o que já significa um mérito de não pequena importância. Quanto ao conteúdo, percebe-se que o autor funde as verdades ditadas pelo consenso, por sua vez enriquecido da própria vivência das coisas, com o saber dos livros ou da tradição oral. Assim, mescla o tom narrativo ou exemplificativo com o oracular: sua maneira peculiar consiste em contar um caso, ou um breve exemplo tirado de um fato acontecido, argumentar cerrada e concisamente rumo ao pensamento que deseja comunicar, e fazer que este desponte esculpido numa forma proverbial. Tudo converge para expressões lapidares, que depois funcionam como anexins ou adágios populares, ou deles decorrem. É o caso, por exemplo, de sua idéia acerca das mulheres: "são como as pedras preciosas, cujo valor cresce, ou míngua, segundo a estimação que delas fazemos". Observe-se que, além de acentuar a soberania doméstica do marido, a verruma analítica do moralista disseca, com muita propriedade, ao modo de quem fala por experiência própria, as várias sortes de amor: doutrina moral, embora cristã, apela para o bom senso e a percepção direta das coisas, o que torna as ponderações válidas ainda hoje. Podemos dissentir delas em pormenores mas, vendo-as globalmente, custa-nos fugir de acatá-las e respeitá-las, tanto mais que se ocupam de uma instituição multissecular atualmente em crise.

PADRE MANUEL BERNARDES

Nasceu em Lisboa, em 20/4/1644, e faleceu em 17/8/1710, demente. Pertenceu à Congregação do Oratório de S. Felipe Neri, em cuja tranqüilidade claustral se recolheu até o fim de seus dias. Escreveu: *Nova Floresta* (5 volumes, 1706, 1708, 1711, 1726, 1728), *Pão Partido em Pequeninos* (1694), *Luz e Calor* (1696), *Exercícios Espirituais* (1707), *Últimos Fins do Homem* (1726), *Armas da Castidade* (1737), *Sermões e Práticas* (2 volumes, 1711), *Estímulo Prático para bem seguir o bem e fugir o mal* (1730).

Nova Floresta

Seu título completo, tão longo quanto era moda no Barroco, reza o seguinte: *Nova floresta, ou silva de vários apotegmas e ditos sentenciosos, espirituais e morais, com reflexões em que o útil da doutrina se acompanha com o vário da erudição, assim divina como humana.*. Basta correr os olhos por ele para nos inteirarmos do conteúdo: compõe-se duma série de apólogos morais, cada um deles constituído de duas partes: na primeira o escritor narra um "caso", uma história de fundo moral ou exemplar, e na segunda, comenta-a extraindo-lhe a mensagem edificante. No apólogo escolhido, vêem-se-lhe nitidamente as partes, ou seja, "De Sócrates Filósofo" e "Encômio":

De Sócrates Filósofo

Caminhando Sócrates, um atrevido se descomediu com ele, e lhe deu um coice. Estranhando alguns a paciência do filósofo, disse:

— Pois eu que lhe hei de fazer depois de dado?

Responderam:

— Demandá-lo em juízo pela injúria.

Replicou:

— Se ele em dar coices confessa ser jumento, quereis que leve um jumento a juízo?

Encômio

Dessa injúria podíamos dizer, que é iniqüidade do calcanhar, que fica com quem a faz, e não com quem a sofre: *Iniquitas calcanei mei circumdabit me.* Porém já que ele filósofo levou o coice de um bruto, razão é que leve os louvores de alguns varões sábios, que o celebraram. Foi inventor da Ética, ou Filosofia Moral, com estudiosidade tão avantajada a todos os mais filósofos antigos, que amoldou sua vida, e procedimentos às regras dela; e não só com o exemplo, mas com as disputas públicas, e conversações particulares a ensinava pelas praças, e oficinas, e pórticos da cidade. Dele publicou o Oráculo de Pítia, ser o mais sábio de todos os do seu tempo: *Mortalium unus Socrates vera sapit.* E Eunápio lhe chamou um simulacro da sabedoria vivo, e respirante: *Vivum, ac spirans sapientiae simulacrum.* E contudo foi de entendimento tão modesto, que dizia, e sentia de si, que só uma coisa sabia, e era que nada sabia: *Unum scio me nihil scire.* Foi acusado (grande louvor este) de que negava os deuses; e por esta causa morreu, e não falta quem diga, que afirmava, que se havia de crer em um só Deus. E mostrou neste último lance tal inteireza de ânimo, que segundo refere Plínio, não se lhe viu mudança de rosto, nem para a parte da alegria, nem da turbação: *Eodem quo semper visus vultu, nec hilari magis, nec turbato.* Se a iluminação da Fé, e retoques da doutrina cristã ajudassem estes riscos, imagem estava aqui de um santo; mas assim repreende mais vivamente a muitos cristãos, que não sabemos fazer senão borrões, e fealdades *

(*Obras Completas,* 5 vols., São Paulo, Anchieta, 1946, vol. V, pp. 382-383.)

Observe-se, inicialmente, a simplicidade e a limpidez antigongóricas do estilo de Bernardes, ambas vinculadas a um apurado gosto por expressões e torneios sintáticos lidimamente vernáculos, que fazem do moralista um dos mestres incontestes da Língua. Em segundo lugar: diligenciando falar direto à mente do leitor, ainda que intelectualmente humilde, tem cuidado em traduzir as citações sobre que fundamenta sua doutrina. Esta, de rigorosa base cristã, objetiva sempre uma moral estóica e guarda certo pessimismo em que a crença nos postulados de fé não dispensa a prática das virtudes sugeridas pelo bom senso, a fim de que a criatura humana sobrepuje o mal permanentemente à espreita. Por isso, o escritor descura do fácil brilho dialético para concentrar-se na verdade universal que busca emprestar às idéias. Embora por vezes sucumbindo aos atrativos duma filosofia moral ingênua, percebe-se que seu intuito consiste não somente em formar o bom cristão, mas também o bom cidadão. Realmente, para ele o bom cristão e o bom cidadão se identificam. Certo, o horizonte filosófico de Bernardes está limitado pela condição sacerdotal. Além disso, valoriza preconceituosa e deformadamente apenas os aspectos que lhe interessam no pensamento de Sócrates ("que se havia de crer em um só Deus"). Mas a maneira equilibrada e sensata como procede, garante-lhe um lugar de proa entre os clássicos do Idioma, e ainda entre aqueles poucos que buscaram provê-lo duma linguagem e dum pensamento filosófico menos ornamentais e menos eivados da sentimentalidade que nos habituamos a encontrar no curso da Literatura Portuguesa. É por isso que a sua erudição tem caráter funcional no corpo das idéias e jamais resulta de amor à ostentação ou vaidade: o variado saber livresco transforma-se em conhecimento ativo, — em cultura, — e serve a um autêntico anseio de melhoria da espécie humana através do cultivo da fortaleza moral e o esclarecimento da consciência. Visto desse ângulo, o doutrinal ético do Padre Manuel Bernardes deixa entrever as palpitações dum pensamento que só não se tornou "moderno" por causa das coerções gerais em que se desenvolveu.

---

* *Unum scio me nihil scire* = somente sei que nada sei.

De Catão o Mais Velho

Dizendo-lhe seus amigos, que nas praças de Roma se haviam erigido arcos triunfais e estátuas a outros varões ilustres, e dele se haviam esquecido, respondeu:

— Maior crédito meu é, que perguntem os vindouros, por que me não puseram estátua, do que, por que a puseram?

REFLEXÃO

Perguntar por que a puseram, supunha ignorância, ou esquecimento dos seus méritos. Perguntar por que a não puseram, supunha conhecimento, e memória deles, e estranhez da desatenção do magistrado em não premiá-los. E quem duvida, que mais esclarecidas são as obras, que lembram para demandar o prêmio, do que as que se inquirem para justificá-lo? Não se admire o homem espiritual, de que estas virtudes dos étnicos iam infectas com o tumor da estimação própria, porque ainda no mundo não tinha Cristo ensinado com sua palavra, e exemplo as veredas profundas, e seguríssimas da santa humildade. Com esta resposta de Catão, contentando-se com o merecimento, e desprezando o prêmio, se parecem as do caso seguinte. Visitava certo religioso a uma grande senhora deste reino, a que costumavam dar excelência; mas ele lhe não dava mais que senhoria; e como não procedia a falta de ser descortês, senão inadvertido, ou demasiadamente lhano, entrou um dia dando-lhe excelência. Disse ela:

— Mui liberal vem hoje o padre fulano.

Respondeu o religioso, para restaurar as quebras passadas:

— Majestade desejo eu dar, quanto mais excelência.

— Ainda há mais que majestade?, disse a senhora.

— Ainda há mais, tornou ele.

— Como pode isso ser?, respondeu ela.

— Merecê-la.

Estava presente uma filha, não menos discreta, e acudiu dizendo:

— Ainda há mais que merecê-la.

— Como assim?, disse a mãe.

E ela concluiu:

— Desprezá-la.*

(*Ibidem,* vol. V, Título III [*Honra, Fama, Opinião*], pp. 233-234.)

CAVALEIRO DE OLIVEIRA

Antonomásia de Francisco Xavier de Oliveira. Nasçeu em Lisboa, em 21/5/1702. Boêmio na mocidade, o casamento trouxe-lhe tranqüilidade, mas a precoce morte da esposa e a do

---

* *Catão* = político romano (234-149 a.C.); *estranhez* = estranheza; *étnicos* = gentios; *excelência* = tratar alguém por Excelência; *discreta* = sensata.

pai devolveu-o aos desregramentos iniciais. Parte para Viena a fim de suceder ao pai nos serviços junto à embaixada, mas, por motivos ignorados, é preterido. Para ressarcir-se, busca meios de comprometer o embaixador denunciando-lhe as negociatas. Com esse fito, viaja para Amsterdão. Todavia, o plano falha. Regressa. Casa-se de novo e vai para a Holanda, embalado pela miragem de viver da pena. Morre-lhe a segunda esposa. Desgostoso, ruma para a Inglaterra (1744). Contrai novas núpcias, e continua a escrever. Por suas idéias de livre-pensador, é processado pela Inquisição e queimado em efígie. Faleceu em Haekney (Inglaterra), em 18/10/1783. Escreveu: *Mémoires de Portugal* (1741), *Memórias das Viagens* (1741), *Mille e Une Observations* (1741), *Cartas Familiares* (2 vols., 1741-1742), *Amusement Périodique* (1751), *Reflexões de Félix Vieiyra Corvina dos Arcos* (1751), *Discours Pathétique* (1756), *Suite* do *Discours Pathétique* (1757) e *Le Chevalier d'Oliveyra Brulé en Effigie* (1762).

Recreação Periódica

Com esse título foi traduzida para o português a *Amusement Périodique* (1751). Consta duma série de crônicas amenas e jornalísticas, motivadas pelo culto da galantaria vigente no século XVIII. Gravitam em torno dos mais variados temas, como, por exemplo, o amor, a aparência, o asilo, a beleza, o Catolicismo e o Protestantismo, os ciganos, os embaixadores e as embaixatrizes, a fealdade, os fidalgos, a Inquisição, os jesuítas, os judeus, a loucura, os médicos, os milagres e as superstições, a pobreza, os santos, os viajantes, etc. Espécie de caleidoscópio ou de revista mundana, por intermédio da *Recreação Periódica* tem-se um retrato vivo do contexto social em que se moveu o Cavaleiro de Oliveira. De suas crônicas, escolheu-se uma das tantas que podem ser lidas como se escritas ainda hoje, acerca "Do proveito que se tira em viver na boa sociedade", de novembro de 1751:

A boa sociedade, na frase de Bellegarde, é um grande livro em que as pessoas de bem aprendem tudo o que devem saber. Todos aqueles que nela sejam formados brilham por maneiras e uma polícia, que os letrados de profissão não chegam nunca a adquirir, nem em verdade a letra redonda é, por si só, capaz de dar. O comércio das criaturas de qualidade é uma boa escola, e praticar com elas pode considerar-se como o mais excelente dos estudos. Granjeia-se um ror de conhecimentos, sem livros, sem mestres, sem mortificação e trabalho. Ao mesmo tempo que nos vamos instruindo, vamo-nos habituando na arte de dizer, de exprimir o que sentimos ou desejamos.

Se me não engano, uma das razões que tornam os sábios tão atados na conversação é a sua muita leitura. Tão acostumados andam às belas idéias e às elegâncias do espírito que tudo na prática lhes parece inferior e mesquinho. Nisto se me figuram semelhantes àqueles que se afizeram aos bons petiscos e raro encontram manjares a seu paladar.

Os sábios não gostam de falar com receio de não dizer coisas bastante alevantadas. Ao contrário, há indivíduos que nunca estudaram e possuem um cabedal de conhecimentos superiores ao daqueles que passaram a vida numa livraria. Formaram-se na escola da sociedade, nela, pouco a pouco, tendo enriquecido o espírito e aperfeiçoado a arte da conversação.

Onde e como melhor se aprendem línguas? Mediante o seu estudo direto, a tarefa é longa e laboriosa. Ouvindo-as zumbir ao ouvido no meio em que são praticadas, praticando-as. E assim, sem gramática, sem dicionário, sem regras, se alcança seu perfeito conhecimento.

O mesmo se pode dizer da moral, da política, da eloqüência, quando se está em relação com pessoas doutas e que, a cada passo, de sua ciência fazem uso.

As damas e a gente da corte são o argumento vivo do meu asserto. Não estudam, não consultam alfarrábios, e todavia, falam com uma segurança, uma variedade que se não encontra nos eruditos. Os mais consumados no manuseamento dos livros de política não poderão rivalizar com eles. Serão mais competentes em moral? Ser-lhes-á possível tecer discursos mais eloqüentes ou deleitáveis?

Conheci em Viena o general Toulon. Era um nobre que não sabia patavina de grego, hebreu e até de latim. Toda a sua ciência se resumia em ser valente, intrépido, corajoso no mister das armas, em que muitas vezes se assinalou. Pouco dado à leitura, todavia, falava admiravelmente sobre as matérias que viessem à tela da discussão. A sua palavra era justa, elegante, natural e cheia de encantos; os seus raciocínios bem deduzidos, e, não obstante, nunca aprendera lógica; as suas descrições ornadas de brilhantes figuras e nunca se curvara a folhear um cartapácio de retórica. Uma infinidade de criaturas que se julgam cultas e talentosas seriam incapazes de proferir discursos iguais aos seus na beleza.*

(*Recreação Periódica*, 2 vols., Lisboa, Biblioteca Nacional, 1922, vol. II, pp.174-176.)

Basta uma página como essa para nos propiciar um esquema da fisionomia literária e moral do Cavaleiro de Oliveira. Observe-se, antes de mais nada, o preconceito contra o saber dos livros e a correspondente apologia do conhecimento "social", que só falta ser "natural" para logo evocar o pensamento de Rousseau. Evitemos, porém, analogias apressadas: as idéias do moralista português aproximavam-no antes dos "libertinos", homens do século XVII que negavam toda autoridade e toda responsabilidade individual, pregavam uma destemida, infrene e desesperançada liberdade, eram antidogmáticos, incrédulos e racionalistas, e resumiam tudo na busca da felicidade individual, considerada apenas no plano terreno. Mas enquanto os "libertinos", porque livres-pensadores, pareciam anunciar o Iluminismo, o Enciclopedismo e o Liberalismo, o Cavaleiro de Oliveira se afigura por demais "gracioso" para anunciar o espírito das luzes em voga na segunda metade do século XVIII. Importa-lhe o ludo, o entretenimento, o jogo das relações mundanas, que lembra mais a preciosidade dos convivas do salão francês de Rambouillet (século XVII) que o racionalismo setecentista. Por outro lado, avizinha-se francamente das tendências sociais do tempo, na medida em que sua moral pragmática e irreverente o torna parente próximo de Casanova, símbolo acabado duma filosofia de vida votada exclusivamente, e a qualquer preço, à satisfação dos prazeres da carne.

MATIAS AIRES

Matias Aires Ramos da Silva de Eça nasceu em São Paulo, em 27/3/1705. Com onze anos acompanha o pai em mudança para Portugal. Em 1722 ingressa no curso de Direito da Universidade de Coimbra, mas abandona-o logo em começo para se dedicar à leitura dos

---

* *polícia* = cultura.

clássicos greco-latinos. E, daí, muda-se a Paris, onde estuda Ciências Naturais, Matemática e Hebraico, entre 1728 e 1733. Regressando a Lisboa, dez anos mais tarde sucede ao pai na alta função de "provedor das casas da fundição" e herda-lhe vultosa fortuna. Demitido por motivos desconhecidos em 1761, veio a falecer em Lisboa, em 10/12/1763. Afora as *Lettres Bohèmiennes, o Discours Panegyrique sur la Vie et Actions de Joseph Ramos da Silva* (seu pai), e a *Philosophia Rationalis,* assinalados por Diogo Barbosa Machado *(Biblioteca Lusitana,* 4 vols., 2ª ed., Lisboa, 1930, vol. IV, p. 229), mas que não deixaram rastro, escreveu as *Reflexões sobre a Vaidade dos Homens, ou Discursos Morais sobre os Efeitos da Vaidade,* publicadas em 1752, e o *Problema de Arquitetura Civil,* dado a lume postumamente, em 1770.

Reflexões sobre a Vaidade dos Homens

Publicadas pela primeira vez em 1752, as *Reflexões sobre a Vaidade dos Homens* conheceram mais três edições ainda na segunda metade do século XVIII (1761, 1778, 1786). Apesar de tão notável êxito editorial, a obra mergulhou no ostracismo durante toda a centúria seguinte e os princípios da atual. Até que Solidônio Leite *(Clássicos Esquecidos,* Rio de Janeiro, 1914) repôs Matias Aires no interesse do público e dos estudiosos. Nestor Vítor, nessa altura um dos críticos mais atuantes e influentes, atendendo ao chamado de Solidônio Leite, publicou no jornal carioca *Correio da Manhã* (janeiro de 1914) três artigos acerca do autor das *Reflexões.* Uma edição fac-similar da obra (que utilizamos na presente antologia e que, à vista da nota final, assinada pelo editor, deve ter aparecido imediatamente após o empenho dos dois escritores) veio completar a ressurreição do prosador paulista. Outra edição, com a ortografia atualizada e inteligentemente prefaciada por Tristão de Ataíde, dada à estampa em 1942, ao mesmo tempo que outros estudiosos lhe dedicavam atenção, principalmente no que tange à biografia, consagrou-o em definitivo. As *Reflexões,* em que se evidencia o impacto do *Eclesiastes,* de La Rochefoucauld, Pascal, La Bruyère, Bossuet e Massillon, compõem-se de 163 fragmentos subordinados ao tema geral da vaidade. O moralista discute-o sob os mais variados pontos de vista, a saber: a vaidade é um vício, parece-se com o amor-próprio, a vaidade de ter juízo, de ter razão, de ter malícia, da solidão, a vaidade do medíocre, a vaidade do herói, da glória, da fortuna, do renome, do rei, da mulher, da beleza, etc., etc. Quatro desses fragmentos foram selecionados para integrar a presente antologia:

Que são os homens mais do que aparências de teatro? Tudo neles é representação, que a vaidade guia: a fatal revolução do tempo, e o seu curso rápido, que cousa nenhuma pára, nem suspende, tudo arrasta, e tudo leva consigo ao profundo de uma eternidade. Neste abismo, donde tudo entra, e nada sai, se vão precipitar todos os sucessos, e com eles todos os impérios. Os nossos antepassados já vieram, e já foram; e nós daqui a pouco vamos ser também antepassados dos que hão de vir. As idades se renovam, a figura do mundo sempre muda, os vivos e os mortos continuamente se sucedem, nada fica, tudo se usa, tudo acaba. Só Deus é sempre o mesmo, os seus anos não têm fim, a torrente das idades e dos séculos corre diante dos seus olhos, e ele vê a vaidade dos mortais, que ainda quando vão passando o insultam, e se servem desse mesmo instante, em que possam para o ofenderem. Miseráveis homens, gênero infeliz, que nesse momento, que lhes dura a vida, preparam a sua mesma reprovação; e que tendo vaidade, que lhes faz parecer, que tudo meditam, que tudo sabem e que tudo provêem, só a não têm para anteverem as vinganças de um Deus irado, e que com o seu mesmo sofrimento, e silêncio, clama, ameaça, julga, condena!

*

Por isso é loucura sacrificar a vida por eternizar o nome; porque dos mesmos heróis também morre o nome, e a glória: a diferença é, que a vida dos varões ilustres compõe-se de anos, como nos mais homens, e a vida das suas ações compõe-se de séculos; porém estes acabam, e tudo o que se encerra neles vem a entrar finalmente no caos do esquecimento. Tudo no mundo são sombras, que passam; as que são maiores, e mais agigantadas, duram mais horas, mas também se extinguem, e do mesmo modo, que aquelas, que apenas tiveram de existência alguns instantes. O desejo nos finge mil objetos imortais, e entre eles a fama é ao que mais nos inclina a vaidade; sendo que o mesmo ar, que lhe dilata os ecos, lhe confunde, e apaga a voz. Nas cousas é trânsito, o que nos parece permanência: a diversidade, que vimos na duração delas, é porque umas gastam mais tempo em acabar que outras; de sorte que propriamente só podemos dizer, que as cousas estão acabando, e não que estão sendo.

*

Só a vaidade dos reis é vaidade justa, porque a Providência já quando os formou para a dominação, logo os destinou para figuras da divindade, e com uma semelhança mais que material, e indiferente; porque a mesma essência, de que são imagens, parece, lhes comunica uma porção da idéia, que representam. Por mais que os sucessos sejam regidos pelo acaso, contudo aos reis não os faz a fortuna, nem o valor; mas sim aquela mesma inteligência, que dá os primeiros, e principais movimentos ao Universo. Ainda nos orbes celestes vemos alguns corpos, que parece custaram mais cuidado ao Autor do mundo, pois brilham com luz mais firme, mais intensa, e mais constante. Os monarcas parecem-se com os mais homens na humanidade, mas diferem nas qualidades da alma: a coroa, que os cinge, não só lhes ilustra a cabeça, mas também o pensamento: o cetro, que indica a majestade, também inspira o esforço; e a grandeza no poder também influi extensão no espírito; por isso na arte de reinar não há regras, que possam ser sabidas por quem não é rei.

*

A vaidade da formosura é a mais natural de todas as vaidades, é vaidade inocente, a natureza em nada se recreia tanto, como em contemplar-se a si na sua obra, e em rever-se na sua mesma perfeição; por isso a formosura é um encanto, a que não resiste, nem ainda quem o tem; ela a si mesma se namora, a si se busca, ama-se a si, e de si se rende; é como um efeito, que vem a retorquir-se contra a sua causa, ou contra o seu princípio; e como um movimento, que retrocede, e se dirige contra o seu mesmo impulso; a formosura, pelo que sente sabe o que faz sentir; e pelo que se ama, conhece que se faz amar; daqui vem que a vaidade, e a altivez, são partes de que a formosura se compõe; a mesma tirania, e rigor atrai: e que haverá na formosura, que não sirva de laço, de prisão, de amor?

(*Reflexões sobre a Vaidade dos Homens,* Rio de Janeiro, J. Leite, s. d., pp. 31-32, 34-35, 50-60, 201-202.)

À vista desses quatro fragmentos, não podemos deixar de notar quão complexo e eclético é o pensamento de Matias Aires, refletindo, sem dúvida alguma, as próprias inquietações e conflitos, e as contradições e perplexidades que assinalam o momento de cultura que lhe foi dado presenciar e viver. Decerto, essa impressão se ratifica e avulta se considerarmos as *Reflexões* no seu todo, mas o que aí fica parece bastante como exemplário da doutrina dum moralista nada simples, porventura porque espectador do instante de crise em que o Barroco cede vez ao Arcadismo. A primeira faceta que nos chama a atenção diz respeito ao generalizado ceticismo, ou, mesmo, pessimismo, haurido na leitura e meditação do *Eclesiastes,* do qual extrai para epígrafe da obra o conhecido versículo *Vanitas vanitatum, et omnia vanitas;* mas também remontado aos moralistas franceses do século XVII, já referidos. Seu ceticismo divisa o Homem como medularmente degradado e corrupto, à mercê dum Deus onipotente e implacável, o que de pronto o inscreve no âmbito do providencialismo jansenista. Entretanto, seu pessimismo não é religioso, mas filosófico ou ético. Observe-se que o prosador exclui o rei e a mulher de sua desalentada cosmovisão, aceitando a vaidade dos reis porque "é vaidade justa porque a Providência já quando os formou para a dominação, logo os destinou para figuras da divindade", e aceitando a vaidade das mulheres porque "a vaidade da formosura é a mais natural de todas as vaidades". No primeiro caso, ao mesmo tempo que lisonjeia o soberano a quem consagra as *Reflexões,* D. José I, defende o conceito seiscentista segundo o qual os reis o eram por direito divino: o seu providencialismo jansenista atribui ao rei a posse, por ressonância, das qualidades da Providência, como se vê no terceiro fragmento. O admitir a vaidade feminina porque "é a mais natural" pode induzir-nos a situá-lo na fronteira da "naturalidade" rousseauniana e, simultaneamente, na linha do neoplatonismo quinhentista, ou precursor do idealismo romântico. Por outro lado, um deísmo filosófico sustenta as nuanças do ideário de Matias Aires, tornando-o mais um homem do século XVII, incrédulo e misantropo, que do século XVIII, iluminista e racional. Curioso encontrar, no segundo fragmento, uma postura melancólica acerca da fugacidade do tempo e da inanidade de tudo, análoga à de tantos barrocos, mas que igualmente lembra o ultra-romantismo dum Soares de Passos, o decadentismo dum Gomes Leal e o perspectivismo dum Fernando Pessoa na "Tabacaria": uma espécie de irmandade secreta vincula-os todos, fazendo-os participar, cada qual à sua maneira, duma atitude de espírito que, nem por ser européia na época de Matias Aires, deixa de ser profunda e caracteristicamente portuguesa.

Arte de Furtar

Publicada pela primeira vez em 1652, trazia um longo título, *Arte de Furtar, Espelho de Enganos, Teatro de Verdades, Mostrador de Horas Minguadas, Gazua Geral dos Reinos de Portugal,* abaixo do qual se declarava ter sido composta por um "português anônimo mui zeloso da Pátria". Na edição de 1744, porém, revelava-se o nome daquele que se acreditava fosse o seu autor: Padre Antônio Vieira. Dali por diante, a obra veio sendo atribuída a uma série de escritores: João Pinto Ribeiro, Tomé Pinheiro da Veiga, Duarte Ribeiro de Macedo, Antônio da Silva e Sousa, Padre Manuel da Costa, D. Francisco Manuel de Melo e Antônio de Sousa de Macedo. De acordo com os estudos de Afonso Pena Júnior *(A Arte de Furtar e o seu Autor,* 2 vols., Rio de Janeiro, José Olympio, 1946), quem escreveu a obra foi Antônio de Sousa de Macedo (1606-1682), autor de *Ulissipo* (poema épico, 1640), *Harmonia Política dos Documentos Divinos com as Conveniências de Estado* (1651), *Eva e Ave, ou Maria Triunfante* (1676), o periódico mensal *Mercúrios Portugueses, ou Relações dos Sucessos Militares entre Portugal e Castela* (1663-1666), *Domínio sobre a Fortuna e Tribunal da Razão* (1682). Estudos mais recentes inclinam-se pelo nome do Pe. Manuel da Costa (1601-

1667) (Roger Bismut, *Arte de Furtar*, Lisboa, Imprensa Nacional — Casa da Moeda, 1991). etc. *A Arte de Furtar* consta de setenta capítulos em que, como denota o título, se trata dos diversos meios de furto utilizados por toda a gente durante o reinado de D. João IV. Após os capítulos iniciais, onde examina o furto como arte e "ciência verdadeira" quão antiga, o moralista passa aos vários tipos de furto, "com unhas reais", "com unhas pacíficas", "com unhas militares", "com unhas temidas", "com unhas tímidas", "com unhas disfarçadas", "com unhas maliciosas", "com unhas descuidadas", "com unhas irremediáveis", "com unhas sábias", "com unhas singelas", "com a mão do gato", etc. Desses vários capítulos, selecionaram-se os parágrafos centrais "Dos que furtam com unhas políticas":

Todos falam na Política, muitos compõem livros dela; e no cabo nenhum a viu, nem sabe de que cor é. E atrevo-me a afirmar isto assim, porque com eu ter pouco conhecimento dela, sei que é uma má peça, e que a estimam, e aplaudem, como se fora boa: o que não fariam bons entendimentos, se a conheceram de pais, e avós, tais, que quem lhos souber, mal poderá ter por bom o fruto, que nasceu de tão más plantas: e para que não nos detenhamos em coisa trilhada, é de saber, que no ano, em que Herodes matou os Inocentes, deu um catarro tão grande no diabo, que o fez vomitar peçonha, e desta se gerou um monstro, assim como nascem raros *ex materia putridi,* ao qual chamaram os críticos Razão de Estado: e esta Senhora saiu tão presumida, que tratou de casar; e seu pai a desposou com um mancebo robusto, e de más manhas, que havia por nome Amor Próprio, filho bastardo da primeira desobediência: de ambos nasceu uma filha, a que chamaram Dona Política: dotaram-na de sagacidade hereditária, e modéstia postiça. Criou-se nas Cortes de grandes Príncipes, embrulhou-os a todos: teve por aios o Maquiavel, Pelágio, Calvino, Lutero, e outros Doutores dessa qualidade, com cuja doutrina se fez tão viciosa, que dela nasceram todas as Seitas e heresias, que hoje abrasam o mundo. E eis aqui, quem é a Senhora Dona Política.

E para termos por tal, basta vermos a variedade, com que falam dela seus próprios Cronistas; que se bem advertimos, cada qual a pinta de maneira, que estamos vendo, que leva toda a água a seu moinho. Se é letrado, todas as regras da Política vão dar, em que se favoreçam as letras, que tudo o mais é aire: se professa armas o Autor, lá arruma tudo para Marte, e Belona, e deixa tudo o mais à porta inferi. E se é Fidalgo, tudo apóia para a nobreza, e que tudo o mais é vulgo inútil, de que se não deve fazer conta. E é a primeira máxima de toda a Política do mundo, que todos seus preceitos se encerram em dous, como temos dito, o bom para mim, e o mau para vós. E posta neste primeiro princípio, entra logo sua mãe Razão de Estado, ensinando-lhe, que por tudo corte, sagrado, e profano, para alcançar este fim; e que não repare em outras doutrinas, nem em preceitos, mas que sejam do outro mundo, porque só do cômodo deste deve tratar, e de seu aumento, e da ruína alheia; porque não há grandeza, que avulte à vista de outra grandeza. Mínguas de outros são meus acrescentamentos; sou obrigado a me conservar ileso; e não estou seguro, tendo junto de mim, quem me faça sombra: e para livrarmos deste soçobro, demos-lhe carga, tiremos-lhe a substância. E para isso estende as unhas, que chamam Políticas, armadas com guerra, ervadas com ira, e peçonha de inveja, que lhe ministrou a cobiça: e nada deixa em pé, que não escale, e meta a saco. Este reino é meu, e esta província é o menos, de que se trata: os impérios mais dilatados, e opulentos, são pequeno prato para estas unhas; e o direito, com que os agarrem, escreve o outro com poucas letras, sem ser Bartolo, na boca de uma bombarda; e vem a ser: *Viva, quem vence.* E vence quem mais pode, e quem mais pode, tenha tudo por seu; porque tudo se lhe rende. E fica a Política cantando a gala do triunfo, e sua mãe Razão de Estado rindo-se de tudo, como grande Senhora, e seu pai Amor Próprio logrando prós, e percalços; e seu avô o Diabo recolhendo ganâncias, embolsando a todos na caldeira de Pêro Botelho; porque fizeram do Céu cebola, e deste mundo Paraíso de deleites, sendo na verdade labirinto de desassossegos, e inferno de misérias, em que vem dar tudo, o que nele há, porque tudo é corruptível. *

(*Arte de Furtar*, São Paulo, Melhoramentos [1951], pp. 262-264.)

Embora o estilo do autor da *Arte de Furtar* esteja longe da clareza meridiana da sintaxe do Padre Manuel Bernardes ou da compacta silogística do Padre Antônio Vieira, percebe-se que vai direto aos pontos dignos de crítica e sátira. Provavelmente não mereça figurar lado a lado com os mestres do vernáculo, mas, como prosador satírico, pode alinhar-se entre os primeiros. As observações, agudas e penetrantes, surpreendem a multiforme corrupção que grassava na corte de D. João IV, logo após a Restauração, levada a efeito a 1º de dezembro de 1640, fazendo da *Arte de Furtar* um rico e flagrante documento da sociedade portuguesa em meados do século XVII. Na verdade, a obra interessa à história literária, e mais ainda à história da cultura. E encarada desse ângulo, pede a justiça que se lhe saliente o conteúdo satírico, o qual, sem exagero, poderia ter sido concebido nos dias de hoje: detendo-nos apenas no tópico escolhido, vê-se que sua análise da política, conquanto impenitente e pessimista, atinge aspectos ainda vivos, talvez enquanto houver políticos... Basta, para dirimir qualquer dúvida a respeito, que abstraiamos por momentos a linguagem em que a obra está vazada e as metáforas barrocas em que o prosador assenta sua verrina contra as manhas políticas.

A Poesia

A poesia da época do Barroco segue as diretrizes gerais da estética vigente, e fragmenta-se em gongórica e conceptista, com predominância da primeira. Poesia de entretenimento, jogo de salão, inscreve-se no pragmatismo que varre o século XVII, e ramifica-se em lírica, satírica e épica. Representam-nas poetas isolados e duas antologias, a *Fênix Renascida* (5 vols., 1716-1728, reeditada, com acréscimos, em 1746) e o *Postilhão de Apolo* (2 vols., 1761-1762). Entre os primeiros, ressaltam-se Francisco Rodrigues Lobo e D. Francisco Manuel de Melo. E nas antologias colaboram, dentre outros, Sóror Violante do Céu, Frei Antônio das Chagas, D. Tomás de Noronha, Diogo Camacho, Eusébio de Matos, Bernardo Vieira Ravasco, Francisco de Vasconcelos, Jerônimo Baía e Antônio Barbosa Bacelar, dos quais os últimos justificam tratamento especial.

---

* *aire* = ar; *inferi* = inferior.

FRANCISCO RODRIGUES LOBO

Talvez cristão-novo, nasceu em Leiria, por volta de 1580, e faleceu afogado no Tejo em fins de 1622. Cultivou a poesia *(Romanceiro/Primeira e Segunda Parte dos Romances,* 1596; *Églogas,* 1605, o poema épico *O Condestabre,* 1610; *Jornada... que Dom Filipe hizo a Portugal,* 1623), a novela pastoril *(A Primavera,* 1601; *O Pastor Peregrino,* 1608 e *O Desenganado,* 1614), a prosa doutrinária *(Corte na Aldeia* e *Noites de Inverno,* 1619).

Sonetos

1

Que amor sigo? Que busco? Que desejo?
Que enleio é este vão da fantasia?
Que tive? Que perdi? Quem me queria?
Quem me faz guerra? Contra quem pelejo?

Foi por encantamento o meu desejo
E por sombra passou minha alegria;
Mostrou-me Amor, dormindo, o que não via,
E eu ceguei do que vi, pois já não vejo.

Fez à sua medida o pensamento
Aquela estranha e nova fermosura
E aquele parecer quase divino;

Ou imaginação, sombra, ou figura,
É certo e verdadeiro meu tormento:
Eu morro do que vi, do que imagino.

2

Fermosos olhos, quem ver-vos pretende
A vista dera em preço, se vos vira,
Que inda que por perder-vos a sentira,
A perda de não ver-vos não se entende;

A graça dessa luz não na compreende
Quem, qual ao Sol, a vós seus olhos vira,
Que o cego Amor, que cego deles tira,
Com vossos próprios raios a defende.

Não pode a vista humana conhecer
Qual seja a vossa cor, que a luz forçosa
Não ausente mostrar tanta beleza:

Se eu, que em vendo-a ceguei, pude ainda ver,
Uma cor vi, porém, cor tão fermosa
Que me não pareceu da natureza.

(Poesias, Lisboa, Sá da Costa 1940, pp. 77, 78.)

Estes sonetos de Francisco Rodrigues Lobo não só constituem dois exemplos dos altos níveis atingidos pela intuição do poeta, como também mostram nitidamente as coordenadas líricas em que se colocou. De um lado, sente-se clara a presença de Camões através da casuística do Amor e dos recursos nela empregados. De outro, percebe-se que o poeta se debate nas malhas duma lição poética que já não satisfazia inteiramente para exprimir a inquietude existencial que o visitava: noutros termos, Francisco Rodrigues Lobo assimila o modelo camoniano, mas insufla-lhe uma brisa de inconformismo e rebeldia que, embora vaga, é suficiente para preludiar o movimento barroco. Em suma: o poeta situa-se na fronteira entre o lirismo quinhentista, no seu afluente camoniano, e a poesia conceptista. Como sabemos que já Camões anuncia em seus sonetos a vinda do Barroco, é fácil compreender que Francisco Rodrigues Lobo apenas leva adiante, com os materiais próprios, a metamorfose que se operava no íntimo da estética clássica. Assim, seu camonismo vinha a ser uma espécie de fatalidade histórica. Entretanto, Francisco Rodrigues Lobo não se despersonaliza por causa disso: ao contrário, conseguiu, como poucos no tempo, ultrapassar a asfixia do magistério camoniano, e, integrando-o em seu próprio magma lírico, encontrar o melhor caminho. Este, evidencia-se num tom de coloquialismo que empresta ao caráter discursivo do soneto uma simplicidade veladamente magoada, num ritmo espontâneo e emotivo, típico do poeta autêntico. Por certo que Francisco Rodrigues Lobo evolui da estética clássica para a barroca, mas dum modo como raros poetas, também entalados entre duas concepções literárias, alcançaram realizar.

JERÔNIMO BAÍA

Nasceu entre 1620 e 1630, em Coimbra, e faleceu em 1688. Frade beneditino. Além de poeta, orador sacro. Parte de sua produção lírica se encontra compendiada na *Fênix Renascida* e no *Postilhão de Apolo*. Dentre as várias obras, tanto poéticas como em prosa, que deixou inéditas, nota-se *a Alfonsíada,* longo poema épico em 12 cantos.

A uma Crueldade Formosa

Madrigal

A minha bela ingrata
Cabelo de ouro tem, fronte de prata,
De bronze o coração, de aço o peito;
São os olhos luzentes,
Por quem choro e suspiro,
Desfeito em cinza, em lágrimas desfeito,
Celestial safiro;
Os beiços são rubis, perlas os dentes,
A lustrosa garganta
De mármore polido,
A mão de jaspe, de alabastro a planta;
Que muito, pois, Cupido,
Que tenha tal rigor tanta lindeza,
As feições milagrosas,
Para igualar desdéns a formosuras,

De preciosos metais, pedras preciosas,
E de duros metais, de pedras duras?

(Fênix Renascida, 2ª ed., 1746, vol. III, p. 216.)

Típico poema gongórico, primeiro que tudo pelo descritivismo plástico: o poeta esmera-se em pintar a mulher amada com fartura de cores e pormenores. Para tanto, lança mão das metáforas mais rebuscadas: "são os olhos luzentes"/"celestial safiro", "os beiços são rubis, perlas os dentes", etc. Esse engalanar de coruscâncias o objeto descrito, como que a gozar o espetáculo pictórico resultante, embora ocorra no Conceptismo, é peculiar à poesia gongórica. Por meio da descrição da "crueldade formosa", ficamos conhecendo também o protótipo da mulher barroca: somente aparecem determinadas partes do corpo feminino, aquelas que o recato permitia fossem visíveis ao poeta: os cabelos, a testa, os olhos, a boca, os dentes, a "garganta" (ou o colo), a mão, a "planta" (ou os pés). Com exceção da cor dourada dos cabelos, denotando a permanência dum tópico de extração clássica, o mais da pintura compõe-se de lugares-comuns do Gongorismo, via de regra oscilando entre o branco ou cognatos, em suas várias modalidades e consistências (a prata, as pérolas, o alabastro, o jaspe), e o vermelho (os rubis) ou o negro, que, porém, não aparece nesse madrigal. Às filigranas da comparação entre a mulher e os metais e as pedras se acrescenta outro recurso gongórico: o retorcimento da sintaxe, por vezes desembocando em hermetismos e labirintos insondáveis, como se observa nos seis versos finais, formando período interrogativo. Com efeito, às galas imagéticas, o poeta junta outro motivo de vaidade poética, o requinte lógico elevado ao nível da obscuridade. Que pretenderia dizer? Parece que tencionava perguntar o seguinte a Cupido: serão de estranhar os desdéns da "crueldade formosa", já que a sua beleza se iguala à preciosidade e à dureza dos metais e das pedras preciosas? Assim, a sutileza da indagação, tão enovelada quanto pedia o empenho do poeta barroco em ser "discreto" e "agudo", faz coro com o rebuscamento das imagens, enriquecendo-as com a homenagem camuflada que o poeta presta à bem-amada. A sensação decorrente é de que o poeta brinca, pratica exercício verbal, arma um espetáculo para os sentidos, sobretudo os olhos: exemplar chapado de poesia gongórica.

ANTÔNIO BARBOSA BACELAR

Nasceu em Lisboa, em 1610, e faleceu em 15/2/1663. Após doutorar-se em Leis pela Universidade de Coimbra, dedicou-se ao magistério e à magistratura. Alguns de seus poemas foram reunidos na *Fênix Renascida,* mas a porção maior de sua obra, em verso e em prosa nunca veio a lume.

A uma Ausência

Sinto-me, sem sentir, todo abrasado
No rigoroso fogo que me alenta;
O mal que me consome me sustenta,
O bem que me entretém me dá cuidado.

Ando sem me mover, falo calado,
O que mais perto vejo se me ausenta,

E o que estou sem ver mais me atormenta;
Alegro-me de ver-me atormentado,

Choro no mesmo ponto em que me rio,
No mor risco me anima a confiança
Do que menos se espera estou mais certo.

Mas, se de confiado desconfio,
É porque, entre os receios da mudança,
Ando perdido em mim como em deserto.

(*Ibidem*, 1ª ed., 1716, vol. 1, p. 161.)

Este soneto obedece ao modelo ensinado por Camões, seja pelo tema, seja pelo modo de o tratar: com efeito, a *ausência*, real ou imaginária, e o emprego de paradoxos e antíteses para exprimi-la, constituem pedra de toque no lirismo camoniano. Mas, como vimos, o tratamento conferido ao tema faz prever o advento do Barroco, de forma a tornar Camões um precursor ou arauto da nova estética. Daí que, desejando expressar análogo sentimento, Antônio Barbosa Bacelar recorresse ao poeta quinhentista: talvez sentisse que os ligava, para além dos vínculos próprios à emulação, profunda afinidade interior. Pois é tal afinidade, acrescida duma autêntica vocação poética, que o singulariza entre os contemporâneos. E explica-lhe a tendência para a poesia conceptista, como se depreende do soneto transcrito: o manejo habilidoso dos conceitos, segundo um cerrado esquema de antinomias, ou de teses e antíteses que jamais se resolvem em sínteses dado o contorno dilemático ou problemático da matéria posta em causa, tudo conduzindo para o *entendimento* do objeto, em vez de para a sua *descrição* (como procediam os gongóricos). Observe-se, porém, um aspecto que afasta Antônio Barbosa Bacelar do mestre: conquanto se fundamente numa verídica experiência das coisas, percebe-se que, tirante o matiz epigonal, o soneto padece do fato de seguir muito à risca uma receita, e transformar, por isso, em *maneirismo* o que em Camões era fruto de profundas vivências e da conjuntura coeva. Tem-se a impressão de que o poeta barroco se utiliza do paradoxo pelo paradoxo e do exercício logístico como fim em si, sem o racionalismo e o transcendentalismo platônico peculiar à lírica de Camões. Na verdade, o que separa o modelo camoniano de seus discípulos barrocos é a falta, nos segundos, duma cosmovisão metafísica e racionalista para sustentar-lhes as antíteses e os conceitos. Assim, apesar de Antônio Barbosa Bacelar constituir-se num dos mais distintos poetas barrocos, e o soneto escolhido, numa obra-prima, impõe-se concluir que o conceptismo pecou pelo amaneiramento emprestado aos clichês camonianos e pela carência duma visão transcendentalista do mundo. Dir-se-ia, portanto, que o conceptismo, na vertente camoniana, pode ser entendido como "Camões sem metafísica e sem racionalismo".

D. FRANCISCO MANUEL DE MELO

Quanto às informações biobibliográficas, foram dadas no tópico da prosa doutrinária. Agora nos importa sua poesia, reunida nas *Obras Métricas* (1665), compostas de "Las Três Musas del Melodino", "Panthéon. A la Immortalidad del Nombre Ithade", "Segundas Três Musas do Melodino" e "El Tercer Coro de las Musas del Melodino". Dessas partes, apenas a terceira está em vernáculo e divide-se em "Tuba de Calíope", "Sanfonha de Euterpe" e "Viola de Tália": a primeira, formada de cem sonetos; a segunda, de églogas e cartas; a terceira, de oitavas, paráfrases de passagens bíblicas, odes e silvas. É da "Tuba de Calíope" que se extraíram os sonetos seguintes:

Apólogo da Morte

Vi eu um dia a Morte andar folgando
Por um campo de vivos, que a não viam.
Os velhos, sem saber o que faziam,
A cada passo nela iam topando.

Na mocidade os moços confiando,
Ignorantes da morte, a não temiam.
Todos cegos, nenhuns se lhes desviam;
Ela a todos co dedo os vai contando.

Então, quis disparar, e os olhos cerra:
Tirou, e errou! Eu, vendo seus empregos
Tão sem ordem, bradei: Tem-te homicida!

Voltou-se, e respondeu: Tal vai de guerra!
Se vós todos andais comigo cegos,
Que esperais que convosco ande advertida?

Antes da Confissão

Eu que faço? que sei? que vou buscando?
Conto, lugar, ou tempo a esta fraqueza?
Tenho eu mais que acusar, por mais firmeza,
Toda a vida, sem mais como, nem quando?

Se cuidando, Senhor, falando, obrando,
Te ofenda minha ingrata natureza,
Nascer, viver, morrer, tudo é torpeza.
Donde vou? donde venho? donde ando?

Tudo é culpa, ó bom Deus! Não uma e uma
Descubro ante os teus olhos. Toda a vida
Se conte por delito e por ofensa.

Mas que fora de nós, se esta, se alguma
Fora mais que uma gota, a ser medida
Co largo mar de tua graça imensa?

(*As Segundas Três Musas,* Lisboa, Clássica, 1944, pp. 97, 104.)

Estes sonetos, assim como o geral das *Obras Métricas* e dos poetas seiscentistas, refletem o aprendizado das lições camonianas e o apego aos tipismos barrocos, que, de resto, o próprio Camões prenunciava. No primeiro caso, D. Francisco Manuel de Melo leva mais longe que Antônio Barbosa Bacelar o emprego cerebrino das fórmulas que o poeta de Dinamene deitou a correr. No segundo, enquadra-se entre os conceptistas: com efeito, as duas composições selecionadas são peculiarmente conceptistas. Embora constituam peças acabadas e das mais densas da poesia barroca em Portugal, nota-se-lhes um travo de artificiosidade que lhes corta sensivelmente o alcance e a dramaticidade. Lendo-as, fica-se com a sensação de que as enforma um conceptualismo pensado ou consciente, porventura mais do que seria de esperar em se tratando de poesia. Quer dizer: o pensamento esmera-se em expulsar toda a emoção presente, mesmo aquela inerente ao próprio pensamento veiculado no poema. Sem dúvida, estamos diante de sonetos exemplarmente conceptistas, mas sentimos que essa mesma exemplaridade significa demasiada servidão aos moldes barrocos. Por isso, se admiramos a habilidade artesanal, a engenhosa construção das estrofes, ou se admiramos o pensamento complexo e profundo que nelas o poeta derramou, — não se pode deixar de estranhar a falta do frêmito emocional que a autêntica poesia, ainda quando pensada, deve possuir e desencadear. Quanto aos conceitos inseridos nos sonetos, também se explicam pela estética barroca: no primeiro, o tema da morte, freqüente na poesia seiscentista, documenta à saciedade o sentimento barroco acerca da fugacidade do tempo e de que tudo quanto existe caminha inexoravelmente para a decomposição e o nada; daí o misticismo barroco, que traduz o quanto os seus adeptos estavam impressionados com a morte, como fim de todas as coisas. No segundo, que parece corolário do anterior, o ceticismo revelado na descoberta e deificação da morte, coroa-se com o ceticismo em face da espécie humana, considerada culposa ("Tudo é culpa, ó bom Deus"), desorientada ("Eu que faço? que sei? que vou buscando?"), pecadora ("Toda a vida/Se conte por delito e por ofensa."), ululante e destituída de livre-arbítrio ("Mas que fora de nós, se esta, se alguma, / Fora mais que uma gota, a ser medida / Co largo mar de tua graça imensa?"), ou seja, à mercê da providência divina, como preconizava o pensamento jansenista. De qualquer modo, no âmbito do Barroco, os sonetos de D. Francisco Manuel de Melo, em especial os dois referidos, constituem realização de primeira qualidade estética.

Escusa-se ao Céu com a Causa do seu Delírio

Pois se para os amar não foram feitos,
Senhor, aqueles olhos soberanos,
Porque, por tantos modos, mais que humanos,
Pintando os estivestes tão perfeitos?

Se tais palavras e se tais conceitos,
Tão divinas, tão longe de profanos,
Não destes por oráculo aos enganos,
Com que Amor vive nos mais altos peitos,

Por que, Senhor, tanta beleza junta,
Tanta graça e tal ser lhe foi deitado,
Qual ídolo nenhum gozara antigo?

Mas como respondeis a esta pergunta?
Que ou para desculpar o meu pecado,
Ou para eternizar o meu castigo?

Mundo Incerto

Eis aqui mil caminhos. Porventura
Qual destes leva a gente ao povoado?

Todos vão sós; só este vai trilhado;
Mas se, por ser trilhado, me assegura?

Não, que desde o princípio há que lhe dura
Do erro este costume ao mundo dado:
Ser aquele caminho mais errado
O que é de mais passage e fermosura.

Enfim, não passarei, temendo a sorte?
Também, tanto temor é desconcerto;
A quem passar avante, assi lhe importe.

Que farei logo, incerto em mundo incerto?
Buscar nos Céus o verdadeiro norte,
Pois na terra não há caminho certo.

(*Idem*, pp. 90-91, 98.)

A Historiografia

Com a passagem de Portugal para o domínio espanhol (1580-1640), a atividade historiográfica perdeu o caráter ufanista que adquirira na Renascença e, concentrando-se principalmente em conventos e mosteiros, enveredou pelos estudos de individualidades e assumiu feição medievalizante e obscurantista. Não poucos nomes podem ser alinhados neste particular, mas somente cabe deter a atenção em Frei Luís de Sousa e na chamada "historiografia de Alcobaça".

FREI LUÍS DE SOUSA

Manuel de Sousa Coutinho, este o seu nome antes de abraçar o sacerdócio, nasceu em Santarém, ao redor de 1555, e faleceu em 1632. Soldado, serviu a Felipe II na Espanha. De regresso, casou-se (1583) com D. Madalena de Vilhena, viúva de D. João de Portugal, dado como desaparecido durante a batalha de Alcácer-Quibir (1578). Em 1613, falecida sua única filha, ambos resolveram professar, entrando ele para o convento de S. Domingos de Benfica e ela, para o do Sacramento. Quer a lenda, porém, que a decisão fora tomada em virtude de um peregrino, vindo da Palestina, comunicar a D. Madalena de Vilhena que seu marido ainda vivia, em Jerusalém. No recolhimento do claustro, Manuel de Sousa Coutinho, agora Frei Luís de Sousa, mete ombros na execução de sua obra historiográfica: *Vida de D. Frei Bartolomeu dos Mártires* (1619), *História de São Domingos, Particular do Reino e Conquistas de Portugal* (1623, 1662 e 1678), *Anais de D. João III* (1844), *Vida do Beato Henrique Suso* (1764); ainda escreveu outras obras, mas que se perderam, como a *Vida de Sóror Margarida do Sacramento e Considerações das Lágrimas que a Virgem Nossa Senhora Derramou na Segunda Paixão.*

Anais de D. João III

Frei Luís de Sousa morreu sem completar os *Anais de D. João III:* mesmo na primeira parte, tida por conclusa, faltam capítulos aos livros segundo e quinto; e da segunda parte apenas restaram os dois livros iniciais. O manuscrito foi considerado perdido durante muito tempo, até que Alexandre Herculano o localizou e o fez publicar, em 1844. Da obra, selecionou-se um trecho de um capítulo da primeira parte, intitulado "Guerra de África. Capitães: em Tânger D. Duarte de Meneses; em Arzila Antônio da Silveira":

É caso digno de ficar em lembrança o que em um dia destes sucedeu a D. Jorge de Noronha com o valente Amelix. Estava D. Jorge doente de sezões: não consentiu o conde que cavalgasse, por muito que o desejou, por se lhe não agravar o mal. Saiu o conde deixando-o na cama, e ficando acompanhado do médico; mas ele disse ao médico que se houvesse repique não haveria febre nem frio que lhe tolhesse acudir ao campo. O que sendo ouvido pelo médico, lhe aconselhou que, pois assim o determinava, seria melhor irem-se ambos passeando devagar até o facho, que não depois que repicassem correndo. Pareceu bem a D. Jorge a razão; mandou-lhe dar um dos seus cavalos e foram-se ambos devagar, caminho do facho.

Não chegavam bem às tranqueiras quando o facheiro, gritando quanto podia, deixou cair o facho, e vindo-se pera a vila, disse a D. Jorge que as atalaias do Corvo vinham com pressa demandar o vale; porque sete ou oito mouros os vinham atalhando. Apertou D. Jorge as pernas ao cavalo e foi-se correndo pera onde o facheiro dizia, senão quando, chegado à tranqueira de baixo, viu um mouro abraçado com o atalaia, que ao parecer trabalhava como em luta polo cativar e tomar vivo, e ele forcejava por se defender conquanto estava cercado de outros sete ou oito mouros.

Saiu D. Jorge fora da tranqueira e bradou-lhe dizendo: — Larga! Larga! E pondo a lança em um dos mouros que o veio receber deu com ele em terra e foi-se aos que estavam abraçados; e não por ofender ao cristão largou a lança e levando da espada deu uma boa ferida pola cabeça ao mouro, que foi causa que, sentindo-se ferido, largou o que quisera cativar; e com um golpe de treçado lhe cortou meia mão e juntamente lhe fez uma grande ferida na cabeça. Porém assim ferido teve lugar de se salvar e recolher à tranqueira, ficando D. Jorge e o doutor e outros dois cavaleiros que lhe acudiram pelejando com os mouros até que o conde os veio recolher, sentido de ver D. Jorge, que deixara ardendo em febre, misturado com os mouros. E como ainda não sabia a boa sorte que tinha feito, lhe disse com aspereza: — Pera fazerdes desmancho ficastes na vila. E passando por ele disse pera Antônio da Silveira: — Alcançai-me, senhor, todo homem que virdes sair trás mim, que vou por este doudo. Dizia-o por D. João de Sande que, invejoso de D. Jorge, se ia metendo nos mouros desalembradamente no melhor cavalo que havia em África. E o conde ia tão raivoso que nenhum homem achou diante de si que não fizesse debruçar sobre o pescoço do cavalo às contoadas. *

(*Anais de D. João III,* 2 vols., Lisboa, Sá da Costa, 1938, vol. I, pp. 211-212.)

---

* *facho* = facho de luz, farol; *levando da espada* = levantando a espada; *desmancho* = desordem, indisciplina; *contoadas* = pancadas com o "conto", cabo da lança.

Embora diminuto, esse trecho basta para oferecer-nos uma idéia da "maneira" de Frei Luís de Sousa e do seu lugar nos quadros da Literatura Portuguesa: enquanto historiador, despreza a erudição balofa que fazia as delícias dos confrades do tempo; por momentos, tem-se a impressão de regressar a Fernão Lopes, sobretudo pelo descontraimento narrativo e a vivacidade próxima da ficção novelesca (inclusive com o recurso dramático do diálogo). Entretanto, como historiadores, os dois diferem substancialmente: decerto, Frei Luís de Sousa baseou-se em documentos, mas com uma liberdade que o torna menos importante como historiador que como estilista ou mestre do vernáculo. Na verdade, era senhor dum estilo que, à custa de abrigar expedientes da língua falada, mas apurando-os rigorosamente, constitui um paradigma da melhor prosa cultivada até Garrett; o seu mérito reside antes nas superiores qualidades de estilo, que no processo historiográfico; bem por isso, as suas obras se lêem com agrado literário, tal a amenidade, a fluência e a pureza da linguagem, e não como fonte historiográfica; contudo, é pouco para situá-lo acima de outros prosadores estritamente literários.

Capítulo XV

Das naus que este ano partiram da Índia pera o reino e do reino pera a Índia, e sucesso que umas e outras tiveram

Entramos em ano novo e é tempo de darmos razão, segundo nosso costume, das naus que nele vieram da Índia e das que no mesmo partiram deste reino. Cinco naus achamos que despachou de Cochim, na entrada deste ano de 26, o governador D. Anrique com a carga ordinária de especiaria para o reino. Os capitães foram D. Diogo de Lima, filho do visconde D. João de Lima, Diogo de Sepúlveda, que acabara de servir de capitão de Sofala, João de Melo da Silva, D. João de Lima e Diogo de Melo. Destas cinco se perderam duas: a de João de Melo da Silva em tal paragem que nunca mais se soube dela; a de Diogo de Melo, pera fazer mais lástima, à vista e ares da pátria na barra de Lisboa; mas salvou-se a gente toda.

No mesmo ano mandou el-rei despachar em Lisboa cinco naus pera a Índia sem lhes nomear capitão-mor. Os capitães que as levaram foram Francisco da Anhaia, Tristão Vaz da Veiga, Vicente Gil, armador, Antônio d'Abreu, que ia provido da capitania-mor do mar de Malaca, e Antônio Galvão. As três naus primeiras chegaram a Goa com próspera viagem por fim de agosto. Das outras duas invernou em Moçambique Antônio d'Abreu; e Antônio Galvão, porque saiu de Lisboa no mês de maio, tomou sua derrota por fora da ilha de S. Lourenço e foi dar entre as ilhas de Maldiva, o que tudo foi causa de chegar muito tarde à Índia.

De alguma gente nobre, que nestas naus e nas do ano passado se embarcou pera serviço de seu rei e da pátria, achamos uma memória na Casa da Índia, que indistintamente aponta os nomes dos homens sem particularizar armada nem naus. E confesso que me faz escrúpulo deixar de lhes dar fama nestes escritos; porque, além de não haver crônica de rei, se é desacompanhada de vassalos, não merecem menos honra os que com generosa determinação se ofereceram aos perigos do mar e inclemências do céu, ficando ora sorvidos das ondas com naufrágios, ora consumidos de doenças dos ares pestíferos de climas destemperados, que aqueles que especificamente louvamos ou por morrerem animosamente passados das lanças e ferro inimigo, ou por ganharem grandes vitórias. Que, se é verdade que diante do juízo dos que bem entendem e que com justos pesos sabem avaliar as cousas, não tem menos preço uma vontade determinada pera empreender feitos heróicos, inda que desfavorecida do sucesso, que o valor daqueles que venturosamente os acabam, obrigação me parece dos que nos encarregamos deste ofício de escritores, fazermos igualmente memória de uns e outros, todas as vezes que em registros tão autênticos como são os da Casa da Índia se nos descobrirem.

Os que se embarcaram estes dous anos são os seguintes: João da Cunha, filho de Rui da Cunha, Manuel da Silva, filho de Antônio da Silva de Pombeiro, Aires da Fonseca, irmão de Garcia de Castro, Álvaro Coutinho e Fernão Coutinho e Antônio Coutinho, filhos de Francisco Coutinho, Simão de Sousa, filho de Duarte Galvão, D. Antônio de Castro, filho de Jorze de Castro, Jorze Peçanha, filho de Lourenço Peçanha, Fernão da Silva, filho de Gonçalo Rodrigues de Magalhães, Manuel de Siqueira, Antônio Moniz, filho de Jorze Moniz, João de Melo, filho de Álvaro da Cunha, fronteiro-mor do Algarve, D. Francisco de Castro, filho de D. Antão d'Almada, Francisco de Melo, filho de Francisco de Melo Cáceres, D. Fernando de Eça, Lopo Botelho, João Coutinho, filho de Francisco Coutinho. É o título do caderno, em que estão lançados — "Livro dos anos de 1525 e 1526, dos fidalgos que neles passaram à Índia".

Nestas naus mandou el-rei novas provisões pera a sucessão da governança da Índia, que foram causa de...

Neste ano foi às Ilhas por capitão-mor Garcia de Sá com três naus e sete caravelas a esperar as naus da Índia.

No mesmo despachou el-rei a primeira armada que foi em seu tempo ao Brasil: capitão-mor Cristóvão Jaques. Foi correr aquela costa e alimpá-la de cossários, que com teima a continuavam polo proveito que tinham do pau brasil. E eram os mais, dos portos de França do mar Oceano.*

(*Ibidem*, pp. 265-267.)

A Historiografia Alcobacense

Este rótulo engloba o trabalho historiográfico de uma série de sacerdotes pertencentes à Real Abadia de Alcobaça da Ordem de S. Bernardo, do qual resultou a elaboração da *Monarquia Lusitana,* publicada entre 1597 e 1727.

Monarquia Lusitana

Disposta em oito partes, a obra foi redigida pelos seguintes monges: Frei Bernardo de Brito (1568-1617), autor das duas primeiras partes (1597 e 1609), Frei Antônio Brandão (1548-1637), autor da terceira e da quarta (1632); Frei Francisco Brandão (1601-1680), autor da quinta e da sexta (1650 e 1672); Frei Rafael de Jesus (1614?-1693), autor da sétima (1683),

---

* As reticências correspondem a uma lacuna no texto original; *mar Oceano* = Atlântico.

e Frei Manuel dos Santos (1672-1748), autor da oitava (1727). Para dar uma idéia da obra e da concepção da História em que foi vazada, escolheu-se o capítulo I da primeira parte, intitulado "Da Criação do Mundo e do que nele sucedeu até a morte de nosso primeiro pai Adão":

Estando esta máquina natural, e compassada arquitetura do Universo na mente do supremo Artífice, em que as cousas tiveram *ab eterno* ser eminente, é chegado o ponto em que determinava comunicar sua bondade infinita: obrou esta excelente pintura do Mundo, conforme ao perfeitíssimo debuxo de sua Idéia, para cujo efeito diz o sagrado cronista Moisés, que formou uma luz, e resplandor, por meio do qual se deu princípio ao primeiro dia que amanheceu na Terra.

Entra o historiador a lembrar as autoridades que discutiram acerca de se a criação ter-se-ia dado em março ou setembro: Nicolau de Lira, Rabi Eliazer, o Abufense, Frei Jerônimo de Azambuja, S. Isidoro, Beda, Teodureto, Ambrósio e Damasceno.

No segundo dia fez Deus a maravilhosa obra dos Céus, por meio dos quais apartou as águas inferiores e elementais, das que sobre eles tem seu assento, chamadas pelo resplandor, e pureza da matéria Céu Cristalino. Ao dia terceiro desocupou o Senhor uma parte da terra, que até então estivera coberta das águas, e lhe deu virtude para produzir mil variedades de ervas, e fruitas proveitosas à vida humana, e à sustentação dos animais que pouco depois haviam de ter nelas seu mantimento. No quarto ornou os Céus criados ao dia segundo, com os planetas e estrelas fixas, dando a presidência delas ao Sol, que como fonte de lume o comunica a todas as demais.

(*Monarquia Lusitana,* Primeira Parte, Lisboa, Impr. Craesbeeckiana, 1597, pp. 1-4.)

Como se nota, o historiador inicia o relato da primeira parte da *Monarquia Lusitana* pela criação do Mundo, seguindo daí por diante os passos da Bíblia. Os capítulos seguintes ao primeiro livro da primeira parte (fragmentada em quatro livros) narram os antecedentes remotos da História portuguesa. O capítulo II trata "Do Nascimento do Patriarca Noé e do Dilúvio Geral, com as demais cousas que houve no Mundo até a divisão das gentes"; o capítulo III, "De Como as Gentes se Dividiram por várias partes do Mundo, e como Túbal neto de Noé veio povoar nosso reino de Lusitânia, e fundou nele a povoação de Setúbal", e o capítulo IV, "Do Ibero filho de Túbal, e do tempo que reinou em Lusitânia, e nas mais partes de Espanha", etc. O caráter medievalizante da historiografia alcobacense evidencia-se já nas primeiras linhas da *Monarquia Lusitana:* o cronista pontilha as margens de seu relato com os nomes dos autores e obras que lhe serviram de fundamento (Tertuliano, S. Agostinho, a Bíblia, etc.), mas não raro suas fontes são fictícias e forjados os documentos em que se apóia; e no geral a narrativa radica numa concepção teocêntrica e sobrenatural da História. A preocupação com a veracidade histórica (elementar na formação de qualquer historiador) cede ante a crença em "verdades" apriorísticas e baseadas na fé religiosa mais dogmática. Aliás, o feitio imaginativo de Frei Bernardo de Brito surge traiçoeiramente expresso no título da obra, em que a palavra "histórias", querendo significar "contos ou narrativas fantasiosas", em vez de "história" (como procedem os autores das demais partes), se apressa em denunciar a substância mais fictiva que científica da prosa do monge alcobacense. As partes seguintes da *Monarquia Lusitana,* prolongando esse espírito na análise de acontecimentos até o reinado de D. João I, e conferindo ênfase aos reis como fautores da História por mandado divino, completam o quadro retrógrado e medievalista da obra, mais apologética e fantasista que historiográfica. Entretanto, manda a justiça lembrar que, por sua honestidade e sólida erudição, Frei Antônio Brandão é o único dos colaboradores da obra com foros de autêntico e respeitável historiador.

A Epistolografia

A epistolografia literária em prosa, com destinatário certo ou virtual, constitui dos capítulos mais relevantes do Barroco português. Dentre os vários epistológrafos seiscentistas, destacam-se: Sóror Mariana Alcoforado, Padre Antônio Vieira e D. Francisco Manuel de Melo.

SÓROR MARIANA ALCOFORADO

Nasceu em Beja, em 1640. Cedo ingressa no Convento de Nossa Senhora da Conceição. Em 1663, conhece um oficial francês, Chamilly, ali em serviço por causa das guerras provocadas pela Restauração, e dele se enamora. Mas o militar é chamado para a França. Trocariam cartas de amor, até que o esperado silêncio se impôs. A religiosa faleceu em 28/7/1723, deixando o que se convencionou denominar

Cartas de Amor

Publicaram-se pela primeira vez em Francês, em 1669, com o título de *Lettres Portugaises traduites en français,* sem o nome do autor. Na edição que no mesmo ano apareceu em Colônia, declara-se Chamilly destinatário, Guilleragues tradutor, e Mariana missivista. Em 1810, Filinto Elísio verteu-as para a nossa língua. As cinco *Cartas de Amor* envolvem um enigma ainda indecifrado: quantas cartas foram trocadas? ou enviadas? quem as escreveu? em que Língua? houve colaboração alheia na sua publicação?, etc., etc. Das cartas, transcreve-se a terceira.

Que vai agora ser de mim? Que pensas tu que eu faça? Quão longe me vejo de quanto imaginava! Esperava que me escrevesses de todos os lugares por onde passasses; que as tuas cartas fossem muito longas; que alimentasses a minha paixão com a esperança de tornar a ver-te; que uma confiança absoluta na tua fidelidade me desse uma espécie de repouso, e que ficaria assim num estado bastante suportável, sem extremos de dor. Tinha até formado uns ligeiros projetos de fazer todo o esforço, de que fosse capaz, para curar-me, se pudesse saber com certeza real que me havias esquecido inteiramente. A tua ausência, alguns rebates de devoção, o temor de arruinar inteiramente o que me resta de saúde com tamanhas vigílias, mortificações, as escassas mostras de que regressasses, a frieza do teu amor, os teus últimos adeuses, a tua ida fundamentada em projetos tão mal forjados, e mil outras razões tão boas como inúteis pareciam oferecer-me, caso houvesse mister, um refúgio seguro. Não tendo enfim que batalhar senão contra mim própria, nunca pudera suspeitar como sou fraca e quanto sofro agora.

Ai! que lástima tão grande a minha! não partilho contigo as minhas dores; sou eu só a desgraçada! Mata-me esta idéia, e morro com terror de que nunca te desses com a suprema ternura aos nossos mais íntimos prazeres! Agora sim, conheço a má fé de todos os teus transportes. Traíste-me todas as vezes que te disseste arrebatado por estares só comigo! Só às minhas importunações devo os teus desvelos e solicitudes; tinhas traçado a sangue-frio o teu propósito de me abrasar; consideraste a minha paixão como uma vitória, sem que o teu coração fosse jamais profundamente comovido...

Pois tu não sentes como és desgraçado e falho de delicadeza, por não saber aproveitar doutra maneira os meus transportes? E pode ser que, com tamanho amor, eu não pudesse fazer-te feliz inteiramente?! Lastimo, por amor de ti apenas, os prazeres infinitos que perdeste. Era pois fatal que tu não quisesses lográ-los? Ah! se os conhecesses, bem por certo verias como são mais profundos que o de me haveres seduzido e experimentaras que sentimos ventura bem mais enternecida em amar com violência do que em ser amado.

Já não sei o que sou, nem que faço, nem o que desejo! Espedaçam-me mil comoções contrárias... Há lá mais lastimoso estado! Amo-te perdidamente e modero-me o bastante para não desejar que sejas assim atribulado... Matar-me-ia ou morreria de pura mágoa, se me certificasse que não tinhas o mínimo repouso e a tua vida era só pranto, mortificação e um enojo de tudo... Já me não basto às minhas dores; como era possível suportar aquela que me dessem os teus males, mil vezes para mim mais penetrantes?... Não, porém, que eu me resolva a desejar que nunca mais penses em mim; e, diga-se a verdade, tenho ciúmes furiosos de tudo quanto possa comover-te e dar-te gosto ou alegria em França.

Não sei bem por que te escrevo. Terás decerto por mim apenas compaixão; mas sabe que a repilo!

Contra mim própria me enfureço, ao refletir em tudo que te sacrifiquei. Perdi a reputação; expus-me ao furor dos meus; às leis severas da minha terra contra as religiosas, e à tua ingratidão, que me parece ainda a maior das desgraças.

Todavia bem sinto que são verdadeiros os meus remorsos; queria com todas as veras do meu coração ter corrido por ti perigos maiores; e tenho um prazer fatal em ter arriscado por ti a minha vida e a minha honra.

Pois não devia pôr à tua disposição tudo o que de mais precioso me pertence? E não me devo sentir bem orgulhosa, por tê-lo empregado, como fiz?

Mais me parece que inda não me contentam estas dores, nem este desvairado amor, embora, — oh! coitada de mim! — me não possa iludir de que tu me contentas. Vivi: que deslealdade a minha! e faço tanto por conservar a vida, como por perdê-la!... Morro de vergonha! pois o meu desespero está só nestas cartas? Se te amasse tanto como mil vezes tenho dito, há quanto não teria morrido? Tenho-te enganado! És tu que te deves queixar de mim! Ai! por que não te queixas tu?! Pois eu vi-te partir; não posso ter esperanças de que voltes: e respiro ainda. Traí-te ! Peço-te perdão! Mas não! Não mo concedas! Trata-me severamente! Não aches os meus sentimentos bem violentos! Sê mais difícil de contentar! Ordena-me que eu morra de amor por ti!... Sim! Conjuro-te a que me socorras, para que, excedendo a fraqueza do meu sexo, acabe tanta hesitação com um ato de verdadeiro desespero.

Um fim trágico obrigar-te-ia a pensar muitas vezes em mim; a minha memória ser-te-ia querida; e talvez te comovesse enfim essa morte extraordinária... E não seria melhor a morte do que este estado a que tu me reduziste?

Adeus. Como eu quisera nunca te haver visto. Sinto profundamente a falsidade desta idéia e conheço, no mesmo instante em que a escrevo, que bem mais prezo, do que nunca te haver visto, ser desgraçada, amando-te. Consinto, pois, sem queixa nesta minha má sorte, já que não foi do teu agrado tê-la feito melhor. Adeus! promete-me, se eu morrer de amor, ter saudades de mim, e logre ao menos a desgraça violenta da paixão, apartar-te de tudo com desgosto.

Essa consolação me bastará; e, se é fatal que eu te abandone para sempre, era meu único desejo não te deixar a outra. Pois não é certo, meu Amor, que não serias tão cruel que te servisses desse desespero, para tornar-te mais amado, gabando-te de haver causado a maior paixão que houve no mundo?

Adeus, mais uma vez!... Escrevo-te cartas tão compridas! Não tenho consideração por ti! Peço-te perdão e ouso esperar que tenhas indulgência por esta pobre louca, que o não era, bem sabes, antes de te amar. Adeus, parece-me que falo em demasia do lastimoso estado em que me encontro. Mas, do fundo do coração, te agradeço o desespero que me causas e detesto a tranqüilidade em que vivia antes de conhecer-te. Adeus! A minha paixão aumenta a cada hora.

Ai! quantas coisas tinha ainda para te dizer!...

(*Cartas de Amor*, Rio de Janeiro, Anuário do Brasil, 1920, pp. 45-51.)

Aceitando a ordenação tradicional das cartas, a terceira contém o ápice da paixão entre a religiosa portuguesa e o oficial gaulês. Nela, impressiona o modo franco e desembaraçado como a missivista confessa os desencontrados sentimentos que a avassalam. A linguagem, posto que em tradução, denota alguém tomado por desnorteantes apelos amorosos: raramente a Literatura registra caso igual de uma mulher desnudar sua alma tão completamente ao homem amado. Como decerto acreditasse no sigilo perpétuo em torno de suas confidências, visto que recorria a um documento secreto para empreendê-las, nada a inibia de levar a termo seus desígnios de comunicação. Mas fê-lo com propriedade e desenvoltura literárias, que lhe despontam da pena como que involuntariamente. A epistológrafa, querendo ou não, refletia, nos transes e nas oscilações de sua confusão mental, a estética barroca: com efeito, a confissão de impulsos a um tempo carnais e espirituais, sensuais e místicos, e efetuada a ritmo de vaivém e de afirmações e negações contínuas, explica-se pela adesão, ainda que puramente atmosférica, do Barroco imperante no século.

PADRE ANTÔNIO VIEIRA

Quanto às informações biobibliográficas, foram dadas na altura própria. Agora nos interessa o epistológrafo. Deixou para mais de setecentas cartas, segundo informa João Lúcio de Azevedo (*Cartas do Padre Antônio Vieira,* 3 vols., Coimbra, Imprensa da Universidade, 1925-1928, vol. I, p. IX), de vários assuntos, desde os ligados aos estritos deveres sacerdotais até os magnos acontecimentos políticos e sociais do tempo, de que é exemplo frisante a carta

Aos Judeus de Ruão

Senhores meus. — Escrevo a todos V. M.cês no mesmo papel, porque não é justo faça divisões a pena onde não reconhece diferença o coração. Foi tão igual o afeto que em todos experimentei que, quando particularmente o considero, o que devo a cada um me parece maior, e assim não quero fiar a significação do meu agradecimento a diversas cartas, porque a diferença das palavras não argúa desigualdade na obrigação. Conforme este conhecimento me têm todos, e cada um de V. M.cês, tão desejoso como obrigado a seu serviço, esperando e pedindo a V. M.cês me queiram ocupar em tudo que for dele, estando mui certos que, até onde chegar o pouco que possuo, mostrarão as obras a verdade deste meu ânimo.

O que mais tenho sentido é haverem sido tão poucos os dias que V. M.cês me comunicaram, que se não pôde manifestar neles o afeto com que a todos V. M.cês amo, que, se antes do conhecimento o fazia grande a razão e a indignação, depois que vi e tratei a V. M.cês o faz já muito maior a obrigação e a dor. Espero em Deus, que sempre nas grandes empresas se serviu de instrumentos fracos, há de querer ajudar nesta a pureza do meu zelo, e a grandeza do de V. M.cês, de que venho tão consolado como magoado. S. M. saberá muito cedo por cartas quão leais vassalos tem em Ruão, e quão merecedores de os ter perto de si, e, se Deus me leva a seus reais pés, eu prometo a V. M.cês que fique muito mais confirmado no bom ânimo com que o deixei, porque até agora o persuadia com argumentos do discurso, e daqui por diante o poderei fazer com experiência da vista.

As coisas grandes não se acabam de repente; hão mister de tempo e todas têm seu tempo. O desta parece que é chegado, porque vejo concorrerem para ela todas as influências, de que não digo mais, porque isto é papel.

A minha jornada foi cheia de perigos e trabalhos, que em nenhuma parte dela faltaram, escapando milagrosamente das mãos dos Dunquerqueses, e de várias tempestades em que os companheiros padeceram naufrágio; e Deus, que de tantos perigos me guarda, deve ser para algum grande bem. A divina Majestade dê a V. M.cês todos os que lhes desejo e guarde a V. M.cês por muitos anos com as felicidades que desejam. Meu companheiro beija as mãos a V. M.cês, e ambos mandamos as nossas saudades, que verdadeiramente são grandes. Haia, 20 de Abril de 646.*

(*Obras Escolhidas,* 2 vols., Lisboa, Sá da Costa, 1951, vol. 1, pp. 87-89.)

Para o entendimento desta missiva, é imprescindível recorrer diretamente à nota que Antônio Sérgio e Hernâni Cidade, aproveitando informação colhida de João Lúcio de Azevedo (*op. cit.*, vol. 1, p. 93), lhe apensaram na mencionada edição: "Integra-se esta carta na generosa, inteligente e patriótica campanha de Antônio Vieira a favor dos judeus, contrariada por todos aqueles que viviam dentro dessa espécie de corpo burocrático suplementar que era o Santo Ofício, interessados na sua manutenção e no confisco dos bens dos denunciados, ponto visceral

* *meu companheiro* — Padre Antônio de Melo, que acompanhou Vieira na viagem a Haia.

de toda a discussão. Em nosso juízo, querer viver do comércio e perseguir ao mesmo tempo os homens de cabedais e de capacidade comercial que eram os judeus foi o principal erro econômico dos dirigentes portugueses dos séculos XVI e XVII. Vieira entendia que só poderíamos resistir aos nossos concorrentes criando duas poderosas companhias de comércio, uma para o tráfico da Ásia, outra para o da América, e que essas companhias eram impossíveis sem os cristãos-novos, e portanto com a ameaça do confisco dos bens deles pela Inquisição; esta, porém, sem confiscos, perdia a sua utilidade para os favoritos que dela viviam, esteados em poderosos sustentáculos: e de aí a maior luta que A. Vieira (uma das mais belas da nossa história) em que trabalhou para que fossem readmitidos em Portugal os judeus emigrados e para que se moderassem as práticas inquisitoriais. Em 1643 publicou o enérgico e eloqüentíssimo sacerdote um escrito *(Proposta feita a El-Rei D. João IV em que se lhe representava o miserável estado do reino e a necessidade que tinha de admitir os judeus mercadores que andavam por diversas partes da Europa)* em que defendia as suas idéias relacionadas com os judeus, escrito que foi apreendido por ordem do Santo Ofício." Note-se ainda que, apesar de tratar-se duma carta, o Padre Antônio Vieira timbra pelas mesmas qualidades de estilo que já conhecemos dos sermões, e que não perde ocasião para pregar as doutrinas que fizeram dele um dos intelectuais mais lúcidos do seu tempo: "As coisas grandes não se acabam de repente; hão mister de tempo e todas têm seu tempo."

D. FRANCISCO MANUEL DE MELO

O D. Francisco Manuel de Melo epistológrafo não é menos importante que o D. Francisco Manuel de Melo moralista. Escreveu cerca de vinte mil cartas, a maior parte na prisão. Muitas delas não possuíam destinatário certo e visavam, ao mesmo tempo, a preencher o tédio das horas na cadeia e comunicar-se com presuntivos leitores. Qualquer assunto lhe servia, desde uma simples manifestação de pêsames até um desabafo mais íntimo. Assim, as *Cartas Familiares* (1664) constituem uma espécie de diário de sua vida na prisão e guardam rico material informativo a propósito do autor e do seu tempo, como se pode ver na missiva "A um grande amigo Ministro. De correspondência ordinária":

Sare, meu Senhor D. N. e esqueça-se muito embora. Contudo, para nos consolarmos do esquecimento, certifiquemo-nos da saúde. Depois que V. M. se foi, não soube mais de como lá havia passado. A fé que, se eu fora a Lisboa, que eu soubera como V. M. se achava em Loures. Convide-me, senhor, com um aviso seu; que o aviso de V. M. é tão grande, que pode dar um banquete a muitos parvos e ficar discreto. Se V. M. lá se alivia, deixe-se estar: que não há terra mais nossa, que aonde melhor nos vai. E, segundo esta regra, para Deus, meu fidalgo, que mais de quatro homens honrados são de por i além.

Olhe que tão pouco pejo tenho, senhor, que vendo-me neste estado, falo neste estilo! Mas para mim a alma e o coração é como é e não como havia de ser. E aqui, para nós, eu cuido que agora estou melhor que nunca; porque já não posso estar pior. Qualquer mudança seria melhorar-me; e nem assim me faria dano; porque, sequer pela prática da desesperação, acabaria de conseguir o não se me dar nada de nenhuma coisa.

O estojo recebi, e tal que não só parece o traçou V. M. senão que o fez. Por vida minha, que está ele em mim tão mal empregado, como me deve de achar mal empregada algum juiz meu a mesma vida por que o juro, e que só para gastar em juramentos falsos deviam de deixar-me.

Não me culpe, meu senhor, que falando em estojo de tão linda tesoura e canivete, corte desta maneira por meus próximos, que com bem achamboada ferramenta fazem de nós trancinhas de retalhos.

E se o despejo se recebe, passo a dizer que cá vi a *Suma Política* de nosso Bispo, dedicada ao nosso D. Rodrigo. Veja V. M. entre que dous nomes me não pareceria a mim bem o que se dissesse! Ela não é só Suma Política, senão política suma. Muito sisudo, muito claro, muito excelente livrinho é aquele. Mas sou tão mau, que há dias tenho para mim que os P. P. lêem tudo aquilo que lhes dizemos que façam (se o lêem), para não fazerem nada daquilo que lhes dizemos. Ora meter-me também em reste com os políticos, assaz sandice seria. Bem é verdade que não seria o primeiro, que havendo-se perdido a si, se alugasse para guiar a outros.

Impertinente criatura vai estando o senhor preso! Pois que fora, se dissesse de um poema trágico, que por cá se vai engenhando! Deus nos livre e guarde a V. M. e lhe lembre que me tem lá um livro, já que é tão cioso dos seus. Torre, em 11 de outubro, 1649.*

(*Cartas Familiares,* 2ª ed., Lisboa, Sá da Costa, 1942, pp. 145-147.)

Ao contrário do Padre Antônio Vieira, D. Francisco Manuel de Melo escreve sua carta sem maior preocupação de estilo, mas sua linguagem corrente continua modelar, certamente porque um tanto policiada: ele próprio parece cônscio de que, apesar dos pesares, qualquer coisa lhe trava a total libertação do estilo ("Olhe que tão pouco pejo tenho, senhor, que vendo-me neste estado, falo neste estilo!"). Note-se que o pensamento do missivista vacila entre um pólo que podemos chamar de romântico ("Mas para mim a alma e o coração é como é e não como havia de ser".) e outro, de carga tipicamente barroca ("E aqui, para nós, eu cuido que agora estou melhor que nunca; porque já não posso estar pior."). Percebe-se, contudo, que o primeiro, evidente no tom confessional da epístola, predomina sobre o segundo. Esse à-vontade ante o próprio "eu" se estende para outros assuntos, como os príncipes ("Mas sou tão mau, que há dias tenho para mim que os P. P. lêem tudo aquilo que lhes dizemos que façam (se o lêem), para não fazerem nada daquilo que lhes dizemos.") e os políticos ("Ora meter-me também em reste com os políticos, assaz sandice seria."), e, deixando transparecer sentimentos inconformistas para com as matrizes culturais do tempo, revelava posições de espírito mais avançadas, de feição iluminista.

O Teatro

Durante a hegemonia do Barroco, a atividade teatral continuou, no conjunto, presa aos modelos vicentinos ou de extração clássica, ou, por influxo do ambiente anti-reformista, desenvolveu aspectos pedagógicos e religiosos. Ao mesmo tempo, recebia influência da comédia italiana e francesa. O *Fidalgo Aprendiz* (1665), de D. Francisco Manuel de Melo, constitui

---

* *aviso* = entendimento; *Suma Política* = obra de Sebastião César de Meneses, então bispo de Coimbra; P. P. = príncipes; *meter-me em reste com os políticos* = meter-me na companhia dos políticos.

a única peça seiscentista digna de nota. Entretanto, é na primeira metade do século XVIII que surge um comediógrafo de primeira grandeza, Antônio José da Silva.

ANTÔNIO JOSÉ DA SILVA

Brasileiro de nascimento (Rio de Janeiro, (8/5/1705), mas de ascendência judia, segue para Lisboa aos oito anos, em companhia da mãe, acusada de judaísmo. Após os primeiros estudos, em Coimbra inicia o curso de Cânones, interrompido em 1726 pela Inquisição. Livra-se da prisão abjurando publicamente o judaísmo, e põe-se a escrever peças de teatro, das quais a primeira, *A Vida do Grande D. Quixote de la Mancha e do Gordo Sancho Pança,* sobe à cena em 1733. Casa-se pouco depois, mas em 1737 é levado, com sua mulher e filha, às barras da Inquisição. Dois anos após (19/10/1739), é condenado, sob a alegação de permanecer judeu, a morrer degolado e queimado. A mulher e a filha refugiaram-se na Holanda. Deixou ainda as seguintes peças: *Esopaida ou Vida de Esopo* (1734), *Encantos de Medéia* (1735), *Anfitrião ou Júpiter e Alcmena* (1736), *Labirinto de Creta* (1736), *Guerras do Alecrim e da Manjerona* (1737), *Precipício de Faetonte* (1738). Atribuem-lhe também a autoria da peça *Ninfa Seringa* e da novela *O Diabinho da Mão Furada.*

Guerras do Alecrim e da Manjerona

A didascália da peça, que acompanha o título, declara tratar-se de uma "ópera joco-séria, que se representou no Teatro do Bairro Alto de Lisboa, no Carnaval de 1737". Entenda-se: "ópera joco-séria" porque, parodiando a ópera italiana, reclamava o apoio da música e do canto e era representada por meio de *marionettes.* O título da peça explica-se pelo costume, no século XVIII, de as moças casadoiras se reunirem em blocos que tinham por insígnia uma flor. É o seguinte o seu entrecho: dois caça-dotes, Gil Vaz e Fuas, procuram aproximar-se de duas irmãs ricas, Clóris e Nise, para isso utilizando, o primeiro, do seu criado, Semicúpio. Este, arma os maiores estratagemas para introduzir o seu patrão na casa da pretendida, mas acaba por se enamorar de Sevadilha, criada de Clóris. Entretanto, D. Lancerote, tio das meninas, deseja casá-las com D. Tibúrcio, primo delas (o quadro que se vai ler, narra o encontro entre eles). No final, desfeitos todos os equívocos, casam-se os pares e Semicúpio com Sevadilha. No quadro escolhido, constante de um trecho da cena II da primeira parte, ainda intervém a criada Fagundes, que ampara os amores de Clóris com Gil Vaz:

D. Lancerote — Fagundes, depressa! Vá deitar mais um ovo nos espinafres, que aí vem meu sobrinho D. Tibúrcio, já que sou tão desgraçado que por mais meia hora não chega depois de jantar!

Fagundes — Eu vou, meu Senhor; mas cuido que o noivo a estas horas comerá novilho. (*Vai-se).*

D. Lancerote — Agora, minhas sobrinhas, é chegado o vosso esposo; não tenho que encomendar-vos o modo com que o haveis de tratar.

D. Clóris — Já vem tarde! (*À parte).*

D. Nise — Veremos a cara a este noivo. (*À parte).*

Sevadilha — Pois dizem que é um galante lapuz. (*À parte). Sai D. Tibúrcio com botas, vestido ridiculamente.*

D. Lancerote — Amado sobrinho, dá-me os braços. É possível que vejo a um filho de meu irmão!

D. Tibúrcio — Sim, Senhor; mas primeiro mande vossa mercê ter cuidado naquelas chouriças que vêm no alforje, não as dizime o arrieiro, que tem em cada mão cinco águias rapantes.

D. Lancerote — Isso me parece bem: seres poupado. Eu vou a isso. *(Vai-se).*

D. Clóris — Que te parece, Nise, a discrição do noivo?

D. Nise — Muito bom princípio leva.

Sevadilha — Parece que o seu gênio mais se casa com o alforje. *(À parte).*

D. Tibúrcio — As primas não são más; porém a moça me toa mais. *(À parte).*

Sai D. Lancerote

D. Lancerote — Sossegai, sobrinho, que já tudo está arrecadado.

D. Tibúrcio — Agora, sim, amado tio meu, por cujos humanos aquedutos circula em nacarados licores o sangue de meu progenitor! Permiti que os meus sequiosos lábios calculem esses pés, dedo por dedo.

D. Lancerote — Levantai-vos; sois discreto, meu sobrinho. Pois vosso pai era um pedaço de asno, Deus lhe perdoe.

D. Tibúrcio — Não está mais na minha mão; em abrindo a boca, me chovem os conceitos aos borbotões.

D. Lancerote — Falai a vossas primas e minhas sobrinhas, D. Nise e D. Clóris.

D. Tibúrcio — Eu vou a isso.

Soneto

Primas, que na guitarra da constância
tão iguais retinis no contraponto,
que não há contraprima nesse ponto,
nem nos porpontos noto dissonância!
Oh, falsas não sejais nesta jactância!
pois quando atento, os números vos conto,
nessa beleza harmônica remonto
ao plectro da febina consonância.
Já que primas me sois, sede terceiras
de meu amor, por mais que vos agaste
ouvir de um cavalete as frioleiras;
Se encordoais de ouvir-me, ó primas, baste
de dar à escaravelha em tais asneiras,
que enfim isto de amor é um lindo traste.

D. Lancerote — Também sois poeta, meu sobrinho?

D. Tibúrcio — Também temos nosso entusiasmo, Senhor tio; isto cá é veia capilar e natural.

D. Lancerote — Oh, quanto me pesa que sejais poeta, pois por força haveis de ser pobre!

D. Tibúrcio — Agora, Senhor! Eu sou um rico poeta. Pois, primas, que dizeis da minha eloqüência? Não me respondeis?

D. Clóris — Os anjos lhe respondam.

D. Nise — Ai não há mais que dizer.

D. Tibúrcio — Ah, Senhor tio, esta rapariga é cá da obrigação de casa?

D. Lancerote — É moça da almofada.

D. Tibúrcio — Não é mal estreada. E que olhos que tem! Benza-te Deus!

Sevadilha — Quer Deus que trago um corninho, por amor do quebranto.

D. Lancerote — Eu cuido, sobrinho, que mais vos agrada a criada do que a noiva.

D. Tibúrcio — Tudo o que é desta casa me agrada muito.

D. Lancerote— Agora vamos ao intento. Sabereis, minhas sobrinhas, que vosso primo D. Tibúrcio, filho de meu irmão D. Trifônio e de Dona Pantaleoa Reboldã, o qual também era irmão de vosso pai, e meu irmão D. Blianis, vem a eleger uma de vós outras para esposa, pela mercê que me faz; que, a ser possível casar com ambas, o fizera sem cerimônia, que para mais é o seu primor.

D. Tibúrcio — Por certo que sim; e não só com ambas, mas até com a criada; pois, como digo, desejo meter no coração tudo o que for desta casa.

D. Lancerote — Eu o creio, meu sobrinho; nisso saís a vosso pai.

D. Clóris — Não vi maior asno ! (*À parte*).

D. Nise — Nem eu maior simples! (*À parte*).*

(*Obras Completas,* pref. e notas de José Pereira Tavares, 4 vols., Lisboa, Sá da Costa, 1958, vol. III, pp. 174-178.)

Este quadro, dos mais engraçados da peça, diz bem do talento cênico de Antônio José da Silva. A comicidade, situada à flor das palavras e facilmente comunicada ao leitor e ao espectador, atinge-a por meio do ridículo das situações e das personagens, e por meio da sátira. No primeiro caso, trata-se dum cômico mais primário e caricaturesco, inscrito nas palavras iniciais de D. Lancerote e na figura grotesca e bisonha do seu sobrinho, tanto mais grotesca e bisonha quanto mais pretere a donzela pela criada Fagundes. No tocante à sátira, percebem-se dois pontos principais: de um lado, o estilo barroco, ridicularizado na fala do pobre D. Tibúrcio, que culmina, como se nota, no soneto barroquizante que perpetra para os convivas; e de outro, a sátira contra a novela de cavalaria, evidente nos nomes de linhagem pacóvia do desditoso poetrastro, D. Trifônio, D. Pantaleoa Reboldã, D. Blianis, e no próprio nome do tio das moças. Na verdade, a zombaria que envolve a D. Tibúrcio talvez contenha uma crítica semelhante à do *D. Quixote,* mas com azedume cortante e um cômico quase impiedoso. De qualquer modo, o teatrólogo consegue o seu objetivo: provocar o riso mais desopilante e satirizar uma sociedade, frívola e passadista, em processo de liquidação. A atualidade do cômico de Antônio José da Silva é marca indiscutível de seus invulgares dons para o teatro: decerto o reergueria às alturas em que o pusera Gil Vicente caso a Inquisição o tivesse deixado viver mais anos.

---

* *lapuz* = camponês; *arrieiro* = condutor de bestas de aluguel; *arrecadado* = garantido, seguro; *calculem* = meçam.

Diz dentro Semicúpio

Semicúpio. Quem merca o alecrim?

D. Clóris. Ó Sevadilha, chama a esse homem do alecrim; anda depressa.

Sevadilha. Entrou no fadário! *(À parte).*

D. Lancerote. Sobrinho, não estranheis este excesso de minha sobrinha, porque haveis de saber que há nesta terra dous ranchos, um do alecrim, outro da manjerona; e fazem tais excessos por estas duas plantas, que se matarão uma às outras.

D. Tibúrcio. E vossa mercê consente que minhas primas sigam essas parcialidades?

D. Lancerote. Não vedes que é moda e, como não custa dinheiro, bem se pode permitir?

D. Tibúrcio. Bem sei que isso são verduras da mocidade; mas contudo não aprovo.

D. Lancerote. E a razão?

D. Tibúrcio. Não sei.

D. Clóris. Vossa mercê, como vem com os abusos do monte, por isto estranha os estilos da corte.

D. Nise. Calai-vos, mana, que ele há-de ser o maior apaixonado que há-de ter o alecrim e a manjerona.

D. Tibúrcio. Se eu enlouquecer, não duvido.

Sai Semicúpio com um molho de alecrim ao ombro

Semicúpio. Quem quer o alecrim?

D. Clóris. Anda para cá! Tem mão; não o ponhas no chão.

Semicúpio. Pois aonde o hei-de pôr?

D. Clóris. Aqui no meu colo. Ai, no chão o meu alecrim? Isso não!

Semicúpio. Pois não só o ponha no colo, mas no pescoço.

D. Clóris. A quanto é o molho?

Semicúpio. A real e meio, por ser para vossa mercê.

D. Clóris. Põe aí cinqüenta molhos.

Semicúpio. Pelo que vejo, esta é D. Clóris. *(À parte).* Eis aí tem todos os molhos; reparta lá com a Senhora, que suponho também quererá o seu raminho.

D. Nise. Ai, tira-te para lá, homem, com esse mau cheiro!

Semicúpio. Já sei que esta é a da manjerona de D. Fuas. *(À parte).*

D. Tibúrcio. Bem haja minha prima, que não é destas invenções.

D. Lancerote. Porque é da manjerona, por isso aborrece o alecrim.

D. Tibúrcio. Resta-me que vossa mercê também tenha algum rancho.

D. Lancerote. Olhai vós! Não deixo cá de mim para mim de ter minha parcialidade.

Semicúpio. Ora demos princípio à tramóia. *(À parte).* Ai, Senhores! Quem me acode?

D. Lancerote. Que tens, homem?

Semicúpio. Ai, ai, confissão!

Sai Semicúpio estrebuchando, fingindo um acidente

D. Clóris. Coitado do homem! Que tens? Que te deu?

D. Nise. Tão venenoso é o teu alecrim, que mata a quem o traz?

D. Lancerote. Olá! Tragam água!

Saem Fagundes e Sevadilha com uma quarta

Sevadilha. Ai, Senhores, que isto é acidente de gota-coral!

Semicúpio. O coral de teus lábios que acidentes não fará? *(À parte).*

D. Lancerote. A unha de grão besta é boa para isto.

D. Tibúrcio. Puxem-lhe pelos dedos, que também é bom remédio.

D. Lancerote, D. Tibúrcio, Sevadilha e Fagundes pegam em Semicúpio, e este com o estrebuchamento fará cair a todos.

D. Lancerote. Mostra cá o dedo.

Semicúpio. Agradeço o anel. *(À parte).*

D. Tibúrcio. E a força que tem o salvage!

Sevadilha. Eu não posso com ele.

Semicúpio. Lá vai o dedo polegar cos diabos! Eu estou capaz de tornar a mim, antes que me deixem despedaçado.

D. Lancerote. Borrifa-o, Fagundes.

Fagundes. Ora deixem-no comigo. *(Borrifa-o).*

Semicúpio. Poh, diabo! E o que fedem os borrifos da velha! A maldita parece que tem a postema no bofe!

D. Nise. Não se cansem, que ele não torna a si tão cedo.

Semicúpio. Essa é a verdade.

Fagundes. Mas pelo sim, pelo não, eu lhe vazo esta quarta; que, quando Deus quer, água fria é mezinha.

Semicúpio. Valha-te o Diabo, que me deitaste água na fervura! Eu não tenho mais remédio que aquietar-me; se não, virá como remédio algum pau santo sobre mim! *(À parte*).

Fagundes. Senhores, ele está mais sossegado depois da água; venham jantar, que a mesa está posta.

D. Lancerote. Vai buscar o meu capote, e cobre-o, que está tremendo o miserável.

Semicúpio. É maravilha que um miserável cubra outro. *(À parte).*

D. Tibúrcio. Aquilo são convulsões; mas bom é cobri-lo, por amor do ar.

CENA III

Praça. No fim, haverá uma janela. Sai D. Gil, embuçado

D. Gilvaz. Disse a Semicúpio que aqui o esperava; mas tarda tanto, que entendo o apanharam na empresa. Mas se será aquele que ali vem! Não é Semicúpio, que ele não tem capote. Quem será?

Sai Semicúpio embuçado em um capote

Semicúpio. Lá está um vulto embuçado no meio do caminho; queira Deus não me cheguem ao vulto! Não sei se torne para trás, mas pior é mostrar cobardia; eu faço das tripas coração; vou chegando, mas sempre de longe.

D. Gilvaz. Ele se vem chegando, e eu confesso que não estou todo trigo.

Semicúpio. Este homem não está aqui para bom fim! Eu finjo-me valente! Afaste-se lá, deixe-me passar; aliás, o passarei.

D. Gilvaz. Vossa mercê pode passar.

Semicúpio. Ai, que é D. Gil! Pois agora farei com que me tenha por valeroso. Quem está aí? Fale! Quando não, despeça-se desta vida, que o mando para a outra.

D. Gilvaz. Primeiro perderá a sua quem me intenta reconhecer.

Semicúpio. Tenha mão, Senhor D. Gilvaz, que sou Semicúpio.

D. Gilvaz. Se não falas, talvez que a graça te saísse cara.

Semicúpio. Igual vossa mercê, que, se o não conheço pela voz, sem dúvida, Senhor D. Gilvaz, lhe prego com o seu nome na cara.

D. Gilvaz. Deixemos isso; dá-me novas de D. Clóris. Dize: pudeste dar-lhe o recado?

Semicúpio. Não sabe que sou o César dos alcoviteiros? Fui, vi e venci.

D. Gilvaz. Dá-me um abraço, meu Semicúpio.

Semicúpio. Não quero abraços; venham as alvísseras! Se não, emudeci como oráculo.

D. Gilvaz. Em casa tas darei. Conta-me primeiro: que fazia D. Clóris?

Semicúpio. Isso são contos largos! Estava toda rodeada de braseiros de alecrim, com um grande molho dele no peito, cheirando a Rainha de Hungria, mascando alecrim como quem masca tabaco de fumo; e, como acabava de jantar, vinha palitando com um palito de alecrim, e finalmente, Senhor, com o alecrim anda toda tão verde, como se tivera tirícia.

D. Gilvaz. E do mais que passaste?

Semicúpio. Isso é para mais devagar! Basta que saiba, por ora, que, apenas lancei o anzol no mar da simplicidade de D. Clóris, picando logo na minhoca do engano, ficou engasgalhada com o engodo de mil patranhas que lhe encaixei à mão tente.

D. Gilvaz. Incríveis são as tuas habilidades! E que capote é esse?

Semicúpio. Este é o despojo do meu triunfo: joguei com o velho os centos e ganhei-lhe este capote. E, se vossa mercê soubera a virtude que ele tem, pasmaria.

D. Gilvaz. Que virtude tem?

Semicúpio. É um grande remédio para sarar acidentes de gota coral.

D. Gilvaz. Conta-me isso.

Sai D. Fuas embuçado

Semicúpio. Falemos de manso, que aí vem um homem.

D. Fuas. Esta é a janela da cozinha de D. Nise, que, apesar da escuridade da noite, a conhece o meu instinto pelos eflúvios odoríferos que exala a Pancaia daquela Fênix.

D. Gilvaz. Semicúpio, um homem ao pé da janela de D. Clóris? Isto não me cheira bem.

Semicúpio. Como lhe há-de cheirar bem, se isto aqui é um monturo?

Aparece Fagundes à janela

Fagundes. Cé! É vossa mercê mesmo?

D. Fuas. Sou eu mesmo, e não outro, que impaciente espero novas de meu bem.

D. Gilvaz. Não ouviste aquilo, Semicúpio?

Semicúpio. Aquilo é que não cheira bem, Senhor D. Gilvaz.

Fagundes. Não basta que vossa mercê diga que é mesmo; é necessário a senha e a contra-senha.

D. Fuas. Pois atenda.*

(*Ibidem*, pp. 178-181, 190-193.)

---

* *É moda* = estavam na moda do tempo as rivalidades de *ranchos*, como os dos partidários do Alecrim e da Manjerona; *Gota-coral* = epilepsia; *Postura* = forma popular de *apostema*; *Com o seu nome* = O nome é *Gilvaz*. A palavra *gilvaz* significa *cicatriz*; *Fui, vi e venci* = traduzem a frase de César — *veni, vidi, vici* —, com que ele expôs, perante o Senado, a rapidez de uma das suas vitórias militares; *Alvísseras* = forma popular de *alvíssaras*; *tirícia* = forma popular de *icterícia*; *Jogo dos centos* = consistia num jogo em que cada parceiro tinha doze cartas na mão; *Pancaia* = fabulosa região da Arábia Feliz, notável pelos seus perfumes. (Notas de José Pereira Tavares.)

ARCADISMO

Preliminares

A época do Arcadismo transcorre entre 1756, data da fundação da Arcádia Lusitana, e 1825, em que a publicação do poema *Camões,* de Garrett, dá início ao Romantismo. Revoltando-se contra os excessos a que havia chegado o Barroco, a estética arcádica preconiza a restauração dos ideais clássicos de arte e de vida, mediante a revalorização da poesia lírica de Camões e do pastoralismo quinhentista e, ao mesmo tempo, a revivescência dos modelos greco-latinos. Somente a poesia serviu à expressão do Arcadismo; a prosa que se cultivou no tempo, visto ser as mais das vezes não-literária, obedece a outras linhas de pensamento existentes na segunda metade do século XVIII.

A Poesia

A poesia arcádica, porque colocada entre a visão clássica da realidade, que Camões, Antônio Ferreira, Sá de Miranda, Diogo Bernardes e os Antigos ensinavam, e a estética romântica, apresenta duas faces complementares e contrastantes: quando imita os moldes clássicos e quinhentistas, é arcádica propriamente dita, ou neoclássica; quando reflete as novas inquietações que preparavam a eclosão do Romantismo, é pré-romântica. Muitos nomes podem ser arrolados dentre os poetas dessa época, reunidos na Arcádia Lusitana e na Nova Arcádia ou fora delas, como Antônio Dinis da Cruz e Silva, Correia Garção, Domingos dos Reis Quita, Domingos Caldas Barbosa, José Agostinho de Macedo, Nicolau Tolentino e, acima de todos, Bocage.

CORREIA GARÇÃO

Nasceu em 29/4/1724 e faleceu em 10/11/1772. Estudou no Colégio dos Jesuítas e freqüentou Direito em Coimbra. Em 1756, ingressa na Arcádia Lusitana, e dela se torna figura proeminente. Além de sofrer a ruína de suas finanças, é preso por ordem do Marquês de Pombal (1771), e, não resistindo aos desgostos, falece no ano seguinte. Suas *Obras Poéticas* saíram póstumas (1778). Ainda escreveu duas comédias, *Teatro Novo* representada em 1766, no teatro do Bairro Alto, em Lisboa, e *Assembléia ou Partida,* representada em 1770, e duas tragédias, *Régulo* e *Sofonisba,* que se perderam. Foi dos principais doutrinadores do Arcadismo.

Dissertação

Em razão de as páginas doutrinárias e o teatro de Correia Garção encerrarem maior significação que a sua poesia, escolheu-se inicialmente um trecho de uma das mais relevantes de suas dissertações, a terceira, que versa "sobre ser o principal preceito para formar um bom poeta procurar e seguir somente a imitação dos melhores autores da Antigüidade, recitada na conferência da Arcádia Lusitana no dia 7 de novembro de 1757":

Nec verbum verbo curabis reddere fidus / Interpres...
Horat., *Ars Poet.*, v. 135.

Preclaríssimos, amantíssimos e sapientíssimos Senhores,

Se assim como vós, ó Árcades, desejais formar em mim um membro digno de tão ilustre sociedade, quisesse a fortuna dar a mão a meus desejos, ajudando-me, ao menos, com a tranqüilidade de que necessita quem escreve, poderia eu de algum modo desempenhar vossa generosa eleição, e assentar-me menos envergonhado em um lugar que por sorte do escrutínio tocava a um dos nossos melhores e mais distintos sócios. Substituir as vezes de um sábio, eloqüente e erudito, as vezes de um *Elpino Nonacriense* não é peso com que possam meus ombros. Para cometer tão árdua empresa necessita de mais brilhantes armas. Longo estudo, profunda erudição, um vasto conhecimento dos autores mais versados e de melhores tempos, uma natural elegância e delicada pureza de linguagem, são predicados e talentos que não descubro em mim, e os que só me podiam desculpar a confiança com que me sacrifiquei a tão difícil empenho. A glória de obedecer-vos é a única e feliz circunstância que me anima e me promete a indulgência de que me fazia talvez digno o meu atrevimento. Se não satisfaço, ao menos obedeço.

Entre as sólidas máximas com que Horácio pretende formar um bom poeta, não é, como vós sabeis, menos importante a imitação. Não falo da imitação da Natureza, mas da imitação dos bons autores, daquela imitação à qual deve a Arcádia sua grande reputação e não pequena parte dos honrados elogios com que foi recebida de nossos mais prudentes e doutos patrícios, e que há de espalhar seu nome pelas nações estrangeiras. Este foi em todos os séculos e será em todas as idades o maior segredo de tão divina arte.

Os Gregos e os Latinos, que dia e noite não devemos largar das mãos, estes soberbos originais, são a única fonte de que manam boas odes, boas tragédias e excelentes epopéias.

Este é o verdadeiro gênio a que o vulgo chama *veia poética* e os doutos *entusiasmo.*

Muito pode o espírito humano! Mas nunca terá força para subir tão alto se não for pela estrada que trilham os antigos poetas e oradores. Entre nós, depois que acabaram os bons dias da poesia portuguesa, poucos foram os que penetraram semelhante mistério, de que são miseráveis testemunhas as obras dos seiscentistas. Guardava o Céu para a Arcádia a honra e a vaidade de erguer esta bandeira e levar consigo seus compatriotas. Hoje todos desejam imitar os Antigos, todos estudam pelos Gregos, pelos Latinos e pelos nossos bons autores: mas, fugindo de Cila, quantos varam em Caríbdis?

Querem ser imitadores e não passam de uns humildes plagiários.

Para evitar tão depravado extremo, nos recomenda Horácio o modo com que devem ser imitados os Antigos; e ainda que neste lugar estabeleça outras regras para conseguirmos tão desejado fim, a mim me pareceu, olhando para o vício mais comum, que devia escolher para assunto as poucas mas importantes palavras com que tão grande crítico nos ensina a imitar e nos mostra o perigo de que devemos fugir.

Muitos, querendo imitar Virgílio, fazem uma má tradução desta ou daquela imagem de tão grande poeta; e escravos de suas palavras não passam de tradutores. Não imitam, roubam e despedaçam as obras alheias: desfiguram o que lhes agradou, como se tomassem por empresa fazer-nos aborrecer o que admiramos. Disto acha-se que enfermam tantas quantas são as obras que todos os dias aparecem cheias de lugares dos poetas, não imitados, mas servilmente traduzidos. É tão forte a preocupação de que nascem tão lastimosas desordens que muitos com vaidade e com soberba apontam e mostram os pensamentos ou idéias que roubaram ou traduziram.

Esta epidemia, que talvez reinava no tempo de Horácio, lhe deu razão para advertir aos poetas dos vícios de que deviam fugir, quando quisessem imitar, recomendando-lhes que não traduzissem palavra por palavra, como um fiel intérprete: assim explicam este lugar os melhores comentadores da sua *Poética.* E não sei com que razão o tradutor português trabalha por mostrar que Horácio nestas palavras dá regras para as traduções. Julgo que a ninguém deixará de parecer óbvio e natural o sentido do texto, tão livre da anfibologia.

Todos sabem que Horácio, ainda quando parece passar de umas para outras coisas, guarda o melhor método e conserva o fio da sua doutrina. Dom que não podia falar em um tão grande lírico acostumado às digressões, que parecendo-lhe alheias do assunto, nascem dele, e o deixam mais brilhante, majestoso e sublime.

Não falta quem compare os poetas com os navegantes. A agulha que lhes mostra os rumos é a estrela que os guia e leva a salvamento; sem ela seriam mais freqüentes os naufrágios e não poucas vezes os que demandassem remotas praias, não voltariam com a feliz notícia de novos continentes. O poeta que não seguir aos Antigos, perderá de todo o norte, e não poderá jamais alcançar aquela força, energia e majestade com que nos retratam o famoso e angélico semblante da Natureza.

Devemos imitar e seguir os Antigos: assim no-lo ensina Horácio, no-lo dita a razão, e o confessa todo o mundo literário. Mas esta doutrina, este bom conselho, devem abraçá-lo e segui-lo de modo que mais pareça que o rejeitamos, isto é, imitando e não traduzindo. Os poetas devem ser imitados nas fábulas, nas imagens, nos pensamentos, no estilo; mas quem imita deve fazer seu o que imita. Se imito a fábula, devo conservar a ação, ou alma da fábula; mas devo variar de forma os episódios que pareça outra nova e minha. Se imito as pinturas, não devo no meu poema introduzir um Polifemo, mas do painel deste gigante posso tirar as cores para um Adamastor. Se imito o estilo, não devo servir-me das palavras dos Antigos, mas achar na linguagem portuguesa termos equivalentes, enérgicos e majestosos, sem torcer as frases, nem adotar barbarismos.*

(*Obras Completas,* 2 vols., Lisboa, Sá da Costa, 1958, vol. II, pp. 131-135.)

---

* *Elpino Nonacriense* = pseudônimo arcádico de Antônio Dinis da Cruz e Silva; *fugindo de Cila, quantos varam em Caríbdis?* = fugindo de um rochedo perigoso (Cila), situado junto à Sicília, os navegantes caíam no abismo em que se converteu Caríbdis, filha de Netuno e da Terra, por haver roubado os bois de Hércules; *Polifemo* = personagem da Odisséia.

A dissertação de Correia Garção interessa sobremodo para a compreensão da estética arcádica, ao menos num de seus postulados capitais, — a imitação dos Antigos, — postulado esse também preconizado pelos doutrinadores do Classicismo quinhentista. Para tanto, recorre à *Arte Poética* de Horácio, cujo verso 135 (ou melhor, verso 133 e primeira palavra do 134) lhe serve de epígrafe e tema: "nem procurarás, como servil intérprete, traduzir palavra por palavra". Observe-se a clareza da linguagem e do pensamento de Correia Garção no discernir um dos aspectos mais intrincados da estética clássica. Repare-se também, que ele, parecendo fugir de glosar a doutrina aristotélica a respeito ("A Arte é imitação da Natureza."), afirma que não vai tratar "da imitação da Natureza, mas da imitação dos bons autores". Todavia, no penúltimo parágrafo, quando compara o poeta a um navegante, vê-se que a imitação dos bons autores servia, quanto a ele, de meio para atingir o fim último, que é a imitação da Natureza: portanto, o teórico arcádico segue Horácio, que segue Aristóteles. Esclarecido esse ponto, passa a distinguir, de modo límpido, a imitação da tradução ou do furto: "Muitos, querendo imitar Virgílio, fazem uma má tradução desta ou daquela imagem de tão grande poeta; e escravos de suas palavras não passam de tradutores". Portanto, na imitação dos Antigos, que ele identifica com os "bons autores", há que advertir o seguinte: "esta doutrina, este bom conselho, devem abraçá-lo e segui-lo de modo que mais pareça que o rejeitamos, isto é, imitando e não traduzindo. Os poetas devem ser imitados nas fábulas, nas imagens, nos pensamentos, no estilo; mas quem imita deve fazer seu o que imita". O texto fala por si: imitar, para os neoclássicos, não consiste em copiar, traduzir ou furtar. E aí fica dilucidado o princípio da imitação que orientava a teoria clássica de arte, tanto na sua feição quinhentista como na arcádica. "Dessa maneira a imitação restringe-se ao espírito dos autores antigos e não já às formas que eles criaram. Neste limite talvez seja já abuso falar da imitação dos Antigos; e talvez possa dizer-se que para Garção a imitação não passa de um mero exercício, um mero treino para assimilar as faculdades deles e não já propriamente os seus produtos. É possível que nesta ordem de considerações o nosso Autor fosse um pouco mais longe que alguns dos seus confrades. Mas estava sem dúvida dentro do espírito profundo da Arcádia, que, sob o invólucro de um regresso ao passado greco-latino, continha a semente progressiva do iluminismo". (Antônio José Saraiva, "Introdução" às *Obras Completas* de C. G., p. XXXVIII.) O excerto ainda evidencia a desafeição com que os árcades encaravam a poesia barroca, tachando-a de fruto do exagero e do desrespeito ao equilíbrio clássico: "Entre nós, depois que acabaram os bons dias da poesia portuguesa [entenda-se: o século XVI], poucos foram os que penetraram semelhante mistério, de que são miseráveis testemunhas as obras dos seiscentistas".

Cantata de Dido

Esta cantata, acompanhada de música, é recitada por Mafalda, personagem da comédia *Assembléia ou Partida,* na cena XVI. A peça monta-se em torno de uma "assembléia ou partida", reunião familiar, em casa de Brás Carril e sua mulher, D. Urraca Azevia, que se endividavam para manter as aparências de fausto e riqueza. Durante a reunião, após o recitativo da cantata e de alguns sonetos, o Dr. Mucônio revela que Jofre, filho do dono da casa, padece de uma grave moléstia ("Da endêmica, epidêmica, estrangeira / Pestífera, letal enfermidade"): sua cabeleira lanzuda e malcheirosa e sua vestimenta de *play-boy* da época. Pouco depois, a polícia invade a casa para cobrar as dívidas de Brás Carril. Mas tudo termina bem, pelo casamento das suas filhas com Jacó Bilhostre e Gaspar Picote, e de Jofre com Mafalda, filha do Dr. Mucônio:

Já no roxo Oriente, branqueando,
As prenhes velas da troiana frota
Entre as vagas azuis do mar dourado
Sobre as asas do vento se escondiam.
    A misérrima Dido
Pelos paços reais vaga ululando,
Cos turvos olhos inda em vão procura
    O fugitivo Enéias.
Só ermas ruas, só desertas praças
A recente Cartago lhe apresenta.
Com medonho fragor na praia nua
Fremem de noite as solitárias ondas;
    E nas douradas grimpas
    Das cúpulas soberbas
Piam noturnas agoureiras aves.
    Do marmóreo sepulcro
    Atônita imagina
Que mil vezes ouviu as frias cinzas
Do defunto Siqueu com débeis vozes,
Suspirando chamar: Elisa, Elisa!
    D'Orco aos tremendos númens
    Sacrifícios prepara;
    Mas viu esmorecida
Em torno dos turícremos altares
Negra escuma ferver nas ricas taças
    E o derramado vinho
Em pélagos de sangue converter-se.
    Frenética delira;
    Pálido o rosto lindo,
A madeixa sutil desentrançada,
Já com trêmulo pé entra sem tino
    No ditoso aposento,
    Onde do ínfido amante
    Ouviu enternecida
Magoados suspiros, brandas queixas.
Ali as cruéis Parcas lhe mostraram
As ilíacas roupas que pendentes
Do tálamo dourado descobriam
O lustroso pavês, a teucra espada.
Com a convulsa mão súbito arranca
A lâmina fulgente da bainha,
E sobre o duro ferro penetrante
Arroja o tenro cristalino peito.
E em borbotões de espuma murmurando

O quente sangue da ferida salta.
Das roxas espadanas rociadas
Tremem da sala as dóricas colunas.
    Três vezes tenta erguer-se,
Três vezes desmaiada sobre o leito,
O corpo revolvendo, ao céu levanta
    Os macerados olhos.
Depois, atenta na lustrosa malha
    Do prófugo Dardânio,
Estas últimas vozes repetia,
E os lastimosos, lúgubres acentos,
Pelas áureas abóbadas voando
Longo tempo depois gemer se ouviram:
    Doces despojos
    Tão bem logrados
Dos olhos meus,
Enquanto os fados,
Enquanto Deus
O consentiam.
Da triste Dido
A alma aceitai,
Destes cuidados
Me libertai.
Dido infelice
Assaz viveu;
D'Alta Cartago
O muro ergueu:
Agora, nua,
Já de Caronte
A sombra sua
Na barca feia
De Flegetonte
A negra Veia
Surcando vai.*

(*Ibidem*, vol. II, pp. 72-75.)

Nesta cantata, das mais felizes composições poéticas do Arcadismo português, ecoa nítida a influência do episódio histórico de Inês de Castro através das interpretações de Camões e Antônio Ferreira, o que, de resto, atendia aos princípios arcádicos de arte. O tema, porém, foi sugerido pelo capítulo amoroso entre Dido e Enéias, conforme narra Virgílio no livro IV

* *Orco* = deus do Inferno; *turícremos altares* = altares onde se queima incenso; *ínfido* = infiel; *teucra* = troiana; *prófugo Dardânio* = Enéias; *Caronte* = barqueiro do Inferno; *Flegetonte* = rio do Inferno.

da *Eneida:* Dido, rainha de Cartago, apaixonara-se loucamente por Enéias quando ele, vindo de Tróia, fora ter àquela cidade; mas o herói parte um dia, deixando a pobre viúva de Siqueu mergulhada em desespero, de que se liberta pelo suicídio. Na adaptação, Correia Garção atenua o cariz trágico e épico do episódio, insuflando-lhe forte carga de emoção, que acentua os traços sentimentais do drama da personagem virgiliana. Ao fazê-lo, atendia às exigências do Arcadismo, que inaugurava a poesia da emoção em lugar da poesia da sensação, vigente no Barroco, e a poesia da Razão, imperante no Classicismo quinhentista. Entretanto, observe-se que a desenvoltura do metro de Correia Garção trai influxo camoniano (evidente no emprego do decassílabo e na dicção geral do poema), e, ao mesmo tempo, certo popularismo (nos versos em que Dido lamenta seu infortúnio) que parece preludiar o Romantismo. Entende-se, assim, que nem por adaptar a matéria virgiliana aos pressupostos arcádicos, o poeta tornou-a atual. Ao contrário, no fato de inseri-la no corpo de uma peça de costumes, deixou transparecer um subconsciente preconceito contra o Classicismo ortodoxo: é que Dido, além do artificioso e ocasional motivo de uma cantata que entrava na peça como mero jogo de salão, constituía um anacronismo dentro de uma "assembléia" realizada na segunda metade do século XVIII. E se, não obstante isso, o poema resulta válido é porque o poeta transfundiu o exemplo virgiliano por meio da sua imaginação, sem maior preocupação de veracidade. Assim procedendo, denotava a liberdade de espírito com que tratava dos Antigos e confirmava o seu afã de uma arte livre de maiores peias doutrinais, em marcha para o Romantismo, ou, pelo menos, já refletindo os clarões do movimento iluminista.

NICOLAU TOLENTINO

Nicolau Tolentino de Almeida nasceu em Lisboa em 10/9/1740. Com vinte anos, ingressou na Universidade de Coimbra, disposto a formar-se em Leis, mas, após várias interrupções, abandonou o curso sem concluir (1769). Em 1767, tornou-se professor de Retórica, mas não sentia vocação para o magistério. Em 1783, consegue um emprego burocrático. Em meio a dificuldades financeiras, vê publicadas suas *Obras Poéticas* em dois volumes (1801). Faleceu em 23/6/1811. Em 1828, saiu um terceiro volume de suas composições, as *Obras Póstumas,* a que se acrescentaram outros inéditos na edição de 1861, a qual recebe o título, por sinal indevido, de *Obras Completas,* e de que foram extraídos os sonetos seguintes, onde se patenteia nítida a veia satírica de Nicolau Tolentino:

A um leigo arrábido vesgo despedido da mesa de S. C. P. Silva, por tomar a melhor pêra da mesa.

O vesgo monstro que coa gente ralha
E de manhã a todos atravessa,
A cuja hirsuta sórdida cabeça
Nunca chegou juízo, nem navalha;

Que os gázeos olhos pela mesa espalha
Por ver se há mais comer que tire, ou peça,
Entrando nele com tal fome e pressa
Qual faminto frisão em branda palha;

Por crimes de alta gula e pouco siso,
De mesa bem servida, mas severa,
Foi um dia lançado de improviso.

Hoje chorando o seu perdão espera:
Perderam dois glutões o paraíso,
O antigo por maçã, este por pêra.*

O colchão dentro do toucado

Chaves na mão, melena desgrenhada,
Batendo o pé na casa, a mãe ordena,
Que o furtado colchão, fofo, e de pena,
A filha o ponha ali, ou a criada:

A filha, moça esbelta, e aparaltada,
Lhe diz coa doce voz, que o ar serena:
"Sumiu-se-lhe um colchão, é forte pena;
Olhe não fique a casa arruinada:"

"Tu respondes assim? tu zombas disto?
Tu cuidas que por ter pai embarcado,
Já a mãe não tem mãos?" E dizendo isto,

Arremete-lhe à cara e ao penteado;
Eis senão quando (caso nunca visto!)
Sai-lhe o colchão de dentro do toucado.

Deitando um cavalo à margem

Vai, mísero cavalo lazarento
Pastar longas campinas livremente;
Não percas tempo, enquanto to consente
De tão magros cães faminto ajuntamento:

Esta sela, teu único ornamento
Para sinal de minha dor veemente,
De torto prego ficará pendente,
Despojo inútil do inconstante vento:

Morre em paz; que em havendo algum dinheiro
Hei de mandar, em honra de teu nome,
Abrir em negra pedra este letreiro:

"Aqui, piedoso entulho os ossos come
Do mais fiel, mais rápido sendeiro,

---

* *arrábido* = frade do convento da Serra da Arrábida (Setúbal).

Que fora eterno a não morrer de fome."

(*Obras Completas,* Lisboa, Castro, Irmão & Cia., 1861, pp. 26, 39, 51.)

Como se vê, a sátira de Nicolau Tolentino está longe de ser agressiva ou biliosa. Ao invés, tem-se a impressão de que o humor, fino e sutil, deriva do próprio ridículo das situações e dos seres neles intervindos. Por isso, o sorriso complacente com que o poeta parece encarar o mundo e os homens, e que desencadeia no leitor, guarda um como sentimento de indulgência ou de elevada compreensão da miséria humana. Mais ainda: sua pena surpreende o caricatural das pessoas e descobre-lhes os flancos grotescos, mas não se percebem intuitos de moralização ou de pedagogia, ao menos daquela moralização ou pedagogia quadrada que norteia o satírico medíocre. Na verdade, seu humor envolve ou oculta, sob o "manto diáfano da fantasia", um sentimento melancólico da existência: é que o poeta desvendava, com sua ironia penetrante, o infortúnio e o desengano latentes em todas as situações risíveis; seja a de um frade glutão, seja a de uma jovem vaidosa e fútil, seja a de um cavalo condenado a morrer de fome, seja a de outros no gênero. Daí que os três sonetos a um só tempo documentem fielmente aspectos sociais da segunda metade do século XVIII, e ostentem indiscutível atualidade. Todavia, tal condição decorre menos de seu caráter documental que do núcleo intrínseco das cenas desenhadas.

FILINTO ELÍSIO

Pseudônimo do Padre Francisco Manuel do Nascimento. Nasceu em Lisboa, em 23/12/1734. Embora de origem humilde, conseguiu ordenar-se e, desse modo, gozar de condições que lhe permitiam devotar-se aos estudos da cultura clássica. Sob o pseudônimo de Niceno, chefiou o Grupo da Ribeira das Naus, que se opunha à Arcádia Lusitana. E no Convento de Chelas, travou amizade com a futura Marquesa de Alorna, e dela se apaixonou e se tornou preceptor. Com a queda de Pombal (1777), foi acusado à Inquisição, mas alcançou evadir-se para a França, onde publicou seus poemas sob o título genérico de *Versos de Filinto Elísio* (8 volumes, 1797-1802), mais tarde transformados em *Obras Completas* (1817-1819), em 11 volumes, de que anos depois (1836-1840) se fez em Lisboa uma segunda edição, aumentada, em 22 volumes. Faleceu em Paris, em 25/2/1819. De sua vasta obra, escolheu-se, inicialmente, um trecho da carta acerca da

Arte Poética Portuguesa

Nesta epístola em versos, endereçada ao seu amigo e protetor Francisco José Maria de Brito, Filinto Elísio expõe suas idéias estéticas: enaltecimento dos clássicos, antigos (sobretudo Horácio) e modernos (sobretudo Camões e Antônio Ferreira); repúdio da imitação servil do idioma francês e louvor do purismo vernacular; diferença entre prosa e poesia para alertar os poetas do tempo; "desprezo que merecem os críticos ignorantes". Dessa longa composição, em que Filinto Elísio trabalhou anos, transcrevem-se os versos iniciais do capítulo XIV, intitulado "Preceitos aos poetas. — Estilo. — Pintura das idéias. Variedade e propriedade":

Lede, que é tempo, os clássicos honrados;
Herdai seus bens, herdai essas conquistas,
Que em reinos dos romanos e dos gregos

Com indefeso estudo conseguiram.
Vereis então que garbo, que facúndia
Orna o verso gentil quanto sem eles
É delambido e peco o pobre verso.
Lede, que é grã cegueira esse descuido,
Antes bruteza! Mal se ganha o prêmio
Do alto saber, sem ímproba fadiga.
O meditado estudo aço é, que rijo
Fere do nosso engenho a aguda escarpa;
E os pensamentos de sutil arrojo
Faíscas são brilhantes, que ressaltam
Do batido fuzil aporfiado.
Se ousamos escrever, destas centelhas,
Ordenadas com próvido artifício,
Se compõe formosíssimo luzeiro
Ou astro, que nos rudes olhos fere
Do vulgo, e que a prudentes muito agrada.

(*Poesias,* Lisboa, Sá da Costa, 1941, pp. 44-45.)

Como se nota, Filinto Elísio prega a leitura dos "clássicos honrados" e considera que "o meditado estudo aço é", o que significa atribuir à inspiração ("engenho") um papel subalterno ao da retórica poética ("arte": "Se ousamos escrever, destas centelhas, / Ordenadas com próvido artifício, / Se compõe formosíssimo luzeiro / Ou astro"). Sem dúvida, o poeta exagerava o preceito arcádico da imitação e do estudo, assim denunciando certo gosto pelo formalismo esterilizante ou o menosprezo pelo "furor" lírico de que suas composições nem sempre escaparam ilesas. Haja vista os seguintes

Sonetos

1

Já vem a Primavera desfraldando
Pelos ares as roupas perfumadas,
E os rios vão, nas águas jaspeadas,
Os frondíferos troncos retratando.

Vão-se as neves dos montes debruçando
Em tortuosas serpes argentadas;
Pelas veigas, o gado, alcatifadas,
A esmeraldina felpa vai tosando.

Riem-se os céus, revestem-se as campinas;
E a Natureza as melindrosas cores
Esmera na pintura das boninas.

Ah! Se assim como brotam novas flores,
Se remoça todo o orbe. . . das ruínas
Dos zelos renascessem meus amores!

2

Estende o manto; estende, ó noite escura,
Enluta de horror feio o alegre prado;
Molda-o bem co pesar de um desgraçado,
A quem nem feições lembram da ventura.

Nubla as estrelas, Céu, que esta amargura,
Em que se agora ceva o meu cuidado,
Gostará de ver tudo assim trajado
Da negra cor da minha desventura.

Ronquem roucos trovões, rasguem-se os ares,
Rebente o mar em vão noucos rochedos,
Solte-se o Céu em grossas lanças de água.

Consolar-me só podem já pesares;
Quero nutrir-me de arriscados medos,
Quero saciar da mágoa a minha mágoa.*

(*Ibidem*, pp. 208-209.)

É patente o casticismo da linguagem destes sonetos, dos mais bem conseguidos de quantos escreveu Filinto Elísio. No primeiro, a preocupação vernaculista, revestindo um quadro bucólico tipicamente clássico (pelos seus ingredientes e pela serenidade que os impregna), como que lhes endurece as duas quadras, roubando-lhes a fluência e a animação interior que marcam os tercetos, especialmente o último, onde transparece uma palpitação amorosa que só não logra confessar-se inteira por causa da vigilância racionalista do poeta. Já no segundo poema, o tom confessional, vazado em imagens noturnas e de horror, como entrava a estar em moda no tempo ("ó noite escura", "negra cor da minha desventura", etc.), predomina em toda a extensão, apoiado numa cadência espontânea e direta, em que repercute uma egolatria timbrada pelo gosto de sofrer, que prenunciam o Romantismo.

JOSÉ ANASTÁCIO DA CUNHA

Filho de gente modesta, nasceu em Lisboa, em 11/5/1744. Cedo entrou a ouvir lições com os Oratorianos, especialmente interessado em Física e Matemática. Em 1763, aquartelado como 2º Tenente em Valença do Minho, acamaradou-se com oficiais ingleses e passou a ocupar-se de sua literatura, inclusive tendo acesso a livros considerados proibidos. Acumulou, assim, um sólido saber científico e literário, que fez que Pombal o nomeasse, em 1773, professor de Geometria da Universidade de Coimbra. Derrubado o governo pombalino, é

* *noucos* = em ocos.

levado às barras da Inquisição, sob a acusação de "deísmo", "intolerantismo" e "indiferentismo". Condenam-no a auto-de-fé e a reclusão, que cumpre em parte. Em 1781, está como professor de Matemática na Casa Pia, em Lisboa, onde permaneceu até sua morte, em 1º/1/1787. A obra poética de José Anastácio da Cunha somente veio a lume em 1839, sob o título de *Composições Poéticas,* por empenho de Inocêncio Francisco da Silva. Em 1930, Hernâni Cidade republicou-a e acrescentou-lhe inéditos. Desta edição extraímos um dos pontos mais altos da intuição lírica de José Anastácio da Cunha:

A Despedida

E inda mais divididos do que estamos,
E inda para mais longe? . . . Oh! e quão longe!
Que incerto e duro tempo de martírio!
Se martírio, se pena, dor, tormento
Nomes capazes são, ou sós ou juntos,
Para explicar o quanto, quanto custa
O viver separado de quem se ama,
Quem ama terno, firme e extremoso!

Deus! Que será de quem como nós ama?
Quem jamais tanto amor teve e tão puro?
De união tão perfeita e tão divina,
Quem no mundo sonhou jamais, quem pôde
Crer que uma alma governa assim dois corpos?

Uma alma, um coração. — Oh! injustiça,
Oh! maldade das bárbaras estrelas.
Que de si mesmo um coração separam!
Um coração, que temos, no-lo rasgam,
E deleitam-se em ver correr o sangue
De duas amantíssimas metades
De um coração tão puro como o nosso?
Em o ver palpitar e chorar sangue!...
Sangüinolenta vista lastimosa,
Cruelíssima, digna — não de tigres,
Não de faminto lobo ou feroz ursa
Que os filhinhos perdeu... — mas, oh! prodígio!
(Cegos mortais, e como haveis de crê-lo?)
Mas digna só das celestiais deidades!
As cruéis até lágrimas me negam...

Mas quem acuso em vão? De quem me queixo?...
Sejais bem-vindas, lágrimas saudosas,
Sejais bem-vindas, doces, doces lágrimas!
No meu seio sereis agasalhadas
Daqui té... (quem poderá dizer quando!)
Minhas inseparáveis companheiras.

E enquanto falo, enquanto choro, o tempo,
O inexorável tempo o passo dobra,
E com o dedo me mostra na ampulheta,
Na ampulheta, que sacudir lhe vejo,
Assinalando o fero instante, o instante
Do tristíssimo apar. . . apar. . . — Não posso! . . .
Nem há de ser, meu bem; e cuidas que há de?
Nós separados! Não, meu bem. . . Nós longe! . . .
E há Deuses? E são bons? E onipotentes?
Oh! Nomes vãos de coisas que ignoramos,
Mais vãs, mais vãs que os nomes que lhes damos.
E eu afligir-te, em vez de consolar-te!
Divina, melhor parte de mim mesmo,
Meu encanto, meu ídolo, meu tudo!
Oh! única e completa dita minha!
Oh! não te aflijas; antes, se pudermos,
Conjuremo-nos ambos contra o fado;
Frustremos seu malvado e vil intento!
Um do outro na dulcíssima lembrança,
Que achar, meu bem, podemos, senão glória?
Um do outro na imagem tão amada,
Nas ações, nas palavras, nas finezas,
Nos sinais de bondade, nos extremos,
Nos suavíssimos mimos inefáveis,
Sobre nossos sentidos empreguemos,
Com eficácia tanta, que as estrelas,
As malignas estrelas nunca vejam
Em nós outros suspiros, outras lágrimas
Mais que as de um fino amor recompensado,
De um amor como o nosso! . . . Oh! doces lágrimas!
Sois vós que eu choro agora, ó minha, ó minha!
Separemo-nos; mas de desunir-nos
Capaz jamais será poder algum:
Juntos ou separados somos um.

(*A Obra Poética do Dr...*, Coimbra, Imprensa
da Universidade, 1930, pp. 71-73.)

No panorama artificioso da poesia arcádica, este poema (bem como outros semelhantes do A.) ergue-se como verdadeira obra-prima de arte poética. A bem dizer, sua grandeza resulta, antes de mais nada, do nenhum contágio da preceptiva neoclássica e, portanto, de haver brotado como que por geração espontânea. Por certo que se poderia situar nas leituras "ímpias" de pensadores iluministas ingleses e franceses a desinibição com que o poeta expressa os lances íntimos e angustiantes da separação amorosa. Mas é preciso apelar para as peculiares qualidades do talento de José Anastácio da Cunha, se se quiser explicar com mais rigor o nível atingido no poema. Dir-se-ia ter havido feliz coincidência entre o lastro cultural e as latências da sensibilidade, ou entre o pensamento, que o poeta emancipou no contacto com filósofos "libertinos" e inconformistas, e as vivências, fruto de uma intensa experimentação amorosa e de uma rica imaginação transfiguradora. Esse consórcio manifesta-se, de um lado, na sua intolerância deísta ("E há Deuses?", etc.), e, de outro, na vulcânica e ofegante confissão dos transes mortais da despedida, que ocupa o poema todo. Pelo primeiro aspecto, vemos o poeta entranhado na filosofia iluminista: pelo segundo, conhecemos que sua veemência emocional traduz um temperamento já vincadamente romântico, a que só faltou, quem sabe, livrar-se das aderências do pensamento filosófico do seu tempo para impor-se em toda a magnitude. De qualquer modo, trata-se de um pré-romântico, que arroteou o solo para Bocage e, talvez, para Garrett: entretanto, no confronto entre "A Despedida" e mesmo os melhores poemas das *Folhas Caídas,* não podemos deixar de sentir que, enquanto José Anastácio da Cunha avançava no sentido do Romantismo, Garrett regredia para posições neoclássicas, decerto porque ao primeiro sobejavam dotes de poeta autêntico (entre "sincero" e "fingido") que escasseavam no outro, mais propenso a empregar a poesia como simples instrumento de sedução amorosa.

Recordações de um Objeto Ausente

Voai, ternos suspiros,
Voai nas asas dos ligeiros ventos;
Ide contar a Márcia quais tormentos
Sofre minha alma aqui nestes retiros.
Suspiros lacrimosos,
Enchei-lhe de piedade os seus ouvidos,
Arrancai-lhe do peito mil gemidos;
Dizei-lhe que, cercado de agonia,
Vivo aqui nesta serra escura e fria.

Acompanhai meus ais, olhos saudosos.
Vertei copiosas lágrimas, vertei.
Estes amenos prados deleitosos
Agora umedecei.
Oh flores delicadas,
Do meu saudoso pranto rociadas!
Se para vos colher
Nalguma madrugada aqui vier
Essa formosa ninfa, que me adora,
Dizei-lhe, que o orvalho cristalino
Não é de roxa aurora,
É dos olhos de Olino;
Dizei-lhe, claras fontes,
Que as águas destes montes
Vossa clara corrente não turbou;
Mas que foram as lágrimas, que a dor
Dos olhos arrancou
Ao seu fiel pastor.

Amantes rouxinóis, que enterneceis
Com vossas queixas meu aflito peito;
Dizei-me, tristes aves, se fazeis
No coração de Márcia o mesmo efeito, —
De Márcia, por quem vivo, a quem adoro,
Por quem são estas lágrimas que choro.

Mas onde me detenho?...
Não foi nestes lugares, que gozei
Já nos braços de Márcia mil agrados?...
Não foi entre estes álamos copados
Que a delicada face lhe beijei?
Não foram estes campos venturosos,
Que alegre já pisei com Márcia amada?...
Não foi aquela fonte prateada
Que via os nossos prantos amorosos?...
Ah!... Funestas imagens, quantos ais
Com lágrimas do peito me tirais!
Guiai-me, meus cordeiros,
Vamos buscando agora outros outeiros
Onde a vida alimente
De lágrimas, de dores, de suspiros.
Fujamos desta horrível solidão,
Que tanto me atribula o coração.

Mas ah!... que louco sou!
Eu (triste) aonde vou,
Sem razão, sem sentido, em ânsia tal,
Se a qualquer parte, em fim, aonde for
Há de o tirano amor
Levar comigo a causa do meu mal!...

Amor Não Correspondido

Céus! que fogo sutil meu peito inflama,
E as faces me incendeia!
Rói as entranhas solapada chama;
Salta de veia em veia
Em giro impetuoso o sangue ardente
E o coração o incêndio estranho sente!

Tu, ó débil farol, tu só brilhante
Se a paixão adormece,
De espesso fumo nuvem crepitante
Teu clarão escurece:
O teu socorro imploro! — Acode, acode,
Se o teu império contra Vênus pode.

Nome fatal, no coração guardado,
    (Que dos lábios não fio)
Desse objeto divino, que adorado
    Causa o meu desvario!
Nenhum mortal pretenda adivinhar-te,
Se em meus tormentos não quiser ter parte.

Amar sem esperança!... — Oh! que tormento!
    Eu sinto os teus furores;
E nem sequer alcança o pensamento
    A idéia de favores!
Deuses cruéis, se a vossa fúria é tanta,
Como a vós o mortal as mãos levanta?

Porque tão liberal, ó Natureza,
    Lhe deste dotes tantos?
Ajuntando talentos à beleza,
    Mais valentes encantos!...
Se à minha alma devias dar desejo,
Desses-lhe a glória por que louco adejo.

Mas viver em suspiros (afogado)
    Sem soltar um suspiro!...
Sem tino, sem discurso, perturbado,
    Esconder que deliro!
Não podem teus tormentos, ó inferno,
Igualar os que sente um peito terno.

Cruel destino! E devo em frágoa ardente
    Extremoso adorá-la,
E teu bárbaro furor não me consente
    Que ainda espere alcançá-la?...
Terei de vê-la, em braços mais ditosos...
Primeiro, abismo, me tragai piedosos!

Tu, que envenenas meus aflitos dias,
    Oh! bem idolatrado,
Que tão felizes renovar podias
    A despeito do fado!
Se amor não sentes no mimoso peito,
Sente de compaixão o doce efeito.

Ah! volve uma vez, volve, olhos brilhantes
    Em ternura banhados!
Sejam os meus suspiros incessantes
    No teu seio guardados!...
De gosto, de ternura um só momento
Séculos mil apague de tormento.

(*Idem*, pp. 147-148, 154-155.)

MARQUESA DE ALORNA

Leonor de Almeida de Portugal Lorena e Lencastre, 4ª Marquesa de Alorna, nasceu em Lisboa, em 31/10/1750. Porque seu pai fora tido por cúmplice no atentado contra D. José I (1758), aos oito anos é posta em reclusão no Convento de Chelas, onde permaneceu até 1777, enquanto durou o governo de Pombal. Nesses anos, adquiriu sólida e eclética cultura, graças a leituras e ao convívio com escritores contemporâneos, dentre os quais Correia Garção e Filinto Elísio. Adota então o pseudônimo arcádico de Alcipe. Saída do convento, casa-se com o Conde de Oyenhausen e viaja pela Espanha, França (onde conhece Madame de Staël), Alemanha e Áustria (onde conhece Metastásio). Em 1793, perde o marido e regressa a Lisboa, para se entregar à educação dos filhos e à poesia. Em 1803, funda a Sociedade da Rosa, que Pina Manique logo tacha de subversiva. Acuada, exila-se em Londres onde se demora até 1814. Volta à Pátria, e falece em Lisboa, em 11/10/1839. Suas composições foram reunidas e publicadas postumamente (1844), em 6 volumes, sob o título de *Obras Poéticas*. Em 1941, Hernâni Cidade estampou-lhe os *Inéditos*, formados de "cartas e outros escritos".

Dizendo-me uma pessoa que eu nunca havia de ser feliz

Esperanças de um vão contentamento,
Por meu mal tantos anos conservadas,
É tempo de perder-vos, já que ousadas
Abusaste de um longo sofrimento.

Fugi; cá ficará meu pensamento
Meditando nas horas malogradas,
E das tristes, presentes e passadas,
Farei para as futuras argumento.

Já não me iludirá um doce engano,
Que trocarei ligeiras fantasias
Em pesadas razões do desengano.

E tu, sacra Virtude, que anuncias,
A quem te logra, o gosto soberano,
Vem dominar o resto dos meus dias.

Elegia

Amáveis solidões, bosques sagrados,
Que nas noites tranqüilas livremente
Prestais um doce abrigo aos desgraçados;

De meus olhos a límpida corrente
Deixai-me desatar; suspiros, brados,
Expliquem sem receio o que a alma sente.

Tu, Cíntia, cuja luz fraca e serena
Parece que de Cária refletira,
Não culpes o que indica a minha pena.

Se em minha alma inflamada Amor delira,
Desculpas deste mal, que um gesto ordena,
As dera Endimião, se não dormira.

Males tão novos, males tão tiranos
Vão consumindo a minha triste vida,
A doce primavera dos meus anos;

Que até tenho a memória já perdida
Daqueles suavíssimos enganos,
De que a lembrança me era tão querida.

Aqueles prados vejo que algum dia,
Mesmo apesar da pálida tristeza,
Doiravam mil indícios de alegria;

Tão agrestes, tão cheios de aspereza,
Que só inculcam morte; nem já sinto,
De alheia, responder minha firmeza. . .

Um não sei quê de falso lhe pressinto
Naquela que fez meus contentamentos
Que em chamar-lhe o meu bem não sei se minto.

Conseqüências fatais de uma saudade!
Que me tem a tal ponto reduzido,
Que nem sei esperar felicidade!

Vou vivendo por modo que duvido
Alguns instantes se serei já morta:
Tal anda com meus males meu sentido.

São isto extravagâncias da ventura,
Que chegam a obrigar quem, como eu, passa
A não saber se está na sepultura.

Mas sou tão costumada coa desgraça,
Que duvido, se acaso o bem tivera,
Até que o mesmo bem me satisfaça.

Porque Fortuna vária é tão severa,
Que, se me vir ao mal habituada,
Então me dará bens que eu não quisera.

Falsos bens, falso amor e falsa glória,
Tiranos que iludis quanto imagino,
Ou vinde, ou me fugi já da memória!

Mas se ordena que eu morra o meu destino,
Dure depois da morte a terna história
Do que eu sofro por um gesto divino.

Se à Ninfa, que de amores se perdeu
Pelo Moço gentil que a desprezava,
Depois da morte a voz se concedeu,

Eu suspiro como ela suspirava,
Eu choro, e só procuro, justo Céu,
Testemunhe meu pranto o que eu chorava.

Depois de terminados os meus dias,
Neste vale se escutem meus gemidos,
Intérpretes das minhas agonias.

Os rios de meus olhos submergidos
Não sejam; respeitai, selvas sombrias
De mim meus ais, meu pranto divididos.

Basta já, males meus! Para matar-me,
Mais nada se precisa que as lembranças
Do quanto vós sabeis atormentar-me.

Mas na perda de minhas esperanças,
Se da Parca depressa encontro o corte,
Na morte contra vós tenho as vinganças,
Pois não podeis vencer-me além da morte.*

(*Poesias*, Lisboa, Sá da Costa [1941], pp. 7 e 55-57.)

O soneto e a elegia retratam indelevelmente a paradoxal contextura da poesia e da mundividência da Marquesa de Alorna: um e outro se estruturam sobre um jogo dialético irresolúvel, ou que se resolve apenas por momentos (observem-se os versos finais das duas composições), para recomeçar tão logo a poetisa reenceta a sondagem nos desvãos do seu mundo interior. De um lado, põe-se o impacto da formação clássica coroando um aristocratismo de sangue e de educação, e que se revela, nos poemas, por determinado pudor ou contensão em que a Razão assume o comando do fluxo lírico. De outro, insinua-se um sentimento diametralmente oposto, fruto de leituras revolucionárias para o tempo e de experiências marcantes, que tinham o condão de sobressaltar uma sensibilidade já de si convulsa e oscilante. No choque entre as duas forças litigantes, percebe-se que a "sacra Virtude" parece levar a melhor, mas simplesmente porque os fundamentos neoclássicos e fidalgos do psiquismo da poetisa deitavam raízes inarrancáveis. Ou, por outra: a serenidade olímpica, revestida de imagens clássicas ("bosques sagrados", "doce primavera", etc.) constitui-lhe, decerto, o alvo máximo, mas apenas no plano da consciência e dos hábitos de família nobre, que eram alimentados mesmo quando, na prisão, poderiam ser desfeitos em favor de uma qualquer naturalidade. Entretanto, sua sensibilidade requeria uma libertação que contradizia os usos e os preconceitos

---

* *Endimião* = pastor, amado por Diana, a qual pediu a Júpiter lhe conservasse a beleza pondo-o a dormir perpetuamente.

aristocráticos. Inquietada pela renitente antinomia, a Marquesa deixa-se abater pelos ditames da Razão; todavia, a eloqüência do sentimento revolucionariamente egocêntrico e melancólico faz dela uma pré-romântica acabada, embora menos avassalante que José Anastácio da Cunha, e menos atormentada que Bocage, decerto porque menos poeta ou menos inclinada a estadear seus estados íntimos.

Petição à melancolia para que se acabem certos dias de festa

Tu, Deusa tutelar da solidão,
Amável sombra, oh melancolia,
Aproxima-te, rouba-me a alegria
Que turba a suavidade ao coração.

Não prives o meu peito, Ninfa, não,
Da tua triste e doce companhia,
Que suspira por ti um e outro dia
Quem de amar-te só faz consolação.

E não pode a que vive suspirante
Viver entre o tumulto muito espaço,
Sem que faça o seu mal mais penetrante.

Atende, oh Ninfa, o rogo que te faço:
Não demores mais tempo o doce instante,
Os dias tristes, que eu tão triste passo.

Soneto

Eu cantarei um dia da tristeza
Por uns termos tão ternos e saudosos,
Que deixem aos alegres invejosos
De chorarem o mal que lhes não pesa.

Abrandarei das penhas a dureza,
Exalando suspiros tão queixosos,
Que jamais os rochedos cavernosos
Os repitam da mesma natureza.

Serras, penhascos, troncos, arvoredos,
Ave, fonte, montanha, flor, corrente,
Comigo hão-de chorar de amor enredos.

Mas ah! que adoro uma alma que não sente!
Guarda, Amor, os teus pérfidos segredos,
Que eu derramo os meus ais inutilmente.

Soneto

Como, importuno Amor, inda procuras
Misturar-te entre as minhas agonias?

Vai, cruel, para onde as alegrias
No seio da Fortuna estão seguras;

Onde em taças douradas, formosuras,
Esgotando o prazer, passam seus dias;
Onde acariciado tu serias
Por quem nem sabe o nome às desventuras.

Ao som de harmoniosos instrumentos,
No peito, que é de pérolas ornado,
Criarás mil suaves sentimentos;

Mas em mim, que sou vítima do fado?!...
Cercada dos mais ásperos tormentos,
Achas uma alma só — e um só cuidado.

(*Ibidem*, pp. 5, 11, 12.)

BOCAGE

Manuel Maria Barbosa du Bocage, ou Elmano Sadino na Nova Arcádia, nasceu em Setúbal, em 15/9/1765. Órfão aos dez anos, com dezesseis assenta praça no Exército e, a seguir, na Marinha, em Lisboa. Gasta então o mais do seu tempo numa desenfreada vida boêmia que lhe espicaça o gosto pelo repentismo e lhe confere duvidoso e efêmero prestígio. Enamora-se de Gertrudes, que posteriormente se casaria com seu irmão. Em 1786, parte em viagem para a Índia, como guarda-marinha. Escala no Rio de Janeiro. Vive em Goa e Damão, de onde foge para Macau por dívidas de jogo. Seu amigo Joaquim Pereira de Almeida o recambia para a Pátria, aonde chega em 1790. Integra-se na Nova Arcádia. No ano seguinte, publica as *Rimas.* Cedo provoca a inveja e a desconfiança, a primeira por seu talento, a segunda pelo fato de nutrir ideais enciclopedistas e libertários. Preso (1797), mais adiante é transferido para o Hospício das Necessidades, onde conhece relativa tranqüilidade espiritual. Em liberdade, passa a trabalhar como tradutor para manter-se e à sua irmã. Seu temperamento belicoso, porém, pouco tardou para armar polêmicas, sobretudo com o Padre José Agostinho de Macedo. Em 1799, publica uma segunda série das *Rimas,* e em 1804, uma terceira. Entretanto, a saúde, malbaratada num viver inconseqüente, começava a escapar-lhe, até que falece, arrependido, em Lisboa, em 21/12/1805. Depois de sua morte, apareceram os volumes quarto e quinto (1813) e sexto (1842) das *Rimas.* Em 1853, Inocêncio Francisco da Silva reúne os seis volumes, acrescenta-lhes inéditos e apõe-lhes notas explicativas, sob o título de *Poesias de Manuel M. du Bocage.* Esta edição continua sendo das mais bem feitas até hoje, embora esteja longe de constituir edição definitiva. Bocage cultivou a poesia satírica e a lírica, vazadas, em idílios, odes, epigramas, canções, elegias, cantatas, cançonetas, epístolas, sonetos, etc. Os pontos altos situam-se nos sonetos. Por isso, escolheu-se uma série deles, a que se juntou uma epístola, em que igualmente a intuição bocagiana logra notas de primeira grandeza:

Sonetos

1

Incultas produções da mocidade
Exponho a vossos olhos, ó leitores:

Vede-as com mágoa, vede-as com piedade,
Que elas buscam piedade, e não louvores:

Ponderai da Fortuna a variedade
Nos meus suspiros, lágrimas, e amores;
Notai dos males seus a imensidade,
A curta duração dos seus favores:

E, se entre versos mil de sentimento
Encontrardes alguns, cuja aparência
Indique festival contentamento,

Crede, ó mortais, que foram com violência
Escritos pela mão do Fingimento,
Cantados pela voz da Dependência.

2

Chorosos versos meus desentoados,
Sem arte, sem beleza, e sem brandura,
Urdidos, pela mão da Desventura,
Pela baça Tristeza envenenados:

Vede a luz, não busqueis, desesperados,
No mudo esquecimento a sepultura;
Se os ditosos vos lerem sem ternura,
Ler-vos-ão com ternura os desgraçados:

Não vos inspire, ó versos, cobardia
Da sátira mordaz o furor louco,
Da maldizente voz a tirania:

Desculpa tendes, se valeis tão pouco;
Que não pode cantar com melodia
Um peito, de gemer cansado e rouco.

3

Sobre estas duras, cavernosas fragas,
Que o marinho furor vai carcomendo,
Me estão negras paixões n'alma fervendo
Como fervem no pego as crespas vagas:

Razão feroz, o coração me indagas,
De meus erros a sombra esclarecendo,
E vás nele (ai de mim!) palpando, e vendo
De agudas ânsias venenosas chagas:

Cego a meus males, surdo a teu reclamo,
Mil objetos de horror coa idéia eu corro,
Solto gemidos, lágrimas derramo:

Razão, de que me serve o teu socorro?
Mandas-me não amar, eu ardo, eu amo;
Dizes-me que sossegue, eu peno, eu morro.

4

Minh'alma quer lutar com meu tormento;
Contenda inútil! E por ele o Fado:
Apenas de oprimir-me está cansado
Eterna força lhe refaz o alento:

Mais vale que delire o pensamento
Té agora coa Razão debalde armado;
E menos triste, menos duro estado
A Desesperação, que o Sofrimento:

A Desesperação soluça e chora,
A Desesperação mil ais desata,
Parte do mal nas queixas se evapora:

O Sofrimento azeda o que recata;
Prende suspiros, lágrimas devora,
Tiraniza, consome, e às vezes mata.

5

Ânsias terríveis, íntimos tormentos,
Negras imagens, hórridas lembranças,
Amargosas, mortais desconfianças,
Deixai-me sossegar alguns momentos:

Sofrei que logre os vãos contentamentos
Que sonham minhas doidas esperanças;
A posse de alvo rosto, e louras tranças,
Onde presos estão meus pensamentos:

Deixar-me confiar na formosura,
Cruéis! Deixai-me crer num doce engano,
Blasonar de fantástica ventura.

Que mais mal me quereis, que maior dano
Do que vagar nas trevas da loucura,
Aborrecendo a luz do desengano?

6

Há um medonho abismo, onde baqueia
A impulsos das paixões a Humanidade;
Impera ali terrível divindade,

Que de torvos ministros se rodeia:

Rubro facho a Discórdia ali meneia,
Que a mil cenas de horror dá claridade;
Com seus sócios, Traição, Mordacidade,
Range os dentes a Inveja escura e feia:

Vê-se a Morte cruel no punho alçando
O ferro de sangüento ervado gume,
E a toda a natureza ameaçando:

Vê-se arder, fumegar sulfúreo lume...
Que estrondo! Que pavor! Que abismo infando!. . .
Mortais, não é o inferno, é o Ciúme!

7

Já sobre o coche de ébano estrelado
Deu meio giro a noite escura e feia;
Que profundo silêncio me rodeia
Neste deserto bosque, à luz vedado!

Jaz entre as folhas Zéfiro abafado,
O Tejo adormeceu na lisa areia;
Nem o mavioso rouxinol gorjeia,
Nem pia o mocho, às trevas costumado:

Só eu velo, só eu, pedindo à sorte
Que o fio, com que está minha alma presa
À vil matéria lânguida, me corte:

Consola-me este horror, esta tristeza;
Porque a meus olhos se afigura a morte
No silêncio total da natureza.

8

Não sou vil delator, vil assassino,
Ímpio, cruel, sacrílego, blasfemo;
Um Deus adoro, a eternidade temo,
Conheço que há vontade, e não destino:

Ao saber, e à virtude a fronte inclino;
Se chora e geme o triste, eu choro, eu gemo;
Chamo à beneficência um dom supremo;
Julgo a doce amizade um bem divino:

Amo a pátria, amo as leis, precisos laços
Que mantêm dos mortais a convivência,
E de infames grilhões oiço ameaços!

Vejo-me exposto à rígida violência,
Mas folgo, e canto, e durmo nos teus braços,
Amiga da Razão, pura Inocência.

9

Liberdade, onde estás? Quem te demora?
Quem faz que o teu influxo em nós não caia?
Por que (triste de mim!), por que não raia
Já na esfera de Lísia a tua aurora?

Da santa redenção é vinda a hora
A esta parte do mundo, que desmaia:
Oh! Venha. . . Oh! Venha, e trêmulo descaia
Despotismo feroz, que nos devora!

Eia! Acode ao mortal, que frio e mudo
Oculta o pátrio amor, torce a vontade,
E em fingir, por temor, empenha estudo:

Movam nossos grilhões tua piedade;
Nosso númen tu és, e glória, e tudo
Mãe do gênio e prazer, oh Liberdade!*

10

Meu ser evaporei na lida insana
Do tropel de paixões, que me arrastava:
Ah! Cego eu cria, ah! mísero eu sonhava
Em mim quase imortal a essência humana:

De que inúmeros sóis a mente ufana
Existência falaz me não dourava!
Mas eis sucumbe a Natureza escrava
Ao mal, que a vida em sua origem dana.

Prazeres, sócios meus, e meus tiranos!
Esta alma, que sedenta em si não coube,
No abismo vos sumiu dos desenganos.

Deus, oh Deus!. . . Quando a morte à luz me roube
Ganhe um momento o que perderam anos,
Saiba morrer o que viver não soube.

11

Já Bocage não sou! . . . À cova escura
Meu estro vai parar desfeito em vento...

---

* *Lísia* = Portugal.

Eu aos céus ultrajei! O meu tormento
Leve me torne sempre a terra dura:

Conheço agora já quão vã figura
Em prosa e verso fez meu louco intento;
Musa... Tivera algum merecimento,
Se um raio da razão seguisse pura!

Eu me arrependo; a língua quase fria
Brade em alto pregão à mocidade,
Que atrás do som fantástico corria:

Outro Aretino fui... A santidade
Manchei!... Oh! Se me creste, gente ímpia,
Rasga meus versos, crê na eternidade!*

Epístola

Elmano a Urselina

Dos homens o mais triste, e o mais amante,
O cego adorador da formosura,
Em que o Amor se esmerou no teu semblante;

Elmano é quem te escreve, é quem procura
Nos mansos olhos teu piedoso abrigo
Aos prantos da saudade, e da ternura;

Elmano, que a seus ais sempre inimigo
Encontra o Fado, Elmano, que te adora,
Que tem por morte não viver contigo;

Que das ardentes lágrimas, que chora,
Não cessa, quando a Noute estende o manto,
Não cessa, quando estende o véu a Aurora.

Ah meu doce prazer, meu doce encanto!
O condenado a males sempiternos
Não desespera assim, não sofre tanto.

Ternos amores, cada vez mais ternos,
Geram, pelo ciúme envenenados,
Dentro em meu coração fúrias, e infernos.

Cuido que outro granjeia os teus agrados,
E, nutrindo a voraz desconfiança,
Exclamo contra os Céus e contra os fados.

---

* *Aretino* = Pedro Aretino (1492-1556) satírico italiano, licencioso e maledicente, autor dos *Diálogos* (1536) e de outras obras no gênero.

A vida, que prezei, me aflige, e cansa;
A vida, que prezei, porque iludia
Meus vãos desejos crédula esperança.

Frio horror os cabelos me arrepia,
Quando a imaginação me representa
Meigo esposo, que ao tálamo te guia:

Como que o vejo coa paixão sedenta
Manchar-te a leda boca purpurina,
De seu néctar dulcíssimo avarenta;

Como que o vejo. . . oh, raiva! E não fulmina
A mão de Jove um bárbaro, um tirano,
Que me rouba o meu bem, que me assassina!

Raios! Puni-lhe o crime. . . ah, cego! Insano!
Desejar ser feliz, quando foi crime?
Cede ao Destino, abraça o desengano;

Teu ciúme frenético reprime,
E entre os martírios, que a paixão te ordena,
Pasmoso, heróico estímulo te anime.

Adoçarás em parte a amarga pena
Do sumo bem, que perdes, se atentares
Na desgraça, a que o Fado te condena.

Tu, vago habitador de estranhos lares,
Que em vão buscaste o riso da Ventura
Por longas terras, por imensos mares;

Tu, sem tesouro algum mais que a ternura,
Tu formarias o fatal projeto
De fazer desgraçada a formosura!

Quem sente n'alma generoso afeto
Mais do que o próprio bem, e o próprio gosto
Anela as ditas do adorado objeto.

O céu é justo: o Céu não tem disposto
Que vivas coa beleza, que te encanta,
Unido peito a peito, e rosto a rosto.

À dor tenaz, que as forças te quebranta,
Opõe de alta virtude o firme escudo,
E com tão novo assombro o mundo espanta.

Perde Urselina amável, perde tudo,
Morre enfim, se não tens valor bastante,
Que impugne o teu pesar cruel, e agudo.

Despreza a morte; a morte é um instante:

Com ela os ais têm fim, têm fim com ela
Quantos males semeia a Sorte errante.

Desarreiga o terror, que a todos gela.
Rasga as veias, e expira, articulando
O doce nome de Urselina bela.

Brandos suspiros de seu peito brando
Consagrará piedosa a tua amada
A teu triste caráter miserando.

"Morreu, morreu por mim (dirá, banhada
Em lágrimas de amor, e de saudade),
Oh paixão lastimosa, e malfadada!

Morreu, morreu o exemplo da lealdade;
Ah, ternos corações! Chorai comigo
Caso tão digno de geral piedade.

Soem contínuos ais..." Porém que digo!
Ah! Não, não soem, cândida Urselina,
Nem regues com teu pranto o meu jazigo;

Dos olhos a luz pura, a luz divina
Não deixes perturbar, antes, contente,
No peito de outro amante a face inclina.

Esquece Elmano, para sempre ausente
Da tua alegre vista encantadora,
E de mil bens te c'roe o Céu clemente.

Nunca a cega Fortuna enganadora
Contigo de seus mimos se arrependa,
Nunca te negue os dons, de que é senhora.

Nunca o benigno coração te ofenda,
Zelosa fúria; com seguros laços
Ao melhor dos mortais Amor te prenda.

Vive sempre ditosa entre seus braços,
Vive em serena paz, e adeus, querida,
Que para a morte já dirijo os passos.

Ela chama por mim, vou dar-lhe a vida:
Feliz eu, no fim mísero a que aspiro,
Se coa boca amorosa à tua unida
Desentranhasse meu final suspiro!*

(*Poesias,* Lisboa, Sá da Costa, 1943, pp. 7, 8, 17, 22, 23, 30, 31, 110, 118, 119, 218-221.)

---

* *Elmano Sadino* = pseudônimo arcádico de Bocage.

Esses poemas dizem bem da situação histórico-literária, do conflito íntimo e da grandeza de Bocage. De fato, agitado por forças opostas, o poeta coloca-se na fronteira entre o Arcadismo moribundo e o Romantismo ascendente. Os sonetos retratam fielmente a trajetória estética e humana de Bocage, desde o seu afeiçoamento, embora relativo, à pose arcádica (vejam-se os primeiros poemas) até à liberação de sentimentos reprimidos ou egotistas que coincidiam com a maré montante romântica (observem-se os últimos sonetos, de arrependimento e conversão). O primeiro soneto, que o próprio poeta publicou à entrada de suas *Rimas* (decerto porque nele visse uma síntese de sua poesia até àquela altura), assinala o apego ao credo arcádico, de que ele, aliás, está inteiramente cônscio. Assim, o adjetivo "incultas" não deve ser entendido ao pé da letra, mas como sinônimo de "falsas" ou de "não resultantes da experiência vivida". Os dois últimos versos confirmam tal idéia e acrescentam, por intermédio da alegorização das duas "fraquezas" (o Fingimento e a Dependência), pormenores novos: a preceptiva arcádica, ao menos enquanto seguida por Bocage, estimulava versos "Escritos pela mão do Fingimento / Cantados pela voz da Dependência". Compreenda-se, porém, que Fingimento significa inautenticidade, adesão postiça às modas, artificiosidade, mecânica adoção de processos de pensar e de exprimir, e que a Dependência traduz a subserviência recalcada aos padrões vigentes. Ao longo dos sonetos, Bocage ainda continua asfixiado pela camisa de força do Arcadismo (observe-se a alegorização, a mitologia e a contensão de base racionalista), mas percebe-se que aos poucos se processa a libertação rumo ao Romantismo, que só não é total porque o passado mergulhara fundas raízes na sua sensibilidade. No conjunto, predomina o impulso romântico sobre as reminiscências neoclássicas; entretanto, a predominância não quer dizer ausência de drama ou de conflito. Ao contrário: Bocage, êmulo de Camões, despe o soneto do travejamento discursivo e confere-lhe um à-vontade típico de quem lentamente vai colocando o Sentimento em lugar da Razão, ou de quem se vai dando conta de que não havia escolha (v. soneto 3). Saliente-se que ambos, Sentimento e Razão, batalham dramaticamente dentro do poeta, mas a vitória parece sorrir para o primeiro. Daí o desassossego do poeta (a Razão equilibra, o Sentimento desequilibra), daí que se enfrentem o Fado e o Ciúme, um e outro levando-o a uma poesia de horror, noturna, soturna, cheia de maus presságios, o que, ao mesmo tempo que caracteriza a cosmovisão de Bocage, serve de anúncio do ideário romântico. O egocentrismo, redundando numa poesia de emoção e confissão, arrasta-o ao coloquialismo e ao irracionalismo: fazendo do seu "eu" centro do Universo, o poeta confessa as palpitações de seu mundo emocional como quem, ao entrar em confidência, fosse destravando o policiamento da Razão ou das pressões extremas (ou seja, da moda arcádica). Esse extravasamento revela que as inquietações do poeta não se localizam na pobre área dos sentimentos amorosos epidérmicos, mas, sim, manifestam um poeta de estirpe metafísica, angustiado com a universalidade e persistência dos conflitos que o atormentam. E tais conflitos são de ordem sentimental (de onde o Ciúme), bem como ideológica, porquanto a poesia bocagiana espelha, na linha dos iluministas, iconoclastia ou rebelião contra todas as formas de espezinhamento e coerção do Homem; portanto, insurge-se contra o despotismo e põe-se a favor da Liberdade (v. soneto 9). A epístola, posto que apenas centrada nos transes amorosos que conduzem ao Ciúme, possui conteúdo idêntico ao dos sonetos: sempre e sempre a desesperação, o clima de tragédia, de enervamento tentacular, de sofrimento prometéico, habitando um poeta deísta (v. últimos sonetos), acicatado por uma terrível "ânsia de infinito", que faz dele legítimo antecessor de Antero e, sem dúvida, um dos maiores poetas da Língua.

Sonetos

1

Fiei-me nos sorrisos da ventura,
Em mimos femininos, como fui louco!

Vi raiar o prazer; porém tão pouco
Momentâneo relâmpago não dura:

No meio agora desta selva escura,
Dentro deste penedo úmido e ouço,
Pareço, até no tom lúgubre, e rouco
Triste sombra a carpir na sepultura:

Que estância para mim tão própria é esta!
Causais-me um doce, e fúnebre transporte,
Áridos matos, lôbrega floresta!

Ah! não me roubou tudo a negra sorte:
Inda tenho este abrigo, inda me resta
O pranto, a queixa, a solidão e a morte.

2

Os garços olhos, em que Amor brincava,
Os rubros lábios, em que Amor se ria,
As longas tranças, de que Amor pendia,
As lindas faces, onde Amor brilhava:

As melindrosas mãos, que Amor beijava,
Os níveos braços, onde Amor dormia,
Foram dados, Armânia, à terra fria,
Pelo fatal poder que a tudo agrava:

Seguiu-te Amor ao tácito jazigo,
Entre as irmãs cobertas de amargura;
E eu que faço (ai de mim!) como os não sigo!

Que há no mundo que ver, se a formosura,
Se Amor, se as Graças, se o prazer contigo,
Jazem no eterno horror da sepultura?

3

Ó retrato da morte, ó Noite amiga
Por cuja escuridão suspiro há tanto!
Calada testemunha de meu pranto,
De meus desgostos secretária antiga!

Pois manda Amor, que a ti somente os diga,
Dá-lhes pio agasalho no teu manto;
Ouve-os, como costumas, ouve, enquanto
Dorme a cruel, que a delirar me obriga:

E vós, ó cortesãos da escuridade,
Fantasmas vagos, mochos piadores,
Inimigos, como eu, da claridade!

Em bandos acudi aos meus clamores;
Quero a vossa medonha sociedade,
Quero fartar meu coração de horrores.

4

Importuna Razão, não me persigas;
Cesse a ríspida voz que em vão murmura;
Se a lei de Amor, se a força da ternura
Nem domas, nem contrastas, nem mitigas:

Se acusas os mortais, e os não obrigas,
Se (conhecendo o mal) não dás a cura,
Deixa-me apreciar minha loucura,
Importuna Razão, não me persigas.

É teu fim, teu projeto encher de pejo
Esta alma, frágil vítima daquela
Que, injusta e vária, noutros laços vejo:

Queres que fuja de Marília bela,
Que a maldiga, a desdenhe; e o meu desejo
É carpir, delirar, morrer por ela.

5

Nascemos para amar; a humanidade
Vai tarde ou cedo aos laços da ternura:
Tu és doce atrativo, o formosura,
Que encanta, que seduz, que persuade:

Enleia-se por gosto a liberdade;
E depois que a paixão n'alma se apura,
Alguns então lhe chamam desventura,
Chamam-lhe alguns então felicidade:

Qual se abisma nas lôbregas tristezas,
Qual em suaves júbilos discorre,
Com esperanças mil na idéia acesas:

Amor ou desfalece, ou pára, ou corre;
E, segundo as diversas naturezas,
Um porfia, este esquece, aquele morre.

6

Olhos suaves, que em suaves dias
Vi nos meus tantas vezes empregados;
Vista, que sobre esta alma despedias
Deleitosos farpões, no céu forjados:

Santuários de amor, luzes sombrias,
Olhos, olhos da cor de meus cuidados,
Que podeis inflamar as pedras frias,
Animar os cadáveres mirrados:

Troquei-vos pelos ventos, pelos mares,
Cuja verde arrogância as nuvens toca,
Cuja horríssona voz perturba os ares:

Troquei-vos pelo mal, que me sufoca;
Troquei-vos pelos ais, pelos pesares:
Oh câmbio triste! oh deplorável troca!

7

Quem se vê maltratado, e combatido
Pelas cruéis angústias da indigência,
Quem sofre de inimigos a violência,
Quem geme de tiranos oprimido:

Quem não pode ultrajado, e perseguido
Achar nos céus, ou nos mortais clemência,
Quem chora finalmente a dura ausência
De um bem que para sempre está perdido:

Folgara de viver, quando não passa
Nem um momento em paz, quando a amargura
O coração lhe arranca e despedaça?

Ah! Só deve agradar-lhe a sepultura,
Que a vida para os tristes é desgraça,
A morte para os tristes é ventura.

(*Obras de Bocage,* Porto, Lello, 1968, pp. 153, 160, 165, 172, 232, 255, 342.)

Prosa Doutrinária

Simultaneamente à reforma neoclássica, o século XVIII português foi cenário das lutas pela implantação de um espírito de rigor, fundado na Razão e nas ciências, que ganhou o nome de Iluminismo pelo seu afã de, expulsando as sombras da cultura barroca decadente, esclarecer as consciências ávidas de um saber mais sólido, ancorado na experiência e na realidade concreta. Anunciado pelos escritos de Matias Aires e mesmo do Cavaleiro de Oliveira, o movimento iluminista encontraria na obra e na ação de Verney o seu mais alto representante em Portugal.

VERNEY

Luís Antônio Verney, de ascendência francesa, nasceu em Lisboa, em 23/7/1713. Formando-se em Artes e Teologia pela Universidade de Évora, em 1736 seguiu para Roma a fim de continuar seus estudos. Planeja então escrever uma espécie de enciclopédia pedagógica, em que pudesse oferecer as chaves para uma renovação da cultura e da mentalidade portuguesa coeva. Faleceu em Roma, em 20/3/1792. Não conseguiu, por inteiro, realizar seu ambicioso plano, mas o que deixou é suficiente para atestar a grandeza de seus propósitos e a superior qualidade de suas idéias e pensamentos. Publicou: *Verdadeiro Método de Estudar* (1746), *De Ortographia Latina Liber Singularis* (1747), *Apparatus ad Philosophiam et Theologiam* (1751), *De Re Logica* (1751), *De Re Metaphysica* (1753), *Gramática Latina* (1758), *De Re Physica* (1769). Outras obras ficaram inéditas, e algumas, apesar de programadas, nem chegaram a ser escritas.

Verdadeiro Método de Estudar

Publicada em 1746, esta obra apresentava, como de praxe, naqueles tempos, um longo título: *Verdadeiro Método de Estudar, para ser útil à República, e à Igreja: proporcionado ao estilo, e necessidade de Portugal,* etc. Basta atentar nos termos do título para se evidenciar a filiação da obra com o pensamento de John Locke acerca da idéia da utilidade social. Dividida em dezesseis cartas, precedidas dum sumário, a obra constitui uma suma pedagógica a respeito dos seguintes assuntos: o estudo da Língua Portuguesa, o estudo da Gramática Latina, do Grego, do Hebraico e das Línguas Modernas, o estudo da Retórica, da Poesia, da Filosofia, da Física, da Ética, da Medicina, da Jurisprudência, da Teologia, do Direito Canônico, do pendor das mulheres para os estudos. Seu intuito máximo consistia na reforma do ensino jesuítico e da mentalidade reinante em Portugal. O trecho que se vai ler, pertence à carta sétima, que trata dos estudos da Poesia, especialmente da poesia portuguesa, e intitula-se, conforme rubrica aposta por Antônio Salgado Júnior na edição utilizada, "Composições fundadas na chamada agudeza":

Tenho ainda outra coisa que advertir, que também é efeito de mau engenho, e são aqueles ditos que chamam *agudos,* e jogos de palavras, que se acham freqüentemente nos prosadores e freqüentissimamente nos poetas. Verá V. P. pessoas que cuidam dizer graças e coisas engenhosas, e dizem insípidas ridicularias. Outros servem-se de uma palavra com um c, que, posta com um *l,* significa coisa diferente; e daqui formam uma caraminhola a que chamam engenho, e ficam mui satisfeitos da sua agudeza. O pior está em que há homens que escreveram sobre a agudeza e quiseram ensinar isto aos leitores. Li há anos um livrinho pequeno de um Espanhol, que cuido era Gracián, e se intitulava *Tratado de la Agudeza.* Lembro-me que o autor, no prólogo, desejava ao livro a boa fortuna de cair em mãos de quem o entendesse. Pelos meus pecados, eu fui um dos que não se cansaram de entendê-lo; porque logo entendi que o livro não merecia que se lesse. Querer ensinar a dizer graças e agudezas é o mesmo que querer ensinar a mudar a natureza: quem não é próprio para estas coisas, não as pode aprender. As graças, pela maior parte, têm beleza respectiva: em boca de uns, têm graça; na dos outros não. A agudeza, quando não é pura, é o mesmo. Pela maior parte, as que passam com este nome não merecem este título: são meros jogos de palavras, que agradam infinitamente aos ignorantes. Neste particular, a verdadeira regra é esta: se o conceito, traduzido em outra língua, conserva a mesma força, pode-se chamar pensamento ou agudo ou engenhoso, segundo as circunstâncias; se a perde, pronuncie V. P. livremente que é uma ridicularia, e que só pode ter lugar entre gente que gosta daquilo.

Acham-se, é verdade, nos Antigos, muitas e mui insulsas. Aristóteles, na sua *Retórica,* aponta algumas, a que chama *Paragramas,* Cícero, no livro 2º *De Oratore,* tratando das facécias do Orador, indica outras muitas; e ele mesmo, em várias partes das suas obras, serve-se delas; porque este era o seu defeito — ser muito faceto —, e com as suas facécias aquistava perigosos inimigos. Mas devo dizer, em obséquio da verdade, que as que ele aponta quase todas são frioleiras ridicularias, que não merecem nome de pensamento engenhoso. E, se V. P. me não crê, leia o dito livro, e achará que lhe digo a verdade. Estas venialidades, em que caíram estes grandes homens, são recompensadas com infinitas boas qualidades, que neles vemos; e são também desculpáveis por outro princípio, que é a falta de crítica que tiveram os Antigos. Aqueles engenhos elevados dos primeiros autores não faziam todas as reflexões necessárias para procederem com exação; pelo contrário, os que os seguiram, ainda que inferiores na grandeza de engenho, excedem no método e na crítica, e souberam evitar os defeitos dos primeiros.

(*Verdadeiro Método de Estudar,* Lisboa, Sá da Costa [1949-1952], vol. II, pp. 233-235.)

Verney, que pertenceu à Arcádia Romana (fundada em 1690), critica nesta página o vezo barroco (ou melhor, conceptista) da agudeza, e Gracián, o escritor espanhol que a converteu em motivo de doutrina estética em sua *Arte de Ingenio, Tratado de la Agudeza, en que se explican todos los modos y diferencias de conceptos* (1659). Observe-se que Verney distingue a boa e a má agudeza, e subestima a segunda porque má, não porque agudeza, o que de pronto atesta a isenção e o equilíbrio com que raciocinava e postulava a radical transformação do ensino e da cultura em Portugal. Note-se, ainda, que, sendo antibarroco, era de esperar que aceitasse irrestritamente os Antigos. Não é o que acontece: além de lhes apontar agudezas "muitas e mui insulsas", considera-os faltos de crítica. É bem verdade que Verney cataloga a ausência de crítica como uma das "boas qualidades" dos Antigos, como que procurando justificá-los e desculpá-los, mas nem por isso deixa de apontar, com independência, um defeito (o das agudezas falsas ou forçadas) que a sensatez e o discernimento crítico levam a repudiar e combater. Embora vinculado à estética arcádica (antes que esta penetrasse corporativamente em Portugal), Verney assume uma atitude de análise ponderada que o torna o grande pensador português do tempo, e confere à sua obra insofismável validade e atualidade.

ROMANTISMO

Preliminares

Originário da Escócia e da Alemanha, o Romantismo foi introduzido em Portugal por Garrett, em 1825, com a publicação do poema *Camões*. Seu término ocorre por volta de 1865, quando se instala a reforma realista. Durante esses quarenta anos, três são as configurações assumidas pela estética romântica: a primeira, em que ainda permanecem atuantes alguns valores neoclássicos, é representada por Garrett, Herculano e Castilho, e transcorre mais ou menos entre 1825 e 1838; a segunda, em que se aglutina o chamado Ultra-Romantismo, é representada especialmente por Soares de Passos e Camilo Castelo Branco, e vigora entre 1838 e 1860; a terceira, em que se opera a transição para o Realismo, é representada sobretudo por João de Deus e Júlio Dinis, e ocupa a década de 60. O Romantismo português acompanha as linhas gerais do movimento europeu, mas adaptando-o à conjuntura sócio-econômico-cultural delineada nos capítulos precedentes.

GARRETT

João Batista Leitão de Almeida Garrett nasceu no Porto, em 4/2/1799. Por causa da invasão napoleônica, com tenra idade é levado para a Ilha Terceira (Açores), onde faz seus estudos elementares. Em 1816, regressa ao continente e segue para Coimbra, a fim de fazer o curso de Direito, que termina em 1821. Nesse mesmo ano, publica o poema *Retrato de Vênus,* cujo conteúdo, julgado atentatório à moral, logo lhe granjeia um renome escandaloso. Casa-se com uma jovem de 14 anos e ingressa no Ministério do Reino. Em 1823, forçado por suas idéias liberalistas, procura o exílio na Inglaterra, onde toma contacto com o Romantismo e "descobre" Shakespeare. A seguir, está no Havre, França, a ganhar a vida e a compor *Camões* e *D. Branca,* que publica sucessivamente em 1825 e 1826. Volta a Portugal, mas é obrigado a novo exílio na Inglaterra em decorrência de subir D. Miguel ao trono. De lá, passa-se para a Ilha Terceira, a juntar-se ao exército liberal de D. Pedro IV, com o qual desembarca em Mindelo. Estabelecida a paz interna, Garrett é designado para missões diplomáticas junto ao governo belga (1834-1836). No regresso, em 1838 dá início a uma ampla campanha em prol do teatro nacional, de que resulta a fundação do Teatro de D. Maria II e do Conservatório Dramático. Em 1841, conhece Adelaide Deville, que lhe dará uma filha, e dois anos mais tarde estampa as *Viagens na Minha Terra.* Grande é, nesses anos, sua atividade parlamentar e literária. No fim da vida, apaixona-se por Maria Rosa de Montúfar, Viscondessa da Luz; as *Folhas Caídas,* publicadas em 1853, documentam os transes da paixão. Entrementes, é nomeado Ministro dos Negócios Estrangeiros, Visconde e Par do Reino. Falece pouco tempo depois, em 9/12/1854. Garrett cultivou a poesia *(Retrato de Vênus,* 1821, *Camões,* 1825, *D. Branca,* 1826, *Adozinda,* 1828, *Lírica de João Mínimo,* 1829, *Romanceiro,* 1843-

1851, *Flores sem Fruto,* 1845, *Folhas Caídas,* 1853), o teatro *(Catão,* 1822, *Mérope,* 1841, *Um Auto de Gil Vicente,* representado em 1838 e publicado em 1842, *D. Filipa de Vilhena,* representado em 1840 e publicado em 1846, *O Alfageme de Santarém,* representado e publicado em 1842, *Frei Luís de Sousa,* representado e publicado em 1844), a prosa de ficção *(Arco de Santana,* 1845-1850, *Viagens na Minha Terra,* 1846), a prosa doutrinária *(Da Educação,* 1829, *Portugal na Balança da Europa,* 1830).

Este Inferno de Amar

Este inferno de amar — como eu amo! —
Quem mo pôs aqui n'alma. . . quem foi?
Esta chama que alenta e consome,
Que é a vida — e que a vida destrói —
Como é que se veio a atear,
Quando — ai quando se há de ela apagar?

Eu não sei, não me lembra: o passado,
A outra vida que dantes vivi
Era um sonho talvez. . . — foi um sonho —
Em que paz tão serena a dormi!
Oh! que doce era aquele sonhar. . .
Quem me veio, ai de mim! despertar?

Só me lembra que um dia formoso
Eu passei. . . dava o Sol tanta luz!
E os meus olhos, que vagos giravam,
Em seus olhos ardentes os pus.
Que fez ela? eu que fiz? — Não no sei;
Mas nessa hora a viver comecei. . .

Não te Amo

Não te amo, quero-te: o amar vem d'alma.
E eu n'alma — tenho a calma,
A calma — do jazigo.
Ai! não te amo, não.

Não te amo, quero-te: o amor é vida.
E a vida — nem sentida
A trago eu já comigo.
Ai, não te amo, não!

Ai! não te amo, não; e só te quero
De um querer bruto e fero
Que o sangue me devora,
Não chega ao coração.

Não te amo. És bela; e eu não te amo, ó bela.
Quem ama a aziaga estrela

Que lhe luz na má hora
Da sua perdição?

E quero-te, e não te amo, que é forçado,
De mau feitiço azado
Este indigno furor.
Mas oh! não te amo, não.

E infame sou, porque te quero; e tanto
Que de mim tenho espanto,
De ti medo e terror. . .
Mas amar! . . . não te amo, não.

Barca Bela

Pescador da barca bela,
Onde vás pescar com ela,
Que é tão bela,
Ó pescador?

Não vês que a última estrela
No céu nublado se vela?
Colhe a vela,
Ó pescador!

Deita o lanço com cautela,
Que a sereia canta bela. . .
Mas cautela,
Ó pescador!

Não se enrede a rede nela,
Que perdido é remo e vela
Só de vê-la,
Ó pescador!

Pescador da barca bela,
Inda é tempo, foge dela,
Foge dela,
Ó pescador!

(*Folhas Caídas,* Lisboa, Portugália, 1955, pp. 91-92, 120-121, 131-132.)

Estas três composições, porventura as obras-primas da lírica de Garrett, retratam luminosamente suas qualidades e defeitos como poeta. Observe-se que representam, em relação com a poesia arcádica, um salto: Garrett leva adiante o gesto com que Bocage procurara dessacralizar o ato poético. A confissão cumpre-se plena e desinibida; a "sinceridade" parece ocupar o espaço útil dos poemas; o sentimento (no caso, amoroso) predomina: o "eu" mostra-se (ou finge mostrar-se) tal e qual; o poeta, narciso e ególatra, reflui para dentro de si; a mulher, emudecida ou ausente, inspira paixão ardente; o ritmo do verso ganha um andamento coloquial ou mesmo popular, à beira de transformar-se em prosa versificada: tudo isso são novidades românticas. Repare-se, porém, que o à-vontade do poeta é relativo: uma contensão, de origem arcádica, ou o dom de pensar dialeticamente o sentimento poético ("Não te amo, quero-te"), coarta a manifestação integral do sentimento subjacente no poema, ou dele motivante. Tem-se a impressão de que o poeta pensa o sentimento experimentado *realmente* com a Viscondessa da Luz, em vez de pensar o sentimento *depois* que a imaginação o transfundiu em arte: seus poemas *narram* experiências vividas, em lugar de *sugeri-las* transfiguradas pela ficção. Daí certa "pose" e a sensação de que, para Garrett, a poesia constituía simples instrumento de conquista amorosa. Na verdade, Garrett vale mais pela revolução *formal* que instalou com sua poesia, que pelos achados de substância ou modos de ver o mundo e os homens.

O Anjo Caído

Era um anjo de Deus
Que se perdera dos céus
E terra a terra voava.
A seta que lhe acertava
Partira do arco traidor,
Porque as penas que levava
Não eram penas de amor.

O anjo caiu ferido,
E se viu aos pés rendido
Do tirano caçador.
De asa morta e sem esplendor
O triste, peregrinando
Por estes vales de dor,
Andou gemendo e chorando.

Vi-o eu, o anjo dos céus,
O abandonado de Deus,
Vi-o, nessa tropelia
Que o mundo chama alegria,
Vi-o a taça do prazer
Pôr ao lábio que tremia...
E só lágrimas beber.

Ninguém mais na terra o via,
Era eu só que o conhecia...
Eu que já não posso amar!
Quem no havia de salvar?
Eu, que numa sepultura
Me fora vivo enterrar?
Loucura! ai, cega loucura!

Mas entre os anjos dos céus
Faltava um anjo ao seu Deus;
E remi-lo e resgatá-lo,
Daquela infâmia salvá-lo
Só força de amor podia.
Quem desse amor há de amá-lo,
Se ninguém o conhecia?

Eu só. — E eu morto, eu descrido,
Eu tive o arrojo atrevido
De amar um anjo sem luz.
Cravei-a eu nessa cruz
Minha alma que renascia,
Que toda em sua alma pus.
E o meu ser se dividia,

Porque ele outra alma não tinha,
Outra alma senão a minha. . .
Tarde, ai! tarde o conheci,
Porque o meu ser perdi,
E ele à vida não volveu. . .
Mas da morte que eu morri
Também o infeliz morreu.

Destino

Quem disse à estrela o caminho
Que ela há de seguir no céu?
A fabricar o seu ninho
Como é que a ave aprendeu?
Quem diz à planta — "Floresce!"
E ao mudo verme que tece
Sua mortalha de seda
Os fios quem lhos enreda?

Ensinou alguém à abelha
Que no prado anda a zumbir
Se à flor branca ou à vermelha
O seu mel há de ir pedir?
Que eras tu meu ser, querida,
Teus olhos a minha vida,
Teu amor todo o meu bem...
Ai! não mo disse ninguém.

Como a abelha corre ao prado,
Como no céu gira a estrela

Como a todo o ente o seu fado
Por instinto se revela,
Eu no teu seio divino
Vim cumprir o meu destino...
Vim, que em ti só sei viver,
Só por ti posso morrer.

Estes Sítios!

Olha bem estes sítios queridos,
Vê-os bem neste olhar derradeiro...
Ai! o negro dos montes erguidos,
Ai! o verde do triste pinheiro!
Que saudade que deles teremos...
Que saudade! ai, amor, que saudade!
Pois não sentes, neste ar que bebemos,
No acre cheiro da agreste ramagem,
Estar-se alma a tragar liberdade
E a crescer de inocência e vigor!
Oh! aqui, aqui só se engrinalda
Da pureza da rosa selvagem,
E contente aqui só vive Amor.
O ar queimado das salas lhe escalda
De suas asas o níveo candor,
E na frente arrugada lhe cresta
A inocência infantil do pudor.
E oh! deixar tais delícias como esta!
E trocar este céu de ventura
Pelo inferno da escrava cidade!
Vender alma e razão à impostura,
Ir saudar a mentira em sua corte,
Ajoelhar em seu trono à vaidade,
Ter de rir nas angústias da morte,
Chamar vida ao terror da verdade...
Ai! não, não. . . nossa vida acabou,
Nossa vida aqui toda ficou.
Diz-lhe adeus neste olhar derradeiro,
Dize à sombra dos montes erguidos,
Dize-o ao verde do triste pinheiro,
Dize-o a todos os sítios queridos
Desta ruda, feroz soledade. . .
Paraíso onde livres vivemos. . .
Oh! saudades que deles teremos,
Que saudade! ai, amor, que saudade!

(*Ibidem,* pp. 84-86, 93-94, 118-119.)

Na primeira edição
[de Camões]

A índole deste poema é absolutamente nova: e assim não tive exemplar a que me arrimasse, nem norte que seguisse.

Por mares nunca de antes navegados.

Conheço que ele está fora das regras; e que se pelos princípios clássicos o quiserem julgar, não encontrarão aí senão irregularidades e defeitos. Porém declaro desde já que não olhei a regras nem a princípios, que não consultei Horácio nem Aristóteles, mas fui insensivelmente depós o coração e os sentimentos da natureza, que não pelos cálculos da arte e operações combinadas do espírito. Também o não fiz por imitar o estilo de Byron, que tão ridiculamente aqui *macaqueiam* hoje os franceses a torto e a direito, sem se lembrarem que para tomar as liberdades de Byron, e cometer impunemente seus atrevimentos, é mister haver um tal engenho e talento que, com um só lampejo de sua luz, ofusca todos os descuidos e impede a vista deslumbrada de notar qualquer imperfeição. Não sou clássico nem romântico; de mim digo que não tenho seita nem partido em poesia (assim como em coisa nenhuma); e por isso me deixo ir por onde me levam minhas idéias boas ou más, e nem procuro converter as dos outros, nem inverter as minhas nas deles; isso é para literatos de outra polpa, amigos de disputas e questões que eu aborreço.

A ação do poema é a composição e publicação dos *Lusíadas;* os outros sucessos que ocorrem são de facto episódicos, mas fiz por os ligar com a principal ação. Tão sabida é a fábula ou enredo dos *Lusíadas* e a vida de seu autor, que nem tenho mais explicações que fazer a este respeito, nem será difícil ao leitor o distinguir no meu opúsculo o histórico do imaginado: mas não separará decerto muita coisa, porque das mesmas ficções que introduzi, têm sua base verdadeira as mais delas.

Sobre ortografia (que é força cada um fazer a sua entre nós, porque a não temos) direi só que segui sempre a etimologia *em razão composta* com a pronúncia; que acentos, só os pus onde sem eles a palavra se confundiria com outra; e que de boamente seguirei qualquer método mais acertado, apenas haja algum geral e racionável em português: o que tão fácil e simples seria se a nossa Academia e governo em tão importante coisa se empenhassem.*

Paris, 22 de Fevereiro de 1825

(*Obras Completas,* 2 vols., Rio de Janeiro/Lisboa, 1904, vol. I.)

---

* *Por mares...* = primeiro verso d*Os Lusíadas*; *Horácio* = poeta latino, autor da *Epístola aos Pisões* ou *Arte Poética*; *Aristóteles* = filósofo grego, autor da *Poética; Byron* = poeta romântico inglês.

Frei Luís de Sousa

Composta em três atos em prosa, e representada pela primeira vez em 1843 e publicada no ano seguinte, a tragédia *Frei Luís de Sousa* gravita em torno da vida do prosador cujo nome lhe empresta o título. Como se sabe, Madalena de Vilhena e Manuel de Sousa Coutinho haviam contraído núpcias certos de que D. João de Portugal, marido de Madalena, desaparecera em Alcácer-Quibir em companhia de D. Sebastião. Entretanto, ele estava vivo e de regresso à casa, oculto sob os andrajos de um romeiro. Aterrados pela surpresa, colhidos em pecado, os cônjuges buscam livrar-se do involuntário delito tomando hábito: durante a cerimônia, Maria de Noronha, única filha do casal, morre a seus pés. O fragmento que se vai ler, corresponde a parte da cena XIV e à cena XV do ato II.

Jorge *(cortando a conversação)*

Bom velho, dissestes trazer um recado a esta dama: dai-lho já, que havereis mister de ir descansar. . .

Romeiro *(sorrindo amargamente)*

Quereis lembrar-me que estou abusando da paciência com que me tem ouvido? Fizestes bem, padre; eu ia-me esquecendo. . . talvez me esquecesse de todo a mensagem a que vim. . . estou tão velho e mudado do que fui!

Madalena

Deixai, deixai, não importa; eu folgo de vos ouvir; dir-me-eis vosso recado quando quiserdes. . . logo, amanhã. . .

Romeiro

Hoje há de ser. Há três dias que não durmo nem descanso, nem pousei esta cabeça, nem pararam estes pés dia nem noite, para chegar aqui hoje, para vos dar meu recado... e morrer depois... ainda que morresse depois; porque jurei... faz hoje um ano... quando me libertaram, dei juramento sobre a pedra do Sepulcro de Cristo...

Madalena

Pois éreis cativo em Jerusalém?

Romeiro

Era: não vos disse que vivi lá vinte anos?

Madalena

Sim, mas. . .

Romeiro

Mas o juramento que dei foi que, antes de um ano cumprido, estaria diante de vós e vos diria da parte de quem me mandou. . .

Madalena *(aterrada)*
E quem vos mandou, homem?

Romeiro
Um homem foi, e um honrado homem... a quem unicamente devi a liberdade... a *ninguém* mais. Jurei fazer-lhe a vontade, e vim.

Madalena
Como se chama?

Romeiro
O seu nome nem o da sua gente nunca o disse a ninguém no cativeiro.

Madalena
Mas enfim, dizei vós. . .

Romeiro
As suas palavras, trago-as escritas no coração com as lágrimas de sangue que lhe vi chorar, que muitas vezes me caíram nestas mãos, que me correram por estas faces. Ninguém o consolava senão eu... e Deus! Vede se me esqueceriam as suas palavras.

Jorge
Homem acabai!

Romeiro
Agora acabo; sofrei, que ele também sofreu muito. Aqui estão as suas palavras: "Ide a D. Madalena de Vilhena, e dizei-lhe que um homem que muito bem lhe quis . . . aqui está vivo . . . por seu mal . . . e daqui não pôde sair nem mandar-lhes novas suas de há vinte anos que o trouxeram cativo."

Madalena *(na maior ansiedade)*
Deus tenha misericórdia de mim! e esse homem, esse homem ... Jesus! esse homem era . . . esse homem tinha sido . . . Levaram-no aí de onde? . . . De África?

Romeiro
Levaram.

Madalena
Cativo?

Romeiro
Sim.

Madalena

Português? . . . cativo da batalha de . . .

Romeiro

Alcácer-Quibir.

Madalena *(espavorida)*

Meu Deus, meu Deus! Que se não abre a terra debaixo dos meus pés? . . . Que não caem estas paredes, que me não sepultam já aqui? . . .

Jorge

Calai-vos, D. Madalena: a misericórdia de Deus é infinita; esperai. Eu duvido, eu não creio . . . estas não são cousas para se crerem de leve *(Reflete, e logo como por uma idéia que lhe acudiu de repente)*. Ó inspiração divina! ... (*chegando ao Romeiro)* Conheceis bem esse homem, romeiro: não é assim?

Romeiro

Como a mim mesmo.

Jorge

Se o víreis . . . ainda que fora noutros trajes . . . com menos anos, pintado, digamos, conhecê-lo-eis?

Romeiro

Como se visse a mim mesmo num espelho.

Jorge

Procurai nesses retratos, e dizei-me se algum deles pode ser.

Romeiro *(sem procurar, e apontando logo para o retrato de D. João)*

É aquele.

Madalena *(com um grito espantoso)*

Minha filha, minha filha! . . . (*Em tom cavo e profundo)* Estou . . . estás . . . perdidas, desonradas . . . infames! *(Com outro grito de coração)* Oh minha filha, minha filha! . . . *(Foge espavorida e neste gritar)*

Cena XV

Jorge e o Romeiro, *que seguiu Madalena com os olhos, e está alçado no meio da casa com aspecto severo e tremendo.*

Jorge

Romeiro, romeiro! quem és tu?

Romeiro *(apontando com o bordão para o retrato de D. João de Portugal).* Ninguém!

(Frei Jorge cai prostrado no chão, com os braços estendidos diante da tribuna. O pano desce lentamente.)

(*Frei Luís de Sousa*, Porto, Simões Lopes, 1949, pp. 139-145.)

Pertencente a *Frei Luís de Sousa,* peça que pode ser considerada a obra-prima da dramaturgia portuguesa, o excerto assinala o momento em que a tensão dramática atinge o ápice, ou seja, o clímax, quando se opera o reconhecimento (ou a *agnórise)* entre os protagonistas. Observe-se, inicialmente, a fluência e a simplicidade hierática do diálogo, a revestir um clima de tragédia que a pouco e pouco se avoluma, com a certeira inexorabilidade dos destinos pré-traçados. Por isso, não se trata propriamente de um drama (mistura de tragédia e de comédia) mas de uma tragédia, sobretudo porque às personagens não resta outra escolha, senão aceitar os desígnios marcados por uma força superior à vontade (oriunda dos deuses, na tragédia grega, ou das circunstâncias, na tragédia moderna). E cada uma delas vive a situação de um modo particular, embora todas estejam niveladas pela mesma impotência diante do *fatum.* Curiosamente, a solenidade tensa com que as referidas cenas evoluem, coroando o crescendo dramático, permite aproximar *Frei Luís de Sousa* mais do teatro clássico (greco-latino ou francês) que do romântico: seu vínculo com o Romantismo consistiria no tom melodramático que a peça assume após o clímax, no recorte moral das personagens Maria de Noronha e Telmo, e no fato de Garrett provavelmente haver projetado seu caso pessoal com Adelaide Deville na tragédia que se abateu sobre Manuel de Sousa Coutinho e Madalena de Vilhena. Seja como for, a grandeza trágica da peça evidencia-se toda no trecho selecionado: para além do simples "acidente" ocorrido entre os dois protagonistas, a peça simboliza a própria condição do Homem emparedado entre dois limites desconhecidos (o nascimento e a morte) e à mercê do Destino. Daí seu valor e sua perenidade.

Viagens na Minha Terra

Incerta a classificação desta obra, mista de jornalismo, literatura de viagens, diário íntimo e prosa de ficção. Publicada em 1846, seu fio narrativo compõe-se de uma viagem levada a efeito por Garrett, em 1843, entre Lisboa e Santarém, a convite do político Passos Manuel. Repartida em 49 capítulos, como que escritos ao sabor da viagem, a obra relata as peripécias ocorridas entre aquelas duas cidades e as reflexões que elas desencadeiam na mente do viajante, acerca dos mais variados assuntos, desde o amor até a política. Ao chegar a Santarém, o narrador toma conhecimento da história amorosa da Joaninha dos olhos verdes, a "menina dos rouxinóis", e de seu primo Carlos: ambos se apaixonam, mas ele julga-se preso ao sentimento de Georgina, que ficara na Inglaterra; por fim, desfeito o impasse, Georgina entra para o convento e Joaninha morre, enquanto Carlos, recomposto do transe, retoma sua trajetória de dândi e homem público. O trecho que se vai ler, constitui o capítulo X, em que se anuncia a história da Joaninha; é precedido de um sumário da própria lavra do escritor:

Vale de Santarém. — Namora-se o A. de uma janela que vê por entre umas árvores. — Conjecturas várias a respeito da dita janela. — Semelhança do poeta com a mulher namorada, e inquestionável inferioridade do homem que não é poeta.

— Os rouxinóis. Reminiscência de Bernardim Ribeiro e das suas saudades. — De como o A. tinha quase completo o seu romance, menos um vestido branco e uns olhos pretos. — Saem verdes os olhos com grande admiração e pasmo seu. — Verificam-se as conjecturas sobre a misteriosa janela. — A menina dos rouxinóis. — Censura das damas muito para temer, crítica dos elegantes muito para rir. — Começa o primeiro episódio desta Odisséia.

O Vale de Santarém é um destes lugares privilegiados pela natureza, sítios amenos e deleitosos em que as plantas, o ar, a situação, tudo está numa harmonia suavíssima e perfeita: não há ali nada grandioso nem sublime, mas há uma como simetria de cores, de sons, de disposição em tudo quanto se vê e se sente, que não parece senão que a paz, a saúde, o sossego do espírito e o repouso do coração devem viver ali, reinar ali um reinado de amor e benevolência. As paixões más, os pensamentos mesquinhos, os pesares e as vilezas da vida não podem senão fugir para longe. Imagina-se por aqui o Éden que o primeiro homem habitou com a sua inocência e com a virgindade do seu coração.

À esquerda do vale, e abrigado do norte pela montanha que ali se corta quase a pique, está um maciço de verdura do mais belo viço e variedade. A faia, o freixo, o álamo entrelaçam os ramos amigos; a madressilva, a musqueta penduram de um a outro suas grinaldas e festões: a congossa, os fetos, a malva-rosa do valado vestem e alcatifam o chão.

Para mais realçar a beleza do quadro, vê-se por entre um claro das árvores a janela meia aberta de uma habitação antiga mas não dilapidada — com certo ar de conforto grosseiro, e carregada na cor pelo tempo e pelos vendavais do sul a que está exposta. A janela é larga e baixa; parece mais ornada e também mais antiga que o resto do edifício que todavia mal se vê. . .

Interessou-me aquela janela.

Quem terá o bom gosto e a fortuna de morar ali?

Parei e pus-me a namorar a janela.

Encantava-me, tinha-me ali como num feitiço.

Pareceu-me entrever uma cortina branca . . . e um vulto por detrás . . . Imaginação decerto! Se o vulto fosse feminino! . . . era completo o romance.

Como há de ser belo ver pôr o Sol daquela janela! . . .

E ouvir cantar os rouxinóis! . . .

E ver raiar uma alvorada de Maio! . . .

Se haverá ali quem a aproveite, a deliciosa janela? . . . quem aprecie e saiba gozar todo o prazer tranqüilo, todos os santos gozos de alma que parece que lhe andam esvoaçando em torno?

Se for homem é poeta; se é mulher está namorada.

São os dois entes mais parecidos da natureza, o poeta e a mulher namorada: vêem, sentem, pensam, falam como a outra gente não vê, não sente, não pensa nem fala.

Na maior paixão, no mais acrisolado afeto do homem que não é poeta, entra sempre o seu tanto da vil prosa humana: é liga sem que se não lavra o mais fino de seu ouro. A mulher não; a mulher apaixonada deveras sublima-se, idealiza-se logo, toda ela é poesia; e não há dor física, interesse material, nem deleites sensuais que a façam descer ao positivo da existência prosaica.

Estava eu nestas meditações, começou um rouxinol a mais linda e desgarrada cantiga que há muito tempo me lembra de ouvir.

Era ao pé da dita janela!

E respondeu-lhe logo outro do lado oposto; e travou-se entre ambos um desafio tão regular, em estrofes alternadas tão bem medidas, tão acentuadas e perfeitas, que eu fiquei todo dentro do meu romance, esqueci-me de tudo mais.

Lembrou-me o rouxinol de Bernardim Ribeiro, o que se deixou cair na água de cansado.

O arvoredo, a janela, rouxinóis . . . àquela hora, o fim de tarde. . . que faltava para completar o romance?

Um vulto feminino que viesse sentar-se àquele balcão — vestido de branco — oh! branco por força . . . a frente descaída sobre a mão esquerda, o braço direito pendente, os olhos alçados ao céu . . . De que cor os olhos? Não sei, que importa! é amiudar muito demais a pintura, que deve ser a grandes e largos traços para ser romântica, vaporosa, desenhar-se no vago da idealidade poética. . .

— "Os olhos, os olhos . . ." disse eu pensando já alto, e todo no meu êxtase, "os olhos . . . pretos."

— "Pois eram verdes!"

— "Verdes os olhos . . . dela, do vulto da janela?"

— "Verdes como duas esmeraldas orientais, transparentes, brilhantes, sem preço."

— "Quê! pois realmente? . . . É gracejo isso, ou realmente há ali uma mulher bonita, e? . . ."

— "Ali não há ninguém — ninguém que se nomeie hoje, mas houve. . . oh! houve um anjo, um anjo que deve estar no céu."

— "Bem dizia eu que aquela janela . . ."

— "É a janela dos rouxinóis."

— "Que lá estão a cantar."

— "Então, esses lá estão ainda como há dez anos — os mesmos ou outros, mas a *menina dos rouxinóis* foi-se e não voltou."

— "A menina dos rouxinóis! quc história é essa? Pois deveras tem uma história aquela janela?"

— "É um romance todo inteiro, *todo feito* como dizem os franceses, e conta-se em duas palavras."

— "Vamos a ele. A menina dos rouxinóis, menina com olhos verdes! Deve ser interessantíssimo. Vamos à história já."

— "Pois vamos. Apeemo-nos e descansemos um bocado."

Já se vê que este diálogo passava entre mim e outro dos nossos companheiros de viagem. Apeamo-nos com efeito; sentamo-nos; e eis aqui a história da *menina dos rouxinóis* como ela se contou.

(*Viagens na Minha Terra,* Lisboa, Portugália, 1963, pp. 70-74.)

As *Viagens na Minha Terra* estão para a prosa portuguesa assim como as *Folhas Caídas* estão para a poesia: ambas despiram a vestimenta pesadona e afetada que sufocava a poesia e a prosa praticadas até então. Um ar esportivo, jornalístico, de naturalidade e espontaneidade coloquial, substitui o empertigamento e a preconcepção estilística tradicional. Nisso, Garrett foi mestre de românticos e realistas, dentre os quais Eça de Queirós e Machado de Assis. O trecho exemplifica à perfeição uma prosa enxuta, direta e palpitante, *prosa emocional,* oposta à *prosa intelectual,* vigente até o século XVIII. Prosa liberal, desataviada, numa palavra, romântica, ou seja, composta pela imaginação e pela idealização. Aliás, ao fantasiar uma história sentimental para alguém que houvesse vivido na casa à sua frente, torna-se nítido o caráter romântico da prosa garrettiana. Note-se o que diz o narrador: "Não sei, que importa! é amiudar demais a pintura, que deve ser a grandes e largos traços para ser romântica, vaporosa, desenhar-se no vago da idealidade poética. . ." Ou melhor: estava cônscio de que era romântica a história figurada em sua imaginação e desenhada "no vago da idealidade poética..." Note-se, ainda, que o narrador imagina Joaninha com olhos pretos, não sem titubear um instante (v. as reticências entre "olhos" e "pretos"). Insinua que iria admiti-los de outra cor, mas qualquer coisa da paisagem (ou dos padrões de beleza imperantes na época) fê-lo considerá-los pretos, cor freqüente nos olhos da mulher romântica, ao menos nas literaturas latinas. Como se sabe, a mulher clássica ideal possuía olhos claros. Daí a importância das observações do narrador: ao mesmo tempo que revelam o conteúdo de sua sensibilidade, sugerem uma espécie de descompromisso com ele, como se o escritor quisesse adiantar ao leitor que sua imaginação se estava deixando levar pela janela da Joaninha para considerações que lhe eram inabituais, incoerentes com o seu modo de pensar e, portanto, românticas. Tudo se passa como se ele, pessoalmente, nada tivesse com a feição romântica adquirida pela história que sua imaginação começa a engendrar. Nesse pormenor, surpreendemos a contradição íntima da obra garrettiana, ou a polaridade dialética em que se assenta. É que o romantismo de Garrett consistia antes num hábito ou na adesão às modas que numa tendência profunda de temperamento: no mais íntimo de sua visão do mundo seria um homem clássico, ou muito moderado e frio para ser medularmente romântico. De resto, as próprias qualidades do estilo guardam uma como superficialidade diplomática que não se compadecia com a anarquia mental implantada pelo Romantismo. De qualquer modo, Garrett fez escola pelo que escreveu e pregou, não pelo que foi. E isso é bastante para distingui-lo entre os escritores do tempo e no conjunto da Literatura Portuguesa.

Capítulo XII

De como Joaninha desembaraçou a meada da avó, e do mais que aconteceu. — Que casta de rapariga era Joaninha. — Dá o A. insigne prova de ingenuidade e boa fé confessando um grave senão do seu Ideal. Insiste porém que é um adorável defeito. — Em que se parece uma mulher desanelada com um Sansão tosquiado. — Pasmosas monstruosidades da natureza que desmentem o credo velho dos peralvilhos. — Os olhos verdes de Joaninha. — Religião dos olhos pretos estrenuamente professada pelo A. Perigo em que ela se acha à vista de uns olhos verdes. — De como estando a avó e a neta a conversar muito de mano a mano, chega Fr. Dinis e se interrompe a conversação. — Quem era Fr. Dinis.

— Aqui estou, minha avó: é a sua meada?...

— Eu lha endireito — disse Joaninha saindo de dentro, e com os braços abertos para a velha. Apertou-a neles com inefável ternura, beijou-a muitas vezes, e tomando-lhe o novelo das mãos num instante desembaraçou o fio e lho tornou a entregar.

A velha sorria com aquele sorriso satisfeito que exprime os tranqüilos gozos de alma, e que parecia dizer: — Como eu sou feliz ainda, apesar de velha e de cega! Bendito sejais, meu Deus.

Esta última frase, esta bênção de um coração agradecido, que espira suavemente para o céu como sobe do altar o fumo do incenso consagrado, esta última frase transbordou-lhe e saiu articulada dos lábios:

— Bendito seja Deus, minha filha, minha Joaninha, minha querida neta! E Ele te abençoe também, filha!

— Sabe que mais, minha avó? Basta de trabalhar hoje, são horas de merendar.

— Pois merendemos.

Joaninha foi dentro da casa, trouxe uma banquinha redonda, cobriu-a com uma toalha alvíssima, pôs em cima fruta, pão, queijo, vinho, chegou-a para ao pé da velha, tirou-lhe o novelo da mão, e arredou a dobadoira. A velha comeu alguns bagos de um cacho dourado que a neta lhe escolheu e pôs nas mãos, bebeu um trago de vinho, e ficou calada e quieta, mas já sem a mesma expressão de felicidade e contentamento sossegado que ainda agora lhe luzia no rosto.

As animadas feições de Joaninha refletiam simpaticamente a mesma alteração.

Joaninha não era bela, talvez nem galante sequer no sentido popular e expressivo que a palavra tem em português, mas era o tipo da gentileza, o ideal da espiritualidade. Naquele rosto, naquele corpo de dezasseis anos, havia, por dom natural e por uma admirável simetria de proporções, toda a elegância nobre, todo o desembaraço modesto, toda a flexibilidade graciosa que a arte, o uso e a conversação da corte e da mais escolhida companhia vêm a dar a algumas raras e privilegiadas criaturas no mundo.

Mas nesta foi a natureza que fez tudo, ou quase tudo, e a educação nada ou quase nada.

Poucas mulheres são muito mais baixas, e ela parecia alta: tão delicada, tão *élancée* era a forma airosa de seu corpo.

E não era o garbo teso e aprumado da perpendicular *miss* inglesa que parece fundida de uma só peça; não, mas flexível e ondulante como a hástia jovem da árvore que é direita mas dobradiça, forte da vida de toda a seiva com que nasceu, e tenra que a estala qualquer vento forte.

Era branca, mas não desse branco importuno das louras, nem do branco terso, duro, marmóreo das ruivas — sim daquela modesta alvura da cera que se ilumina de um pálido reflexo de rosa de Bengala.

E doutras rosas, destas rosas-rosas que denunciam toda a franqueza de um sangue que passa livre pelo coração e corre à sua vontade por artérias em que os nervos não dominam, dessas não as havia naquele rosto: rosto sereno como é sereno o mar em dia de calma, porque dorme o vento... Ali dormiam as paixões.

Que se levante a mais ligeira brisa, basta o seu macio bafejo para encrespar a superfície espelhada do mar.

Sussurre o mais ingênuo e suave movimento de alma no primeiro acordar das paixões, e verão como se sobressaltam os músculos agora tão quietos daquela face tranqüila.

O nariz, ligeiramente aquilino: a boca pequena e delgada não cortejava nem desdenhava o sorriso, mas a sua expressão natural e habitual era uma gravidade singela que não tinha a menor aspereza nem doutorice.

. . . .

Caíam dum lado e doutro da sua face gentil aqueles graciosos anéis; e o resto do cabelo, que era muito, ia entrançar-se, e enrolar-se com singela elegância abaixo da coroa de uma cabeça pequena, estreita e do mais perfeito modelo.

As sobrancelhas, quase pretas também, desenhavam-se numa curva de extrema pureza; e as pestanas longas e assedadas faziam sombra na alvura da face.

Os olhos porém — singular capricho da natureza, que no meio de toda esta harmonia quis lançar uma nota de admirável discordância! Como poderoso e ousado *maestro* que, no meio das frases mais clássicas e deduzidas da sua composição, atira de repente com um som agudo e estrídulo que ninguém espera e que parece lançar a anarquia no meio do ritmo musical... os diletantes arrepiam-se, os professores benzem-se; mas aqueles cujos ouvidos lhes levam ao coração a música, e não à cabeça, esses estremecem de admiração e entusiasmo... Os olhos de Joaninha eram verdes... não daquele verde descorado e traidor da raça felina, não daquele verde mau e destingido que não é senão azul imperfeito, não; eram verdes-verdes, puros e brilhantes como esmeraldas do mais subido quilate.

São os mais raros e os mais fascinantes olhos que há.

Eu, que professo a religião dos olhos pretos, que nela nasci e nela espero morrer... que alguma rara vez que me deixei inclinar para a herética pravidade do olho azul, sofri o que é muito bem feito que sofra todo o renegado... eu firme e inabalável, hoje mais que nunca, nos meus princípios, sinceramente persuadido que fora deles não há salvação, eu confesso todavia que uma vez, uma única vez que vi dos tais olhos verdes, fiquei alucinado, senti abalar-se pelos fundamentos o meu catolicismo, fugi escandalizado de mim mesmo, e fui retemperar a minha fé vacilante na contemplação das eternas verdades, que só e unicamente se encontram aonde está toda a fé e toda a crença... nuns olhos sincera e lealmente pretos.

Joaninha porém tinha os olhos verdes; e o efeito desta rara feição, naquela fisionomia à primeira vista tão discordante, era em verdade pasmosa. Primeiro fascinava, alucinava, depois fazia uma sensação inexplicável e indecisa que doía e dava prazer ao mesmo tempo: por fim pouco a pouco, estabelecia-se a corrente magnética tão poderosa, tão carregada, tão incapaz de solução de continuidade, que toda a lembrança de outra coisa desaparecia, e toda a inteligência e toda a vontade eram absorvidas.

Resta só acrescentar — e fica o retrato completo, um simples vestido azul-escuro, cinto e avental preto, e uns sapatinhos com as fitas traçadas em coturno. O pé breve e estreito, o que se adivinhava da perna admirável.

Tal era a ideal e espiritualíssima figura que em pé, encostada à banca onde acabava de comer a boa da velha, contemplava, naquele rosto macerado e apagado, a indizível expressão de tristeza que ele pouco a pouco ia tomando e que toda se refletia, como disse, no semblante da contempladora.

(*Ibidem*, pp. 83-89.)

ALEXANDRE HERCULANO

Alexandre Herculano de Carvalho e Araújo nasceu em Lisboa, em 28/3/1810. De origem humilde, não chegou a fazer curso universitário. Após estudar com os Oratorianos, seguiu curso de Inglês e Alemão na Aula do Comércio, de Diplomática na Torre do Tombo (1830). Entrementes, trava conhecimento com a Marquesa de Alorna. Em 1831, em conseqüência das lutas liberais em que se engaja, é obrigado a exilar-se em França. No ano seguinte, vai aos Açores para juntar-se ao exército liberal de D. Pedro IV, que pouco depois desembarcaria no continente a fim de afastar D. Miguel do trono. Em 1833, apaziguados os ânimos, entra como bibliotecário da Biblioteca Municipal do Porto, mas após três anos demite-se e inicia sua carreira de escritor com a publicação d*A Voz do Profeta.* Em 1837, passa a dirigir o *Panorama,* onde publicará algumas de suas obras, como as *Lendas e Narrativas, O Bobo,* e O *Monge de Cister.* Cedo, porém, suas idéias liberais desgostam o clero, com o qual entra em polêmica em 1850. Desalentado, inconformado com o estado da Nação, em 1859 adquire uma quinta em Val-de-Lobos e lá se refugia. Em 1866, casa-se com uma senhora que amara na juventude, e mais e mais se afasta da vida literária. Somente voltou a público por ocasião do fechamento das Conferências do Cassino Lisbonense (1871), pondo-se ao lado da gente moça, que nele entrevia um chefe e um modelo a seguir. Em 13/9/1877, falece em sua quinta, cercado de respeito e glória. Deixou obra vasta e variada, dividida pela historiografia *(História de Portugal,* 1846-1853; *História da Origem e Estabelecimento da Inquisição em Portugal,* 1854-1859), a novela *(Eurico, o Presbítero,* 1844; *O Monge de Cister,* 1848; *O Bobo,* 1866), o conto *(Lendas e Narrativas,* 1851), o ensaísmo *(Opúsculos,* 1873-1908; *Estudos sobre o Casamento Civil,* 1866; *Cenas de um Ano de Minha Vida,* 1934), etc.

A Cruz Mutilada

Amo-te, oh cruz, no vértice firmada
    De esplêndidas igrejas;
Amo-te quando à noite, sobre a campa,
    Junto ao cipreste alvejas;
Amo-te sobre o altar, onde, entre incensos,
    As preces te rodeiam;
Amo-te quando em préstito festivo
    As multidões te hasteiam;
Amo-te erguida no cruzeiro antigo,
    No adro do presbitério,
Ou quando o morto, impressa no ataúde,
    Guias ao cemitério;
Amo-te, oh cruz, até, quando no vale
    Negrejas triste e só,
Núncia do crime, a que deveu a terra
    Do assassinado o pó:

Porém quando mais te amo,
Oh cruz do meu Senhor,
É, se te encontro à tarde,
Antes de o sol se pôr,

Na clareira da serra,
Que o arvoredo assombra,
Quando à luz que fenece
Se estira a tua sombra.

E o dia últimos raios
Com o luar mistura,
E o seu hino da tarde
O pinheiral murmura.

E eu te encontrei, num alcantil agreste,
Meia-quebrada, oh cruz. Sozinha estavas
Ao pôr do sol, e ao elevar-se a lua
Detrás do calvo cerro. A soledade
Não te pôde valer contra a mão ímpia,
Que te feriu sem dó. As linhas puras
Do teu perfil, falhadas, tortuosas,
Oh mutilada cruz, falam de um crime
Sacrílego, brutal e ao ímpio inútil!
A tua sombra estampa-se no solo,
Como a sombra de antigo monumento,
Que o tempo quase derrocou, truncada.
No pedestal musgoso, em que te ergueram
Nossos avós, eu me assentei. Ao longe,
Do presbitério rústico mandava
O sino os simples sons pelas quebradas
Da cordilheira, anunciando o instante
Da *Ave-Maria;* da oração singela,
Mas solene, mas santa, em que a voz do homem
Se mistura nos cânticos saudosos,
Que a natureza envia ao céu no extremo
Raio de sol, passando fugitivo
Na tangente deste orbe, ao qual trouxeste
Liberdade e progresso, e que te paga
Com a injúria e o desprezo, e que te inveja
Até, na solidão, o esquecimento!

. . . .

Debalde o servo ingrato
No pó te derribou
E os restos te insultou,
Oh veneranda cruz:

Embora eu te não veja
Neste ermo pedestal;
És santa, és imortal;
Tu és a minha luz!

Nas almas generosas
Gravou-te a mão de Deus,
E, à noite, fez nos céus
Teu vulto cintilar.

Os raios das estrelas
Cruzam o seu fulgor;
Nas horas do furor
As vagas cruza o mar.

Os ramos enlaçados
Do roble, choupo e til,
Cruzando em modos mil,
Se vão entretecer.

Ferido, abre o guerreiro
Os braços, solta um ai,
Pára, vacila, e cai
Para não mais se erguer.

Cruzado aperta ao seio
A mãe e o filho seu,
Que busca, mal nasceu,
Fontes da vida e amor.

Surges, símbolo eterno,
No céu, na terra e mar,
Do forte no expirar,
E do viver no alvor!

(*Poesias,* Lisboa, Rio de Janeiro, Bertrand/Liv. Francisco Alves, s. d., pp. 92-93, 100-101.)

Em Herculano, o pensador ou o intelectual prevalecia sobre o sensitivo ou o imaginativo. Daí que se entrosasse mais com os estudos historiográficos ou o ensaísmo de idéias, que com a poesia ou a prosa de ficção. Bastam os trechos inicial e final de "A Cruz Mutilada" (de resto, sua obra poética mais conhecida e mais bem realizada) para demonstrá-lo cabalmente. Herculano estrutura os versos com o automatismo típico de quem não era poeta mas conhecia as técnicas de versejar, de quem possuía pensamento mas era falto de imaginação ou/e de sentimento. O motivo do poema (que se estampa no título), em vez de passar pelo crivo da sensibilidade, passa pelo do intelecto. Desse modo, os versos carecem de maior fluência emocional ou de sinceridade atingida por outros poetas românticos dados à matéria religiosa. Afora denotar pobreza da sensibilidade (poética), tudo isso aponta uma formação neoclássica em que o racionalismo e a erudição ocupavam lugar de relevo. O poema documenta, porém, o consórcio operado entre o Cristianismo e a revolução romântica, preconizado por Chateaubriand com o seu O *Gênio do Cristianismo* (1805) e praticado por tantos escritores durante o século XIX. Com uma diferença: o Cristianismo de Herculano era intelectual, e o dos outros, via de regra, sentimental.

Eurico, o Presbítero

No tempo em que godos e árabes lutavam na Península Ibérica (século VIII), havia um godo, Eurico, que escolhera o sacerdócio como meio para curar-se do amor impossível por Hermengarda, e que vazava seu tormento passional em poemas e canções que logo se fizeram conhecidos por toda a parte. Com o acirramento da guerra entre godos e árabes, Eurico abandona o hábito e, tornando-se o Cavaleiro Negro, consagra-se como herói de lendárias façanhas. Nem por isso o êxito sorri aos cristãos. No fim, Eurico e Hermengarda reencontram-se. Vai dar-se o capítulo final, intitulado "Conclusão", encimado por uma epígrafe de Merobaude, extraída de seu *Poema de Cristo* "Da Morte às trevas, / Imortal, te diriges!":

A ventura das armas muçulmanas tinha chegado ao apogeu, e a sua declinação começava, finalmente. E na verdade, a ira celeste contra os godos parecia dever estar satisfeita. O solo da Espanha era como uma ara imensa, onde as chamas das cidades incendiadas serviam de fogo sagrado para consumir aos milhares as vítimas humanas. O silêncio do desalento reinava por toda a parte, e os cristãos viam com aparente indiferença os seus vencedores poluírem as últimas cousas que, até sem esperança, ainda defende uma nação conquistada — as mulheres e os templos. Teodomiro pagava bem caro o procedimento que o desejo de salvar os seus súditos o movera a seguir. O pacto feito por ele com os árabes não tardou a ser por mil modos violado, e o ilustre guerreiro teve de se arrepender, mas já debalde, por haver deposto a espada aos pés dos infiéis, em vez de pelejar até a morte pela liberdade. Fora isto o que Pelágio preferira, e a vitória coroou o seu confiar no esforço dos verdadeiros godos e na piedade de Deus.

Os que têm lido a história daquela época sabem que a batalha das Cangas de Onis foi o primeiro elo dessa cadeia de combates que, prolongando-se através de quase oito séculos, fez recuar o Corão para as praias de África e restituir ao Evangelho esta boa terra de Espanha, terra, mais que nenhuma, de mártires. Na batalha de junto do Auseba foram vingados os valentes que pereceram nas margens do Chrysus; porque mais de vinte mil sarracenos viram pela última vez a luz do Sol naquelas tristes solidões. Mas, nesse dia de punição, esta devia abranger assim os infiéis, como os que lhes haviam vendido a pátria e que ainda vinham disputar a seus irmãos a dura liberdade de que gozavam nas brenhas intratáveis das Astúrias.

O ardil de Pelágio para resistir com vantagem aos muçulmanos, cem vezes mais numerosos que os cristãos, surtira o desejado efeito. Ainda que muito a custo, os cavaleiros enviados em cilada para a floresta à esquerda das gargantas de Covadonga puderam chegar aí sem serem sentidos dos árabes, que se haviam aproximado mais cedo do que o fizera crer a narração do velho Vélido. Os infiéis pararam nas bordas do Deva, no sítio em que rompia do vale, e os seus almogaures tinham ousado penetrar avante. Os cavaleiros da cilada, que a pouca distância passavam manso e manso, ouviram distintamente o tropear dos ginetes inimigos.

Mas, quando, ao primeiro alvor da manhã, Pelágio se encaminhava com o seu pequeno esquadrão para a garganta das serras, já os árabes rompiam por ela e começavam a espraiar-se, como ribeira que saindo de leito apertado, se dilata pela campina. Os cristãos recuaram, e os infiéis, atribuindo ao temor esta fuga simulada, precipitaram-se após eles. Pouco a pouco, o duque de Cantábria atraiu-os para a entrada da gruta de Covadonga. Chegado ali, pondo à boca sua buzina, tirou um som prolongado. Imediatamente os cimos dos rochedos, que pareciam inacessíveis, cobriram-se de fundibulários e frecheiros, e uma nuvem de tiros choveu de toda a parte sobre os africanos e sobre os renegados godos. Vacilaram; mas o desejo da vingança levou-os a apinharem-se, esquadrões após esquadrões, à entrada da caverna, onde, finalmente, encontravam desesperada resistência. Então, como se despegassem do céu, grandes rochedos começaram a rolar sobre eles dos cimos do precipício que lhes ficava sobranceiro. Mãos invisíveis os impeliam. Cada rocha traçava no meio daquele vulto informe que oscilava, naquela vasta planície de alvos turbantes e de capacetes reluzentes, uma escura mancha, semelhante a chaga horrível. Eram dez ou vinte guerreiros, cujos membros esmagados, cujos ossos triturados, cujo sangue confundido espirravam por cima das frontes dos seus companheiros. Era medonho!, porque a esse espetáculo se ajuntava o grito de raiva e de desesperação dos pelejadores, grito feroz e agudo, só comparável ao bramido de cem leoas a quem os caçadores do Atlas houvessem, na ausência delas, roubado os seus cachorrinhos.

Pela volta da tarde, apenas do numeroso e brilhante exército dos Árabes alguns milhares de cavaleiros fugiam desalentados diante dos foragidos das Astúrias, que os perseguiam incansáveis além de Cangas de Onis.

Fora no momento em que Pelágio penetrava, na sua fingida fuga, sob o vasto portal da gruta que o cavaleiro negro saía. O jovem guerreiro viu-o e estremeceu. Eurico tinha as faces encovadas, o rosto pálido e transtornado, e havia em todo o seu gesto uma tão singular expressão de tranqüilidade que fazia terror. Enquanto os cristãos defendiam a entrada ele esteve quedo, como indiferente ao combate; mas, logo que os árabes, acometidos já pelas costas, principiaram a recuar, e que Pelágio pôde combater na planície, o cavaleiro, abrindo caminho com o franquisque, desapareceu no meio dos inimigos. Desde esse momento, debalde o duque de Cantábria o buscou: nem ele, nem ninguém mais o viu.

Era quase ao pôr do Sol. Seguindo a corrente do Deva, a pouco mais de duas milhas das encostas do Auseba, dilatava-se nessa época denso bosque de carvalhos, no meio do qual se abria vasta clareira, onde sobre dois rochedos aprumados assentava um terceiro. Era, provavelmente, uma ara céltica. Em frente de tosca ponte de pedras brutas lançada sobre o rio, uma senda estreita e tortuosa atravessava a selva e, passando pela clareira, continuava por meio dos outeiros vizinhos, dirigindo-se, nas suas mil voltas, para as bandas da Galécia. Quatro cavaleiros, a pé e em fio, caminhavam por aquele apertado carreiro. Pelos trajos e armas, conhecia-se que eram três cristãos e um sarraceno. Chegados à clareira, este parou de repente e, voltando-se com aspecto carregado para um dos três, disse-lhe:

— Nazareno, ofereceste-nos a salvação, se te seguíssemos: fiamo-nos em ti, porque não precisavas de trair-nos. Estávamos nas mãos dos soldados de Pelágio, e foi a um aceno teu que eles cessaram de perseguir-nos. Porém o silêncio tenaz que tens guardado gera em mim graves suspeitas. Quem és tu? Cumpre que sejas sincero como nós. Sabe que tens diante de ti Mugueiz, o amir da cavalaria árabe, Juliano, o conde de Septum, e Opas, o bispo de Híspalis.

— Sabia-o — respondeu o cavaleiro —, por isso vos trouxe aqui. Queres saber quem sou? Um soldado e um sacerdote de Cristo!

— Aqui!?... — atalhou o amir, levando a mão ao punho da espada e lançando os olhos em roda. — Para que fim?

— A ti, que não eras nosso irmão pelo berço; que tens combatido lealmente conosco, inimigos da tua fé; a ti, que nos oprimes, porque nos venceste com esforço e à luz do dia, foi para te ensinar um caminho que te conduza em salvo às tendas dos teus soldados. É por ali!... A estes, que venderam a terra da pátria, que cuspiram no altar do seu Deus, sem ousarem francamente renegá-lo, que ganharam nas trevas a vitória maldita da sua perfídia, é para lhes ensinar o caminho do inferno... Ide, miseráveis, segui-o!

E quase a um tempo dois pesados golpes de franquisque assinalaram profundamente os elmos de Opas e Juliano. No mesmo momento mais três ferros reluziram.

Um contra três! Era um combate calado e temeroso. O cavaleiro da Cruz parecia desprezar Mugueiz: os seus golpes retiniam só nas armaduras dos dois godos. Primeiro o velho Opas, depois Juliano caíram.

Então, recuando, o cavaleiro cristão exclamou:

— Meu Deus! Meu Deus! Possa o sangue do mártir remir o crime do presbítero!

E, largando o franquisque, levou as mãos ao capacete de bronze e arrojou-o para longe de si.

Mugueiz, cego de cólera, vibrara a espada: o crânio do seu adversário rangeu, e um jorro de sangue salpicou as faces do sarraceno.

Como tomba o abeto solitário da encosta ao passar do furacão, assim o guerreiro misterioso do Chrysus caía para não mais se erguer!...

Nessa noite, quando Pelágio voltou à caverna, Hermengarda, deitada sobre o seu leito, parecia dormir. Cansado do combate e vendo-a tranqüila, o mancebo adormeceu, também, perto dela, sobre o duro pavimento da gruta. Ao romper da manhã, acordou ao som de canto suavíssimo. Era sua irmã que cantava um dos hinos sagrados que muitas vezes ele ouvira entoar na Catedral de Tárraco. Dizia-se que seu autor fora um presbítero da diocese de Híspalis, chamado Eurico.

Quando Hermengarda acabou de cantar ficou um momento pensando. Depois, repentinamente, soltou uma destas risadas que fazem eriçar os cabelos, tão tristes, soturnas e dolorosas são elas: tão completamente exprimem irremediável alienação de espírito.

A desgraçada tinha, de feito, enlouquecido.*

(*Eurico, o Presbítero,* notas de Maria Helena Lucas, Lisboa, Bertrand, 1972, pp. 269-275.)

---

* *almogaures* = guerreiros que viviam nas florestas, de onde saíam para combater os mouros.

Este capítulo, embora guarde o clímax da narrativa, contém as qualidades e os defeitos da prosa de ficção de Herculano. Primeiro que tudo, percebe-se que se trata de trecho de uma novela histórica. Na esteira do seu introdutor no Romantismo — Walter Scott —, Herculano explora os principais ingredientes que fizeram a ascensão, a grandeza e a miséria do gênero durante os séculos XVIII e XIX. O ficcionista alia o fato histórico à ficção, mas procede dum modo que não esconde de todo maior apreço à História: tem-se a impressão, pela simples ênfase posta no contexto histórico em que a ação se desenvolve, de que a veracidade documental sobrelevava, no seu espírito, a verossimilhança da imaginação; os parágrafos iniciais da "Conclusão" dizem-no claramente. Mesmo quando o encontro dos figurantes, nos parágrafos seguintes, faria supor um à-vontade da fantasia, o escritor deixa transparecer uma excessiva vigilância da inteligência ou o sufocamento provocado pela erudição histórica. Por outro lado, o tema da narrativa foi buscado à Idade Média, o que correspondia aos ditames doutrinários do Romantismo. E por via desse medievalismo, a novela de Herculano acabou por assemelhar-se às novelas de cavalaria, desde a atmosfera em que a fabulação transcorre (as batalhas, o mistério em tomo do Cavaleiro Negro, o "caso" entre ele e Hermengarda), até o recorte psicológico-moral das personagens: Eurico é entrevisto como um autêntico cavaleiro andante, igual a tantos que contracenam n*A Demanda do Santo Graal,* cuja personalidade encerra um misto de guerreiro e de santo. Essa aliança com a matéria cavaleiresca beneficia os intuitos historiográficos de Herculano e permite-lhe aprimorar uma de suas qualidades estéticas maiores: o dom da dramaticidade. Com efeito, a linguagem da narrativa alteia-se a um nível de tragédia, pela solenidade e pela gravidade das idéias e sentimentos, e, ainda, pelo contorno da frase, sempre lapidar e tensa. Mas, posto que no estilo demore um dos núcleos de força da narrativa de Herculano, isso o afasta do Romantismo para aproximá-lo da tradição clássica, a que, de resto, permaneceu vinculado até o fim dos dias.

II
O Presbítero

> Sublimado ao grau de presbítero... quanta brandura, qual caridade fosse a sua o amor de todos lho demonstrava.
> Álvaro de Córdoba: *Vida de Santo Eulógio.* C. 1

No recôncavo da baía que se encurva ao oeste do Calpe, Cartéia, a filha dos fenícios, mira ao longe as correntes rápidas do estreito que divide a Europa da África. Opulenta outrora, os seus estaleiros tinham sido famosos antes da conquista romana, mas apenas restam vestígios dele; as suas muralhas haviam sido extensas e sólidas, mas jazem desmoronadas; os seus edifícios foram cheios de magnificência, mas caíram em ruínas; a sua povoação era numerosa e ativa, mas rareou e tornou-se indolente. Passaram por lá as revoluções, as conquistas, todas as vicissitudes da Ibéria durante doze séculos, e cada vicissitude dessas deixou aí uma pegada de decadência. Os curtos anos de esplendor da monarquia visigótica tinham sido para ela como um dia formoso de Inverno, em que os raios do Sol resvalam pela face da Terra sem a aquecerem, para depois vir a noite, úmida e fria como as que a precederam. Debaixo do governo de Vitiza e de Roderico a antiga Cartéia é uma povoação decrépita e mesquinha, à roda da qual estão espalhados os fragmentos da passada opulência e que, talvez, na sua miséria, apenas nas recordações que lhe sugerem esses farrapos de louçainhas juvenis acha algum refrigério às amarguras da malfadada velhice.

Não! Resta-lhe ainda outro: a religião do Cristo.

O presbitério, situado no meio da povoação, era um edifício humilde, como todos os que ainda subsistem alevantados pelos godos sobre o solo da Espanha. Cantos enormes sem cimento alteiam-lhe os muros; cobre-lhe o âmbito um teto achatado, tecido de grossas traves de carvalho subpostas ao tênue colmo: o seu portal profundo e estreito pressagia de certo modo a misteriosa portada da catedral da Idade Média; as suas janelas, por onde a claridade, passando para o interior, se transforma em tristonho crepúsculo, são como um tipo indeciso e rude das frestas que, depois, alumiaram os templos edificados no décimo quarto século, através das quais, coada por vidros de mil cores, a luz ia bater melancólica nos alvos panos dos muros gigantes e estampar neles as sombras das colunas e arcos enredados das naves. Mas, se o presbitério visigótico, no escasso da claridade, se aproxima do tipo cristão de arquitetura, no resto revela que ainda as idéias grosseiras do culto de Ódin não se tem apagado de todo nos filhos e netos dos bárbaros, convertidos há três ou quatro séculos à crença do Crucificado.

O presbítero Eurico era o pastor da pobre paróquia de Cartéia. Descendente de uma antiga família bárbara, gardingo na corte de Vitiza, depois de ter sido tiufado ou milenário do exército visigótico, vivera os ligeiros dias da mocidade no meio dos deleites da opulenta Toletum. Rico, poderoso, gentil, o amor viera, apesar disso, quebrar a cadeia brilhante da sua felicidade. Namorado de Hermengarda, filha de Fávila, duque de Cantábria, e irmã do valoroso e depois tão célebre Pelágio, o seu amor fora infeliz. O orgulhoso Fávila não consentira que o menos nobre gardingo pusesse tão alto a mira dos seus desejos. Depois de mil provas de um afeto imenso, de uma paixão ardente, o moço guerreiro vira submergir todas as suas esperanças. Eurico era uma destas almas ricas de sublime poesia a que o mundo deu o nome de imaginações desregradas, porque não é para o mundo entendê-las. Desventurado, o seu coração de fogo queimou-lhe o viço da existência ao despertar dos sonhos do amor que o tinham embalado. A ingratidão de Hermengarda, que parecera ceder sem resistência à vontade de seu pai, e o orgulho insultuoso do velho prócer, deram em terra com aquele ânimo, que o aspecto da morte não seria capaz de abater. A melancolia que o devorava, consumindo-lhe as forças, fê-lo cair em longa e perigosa enfermidade, e, quando a energia de uma constituição vigorosa o arrancou das bordas do túmulo, semelhante ao anjo rebelde, os toques belos e puros do seu gesto formoso e varonil transpareciam-lhe a custo através do véu de muda tristeza que lhe entenebrecia a fronte. O cedro pendia fulminado pelo fogo do céu.

Uma destas revoluções morais que as grandes crises produzem no espírito humano se operou então no moço Eurico. Educado na crença viva daqueles tempos; naturalmente religioso porque poeta, foi procurar abrigo e consolações aos pés d'Aquele cujos braços estão sempre abertos para receber o desgraçado que neles vai buscar o derradeiro refúgio. Ao cabo das grandezas cortesãs o pobre gardingo encontrara a morte do espírito, o desengano do mundo. Ao cabo da estreita senda da Cruz acharia ele, porventura, a vida e o repouso íntimos? Era este problema, no qual se reunia todo o seu futuro, que tentava resolver o pastor do pobre presbitério da velha cidade do Calpe.

Depois de passar pelos diferentes graus do sacerdócio, Eurico recebera ainda de Siseberto, o predecessor de Opas na Sé de Híspalis, o encargo de pastorear esse diminuto rebanho da povoação fenícia. O moço presbítero, legando à catedral uma porção dos senhorios que herdara juntamente com a espada conquistadora de seus avós, havia reservado apenas uma parte das próprias riquezas. Era esta a herança dos miseráveis, que ele sabia não escassearem na quase solitária e meia arruinada Cartéia.

A nova existência de Eurico tinha modificado, porém não destruído, o seu brilhante caráter. A maior das humanas desventuras, a viuvez do espírito, abrandara, pela melancolia, as impetuosas paixões do mancebo e apagara nos seus lábios o riso do contentamento, mas não pudera desvanecer no coração do sacerdote os generosos afetos do guerreiro, nem as inspirações do poeta. O templo havia santificado aqueles, moldando-os pelo Evangelho, e tornando estas mais solenes, alimentando-as com as imagens e sentimentos sublimes estampados nas páginas sacrossantas da Bíblia. O entusiasmo e o amor tinham ressurgido naquele coração que parecera morto, mas transformados: o entusiasmo em entusiasmo pela virtude; o amor em amor dos homens. E a esperança? Oh, a esperança, essa é que não renascera!*

(*Ibidem*, pp. 15-19.)

O Monge de Cister

Publicado parcialmente na revista *Panorama* em 1841, e em volume sete anos mais tarde, *O Monge de Cister ou A Época de D. João I* gravita ao redor do seguinte entrecho: Vasco da Silva jura matar a Lopo Mendes, que se casara com sua bem-amada, Leonor, e vingar seu pai, ultrajado por um cavaleiro que ainda abusara de sua irmã Beatriz. Consumado o assassínio de seu rival, Vasco mergulha em profundo remorso, que procura vencer abraçando o sacerdócio. Entrementes, o sedutor de Beatriz, Fernando Afonso, abandona-a. E D. João de Ornelas, abade de Alcobaça, põe-se a espevitar o ódio de Vasco confidenciando-lhe que o pérfido entretinha amores com Leonor, que o sacerdote jamais deixara de amar. Todavia, Beatriz falece e Vasco revela ao monarca, D. João I, o passado tenebroso de Fernando Afonso, que é condenado à fogueira. Finalmente, Vasco morre e termina a narrativa. O trecho que se vai ler, engloba dois fragmentos do capítulo XXV do segundo volume, intitulado "O Sarau":

Se há cousa neste mundo sublunar para que sirva o perpétuo *distinguo* dos teólogos, é para traçar a história da civilização comparada, da cultura social de nossos

---

* *Calpe* = "nome que, anteriormente à conquista muçulmana, se dava à eminência que depois foi dita *Gibraltar* , ou seja, *Jábal Táriq*, 'Monte de Tárique' "; *Cartéia* = "cidade antiga da Bética a noroeste de Gibraltar"; *estreito* = o de Gibraltar; *Ódin* = "divindade escandinava que preside à guerra, à poesia, às ciências, às artes"; *gardingo* = cortesão ou nobre; *tiufado* = chefe de tropa; *Fávila, duque de Cantábria* = pai de Pelágio, o primeiro rei asturiano; *Pelágio* = "vencedor da batalha de Covadonga (718), foi o primeiro soberano da monarquia asturiana"; *Siseberto* = "prelado visigodo que viveu na segunda metade do século VII"; *Opas* = "Arcebispo de Híspalis, que viveu nos primeiros anos do século VIII." (Notas de Maria Helena Lucas.)

avós e do nosso tempo. Grande e esplêndida esta última, vista a certa luz, triunfará facilmente da primeira; mas, visto a outra luz, o passado vencerá sem dúvida o presente. Estas graves e profundíssimas reflexões, como o são quase todas as deste livro (o leitor fará a devida justiça à nossa modéstia), foram-nos inspiradas pelo espetáculo do sarau para que vimos D. João I convidar com tanto afinco aquele bom velho do doutor de Pisa. A nossa pobre imaginação, que se atrevera a transpor os régios umbrais dos paços d'apar S. Martinho, teve de retroceder e de vir abrigar-se por algum tempo à mortiça claridade de moderna sala de baile. Os olhos d'alma, ofuscados pela magnificência e brilho do iluminado palácio dos Infantes, vieram repousar um pouco em aposentos menos esplêndidos, onde as colgaduras de cor indecisa, os trajos negros ou desbotados modifiquem a pouca luz que, passando por vidros embaciados, ainda se amortece na palidez dos adereços e trajos de hoje, como no areal infértil da África se embebem as águas de trovoada passageira, que não podem saciá-lo. Até nisto, até na dúbia claridade, os saraus modernos são tacanhos e tristes! Depois, as pragmáticas, as minúcias de cortesania escolástica, as vaidades inquietas de todas as supremacias e eminências políticas, literárias, agiotas, artísticas, da impertinente aristocracia burguesa, que no meio deles perpassam, vigiando-se, mirando-se, escarnecendo-se, detestando-se, afiguram-se-nos um *quid* comparável a ouriço-cacheiro, que se rola ao longo dos aposentos, tomba, ora para um, ora para outro lado, e incomoda e espicaça as pobres obscuridades e nulidades — o máximo número — que, na simpleza do seu coração, correram ao baile pomposamente anunciado, crendo que essa grande bênção de Deus na terra, a franca e íntima alegria, podia penetrar no recinto consagrado ao egoísmo das pequenas vanglórias, às pontualidades párvoas e à sensaboria de convencional contentamento.

Não assim o sarau da Idade Média. Elevemo-nos até ele. Volvamos lá; volvamos às salas antigas. Aí, a lutuosa negrura dos trajos do homem ou as cores cansadas das roupas feminis não dão o aspecto de festas de sombras ao folgar dos vivos: aí não se vêem danças dormentes como o acalentar do infante, ou desgrenhadas, vertiginosas como o furor das bacantes, contraste absurdo ligado pelo laço comum da insipidez; aí uma delicadeza açucarada e hirta, como a deste século de míope hipocrisia, não exige admirações e aplausos tanto para o chirriar discorde, como para a voz que desprende melodiosas harmonias; aí o cavaleiro não vai, como o gasto peralvilho, curvar a fronte inquieta sobre um pano verde para pôr nas mãos do acaso talvez o seu futuro, ou o futuro de sua esposa e de seus filhos. Eram jogos de força e de destreza; eram jogos de homem — os tavolados, as justas, os torneios — que se associavam às festas de outros tempos. Então, as horas consagradas ao culto da mulher ou ao gozo de espetáculos grandiosos não se iam entristecer com lutas mesquinhas; porque o jogo ou era, como o xadrez, o recreio da solidão dos homens graves ou um vício abjeto, como o dos dados, que imperava só no meio da devassidão dos arraiais ou se escondia nas tavolagens e prostíbulos das grandes povoações. A altiva nobreza de nossos avós perdemo-la até nos passatempos.

O sarau que naquela noite se dava nos paços de S. Martinho fora ordenado por el-rei semanas antes para servir como de complementação à procissão de Corpus. Era uma galantaria feita à rainha, à bela filha de João de Gaunt, habituada aos festejos que em Londres costumavam seguir-se àquela célebre solenidade. O mestre d'Aviz, se não adotara o sistema faceto de seu pai, o grande rei, grande algoz e grande jogral, D. Pedro I, que usava folgar com os vilões, correndo as ruas de Lisboa no meio de guinolas e folias com que era costume receber os reis, quando, depois de mais dilatada ausência, voltavam à sua boa cidade, herdara, todavia, dele bastante humor jovial para não perder um ensejo de lisonjear sua mulher e de esquecer no meio das festas — conforme dizia ao chanceler — o pesado encargo da coroa, adoçando ao mesmo tempo, pela espécie de mútua benevolência que inspira a comunidade de sensações, quer de prazer, quer de dor, os ódios que ardiam solapados na corte pelos ressentimentos nascidos das contendas políticas que nalguns dos anteriores capítulos tentamos descrever.

. . . .

Mas o que, mais que tudo, deslumbraria olhos só afeitos à monótona e mesquinha singeleza dos trajos modernos seriam as roupas variegadas dos cavaleiros que nessa noite circulavam pelos paços d'apar S. Martinho. Era mais que todos os matizes do prado na primavera; era um íris imenso, retalhado em pequenos fragmentos que remoinhasse sobre chão d'estrelas. As capas de desvairadas cores, orladas de lhama d'ouro ou de prata; as jórneas decotadas, deixando entrever as golas e peitilhos bordados dos gibanetes, divididas em duas cores, que o rigor da moda exigia contrastassem as das capas; as calças ou meias justas, que, repetindo as cores das jórneas, mas trocadas, desenhavam, como estas, que se apertavam com cintos de ouropel ou de argempel, as formas atléticas e elegantes dos moços escudeiros e cavaleiros, formavam um todo cambiante e fantástico, de que dificultosamente alcançam dar uma semelhança incompleta e pálida as faculdades inventivas, às vezes bem pouco históricas, dos adereçadores do teatro ou as máscaras mais delicadas do carnaval, única espécie não absolutamente sensaborona e triste das nossas festas atuais.

O sarau antigo reunia em si essas duas formas de espetáculo. Então, o segundo era mais variado e grandioso, posto que o primeiro fosse desengenhoso e bárbaro. Os momos, todavia, continham o embrião do moderno drama: eram quase o carro de Téspis. De ordinário, consistiam em alegorias, que, próxima ou remotamente, se ligavam com sucessos recentes e notáveis. As visualidades constituíam a parte essencial dessas cenas informes, onde apenas algum monólogo extemporâneo se misturava com os trejeitos e visagens de uma pantomima extravagante e exagerada, a qual fizera atribuir aos atores de semelhantes representações o epíteto de *trejeitadores*. As bufonerias dos chocarreiros que aí figuravam eram as delícias dos príncipes e senhores, e os dictérios e alusões, muitas vezes grosseiros, ofensivos e indecentes, parece que não se estranhavam, nem sequer na presença das damas, e corriam como boa moeda. Assim, o truão, bobo ou bufão era uma casta de animal indispensável nos alcáceres régios e senhoriais; um contraveneno do tédio, pronto sempre para encher o vácuo das horas d'enfadamento; e é por isso que nos documentos, nas leis e nas crônicas dos diversos reinos das Espanhas, se encontram não raro memórias desses domésticos representadores dos *momos, arremedilhos* e *escárnios*.

Acima do bobo ou maninelo, mas confundido às vezes com ele, estava o jogral. O jogral era conjuntamente instrumentista, bailarino, cantor e, até, improvisador. Em velhos manuscritos de trovas e cantigas, muitas das quais eram composições de ilustres cavaleiros, de ricos-homens e, até, de monarcas, encontram-se ainda sinais que indicavam o tonilho que devia acompanhar os ritmos dos trovadores repetidos pelo jogral. Dos instrumentos de que usavam esses cantores professos, ora sérios ora jocosos, restam-nos ainda desenhadas as formas, mais ou menos confusamente, nas iluminuras contemporâneas. Ali se vêem os adufes, pouco diferentes dos modernos, e as castanhetas, cuja forma de pequenos paralelogramos as distingue das hoje usadas. O som destes instrumentos semibárbaros, segundo o que se pode coligir daquelas iluminuras, marcava o compasso às danças dos jograis e das pélas ou jogralezas, de que também há memória. Outros, como o laúde, a guitarra, a harpa, a aiabeba, a rabeca, o anafil, as charamelas, o órgão compunham as orquestras, aproximando-se, mais ou menos, no feitio aos que ainda subsistem e contribuindo com as suas vozes melodiosas ou estrugidoras para os desenfados e folgares dos festins e saraus.*

(*O Monge de Cister*, 2 vols., 19ª ed., Lisboa/Rio de Janeiro, Bertrand/Francisco Alves, s. d., vol. II, pp. 247-251, 256-259.)

Eu e o Clero

A "Questão *Eu e o Clero*", uma das mais importantes da história do pensamento português, decorreu do seguinte modo: no livro II e na nota XVI de sua *História de Portugal,* Herculano rejeitara, por apócrifa ou lendária, a interpretação que até à data se fazia da batalha de Ourique, travada entre Afonso Henriques e tropas sarracenas, em 25 de julho de 1139. Afirma o historiador que a tradição engrandecera "pouco a pouco o sucesso, a ponto de o tornar maravilhoso até o absurdo. A inclinação aos encarecimentos chegou a elevar o número dos vencidos a quatrocentos mil sarracenos e a fazer intervir na tentativa o próprio Deus. Se acreditarmos os cronistas antigos e ainda os historiadores modernos a batalha de Ourique foi a pedra angular da monarquia portuguesa. Ali os soldados no delírio de tão espantosa vitória, de que haviam sido instrumentos e vítimas cinco *reis* mouros e os exércitos sarracenos de África e de Hespanha, aclamaram monarca o moço príncipe que os conduzira ao triunfo" (*História de Portugal*, Lisboa / Rio de Janeiro, Bertrand / Ed. Paulo de Azevedo, s.d., t. II, 1, II, pp. 173-174). Na sua argumentação, Herculano mostra que "a palavra *rei* aplicada aos árabes pelos cronistas cristãos significa rigorosamente *chefe*" (*ibidem*, p. 280), e que a fábula "da aparição de Cristo ao príncipe antes da batalha estriba-se em um documento tão mal forjado, que o menos instruído aluno de diplomática o rejeitará como falso ao primeiro aspecto" *(ibidem,* pp. 285-286). Inconformado com a recusa objetiva e documentada do mito que o historiador afirma ter sido forjado por "algum dos falsários do século XVI" (*ibidem*, p. 286), o clero reage do púlpito contra Herculano. Este, indignado pela má consciência dos sacerdotes, remete ao Patriarca de Lisboa, em junho de 1850, uma longa carta (intitulada *Eu*

---

* *apar* = ao lado de; *filha de João de Gaunt* = Filipa de Lencastre, filha do Duque de Lencastre, João de Gaunt; *jórnea* = vestuário antigo, formado de um manto largo, aberto aos lados e sem mangas; *gibanete* = vestuário antigo, composto de pequena couraça de ferro ou de malha de aço; *Téspis* = poeta grego do século VI a.C., considerado o criador da tragédia, percorria as terras da Grécia com seu carro, onde conduzia atores e onde representava cenas teatrais.

e o Clero) em que expõe o desgosto que o fato lhe causava e ratifica as razões aventadas para desfazer o embuste acerca da batalha de Ourique. Ainda voltará à carga, e no mesmo diapasão, em outros três opúsculos: *Considerações Pacíficas sobre o Opúsculo "Eu e o Clero"* (dirigido ao redator da *Nação*, em julho de 1850), *Solemnia Verba* (duas cartas endereçadas a A. L. Magessi Tavares, em outubro e novembro do mesmo ano) e *A Ciência Arábico-Acadêmica* (remetida a A. J. da Silva Túlio, em março de 1851). A seguir, lêem-se as páginas iniciais do escrito ao Patriarca de Lisboa, que deu nome à querela:

É debaixo da impressão de vivo desgosto, e cedendo enfim ao impulso de justa indignação, que dirijo a Vossa Eminência esta carta. A desculpa que merece um ânimo turbado por ofensas imerecidas e o favor que sempre encontrei em Vossa Eminência me fazem esperar que esse favor não padecerá quebra, se alguma frase mais forte do que eu desejara me fugir da pena ao escrever este papel, papel que, solenemente o declaro desde já, não tem por objeto, como alguém poderia supor, pedir desagravo das ofensas a que aludo. De natureza são elas, que nem preciso nem quero que outrem as puna. Sei e posso eu fazê-lo, se cumprir, de um modo que sirva de escarmento à ignorância perversa e à hipocrisia insensata. O meu intuito é apenas rogar diretamente a Vossa Eminência, e indiretamente aos demais prelados de Portugal a cujas mãos chegar esta carta por intervenção da imprensa, que, obstando a novas provocações da parte do clero, me poupem a dar uma dura lição a indivíduos, que, desconhecendo os deveres do sacerdócio e incapazes de sentimentos de moderação, tentam excitar as paixões odientas de um fanatismo que já nem, talvez, o povo compreende, contra um homem que nunca lhes fez mal e que nem sequer se lembra deles, porque tem cousas um pouco mais sérias em que cogitar.

Há quatro anos que publiquei o primeiro volume de uma História de Portugal, que tem feito certa impressão no país, e ainda fora dele. Na benevolência com que esse livro foi recebido por naturais e estranhos nada há provavelmente que deva lisonjear o amor-próprio literário do autor, mas há uma prova de que o público reconheceu nele certa independência de espírito e uma estrita imparcialidade, para a qual o longo e severo exame dos fatos o habilitava. Como eu o previra na advertência posta à frente daquele primeiro volume, a sinceridade da narrativa, estribada em monumentos indisputáveis, destruindo muitas dessas tradições, mais ou menos improváveis, que deturpam a história de todos os povos, suscitou contraditores. Era cousa natural. As manifestações de cólera, as injúrias vertidas contra mim na imprensa, não podiam causar-me nem estranheza nem abalo. Estava resolvido a guardar silêncio perante elas e a prosseguir na senda que abrira, sem me distrair com lutas estéreis. A verdade fica, e as preocupações passam. Ao mesmo tempo a minha resolução inabalável era, e é, desprezar todos os respeitos humanos que se contraponham à voz da própria consciência. Todavia o não nos afastarmos dos seus ditames é empenho que não sai de graça neste mundo de paixões pequenas e más; e bem louca esperança seria a minha, se a tivesse, de evitar os efeitos de uma lei universal. Era por isso que estava resolvido a esgotar resignadamente o meu cálice.

Pouco depois da publicação do primeiro volume da História de Portugal, num periódico literário da Universidade de Dublin um crítico inglês punha em dúvida se eu, que expurgara de lendas fradescas a História do berço da monarquia, teria esforço bastante para avaliar como cumpria as longas e violentas dissensões dos reis da primeira dinastia com os bispos e com a cúria romana. Quando li isto, sorri-me. Nessa mesma conjuntura publicava-se em Lisboa o meu segundo volume, onde se continha a narrativa de boa parte daquelas discórdias. Aí me parece ter dado documento de que os receios manifestados na imprensa inglesa não eram dos mais bem fundados.

Mas esse volume, acendendo novas cóleras, despertou em alguém a idéia de me refutar de modo inaudito. Do púlpito de uma das igrejas de Braga, da antiga metrópole, onde ainda devem estar bem vivas as memórias do venerável Caetano Brandão, do ilustre prelado que pretendia reformar o breviário e missal bracarenses por causa *das suas intoleráveis patranhas e falsidades* (frase do grande arcebispo), o meu nome foi lançado às multidões, ladeado dos epítetos de herege, de ímpio e de outros semelhantes. Um egresso fanático e ignorante (como o são centenares de sacerdotes no meio do nosso clero, que não recebe há muitos anos nem educação moral nem educação literária) cobriu-me de injúrias diante de um concurso numeroso, segundo me informaram, porque no meu livro usara do direito de historiador, qualificando devidamente essas inteligências vastas e enérgicas, mas corruptas, violentas e cobiçosas, que cingiram a tiara papal, e que se chamaram Gregório, Inocêncio ou Honório. A princípio acreditei que isto não passara de um impulso de fanatismo individual; mas em breve me desenganei de que o fato pertencia a um sistema organizado de agressão. A imprensa política noticiou procedimentos análogos para comigo em outros lugares do arcebispado. Se o objeto das invectivas era o mesmo, se igual a violência das expressões, ignoro-o: mas o que me pareceu evidente foi que havia, como disse, em tão insólito proceder um sistema uniforme e combinado.

Calei-me. A minha equanimidade foi bastante para tolerar este ataque brutal à liberdade do pensamento; foi tamanha como a do respectivo prelado, que guardou silêncio, e que devera ter advertido o seu clero de que, não havendo eu ofendido doutrina alguma da igreja e tendo-me limitado a julgar os homens e os fatos da época sobre que escrevia, por mais erradas que fossem as minhas opiniões, elas não podiam ser qualificadas publicamente de heréticas, concitando-se assim contra mim a credulidade popular. Um sermão não é o meio de refutar erros literários, e muito menos o é qualificar tais erros como ofensas da fé para os transformar em crimes religiosos. Em semelhante terreno a luta seria impossível, porque dela brota o risco pessoal, ou pelo menos a perda da reputação moral para um dos contendores, ou melhor direi para a vítima indefesa, amarrada ao poste desse novo gênero de patíbulo. Os ignorantes olhariam com horror para o Lutero ou Calvino que surge na terra da pátria, e esse ódio público é uma verdadeira coação à liberdade legítima, digo, porque, apesar de tantas declamações e queixas, é evidente que no meu livro não há uma única palavra que ofenda a ortodoxia da igreja. Se eu tivesse proferido alguma heresia, os prelados portugueses, e em particular Vossa Eminência como meu pastor, não seriam capazes de faltar aos seus mais estritos deveres, deixando de me advertir do erro com caridade evangélica, e de me condenar se eu insistisse nele. Era então que aos bispos, e não a qualquer desses cerzidores de farrapos de sermões velhos, desses inimigos figadais da língua, da gramática e do senso comum, denominados, por antífrase, pregadores ou oradores, que era lícito, que cumpria lançar sobre mim o anátema.

A guerra desleal que uma parte do clero (digo uma parte, porque no seu grêmio há muitos homens leais e verdadeiramente ilustrados) me declarara no norte do reino, não tardou a aparecer no meio-dia, no recinto da própria capital. O primeiro cometimento foi tentado numa solenidade notável e num dos templos mais freqüentados de Lisboa. Nesse ato o absurdo da agressão nasceu antes da impropriedade do lugar, do que das fórmulas empregadas pelo agressor, que se absteve de injúrias grosseiras. Lisboa não é Braga, e o negócio precisava aqui de maior circunspecção.

Entretanto a tentativa desagradou geralmente, e eu pensei que enfim me deixariam em paz.

(*Opúsculos,* t. III, 6ª ed., Lisboa, Bertrand, s.d., pp. 3-9.)

O opúsculo *Eu e o Clero*, que desencadeou a célebre polêmica, vale muitíssimo como instrumento para a sondagem do perfil moral e da mundividência de Herculano. E vale, também, como índice de uma época literária (a romântica) e de um perene conflito, às vezes latente, às vezes evidente, no âmago da cultura portuguesa. Com efeito, ficamos conhecendo que a intransigência do historiador encerra uma fortaleza de ânimo e uma coerência de caráter invulgares em qualquer parte do mundo. E ainda compreendemos que sua intolerância radicava numa lucidez sem par, que lhe permitia afirmar corajosamente a posição que assumia e, a um só tempo, estar cônscio das outras que lhe eram antagônicas. Assim, percebe-se que sua revolta se dirige contra o mau clérigo, ou seja, contra o sacerdote obscurantista e néscio. Em contrapartida, respeita a fração esclarecida do clero, a ponto de considerar o Patriarca de Lisboa "como meu pastor", o que equivale a uma profissão de fé cristã, aliás confirmada ao longo do opúsculo. Entre outros passos abonadores, atentemos em dois, já no epílogo da carta: "Não me arrependo do que fiz. Cumpri um dever que me impunham Deus e a minha consciência"; "Oxalá venha em breve o dia em que o clero deste país possa receber uma educação digna do seu elevado destino, e conhecer, por estudos severos e bem dirigidos, que o ser cristão não é ser nem hipócrita nem fanático" (ed. cit., pp. 32 e 33). Desse modo, Herculano se patenteia cristão, mas conduzido por uma retidão de juízos, conceitos e ação que não se compadecia com a leveza e a cegueira de sacerdotes retrógrados ao encararem a verdade inconteste dos fatos. Por outro lado, a polêmica põe de manifesto um choque de mentalidades, que caracteriza a história do pensamento português: uma facção, de linhagem conservadora e "supersticiosa" (entenda-se: "supersticiosa" mesmo quando, à luz de crenças religiosas, interpreta a história e a sociedade portuguesas) defende uma visão pragmática e imobilista do mundo, visão essa predominante no curso dos séculos; outra facção, minoritária, procura abrir fendas na estrutura compacta anterior e nela inserir doutrinas atualizadas e dinâmicas, ou, ao menos, tenta estabelecer um acordo entre a tradição e a inovação, entre a inércia e a mudança. Por isso, a cada "momento" histórico da cultura portuguesa corresponde um novo recontro azedo entre essas duas forças de repulsão, cujo desenlace não se vem alterando no fio dos séculos, mercê da exaustão que invade aqueles, como Herculano (Antero e outros), que acalentaram a utopia de transformar para melhor o quadro estagnado ou equívoco de sua cultura.

CASTILHO

Antônio Feliciano de Castilho nasceu em Lisboa, em 28/1/1800. Cegou em tenra idade, mas nem por isso deixou de estudar. Feito o curso secundário, matriculou-se em Cânones na Universidade de Coimbra. Ainda estudante, publicou as *Cartas de Eco e Narciso* (1821) e *A Primavera* (1822), que lhe trouxeram pronto renome e o tornaram figura principal da recém-fundada *Sociedade dos Amigos da Primavera.* Formado, seguiu para S. Mamede da Castanheira do Vouga, em companhia de seu irmão Augusto, que abraçara o sacerdócio. Escreve então poesia e traduz autores clássicos. Em 1828, deu a lume *Amor e Melancolia.* Depois de passar algum tempo com o seu irmão na Ilha da Madeira, em 1841 mudou-se para Lisboa, e entrou a dirigir a *Revista Universal Lisbonense.* Por volta de 1848, iniciou uma campanha de esclarecimento pedagógico no continente e nos Açores. Visita o Brasil (1855). Em 1865, sua carta-posfácio ao *Poema da Mocidade,* de Pinheiro Chagas, acendeu a "Questão Coimbrã". Faleceu em 18/6/1875. Publicou ainda os seguintes livros de poesia: *A Noite do Castelo* (1836), *Os Ciúmes do Bardo* (1836), *Escavações Poéticas* (1844) e *O Outono* (1863); e obras históricas e de cunho pedagógico: *Quadros Históricos de Portugal* (1839), *Felicidade pela Agricultura* (1849), *Leitura Repentina* (1850), *Tratado de Metrificação Portuguesa* (1851), *Tratado de Mnemônica* (1851), *Felicidade pela Instrução* (1854), etc.

A Noite do Castelo

Datado de S. Mamede da Castanheira do Vouga, 4 de junho de 1830, *A Noite do Castelo,* poema em quatro cantos, somente se estampou em 1836. Seu entrecho, transcorrido na Idade Média, consiste no seguinte: Inês, filha do Conde Orlando, estava noiva de Adolfo, trovador e fidalgo; em plena festa de aniversário da donzela, surge um cavaleiro de negro, vindo das Cruzadas; em meio ao baile, começam os sinos a repicar a finados; enquanto isso, o misterioso cavaleiro desaparece; o Conde Orlando desconfia que se trata de seu sobrinho Henrique, ex-noivo de Inês, e dado como morto em Jerusalém; acalmados os animos, Inês e Adolfo, em colóquio amoroso no bosque, são surpreendidos pelo cavaleiro de negro: imediatamente os dois cavaleiros entram em duelo, e Inês desmaia; Adolfo sai ferido de morte; a seguir, o cavaleiro suspeito revela sua verdadeira identidade, Henrique, e, aparecendo diante de Inês, exprobra-lhe a traição, mas acaba por sugerir-lhe que ambos entrem para o convento; para tanto, vão à presença do Conde Orlando; mas vendo que Adolfo morrera, a jovem clama por vingança; Henrique, tresloucado, assassina a bem-amada; por fim, o Conde Orlando abandona o castelo. O trecho que se vai ler, corresponde às estâncias 15 e 16 do Canto I, em que são descritas, durante as festividades natalícias, as personagens centrais do drama:

Doce era a voz de Inês, maga, sublime
na harmonia e no afeto; hino a disséreis,
digno do santuário onde nascia;
suave como a brisa que madruga
sonora entre os rosais, de si vertia
pelo ouvido um frescor e uma inocência,
como celeste orvalho. O que a não visse,
escutando-a falar sentira amores;
o que acesas paixões nutrisse inquieto,
as esquecera ouvindo-a; e cada frase,

simples, indiferente em lábios de outra,
assumia nos seus matiz, perfume;
voara, e inda nos ânimos trementes
ficava ressoando, como pomba
que fugindo pelo ar estampa n'água
de um lago atento as asas cor de neve.
E o preço aos dons de Inês Inês ignora!
Como ela às mais, aos mais excede Adolfo,
ilustre castelão da oposta margem,
intrépido, e cortês. Mais de um combate
lhe ganhara troféus, lhe alçara o nome.
Temido pelos infiéis, aceito às damas,
na guerra vencedor, na paz vencido,
pudera (se inda então durasse a usança
de fantasiar divisa) abrir no escudo
águia entre as nuvens empolgando raios,
pombas aos beijos entre crespas murtas,
cisne em gorjeios de alta palma à sombra.
Ninguém lho estranharia, que ao Levante
guerreiro trovador não foi como ele.
Quando, após o combate, a quente lança
a gotejar depunha, a mão tão fera
da mandora nas cordas se ameigava
para a casar com os improvisos cantos.
Era amor o seu estro, amor sua alma,
sua existência amor. Outras lembranças
do passado não tinha; outros cuidados
lhe não dava o futuro. Aqui prendiam
seus méritos gentis, seus vícios grandes;
e esses vícios, que entre homens o infamavam,
ante olhos feminis eram virtudes.
Fanático, ao seu ídolo imolava,
se a captar-lhe o favor tanto cumprisse,
os deveres, a vida, a glória mesma.
Bem que altivo de si, rendia às damas
o que bom cavaleiro às damas deve;
mas, apenas cativo em braços de uma,
por uma afrontaria o sexo inteiro,
folgara dá-lo em vítima ao seu nume.
Todas por isso o receavam; todas
ardiam ter em seus grilhões submisso
este horrível leão; mas para ele
mais que uma só mulher não tinha o mundo;
e essa é, de muito, Inês. Anos se contam

que os inimigos seus debalde estudam
apontar-lhe um transvio a novo afeto.*

(*A Noite do Castelo*, Lisboa, Emp. da História de Portugal, 1907, pp. 29-30.)

A primeira impressão que o presente trecho deve causar no leitor é de que Castilho era um purista, arrimado aos bons autores clássicos. Nada mais correto, porquanto constitui um dos mestres de vernaculidade. Entretanto, não escapa ao olhar e ao ouvido atentos que a inspiração se nega a acompanhar o apuro formal: ao escritor falta a autêntica dicção poética; os versos, endurecidos porque forjados pela vontade e o estudo antes que sugeridos pela sensibilidade, semelham prosa metrificada. E quanto à substância do fragmento, compõe-se de elementos convencionais, demasiado "literários", inventados a partir de reminiscências de leitura e não a partir da vida. Mais ainda: o tempo em que transcorre a história contida n*A Noite do Castelo* é a Idade Média, o que atendia, de resto, ao código estético posto em circulação pelo Romantismo. Todavia, esse respeito pela moda vigorante na época de Castilho continua a encerrar academicismo e ausência de originalidade no enfoque da realidade humana e afetiva: projetando para longe o tempo e o espaço de seu poema, talvez o escritor acreditasse que lhe compensava a débil capacidade inventiva e, enganando-se a si próprio, iludisse o leitor distraído. Resultado: temos diante dos olhos um exemplo modelar da afetação romântica na área do medievalismo, suficientemente sugestivo para nos dar uma idéia da medievalite que grassou em Portugal durante o século XIX. E também um exemplo claro de má poesia, o bastante para permitir enquadrar Castilho como um clássico retardatário e um poeta medíocre, que nem o casticismo da linguagem pode salvar de irremediável esquecimento.

Ultra-Romantismo

Como vimos, Garrett, Herculano e Castilho ainda respiraram, cada um à sua maneira e em diferentes proporções, ares neoclássicos. Com os integrantes da segunda geração romântica, tais resíduos do século XVIII entram a desaparecer, e graças aos excessos cometidos em nome da nova moda inaugurada em 1825, passaram a constituir o chamado *Ultra-Romantismo*. Os seus adeptos reuniram-se à volta d*O Trovador* (1844) e d*O Novo Trovador* (1851), revistas coimbrãs devotadas ao culto da Idade Média e do sentimentalismo. Soares de Passos, na poesia, e Camilo Castelo Branco, na prosa, são os seus máximos representantes.

SOARES DE PASSOS

Antônio Augusto Soares de Passos nasceu no Porto, em 27/11/1826, de família burguesa, que o obrigou a trabalhar no balcão do armazém paterno enquanto fazia seus estudos. Em 1849, porém, alcança do pai que o deixe ir para Coimbra, onde se matricula em Direito e se entrega à vida literária, de que resulta a fundação d*O Novo Trovador* (1851), órgão de poetas medievalistas. Em pouco tempo, a tuberculose se lhe declara, mas não o impede de publicar suas *Poesias* (1855), depois de haver regressado ao Porto em busca de ocupação compatível com seu estado e seu talento. Desanimado, tranca-se meses a fio, rebelde a todo convívio humano, até que falece, prematuramente, em 8/2/1860. Apenas deixou o livro de poemas

* *mandora* = espécie de alaúde.

publicado em vida, e alguns inéditos que foram apensados à 9ª edição de *Poesias,* organizada por Teófilo Braga, em 1910. De sua reduzida bagagem poética, escolheu-se um poema que fez carreira no tempo e se tornou peça de antologia:

O Noivado do Sepulcro

Balada

Vai alta a lua! na mansão da morte
Já meia-noite com vagar soou;
Que paz tranqüila; dos vaivéns da sorte
Só tem descanso quem ali baixou.

Que paz tranqüila!. . . mas eis longe, ao longe
Funérea campa com fragor rangeu;
Branco fantasma semelhante a um monge,
Dentre os sepulcros a cabeça ergueu.

Ergueu-se, ergueu-se!. . . na amplidão celeste
Campeia a lua com sinistra luz;
O vento geme no feral cipreste,
O mocho pia na marmórea cruz.

Ergueu-se, ergueu-se!. . . com sombrio espanto
Olhou em roda. . . não achou ninguém. . .
Por entre as campas, arrastando o manto,
Com lentos passos caminhou além.

Chegando perto duma cruz alçada,
Que entre os ciprestes alvejava ao fim,
Parou, sentou-se com a voz magoada
Os ecos tristes acordou assim:

"Mulher formosa, que adorei na vida,
"E que na tumba não cessei de amar,
"Por que atraiçoas, desleal, mentida,
"O amor eterno que te ouvi jurar?

"Amor! engano que na campa finda,
"Que a morte despe da ilusão falaz:
"Quem dentre os vivos se lembrara ainda
"Do pobre morto que na terra jaz?

"Abandonado neste chão repousa
"Há já três dias, e não vens aqui. . .
"Ai, quão pesada me tem sido a lousa
"Sobre este peito que bateu por ti!

“Ai, quão pesada me tem sido!” e em meio,
A fronte exausta lhe pendeu na mão,
E entre soluços arrancou do seio
Fundo suspiro de cruel paixão.

“Talvez que rindo dos protestos nossos,
“Gozes com outro d’infernal prazer;
“E o olvido cobrirá meus ossos
“Na fria terra sem vingança ter!

— “Ó nunca, nunca!” de saudade infinda,
Responde um eco suspirando além. . .
— “Ó nunca, nunca!” repetiu ainda
Formosa virgem que em seus braços tem.

Cobrem-lhe as formas divinais, airosas.
Longas roupagens de nevada cor;
Singela c’roa de virgíneas rosas
Lhe cerca a fronte dum mortal palor.

“Não, não perdeste meu amor jurado:
“Vês este peito? reina a morte aqui. . .
“É já sem fôrças, ai de mim, gelado,
“Mas ainda pulsa com amor por ti.

“Feliz que pude acompanhar-te ao fundo
“Da sepultura, sucumbindo à dor:
“Deixei a vida. . . que importava o mundo,
“O mundo em trevas sem a luz do amor?

“Saudosa ao longe vês no céu a lua?
— “Ó vejo sim. . . recordação fatal!
— “Foi à luz dela que jurei ser tua
“Durante a vida, e na mansão final.

“Ó vem! se nunca te cingi ao peito,
“Hoje o sepulcro nos reúne enfim. . .
“Quero o repouso do teu frio leito,
“Quero-te unido para sempre a mim!”

E ao som dos pios do cantor funéreo,
E à luz da lua de sinistro alvor,
Junto ao cruzeiro, sepulcral mistério
Foi celebrado, d’infeliz amor.

Quando risonho despontava o dia,
Já desse drama nada havia então,
Mais que uma tumba funeral vazia,
Quebrada a lousa por ignota mão.

Porém mais tarde, quando foi volvido
Das sepulturas o gelado pó,
Dois esqueletos, um ao outro unido,
Foram achados num sepulcro só.

(*Poesias*, Porto, Chardron, 1925, pp. 12-15.)

"O Noivado do Sepulcro" exemplifica à perfeição a psicologia que informava o Ultra-Romantismo. Como a própria expressão sugere, e o poema demonstra, a correnteza romântica transbordara do seu leito, e viera alagar as regiões circunvizinhas. O Romantismo exorbitara de suas margens e atingira o limite para além do qual se processa a deturpação de suas melhores características e o conseqüente e inexorável declínio. Ambiente fantástico,"negro", guardando um gosto doentio pelas funerações, tom melodramático, transbordante idealismo amoroso, que rompe o círculo das conveniências ou do verossímil, teatralidade extrema, que não recusa os gestos mais descabelados para traduzir uma visão do mundo pessimista, entrevista a partir da morte e não a partir da vida, sentimentalidade paroxística, expressa por jactos "vulcânicos", irrealidade e irracionalidade, desprezo das estruturas sociais vigentes e anseio de uma esfera transcendental ou além-túmulo, emprego de versos simples, desataviados, visando à fácil comunicação com o leitor preparado para a contemplação de morbidezas e que nelas encontra sumo prazer estético e moral, — tudo isso, que está patente na composição de Soares de Passos, define o Ultra-Romantismo. Tanto o poema como a corrente estética gozaram de grande favor na metade do século XIX: " 'O Noivado do Sepulcro' é cantado em uma melopéia, que o vulgarizou entre o povo, sem ter contudo condições de popularidade; no Porto ouvimo-lo bastantes vezes cantado pelas ruas, em noites de luar, mas deturpadas as palavras cultas pelos mais deploráveis plebeísmos. A extrema vulgarização desta balada, chegou a produzir a ilusão mental de um poeta provinciano, que protestava tê-la escrito e recitado à família nas férias escolares de 1853, acusando Soares de Passos, depois de morto, como indigno plagiário" (Teófilo Braga, "Escorço Biográfico de S. de P.", *in Poesias,* 10ª ed., Porto, Chardron, 1925, pp. XVIII-XIX). Hoje, a balada e a tendência literária em que se inscreve, cheiram a coisas peremptas ou amarradas a uma tábua de valores superados. Entretanto, há que ter em conta a vaga ultra-romântica quando se pretende rastrear as origens de alguns "ismos" modernos, como o Existencialismo ou, de certo modo, o Surrealismo.

O Firmamento

Ao meu amigo J. S. da Silva Ferraz

Glória a Deus! eis aberto o livro imenso,
O livro do infinito,
Onde em mil letras de fulgor intenso
Seu nome adoro escrito.
Eis do seu tabernáculo corrida
Uma ponta do véu misterioso:
Desprende as asas retomando a vida,
Alma que anseias pelo eterno gozo!

Estrelas, que brilhais nessas moradas,
Quais são os vossos destinos!

Vós sois, vós sois as lâmpadas sagradas
De seus umbrais divinos.
Pululando do seio onipotente,
E sumidas por fim na eternidade,
Sois as faíscas do seu carro ardente
Ao rolar através da imensidade.

E cada qual de vós um astro encerra,
Um sol que apenas vejo,
Monarca doutros mundos como a terra
Que formam seu cortejo.
Ninguém pode contar-vos: quem pudera
Esses mundos contar a que dais vida,
Escuros para nós qual nossa esfera
Vos é nas trevas da amplidão sumida?

Mas vós perto brilhais, no fundo acesas
Do trono soberano:
Quem vos há-de seguir nas profundezas
Desse infinito oceano?
E quem há-de contar-vos nessas plagas
Que os céus ostentam de brilhante alvura,
Lá onde sua mão sustém as vagas
Dos sóis que um dia romperão na altura?

E tudo outrora na mudez jazia
Nos véus do frio nada:
Reinava a noite escura; a luz do dia
Era em Deus concentrada.
Ele falou! e as sombras num momento
Se dissiparam na ampliação distante!
Ele falou! e o vasto firmamento
Seu véu de mundos desfraldou ovante!

E tudo despertou, e tudo gira
Imerso em seus fulgores;
E cada mundo é sonorosa lira
Cantando os seus louvores.
Cantai, ó mundos que seu braço impele,
Harpas da criação, fachos do dia,
Cantai louvor universal Àquele
Que vos sustenta, e nos espaços guia!

Terra, globo que geras nas entranhas
Meu ser, o ser humano,
Que és tu com teus vulcões, tuas montanhas,
E com teu vasto oceano?

Tu és um grão d'areia arrebatado
Por esse imenso turbilhão dos mundos
Em volta do seu trono levantado
Do universo nos seios mais profundos.

E tu, homem, que és tu, ente mesquinho,
    Que soberbo te elevas,
Buscando sem cessar abrir caminho
    Por tuas densas trevas!
Que és tu com teus impérios e colossos?
Um átomo sutil, um froixo alento:
Tu vives um instante, e de teus ossos
Só restam cinzas que sacode o vento.

Mas ah! tu pensas, e o girar dos orbes
    À razão encadeias;
Tu pensas, e inspirado em Deus te absorves
    Na chama das idéias:
Alegra-te, imortal, que esse alto lume
Não morre em trevas dum jazigo escasso!
Glória a Deus, que num átomo resume
O pensamento que transcende o espaço!

Caminha, ó rei da terra! se inda és pobre,
    Conquista áureo destino,
E de século em século mais nobre
    Eleva a Deus teu hino!
E tu, ó terra, nos floridos mantos
Abriga os filhos que em teu seio geras,
E teu canto de amor reúne aos cantos
Que a Deus se elevam de milhões de esferas!

Dizem que já sem forças, moribunda,
    Tu vergas decadente:
Oh! não, de tanto sol que te circunda
    Teu sol inda é fulgente.
Tu és jovem ainda: a cada passo
Tu assistes dum mundo às agonias,
E rolas entretanto nesse espaço
Coberta de perfumes e harmonias.

Mas ai! tu findarás! além cintila
    Hoje um astro brilhante;
Amanhã ei-lo treme, ei-lo vacila,
    E fenece arquejante:
Que foi? quem o apagou? foi seu alento
Que extinguiu essa luz já fatigada;

Foram séculos mil, foi um momento
Que a eternidade fez volver ao nada.

Um dia, quem o sabe? um dia, ao peso
    Dos anos e ruínas,
Tu cairás nesse vulcão aceso
    Que teu sol denominas;
E teus irmãos também, esses planetas
Que a mesma vida, a mesma luz inflama,
Atraídos enfim, quais borboletas,
Cairão como tu na mesma chama.

Então, o sol, então nesse áureo trono
    Que farás tu ainda,
Monarca solitário, e em abandono,
    Com tua glória finda?
Tu findarás, a fria morte
Alcançará teu carro chamejante:
Ela te segue, e profetiza a sorte
Nessas manchas que toldam teu semblante.

Que são elas? talvez os restos frios
    Dalgum antigo mundo,
Que inda referve em borbotões sombrios
    No teu seio profundo.
Talvez, envolto pouco a pouco a frente
Nas cinzas sepulcrais de cada filho,
Debaixo deles todos de repente
Apagarás teu vacilante brilho.

E as sombras pousarão no vasto império
    Que teu facho alumia;
Mas que vale de menos um saltério
    Dos orbes na harmonia?
Outro sol como tu, outras esferas
Virão no espaço descantar seu hino,
Renovando nos sítios onde imperas
Do sol dos sóis o resplendor divino.

Glória a seu nome! um dia meditando
    Outro céu mais perfeito,
O céu d'agora a seu altivo mando
    Talvez caia desfeito.
Então, mundos, estrelas, sóis brilhantes,
Qual bando d'águias na amplidão disperso,
Chocando-se em destroços fumegantes,
Desabarão no caos do universo.

Então a vida, refluindo ao seio
Do foco soberano,
Parará, concentrando-se no meio
Desse infinito oceano;
E, acabando por fim quanto fulgura,
Apenas restarão na imensidade —
O silêncio aguardando a voz futura,
O trono de Jeová, e a eternidade!

(*Idem*, pp. 147-153.)

JOÃO DE LEMOS

João de Lemos de Seixas Castelo Branco nasceu na Régua (Trás-os-Montes), em 16/5/1819. Em Coimbra, estudou Direito e integrou o grupo d*O Trovador* (1844). Formado, empreendeu viagens por vários países europeus. Faleceu em 16/1/1890. Além de tentar o teatro (*Maria Pais Ribeiro*, drama em quatro atos, representado em 1845), escreveu prosa (*Serões de Aldeia*, 1876, *O Monge Pintor*, 1876, etc.), mas foi pela poesia que conquistou prestígio em vida: sob o título geral de *Cancioneiro*, reuniu seus poemas em três volumes, *Flores e Amores* (1858), *Religião e Pátria* (1859) e *Impressões e Recordações* (1866); fora da série, publicou as *Canções da Tarde* (1875).

A Lua de Londres

É noite; o astro saudoso
Rompe a custo o plúmbeo céu;
Tolda-lhe o rosto formoso
Alvacento, úmido véu.
Traz perdida a cor de prata,
Nas águas não se retrata,
Não beija no campo a flor;
Não traz cortejo de estrelas,
Não fala de amor às belas,
Não fala aos homens de amor.

Meiga lua, os teus segredos
Onde os deixaste ficar?
Deixaste-os nos arvoredos
Das praias d'além do mar?
Foi na terra tua amada
Nessa terra tão banhada
Por teu límpido clarão?
Foi na terra dos verdores,
Na pátria dos meus amores
Pátria de meu coração?

Oh que foi! deixaste o brilho

Nos montes de Portugal,
Lá onde nasce o tomilho,
Onde há fontes de cristal;
Lá onde viceja a rosa,
Onde a leve mariposa
Se espaneja à luz do sol;
Lá onde Deus concedera
Que em noite de primavera
Se escutasse o rouxinol.

Tu vens ó lua, tu deixas
Talvez há pouco o país
Onde do bosque as madeixas
Já têm um flóreo matiz;
Amaste do ar a doçura,
Do azul céu a formosura,
Das águas o suspirar!
Como há de agora entre gelos
Dardejar teus raios belos,
Fumo e névoa aqui amar?

Quem viu as margens do Lima,
Do Mondego os salgueirais,
Quem andou por Tejo acima,
Por cima dos seus cristais;
Quem foi ao meu pátrio Douro,
Sobre fina areia de ouro,
Raios de prata espargir,
Não pode amar outra terra,
Nem sob o céu de Inglaterra
Doces sorrisos sorrir.

Das cidades a princesa
Tens aqui; mas Deus, igual
Não quis dar-lhe essa lindeza
Do teu e meu Portugal;
Aqui a indústria e as artes,
Além de todas as partes
A natureza sem véu;
Aqui ouro e pedrarias,
Ruas mil, mil arcarias,
Além. . . a terra e o céu.

Vastas serras de tijolo,
Estátuas, praças sem fim
Retalham, cobrem o solo

Mas não me encantam a mim;
Na minha pátria uma aldeia,
Por noite de lua cheia
É tão bela, e tão feliz!
Amo as casinhas da serra,
Coa lua da minha terra,
Nas terras do meu país.

Eu e tu, casta deidade,
Padecemos igual dor,
Temos a mesma saudade,
Sentimos o mesmo amor;
Em Portugal o teu rosto
De riso e luz é composto;
Aqui triste e sem clarão;
Eu lá sinto-me contente,
E aqui lembrança pungente
Faz-me negro o coração.

Eia, pois, oh astro amigo,
Voltemos aos puros céus,
Leva-me, oh lua, contigo,
Preso num raio dos teus;
Voltemos ambos, voltemos
Que nem eu nem tu podemos
Aqui ser quais Deus nos fez;
Terás brilho, eu terei vida,
Eu já livre, e tu despida
Das nuvens do céu inglês.

(*Apud* Teófilo Braga, *Parnaso Português Moderno*, Lisboa, Guimarães Ed., 1877, pp. 26-29.)

Escrita em Londres, em 30 de março de 1847, e publicada n*O Trovador*, em 1848, "A Lua de Londres" oferece, além, dos lugares-comuns ultra-românticos, outros aspectos da tendência em voga durante os anos acadêmicos de João de Lemos. A melopéia, em que primavam os poetas contemporâneos, insinua-se facilmente nos ouvidos do leitor, mercê de organizar-se sobre versos redondilhos maiores, por si próprios cantantes e populares, e de casar-se magnificamente com a matéria do poema. Com efeito, a saudade da Pátria empresta à musicalidade um travo de sincera e autêntica pungência, e o ritmo plangente e emotivo reveste um sentimento verdadeiro, amplificado pela imaginação e a distância. Em suma, um enlace perfeito entre a melodia e o motivo poético. Observe-se que a melancolia, provinda da ausência da terra nativa, mal disfarça o impulso patriótico, tanto mais convincente quanto mais dolorido e ingênuo: antes que ufaneiro ou épico, é o patriotismo "doméstico", que faria carreira num Casimiro de Abreu ou num Antônio Nobre, como poetas da saudade do lar paterno e da infância. João de Lemos parece ainda vaticinar o autor de *Só* na dicção coloquial e simples, fácil à memorização e ao canto. Basta a referência a esses dois possíveis herdeiros de João de Lemos para se ter uma idéia do manancial de imitações e sugestões despertado por "A Lua de Londres", sem dúvida uma das obras acabadas do Ultra-Romantismo português, junto com "O Noivado do Sepulcro".

CAMILO CASTELO BRANCO

Nasceu em Lisboa, em 16/3/1825. Órfão aos dez anos, segue para Trás-os-Montes, onde vive sucessivamente com uma tia e uma irmã. Faz seus primeiros estudos. Aos dezesseis anos, casa-se, mas logo abandona a mulher e a filha e vai para o Porto, e de lá para Coimbra, a fim de cursar Medicina. Cedo aborrece as aulas e deixa o curso pelo meio. Em 1843, após viver algum tempo em Vila Real (Trás-os-Montes), onde entretém amores com Patrícia Emília, instala-se no Porto, entregue à boêmia amorosa e literária, momentaneamente interrompida por uma crise religiosa (1850-1852). Conhece Ana Plácido e dela se apaixona. Entrementes, inicia sua carreira literária com *Anátema* (1851). Em 1858, Ana Plácido separa-se do marido e vai para sua companhia: processados por adultério, são julgados e absolvidos. O escândalo, acirrado pela publicação do *Amor de Perdição* (1862), favorece o escritor com súbita notoriedade. Muda-se com Ana Plácido para S. Miguel de Seide, e entra a trabalhar afanosamente para manter família numerosa e problemática (um filho doido, o outro irresponsável). As apoquentações familiais, misturadas aos padecimentos motivados pela doença (a lues), arrastam-no ao suicídio, em 1/6/1890. Talvez o maior polígrafo da Língua, Camilo cultivou a poesia *(Os Pundonores Desagravados,* 1845; *A Murraça,* 1848; *Nostalgias,* 1888; *Nas Trevas,* 1890), o teatro *(Agostinho de Ceuta,* 1847; *O Marques de Torres Novas,* 1849; *A Morgadinha de Val de Amores,* 1882), a historiografia *(Perfil do Marquês de Pombal,* 1882), a crítica e a historiografia literárias *(Esboços de Apreciações Literárias,* 1865; *Curso de Literatura Portuguesa,* 1876), a polêmica (*Os Críticos do "Cancioneiro Geral"*, 1879; *Questão da Sebenta,* 1883), as memórias *(Memórias do Cárcere,* 2 vols., 1862) e, sobretudo a novela, passional, histórica e de aventuras (O *Judeu,* 1866; *O Senhor do Paço de Ninães,* 1868; *O Regicida,* 1874; *A Queda dum Anjo,* 1866; *Os Mistérios de Lisboa,* 1854; *Carlota Ângela,* 1858; *Amor de Perdição,* 1862; *A Doida do Candal,* 1867; *Onde está a Felicidade?*, 1856; *Um Homem de Brios*, 1856; *Memórias de Guilherme do Amaral,* 1865; *Amor de Salvação*, 1864), e o romance: (*Eusébio Macário*, 1879; *A Corja*, 1880; *A Brasileira de Prazins*, 1882; *Vulcões de Lama*, 1886).

Onde Está a Felicidade?

Primeiro volume de uma trilogia que se completa com *Um Homem de Brios* (1863) e *Memórias de Guilherme do Amaral* (1865), *Onde Está a Felicidade?* foi publicada inicialmente em 1856. A trilogia gravita em torno do seguinte entrecho: Guilherme do Amaral conhece uma pobre costureira, Augusta, e torna-a sua amante, até que um dia, enfastiado, resolve abandoná-la. Mais tarde, Augusta descobre um tesouro escondido debaixo do soalho de sua casa, enriquece, contrai núpcias com seu primo e eleva-se a dama da sociedade. Guilherme reencontra-a então e parece que o antigo amor renasce, mas agora esbarra com um empecilho intransponível. Jogado por forças contrárias, oscilando entre o amor e a renúncia, Guilherme enlouquece. A narrativa prossegue com o desvendamento do passado amoroso do protagonista, sobretudo na parte relativa a Virgínia. E a trilogia finaliza. O excerto que se vai ler, pertence ao primeiro volume da série, e surpreende a fase mais intensa da paixão entre Guilherme e Augusta (cap. XI). O jornalista que aparece, é o amigo e confidente do herói:

O jornalista era um profeta. Os antigos videntes fê-los a santidade; a corrupção faz os profetas contemporâneos. No homem gasto, vão-se as ilusões e fica a experiência. Ora a experiência é o sexto sentido, a intuição luminosa do futuro, a presciência das induções infalíveis de um princípio imoral. E a única superioridade dos corrompidos sobre os puros.

O leitor recorda-se daquelas íntimas confidências de Guilherme ao seu comensal, em um almoço na *Águia de Ouro*?

O poeta ia adiante dos projetos do provinciano, delineando a arquitetura romanesca da casa em que a sedutora costureira contaria por palpitações do coração os minutos da encantada existência do seu efêmero amante.

Para averiguarmos a importância profética do jornalista, procuremos Augusta. Na rua dos Armênios, não. A tia Ana do Moiro, conversando com o Francisco fabricante, diz que Augusta fechara a porta, levara a chave, justamente no dia imediato àquele em que lhe pedira e restituíra três moedas. O fabricante chorava como uma criança ao pé da filha do barqueiro, que não tinha jeito nem vontade de consolá-lo. Para ambos era claro que Augusta se entregara à discrição de Guilherme; todavia nenhum sabia onde ela estava. O artista, instigado pelo ciúme e pela cólera, fora à Águia de Ouro informar-se do hóspede; mas os criados disseram-lhe, o mais laconicamente que puderam, que o sr. Amaral saíra da hospedaria.

Eu tenho obrigação de contar o que o fabricante não sabia, nem a sra. Ana do Moiro, nem os serventes da hospedaria.

Sabem onde é o Candal?

É essa pitoresca colina, que se levanta por detrás das ruínas dum castelo, donde Gaia, a formosa moura, espreitava a frota do godo, seu querido roubador, segundo a mitologia deste maravilhoso torrão do Ocidente. Como estendal de fadas, de longe branquejam as risonhas casas, olhando soberbas para o Porto, com garbo de camponesas, frescas e toucadas de flores, sem inveja aos peristilos de pórfiro, aos mosaicos das alterosas paredes, às opulentas gradarias de bronze. De cada quebrada do monte sobranceiro rebentam jorros de água argentina, que se desenrolam sobre a imensa alcatifa de esmeralda, que vem do sopé dos edifícios, tão límpida, a sujar-se nos becos imundos de Vila Nova, taverna, que dá vinho para todo o mundo, asquerosa como nenhuma outra taverna do mundo.

Fujamos daqui para o alto. Lá, sim. De cada copa de madressilva julgais ver, rociada de orvalho, surgir uma dríade, encostada à urna das águas, que rumorejam entre os silvados. O poeta sobe de lá nos êxtases do idílio a todos os céus da imaginação rejuvenescida. Os cânticos de Cintra, cantados cá, parecem seus. Os amores famosos de dois poetas, que além choraram, Bernardim e Camões, concebem-se aqui, explicam-se, entram no espírito como um quinhão de dor suave, e de saudade lúcida dos amores de outro tempo. Não sabeis o que é o Candal, se o não vedes assim.

Por lá passara um dia Guilherme, quando o sol se atufava no mar, deixando sobre o oceano larga esteira de prata, em cintilantes escamas. Era essa, pois, a hora da saudade, a do meditar anelante, a hora da poesia, que desce do céu ao coração de todo o homem.

Amaral, sem testemunhas, com os seus instintos, não falsificados à feição da celebridade, que se procurava, era poeta, era sonhador, despia a face da máscara abrasadora, sorvia o ar puro da natureza, sentia-se convalescer da dolorosa enfermidade do tédio, e ansiava outro mundo melhor que o seu.

Foi no Candal que ele sentiu mais lúcida a intermitente da poesia. Parara, contemplando o ocaso do sol, que durante dois anos não saudara, desde que esquecera essa hora, tão misteriosa na sua aldeia. A emoção, que primeiro lhe acordara a sensibilidade entorpecida, foram saudades de sua mãe, imagem santa, que vinha pedir-lhe uma lágrima tardia. Depois, uma a uma, as cenas da sua vida infantil; o prado mais querido, a árvore de mais doce sombra, o regato de mais plácido murmúrio, a flor valida, a montanha das tradições medonhas, o velho rafeiro que lhe lambia as mãos, os escabelos de pedra no átrio da velha capela, onde lera o *René*, o seu mais predileto livro dos quinze anos. Depois, desce à vida do homem prematuro. Encontra uma tediosa uniformidade de cenas: amor sem paixão; impostura de insensato, que se quisera destacar do vulgo, dando-se a importância de herói de um medíocre romance. Teve vergonha de si: viu-se miserável, ignóbil, e mais trivial que todos os fátuos do seu conhecimento.

Deste lodaçal levantou-se agarrado às asas do querubim da esperança. Alteou-se até Deus, deixando em baixo o ateísmo que abraçara, sem convicções de ateu; que abraçara, porque era incompatível a virtude com a sua mentirosa personificação. De lá, observou a terra a olho nu, e viu que a felicidade não era uma quimera de infelizes. Imaginou a mulher amada, reclinando-se nos braços do amante, do amigo sincero, do benquisto dos homens, dela e de Deus. Mas a mulher amada, onde estava ela? A que zona, a que torrão do globo levaria o poeta o eco da sua invocação?

As mulheres do seu mundo passaram-lhe diante dos olhos, e ele voltou a face enojada para não vê-las. Eram frívolas, transfiguradas como ele, destras na impostura, recebendo a mentira pomposa com mais amor que a verdade nua. O desalento enturvou-lhe o espírito, a luz dum momento empalideceu, como o clarão da lua, que então se erguia sobre as cumeadas da cidade fronteira. Amaral descera o monte de Gaia, triste e abatido, como o amigo, que volta de acompanhar ao cemitério o que lhe era confidente nas lágrimas.

Parou ainda, volvendo a face para o local onde tantas reminiscências amargas, tantas esperanças doces se enlaçaram, destruindo-se.

— Foi ali... — disse ele. — Nunca me esquecerá o sítio nem a hora... Se eu for menos infeliz um dia, virei aí recordar a hora de hoje.

Isto passara-se a vinte e oito de junho, justamente na véspera do arraial de Miragaia.

Impressionado pela coincidência da meditação com o encontro de Augusta, Amaral, supersticioso como aqueles que vêem além do que é palpável, atribuiu a influxo providencial o mero acaso dessa costureira, que chorava, abraçada ao cadáver de sua mãe. Sem o precedente do Candal, Guilherme não seria tão acessível à formosura real, e ao idealismo romanesco de Augusta.

Amando-a, e tentando-a, julgou fácil convencê-la. Fantasiou, como já vimos, o que há de melhor na vida, o amor verdadeiro, o amor sem emboscadas, a perfeição do amor. Não sabia ele que além da perfeição está o fastio: não lera esta verdade eterna proferida por uma mulher: "O amor só vive pelo sofrimento; cessa com a felicidade; porque o amor feliz é a perfeição dos mais belos sonhos, e tudo que é perfeito, ou aperfeiçoado, toca o seu fim."

(*Onde Está a Felicidade*?, 11ª ed., Lisboa, Parceria A. M. Pereira, 1965, pp. 173-178.)

Este fragmento de *Onde Está a Felicidade?* fornece-nos subsídios para situar a "maneira" literária de Camilo, bem como para compreender a teoria da novela e a estética romântica. Começando pelo tom narrativo, percebe-se que o ficcionista assume a posição de quem conversa descontraidamente com o leitor ("Sabem onde é o Candal?"). Tanto é assim que, embora modelar por seu casticismo e propriedade, o estilo que serve à história é acessível ao leitor mais desatento: estilo coloquial, direto, "popular". A esse tom de bate-papo se acrescenta outra nota típica da novela: as divagações e digressões (que se observam já no primeiro parágrafo), em que o narrador filosofa acerca dos tópicos sugeridos pela própria fabulação, conferindo a esta um ar de apólogo moralizante (na verdade, a novela, pelo menos até Camilo, procurava ao mesmo tempo edificar e entreter). Por outro lado, o trecho mostra aspectos do perfil romântico de Guilherme do Amaral (v. por exemplo o parágrafo que se inicia com "Foi no Candal que ele sentiu mais lúcida a intermitente da poesia.") guarnecido por uma série de "festões" peculiarmente românticos: o evasionismo para as alturas e o campo ("Fujamos daqui para o alto."), associado a um visionarismo ou idealismo, sobretudo no que tange à mulher amada ("Imaginou a mulher amada, reclinando-se nos braços do amante, do amigo sincero, do benquisto dos homens, dela e de Deus.") e ao amor ("Fantasiou, como já vimos, o que há de melhor na vida, o amor verdadeiro, o amor sem emboscadas, a perfeição do amor."); a simbologia das flores, e flores vulgares ao lado de outras "nobres" ("o pátio não espaçoso, mas copado de acácias, de mimosas e amoreiras", etc.); a importância vital atribuída ao dinheiro, refletindo-lhe o peso adquirido dentro dos quadros de valores propostos pela burguesia ascendente, e todos sabemos que Romantismo e Burguesia se identificam no curso do século XIX ("O dinheiro é milagroso no nosso tempo, como a vara de Moisés em tempos melhores"); "a onipotência do instinto", convocada para explicar as ações humanas, especialmente aquelas, como o amor, que parecem brotar dum fundo irracional (esta ponderação de Camilo opõe-se ao racionalismo clássico); e, por fim, o amor-sofrimento, o amor-em-feminino, mais paixão, impulso carnal, que anseio de transcendências aperfeiçoadoras ("O amor só vive pelo sofrimento; cessa com a felicidade; porque o amor feliz é a perfeição dos mais belos sonhos, e tudo que é perfeito, ou aperfeiçoado toca o seu fim"). Trata-se, pois, de um fragmento de uma novela passional, tipicamente romântica, escrita por quem foi mestre no assunto: Camilo Castelo Branco.

A Queda dum Anjo

Publicada primeiramente em folhetim, de 30 de abril a 12 de agosto de 1865, *A Queda dum Anjo* apareceu em volume em fins de dezembro do mesmo ano. Seu enredo consiste no seguinte: Calisto Elói, um fidalgo transmontano, quarentão e conservador, elege-se deputado e abandona sua aldeia por Lisboa. Ali, vestido de modo anacrônico e defendendo idéias retrógradas, é posto em ridículo. Em breve, porém, vai impondo o seu feitio pessoal ao mesmo tempo que vai cedendo às tentações da cidade grande. Por fim, enamora-se perdidamente da sua prima Ifigênia. Resultado: moderniza-se no falar e no trajar, entrega-se ao luxo, viaja pelo estrangeiro e termina por bandear-se para a política dominante, esquecido de sua filiação às hostes oposicionistas. Em compensação, sente-se feliz e realizado. Quanto à sua mulher, Teodora, que ficara vegetando na província, liga-se a um primo apenas interessado em suas posses. Baixa o pano. O trecho que se vai ler, extraído do capítulo VII, intitulado "Figura, Vestido, e Outras Coisas do Homem", contém o retrato de Calisto Elói logo após sua chegada a Lisboa:

Calisto Elói, naquele tempo, orçava por quarenta e quatro anos. Não era desajeitado de sua pessoa. Tinha poucas carnes, e compleição, como dizem, afidalgada. A sensível e dissimétrica saliência do abdômen devia-se ao uso destemperado da carne de porco e outros alimentos intumescentes. Pés e mãos justificavam a raça que as gerações vieram adelgaçando de carnes. Tinha o nariz algum tanto estragado das invasões do rapé e torceduras do lenço de algodão vermelho. A dilatação das ventas e o escarlate das cartilagens não eram assim mesmo coisa de repulsão. Estes narizes, se não se prestam à poesia lírica, inculcam a seriedade de seus donos, o que é melhor. Eram assim os narizes de José Liberato Freire de Carvalho e de Silvestre Pinheiro. Quase todos os estadistas de 1820 se condecoravam com a rubidez nasal. Não sei que há nisto indicativo de estudo, gravidade e meditação; mas há o que quer que seja.

As restantes feições de Calisto Elói de Silos eram regulares, a não querermos encarecer a alta e brunida fronte, que poderia servir de rótulo a um talento abalizado, se o inimigo da Lucrécia Bórgia não fosse, a meu ver, capacidade eminente, viciada pela educação e tradições de família. Excedia a estatura meã, e era direito de pernas. No tronco havia tal inclinação, que denunciava o arqueamento da espinha por efeito da incansável leitura e minguado exercício.

O que certamente o desairava era o traje. Calisto Elói vestia de briche da Golegã, e dos alfaiates de Miranda. A gola e portinholas da casaca eram sérias demais para estes tempos em que um homem se veste hoje à moda, e daqui a um mês corre o perigo de sair ridiculamente entrajado. Não se sabe a razão por que o morgado da Agra se afeiçoara às calças rematando em polainas abotoadas de madrepérola. Vestira assim umas pantalonas em 1833, quando se matrimoniou com D. Teodora. Ou porque a esposa gostasse do feitio das calças, ou porque a moda se conservasse, mantida pelo fidalgo, na comarca de Miranda, o certo é que desde aquela época todas as pantalonas de Calisto foram talhadas pelas primeiras, e a abotoadura sempre aproveitada.

Ora isto em Lisboa fez uma razoável impressão, especialmente no espírito observador dos gaiatos. Um destes desbragados ousou chamar *gebo* ao legislador; e outro levou a gandaíce ao extremo de planear-lhe um assalto ao chapéu.

Fartas vezes o advertira o abade de Estevães da necessidade de reformar o vestido, e entrajar-se conforme o costume. Calisto respondia que não tinha que entender em costumes, que não fossem, em lusitaníssima frase, ruins costumes. Quanto a vestiduras, dizia que o estofo das suas era português como ele, e o feitio delas era o que mais se aproximava das usanças dos seus maiores, os quais andavam mais apontados no trajar do espírito que nas galanices do corpo. Salvo o abade, ninguém se atrevia a contrariá-lo, desde que a um jovem deputado, que lhe observou o arcaísmo do trajo, perguntou se ele era o alfaiate da Câmara, ou se as modas tinham fiscal subsidiado no parlamento.

Aconteceu ainda que outro deputado lhe analisasse galhofeiramente as botas aguçadas no bico. Sabia Calisto Elói que este deputado era filho de um sujeito de Esposende que começara sua vida fazendo botas. Assim, pois, que o chocarreiro subiu da análise das botas para a das polainas da calça, teve mão dele, dizendo-lhe: "Agora, alto aí! Enquanto o senhor escarneceu o feitio das minhas botas, estava no seu ofício e no seu direito. Das botas acima, não. É o caso de eu lhe dizer como Apeles ao sapateiro, que lhe censurava a pintura: *ne sutor ultra crepidam;* o que em linguagem quer dizer: "Não analise o sapateiro acima da chinela." Os circunstantes e a vítima fizeram-se da cor do nariz de Calisto.

Estas passagens, significativas do salgado espírito do provinciano, sobredoiravam a reputação que o trazia nas boas graças da fidalguia realista.

Sabia Calisto, como profundo genealógico, que existia ilustríssima parentela sua em Lisboa; porém, pesavam graves motivos para que ele não quisesse recordar parentesco remoto com tal gente. Era o grão caso que, nos tempos do Mestre de Avis, estava na Corte um Martim Anes de Barbuda, da casa de Agra de Freimas, o qual conjurara com o Mestre na façanha do assassino do Conde Andeiro. Até aqui havia muito para que o honrado português se desvanecesse de tal parente. Martim Anes, todavia, temeroso ou arrependido depois do feito, passou-se a Leonor Teles, e com ela e sua família se foi a Espanha, onde morreu, desprezado e amaldiçoado dos portugueses. Na época de D. Duarte, os descendentes de Martim voltaram ao reino, e conseguiram perdão, e posse dos seus haveres confiscados para a coroa. Eis aqui a razão do ódio de Calisto à raça do mau português.*

(*A Queda dum Anjo,* 10ª ed., Lisboa, Parceria A. M. Pereira, 1966, pp. 73-76.)

A Queda dum Anjo oferece outra das múltiplas facetas de Camilo: a sátira social. Reverso da tendência passional, a novela satírica desvenda a característica que provavelmente era a principal da cosmovisão do escritor, e que só não predominou por motivos externos (tais como a moda romântica, que pedia folhetins lacrimogênicos, e a necessidade que tinha Camilo de produzir continuamente para viver da pena). O trecho lido isoladamente, decerto não propiciará muita ocasião para o riso espontâneo que desperta na boca do leitor, via de regra agarrado ao fluir da narrativa e, por isso, apanhado de surpresa a cada passo. Mesmo assim, fornece uma idéia do nível alcançado pela sátira camiliana. Começando pelo estilo, vemo-lo terso, enxuto, vernáculo a mais não poder, sem os intumescimentos e as afetações (observáveis noutras obras) que lhe vinham da freqüentação assídua dos clássicos. Tem-se a impressão de ler um Machado de Assis ainda não de todo liberto do ranço tradicionalista: sem dúvida, o escritor brasileiro aprendeu muito no ficcionista português. Por outro lado, Camilo constrói o cômico por meio da caricatura que desenha do pobre e grotesco herói da novela, e ainda do modo galhofeiro como orienta a ação: a personagem é ridícula em si, mas o novelista não esconde partilhar do mesmo sentimento que invade o leitor ao conhecer Calisto, e também sorri do D. Quixote às avessas que sua pena inventou, a partir da observação do real de todos os dias. Bem por isso, tal cômico, próximo da chalaça, desconhece metas mais altas ou mais complexas: está à flor dos acontecimentos e das descrições, não pressupõe nada, nem conduz

---

* "Segundo parece, a figura do morgado foi pintada do natural. Na hipótese de D. João de Castro (*in Primeiro de Janeiro* de 20-X-1927), o modelo teria sido um tal Teixeira da Mota, senhor de casa vincular no Concelho de Celorico, que eleito deputado, se transformou por completo na capital." (Jacinto do Prado Coelho, *Dicionário das Literaturas Portuguesa, Galega e Brasileira*, Porto, Figueirinhas [1960], p. 653.)

a nada, leve como uma boa anedota. Afinal, cômico medularmente lusitano: sem metafísica ou veleidades de atingir o universal ou perene, a sátira camiliana dirige-se a um tipo de político (e de homem) vulgar no tempo, mas que insiste em permanecer nos dias de hoje. Para tanto, basta que transportemos para os nossos dias a figura do "cavaleiro transmontano", do "cavaleiro da triste figura" ao avesso: substituindo-lhe as roupas e as falas, ver-se-á que Calisto Elói ainda vive, com a sua provincianidade pacóvia em trânsito para as concessões suicidas, embora triunfantes. Muito atual, portanto, *A Queda dum Anjo*.

Eusébio Macário

Publicando o *Eusébio Macário* em 1879, com ele Camilo pretendia realizar, à semelhança de Zola, uma "História Natural e Social duma Família no Tempo dos Cabrais", mas visando a caricaturar o vezo cientificista, pormenorizante e amoralista, que assinalava o Realismo e o Naturalismo. A ação transcorre numa aldeia do Minho, onde mora o farmacêutico Eusébio Macário com seus dois filhos, José Fístula e Custódia. Eusébio tem por hábito jogar dama com o Padre Justino, amancebado com sua criada, Felícia. Acontece que o irmão desta, Bento, surge na aldeia e enamora-se de Custódia. Casam-se e vão para o Porto, acompanhados de Felícia. O Padre Justino, despeitado, amasia-se com Eufêmia. Por fim, Felícia que conseguira angariar um rico dote, acaba casando com José Fístula. O entrecho ainda continua n*A Corja*, aparecido no ano seguinte. O trecho escolhido corresponde às páginas iniciais do romance (agora se trata de romance, embora não inteiramente livre de ingredientes novelescos):

Havia na botica um relógio de parede, nacional, datado em 1781, feito de grandes toros de carvalho e muita ferraria. Os pesos, quando subiam, rangiam o estridor de um picar de amarras das velhas naus. Dava-se-lhe corda como quem tira um balde da cisterna. Por debaixo da triplicada cornija do mostrador havia uma medalha com uma dama cor de laranja, vestida de vermelhão, decotada, com uma romeira e uma pescoceira, crassa e grossa de vaca borrosã, penteada à Pompadour, com uma réstea de pedras brancas a enastrar-lhe as tranças. Cada olho era maior que a boca, dum vermelho de ginja. Ela tinha a mão esquerda escorrida no regaço, com os dedos engelhados e aduncos como um pé de perua morta; o braço direito estava no ar, hirto, com um ramalho de flores que parecia uma vassoura de hidrângeas. Este relógio badalara três horas que soaram ríspidas como as pancadas vibrantes, cavas, das caldeiras da Hecate de Shakespeare.

O farmacêutico Eusébio Macário sentara-se espapado, com as carnes desfalecidas, à porta, um largo mocho de cerdeira com assento de junco roto, espipado, com uns esbeiçamentos de palhiça muito amarelada do atrito. Havia grande calor enervante. O sol punha nas paredes clareiras faiscantes, cruas. Moscas zumbiam com asas lampejantes em giros idiotas; gatos agachados como velhos sicários pinchavam com muitas perfídias à caça dos pássaros nas densas verduras desbotadas dos arvoredos; carros chiavam nas terras baixas, barrentas, com grandes gretas das calcinações do grande sol; os lentos bois nostálgicos vergastavam com as caudas ásperas, os moscardos que os atacavam de entre os tapumes com grandes sedes impetuosas de frescores de sangue. Havia molezas e estonteamentos abafadiços no ar cheio de sensualidades mordentes. Levandiscas esvoaçavam nas ourelas úmidas dos regatos muito garbosas, com pipilações joviais; besouros azuis de tons metálicos luzentes rodopiavam em volteios curtos e muito sonoros; pardais abandados infestavam as painçadas, dando pios hilariantes de bandidos canalhas; cerejas bicais vermelhavam as suas provocações sorridentes como beiços rubros de mulheres vitalizadas de lascívias aquecidas de bom sangue; pêssegos abeberados de sucos doces penujavam; varas de porcos com grunhidos regalados esforçavam nas esterqueiras, banhando-se com grandes espalhafatos como odaliscas epiléticas de volúpias escandescidas; raparigas esguedelhadas, de narizes arrebitados, com as caras fuliginosas de suor e poeira, muito escaneladas, com olhos espantadiços, de secreções amarelas, saias de estopa suja, frangalhona, a trapejar nos canelos esburgados, guardavam bácoros, e davam gritos dum timbre muito agudo que punham ecos nas colinas batidas do largo sol; galinhas cacarejavam; galos de cristas escarlates e recortadas, arrastavam a asa com arremetidas parlapatonas de sultões. A natureza estava cheia de mistérios amorosos e duma grande espiritualização sensual.

Eusébio Macário ofegava, enxugava com o lenço de Alcobaça, pulverulento de meio-grosso em pastas esmoncadas, as roscas do pescoço que porejavam as exsudações da carne opilada dum farto jantar. Ele tinha feito anos neste dia e enchera-se de capão com arroz açafroado e de muito vinho de Amarante, com muita aletria engrossada de ovos e letras de canela.

— Que não queria saber de histórias — pensava; — que a vida eram dous dias; quem cá ficasse que o ganhasse.

E dava arrotos, muito cheios de gases e estrondos.

(*Eusébio Macário*, 10ª ed., Porto, Lello, s.d., pp 1-3.)

No seu intuito de satirizar o romance realista e o naturalista, Camilo principia *Eusébio Macário* à maneira de Zola e Eça de Queirós, mais daquele que deste, ou seja, pela abundante pormenorização de objetos psicologicamente secundários. Realistas e naturalistas consideravam real o mundo sensível, o mundo dos objetos, existentes fora do "eu" do artista. E para captá-lo, apregoavam que se devesse descrevê-lo com todas as minúcias possíveis. De onde, entendiam que a arte realista consistia numa fotografia fiel da realidade física, observada com perseverança de cientista empenhado em laboriosa experiência. Como seria de esperar, acabaram caindo no exagero, e pela meticulosa descrição dos objetos incidiam num defeito paralelo ao que atribuíam aos românticos, isto é, o idealismo. De fato, somente por uma distorção no modo de encarar a realidade é que poderiam concebê-la como a soma de estímulos sensíveis, sobretudo plásticos: ao retratar um objeto, tinham de abstrair certos acidentes porventura tão importantes quanto aqueles que julgavam seus definidores; para serem realistas como pretendiam, haveriam de descrever o objeto indefinidamente (a fim de lhe abarcar todos os ângulos e aspectos), o que significa que jamais chegariam a realizar a tarefa que se propunham. Camilo satiriza precisamente essa preconcepção realista e naturalista, mas o tiro lhe saiu pela culatra: decerto porque vocacionado para um realismo menos estreito e unilateral do que pregavam os acólitos de Zola e Flaubert, ou porque a vivência romântica lhe dera uma visão ampla das coisas e dos fenômenos sociais, sua descrição surge adoçada pelo senso de ironia e por impulsos de imaginação que eram, no geral, estranhos à gente realista e naturalista. Suas comparações apenas formalmente se enquadram nos moldes que ridiculariza, pois seu conteúdo trai um temperamento imaginativo e uma cosmovisão de largo espectro, que abrangia também a postura adotada e ensinada pelos corifeus do Realismo e do Naturalismo. Veja-se, por exemplo, que "o braço direito estava no ar, hirto, com um ramalho de flores que parecia uma vassoura de hidrângeas". Entende-se, pelo que aí fica, que Camilo, posto empregasse a sátira, criou algumas de suas obras mais bem conseguidas dentro dos módulos atacados, justamente porque detinha recursos de imaginação e de observação que, no conjunto, nenhum realista ou naturalista ostentava, inclusive Eça de Queirós.

Amor de Salvação

Dado à estampa em 1864, o *Amor de Salvação* expõe tese contrária ao *Amor de Perdição* (1862): Afonso de Teive, rico herdeiro, esbanja sua mocidade e seus haveres numa boêmia que só lhe acarreta mágoas. E enquanto dilapida a herança com Teodora, que roubara ao marido, não percebe o amor puro e tranqüilo que lhe devota a prima Mafalda. Finalmente, atraiçoado por Teodora, descobre a salvação no sentimento verdadeiro de Mafalda. O excerto que se transcreve, pertence às páginas derradeiras:

Entreluzia a manhã pelos resquícios e fendas das janelas do nosso quarto na estalagem da Sra. Joaninha de Guimarães.

Afonso de Teive disse:

— É dia: vou concluir...

— Não é necessário, — atalhei — o restante sei eu.

— Mas não me prives por isso de ser eu o narrador da minha bem-aventurança. Aquela mulher que eu te apresentei, negligentemente vestida, e amarrotada dos braços dos seus oito filhos, é minha prima Mafalda, a esposa da minha alma, a salvadora do meu coração, os olhos que me vêem pelos da minha mãe, a consciência da minha consciência, a retentora das minhas alegrias infantis, a mãe dos meus oito anjos, que minha santa mãe me enviou do céu.

Há dez anos que vejo amanhecer os meus dias como as aves, cantando o Senhor, e adorando-o como os cenobitas.

Minha mulher, ao abrir-me os tesouros da sua alma, revelou-me também os tesouros da fé, as delícias da religião, e a taça inexaurível dos sabores da caridade.

Mafalda desaparece-me às vezes com os filhos mais velhos: eu vou procurá-la fora de casa com os mais novos nos braços, e descubro a piedosa valedora no cardenho de algum jornalheiro, à cabeceira das palhas nuas do enfermo, ao qual ela foi levar a cobertura e o alimento. Outras vezes são os meus filhos que levam o seu fatinho velho às crianças, que estalejam de frio, sobre o lajedo duma cozinha sem lume.

Se alguma hora falei como marido austero a minha mulher, a doce criatura respondeu-me com um sorriso; os meus queixumes são sempre causados pela pertinácia de ela entender do governo da casa com zelo convizinho da mortificação. Mafalda é rica; mas tem uma máxima indestrutível: "poupar para os pobres".

Há dez anos que vivo em Ruivães. Neste longo espaço, apenas tenho acompanhado minha mulher a observar a cultura das suas quintas, que ela teima em chamar minhas. Mafalda tem vagas idéias do que é um baile, e eu pude esquecer as idéias que tinha. Dizem que a convivência de anos entre esposos, que muito se amam, traz consigo de seu natural uns silêncios significativos do esfriamento das almas. Eu não sei o que seja esse arrefecer. O céu e a terra estão continuamente abertos ante meus olhos; de cada vez que os contemplo, a cada alvorecer, e fim da tarde, os maravilhosos poemas dão-me sempre a ler uma página nova, e Mafalda traduz mais pronta que eu os hieroglíficos da Divindade. Falamos de Deus e dos filhos; contemplamos o boi que nos encara soberbo; a avezinha gemente que pipila; a fonte que suspira, e a catadupa do ribeiro que ruge. A natureza é a terceira voz dos nossos colóquios, umas vezes amor, outras vezes ciência, e sempre admiração e perfumes ao Eterno, que nos encheu de delícias, e enflorou o caminho da velhice.

Ecos do mundo nenhum chega ao nosso ermo. A mim, os homens que me viram, consideram-me morto uns, outros porventura me lastimam embrutecido entre os meus fraguedos. Tive cartas a que não respondi; fui procurado por ociosos, a quem recebi na minha sala de visitas, com uma cerimônia que os afugentou. Afligiam-me as testemunhas do meu vilipêndio, e temia que elas proferissem um nome, que soaria como blasfêmia no santuário de minha família.

Aspei todos os vestígios que pudessem recordar Teodora. Entre os papéis de meu tio Fernão, numa gaveta secreta, encontrei o copiador das cartas dela. Minha mulher surpreendeu-me neste descobrimento, viu e compreendeu, sorriu-se, e disse: "Meu pai nunca me deixou ver isso, bem que eu soubesse da existência deste livro. Triste sorte a desta senhora! Mal diria a mãe que virtuosamente a educou!" Únicas palavras que Mafalda proferiu com referência a Palmira!

Aqui tens a minha vida, a vida dos dous homens, que na curta passagem de quarenta anos, tocaram as duas extremas do infortúnio pela desonra, e da felicidade pela virtude. Uma mulher me perdeu; outra mulher me salvou. A salvadora está ali naquele ermo, glorificando a herança, que minha mãe lhe legou: o anjo desceu a tomar o lugar da santa: a um tempo se abriu o céu à padecente que subiu, e à redentora que baixou no raio da glória dela. A mulher de perdição não sei que destino teve.

— Pois ignoras o destino de Palmira? — interrompi eu, desconsolado como todo o romancista, que desadora invenções.

— Como queres tu que eu saiba o destino de Palmira?! — replicou Afonso de Teive — Quem há de vir contar-me a Ruivães os desastres que lá vão no seio apodrentado da sociedade?!... Mas, se te rala a curiosidade de saber em que lamaçais a deves encontrar, lança a tua espionagem, dize alto e bom som, que a fama te confiou a tuba pregoeira dos escândalos, e não faltará quem te ilumine e esclareça. Do viver da mulher virtuosa é que baldadamente procurarás notícias; dá-se a virtude numa obscuridade, que chega a incomodar a atenção dos que a observam como cousa curiosa de ver-se.

— Pois não me despeço — redargüiu — de me ir por aí fora no encalço de Palmira, e mal dela se a não topo, que morrerá sem ler a sua biografia, desastre comum, mas imerecido, das mulheres da sua espécie. Quantos romances, e dramas, e cantatas aí pejam as livrarias sobre Ninon, e Marion, e Manon Lescaut? As Aspásias e Frinéias tiveram por si os historiadores e os poetas gregos. Os Cátulos e Ovídios eternizaram Lésbias e Corinas. Menos afrontadores da moral, os romancistas e poetas coevos nossos deificam as Gautieres, e fazem que as famílias honestas chorem por elas nas páginas dos livros e nas tábuas dos palcos. Palmira há de ter um livro, ou eu não escrevo mais nenhum depois do teu... Dá-me agora notícias do Tranqueira. Que é feito do Tranqueira?

— Está lá em casa a esta hora com um pequeno a cavalo em cada ombro, e outro enganchado na barriga. Tranqueira não é meu criado. Lá em casa os meus filhos conhecem-no pelo *amigo velho*. Tem o seu quarto no interior dos melhores aposentos. Chama-se ele a si feitor, mas o que ele feitoriza é o seu reumatismo, e vive a picar rolo de tabaco para cachimbar ao sol. Comprou um pinhal, e negocia em lenha e madeiras. Quando recebe algumas libras vai até Braga visitar uns parentes pobres, dá-lhes metade, e vem para casa carregado de frigideiras, que me estragam o estômago dos rapazes. Se algum dos meus caseiros o faz zangar nas contas, em que ele quer ser sempre ouvido, ou no granjeio das terras, de que ele não percebe nada, mas quer ser consultado sempre, costuma ele estirar os braços trêmulos, e dizer: "O que tu precisas é um banho de cisterna." Imagina o Tranqueira que a sua especial vocação é dar banhos de cisterna.

— E o Padre Joaquim de S. Miguel morreu?

— Tenho a satisfação de te dizer que o meu padre Joaquim está vivo e vividouro. Não o viste lá em casa porque foi para o alto Minho consoar com a família, tributo que ele pagou sempre; mas nunca vai que não se despeça a chorar, e nunca vem que nós o não recebamos com grande alvoroço de alegria. É o mestre dos meus pequenos; mas os travessos escondem-lhe a tabaqueira e os óculos de modo que as lições caem em pedra árida, e o padre já diz que considera perdidos dez anos de vida naquele ensino. Que mais queres saber?

— Se poderei dormir duas horas em tua casa, — respondi eu.

— Vamos partir.

— E os teus meninos costumam deixar dormir a gente de dia? Vingarão eles em mim a falta do padre? Previne-me.

Partimos.

À distância de um oitavo de légua do paraíso restaurado do meu amigo, enxergamos D. Mafalda e os filhos, e o Tranqueira com dous ao colo, e outros dous pendurados das algibeiras da japona. Ao avistarem-nos, os rapazes irromperam numa gritaria bárbara, que repercutia nas quebradas dos outeiros.

— Cá vou preparando a cabeça de progenitor e ouvidos paternais — disse eu. — Seriam excelentes anjos aqueles pequerruchos, se tivessem laringes mais acomodadas ao aparelho auditivo do gênero humano!

— São os meus filhos! — exclamou Afonso. — É minha mulher! Ali tenho tudo, o capital, o juro, e a usura da felicidade que desbaratei. Ali me esperou minha mãe dous anos, e eu não voltei. Ainda assim, a virtuosa orou sempre. O jazigo estava fechado, o leito da santa vazio; mas o céu fora o mais alto ponto onde ela voara para ver de lá a minha perdição. Ali voltei salvo pelo amor. Achei ainda as flores que criam dela; das primeiras adornei os cabelos de minha mulher; das que me deu a primavera seguinte engrinaldei o berço do meu primeiro filho. Parece que em cada reflorescência vem minha mãe coroar o novo anjo, que minha mulher lhe oferece como a intercessora com o Altíssimo. Ó meu amigo! de envolta com a felicidade, a religião! Sabes tu o que é ter um Deus que nos escuta, que nos reprova, que nos louva, que nos povoa o espaço onde a alma insaciável do homem encontra um vazio horrendo, uma respiração aflitiva!

. . . .

Aproximamo-nos do formoso grupo. Apeei: fui cortejar a mulher do amor de salvação, e disse-lhe comovido, e creio mesmo que lacrimoso:

— Ao cabo de dez anos de felicidade não interrompida, minha senhora, chegou um homem a casa de V. Exa. com o funesto contágio da sua má estrela! Fui eu quem primeiro ousou usurpar-lhe a convivência de seu esposo por uma noite. Deus sabe se a saudosa prima de Afonso de Teive cerrou olhos nesta infinda noite de dezembro!...

— Também eu não! — atalhou Afonso sorrindo — também eu não!

— Não importa, minha senhora — tornei eu. — Seu marido velava; mas que saborosa vigília! Contou-me as suas desgraças para que eu pudesse cabalmente ajuizar da felicidade perene, que V. Exa., depositária dos infinitos bens do Senhor, lhe preparou com santas lágrimas, e lhe está dando com santas alegrias. Eu cuidava que o contentamento de uma hora, neste mundo, era uma usurpação feita ao céu!... Agora sei que há sobre a terra um homem feliz, feliz há dez anos, feliz para uma longa existência. Este gozo, que nem contado pelos evangelistas eu acreditaria, sei agora que existe, abaixo do reino dos justos, entre os homens, no mundo de 1863, no *Amor de Salvação!*

Mafalda abaixou levemente a cabeça com gracioso acanhamento, e disse:

— Não sou eu sozinha a felicitar meu primo: são as orações de nossas mães, e o amor angélico dos nossos filhinhos.*

(*Amor de Salvação*, 8ª ed., Porto, Chardron. s.d.. pp. 209-215.)

O Coração do Homem

Entremos no coração de Calisto Elói.

Cuidava o leitor que não tínhamos que entender com aquela entranha do homem? Estou que a julgaram inviolável às suspeitas da história em ato de tanto alcance na biografia deste personagem!

---

* *Ninon, Marion, Manon Lescaut, Aspásia, Frinéia, Lésbia, Corina, Gautier* = Cortesãs; Ana de Lenclos, mais conhecida como Ninon de Lenclos (1620-1705), celebrizou-se por sua vida libertina; em *Marion Delorme* (1831), Vitor Hugo (1802-1885) defendia a regeneração da mulher perdida por meio da ternura; *Manon Lescaut* (1731), romance do Abade Prévost (1697-1763), gira em torno da fatalidade da paixão; Marguerite Gautier, personagem central d*A Dama das Camélias* (1848), romance de Alexandre Dumas Filho (1824-1895); Aspásia (405 a.C.) era amante de Ciro, o Moço e de Artaxerxes; Frinéia, cortesã grega do IV século a.C.; Lésbia, amante de Cátulo (I século a.C.), poeta latino que a cantou em seus poemas; Corina, figura imaginária, simbolizando as mulheres que Ovídio (43 a.C.-17 d.C.) amou e cantou em seus poemas.

Já se disse que orçava pelos quarenta e quatro o morgado. Naquela idade, se há fibras virginais no coração, eram as dele.

Casara com sua prima Teodora, menina estimadíssima por virtudes, mas mais feia do que pede a razão que seja uma senhora honesta. A noiva deixou-se ir pela mão do pai à casa do esposo. Não ia nem alegre nem triste. Tanto se lhe dava casar com o primo Calisto como com o primo Leonardo. Logo que o pai consentiu que levasse para Caçarelhos umas três dúzias de galinhas e parrecos, que ela criara, não lhe ficou na casa natal coisa para sérias saudades.

Encontrou marido ao pintar. Coraram ambos ao mesmo tempo, quando o bulício das festas nupciais se aquietou e a mãe do noivo lhes disse: "Meninos, cada mocho a seu soito" — frase ameníssima que em pouco e depressa exprime a muita poesia de toda aquela família.

Calisto, ao outro dia da primeira noite de esposo, por volta das sete horas da manhã, já estava a ler a *Viagem à Terra Santa*, por frei Pantaleão de Aveiro; e, à mesma hora, a noiva andava de pé sobre um catre de pau preto rendilhado, com uma vassoira de giesta, a limpar teias de aranha do teto.

Almoçaram, e foram visitar o pai e o sogro, em cuja casa jantaram. Durante a visita, a sra. D. Teodora esteve a ensinar uma criada a engomar as camisas do pai; e Calisto, como descobrisse num armário um tratado de alveitaria de 1610, levou-o de um fôlego, e tirou apontamentos, visto que o sogro se tratava por aquela medicina, diminuindo as doses das drogas. Não sei quem lhe dissera a ele que o sr. D. João IV, nas doenças graves, se medicava com um veterinário.

Ora, deste começo de amores, infiram, senhores, o restante daquela doce vida!

Teodora tomou a cargo os cuidados domésticos de sua sogra, e muitos do trato com caseiros, vendo que o marido, tirante as horas de comer, não saía da livraria onde a mulher, como amável sombra, o ia visitar, e, olhando com desdém sobre os in-fólios, dizia-lhe:

— Ó homem, ainda não acabaste de ler esses missais?

— Isto não são missais, menina. Não estejas a profanar os meus clássicos.

A esposa não entendia isto, e pedia-lhe que lhe lesse pela vigésima vez as *Sete Partidas de D. Pedro*. E o bom marido lia-lhe pela vigésima vez as *Sete Partidas,* porque estavam escritas em português de lei.

Vida para invejar! Paraíso em que Deus se esqueceu de mandar o anjo do montante de fogo vedar a entrada!

Discorreram anos, sem que o morgado tivesse de perguntar à sua consciência a explicação do mínimo alvoroto de sangue na presença de mulher estranha. Andava por feiras, quando a mulher o mandava comprar utensílios agrícolas; pernoitava por diversas casa da província, famosas pela beleza das donas, e contava-lhes casos miríficos de suas leituras, se acontecia não achar livro velho que lhe deliciasse o serão.

Da maior, e talvez única dor literária da sua vida, fui eu causa. Calisto, pernoitando em não sei que solar de damas dadas à leitura amena, pediu algum livro, e deram-lhe um romance meu. Consta-me que deixou o volume com as margens anotadas de galicismos e manchas de toda a casta. Imaginem quantas punhaladas eu dei naquele lusitaníssimo coração.

Afora este incidente, as boninas da vida campestre floriam imarcessíveis para o homem de bem, raro exemplo de compostura; salvo quando lhe beliscavam a estirpe que, então, como já disse, retaliava descaridosamente e revelava a quebra contingente de todo o homem imperfeito de sua natureza. Isto criou-lhe inimigos; mas de traidores de sua fidelidade marital nenhum tentou infamar-lhe o bom nome. Das virtudes conjugais de Teodora até me treme a pena somente de escrever isto para encarecê-las! Duvide-se da pureza das onze mil virgens, antes de maliciar suspeitas daquela matrona, em tudo romana, do puro estofo das Cornélias, Pôncias e Árrias.

Com esta pureza de vida entrara em Lisboa o morgado da Agra.

Aí está um novo Daniel à beira da fornalha. Aí está o homem-anjo! Quarenta e quatro anos imaculados! Um coração que, se algumas imagens tem gravadas, são as dos frontispícios aparatosos de alguma edição *princeps*, de algum *Elzevir* anotado por Grenobius.*

(*A Queda dum Anjo*, pp. 100-103.)

JÚLIO DINIS

Pseudônimo de Joaquim Guilherme Gomes Coelho, nasceu no Porto, em 14/11/1839. Formado pela Escola Médico-Cirúrgica do Porto (1861), nela principia uma carreira docente que se vê forçado a interromper por causa da tuberculose que então se lhe declara. Em Ovar, cidade vizinha do Porto, e em Funchal (Ilha da Madeira), busca em vão recuperar a saúde perdida. Falece prematuramente, em 12/09/1871, em sua cidade natal. Apesar de morto em plena mocidade, deixou obra considerável, repartida pelo teatro (*Teatro Inédito*, 3 vols., 1946-1947), a poesia (*Poesias*, 1873-1874), o conto (*Serões da Província*, 1870), o romance (*As Pupilas do Sr. Reitor*, 1867; *A Morgadinha dos Canaviais*, 1868; *Uma Família Inglesa*, 1868; *Os Fidalgos da Casa Mourisca*, 1872), de que o último aspecto prevalece sobre os demais, e confere ao escritor o lugar que ocupa nos quadros da Literatura Portuguesa.

A Morgadinha dos Canaviais

A Morgadinha dos Canaviais foi publicada pela primeira vez em folhetim no *Diário do Porto*, em 1868, e nesse mesmo ano em volume. Seu enredo resume-se no seguinte: Henrique

---

* *Parreco* = marreco; *Frei Pantaleão de Aveiro* = autor do *Itinerário da Terra Santa* (1593), e não *Viagem à Terra Santa*, como diz Camilo; *D. João IV* = chamado O Restaurador, reinou em Portugal entre 1640 e 1656; *Sete Partidas do Mundo de D. Pedro* = D. Pedro (1392-1449) empreendeu numerosas viagens, narradas nas *Sete Partidas do Mundo* (1544); *Cornélias, Pôncias, Árrias* = matronas romanas de altas virtudes; *Daniel* = no livro da Bíblia que leva o seu nome, narra-se o episódio em que os hebreus foram atirados às fornalhas por ordem de Nabucodonosor; *Elzevir* = refere-se à edição de livros feita pelos editores holandeses do mesmo nome (séculos XVI e XVII); *Grenobius* = está por *Gronovius*, forma alatinada de *Gronor* (Johannes Fredericus), humanista holandês (1611-1671), autor de várias edições de escritores latinos. (Agradeço a informação ao Prof. Evanildo Bechara.)

de Souselas, moço rico e galante, abandona Lisboa e vai procurar numa aldeia do Minho, em casa da tia Dorotéia, cura para o seu tédio. Em pouco tempo recompõe-se e enamora-se de Madalena, morgadinha da quinta do Mosteiro, mas esta o trata ironicamente. Acontece que Cristina, prima de Madalena, se apaixona por Henrique, o qual percebe, despeitado, que a morgadinha corresponde ao afeto que lhe dedica Augusto, um simples mestre-escola rural. Ambos, rivalizados, se antagonizam. Enquanto isso, dois acontecimentos precipitam o desenlace: a construção de uma estrada de ferro e a proibição de enterros de mortos nas igrejas. Das arruaças que cercam as duas novidades do progresso, sai ferido Henrique; tratado por Cristina, descobre que a ama. Tudo termina com o casamento de Henrique e Cristina e de Augusto e Madalena. O trecho que se vai ler, foi extraído do capítulo III, e contém a narração dos primeiros contactos revigorantes de Henrique com o clima aldeão:

Ao romper da manhã, quando a consciência principia, pouco a pouco, a acudir aos sentidos, até então tomados pelo torpor de um sono profundo, Henrique de Souselas sonhava-se comodamente sentado em uma cadeira de S. Carlos, disposto a assistir ao desempenho de uma ópera favorita.

Moviam-se os arcos nas cordas dos violinos, violoncelos e contrabaixos; sopravam, a plena boca, os tocadores dos instrumentos de vento; agitavam descompostamente os braços os ruidosos timbaleiros; dedos amestrados faziam vibrar as cordas da harpa; a batuta do mestre fendia airosamente os ares, e contudo não chegava aos ouvidos de Henrique, de toda esta riqueza de instrumentação, mais do que uma nota única, arrastada, contínua, plangente, baixando e subindo na escala dos tons, e sem formular uma só frase musical.

Era de desesperar um diletante como ele; torcia-se na cadeira, inclinava convenientemente a cabeça, fazia das mãos cornetas acústicas, e sempre o mesmo resultado!

Este violento estado de atenção, este esforço do sensório, principiou nele a obra do despertar; principiou pois pelos ouvidos, mas cedo se transmitiu a todos os outros órgãos.

Antes de dar a si próprio conta do que era aquele som, e quase esquecido ainda do lugar em que estava, Henrique abriu os olhos.

A luz do dia penetrava já pelas frestas mal vedadas das janelas e espalhava no aposento uma tênue claridade.

Veio então a Henrique a consciência do lugar em que estava, e uma alegria profunda lhe dilatou o coração.

O leitor, se ainda não padeceu de insônias, de pesadelos, ou de sonos febris, não avalia por certo o contentamento íntimo que se apossa das desgraçadas vítimas desses demônios noturnos, quando por exceção eles as deixam em paz, e lhes respeitam o sono de uma noite completa. Acordar só aos raios da aurora é um dos mais inefáveis prazeres a que eles aspiram na vida.

Penetra-lhes então os membros um insólito vigor; a arca do peito expande-se-lhes mais livre, e as sombras do espírito dissipam-se-lhes com aquele clarão matinal.

Foi o que sucedeu a Henrique. Pela primeira vez, depois de muitos meses, dormira de um sono a noite inteira.

Sentia-se com isso tão bom, tão vigoroso, tão contente que teve vontade de cantar.

Mas o som que o acordara, aquela nota única, em que se confundiam todas as notas da sonhada orquestra, ainda lhe soava aos ouvidos.

Prestando-lhe a atenção de acordado, conheceu que era o chiar dos carros — o mesmo som, que na véspera o irritara, agora, assim a distância, estava-lhe agradando, como nota extraída por mão hábil das cordas de um violino.

Não resistiu mais tempo ao impulso que naquela manhã o incitava ao exercício, rara disposição no indolente filho da capital, que tinha por hábito ouvir o meio-dia na cama.

Ergueu-se e abriu as janelas.

Não é lícita a comparação entre a mais surpreendente transmutação de uma dessas aparatosas mágicas, que extasiam as multidões embasbacadas nas platéias e camarotes de um teatro, e as que, de instante para instante, realiza a natureza. Descerrando o véu de nuvens que encobre o fulgor do Sol, elevando, acima do horizonte, esse majestoso lampadário do mundo, ou o brilhante refletidor que ilumina as noites desanuviadas, a natureza opera a cada momento, as mais admiráveis e completas metamorfoses.

Durante o sono de Henrique realizara-se um desses efeitos mágicos.

Abrandara gradualmente a violência do sul; o vento, mudando, voltou em sentido oposto a grimpa do campanário; dispersaram-se as nuvens; luziram trêmulas por momentos as estrelas, empalideceram perante o alvor do dia, e, quando o Sol assomou por sobre as cristas das serras, estendia-se-lhe diante um vasto manto azul, tapetando a estrada, que tinha a percorrer. Só, muito para o ocidente, ainda algumas nuvens amontoadas formavam uma como franja, que o astro nascente em breve tingiu de carmim e de ouro.

Foi pois a luz de um dia esplêndido e a brisa, cheia de aromas, que vem dos campos nas alvoradas serenas, que penetraram no quarto de Henrique, quando ele abriu as janelas.

A inesperada surpresa quase lhe soltava do peito uma exclamação de prazer!

A aldeia, aquela mesma aldeia, escura e triste, que, com o coração apertado, atravessara na véspera, parecia outra.

O Sol da manhã baixara sobre ela, dissipara-lhe as sombras, colorira-lhe as verduras, refletira-se-lhe nas presas, dispersara-se em íris cambiante na espuma das torrentes e cascatas naturais, perfumada de aromas, animara-se de cantos, transformara-a enfim na mais risonha paisagem em que os olhos de Henrique, pouco habituados às esplêndidas galas do Minho, tinham nunca repousado.

O inverno despojara parte dessas galas; embora! Até da própria nudez de algumas árvores resultavam encantos. As folhas crestadas, os ramos despidos, as moitas sem flores infundem tristeza; mas não tem a tristeza poesia também? Pode haver completa paisagem onde não haja uns tons escuros de melancolia?

Henrique de Souselas, debruçado na varanda de pedra do quarto, não se cansava de admirar aquela cena.

Parecia-lhe estar assistindo a um milagre de fadas, que, num momento, elevam, nos ermos, jardins e paços como os de Armida e Alcina.

Pois era esta a mesma aldeia, através da qual ele cavalgara de noite?

Os acidentes do terreno, aqueles acidentes, que tão do fundo da alma amaldiçoara na véspera, produziam, vistos então dali, os mais pitorescos efeitos. Abatia-se-lhe aos pés um não muito profundo vale, opulento em vegetação, e que a certa distância se continuava insensível e gradualmente com uma ameníssima colina. Além, um belo bosque de carvalhos seculares, que o inverno, privando-os de folhas, tingira quase da cor da violeta, contrastava com a fronde sempre verde das laranjeiras nos pomares vizinhos, fronde por entre a qual se divisavam abundantes os doirados frutos poupados pela mão do lavrador. As copas, como umbeladas, dos pinheiros mansos, desenhavam nas encostas e eminências fronteiras as mais suaves ondulações. Dispersos aqui e ali, e entremeados com a verdura, grupos de casas campestres, alvejantes à luz do Sol, moinhos e azenhas, noras, toldadas de ramadas cônicas, eiras, pontes rústicas, as mesmas talvez que com mau humor trilhara na véspera, tão sinistras então, como graciosas agora; extensas e virentes campinas e lameiros, onde pastavam numerosas manadas de gado. Mais longe a igreja com a sua alameda à entrada, e o cemitério, onde um só mausoléu avultava ainda; uma ou outra casa apalaçada, enegrecida pelo tempo; algumas ruínas, consolidadas pelas heras, revestidas de musgos, doiradas de líquens; finalmente, tudo o que tenta os paisagistas, tudo o que exalta os poetas, tudo quanto suspende os passos ao viajante; e, encobrindo todo o quadro, um tenuíssimo cendal de vapores azulados, dando-lhe a aparência de uma das mimosas composições a pastel da mão de Pillement.

A mudança de aspecto da cena operou não menor mudança nos sentimentos e disposições do enlevado espectador que das varandas de Alvapenha a estava observando.

— É preciso sair! é preciso sair! — disse Henrique consigo. — Quero ver isto de perto; quero entranhar-me nestes bosques, quero trepar por aqueles montes, debruçar-me daquelas ribanceiras.

E, vestindo-se à pressa, e sem sentir necessidade de uma escrupulosa *toilette*, saiu do quarto.

Encontrou nos corredores a tia Dorotéia, que o saudou amavelmente.

— Muito bons dias, menino; então como passaste tu a noite?

— Deliciosamente, minha querida tia — respondeu ele, abraçando-a com maior afeto e bom humor do que na véspera.

O que é sentir-se a gente bem!

— Então não estranhaste?

— Estranhei imenso!

— Sim?! — disse a tia, mortificada.

— Dormi a noite de um sono, e acordei bem disposto; o que para mim é a mais estranha das ocorrências.

A tia sorriu satisfeita.

— Pois antes assim. E agora...

— E agora quero sair, quero ver esta terra, que me está parecendo um paraíso terreal.

— Espera, menino. Não vás sem almoçar.

— Almoçar! Pois que horas são?

— Não é cedo; são já sete horas.

— Já sete horas!

E Henrique insensivelmente desviou os olhos para a janela, para ver como era a natureza, a uma hora a que raras vezes a examinava.

— E então acha que se pode almoçar às sete horas?

— Por que não? Se está já pronto.

— Bom; almocemos. O doutor disse-me que tomasse os hábitos da aldeia. Principiemos por este.

Entrando para a sala de jantar, Henrique viu diante de si uma taça de leite espumante, tépido, odorífero, extraído de pouco tempo.

Foi por ele que principiou o almoço.

(*A Morgadinha dos Canaviais*, Porto, Simões Lopes, 1949, pp. 46-51.)

Nestas poucas páginas, tem-se uma espécie de súmula da visão do mundo de Júlio Dinis; somente restaria acrescentar um pormenor a respeito de seu otimismo perante a criatura humana (manifesto na obra toda e nos demais romances campesinos), para que o quadro ficasse completo. O trecho encerra um evidente panegírico ao campo e às suas belezas e verdades morais. O elogio do campo implica o seu contrário, aliás visível igualmente no texto transcrito: o desapreço da cidade e da civilização. De remota origem rousseauniana, e coerente com o espírito romântico, esse louvor ao campo guarda uma concepção da vida e do mundo fundamentada numa ética estóica. Vale dizer: para Júlio Dinis, a felicidade reside no campo, visto que apenas lá é possível o cultivo da moral que melhor se coadunaria com o mais recôndito da alma humana, — a superação dos apetites instintivos e o cultivo da bondade, simplicidade, etc. Tal código ético, expresso e definido ao longo d*A Morgadinha dos Canaviais* e nos outros romances, transparece no trecho todo, especialmente no parágrafo em que o ficcionista se dirige ao leitor ("O leitor, se ainda não padeceu de insônias", etc.). Do ponto de vista da estrutura romanesca, o excerto é bastante para revelar o quanto Júlio Dinis se diferença de Camilo, seu contemporâneo, e de Eça, que surgiria um pouco depois. Ao mesmo tempo que introduz a fôrma romance em Portugal, instilou na ficção portuguesa um à-vontade, uma objetividade e um realismo herdados da Literatura Inglesa, que conheceu intimamente. O início do trecho, em que é narrado o sonho de Henrique, diz bem do sopro de novidade insuflado por Júlio Dinis. Pelo sonho, que se acomoda coerentemente à fabulação, damo-nos conta de que o autor estaria à procura de uma psicologia literária mais moderna (ou antes, menos convencional ou estereotipada), uma psicologia profunda, que atingisse as zonas de complexidade do mundo interior da personagem. Além disso, o sonho nos permite assomar a um aspecto do passado de Henrique, antes inexpresso, e que funciona como contraste da existência que passa a levar no campo. É nítida a força e a originalidade relativa (relativa ao tempo e à Literatura Portuguesa) desse recurso técnico enquanto condutor da ação. Todavia, porventura um tanto entusiasmado com as novidades que propunha, Júlio Dinis apressa-se demasiado em operar a metamorfose do herói ("A mudança de aspecto da cena operou não menor mudança", etc.). Sente-se, nisto, um tudo-nada forjado, como se o ficcionista quisesse ressaltar ainda mais a crença no poder balsâmico dos ares campesinos sobre as hipocondrias urbanas. Bem pesando as coisas, percebe-se que Júlio Dinis tem um pé na canoa romântica e outro na realista: típico escritor de transição.

Uma Família Inglesa

Publicado em 1868, com o subtítulo de "Cenas da Vida do Porto", este romance desenvolve-se à roda do seguinte enredo: Carlos, filho do negociante inglês Richard Whitestone, apaixona-se por Cecília, filha do guarda-livros da casa, Manuel Quintino. Ultrapassando, graças à intervenção providencial de Jenny, irmã de Carlos, todas as dificuldades inerentes à diferença de classe, os namorados acabam por casar-se, levando daí por diante uma vida feliz e tranqüila. O fragmento que se vai ler, pertence ao capítulo IV, intitulado "Um Anjo Familiar":

Vai adiantada a manhã do dia seguinte àquele, em que se passaram as cenas descritas já. São mais de onze horas. Carlos dorme ainda.

Recolhera-se à hora crítica, em que principiam a desmaiar as estrelas no firmamento, a agitarem-se nos ninhos as aves e a soarem na rua os socos de alguns operários mais matutinos. Que admira pois que durma, a sonhar talvez a continuação, favorável a seus desejos, de qualquer aventura incompleta do baile da véspera?

A situação da casa de Mr. Richard Whitestone facilitava esta infração dos direitos do dia, que se faz para vigílias e trabalho, e não para sonhos e repouso.

O leitor, que é do Porto, quase me dispensa de dizer-lhe que era o bairro de Cedofeita aquele, onde a família Whitestone vivia.

Esta nossa cidade — seja dito para aquelas pessoas, que porventura a conhecem menos — divide-se naturalmente em três regiões, distintas por fisionomias particulares.

A região oriental, a central e a ocidental.

O bairro central é o portuense propriamente dito; o oriental, o brasileiro; o ocidental, o inglês.

No primeiro predominam a loja, o balcão, o escritório, a casa de muitas janelas e de extensas varandas, as crueldades arquitetônicas, a que se sujeitam velhos casarões, com o intento de os modernizar; o saguão, a viela independente das posturas municipais e à absoluta disposição dos moradores das vizinhanças; a rua estreita, muito vigiada de polícias; as ruas, em cujas esquinas estacionam galegos armados de pau e corda e os cadeirinhas com o capote clássico; as ruas ameaçadas de procissões, e as mais propensas a lamas; aquelas onde mais se compra e vende; onde mais se trabalha de dia, onde mais se dorme de noite. Há ainda neste bairro muitos ares do velho burgo do Bispo, não obstante as aparências modernas que revestiu.

O bairro oriental é principalmente brasileiro, por mais procurado pelos capitalistas, que recolhem da América. Predominam neste umas enormes moles graníticas, a que chamam palacetes; o portal largo, as paredes de azulejo — azul, verde ou amarelo, liso ou de relevo; o telhado de beiral azul; as varandas azuis e douradas; os jardins, cuja planta se descreve com termos geométricos e se mede a compasso e escala, adornados de estatuetas de louça, representando as quatro estações; portões de ferro, com o nome do proprietário e a era da edificação em letras também douradas; abunda a casa com janelas góticas e portas retangulares, e a de janelas retangulares e portas góticas, alguma com ameias, e o mirante chinês. As ruas são mais sujeitas à poeira. Pelas janelas quase sempre algum capitalista ocioso.

O bairro ocidental é o inglês, por ser especialmente aí o hábitat destes nossos hóspedes. Predomina a casa pintada de verde-escuro, de roxo-terra, de cor de café, de cinzento, de preto... até de preto! — Arquitetura despretensiosa, mas elegante, janelas retangulares; o peitoril mais usado do que a sacada. — Já uma manifestação de um viver mais recolhido, mais íntimo, porque o peitoril tem muito menos de indiscreto do que a varanda. Algumas casas ao fundo dos jardins, jardins assombrados de acácias, tílias e magnólias e cortados de avenidas tortuosas; as portas da rua sempre fechadas. Chaminés fumegando quase constantemente. Persianas e transparentes de fazerem desesperar curiosidades. Ninguém pelas janelas. Nas ruas encontra-se com freqüência uma inglesa de cachos e um bando de crianças de cabelos loiros e de babeiros brancos.

Tais são nos seus principais caracteres as três regiões do Porto, sendo desnecessário acrescentar que nesta, como em qualquer outra classificação, nada há de absoluto. Desenhando o tipo específico, nem estabelecemos demarcações bem definidas, nem recusamos admitir algumas, e até numerosas exceções, hoje mais numerosas ainda do que então, em 1855.

É claro pois que era neste último bairro que residia o ilustre Mr. Richard, e sua família.

O nome da rua sou obrigado porém a ocultá-lo, para evitar indiscrições mal sofridas em terras, onde todos se conhecem.

A casa, essa posso descrevê-la, ainda que o farei com o devido artifício, para a não trair para com algum leitor mais desocupado.

Era uma das tais casas escuras, com vidraças de caixilhos brancos, retirada ao fundo de um jardim, nas grades do qual se entrelaçavam tão intimamente as folhas sempre verdes das austrálias e os ramos floridos de japoneiras gigantes, que resguardavam de vistas curiosas as avenidas irregularmente traçadas por entre relva digna de uma paisagem inglesa.

A casa tinha um andar apenas, além do mirante. Uma espécie de pavilhão, ou corpo lateral, seguia um dos lados do jardim e vinha abrir três amplas janelas para a rua, que era das menos freqüentadas da cidade.

Era neste pavilhão o quarto de Carlos.

Toda aquela residência respirava certo ar de comodidade, certo *confortable*, esse simpático adjetivo do vocabulário inglês.

Andavam-lhe por longe as vozes discordantes da indústria e do comércio, tão funestas às encantadas visões dos sonos matinais.

Tudo parecia fomentar aquele dormir reparador de Carlos, que ia absorvendo a manhã inteira: pelo menos segundo a maneira de contar o tempo dos poucos, que ainda hoje começam a dar as boas tardes logo depois do meio-dia.

Jenny nunca podia adormecer enquanto não ouvisse entrar o irmão, circunstância que, não obstante, lhe ocultava para o não constranger nos seus prazeres, ou de que o apenas o fazia conhecedor, quando nesse constrangimento previa utilidade.

Tendo por isso notado a hora avançada a que, daquela vez, Carlos voltara a casa, deixava-o agora dormir para que restaurasse as forças perdidas pela vigília da véspera e porventura necessárias para vigílias novas.

Como uma jovem mãe, solícita pelo sono do seu primeiro filho, desde manhã cedo a viam os criados aparecer nas proximidades dos aposentos do irmão, a prevenir e afastar o menor ruído, que pudesse despertá-lo.

No extenso corredor, que mediava entre o quarto de Carlos e o resto da casa, passeava, desde o alvorecer e com passos levíssimos, essa doce figura de mulher como se fora anjo da guarda daquele estouvado, que nem suspeitava sob que asas protetoras adormecera.

Às vezes parava junto da porta de Carlos e, aplicando aí o ouvido atento, parecia espiar o menor rumor que de dentro saísse, a denunciar-lhe o acordar.

Depois afastava-se e dirigia-se lentamente para a sala oposta, onde ia inspecionar e dirigir os preparativos do *lunch* de Mr. Richard, cujas horas se aproximavam já.

(*Uma Família Inglesa,* Porto, Simões Lopes, 1948, pp. 54-58.)

JOÃO DE DEUS

João de Deus Ramos nasceu em S. Bartolomeu de Messines (Algarve), em 18/3/1830. Com dezenove anos, segue para Coimbra, a fim de fazer o curso de Direito, mas somente o completa dez anos mais tarde: consumira o mais do tempo na boêmia e nos devaneios poéticos. Formado, vai para Beja (Alentejo), onde dirige o periódico *O Bejense* (1863). Em 1869, elege-se deputado e muda-se para Lisboa, ao mesmo tempo que inicia sua carreira literária com um livro de poemas, *Flores do Campo*. Com *A Cartilha Maternal* (1876), entrega-se a uma ampla campanha pedagógica. Já detentor dum prestígio que avulta com os anos, torna-se uma espécie de mestre dos realistas, notadamente Antero e Teófilo Braga, dos quais o último lhe reuniu a obra poética sob o título de *Campo de Flores* (1893), com que passou a ser designada e conhecida. Cercado de grande admiração e respeito, faleceu em 8/1/1896, em Lisboa. Postumamente, saíram suas *Prosas* (1898).

?

A. M. Duarte de Almeida

Não sei o que há de vago,
De incoercível, puro,
No vôo em que divago
À tua busca, amor!
No vôo em que procuro
O bálsamo, o aroma,
Que se uma forma toma,
É de impalpável flor!

Oh como te eu aspiro
Na ventania agreste!
Oh como te eu admiro
Nas solidões do mar!
Quando o azul celeste
Descansa nessas águas,

Como nas minhas mágoas
Descansa o teu olhar!

Que plácida harmonia
Então a pouco e pouco
Me eleva a fantasia
A novas regiões...
Dando-me ao uivo rouco
Do mar nessas cavernas
O timbre das mais ternas
E pias orações!

Parece-me este mundo
Todo um imenso templo!
O mar já não tem fundo
E não tem fundo o céu!
E em tudo o que contemplo,
O que diviso em tudo,
És tu... esse olhar mudo...
O mundo és tu... e eu!

Encanto

Passavas como rainha,
E eu, que andava como morto,
Parece que me sustinha
No ar em êxtase, absorto...
É ela, dizia eu,
A minha estrela do céu!

Passavas lançando em torno,
Como a lua em noite amena,
Aquele olhar doce e morno
Que me dava gosto e pena...
Pena não ser só meu
Esse reflexo do céu!

Mal sabes como em nossa alma,
À luz de uns olhos que atraem,
A tempestade se acalma
E as nuvens negras se esvaem!
Com a luz de um olhar teu
É uma bênção do céu!

De tal maneira me encanta,
Que até andei, por exemplo,
Contigo a Semana Santa,
Sem saber, de templo em templo...

Depois é que me ocorreu
Que esse olhar era do céu!!

Nesse traje austero e grave,
Toda de preto, era um gosto
Ver não sei que luz suave
A banhar-te as mãos e o rosto...
Era a luz, suponho eu,
Que banha os anjos do céu!

Se um dia, estrela dos Magos,
Me abandonares na vida,
Deixa-me uns reflexos vagos
Como de estrela caída...
Ao menos verei no céu
Rasto da estrela que ardeu!

Ventura

O sol na marcha luminosa voa
Lançando à terra majestoso olhar;
Passa cantando quem o ar povoa,
E a praia abraça venturoso o mar.

No bosque o vento doce canto entoa,
Ouvem-se em coro as multidões cantar:
Que a um só triste coração lhe doa,
Que eu seja o único a sofrer, penar!

Por ti, saudade... de quem vai tão perto
E a quem dos olhos e das mãos perdi
Neste tão ermo, lúgubre deserto!

Por ti, ventura... que uma vez senti;
Por ti que às vezes a meu peito aperto
E... o peito aperto sem te ver a ti!

(*Campo de Flores*, 2 vols., Lisboa, Bertrand, 1922, vol. I, pp. 45-46, 85-86, 151.)

Os três poemas de João de Deus que acabamos de ler apenas nos oferecem uma das facetas do poeta, embora a mais importante delas: a lírico-amorosa. A metafísica e a satírica ocupam lugar secundário. Nota-se, pelas composições, o quanto João de Deus difere dos poetas imediatamente anteriores, posto que alguma dívida possa ter para com Garrett. Seu lirismo amoroso caracteriza-se pela simplicidade, pela espontaneidade e pela musicalidade, que, antes de virem por contágio de predecessores oitocentistas, lembram logo Camões e a poesia trovadoresca. Com efeito, o poeta parece em *serviço amoroso*, como se fosse um trovador medieval: a Mulher (não a mulher) passava "como rainha", e ele tinha a sensação de sustentar-se "no ar em êxtase, absorto... ". Entende-se claramente, por via desse medievalismo, que o poeta assumisse perante a mulher amada uma atitude mística, manifesta no poema "Encanto". Daí para a saudade mortificante, que confessa em "Ventura", é um passo. O gosto de sofrer ("Que eu seja o único a sofrer, penar!") completaria o quadro não fosse ainda a presença duma nota sensualista embutida nesse espiritualismo platonizante: atente-se para o final de "Ventura". Mas mesmo o contraponto entre idealismo e erotismo corresponde à equação existente na lírica camoniana e nas cantigas de amor. Na verdade, o medievalismo, que emerge da pena de João de Deus sem as afetações dos poetas ultra-românticos encabeçados por Castilho, explica-se pelo Romantismo e, acima de tudo, pela cosmovisão do autor de *Campo de Flores*. Poeta emocional por excelência, sensível às sutilezas do trato amoroso, uma espécie de lírico "puro", nele ressoa a voz mais límpida do Romantismo português: entre sua sensibilidade e o autêntico lirismo romântico, bem como entre ela e o lirismo tradicional que remonta à Idade Média, operava-se uma rara identificação. De onde ter sido o mais inspirado poeta romântico português e uma das mais sonoras vozes líricas da Literatura Portuguesa.

Letra

A lua desce,
E ao seu clarão
A mágoa cresce
No coração;
    E com bem mágoa
    Pedi a Deus
    Um pingo de água
    Dos olhos seus.

A lua desce,
E ao seu clarão
A mágoa cresce
No coração;
    Cresce, que o pranto
    Desse bom Pai
    Cai em seu manto,
    Do céu não cai.

A lua desce,
E ao seu clarão
A mágoa cresce
No coração;
    Cresce, que o lírio
    Branco do vale
    Não tem martírio
    Nem sede igual.

A lua desce,
E ao seu clarão
A mágoa cresce
No coração;

E com bem mágoa
Peço ao Senhor,
Um pingo de água
Que orvalhe a flor!

Lágrima sua
Vendo ao clarão
Da frouxa lua
No coração,
Cai-me dos olhos
Em pranto a dor,
Como de abrolhos
Brota uma flor.

Agora!

A luz que dá o teu rosto
É a luz da madrugada,
Mas vi-a quase ao sol-posto
De uma vida amargurada...
Tão tarde vi o teu rosto!

Oh! se na manhã da vida
Me raia logo essa aurora,
Quanta folha e flor caída
Me embelezara inda agora
O triste arbusto da vida!

Mas andei sempre às escuras...
Por onde nem se lobriga
Luz de estrela nas alturas,
Quanto mais em face amiga...
Eu andei sempre às escuras!

E agora vendo a beleza
Dessa luz que me alumia,
Não sei se a minha tristeza
É mais que a minha alegria...
Vendo agora essa beleza!

Último Adeus

Fique em silêncio eterno a minha lira;
Vai eflúvio de Deus! Deus te bem fade;
Nesta alma em teu lugar fica a saudade,
Se a essência sobrevive à flor que expira.

Dizer-te adeus não pude; quando ocorre
Tal voz ao lábio, o lábio empalidece,

Como a nota da lira nos falece
Ante a lua que cai, e o sol que morre;

Ante o sopro que varre o cedro e o vime,
Ante o sublime aspecto do oceano,
Ante a esposa do Mártir sobre-humano,
Ante tudo o que é grande e que é sublime.

Embora: quando a lâmpada crepita,
Já falta de óleo lânguida esvoaça;
A nuvem estala, ruge a onda, e passa...
Guarda silêncio a abóbada infinita.

Adeus

A ti que em astros desenhei nos céus,
A ti que em nuvens desenhei nos ares,
A ti que em ondas desenhei nos mares,
A ti, bom anjo, o derradeiro adeus!

Parto! Se um dia (que é possível, flor!)
Vires ao longe negrejar um vulto,
Sou eu que aos olhos desta gente oculto
O nosso imenso desgraçado amor.

Talvez as feras ao ouvir meus ais,
As brutas selvas, as montanhas brutas,
Côncavas rochas, solitárias grutas,
Mais se condoam, se comovam mais!

E lá daquelas solidões se aqui
Chegar gemido que uma pedra estale,
Que um cedro vibre, que um carvalho abale,
Sou eu que o solto por amor de ti...

De ti, que em folha que varrer o ar,
Em rama, em sombra que bandeie a aragem,
De fito sempre nessa cara imagem
Verei sorrindo, sentirei passar!

De ti em astros desenhei nos céus,
De ti que em nuvens desenhei nos ares!
De ti que em ondas desenhei nos mares,
E a quem envio o derradeiro adeus!

Resposta

Em fumo se vai tudo, amigo: olhando
Para as nuvens do céu, nuvens daquelas,

E até não sei se diga que mais belas
Anda a gente fazendo e desmanchando!

Dá-me uma saudade em me lembrando
Do belo tempo que passei com elas
Por essa imensa abóbada de estrelas,
Por esse mar de fogo viajando!

Andasse ainda eu lá, que não me havia
De ver por estes charcos atolado,
Onde nem sol nem lua me alumia!

Andasse ainda eu lá, desenganado
Mesmo já como estou de achar um dia
Essa pátria de onde ando desterrado!

Deus?

A Marco Antônio Canini

Quem me terá trazido a mim suspenso,
Atônito, alheado... ou a quem devo,
Enfim, dizer que em nada mais me enlevo,
A ninguém mais do coração pertenço?...

Se desço ao vale, ao alcantil me elevo,
Quem é que eu busco, em que será que eu penso?
És tu memória de horizonte imenso
Que me encheu alma dum eterno enlevo?...

Segues-me sempre... e só por ti suspiro!
Vejo-te em tudo ... terra e céu te esconde!
Nunca te vi... cada vez mais te admiro!

Nunca essa voz à minha voz responde.
E eco fiel até do ar que aspiro,
Sinto-te o hálito!... em minha alma ou onde?

(*Ibidem*, vol. I, pp. 16-17, 56-57, 228, 248, 258, 364.)

REALISMO

Preliminares

A época do Realismo em Portugal inicia-se em 1865, com a "Questão Coimbrã", deflagrada pelo posfácio de Castilho ao *Poema da Mocidade*, de Pinheiro Chagas, no qual proclamava acerbas restrições aos estudantes de Coimbra adeptos da Idéia Nova. E esmorece por volta de 1890, quando Eugênio de Castro, publicando *Oaristos*, desencadeia o aparecimento da estética simbolista. Numa visão mais profunda dos fatos, percebe-se que a instalação do Simbolismo não obstou que o ideário realista permanecesse atuante pelo menos até 1915. Durante o seu fastígio, o Realismo em Portugal deu origem à única geração literária que merece este nome além-Atlântico. E afora única, notabilizou-se por reunir uma plêiade de homens superiores e talentosos como jamais houve antes ou depois na história da Literatura Portuguesa. Em qualquer das direções seguidas pela atividade literária na época realista (a poesia, a prosa de ficção, o jornalismo doutrinário, a historiografia, a crítica e a historiografia literária) é possível encontrar estrelas de primeira grandeza.

A Poesia

Na época do Realismo, quatro são as configurações assumidas pela poesia: 1) a poesia "realista", identificada com os ideais revolucionários preconizados pela geração de 70, e representada por Guerra Junqueiro, Gomes Leal, Antero de Quental, Teófilo Braga, e outros; 2) a poesia do cotidiano, que trouxe à baila temas até então tachados de não-poéticos, representada por Cesário Verde; 3) a poesia metafísica, representada por Antero e, ocasionalmente, por Gomes Leal e Guerra Junqueiro; 4) a poesia de veleidades parnasianas que, sem constituir tendência filiada ao Parnasianismo francês, realizava uma poesia entre formalista e lírica ou satírica, representada por João Penha, Antônio Feijó, Guilherme de Azevedo, Guilherme Braga, e outros.

GUERRA JUNQUEIRO

Abílio Manuel Guerra Junqueiro nasceu em Freixo-de-Espada-à-Cinta (Trás-os-Montes), em 15/9/1850. Em Coimbra, formou-se em Direito (1873), após haver freqüentado as aulas de Teologia entre 1866 e 1868. Com *A Morte de D. João*, inicia sua carreira literária, no mesmo ano (1874) em que ingressa na vida administrativa (secretário do Governo de Angra do Heroísmo e de Viana do Castelo) e na vida política como deputado. Mas ainda encontra vagares para dedicar-se à lavoura, no Alto Douro. Depois de 1890, rompe com Oliveira Martins e abraça a causa republicana, ao mesmo tempo que acentua o seu interesse pela vida campesina, de que vai tirar inspiração para *Os Simples* (1892). Com a República (1910), é nomeado Ministro em Berna, onde permanece até o começo da Guerra de 14. Sentindo crescer o desalento em face da situação caótica da Pátria, afasta-se de tudo e vem a falecer em 7/7/1923. Escreveu: *A Morte de D. João* (1874), *A Musa em Férias* (1879), *A Velhice do Padre Eterno* (1885), *Os Simples* (1892), *Pátria* (1896), *Poesias Dispersas* (1920), *Vibrações Líricas* (1925), *Horas de Luta* (1924), *Contos para a Infância* (1877), *Prosas Dispersas* (1920).

A Velhice do Padre Eterno

A Velhice do Padre Eterno, publicada em 1885, correspondia à segunda parte de uma trilogia poética iniciada pel*A Morte de D. João* (1874), e que teria seqüência com o *Prometeu Libertado*, que ficou incompleto. Na primeira parte, Guerra Junqueiro satiriza o vício romântico, representado na figura de D. João; na segunda, ataca o clero corrupto e venal; na terceira, como declara na nota final d*A Velhice do Padre Eterno*, cantaria a liberdade de Prometeu, pois "significa o desaparecimento de todas as tiranias, e a ressurreição de Jesus, a morte de todos os dogmas". *A Velhice do Padre Eterno*, que primitivamente se intitulava *A Morte de Jeová*, consta de uma série de quadros líricos em torno de alguns dos principais aspectos da história do Catolicismo, ao ver de Guerra Junqueiro: o poema de abertura, "Aos Simples", contém um hino de louvor aos humildes e sofredores para quem não soou ainda a hora da justiça, precisamente por causa dos males que, no entender do poeta, infestavam a Pátria, dentre os quais avultavam a hipocrisia dos sentimentos (retratada n*A Morte de D. João*) e a hipocrisia da crença religiosa (tema d*A Velhice do Padre Eterno*). Seguem-se os quadros, como "A Vinha do Senhor", "A Caridade e a Justiça", "Parasitas", "O Papão", etc. O trecho que se vai ler, pertence a "A Sesta do Sr. Abade":

Caminhavam por fim, ronceiros, devagar,
Os grandes carroções da Côngrua e Pé de Altar,
Puxados a duas mil parelhas de jumentos,
Zurrando esta epopéia heróica aos quatro ventos:

Senhor Pároco, toda a freguesia,
Uns quatro mil onagros
Muito magros,
Vêm trazer isto a Vossa Senhoria.
Desculpe, Senhor Pároco, a ousadia...
A oferta é bem mesquinha, é desgraçada,
Uns oitocentos moios, simplesmente
De milho, de feijão, trigo e cevada.
E nós sabemos que um tão mau presente
Para o seu dente
Não chega a nada! não chega a nada!
Mas é boa a intenção;
Nós reservamos para si o pão,
E para nós a palha unicamente.
Dar ao senhor Prior
Miséria assim, é vergonhoso até...
Mas aceite este mimo sem valor...
Senhor Pároco, aceite-o, por quem é!...

E, agora, Senhor Pároco, a sua bênção,
Porque os onagros pensam
Que ela salva das chamas infernais;

E em paga de tal dom, de tal carinho,
Rogaremos ao Céu pelo focinho
Lhe permita engordar cada vez mais.
Boa pinga e bom porco alentejano
E sempre nédio e alegre e satisfeito!...
Senhor Pároco, viva!... até pr'o ano...
Até pr'o ano... e muito bom proveito!...
O abade, vendo aquela espantosa ovação,
Cresceu como uma torre e inchou como um balão.
E ao mirar-se com garbo heróico e triunfal,
Surpreendeu-se de anel e cruz episcopal!
E, impando de vanglória e atônito de espanto,
Inchou mais meia légua e cresceu outro tanto!
Contemplou-se depois com majestade ufana,
E, oh Céus! viu-se vestido em púrpura romana!
Cardeal! cardeal! cardeal! que honra, que posição!
E subiu de tal forma ovante na amplidão
Que o Himalaia, envolto em suas neves eternas,

Disse a um condor: — Vai ver lá cima aquelas pernas!
— Cardeal! Não será sonho, ou mágico feitiço?!
Eu Cardeal! ... — Apertou entre as mãos o toutiço,
E em lugar dum chapéu tingido com zurrapas,
Encontrou o diadema olímpico dos papas!
Papa! E de tal maneira ergueu a fronte sua,
Que com ela partiu os chavelhos da lua!
Em torno do nariz e à volta das orelhas
Zumbiam-lhe tremendo os astros, como abelhas.
Ser papa! ser o rei do Céu e o rei do mundo!
E lá do alto do abismo esplêndido e profundo,
Lançou ao mar e à terra a sua bênção sagrada.
E o mar mudou-se em vinho e a terra numa empada!
E o colosso voraz, ao ver coisas tão belas,
Debruçou-se, agachou-se, escancarou as goelas,
E engoliu duma vez o assombroso folar,
Bebendo-lhe por cima o vinho todo — o mar!
Depois empanturrado, inflado, um pouco torto,
Atirou-se a dormir mais pesado que um morto,
Arrotando trovões . . . .
. . . .
E enquanto o abade ronca e grunhe sem cuidados,

Dobram plangentemente os sinos a finados;
Cortam o espaço os ais do estertor derradeiro,
E entre as germinações frescas do bom lameiro,
A égua abacial coa respectiva cria,
(A quem, se fosse dele, o abade chamaria
Afilhada) lanzuda, opípara, pacata,
Livre, sem albardão, sem freio e sem arreata,
Na monástica paz dos ventres satisfeitos,
Com luzerna viçosa e tenra até aos peitos;
Envolta no esplendor fulvo do sol poente,
Mansa, fitando o azul, — rincha ortodoxamente!

(*A Velhice do Padre Eterno*, Porto, Lello, 1946, pp. 233-235, 237-238.)

Como se vê, trata-se de fragmento de um sonho. O Sr. Abade "Sonhou ver desfilar, oh ventura ilusória! / Um préstito pagão, um cortejo de glória, / A aclamá-lo". A sátira volta-se para o sacerdote glutão e vaidoso, motivada por uma tese que se oculta no reverso do trecho citado e que se revela por vezes no curso do poema todo: Guerra Junqueiro entendia que o clero constituía funda chaga social porque composto, em sua maioria, de indivíduos como o Sr. Abade. Daí que o seu anticlericalismo deva ser compreendido como indignação contra o religioso devasso, não contra o realmente vocacionado. Expurgar o clero dos maus elementos significaria permitir que a justiça reinasse entre os homens, — esse o pensamento de Guerra Junqueiro. Por isso, sua revolta guarda um ideal de concórdia e de paz universal. Contudo, a grandeza de propósitos do poeta não se exprimia em boa poesia: o tom panfletário, iconoclasta, imposto pelo assunto e a própria tese a defender, determinava uma inflexão semiprosaica, que nem a cadência nem a sonoridade marcial dos versos conseguiam atenuar. Em suma, o idealismo generoso, embora válido por si próprio, prejudicava Guerra Junqueiro enquanto poeta, visto lhe exigir uma dicção objetiva e direta que só raramente se compadece com a poesia autêntica.

Eiras ao Luar

Alvor da Lua nas eiras,
Nem linhos de fiandeiras
Nem véus de noivas ou freiras
Nem rendas d'ondas do mar!...
Sobre espigas d'oiro bailam as ceifeiras,
Na aleluia argêntea do clarão do luar!...

Bailai sob as lagrimosas
Estrelinhas misteriosas,
Cintilações, nebulosas,
Frêmitos vagos d'empíreos!...
Deus golpeia a aurora pra dar sangue às rosas,
Deus ordenha a Lua pra dar leite aos lírios!...

Ai, medas de prata e oiro,
De lua branca e pão loiro,
Malhadas no malhadoiro,
A enfeitiçar e a fulgir!
Oh, bailai à volta desse bom tesoiro,
Que é a côdea negra que ceais a rir!...

Quem nas ladeiras e prados,
Com as lanças dos arados,
Abriu sulcos e valados
Na terra gélida e nua?
Oh, bailai à volta desses bois deitados,
Que estão d'olhos tristes adorando a Lua!...

Que bandos de passarinhos,
Vêm lá de campos maninhos,
De fraguedos, de caminhos,
Jantar aqui, merendar!...
Oh, bailai em volta de milhões de ninhos!
Oh, bailai cantando para os acordar!...

Entre as palhas do centeio,
Quantas esmolas no meio,
Que deixam lírios no seio
E as mãos escorrendo luz! ...
Oh, bailai em volta do celeiro cheio!
Oh, bailai à volta dos mendigos nus!...

Quanta hóstia consagrada,
— Pão da última jornada! —
Dorme na meda encantada
Ao luar tão leve e tão lindo!...
Oh, bailai em volta dessa mó doirada,
Que bailais à volta de Jesus dormindo!...

Alvor da Lua nas eiras,
Nem linhos de fiandeiras,
Nem véus de noivas ou freiras,
Nem rendas d'ondas do mar!...
Oh, bailai ceifeiras, lindas feiticeiras,
Na aleluia argêntea do clarão do luar!

(*Os Simples*, 11ª ed., Lisboa, Parceria A. M. Pereira, 1946, pp. 55-58.)

Este poema, que pertence a *Os Simples* (1892), mostra-nos a outra face da mundividência de Guerra Junqueiro, a qual, implícita ou casualmente expressa nas obras da fase revolucionária (*A Morte de D. João*, *A Velhice do Padre Eterno*), agora se mostra em toda a sua altura e extensão. O idealismo, o espiritualismo, antes subjacente ou dissimulado no desejo confesso de reformar as instituições, predomina a olhos vistos. Guerra Junqueiro cultua, como se nota, as belezas do campo, a simplicidade natural, a ingenuidade, e parece pregar o retorno ao Cristianismo puro (cf. as duas últimas estrofes), oposto ao Catolicismo deturpado por maus sacerdotes. Aí demoraria, a seu ver, a única felicidade terrena. Observe-se que a objetividade anterior cede passo ao vago; que o andamento grandiloqüente, apontado n*A Velhice do Padre Eterno*, muda em melopéia, uma espécie de ladainha ou de prece; que o sombrio do passado muda em claridade lunar. Toda essa mutação não surpreende, pois que estava latente na fase pregressa, e assinala a evolução de Guerra Junqueiro rumo do Simbolismo, a partir de 1890. E assim procedendo, o poeta criava o melhor de sua obra e justificava o lugar de relevo no panorama do Realismo em Portugal.

GOMES LEAL

Antônio Duarte Gomes Leal nasceu em Lisboa, em 6/6/1848. Filho natural de um abastado funcionário da Alfândega, que por toda a lei queria fazê-lo homem prático, cedo lhe despontou a vocação literária. Por algum tempo, emprega-se num tabelionato, mas a morte do pai lhe deixa o espaço livre para seguir a inclinação. Entrega-se à boêmia literária. Ingressa no Curso Superior de Letras, e durante algum tempo acompanha as aulas. Atraído pelo jornalismo, afasta-se do convívio acadêmico e põe-se a nutrir ideais revolucionários. Em 1875, publica seu primeiro livro de versos, *Claridades do Sul*, e logo conquista prestígio. Em 1878, viaja para Madri, e no regresso adere à poesia revolucionária preconizada por Antero. Em conseqüência, fascina-se pela Política, mas é sol de pouca dura. Em 1910, já envelhecido, morre-lhe a mãe e converte-se ao Catolicismo, que mistura com superstições ocultistas. Ressentidos, seus amigos de pensamento anárquico abandonam-no: tem início uma fase de miséria, acentuada pela alienação mental. Cai tanto que o deputado socialista Ladislau Batalha vai encontrá-lo jogado numa sarjeta. Recolhe-o à casa, e agasalha-o. Tarde demais. Gomes Leal falece em 29/1/1921. Escreveu, além de panfletos revolucionários (*Tributo de Sangue,* 1873; *A Tradição,* 1881, etc.), os seguintes livros: *Claridades do Sul* (1875), *A Fome de Camões* (1880), *História de Jesus* (1883), *O Anti-Cristo* (1884), *O Fim Dum Mundo* (1899), *Serenata de Hilário no Céu* (1900), *A Mulher de Luto* (1902), *O Senhor dos Passos da Graça* (1904), *Mefistófeles em Lisboa* (1907), *A Senhora da Melancolia* (1910) e *Novas Verdades Cruas* (1916).

O Visionário ou Som e Cor

A Eça de Queirós

I

Eu tenho ouvido as sinfonias das plantas.

Eu sou um visionário, um sábio apedrejado,
Passo a vida a fazer e a desfazer quimeras,
Enquanto o mar produz o monstro azulejado
E Deus, em cima, faz as verdes Primaveras.

Sobre o mundo onde estou encontro-me isolado,
E erro como estrangeiro ou homem de outras eras,
Talvez por um contrato irônico lavrado
Que fiz e já não sei noutras sutis esferas.

A espada da Teoria, o austero Pensamento,
Não mataram em mim o antigo sentimento,
Embriagam-me o Sol e os cânticos do dia...

E obedecendo ainda a meus velhos amores,
Procuro em toda a parte a música das cores,
— E nas tintas da flor achei a Melodia.

II

J'ai vu les Espèces et les Formes,
j'ai vu l 'Esprit des Choses.
Balzac, Seraphita.

Bem sei que a planta engana e a Natureza mente,
E que a flecha do Sol nos pode assassinar,
Que a Peste torna o azul sereno e resplendente,
E que a pérola sai das infecções do Mar.

Tudo é Matéria, Força, e Lei onipotente!
E enquanto o lírio incensa e azula-se o luar,
Impassível talvez, em baixo, surdamente,
A terra cria a flor que me há de envenenar.

Bem sei! — mas, na floresta imensa das Teorias,
Eu amo divagar, ouvindo as melodias
Que as plantas musicais dão aos astros e aos Céus.

— Ah! eu vejo Jesus no coração das rosas!
— Só eu vejo as leais flores melodiosas!
— E o lírio é para mim a hóstia onde está Deus.

III

O vermelho deve ser como o som de uma trombeta. . .
Um cego

Alucina-me a Cor! — A Rosa é como a Lira,
A Lira pelo tempo há muito engrinaldada,
E é já velha a união, a núpcia sagrada,
Entre a cor que nos prende e a nota que suspira.

Se a terra, às vezes, brota a flor que não inspira,
A teatral camélia, a branca enfastiada,
Muitas vezes, no ar, perpassa a nota alada
Como a perdida cor de alguma flor que expira. . .

Há plantas ideais de um cântico divino,
Irmãs do oboé, gêmeas do violino,
Há gemidos no azul, gritos no carmesim. . .

A magnólia é uma harpa etérea e perfumada.
E o cacto, a larga flor, vermelha, ensangüentada,
— Tem notas marciais, soa como um clarim.

IV

Mas aquela que adoro, a hierática duquesa,
Nobre como as reais senhoras de Brabante,
Como a hei de pintar igual e semelhante,
Se não há Som nem Cor em toda a Natureza!

Seu colo tem do lírio a rígida firmeza.
Seu amor é um céu católico e distante. . .
Mas a luz desse olhar sonoro e radiante
Eleva como a Cor, soa como a Beleza!

Nunca lhe ousei falar, nem sei se amor lhe inspiro.
Mas quando enfim morrer, então, como um suspiro
Meu seio florirá, em vez do meu amor. . .

Numa flor que porá talvez sobre a janela,
Uma flor rubra e negra, em forma de uma estrela,
— Como uma sinfonia obscura de terror.

Miserere Mei!. . .

I

Eis-me sentado e só, na *Rua da Amargura,*
Como um mendigo vil, de rota capa escura,
Sem ter pátria, nem lei.

Desci, mais do que Jó, ao lameiro corrupto.
— Ó piedosa Mulher, das tranças cor do luto,
Miserere mei!. . .

II

Por teus olhos sutis, mais raros que as safiras,
As aras poluí, fiz a batina em tiras,
Minha estola rasguei.
Agora sou *Dagon,* Rei das dores insondáveis.
— Ó piedosa Mulher dos olhos admiráveis,
Miserere mei!. . .

III

Por teu amor, desci às trevas lacrimosas.
Por teu amor, vaguei nas ruínas leprosas.
Por ti, uivei, chorei,

Nas galés, hospitais, na Insônia, na Demência.
— Ó piedosa Mulher, Senhora da Clemência,
Miserere mei!. . .

IV

Como Saul, cruzei as estradas devassas.
Nos cardos, nos tojais, nas alfurjas, nas praças,
Os farrapos larguei.

Da minha alma sangrenta, estrelada em martírios.
— Ó piedosa Mulher, dos dedos cor dos lírios,
Miserere mei!. . .

V

Por teu amor, desci às pávidas geenas,
Dos não ouvidos ais, das não ouvidas penas.
Por ti, eu blasfemei.

Por ti, eu me estorci nas palhas da enxovia. . .
— Ó piedosa Mulher, Flor da Melancolia,
Miserere mei!. . .

VI

Bradam que te ofendi. — Mas os teus olhos castos
Mal conheceram como, as mãos postas, de rastos,
Eu poli e escavei,

Com meus prantos de sangue, as lapas dos retiros.
— Ó piedosa Mulher, Senhora dos Suspiros,
Miserere mei!. . .

VII

Arrastei-me no pó das solidões tisnadas.
No inferno das galés, nas insônias suadas,
De nostalgia, uivei,

Como o proscrito infeliz, nos grandes gelos russos.
— Ó piedosa Mulher, Senhora dos Soluços,
Miserere mei!. . .

VIII

O suor empastou meus pávidos cabelos.
Junto ao leito febril, torvo de pesadelos,
Pai, nem Mãe encontrei!

Só teu pranto sorvi, nas angústias agudas. . .
— Ó piedosa Mulher, Mãe das lágrimas mudas,
Miserere mei!. . .

IX

Agora, livre enfim dos *Ciclos da Loucura:*
Já transpondo os portais da *Babilônia Escura,*
Mais órfão me encontrei.

Órfão, meu Deus, de ti, dos teus ais, teus cuidados. . .
— O piedosa Mulher, Mãe dos Abandonados,
Miserere mei!. . .

(Vitorino Nemésio, *Destino de Gomes Leal*,
Lisboa, Bertrand, s. d., pp. 115-116, 222-223.)

A polimórfica fisionomia literária e psicológica de Gomes Leal estampa-se nítida nos dois poemas citados. Entretanto, haveria que transcrever outros exemplos, caso pretendêssemos uma visão completa das fases e modos percorridos pelo poeta. No caso presente, nota-se que o aspecto simbolista prevalece sobre qualquer outro, porquanto o poeta emprega copiosamente alguns processos expressivos postos em circulação por Baudelaire e assimilados e desenvolvidos pelo Simbolismo. Assim, as sinestesias e as "correspondências" constituem os ingredientes usuais de suas imagens, inclusive recorrendo ao jogo plástico composto da síntese ou da aproximação de contrários (cf. o soneto IV, de "Visionário ou Som e Cor", armado sobre a dualidade branco x negro). A freqüência das sinestesias e "correspondências" justifica-se, não só pela própria moda literária vigorante no tempo, como pelas tendências éticas e filosóficas do poeta. Heterogêneo ou permeável às idéias mais conflitantes, mostra-se, ao menos pelas composições transcritas, preso a um evolucionismo panteísta, ou mesmo a um misticismo panteísta: mescla ciência, religião e filosofia, num compósito que traduz a própria diversificação de posições culturais nos fins do século XIX, e uma sensibilidade ultra-receptiva e ansiosa de integrar numa unidade os dados antagônicos captados da realidade circundante. A esse propósito, observe-se particularmente o soneto II. Estamos em plena atmosfera simbolista, próxima do delírio ou do absurdo: falta pouco para que o processo imagético se torne surrealista. Como quer que seja, na "alquimia verbal" de Gomes Leal já encontramos metáforas que antecipam um Fernando Pessoa (cf. a segunda estrofe do soneto I, que lembra o "Emissário de um rei desconhecido", etc.), ou um Mário de Sá-Carneiro (cf. o soneto IV, em que uma nota de cinismo equilibra o esteticismo peculiar ao poeta). É o bastante para evidenciar a importância de Gomes Leal na poesia portuguesa do último quartel do século XIX.

As Catedrais

Como vos amo ver, ó catedrais sozinhas,
A recortar o azul das noites consteladas. . .
Erguidos coruchéus, místicas andorinhas
— Ó grandes catedrais do sol ensangüentadas!

Como vos amo ver, pombas alvoroçadas,
Ogivas ideais, anjos de puras linhas,
Catacumbas sem luz, aonde embalsamadas
Dormem, de mãos em cruz, as santas e as rainhas!

Em vão olhais o Céu, sagradas epopéias!

Flores de renda e luz, de incenso e aromas cheias,
Aves celestiais, banhadas da manhã!

Em vão santos e reis, ó monges dos desertos,
Em vão, em vão rezais, sobre os livros abertos,
— O Céu, por que chorais, é uma ficção cristã!

Rosa Mística

Do pôr do Sol àquela luz sagrada,
Eu perdia-me. . . ó hora doce e breve! . . .
Meu peito, junto ao seu colo de neve,
— Numa contemplação vaga e elevada.

Nossas almas se erguiam, como deve
Erguer-se uma alma à luz afortunada.
Do mar se ouvia a grande voz chorada.
— Palpitavam as pombas no ar leve.

Eu então perguntei-lhe, baixo e brando:
Em que mundos de luz é que caminhas?
Que torre está tua alma arquitetando? . . .

— Ela, travando as suas mãos das minhas,
Me disse, ingênua, então: — Estou cismando
No que dirão, no ar, as andorinhas.

Dístico

Como um cirurgião que retalha a escalpelo
Um ventre escultural, lácteo, gentil, e belo,
Como quem fura um odre. . .
Assim, Mundo, também — peito imoral e amado,
Corpo todo de azul e de lama estrelado,
Eu te hei de retalhar nos teus milhões deitado,
Carcaça linda e podre! . . .

(*Ibidem*, *Destino de Gomes Leal*, ed. cit., pp. 103, 128-129 e 157.)

Tristíssima

Num país longe, secreto,
Lendária ilha afastada,
Jaz todo o dia sentada,
Num trono de mármor preto.

No seu palácio esculpido
Não entram constelações.

Os tetos dos seus salões
São todos de ouro polido.

Nas largas escadarias
Sobem vassalos ao cento.
De noite soluça o vento
Naquelas tapeçarias,

E pelas largas janelas,
Fechadas, sempre corridas,
Há flores desconhecidas
Que não olham as estrelas.

Na dextra segura um cálix,
— Cálix da Dor e da Mágoa! —
Onde está contida a água
E o sangue dos males.

Pelas florestas sozinhas,
Escuras, sem rouxinóis,
Erram, chorando, os Heróis
E as desgraçadas Rainhas.

Seguida, à noite, de servas,
Caminha, em cortejo mudo,
Rojando o negro veludo
De seu cabelo nas ervas.

Somente ao vê-la passar
Ficam as almas surpresas:
— Há todo um mar de tristezas
No abismo do seu olhar.

O Gemido da Árvore

A árvore está em pé, no meio das planuras,
Cheia de riso e flor, verduras, passarinhos.
— Ela é o guarda-sol dos frutos e dos ninhos.
— É o teto nupcial das conversadas puras.

O humilde cavador que foiça as ervas duras
Dos broncos matagais e escalrachos maninhos,
Sob ela faz seu leito, ao cruzar os caminhos,
Torrados da soalheira ou nas sombras escuras.

Contudo, o Homem ingrato esquece a Árvore amiga,
E prefere a Cidade e a balbúrdia inimiga,
Onde a alma corrompe em orgias triviais.

Mas a Árvore lá fica, a espreitar nas ramadas,
Como a mãe lacrimosa, a olhar sempre as estradas,
— A ver se o filho volta à cabana dos pais!

Elogio do Selvagem

Eu quisera viver nesses tempos fagueiros
Das matas virginais e das florestas bravas,
Em que gigantes bons, cabeludos, trigueiros,
Não tinha da mentira as abjeções ignavas.

Não moravam então em cidades escravas.
Trilhavam largamente, altos como pinheiros,
As matas dos bambus, dos cipós, dos coqueiros,
Sem frechas, sem farpões, sem arcos, sem aljavas.

À sua calma voz, de entonações sinceras,
Deitavam-se a seus pés, sem receio, as panteras,
Cerrando o olhar ao sol que doirava as folhagens.

A fraude não roçava inda os seus lábios virgens!...
E, retos como a Luz, havia nas vertigens
Do seu amor, seu ódio — harmonias selvagens.

O Velho Palácio

Simbolismo

A Teófilo Braga.

Houve outrora um palácio, hoje em ruínas,
Fundado numa rocha, à beira-mar...
Donde se avistam lívidas colinas,
E se ouve o vento nos pinhais pregar.
Houve outrora um palácio, hoje em ruínas...

Nesse triste palácio inabitável,
As janelas, sem vidros, contra os ventos,
Batem, de noite, em coro miserável,
Lembrando gritos, uivos, e lamentos.
Nesse triste palácio inabitável...

Só resta uma varanda solitária,
Onde medra uma flor que bate o norte,
Sacudida da chuva funerária,
Lavada de um luar branco de morte.
Só resta uma varanda solitária...

Como nessa varanda apodrecida,
Em minha alma uma flor também vegeta...
Toda a noite dos ventos sacudida,
Íntima, humilde, lírica, secreta.
Como nessa varanda apodrecida...

(*Idem*, pp. 124-125, 196, 198, 245-246.)

CESÁRIO VERDE

José Joaquim Cesário Verde nasceu em Lisboa, em 25/2/1855. Filho dum lavrador e comerciante, foi obrigado a dedicar-se às atividades práticas, que desde cedo colidiam com seu temperamento de sensitivo. A muito custo, a vocação literária impõe-se e ele ingressa no Curso Superior de Letras (1873). Assiste às aulas por pouco tempo, mas faz amizade com Silva Pinto e entra a publicar poemas no *Diário de Notícias,* e mais adiante noutros periódicos. Falece precocemente, em 18/7/1886. No ano seguinte, Silva Pinto reúne em livro seus poemas dispersos sob o título de O *Livro de Cesário Verde.*

O Sentimento dum Ocidental

A Guerra Junqueiro

I

Ave-Marias

Nas nossas ruas, ao anoitecer,
Há tal soturnidade, há tal melancolia,
Que as sombras, o bulício, o Tejo, a maresia
Despertam-me um desejo absurdo de sofrer.

O céu parece baixo e de neblina,
O gás extravasado enjoa-me, perturba;
E os edifícios, com as chaminés, e a turba
Toldam-se duma cor monótona e londrina.

Batem os carros de aluguer, ao fundo,
Levando à via férrea os que se vão. Felizes!
Ocorrem-me em revista exposições, países:
Madri, Paris, Berlim, S. Petersburgo, o mundo!

Semelham-se a gaiolas, com viveiros,
As edificações somente emadeiradas:
Como morcegos, ao cair das badaladas,
Saltam de viga em viga os mestres carpinteiros.

Voltam os calafates, aos magotes,
De jaquetão ao ombro, enfarruscados, secos;

Embrenho-me, a cismar, por boqueirões, por becos,
Ou erro pelos cais a que se atracam botes.

E evoco, então, as crônicas navais:
Mouros, baixéis, heróis, tudo ressuscitado!
Luta Camões no Sul, salvando um livro a nado!
Singram soberbas naus que eu não verei jamais!

E o fim da tarde inspira-me; e incomoda!
De um couraçado inglês vogam os escaleres;
E em terra num tinir de louças e talheres
Flamejam, ao jantar, alguns hotéis da moda.

Num trem de praça arengam dois dentistas;
Um trôpego arlequim braceja numas andas;
Os querubins do lar flutuam nas varandas;
Às portas, em cabelo, enfadam-se os lojistas!

Vazam-se os arsenais e as oficinas;
Reluz, viscoso, o rio, apressam-se as obreiras;
E num cardume negro, hercúleas, galhofeiras.
Correndo com firmeza, assomam as varinas.

Vêm sacudindo as ancas opulentas!
Seus troncos varonis recordam-me pilastras;
E algumas, à cabeça, embalam nas canastras
Os filhos que depois naufragam nas tormentas.

Descalças! Nas descargas de carvão,
Desde manhã à noite, a bordo das fragatas;
E apinham-se num bairro aonde miam gatas,
E o peixe podre gera os focos de infecção!

II

Noite Fechada

Toca-se as grades, nas cadeias. Som
Que mortifica e deixa umas loucuras mansas!
O aljube, em que hoje estão velhinhas e crianças,
Bem raramente encerra uma mulher de "dom"!

E eu desconfio, até, de um aneurisma
Tão mórbido me sinto, ao acender das luzes;
À vista das prisões, da velha Sé, das cruzes,
Chora-me o coração que se enche e que se abisma.

A espaços, iluminam-se os andares,
E as tascas, os cafés, as tendas, os estancos

Alastram em lençol os seus reflexos brancos;
E a Lua lembra o circo e os jogos malabares.

Duas igrejas, num saudoso largo,
Lançam a nódoa negra e fúnebre do clero:
Nelas esfumo um ermo inquisidor severo,
Assim que pela História eu me aventuro e alargo.

Na parte que abateu no terremoto,
Muram-me as construções retas, iguais, crescidas;
Afrontam-me, no resto, as íngremes subidas,
E os sinos dum tanger monástico e devoto.

Mas, num recinto público e vulgar,
Com bancos de namoro e exíguas pimenteiras,
Brônzeo, monumental, de proporções guerreiras,
Um épico doutrora ascende, num pilar!

E eu sonho o Cólera, imagino a Febre,
Nesta acumulação de corpos enfezados;
Sombrios e espectrais recolhem os soldados;
Inflama-se um palácio em face de um casebre.

Partem patrulhas de cavalaria
Dos arcos dos quartéis que foram já conventos;
Idade Média! A pé, outras, a passos lentos,
Derramam-se por toda a capital, que esfria.

Triste cidade! Eu temo que me avives
Uma paixão defunta! Aos lampiões distantes,
Enlutam-me, alvejando, as duas elegantes,
Curvadas a sorrir às montras dos ourives.

E mais: as costureiras, as floristas
Descem dos *magasins*, causam-me sobressaltos;
Custa-lhes a elevar os seus pescoços altos
E muitas delas são comparsas ou coristas.

E eu, de luneta de uma lente só,
Eu acho sempre assunto a quadros revoltados:
Entro na *brasserie*; às mesas de emigrados,
Ao riso e à crua luz joga-se o dominó.

III

Ao Gás

E saio. A noite pesa, esmaga. Nos
Passeios de lajedo arrastam-se as impuras.

Ó moles hospitais! Sai das embocaduras
Um sopro que arrepia os ombros quase nus.

Cercam-me as lojas, tépidas. Eu penso
Ver círios laterais, ver filas de capelas,
Com santos e fiéis, andores, ramos, velas,
Em uma catedral de um comprimento imenso.

As burguesinhas do Catolicismo
Resvalam pelo chão minado pelos canos;
E lembram-me, ao chorar doente dos pianos,
As freiras que os jejuns matavam de histerismo.

Num cutileiro, de avental, ao torno,
Um forjador maneja um malho, rubramente;
E de uma padaria exala-se, inda quente,
Um cheiro salutar e honesto a pão no forno.

E eu que medito um livro que exacerbe,
Quisera que o real e a análise mo dessem;
Casas de confecções e modas resplandecem;
Pelas *vitrines* olha um ratoneiro imberbe.

Longas descidas! Não poder pintar
Com versos magistrais, salubres e sinceros,
A esguia difusão dos vossos reverberos,
E a vossa palidez romântica e lunar!

Que grande cobra, a lúbrica pessoa,
Que espartilhada escolhe uns xales com debuxo!
Sua excelência atrai, magnética, entre luxo,
Que ao longo dos balcões de mogno se amontoa.

E aquela velha, de bandós! Por vezes,
A sua *traîne* imita um leque antigo, aberto,
Nas barras verticais, a duas tintas. Perto,
Escarvam, à vitória, os seus mecklemburgueses.

Desdobram-se tecidos estrangeiros;
Plantas ornamentais secam nos mostradores;
Flocos de pós de arroz pairam sufocadores,
E em nuvens de cetins requebram-se os caixeiros.

Mas tudo cansa! Apagam-se nas frentes
Os candelabros, como estrelas, pouco a pouco;
Da solidão regouga um cauteleiro rouco;
Tornam-se mausoléus as armações fulgentes.

"Dó da miséria! . . . Compaixão de mim! . . ."
E, nas esquinas, calvo, eterno, sem repouso,
Pede-me sempre esmola um homenzinho idoso,
Meu velho professor nas aulas de Latim!

IV

Horas Mortas

O teto fundo de oxigênio, de ar,
Estende-se ao comprido, ao meio das trapeiras;
Vêm lágrimas de luz dos astros com olheiras,
Enleva-me a quimera azul de transmigrar.

Por baixo, que portões! Que arruamentos!
Um parafuso cai nas lajes, às escuras:
Colocam-se taipais, rangem as fechaduras,
E os olhos dum caleche espantam-me, sangrentos.

E eu sigo, como as linhas de uma pauta
A dupla correnteza augusta das fachadas;
Pois sobem, no silêncio, infaustas e trinadas,
As notas pastoris de uma longínqua flauta.

Se eu não morresse nunca! E eternamente
Buscasse e conseguisse a perfeição das cousas!
Esqueço-me a prever castíssimas esposas,
Que aninhem em mansões de vidro transparente!

Ó nossos filhos! Que de sonhos ágeis,
Pousando, vos trarão a nitidez às vidas!
Eu quero as vossas mães e irmãs estremecidas,
Numas habitações translúcidas e frágeis.

Ah! Como a raça ruiva do porvir,
E as frotas dos avós, e os nômadas ardentes,
Nós vamos explorar todos os continentes
E pelas vastidões aquáticas seguir!

Mas se vivemos, os emparedados,
Sem árvores, no vale escuro das muralhas! . . .
Julgo avistar, na treva, as folhas das navalhas
E os gritos de socorro ouvir estrangulados.

E nestes nebulosos corredores
Nauseiam-me, surgindo, os ventres das tabernas;
Na volta, com saudade, e aos bordos sobre as pernas,
Cantam, de braço dado, uns tristes bebedores.

Eu não receio, todavia, os roubos;
Afastam-se, a distância, os dúbios caminhantes;
E sujos, sem ladrar, ósseos, febris, errantes,
Amareladamente, os cães parecem lobos.

E os guardas, que revistam as escadas,
Caminham de lanterna e servem de chaveiros;
Por cima, as imorais, nos seus roupões ligeiros,
Tossem, fumando sobre a pedra das sacadas.

E, enorme, nesta massa irregular
De prédios sepulcrais, com dimensões de montes,
A Dor humana busca os amplos horizontes,
E tem marés, de fel, como um sinistro mar!*

(*Obra Completa*, Lisboa, Portugália, 1964, pp. 103-111.)

"O Sentimento dum Ocidental" constitui uma das obras-primas da lírica portuguesa de todos os tempos. Sua riqueza demandaria longa e acurada análise, que, obviamente, escapa dos limites de um simples comentário orientador. Por isso, restringir-me-ei a umas rápidas anotações, que apenas visam servir de marcas para uma sondagem vertical do poema. A primeira observação que desperta em nós diz respeito ao fato de encerrar um lirismo não-amoroso, não panfletário, não metafísico. Lirismo dum repórter, mas dum repórter atraído pela cidade, sensível a todas as suas pulsações, inclusive as nauseantes, disformes ou repugnantes. Ou, por outra, lirismo realista, porém não-fotográfico nem frio: o poeta emociona-se, e muito, e é sua emoção perante o real cotidiano que procura transmitir ao leitor. E sua emoção revela existir no seu espírito uma ambivalência, um vez que a paisagem citadina o seduz como um visgo, e ao mesmo tempo o repele, tornando-o um estranho a vagar sem rumo "no vale escuro das muralhas! . . .". Assim, no embate entre o "eu" e o "não-eu", o primeiro sai malferido, repleto de morbidez e de auto-agressividade ("Tão mórbido me sinto, ao acender das luzes"; "Chora-me o coração que se enche e que se abisma"). Daí que a cidade se lhe afigure animada ("Muram-me as construções retas, iguais, crescidas"), e dentro dele comece a agigantar-se uma onda de indignação até então sufocada: neste momento, sua poesia assume tons revolucionários ("a nódoa negra e fúnebre do clero") e acusa um forte cinismo e desencanto ("Pede-me sempre esmola um homenzinho idoso, / Meu velho professor nas aulas de Latim!"). Afinal de contas, seu anseio de realismo ("E eu que medito um livro que exacerbe, / Quisera que o real e a análise mo dessem") esconde idealismo, inconformismo ante a nauseante realidade (burguesa) urbana: ao confessar volúpia de imortalidade e perfeição ("Se eu não morresse, nunca! E eternamente / Buscasse e conseguisse a perfeição das cousas!"), evidencia o quanto o real citadino, em suas miudezas, o fascinava e enjoava a um só tempo ("E nestes nebulosos corredores / Nauseiam-me, surgindo, os ventres das tabernas"). "Comédia humana" poética duma cidade sombria e triste (a Lisboa dos fins do século XIX), "O Sentimento dum Ocidental" denuncia em Cesário Verde um lírico insatisfeito, visionário

---

* *estanco* = tabacaria; *esfumo* = desenho; *traîne* = cauda de vestido.

de espaços e belezas, que viriam a ser conhecidos de um Fernando Pessoa e de um Mário de Sá-Carneiro, que, desse modo, podem ser considerados realmente discípulos ou continuadores.

Num Bairro Moderno

A Manuel Ribeiro

Dez horas da manhã; os transparentes
Matizam uma casa apalaçada;
Pelos jardins estancam-se os nascentes,
E fere a vista, com brancuras quentes,
A larga rua macadamizada.

Rez-de-chaussée repousam sossegados,
Abriram-se, nalguns, as persianas,
E dum ou doutro, em quartos estucados,
Ou entre a rama dos papéis pintados,
Reluzem, num almoço, as porcelanas.

Como é saudável ter o seu conchego,
E a sua vida fácil! Eu descia,
Sem muita pressa, para o meu emprego,
Aonde agora quase sempre chego
Com as tonturas duma apoplexia.

E rota, pequenina, azafamada,
Notei de costas uma rapariga,
Que no xadrez marmóreo duma escada,
Como um retalho de horta aglomerada,
Pousara, ajoelhando, a sua giga.

E eu, apesar do sol, examinei-a:
Pôs-se de pé; ressoam-lhe os tamancos;
E abre-se-lhe o algodão azul da meia,
Se ela se curva, esguedelhada, feia,
E pendurando os seus bracinhos brancos.

Do patamar responde-lhe um criado:
"Se te convém, despacha; não converses.
Eu não dou mais". E muito descansado,
Atira um cobre lívido, oxidado,
Que vem bater nas faces duns alperces.

Subitamente — que visão de artista! —
Se eu transformasse os simples vegetais,
À luz do sol, o intenso colorista,
Num ser humano que se mova e exista
Cheio de belas proporções carnais?!

Bóiam aromas, fumos de cozinha;
Com o cabaz às costas, e vergando,
Sobem padeiros, claros de farinha;
E às portas, uma ou outra campainha
Toca, frenética, de vez em quando.

E eu recompunha, por anatomia,
Um novo corpo orgânico, aos bocados.
Achava os tons e as formas. Descobria
Uma cabeça numa melancia,
E nuns repolhos seios injetados.

As azeitonas, que nos dão o azeite,
Negras e unidas, entre verdes folhos,
São tranças dum cabelo que se ajeite;
E os nabos— ossos nus, da cor do leite,
E os cachos de uvas — os rosários de olhos.

Há colos, ombros, bocas, um semblante
Nas posições de certos frutos. E entre
As hortaliças, túmido, flagrante,
Como dalguém que tudo aquilo jante,
Surge um melão, que me lembrou um ventre.

E, como um feto, enfim, que se dilate,
Vi nos legumes carnes tentadoras,
Sangue na ginja vívida, escarlate,
Bons corações pulsando no tomate
E dedos hirtos, rubros, nas cenouras.

O sol dourava o céu. E a regateira,
Como vendera a sua fresca alface
E dera o ramo de hortelã que cheira,
Voltando-se, gritou-me, prazenteira:
"Não passa mais ninguém! . . . Se me ajudasse?! . . ."

Eu acerquei-me dela, sem desprezo;
E, pelas duas asas a quebrar,
Nós levantamos todo aquele peso
Que ao chão de pedra resistia preso,
Com um enorme esforço muscular.

"Muito obrigada! Deus lhe dê saúde!"
E recebi, naquela despedida,
As forças, a alegria, a plenitude,
Que brotam dum excesso de virtude
Ou duma digestão desconhecida.

E enquanto sigo para o lado oposto,
E ao longe rodam umas carruagens,
A pobre afasta-se, ao calor de Agosto,
Descolorida nas maçãs do rosto,
E sem quadris na saia de ramagens.

Um pequerrucho rega a trepadeira
Duma janela azul; e, com o ralo
Do regador, parece que joeira
Ou que borrifa estrelas; e a poeira
Que eleva nuvens alvas e incensá-lo.

Chegam do gigo emanações sadias,
Oiço um canário — que infantil chilrada! —
Lidam *ménages* entre as gelosias,
E o sol estende, pelas frontarias,
Seus raios de laranja destilada.

E pitoresca e audaz, na sua chita,
O peito erguido, os pulsos nas ilhargas,
Duma desgraça alegre que me incita,
Ela apregoa, magra, enfezadita,
As suas couves repolhudas, largas.

E, como as grossas pernas dum gigante,
Sem tronco, mas atléticas, inteiras,
Carregam sobre a pobre caminhante,
Sobre a verdura rústica, abundante,
Duas frugais abóboras carneiras.

(*Ibidem*, pp. 81-85.)

Deslumbramentos

Milady, é perigoso contemplá-la,
Quando passa aromática e normal,
Com seu tipo tão nobre e tão de sala,
Com seus gestos de neve e de metal.

Sem que nisso a desgoste ou desenfade,
Quantas vezes, seguindo-lhe as passadas,
Eu vejo-a, com real solenidade,
Ir impondo *toilettes* complicadas!...

Em si tudo me atrai como um tesouro:
O seu ar pensativo e senhoril,
A sua voz que tem um timbre de oiro
E o seu nevado e lúcido perfil!

Ah! Como me estonteia e me fascina...
E é, na graça distinta do seu porte,
Como a Moda supérflua e feminina,
E tão alta e serena como a Morte!...

Eu ontem encontrei-a, quando vinha,
Britânica, e fazendo-me assombrar;
Grande dama fatal, sempre sozinha,
E com firmeza e música no andar!

O seu olhar possui, num jogo ardente,
Um arcanjo e um demônio a iluminá-lo;
Como um florete, fere agudamente,
E afaga como o pêlo dum regalo!

Pois bem. Conserve o gelo por esposo,
E mostre, se eu beijar-lhe as brancas mãos,
O modo diplomático e orgulhoso
Que Ana de Áustria mostrava aos cortesãos.

E enfim prossiga altiva como a Fama,
Sem sorrisos, dramática, cortante;
Que eu procuro fundir na minha chama
Seu ermo coração, como um brilhante.

Mas cuidado, *milady*, não se afoite,
Que hão-de acabar os bárbaros reais;
E os povos humilhados, pela noite,
Para a vingança aguçam os punhais.

E um dia, é flor do Luxo, nas estradas,
Sob o cetim do Azul e as andorinhas,
Eu hei-de ver errar, alucinadas,
E arrastando farrapos — as rainhas!*

(*Ibidem*, pp. 65-66.)

ANTERO DE QUENTAL

Antero Tarqüínio de Quental nasceu em Ponta Delgada (Açores), em 18/4/1842. Após os primeiros estudos na cidade natal, aos treze anos ruma para Coimbra onde, mais adiante, ingressa na Faculdade de Direito. Ao mesmo tempo que sua formação tradicionalista e católica sofre profundo abalo no contacto com as idéias circulantes no meio acadêmico, torna-se o guia de sua geração. Mais lhe aumenta o prestígio a publicação dos primeiros versos. Em 1865, dá a lume as *Odes Modernas* que, juntamente com as *Tempestades Sonoras* e a *Visão*

---

* *Ana de Áustria* = Rainha da França (1601-1666), esposa de Luís XIII, a quem sucedeu como regente (1643-1661).

dos Tempos, de Teófilo Braga, ambas de 1864, provocam a "Questão Coimbrã". Terminado o curso, segue para Paris com o fito de pôr em prática as doutrinas socialistas de que anda convicto. Desiludido, regressa à Pátria e empreende rápida viagem a Nova Iorque. De volta, integra em Lisboa o grupo do "Cenáculo", e com ele participa, como líder, das Conferências do Cassino Lisbonense (1871). Os anos seguintes serão de ferrenho apostolado socialista, no fim do qual também se desilude. E uma misteriosa doença se revela então, trazendo-lhe mal-estar e pessimismo. Afasta-se, misantropicamente, do convívio social. Em 1890, com o "Ultimatum" inglês, sente reacender-lhe a flama proselitista, mercê da qual se aproxima da "Liga Patriótica do Norte". Nova decepção, que acentua ainda mais a maré montante da crise em que se debate desde há muito. Deprimido, retorna à ilha natal e suicida-se em 11/9/1891. Escreveu: *Odes Modernas* (1865), *Primaveras Românticas* (1871), *Sonetos Completos* (1886), *Raios de Extinta Luz* (1892), *Prosas* (3 vols., 1923, 1926 e 1931).

Ideal

Aquela, que eu adoro, não é feita
De lírios nem de rosas purpurinas,
Não tem as formas lânguidas, divinas,
Da antiga Vênus de cintura estreita. . .

Não é a Circe, cuja mão suspeita
Compõe filtros mortais entre ruínas,
Nem a Amazona, que se agarra às crinas
Dum corcel e combate satisfeita. . .

A mim mesmo pergunto, e não atino
Com o nome que dê a essa visão,
Que ora amostra ora esconde o meu destino. . .

E como uma miragem que entrevejo,
Ideal, que nasceu na solidão,
Nuvem, sonho impalpável do Desejo. . .*

Tese e Antítese

I

Já não sei o que vale a nova idéia,
Quando a vejo nas ruas desgrenhada,
Torva no aspecto, à luz da barricada,
Como bacante após lúbrica ceia!

Sangüinolento o olhar se lhe incendeia. . .
Aspira fumo e fogo embriagada. . .

---

* *Circe* = personagem da *Odisséia*, que, com os seus poderes mágicos, transformou os companheiros de Ulisses em suínos.

A deusa de alma vasta e sossegada
Ei-la presa das fúrias de Medéia!

Um século irritado e truculento
Chama à epilepsia pensamento,
Verbo ao estampido de pelouro e obus. . .

Mas a idéia é num mundo inalterável,
Num cristalino céu, que vive estável. . .
Tu, pensamento, não és fogo, és luz! *

II

Num céu intemerato e cristalino
Pode habitar talvez um Deus distante,
Vendo passar em sonho cambiante
O Ser, como espetáculo divino:

Mas o homem, na terra onde o destino
O lançou, vive e agita-se incessante. . .
Enche o ar da terra o seu pulmão possante. . .
Cá da terra blasfema ou ergue um hino. . .

A idéia encarna em peitos que palpitam:
O seu pulsar são chamas que crepitam,
Paixões ardentes como vivos sóis!

Combatei pois na terra árida e bruta,
Té que a revolva o remoinhar da luta,
Té que a fecunde o sangue dos heróis!

O Palácio da Ventura

Sonho que sou um cavaleiro andante.
Por desertos, por sóis, por noite escura,
Paladino do amor, busco anelante
O palácio encantado da Ventura!

Mas já desmaio, exausto e vacilante,
Quebrada a espada já, rota a armadura.
E eis que súbito o avisto, fulgurante
Na sua pompa e aérea formosura!

Com grandes golpes bato à porta e brado:
Eu sou o Vagabundo, o Deserdado. . .
Abri-vos, portas d'ouro, ante meus ais!

---

* *Medéia* = figura mitológica; abandonada por Jasão, seu marido, vingou-se assassinando-lhe os filhos.

Abrem-se as portas d'ouro, com fragor. . .
Mas dentro encontro só, cheio de dor,
Silêncio e escuridão— e nada mais!

Tormento do Ideal

Conheci a Beleza que não morre
E fiquei triste. Como quem da serra
Mais alta que haja, olhando aos pés a terra
E o mar, vê tudo, a maior nau ou torre,

Minguar, fundir-se, sob a luz que jorre:
Assim eu vi o mundo e o que ele encerra
Perder a cor, bem como a nuvem que erra
Ao pôr do sol e sobre o mar discorre.

Pedindo à forma, em vão, a idéia pura,
Tropeço, em sombras, na matéria dura,
E encontro a imperfeição de quanto existe.

Recebi o batismo dos poetas,
E assentado entre as formas incompletas
Para sempre fiquei pálido e triste.

A Germano Meireles

Só males são reais, só dor existe:
Prazeres só os gera a fantasia;
Em nada, um imaginar, o bem consiste,
Anda o mal em cada hora e instante e dia.

Se buscamos o que é, o que devia
Por natureza ser não nos assiste;
Se fiamos num bem, que a mente cria,
Que outro remédio há aí senão ser triste?

Oh! quem tanto pudera que passasse
A vida em sonhos só, e nada vira. . .
Mas, no que se não vê, labor perdido!

Quem fora tão ditoso que olvidasse. . .
Mas nem seu mal com ele então dormira,
Que sempre o mal pior é ter nascido!

À Virgem Santíssima

Cheia de Graça, Mãe Misericórdia

Num sonho todo feito de incerteza,
De noturna e indizível ansiedade

É que eu vi teu olhar de piedade
E (mais que piedade) de tristeza. . .

Não era o vulgar brilho da beleza,
Nem o ardor banal da mocidade. . .
Era outra luz, era outra suavidade,
Que até nem sei se as há na natureza. . .

Um místico sofrer. . . uma ventura
Feita só do perdão, só da ternura
E da paz da nossa hora derradeira. . .

Ó visão, visão triste e piedosa!
Fita-me assim calada, assim chorosa. . .
E deixa-me sonhar a vida inteira!

Na Mão de Deus

(À Exª Snra. D. Vitória de O. M.)

Na mão de Deus, na sua mão direita,
Descansou afinal meu coração.
Do palácio encantado da Ilusão
Desci a passo e passo a escada estreita.

Como as flores mortais, com que se enfeita
A Ignorância infantil, despojo vão,
Depus do Ideal e da Paixão
A forma transitória e imperfeita.

Como criança, em lôbrega jornada,
Que a mãe leva no colo agasalhada
E atravessa, sorrindo vagamente,

Selvas, mares, areias do deserto. . .
Dorme o teu sono, coração liberto,
Dorme na mão de Deus eternamente!

Ignoto Deo

Que beleza mortal se te assemelha,
Ó sonhada visão desta alma ardente,
Que refletes em mim teu brilho ingente,
Lá como sobre o mar o sol se espelha?

O mundo é grande — e esta ânsia me aconselha
A buscar-te na Terra: e eu, pobre crente,
Pelo mundo procuro um Deus clemente,
Mas a ara só lhe encontro... nua e velha...

Não é mortal o que eu em ti adoro.
Que és tu aqui? olhar de piedade,
Gota de mel em taça de venenos. . .

Pura essência das lágrimas que choro
E sonho dos meus sonhos! se és verdade,
Descobre-te, visão, no céu ao menos!

Oceano Nox

(A A. de Azevedo Castelo Branco)

Junto do mar, que erguia gravemente
A trágica voz rouca, enquanto o vento
Passava como o vôo dum pensamento
Que busca e hesita, inquieto e intermitente,

Junto do mar sentei-me tristemente,
Olhando o céu pesado e nevoento,
E interroguei, cismando, esse lamento
Que saía das cousas, vagamente. . .

Que inquieto desejo vos tortura,
Seres elementares, força obscura?
Em volta de que idéia gravitais? —

Mas na imensa extensão, onde se esconde
O inconsciente imortal, só me responde
Um bramido, um queixume, e nada mais. . .

Com os Mortos

Os que amei, onde estão? idos, dispersos,
Arrastados no giro dos tufões,
Levados, como em sonho, entre visões,
Na fuga, no ruir dos universos. . .

E eu mesmo, com os pés também imersos
Na corrente e à mercê dos turbilhões,
Só vejo espuma lívida, em cachões,
E entre ela, aqui e ali, vultos submersos. . .

Mas se paro um momento, se consigo
Fechar os olhos, sinto-os a meu lado
De novo, esses que amei: vivem comigo,

Vejo-os, ouço-os e ouvem-me também,
Juntos no antigo amor, no amor sagrado,
Na comunhão ideal do eterno Bem.

(*Sonetos*, Lisboa, Couto Martins, 1943, pp. 85, 109-110, 133, 159, 172, 173, 183, 185, 277, 299.)

Como sabemos, os *Sonetos* documentam a trajetória filosófica e moral de Antero. Daí sua importância, daí sua complexidade temática: o poeta percorreu, não num sentido cronológico, várias fases ou modos, não raro desencontrada ou colidente. Os poucos sonetos que foi possível transcrever, assinalam alguns dos momentos da sua evolução, e por meio deles podemos visualizar ou depreender o resto. Divisados em conjunto, permitem descortinar em Antero uma nítida visão romântica do mundo, na medida em que era generosa, metafísica e sonhadora. Essa mundividência informar-lhe-ia toda a obra e explicaria as numerosas feições que foi assumindo no curso do tempo. Antero norteava-se por um idealismo tão acendrado que via de regra se viu incitado a adotar atitudes de visionário e sonhador. Partindo da forma como idealiza a mulher (cf. "Ideal") e chegando à expectação das belezas transcendentes (cf. "A Virgem Santíssima" e "Na Mão de Deus"), tudo nele se configurava como a ânsia de perfeições utópicas ou sobrenaturais. Do idealismo decorre o seu desejo de evasão e de sonho (cf. "A Germano Meireles" e "À Virgem Santíssima"), que lhe sugeria uma postura mística, feita da busca de Deus ou de algo que lhe equivalesse (cf. "Ignoto Deo"). Já que sentia que a quimera não se realizava jamais, e que a indagação acerca de Deus ficava sem resposta, ecoando no vazio cósmico, o poeta terminava mergulhando num angustiante pessimismo à Schopenhauer (cf. "Tormento do Ideal"). Por instantes, essa escalada "agônica" parece apaziguar-se no encontro de suportes filosóficos: seduzido pelo pensamento de Proudhon e de Hegel, vaza sua inquietação em "Tese e Antítese", cujo problema talvez "se pudesse formular do seguinte modo: competirá ao apóstolo o ser também político? não haverá incompatibilidade entre os dois papéis?" (Antônio Sérgio, *in Sonetos,* ed. cit., p. 114). Ou, permeável à filosofia de Hartmann, dispõe-se a aceitar que Deus se identifica com o Inconsciente, no qual o pensador alemão acreditava consistir a essência íntima da matéria (cf. "Oceano Nox"). Como nem assim vê satisfeita sua "sede de Infinito", acaba apelando para a imortalidade pela comunhão com os mortos, através da lembrança que deixam na memória dos poetas (cf. "Com os Mortos"). Essa autobiografia, aqui apenas descrita, denota o enlace entre a Poesia e a Filosofia e ganha forma em sonetos que, sendo autênticas obras-primas, tornam Antero um dos mestres do soneto em vernáculo, com Camões e Bocage.

Mais Luz!

(A Guilherme de Azevedo)

Amem a noite os magos crapulosos,
E os que sonham com virgens impossíveis,
E os que se inclinam, mudos e impassíveis,
À borda dos abismos silenciosos . . .

Tu, lua, com teus raios vaporosos,
Cobre-os, tapa-os e torna-os insensíveis,
Tanto aos vícios cruéis e inextinguíveis,
Como aos longos cuidados dolorosos!

Eu amarei a santa madrugada,
E o meio-dia, em vida refervendo,
E a tarde rumorosa e repousada.

Viva e trabalhe em plena luz: depois,
Seja-me dado ainda ver, morrendo,
O claro sol, amigo dos heróis!

Hino à Razão

Razão, irmã do Amor e da Justiça,
Mais uma vez escuta a minha prece.
É a voz dum coração que te apetece,
Duma alma livre, só a ti submissa.

Por ti é que a poeira movediça
De astros e sóis e mundos permanece;
E é por ti que a virtude prevalece,
E a flor do heroísmo medra e viça.

Por ti, na arena trágica, as nações
Buscam a liberdade, entre clarões;
E os que olham o futuro e cismam, mudos,

Por ti, podem sofrer e não se abatem,
Mãe de filhos robustos, que combatem
Tendo o teu nome escrito em seus escudos!

Lacrimae Rerum

(A Tommazzo Cannizzarro)

Noite, irmã da Razão e irmã da Morte,
Quantas vezes tenho eu interrogado
Teu verbo, teu oráculo sagrado,
Confidente e intérprete da Sorte!

Aonde são teus sóis, como coorte
De almas inquietas, que conduz o Fado?
E o homem por que vaga desolado
E em vão busca a certeza, que o conforte?

Mas, na pompa de imenso funeral,
Muda, a noite, sinistra e triunfal,
Passa volvendo as horas vagarosas. . .

É tudo, em torno a mim, dúvida e luto;
E, perdido num sonho imenso, escuto
O suspiro das cousas tenebrosas. . .

A Um Crucifixo

Há mil anos, bom Cristo, ergueste os magros braços
E clamaste da cruz: "há Deus!" e olhaste, ó crente,

O horizonte futuro e viste, em tua mente,
Um alvor ideal banhar esses espaços!

Por que morreu sem eco o eco de teus passos,
E de tua palavra (ó Verbo!) o som fremente?
Morreste. . . ah! dorme em paz! não volvas, que descrente
Arrojaras de novo à campa os membros lassos. . .

Agora, como então, na mesma terra erma,
A mesma humanidade é sempre a mesma enferma,
Sob o mesmo ermo céu, frio como um sudário. . .

E agora, como então, viras o mundo exangue,
E ouviras perguntar — "de que serviu o sangue
Com que regaste, ó Cristo, as urzes do Calvário?"

O Convertido

(A Gonçalves Crespo)

Entre os filhos dum século maldito
Tomei também lugar na ímpia mesa,
Onde, sob o folgar, geme a tristeza
Duma ânsia impotente de infinito.

Como os outros, cuspi no altar avito
Um rir feito de fel e de impureza. . .
Mas, um dia, abalou-se-me a firmeza,
Deu-me rebate o coração contrito!

Erma, cheia de tédio e de quebranto,
Rompendo os diques ao represo pranto,
Virou-se para Deus minha alma triste!

Amortalhei na fé o pensamento,
E achei a paz na inércia e esquecimento. . .
Só me falta saber se Deus existe!

Mors-Amor

(A Luís de Magalhães)

Esse negro corcel, cujas passadas
Escuto em sonhos, quando a sombra desce,
E, passando a galope, me aparece
Da noite nas fantásticas estradas,

Donde vem ele? Que regiões sagradas
E terríveis cruzou, que assim parece

Tenebroso e sublime, e lhe estremece
Não sei que horror nas crinas agitadas?

Um cavaleiro de expressão potente,
Formidável, mas plácido, no porte,
Vestido de armadura reluzente,

Cavalga a fera estranha sem temor:
E o corcel negro diz: "Eu sou a Morte!"
Responde o cavaleiro: "Eu sou o Amor!"

Palavras dum certo morto

Há mil anos, e mais, que aqui estou morto,
Posto sobre um rochedo à chuva e ao vento:
Não há como eu espectro macilento,
Nem mais disforme que eu nenhum aborto. . .

Só o espírito vive: vela absorto
Num fixo, inexorável pensamento:
"Morto, enterrado em vida!" o meu tormento
É isto só. . . do resto não me importo. . .

Que vivi sei-o eu bem. . . mas foi um dia,
Um dia só — no outro, a Idolatria
Deu-me um altar e um culto. . . ai! adoraram-me,

Como se eu fosse *alguém!* como se a Vida
Pudesse ser *alguém*! — logo em seguida
Disseram que era um Deus. . . e amortalharam-me!

(*Ibidem*, ed. cit., pp. 117, 123, 151, 153, 191, 219, 237.)

Zara

Feliz de quem passou, por entre a mágoa
E as paixões da existência tumultuosa,
Inconsciente, como passa a rosa.
E leve como a sombra sobre a água.

Era-te a vida um sonho, indefinido
E tênue, mas suave e transparente. . .
Acordaste. . . sorriste. . . e vagamente
Continuaste o sonho interrompido.

(*Raios de Extinta Luz e Outras Poesias*, Lisboa, Couto Martins, 1948, p. 233.)

A Prosa de Ficção

Durante o apogeu do Realismo em Portugal, cultivaram-se o romance e o conto. O primeiro, que podia ser realista ou naturalista, conforme o grau de cientificismo empregado e o modo de enfocar a sociedade coetânea, entra em cheio na Literatura Portuguesa (não esquecer que antes predominava a novela); o segundo, que vinha sendo cultivado desde o século XVI (com Gonçalo Fernandes Trancoso), nessa altura atinge maioridade e níveis de primeira grandeza. Dentre os ficcionistas do tempo, destaca-se Eça de Queirós, seguido de Fialho de Almeida, Abel Botelho, Teixeira de Queirós, Conde de Arnoso, Júlio Lourenço Pinto, Trindade Coelho, e outros.

EÇA DE QUEIRÓS

José Maria Eça de Queirós nasceu em Póvoa de Varzim, em 25/11/1845. Estudou Direito em Coimbra, num tempo em que por lá passava uma esplêndida geração de moços. Engaja-se no pensamento proudhoniano e positivista e inicia sua carreira literária com uma série de folhetins que mais tarde seriam reunidos sob o título de *Prosas Bárbaras* (1905). Deflagrada a "Questão Coimbrã", não interfere na polêmica, preferindo manter-se a distância. Formado, segue para Lisboa, a fim de advogar, e de lá para Évora (1867). Em 1868, de regresso à Capital, integra o grupo do "Cenáculo", e no ano seguinte viaja para o Cairo a fim de assistir à inauguração do Canal de Suez e fazer-lhe a reportagem mais tarde enfeixada n*O Egito* (1926). De regresso, participa das Conferências do Cassino Lisbonense, e depois de passar algum tempo em Leiria como administrador do Concelho (de que lhe vem a idéia d*O Crime do Padre Amaro,* publicado em 1875), abraça a carreira diplomática, indo servir em Havana (1873), de que se transfere para Bristol (Inglaterra), e de lá, em 1878, para Paris, onde se casa e encontra a tranqüilidade para dedicar-se à sua obra literária, e onde falece em 16/8/1900. Escreveu: romance *(Mistério da Estrada de Sintra,* em colaboração com Ramalho Ortigão, 1871; *O Crime do Padre Amaro,* 1875; *O Primo Basílio*, 1878; *O Mandarim,* 1879; *A Relíquia,* 1887; *Os Maias,* 1888, *A Ilustre Casa de Ramires,* 1900; *A Correspondência de Fradique Mendes,* 1900; A *Cidade e as Serras,* 1901; *A Capital,* 1925; *O Conde d'Abranhos,* 1925; *Alves e Cia.,* 1925), conto *(Contos,* 1902), jornalismo, literatura de viagens e hagiografias *(Uma Campanha Alegre,* 2 vols., 1890-1891; *Cartas de Inglaterra,* 1903; *Prosas Bárbaras,* 1905; *Ecos de Paris,* 1905; *Cartas Familiares e Bilhetes de Paris,* 1907; *Notas Contemporâneas,* 1909; *O Egito,* 1926; *Últimas Páginas,* 1912), etc.

O Primo Basílio

Escrito entre setembro de 1875 e setembro de 1877, publicou-se pela primeira vez em 1878. O escândalo que lhe cercou o aparecimento motivou uma segunda edição, revista e considerada definitiva por Eça, ainda no mesmo ano. O entrecho gira ao redor do seguinte: Luísa, uma lisboeta fútil, casara-se "no ar" com Jorge, engenheiro de profissão. Tendo de viajar para o Alentejo a fim de saldar "compromissos urgentes", Jorge deixa a mulher entregue a um tédio ainda mais espesso do que antes, apenas cortado pelo surgimento de Basílio, antigo namorado de Luísa, recém-vindo do Brasil. Tornam-se amantes, mas Juliana, criada de Luísa, intercepta algumas das cartas amorosas da patroa. De posse delas, entra a exercer tirânico e vingativo domínio sobre Luísa, que adoece de morte. Regressa Jorge, sabe do ocorrido e perdoa, mas tarde demais: Luísa acaba morrendo, enquanto Basílio, impune e inconseqüente, prossegue sua carreira de conquistador barato. O trecho que se vai ler, corresponde ao retrato de Juliana (capítulo 111):

Nascera em Lisboa. O seu nome era Juliana Couceiro Tavira. Sua mãe fora engomadeira; e desde pequena tinha conhecido em casa um sujeito, a quem chamavam na vizinhança — *o fidalgo,* a quem sua mãe chamava — o snr. D. Augusto. Vinha todos os dias, de tarde no Verão, no Inverno de manhã, para a saleta onde sua mãe engomava, e ali estava horas sentado no poial da janela que dava para um quintalejo, fumando cachimbo, cofiando em silêncio um enorme bigode preto. Como o poial era de pedra, punha-lhe em cima, com muito método, uma almofada de vento, que ele mesmo soprava. Era calvo, e trazia ordinariamente uma quinzena de veludo castanho e chapéu alto branco. Às seis horas levantava-se, esvaziava a almofada, estava um bocado a esticar as calças para cima, e saía com a sua grossa bengala de cana-da-índia debaixo do braço, gingando da cinta. Ela e sua mãe iam então jantar na mesinha de pinho da cozinha, debaixo dum postigo, diante do qual se baloiçavam, de Verão e de Inverno, galhos magros duma árvore triste.

À noite o snr. D. Augusto voltava; trazia sempre um jornal; sua mãe fazia-lhe chá e torradas, servia-o, toda enlevada nele. Muitas vezes Juliana a vira chorar de ciúmes.

Um dia uma vizinha má, a quem ela não quisera ajudar a lavar a roupa, enfureceu-se, e atirando-lhe injúrias dos degraus da porta, — gritou-lhe que sua mãe era uma desavergonhada, e que seu pai estava na África, por ter morto o *Rei de Copas!*

Pouco tempo depois foi servir. Sua mãe morreu daí a meses, com uma doença de útero. Juliana só uma vez tornou a ver o snr. D. Augusto, — uma tarde, com uma opa roxa, lúgubre, na procissão de Passos!

Servia, havia vinte anos. Como ela dizia, mudava de amos, mas não mudava de sorte. Vinte anos a dormir em cacifros, a levantar-se de madrugada, a comer os restos, a vestir trapos velhos, a sofrer os repelões das crianças e as más palavras das senhoras, a fazer despejos, a ir para o hospital quando vinha a doença, a esfalfar-se quando voltava a saúde! . . . Era demais! Tinha agora dias em que só de ver o balde das águas sujas e o ferro de engomar se lhe embrulhava o estômago. Nunca se acostumara a servir. Desde rapariga a sua ambição fora ter um negociozito, uma tabacaria, uma loja de capelista ou de quinquilharias, dispor, governar, ser patroa; mas, apesar de economias mesquinhas e de cálculos sôfregos, o mais que conseguira juntar foram sete moedas ao fim de anos: tinha então adoecido; com o horror do hospital fora tratar-se para casa de uma parenta; e o dinheiro ai! derretera-se. No dia em que se trocou a última libra, chorou horas com a cabeça debaixo da roupa.

Ficou sempre adoentada desde então, perdeu toda a esperança de se estabelecer. Teria de servir até ser velha, sempre, de amo em amo! Essa certeza dava-lhe uma desconsolação constante. Começou a azedar-se.

E depois não tinha *jeito,* não sabia tirar partido das casas: via companheiras divertir-se, vizinhar, janelar, bisbilhotar, sair aos domingos às hortas e aos retiros, levar o dia cantando, e quando as patroas iam ao teatro, abrir a porta aos derriços — e patuscar pelos quartos! Ela não. Sempre fora embezerrada. Fazia a sua obrigação, comia, ia estirar-se sobre a cama; e aos domingos, quando não passeava, encostava-se a uma janela, com o lenço sobre o peitoril para não roçar as mangas, e ali estava imóvel, a olhar, com o seu broche de filigrana e a cuia dos dias santos! Outras companheiras eram muito das amas, faziam-se muito humildes, sabujavam, traziam de fora as histórias da rua, e cartinhas levadas e recadinhos e para dentro e para fora, muito confidentes, — muito presenteadas também! Ela não podia. Era *minha senhora isto! minha senhora aquilo!* E cada uma no seu lugar! Era gênio!

Desde que servia, apenas entrava numa casa sentia logo, num relance, a hostilidade, a malquerença: a senhora falava-lhe com secura, de longe; as crianças tomavam-lhe birra; as outras criadas, se estavam chalrando, calavam-se, mal a sua figura esguia aparecia; punham-lhe alcunhas — *a isca seca, a fava torrada, o saca-rolhas!* imitavam-lhe os trejeitos nervosos; havia risinhos, cochichos pelos cantos; e só tinha encontrado alguma simpatia nos galegos taciturnos, cheios duma saudade morrinhenta, que vêm de manhã quando ainda os quartos estão escuros, com as suas grossas passadas, encher os barris, engraxar o calçado.

Lentamente, começou a tornar-se desconfiada, cortante como um nordeste; tinha respostadas, questões com as companheiras; não se havia de deixar pôr o pé no pescoço!

As antipatias que a cercavam faziam-na assanhada, como um círculo de espingardas enraivece um lobo. Fez-se má; beliscava crianças até lhes enodoar a pele; e se lhe ralhavam, a sua cólera rompia em rajadas. Começou a ser despedida. Num só ano esteve em três casas. Saía com escândalo, aos gritos, atirando as portas, deixando as amas todas pálidas, todas nervosas . . .*

(*O Primo Basílio,* Porto, Lello, 1950, pp. 84-87.)

Embora personagem secundária, Juliana concentra em si a causa dramática do conflito central d*O Primo Basílio,* e acaba encarnando uma das mais vivas e expressivas criações de Eça de Queirós. Na verdade, sua história e seu caráter (delineados no trecho citado) possuem autenticidade e vigor estranhos aos protagonistas principais da ação. O ficcionista utiliza-a como superfície de contraste, porquanto parece representar a classe oprimida e sofredora dos criados de servir em litígio com os privilégios patronais. Mas essa aparente luta de classes apenas age como pano de fundo para o intuito deliberado de Eça: "eu não ataco a família — ataco a família lisboeta, — a família lisboeta, produto do namoro, reunião desagradável de egoísmos que se contradizem, e mais tarde ou mais cedo centro de bambochata" (Carta a Teófilo Braga, apensa a *O Primo Basílio,* ed. cit., p. 558). Por que "aparente luta de classes"? É que, rigorosamente, Juliana não constitui símbolo universal da situação das empregadas domésticas: seu caso é pessoal, e como tal se nos revela no trecho transcrito; seu passado é que lhe justifica todo o ódio e o azedume, que nutre contra toda a gente, sobretudo contra o

---

* *loja de capelista* = loja de quinquilharias ou miudezas; *cuia* = "almofada de cabelos postiços que, em certo penteado feminino, se coloca sobre a nuca" (Morais, *Grande Dicionário da Língua Portuguesa,* 10ª ed., 12 vols., Lisboa, Confluência, 1949-1958, s.v.).

inimigo próximo, a patroa. Tanto seu caso é pessoal que a cozinheira de Luísa não procede como ela, e sua entrada na casa de Jorge se explica pelo fato de haver-lhe servido a tia e, morta esta, de vir substituir a antiga criada de Luísa, a Emília, que, "muito bonita, ia casar" (*O Primo Basílio,* ed. cit., p. 92). Em suma: nem todas as empregadas presentes no romance são como Juliana. Restaria ainda atribuir o modo impiedoso como Eça retrata Juliana à sua intenção de radiografar a decadência da família lisboeta e, *ipso facto,* da sociedade lisboeta. Aliás, no fragmento transcrito entrevê-se, na vida da mãe de Juliana, um procedimento que sugere a idéia duma história afetiva mais complexa, e que somente não vem à tona porque poderia perturbar o equilíbrio interno do romance. Todavia, percebe-se com nitidez o quanto Eça objetivava zurzir a família e a sociedade de Lisboa, e não transformar a pobre Juliana em índice de classe: seu caso é pessoal e intransferível, eis o que nos mostra claramente o romance todo e o fragmento oferecido à leitura.

A Ilustre Casa de Ramires

Publicada em 1897, *A Ilustre Casa de Ramires* assinala a fase em que Eça ultrapassa a ortodoxia e a iconoclastia realistas, e acolhe um pensamento construtivo e esperançoso. Seu argumento gravita em torno do fidalgo Gonçalo Mendes Ramires e suas veleidades literárias e políticas. As primeiras, procura satisfazê-las com escrever uma novela histórica, de recorte medievalizante, à Herculano, narrando os feitos de glória de seu avoengo Tructesindo Mendes Ramires. As segundas, alcança-as por meio dum acordo nefando com o Cavalheiro, político desonesto, para cujos braços empurra sua irmã Gracinha. Após chegar a esse vitupério extremo, resolve ir à África, em busca de algum paliativo para sua deplorável situação. E encontra-o, na riqueza e na recuperação da saúde. Assim refeito, volta à Pátria. O excerto seguinte encerra o epílogo do romance:

Para além dos outeiros de Valverde, longe, sobre a Costa, o Sol descia, vermelho como um metal candente que arrefece, entre nuvens vermelhas, acendendo ainda, em ouro coruscante, as janelas da Vila.

Ao fundo do vale, uma claridade nimbava as altas ruínas de Santa Maria de Craquede, entre o seu denso arvoredo. Sob o arco, o rio cheio corria sem um rumor, já dormente na sombra dos choupos finos, onde pássaros cantavam. E na volta da estrada, por cima dos álamos que escondiam o casarão, a velha Torre, mais velha que a Vila e que as ruínas do Mosteiro, e que todos os casais espalhados, erguia o seu esguio miradouro, envolto no vôo escuro dos morcegos, espreitando silenciosamente a planície e o Sol sobre o mar, como em cada tarde, desses mil anos, desde o Conde Ordonho Mendes.

Um pequeno com uma alta aguilhada passou, recolhendo duas vacas lentas. Do lado da Vila, o padre José Vicente da Finta trotou na sua égua branca, saudou o Sr. Administrador, o amigo Soeiro, abençoando também a chegada do Fidalgo, para quem já preparara uma bela cesta da sua uva moscatel. Três caçadores, com uma matilha de coelheiros, atravessaram a estrada, descendo pelo portelo à quelha que contorna o casal do Miranda.

Um silêncio ainda claro, de imenso repouso, tão doce como se descesse do Céu, cobria a largueza povoada dos campos, onde não se movia uma folha, na macia transparência do ar de Setembro. Os fumos das lareiras acesas já se escapavam, lentos e leves, de entre a telha rala. Na loja do João ferreiro, adiante da Portela, o clarão da forja avivou mais vermelho. Um bumbum de tambor bateu festivamente para o lado dos Bravais, cresceu apressado, marchando: — nalgum cabeço, depois lentamente se afastou, esmoreceu, logo sumido, em arvoredos ou no vale mais fundo.

João Gouveia, que se recostara no canto do largo assento de pedra, com o seu coco sobre os joelhos, acenou para o lado dos Bravais:

— "Estou a lembrar aquela passagem do romance do Gonçalo, quando os Ramires se preparam para socorrer as Infantas, andam a reunir a mesnada. É assim, a estas horas da tarde, com tambores: e por sítios. . . Na frescura do vale. . ." Não! "Pelo vale de Craquede. . ." Também não! Esperem vocês, que eu tenho boa memória... Ah! "E por todo o fresco vale até Santa Maria de Craquede, os atambores mouriscos abafados no arvoredo, tarará! tarará! ou mais vivos nos cerros, rataplã! rataplã! convocavam à mesnada dos Ramires, na doçura da tarde. . ." É lindo!

Por sobre as costas do Titó que, debruçado, riscava pensativamente com o bengalão a poeira da estrada, Videirinha adiantou para o seu chefe a face estendida, com um sorriso de finura:

— Oh Sr. Administrador, olhe que talvez seja ainda mais bonito, quando os Ramires largam a perseguir o Bastardo! Cá para mim, tem mais poesia. Quando o velho faz aquela jura com a espada e depois lá na Torre, muito devagar, começa a tocar a finados. . . É de apetite!

À borda do assento, encolhido contra o Titó, para que o Sr. Administrador se alastrasse confortavelmente, Padre Soeiro, com as mãos no cabo do seu guarda-sol, concordou:

— Com certeza! são lances interessantes. . . Com certeza! Naquela novela há imaginação rica, muito rica: e há saber, há verdade.

O Titó, que depois de *Simão de Nantua,* em pequeno, não abrira mais as folhas dum livro, e não lera a *Torre de D. Ramires,* murmurou, com um risco mais largo na poeira:

— Extraordinário, aquele Gonçalo!

O Videirinha não findara o seu enlevado sorriso:

— Tem muito talento. . . Ah! o Sr. Doutor tem muito talento.

— Tem muita graça! — exclamou o Titó, levantando a cabeça. — E é o que o salva dos defeitos. . . Eu sou amigo de Gonçalo, e dos firmes. Mas não o escondo, nem a ele. . . Sobretudo a ele. Muito leviano, muito incoerente. . . Mas tem a raça que o salva.

— E a bondade, Sr. Antônio Vilalobos! — atalhou docemente Padre Soeiro. — A bondade, sobretudo como a do Sr. Gonçalo, também salva. . . Olhe, às vezes há um homem muito sério, muito puro, muito austero, um Catão que nunca cumpriu senão o dever e a lei. . . E todavia ninguém gosta dele, nem o procura. Por quê? Porque nunca deu, nunca perdoou, nunca acarinhou, nunca serviu. E ao lado outro leviano, descuidado, que tem defeitos, que tem culpas, que esqueceu mesmo o dever, que ofendeu mesmo a lei. . . Mas quê? É amorável, generoso, dedicado, serviçal, sempre com uma palavra doce, sempre com um rasgo carinhoso. . . E por isso todos o amam, e não sei mesmo, Deus me perdoe, se Deus também o não prefere. . .

A curta mão que acenara para o Céu, recaiu sobre o cabo de osso do guarda-sol. Depois, e corado com a temeridade de pensamento tão espiritual, acudiu cautelosamente:

— Que esta não é propriamente doutrina da Igreja! . . . Mas anda nas almas; anda já em muitas almas.

Então João Gouveia abandonou o recosto do banco de pedra e teso na estrada, com o coco à banda, reabotoando a sobrecasaca, como sempre que estabelecia um resumo:

— Pois eu tenho estudado muito o nosso amigo Gonçalo Mendes. E sabem vocês, sabe o Sr. Padre Soeiro quem ele me lembra?

— Quem?

— Talvez se riam. Mas eu sustento a semelhança. Aquele todo de Gonçalo, a franqueza, a doçura, a bondade, a imensa bondade, que notou o Sr. Padre Soeiro... Os fogachos e entusiasmos, que acabam logo em fumo, e juntamente muita persistência, muito aferro quando se fila à sua idéia. . . A generosidade, o desleixo, a constante trapalhada nos negócios, e sentimentos de muita honra, uns escrúpulos quase pueris, não é verdade? . . . A imaginação que o leva sempre a exagerar até à mentira, e ao mesmo tempo um espírito prático, sempre atento à realidade útil. A viveza, a facilidade em compreender, em apanhar. . . A esperança constante nalgum milagre, no velho milagre de Ourique, que sanará todas as dificuldades. . . A vaidade, o gosto de se arrebicar, de luzir, e uma simplicidade tão grande, que dá na rua o braço a um mendigo. . . Um fundo de melancolia, apesar de tão palrador, tão sociável. A desconfiança terrível de si mesmo, que o acobarda, o encolhe até que um dia se decide, e aparece um herói que tudo arrasa. . . Até aquela antigüidade de raça, aqui pegada à sua velha Torre, há mil anos. . . Até agora aquele arranque para a África. . . Assim todo completo, com o bem, com o mal, sabem vocês quem ele me lembra?

— Quem?

— Portugal.

Os três amigos retomaram o caminho de Vila Clara. No Céu branco uma estrelinha tremeluzia sobre Santa Maria de Craquede. E Padre Soeiro, com o seu guarda-sol sobre o braço, recolheu à Torre vagarosamente, no silêncio e doçura da tarde, rezando as suas Ave-Marias, e pedindo a paz de Deus para Gonçalo, para todos os homens, para campos e casais adormecidos, e para a terra formosa de Portugal, tão cheia de graça amorável, que sempre bendita fosse entre as terras.

(*A Ilustre Casa de Ramires,* Porto, Lello, 1951, pp. 453-457.)

Romance de transição entre a sátira da vida conjugal e eclesiástica, que constituía o cerne da fase realista de Eça, e o descortinar de alguma redenção para a Pátria combalida, *A Ilustre Casa de Ramires* apresenta duas facetas: no deterioramento moral de Gracinha e no amoralismo de Cavalheiro estampa-se a decadência da sociedade portuguesa, que já servira de meta para os romances anteriores; e na "ressurreição" de Gonçalo corporifica-se a crença nos valores até à data submetidos a rigorosa crítica. Na verdade, o "caso" de Gracinha e o Cavalheiro ocupa plano secundário, precisamente porque o romancista, buscando ser coerente, apontava a existência de uma permanente chaga social (o adultério), mas sem lhe emprestar maior relevo. Este, possui-o Gonçalo e sua trajetória moral e o mais que a cerca. Que observações podemos fazer a respeito, tendo em vista o trecho referido? Primeiro que tudo, note-se que o romancista abandona os interiores domésticos e os exteriores urbanos (da cidade grande ou pequena dotada dos seus defeitos, como n*O Primo Basílio* e n*O Crime do Padre Amaro*) pelos ares do campo ou das vilazinhas rurais. A descrição é agora de exteriores, como se vê nos parágrafos iniciais. Todavia, não bastava que o fosse (n*O Crime do Padre Amaro* também encontramos descrições de exteriores, sobretudo nas páginas finais); era preciso que o ficcionista utilizasse paleta apropriada, com cores umedecidas de ternura e encantamento pela Natureza: em suma, descrição impressionista, com o branco em contraste com o negro e o vermelho do Sol, "vermelho como um metal candente que arrefece". Ao impressionismo da descrição, que desde logo enfileira Eça ao lado daqueles contemporâneos engajados nesse "ismo", acrescenta-se o tom sentimentalista e afetuoso do diálogo, tão oposto ao sofisticado dos romances precedentes. A linguagem, antes rica de adjetivação irônica e contundente, agora se fluidifica, deslizando suave como longo e calmo murmúrio do vento. Por outro lado, o cientificismo, que levara a certo antipatriotismo, cede lugar a uma espécie de revivescência dos valores espirituais e até de uma (anacrônica) concepção providencialista da História, evidente na referência ao milagre de Ourique. Por meio dele, Eça ingressa, talvez sem o perceber, no historicismo simbolista, que, de certo modo, reatava o fio da historiografia ufanista vigente até Herculano. Daí Gonçalo surgir engrandecido como símbolo de Portugal: Eça pretende sugerir que suas características sejam comuns, e que Gonçalo, retemperando-se em África, apontava o único caminho de reforma econômica que restaria a Portugal, isto é, colonizando o solo africano e tornando-o celeiro para seu reerguimento histórico. Tudo isso faz d*A Ilustre Casa de Ramires* um romance algo filiado ao Simbolismo, e próprio da fase reacionária e conformista de Eça de Queirós, após os anos 90.

A Cidade e as Serras

Desenvolvimento do conto *Civilização* (1892), *A Cidade e as Serras* conheceu uma primeira versão em 1895 que, porém, não chegou a ser impressa. A obra somente apareceu no ano seguinte ao da morte de Eça, ou seja, em 1901. O entrecho gira em torno de Jacinto, fidalgo português que arrasta em Paris um viver faustoso mas bocejante, impregnado dum tédio espesso e irremediável. Certo dia, em companhia de seu amigo Zé Fernandes, resolve fazer uma visita à sua província natal, o Minho. Malgrado o dissabor de ver sua bagagem extraviada, chega ao destino, e entra a contagiar-se da placidez campestre, que a pouco e pouco o vai curando da velha neurose citadina. O amor de Joaninha, simples e imaculada, completa o quadro de sua felicidade. Só lhe resta um caminho: abandonar Paris e a existência vegetativa que levava e entregar-se à *mediocritas* campesina. E assim fez. O trecho que se vai ler, surpreende Jacinto ainda em Paris, envolto numa aura de elegância, futilidade e crença no cientificismo mecanicista:

Ora nesse tempo Jacinto concebera uma Idéia. . . Este Príncipe concebera a Idéia de que "o homem só é superiormente feliz quando é superiormente civilizado". E por homem civilizado o meu camarada entendia aquele que, robustecendo a sua força pensante com todas as noções adquiridas desde Aristóteles, e multiplicando a potência corporal dos seus órgãos com todos os mecanismos inventados desde Terâmenes, criador da roda, se torna um magnífico Adão, quase onipotente, quase omnisciente, e apto portanto a recolher dentro duma sociedade e nos limites do Progresso (tal como ele se comportava em 1875) todos os gozos e todos os proveitos que resultam de Saber e de Poder. . . Pelo menos assim Jacinto formulava copiosamente a sua Idéia, quando conversávamos de fins e destinos humanos, sorvendo *bocks* poeirentos, sob o toldo das cervejarias filosóficas, no Boulevard Saint-Michel.

Este conceito de Jacinto impressionara os nossos camaradas de cenáculo, que tendo surgido para a vida intelectual, de 1866 a 1875, entre a batalha de Sadova e a batalha de Sedan, e ouvindo constantemente, desde então, aos técnicos e aos filósofos, que fora a Espingarda-de-agulha que vencera em Sadova e fora o Mestre-de-escola quem vencera em Sedan, estavam largamente preparados a acreditar que a felicidade dos indivíduos, como a das nações, se realiza pelo ilimitado desenvolvimento da Mecânica e da Erudição. Um desses moços mesmo, o nosso inventivo Jorge Carlande, reduzia a teoria de Jacinto, para lhe facilitar a circulação e lhe condensar o brilho, a uma forma algébrica:

$$\begin{matrix}\text{Suma ciência} \\ \text{X} \\ \text{Suma potência}\end{matrix} \quad \text{Suma felicidade}$$

E durante dias, do Odeon à Sorbona, foi louvada pela mocidade positiva a *Equação Metafísica de Jacinto.*

Para Jacinto, porém, o seu conceito não era meramente metafísico e lançado pelo gozo elegante de exercer a razão especulativa: — mas constituía uma regra, toda de realidade e de utilidade, determinando a conduta, modalizando a vida. E já a esse tempo, em concordância com o seu preceito — ele se surtira da *Pequena Enciclopédia dos Conhecimentos Universais* em setenta e cinco volumes e instalara, sobre os telhados do 202, num mirante envidraçado, um telescópio. Justamente com esse telescópio me tornou ele palpável a sua idéia, numa noite de agosto, de mole e dormente calor. Nos céus remotos lampejavam relâmpagos lânguidos. Pela Avenida dos Campos Elísios, os fiacres rolavam para as frescuras do Bosque, lentos, abertos, cansados, transbordando de vestidos claros.

— Aqui tens tu, Zé Fernandes (começou Jacinto, encostado à janela do mirante) a teoria que me governa, bem comprovada. Com estes olhos que recebemos da Madre natureza, lestos e sãos, nós podemos apenas distinguir além, através da Avenida, naquela loja, uma vidraça alumiada. Mais nada! Se eu porém aos meus olhos juntar os dois vidros simples dum binóculo de corridas, percebo, por trás da vidraça, presuntos, queijos, boiões de geléia e caixas de ameixa seca. Concluo portanto que é uma mercearia. Obtive uma noção: tenho sobre ti, que com os olhos desarmados vês só o luzir da vidraça, uma vantagem positiva. Se agora, em vez destes vidros simples, eu usasse os do meu telescópio, de composição mais científica, poderia avistar além, no Planeta Marte, os mares, as neves, os canais, o recorte dos golfos, toda a geografia dum astro que circula a milhares de léguas dos Campos Elísios. É outra noção, e tremenda! Tens aqui pois o olho primitivo, o da Natureza, elevado pela Civilização à sua máxima potência de visão. E desde já, pelo lado do olho portanto, eu, civilizado, sou mais feliz que o incivilizado, porque descubro realidades do Universo que ele não suspeita e de que está privado. Aplica esta prova a todos os órgãos e compreenderás o meu princípio. Enquanto à inteligência, e à felicidade que dela se tira pela incansável acumulação das noções, só te peço que compares Renan e o Grilo. . . Claro é portanto que nos devemos cercar de Civilização nas máximas proporções para gozar nas máximas proporções a vantagem de viver. Agora concordas, Zé Fernandes?

Não me parecia irrecusavelmente certo que Renan fosse mais feliz que o Grilo; nem eu percebia que vantagem espiritual ou temporal se colha em distinguir através do espaço manchas num astro, ou através da Avenida dos Campos Elísios presuntos numa vidraça. Mas concordei, porque sou bom, e nunca desalojarei um espírito do conceito onde ele encontra segurança, disciplina e motivo de energia. Desabotoei o colete, e lançando um gesto para o lado do café e das luzes:

— Vamos então beber, nas máximas proporções, *brandy and soda,* com gelo!

Por uma conclusão bem natural, a idéia de Civilização, para Jacinto, não se separava da imagem de Cidade, duma enorme Cidade, com todos os seus vastos órgãos funcionando poderosamente. Nem este meu supercivilizado amigo compreendia que longe de Armazéns servidos por três mil caixeiros; e de Mercados onde se despejam os vergéis e lezírias de trinta províncias; e de Bancos em que retine o ouro universal; e de Fábricas fumegando com ânsia, inventando com ânsia; e de Bibliotecas abarrotadas, a estalar, com a papelada dos séculos; e de fundas milhas de ruas, cortadas, por baixo e por cima, de fios de telégrafos, de fios de telefones, de canos de gases, de canos de fezes; e da fila atroante dos ônibus, *tramways,* carroças, velocípedes, calhambeques, parelhas de luxo; e de dois milhões duma vaga humanidade, fervilhando, a ofegar, através da polícia, na busca dura do pão ou sob a ilusão do gozo — o homem do século XIX pudesse saborear, plenamente, a delícia de viver!

Quando Jacinto, no seu quarto do 202, com as varandas abertas sobre os lilases, me desenrolava estas imagens, todo ele crescia, iluminado. Que canção augusta, a da Cidade! Só por ela, Zé Fernandes, só por ela, pode o homem soberbamente afirmar a sua alma. . .

Oh Jacinto, e a religião? Pois a religião não prova a alma?

Ele encolhia os ombros. A religião! A religião é o desenvolvimento suntuoso de um instinto rudimentar, comum a todos os brutos, o terror. Um cão lambendo a mão do dono, de quem lhe vem o osso ou o chicote, já constitui toscamente um devoto, o consciente devoto, prostrado em rezas ante o Deus que distribui o Céu ou o Inferno. . . Mas o telefone! o fonógrafo!

— Aí tens tu, o fonógrafo!. . . Só o fonógrafo, Zé Fernandes, me faz verdadeiramente sentir a minha superioridade de ser pensante e me separa do bicho. Acredita, não há senão a Cidade, Zé Fernandes, não há senão a Cidade!

E depois (acrescentava) só a Cidade lhe dava a sensação, tão necessária à vida como o calor, da solidariedade humana. E no 202, quando considerava em redor, nas densas massas do casario de Paris, dois milhões de seres arquejando na obra da Civilização (para manter na natureza o domínio dos Jacintos!) sentia um sossego, um conchego, só comparáveis ao do peregrino, que, ao atravessar o deserto, se ergue no seu dromedário, e avista a longa fila da caravana marchando, cheia de lumes e de armas. . .

Eu murmurava, impressionado:

— Caramba!

Ao contrário no campo, entre a inconsciência e a impassibilidade da Natureza, ele tremia com o terror da sua fragilidade e da sua solidão. Estava aí como perdido num mundo que lhe não fosse fraternal; nenhum silvado encolheria os espinhos para que ele passasse; se gemesse com fome nenhuma árvore, por mais carregada, lhe estenderia o seu fruto na ponta compassiva dum ramo. Depois, em meio da Natureza, ele assistia à súbita e humilhante inutilização de todas as suas faculdades superiores. De que servia, entre plantas e bichos — ser um Gênio ou ser um Santo? As searas não compreendem as *Geórgicas;* e fora necessário o socorro ansioso de Deus, e a inversão de todas as leis naturais, e um violento milagre para que o lobo de Agúbio não devorasse S. Francisco de Assis, que lhe sorria e lhe estendia os braços e lhe chamava "meu irmão lobo"! Toda a intelectualidade, nos campos, se esteriliza, só resta a bestialidade. Nesses reinos crassos do Vegetal e do Animal duas únicas funções se mantêm vivas, a nutritiva e a procriadora. Isolada, sem ocupação, entre focinhos e raízes que não cessam de sugar e de pastar, sufocando no cálido bafo da universal fecundação, a sua pobre alma toda se engelhava, se reduzia a uma migalha d'alma, uma fagulhazinha espiritual a tremeluzir, como morta, sobre um naco de matéria; e nessa matéria dois instintos surdiam, imperiosos e pungentes, o de devorar e o de gerar. Ao cabo duma semana rural, de todo o seu ser tão nobremente composto só restava um estômago e por baixo um fálus! A alma? Sumida sob a besta. E necessitava correr, reentrar na Cidade, mergulhar nas ondas lustrais da Civilização, para largar nelas a crosta vegetativa, e ressurgir reumanizado, de novo espiritual e Jacíntico.

E estas requintadas metáforas do meu amigo exprimiam sentimentos reais — que eu testemunhei, que muito me divertiram, no único passeio que fizemos ao campo, à bem amável e bem sociável floresta de Montmorency. Oh delícias de entremez, Jacinto entre a Natureza! Logo que se afastava dos pavimentos de madeira, do macadame, qualquer chão que os seus pés calcassem o enchia de desconfiança e terror. Toda a relva, por mais crestada, lhe parecia ressumar uma umidade mortal. De sob cada torrão, da sombra de cada pedra, receava o assalto de lacraus, de víboras, de formas rastejantes e viscosas. No silêncio do bosque sentia um lúgubre despovoamento do Universo. Não tolerava a familiaridade dos galhos que lhe roçassem a manga ou a face. Saltar uma sebe era para ele um ato degradante que o retrogradava ao macaco inicial. Todas as flores que não tivesse já encontrado em jardins, domesticadas por longos séculos de servidão omamental, o inquietavam como venenosas. E considerava duma melancolia funambulesca certos modos e formas do Ser inanimado, a pressa esperta e vã dos regatinhos, a careca dos rochedos, todas as contorções do arvoredo e o seu resmungar solene e tonto.

Depois duma hora, naquele honesto bosque de Montmorency, o meu pobre amigo abafava, apavorado, experimentando já esse lento minguar e sumir d'alma que o tornava como um bicho entre bichos. Só desanuviou quando penetramos no lajedo e nos gás de Paris — e a nossa vitória quase se despedaçou contra um ônibus retumbante, atulhado de cidadãos. Mandou descer pelos bulevares, para dissipar, na sua grossa sociabilidade, aquela materialização em que sentia a cabeça pesada e vaga como a dum boi. E reclamou que eu o acompanhasse ao teatro das Variedades para sacudir, com os estribilhos da *Femme à Papa,* o rumor importuno que lhe ficara dos melros cantando nos choupos altos.

Este delicioso Jacinto fizera então vinte e três anos, e era um soberbo moço em quem reaparecera a força dos velhos Jacintos rurais. Só pelo nariz, afilado, com narinas quase transparentes, duma mobilidade inquieta, como se andasse fariscando perfumes, pertencia às delicadezas do século XIX. O cabelo ainda se conservava, ao modo das eras rudes, crespo e quase lanígero; o bigode, como o dum Celta, caía em fios sedosos, que ele necessitava aparar e frisar. Todo o seu fato, as espessas gravatas de cetim escuro que uma pérola prendia, as luvas de anta branca, o verniz das botas, vinham de Londres em caixotes de cedro; e usava sempre ao peito uma flor, não natural, mas composta destramente pela sua ramalheteira com pétalas de flores dessemelhantes, cravo, azálea, orquídea ou tulipa, fundidas na mesma haste entre uma leve folhagem de funcho.

(A *Cidade e as Serras*, Porto, Lello, s.d., pp. 12-19.)

Neste trecho se equaciona a visão do mundo que orientava Jacinto durante seus anos de Paris, contraposta àquela outra sugerida pela natureza e gente de Tormes: como duas faces da mesma moeda, registram as duas concepções de vida em litígio no último quartel do século XIX. Como sabemos, Jacinto termina levando para o campo alguns dos benefícios proporcionados pelo Progresso (por exemplo, o telefone), o que faz crer que Eça defende, em última instância, a aliança das duas visões antinômicas como solução para os males do Homem. Mas na fase em que Jacinto se entedia em Paris, suas idéias são determinadas pelas modas filosóficas e científicas circulantes na então Capital do Mundo. Vê-se que Jacinto preconiza que "o homem só é superiormente feliz quando é superiormente civilizado", ou "que a felicidade dos indivíduos, como a das nações, se realiza pelo ilimitado desenvolvimento da Mecânica e da Erudição", ou que a Suma felicidade seria a multiplicação da Suma ciência com a Suma potência. Percebe-se, pois, que o herói d*A Cidade e as Serras* postula ser a felicidade realizável por meio da prática das "verdades" em moda no tempo. Todavia, Jacinto (ou Eça) não esconde muito que sua adesão é epidérmica: esnobe português num mundo cultural saturado como é Paris, Jacinto assimila imperfeitamente as correntes mentais em voga, e parece antes um intoxicado de leituras mal digeridas que alguém a optar com liberdade por um caminho de salvação. Afeta acreditar no que diz, mas no fundo é um bom português provinciano (cf. o seu retrato no último parágrafo, e o modo enjoado como encara a "bem amável e bem sociável floresta de Montmorency", um bosque civilizado), neurotizado por uma vida de aparência que não condiz com o mais íntimo de seu caráter. Daí a debilidade essencial de suas palavras, como se desejasse convencer-se do que estava afirmando. Por certo que Eça o pinta deliberadamente com tais cores, mas a tese última do livro (a redenção do homem pela volta ao campo) sai prejudicada porque preconcebida: Eça, em vez de opor dois universos morais (o campesino e o urbano), aponta sua tese com a mesma relativa objetividade e parcialidade de antes, apenas mudando o teor do pensamento. De qualquer modo, Eça resvalava no extremo oposto ao do pessimismo inicial, embora procurasse a conciliação do Progresso e do Campo. Todas essas observações, junto a outras que poderiam ser mencionadas (como o emprego das maiúsculas iniciais), fazem d*A Cidade e as Serras* uma obra compromissada, ainda que involuntariamente, com o ideário simbolista.

[Retrato do Conselheiro Acácio]

Aos domingos à noite havia em casa de Jorge uma pequena reunião, uma *cavaqueira*, na sala, em redor do velho candeeiro de porcelana cor-de-rosa. Vinham apenas os íntimos. "O Engenheiro", como se dizia na rua, vivia muito ao seu canto, sem visitas. Tomava-se chá, palrava-se. Era um pouco à estudante. Luísa fazia crochê, Jorge cachimbava.

O primeiro a chegar era Julião Zuzarte, um parente muito afastado de Jorge e seu antigo condiscípulo nos primeiros anos da Politécnica. Era um homem seco e nervoso, com lunetas azuis, os cabelos compridos caídos sobre a gola. Tinha o curso de cirurgião da Escola. Muito inteligente, estudava desesperadamente, mas, como ele dizia, era um *tumba*. Aos trinta anos, pobre, com dívidas, sem clientela, começava a estar farto do seu quarto andar na baixa, dos seus jantares de doze vinténs, do seu paletó coçado d'alamares; e entalado na sua vida mesquinha, via os outros, os medíocres, os superficiais, *furar*, subir, instalar-se à larga na prosperidade! "Falta de *chance*", dizia. Podia ter aceitado um partido da câmara numa vila da província, com pulso livre, ter uma casa sua, a sua criação no quintal. Mas tinha um orgulho resistente, muita fé nas suas faculdades, na sua ciência, e não se queria ir enterrar numa terriola adormecida e lúgubre, com três ruas onde os porcos fossam. Toda a província o aterrava: via-se lá obscuro, jogando a manilha na Assembléia, morrendo de caquexia. Por isso não "arredava pé"; e esperava, com a tenacidade do plebeu sôfrego, uma clientela rica, uma cadeira na Escola, um *coupé* para as visitas, uma mulher loura com dote. Tinha a certeza do seu direito a estas felicidades, e como elas tardavam a chegar ia-se tornando despeitado e amargo: andava amuado com a vida; cada dia se prolongavam mais os seus silêncios hostis, roendo as unhas; e, nos dias melhores, não cessava de ter ditos secos, tiradas azedas — em que a sua voz desagradável caía com um gume gelado.

Luísa não gostava dele: achava-lhe um ar *nordeste*, detestava o seu tom de pedagogo, os reflexos negros da luneta, as calças curtas que mostravam o elástico roto das botas. Mas disfarçava, sorria-lhe, porque Jorge admirava-o, dizia sempre dele: Tem muito espírito! tem muito talento! grande homem!

Como vinha mais cedo ia à sala de jantar, tomava a sua chávena de café; e tinha sempre um olhar de lado para as pratas do aparador e para as *toilettes* de Luísa. Aquele parente, um *medíocre*, que vivia confortavelmente, bem casado, com a carne contente, estimado no ministério, com alguns contos de réis em inscrições — parecia-lhe uma injustiça e pesava-lhe como uma humilhação. Mas afetava estimá-lo; ia sempre às noites, aos domingos; escondia então as suas preocupações, cavaqueava, tinha pilhérias — metendo a cada momento os dedos pelos seus cabelos compridos, secos e cheios de caspa.

Às nove horas, ordinariamente, entrava D. Felicidade de Noronha. Vinha logo da porta com os braços estendidos, o seu bom sorriso dilatado. Tinha cinqüenta anos, era muito nutrida, e, como sofria de dispepsia e de gases, àquela hora não se podia espartilhar e as suas formas transbordavam. Já se viam alguns fios brancos nos seus cabelos levemente anelados, mas a cara era lisa e redonda, cheia, duma alvura baça e mole de freira; nos olhos papudos, com a pele já engelhada em redor, luzia uma pupila negra e úmida, muito móbil; e aos cantos da boca uns pêlos de buço pareciam traços leves e circunflexos duma pena muito fina. Fora a íntima amiga da mãe de Luísa, e tomara aquele hábito de vir ver a *pequena* aos domingos. Era fidalga, dos Noronhas de Redondella, bastante aparentada em Lisboa, um pouco devota, muito da Encarnação.

Mal entrava, ao pôr um beijo muito cantado na face de Luísa, perguntava-lhe baixo, com inquietação:

— Vem?

— O conselheiro? Vem.

Luísa sabia-o. Porque o conselheiro, o conselheiro Acácio nunca vinha aos *chás de D. Luísa*, como ele dizia, sem ter ido na véspera ao ministério da obras públicas procurar Jorge, declarar-lhe com gravidade, curvando um pouco a sua alta estatura:

— Jorge, meu amigo, amanhã lá irei pedir a sua boa esposa a minha chávena de chá.

Ordinariamente acrescentava:

— E os seus valiosos trabalhos progridem? Ainda bem! Se vir o ministro, os meus respeitos a s. ex.ª. Os meus respeitos a esse formoso talento!

E saía pisando com solenidade os corredores enxovalhados.

. . . .

Era alto, magro, vestido todo de preto, com o pescoço entalado num colarinho direito. O rosto aguçado no queixo ia-se alargando até a calva, vasta e polida, um pouco amolgada no alto; tingia os cabelos que duma orelha à outra lhe faziam colar por trás da nuca — e aquele preto lustroso dava, pelo contraste, mais brilho à calva; mas não tingia o bigode: tinha-o grisalho, farto, caído aos cantos da boca. Era muito pálido; nunca tirava as lunetas escuras. Tinha uma covinha no queixo, e as orelhas grandes muito despegadas do crânio.

Fora, outrora, diretor geral do ministério do reino, e sempre que dizia — El-Rei! — erguia-se um pouco na cadeira. Os seus gestos eram medidos, mesmo a tomar rapé. Nunca usava palavras triviais; não dizia *vomitar*, fazia um gesto indicativo e empregava *restituir*. Dizia sempre "o nosso Garrett, o nosso Herculano". Citava muito. Era autor. E sem família, num terceiro andar da rua do Ferregial, amancebado com a criada, ocupava-se de economia política: tinha compostos os "Elementos Genéricos da Ciência da Riqueza e sua Distribuição", segundo os melhores autores, e como subtítulo: *Leituras do serão*! Havia apenas meses publicara a "Relação de todos os ministros de Estado desde o grande Marquês de Pombal até nossos dias, com datas cuidadosamente averiguadas de seus nascimentos e óbitos."

(*O Primo Basílio*, pp. 34-40.)

O Crime do Padre Amaro

Dado a lume pela primeira vez em 1875, *O Crime do Padre Amaro* passa-se em Leiria. Amaro, sacerdote jovem e pouco seguro de sua vocação, apaixona-se por Amélia, moça ingênua e sonhadora, educada em moldes religiosamente piegas e supersticiosos. Estimulada pela relação ilícita entre a mãe, S. Joaneira, e o Cônego Dias, aceita a corte de Amaro e repudia o noivo, João Eduardo. Tudo transcorria placidamente até que Amélia se descobre grávida. Para evitar escândalo, procura uma "fazedora de anjos". Mas um deslize provoca-lhe a morte e o romance chega ao fim. Os trechos escolhidos surpreendem o início das aproximações entre os amantes e o enterro da protagonista:

Pelo meio do dia ordinariamente Amaro subia à sala de jantar onde a S. Joaneira e Amélia costuravam. "Estava aborrecido em baixo, vinha um bocado para o cavaco", dizia. A S. Joaneira, numa cadeira pequena, ao pé da janela, com o gato aninhado na roda do vestido de merino, cosia de luneta na ponta do nariz. Amélia, junto da mesa, trabalhava com o cesto da costura ao lado: a cabeça inclinada sobre o trabalho mostrava a sua risca fina, nítida, um pouco afogada na abundância do cabelo; os seus grandes brincos de ouro, em forma de pingos de cera, oscilavam, faziam tremer e crescer sobre a finura do pescoço uma pequenina sombra; as olheiras leves cor de *bistre* esbatiam-se delicadamente sobre a pele de um trigueiro mimoso, que um sangue forte aviventava; e o seu peito cheio respirava devagar. Às vezes, cravando a agulha na fazenda, espreguiçava-se devagarinho, sorria, cansada. Então Amaro gracejava:

— Ah preguiçosa, preguiçosa! Olha que mulher de casa!

Ela ria; conversava. A S. Joaneira sabia as coisas interessantes do dia: o major despedira a criada; ou havia quem oferecesse dez moedas pelo porco do Carlos do correio. De vez em quando a *Ruça* vinha ao armário buscar um prato ou uma colher: então falava-se do preço dos gêneros, do que havia para o jantar. A S. Joaneira tirava as lunetas, traçava a perna e, balouçando o pé calçado numa chinela d'ourelo, punha-se a dizer os pratos:

— Hoje temos grão-de-bico. Não sei se o senhor pároco gostará, foi para variar.

Mas Amaro gostava de tudo; e mesmo em certas comidas descobria afinidade de gostos com Amélia.

Depois, animando-se, bulia-lhe no cesto da costura. Um dia encontrara uma carta; perguntou-lhe pelo *derriço;* ela respondeu, picando vivamente o posponto:

— Ai! a mim ninguém me quer, senhor pároco. . .

— Não é tanto assim, acudiu ele. — Mas suspendeu-se, muito vermelho, afetando tossir.

Amélia às vezes fazia-se muito familiar; um dia mesmo pediu-lhe para sustentar nas mãos uma meadinha de retrós que ela ia dobar.

— Deixe falar, senhor pároco!— exclamou a S. Joaneira. Ora a tolice! Isto, em se lhe dando confiança . . .

Mas Amaro prontificou-se, rindo, todo contente: — ele estava ali para o que quisessem, até para dobadoura! Era mandarem, era mandarem! E as duas mulheres riam, num riso cálido, enlevadas naquelas maneiras do senhor pároco, "que até tocavam o coração"! Às vezes Amélia pousava a costura e tomava o gato no colo; Amaro chegava-se, corria a mão pela espinha do *Maltez* que se arredondava, fazendo um *ron-ron* de gozo.

— Gostas? — dizia ela ao gato, um pouco corada, com os olhos muito ternos.

E a voz de Amaro murmurava, perturbada:

— Bichaninho gato! Bichaninho gato!

Depois a S. Joaneira erguia-se para dar o remédio à idiota ou ir palrar à cozinha. Eles ficavam sós; não falavam, mas os seus olhos tinham um longo diálogo mudo, que os ia penetrando da mesma languidez dormente. Então Amélia cantarolava baixo o *Adeus* ou o *Descrente;* Amaro acendia o seu cigarro, e escutava bamboleando a perna.

— É tão bonito isso! — dizia.

Amélia cantava mais acentuadamente, cosendo depressa; e a espaços, erguendo o busto, mirava o alinhavado ou o posponto, passando-lhe por cima, para o assentar, a sua unha polida e larga.

. . . .

Ao outro dia, pelas onze horas, o enterro de Amélia saiu da Ricoça. Era uma manhã áspera: o céu e os campos estavam afogados numa névoa pardacenta; e caía, muito miúda, uma chuva regelada. Era longe da quinta a capela dos Poiais. O menino do coro adiante, de cruz alçada, apressava-se, chapinhando a lama a grandes pernadas; o abade Ferrão, de estola negra, abrigava-se, murmurando o *Exultabunt Domino,* sob o guarda-chuva que sustentava ao lado o sacristão com o hissope; quatro trabalhadores da quinta, abaixando a cabeça contra a chuva oblíqua, levavam numa padiola o esquife que tinha dentro o caixão de chumbo; e, sob o vasto guarda-chuva do caseiro, a Gertrudes de mantéu pela cabeça ia desfiando as suas contas. Ao lado do caminho o vale triste dos Poiais cavava-se, todo pardo na neblina, num grande silêncio; e a voz enorme do vigário, mugindo o *Miserere,* rolava pela quebrada úmida onde murmuravam os riachos muito cheios.

Mas às primeiras casas da aldeia os moços do caixão pararam derreados; e então um homem, que estava esperando debaixo duma árvore sob o seu guarda-chuva, veio juntar-se silenciosamente ao enterro. Era João Eduardo, de luvas pretas, carregado de luto, com as olheiras cavadas em dois sulcos negros, grossas lágrimas a correrem-lhe nas faces. E imediatamente, por trás dele, vieram colocar-se dois criados de farda, com as calças muito arregaçadas e tochas na mão — dois lacaios que mandara o Morgado, para honrar o enterro duma dessas senhoras da Ricoça, amigas do abade.

Então, vendo estas duas librés que vinham afidalgar o préstito, o menino do coro rompeu logo, erguendo mais alto a cruz; os quatro homens, já sem fadiga, empertigaram-se às varas da padiola: o sacristão bramiu um *Requiem* tremendo. E pelas lamas do íngreme caminho da aldeia foi subindo o enterro, enquanto às portas as mulheres se ficavam persignando, olhando as sobrepelizes brancas e o caixão de galões de ouro, que se iam afastando seguidos do grupo de guarda-chuvas abertos, sob a chuva triste.

A capela era no alto, num adro de carvalheiras; o sino dobrava; e o enterro sumiu-se para o interior da igreja escura, ao canto do *Subvenite sancti* que o sacristão entoou em ronco. — Mas os dois criados de farda não entraram porque o senhor Morgado assim o tinha ordenado.

Ficaram à porta, sob o guarda-chuva, escutando, batendo os pés regelados. Dentro seguia o cantochão; depois era um ciciar de orações que se amortecia; e de repente latins fúnebres lançados pela voz grossa do vigário.

Então os dois homens, enfastiados, desceram do adro, entraram um momento na taberna do tio Serafim. Dois moços de gado da quinta do Morgado, que bebiam em silêncio o seu quartilho, ergueram-se logo vendo aparecer os dois criados de farda.

— À vontade, rapazes, é sentar e beber — disse o velho baixito que acompanhava João Eduardo a cavalo. Nós lá estamos, na maçada do enterro... Boas tardes, Sr. Serafim.

Apertaram a mão ao Serafim, que lhes mediu duas aguardentes — e informou-se se a defunta era a noiva do Sr. Joãozinho. Tinham-lhe dito que morrera duma veia rebentada.

O baixito riu:

— Qual veia rebenta! Não lhe rebentou coisa nenhuma. O que lhe rebentou foi um rapagão pelo ventre...

— Obra do Sr. Joãozinho? — perguntou o Serafim, arregalando o olho brejeiro.

— Não me parece — disse o outro com importância. O Sr. Joãozinho estava em Lisboa... Obra de algum cavaleiro da cidade... Sabe vossemecê de quem eu desconfio, Sr. Serafim?

Mas a Gertrudes, esbaforida, rompeu pela taberna gritando que o saimento já ia ao pé do cemitério, e que não faltavam senão "aqueles senhores"! Os lacaios abalaram logo, e alcançaram o enterro quando ia passando a pequena grade do cemitério, ao último versículo do *Miserere.* João Eduardo agora levava uma vela na mão, ia logo atrás do caixão de Amélia, tocando-o quase, com os olhos enevoados de lágrimas fitos no veludilho negro que o cobria. Sem cessar o sino da capela dobrava desoladamente. A chuva caía mais miúda. E todos calados, no silêncio fusco do cemitério, com passos abafados pela terra mole, iam-se dirigindo para o canto do muro onde estava cavada de fresco a cova de Amélia, negra e profunda entre a relva úmida. O menino do coro cravou no chão a haste da cruz prateada, e o Abade Ferrão, adiantando-se até à beira do buraco escuro, murmurou o *Deus cujus miseratione...* Então João Eduardo, muito pálido, vacilou de repente, e o guarda-chuva caiu-lhe das mãos; um dos criados de farda correu, segurou-o pela cinta; queriam-no levar, arrancá-lo de ao pé da cova; mas ele resistiu, e ali ficou, com os dentes cerrados, segurando-se desesperadamente à manga do criado, vendo o coveiro e os dois moços amarrarem as cordas no caixão, fazerem-no resvalar devagar entre a terra esfarelada que rolava, com um ranger de tábuas mal pregadas.

— *Requiem aeternam dona ei, Domine!*

— *Et lux perpetua luceat ei* — mugiu o sacristão.

O caixão bateu no fundo com uma pancada surda; o abade espalhou em cima uma pouca de terra em forma de cruz; e sacudindo lentamente o hissope sobre o veludilho, a terra, a relva em redor:

— *Requiescat in pace.*

— *Amen* — responderam a voz cava do sacristão e a voz aguda do menino do coro.

— *Amen* — disseram todos num murmúrio, que ciciou, se perdeu entre os ciprestes, as ervas, os túmulos e as névoas frias daquele triste dia de dezembro.*

(*O Crime do Padre Amaro,* 9ª ed., Porto, Chardron, 1924, pp. 100-102 e 595-598.)

FIALHO DE ALMEIDA

José Valentim Fialho de Almeida nasceu em Vila de Frades (Baixo Alentejo), em 7/5/1857. Seu pai era um professor primário. Em tenra idade, segue para Lisboa onde, mais tarde, se emprega numa farmácia enquanto faz estudos de Medicina. Formado, em vez de abrir consultório, abandona-se a um viver boêmio e incerto e às pugnas literárias. Estréia em livro em 1881 *(Contos).* Em 1889, inicia a publicação d*Os Gatos,* folhetim literário que leva até 1894. Profundamente irritado e desgostoso com o meio intelectual lisboeta, afasta-se para sua terra natal e contrai um matrimônios de conveniência. Falece em 4/3/1911. Ainda escreveu: A *Cidade do Vício* (1882), *Lisboa Galante* (1890), *Os Gatos* (1889-1894), *Pasquinadas* (1890), *Vida Irônica* (1892), *À Esquina* (1900), *Figuras de Destaque* (1924), *Atores e Autores* (1925), etc.

O Corvo

Aos primeiros clarões da manhã, o casco do galeão tinha-se afundado inteiramente.

Para qualquer lado que se olhava, o mar não tinha termo; o céu ia coberto duma bostela de nuvens cor de chumbo, mosqueada de fulvo, que se fora erguendo duma banda, erguendo, té descobrir sobre a linha do mar uma fímbria d'alva muito pálida, por onde a luz começou a esclarecer de manso o plano líquido. E esse plano amainava e começara a perder os vagalhões...

Sobre as águas se erguia à maneira de torre, um grande ilhéu bronco e tisnado. Era uma massa de fortins dentada toda em roda, por cima de cuja plataforma outras moles gigantes se aprumavam. E havia pórticos, recantos, pátios, levadiças: a ressaca bramia nos recôncavos da rocha babujenta; por cima as nuvens galopavam, embebendo os goelanos e os corvos marinhos do seu chorume glácido e mortal.

---

* *Exultabunt Domino* = Exultarão no Senhor; *Miserere* = Tem piedade (meu Deus); *Subvenite sancti* = Ó Santos, vinde em socorro; *Deus cujus miseratione* = Deus misericordioso; *Requiem aeternam dona ei, Domine!* = Ó Senhor, dá-lhe descanso eterno!; *Et lux perpetua luceat ei* = E que luz perpétua o ilumine; *Requiescat in pace* = Descanse em paz.

Mas que silêncio! A tormenta da noite esfalfara a seu turno os elementos, e do galeão perdido nada restava mais do que um cadáver de escravo, flutuando de bruços, pela água — tísicas as pernas, os ombros recaindo em bola sob o esforço dos deltóides que a agonia paralisara na sua derradeira contratura, e a cabeça tão baixa e metida n'água, entre as espáduas, que esse cadáver dir-se-ia havê-la perdido no cepo, sob a machadada certeira dum carrasco.

Entanto a madrugada tocava de lividezes frias a epiderme corrugosa das águas, à medida que as nuvens se erguiam do oriente, pondo na linha d'água uma grande boca de claridade. Essa boca escancarava para dentro duma noção de deserto e d'infinito, sem uma vela, e toda ululante, desse soturno troar que vem do fundo do oceano, como a imprecação de todos os milhões de seres que ele afogou.

Crescia a luz, e as nuvens se iam, lentas e cansadas, para outro hemisfério talvez, descobrindo os mares. E os rochedos do ilhéu, se por um lado desciam na paisagem, do seu prestígio fantástico, nem por isso ficaram menos lúgubres, com as suas grandes arestas medievais, e as suas proporções de sepulcro e pedestal.

De roda, as águas batiam-lhe de través os flancos carcomidos, com uma raiva que parecia insistir na proporção da inutilidade do ataque. E ao largo, por todas as bandas, não se viam senão brilhar palhetas finas na orla das ondas, uma após outra, correndo, e resolvendo-se alfim numa babugem d'espuma efervescente.

Mau grado o aspecto pacífico, aquela imensidade era sinistra: tintas de cólera passavam às vezes, como maus pensamentos, por baixo da epiderme glauca do oceano; via-se então escancarar covas na água, brotar um braço da espádua duma onda; e o eterno marulho abrir um eco, que estrugia metalicamente em cada palheta, e acordava no teclado das ondas o mais desconforme coro de rancor.

Sobre uma crista de rocha estava um corvo, um corvo marinho, velho e calculado, cujos olhos corriam o mar à busca de sustento, e cujos lentos meneios traíam na extrema prudência, a sagacidade cruel dos pássaros cobardes, a quem a luta repugna, e que se ingurgitam só de podridão. Tinha as patas fincadas no fraguedo, as asas lassas pendendo ao chão, como se estivessem decepadas, e avançara o pescoço como quem fareja, estralejando o bico à guisa da matrácula. Como era enorme, o vulto dele, naquela postura de caça, tinha um selo diabólico e maldito. Era ainda noute, já o corvo tinha lobrigado o cadáver do escravo à tona d'água, e estivera a espreitá-lo dali, do seu reduto, partilhado entre a voluptuosa sensação da carne podre, e o pavor d'avançar sobre uma presa suspeita, que ele não via bem se vivia ou estava morta.

E de cima da rocha o seu olhar espiava dum lado os outros corvos, e doutro lado o flutuar do corpo, cada vez mais dobrado, e que dir-se-ia lutar contra o impulso das ondas, para fugir às voracidades da ave impassível e satânica.

Do seu poiso elevado enfim o corvo veio descendo, em pulos mansos, aos contrafortes mais baixos do rochedo, em cuja babosa escarpa vinham partir-se os cachões da ressaca.

Aqui se detinha um pouco a olhar de lado a presa cobiçada, além se deixava escorregar pelas salsugens marinhas, recuando aos repousos, com um pavor cobarde, de cada vez que a vaga vinha marrar com o negro à penedia.

Houve um momento em que o refluxo das águas, mais forte, desviou o cadáver do ilhéu, cerca duns metros, tomando-o nas curvas dum remoinho brusco que depois o arrojou furiosamente, para uma distância além da penedia.

E isto açulou o apetite sinistro do pássaro, cujas asas se abriram de repente.

De manso, ao rés d'água, sem um grasnido que aos outros desse alarme do nefando repasto, começou ele a voar, numa espiral frenética de gula, que descia e subia, em vôos de seta, e tocava ao de leve a carne do cadáver, fugindo, voltando, té lhe ferrar de raspão a primeira bicada.

Sem receio de rivais, aquele funéreo festim haveria parecido à ave delicioso. Mas era evidente que o ciúme de partilhar o banquete o desesperara, e desta vez o corvo tinha pressa em chegar aos bocados saborosos.

... Aí começa uma luta entre o corvo que pula sobre as espáduas do escravo, a ver se o volta, pra lhe sorver os olhos, como regalo primeiro da orgia perpetrada, e o cadáver que se defende à injúria, ocultando cada vez mais a cabeça sob a água, e deixando os braços oscilar, como duas inúteis e inertes barbatanas.

Por muito tempo esta manobra prossegue, e à medida que avança, a impaciência da ave vai num crescendo de cólera inarrável. Ela abre as asas, ergue-se um instante no ar, para cair depois a todo o peso, sobre um ombro do náufrago, a provocar oscilação que lhe desloque o corpo daquela postura passiva de defesa. Ela lhe rasga as carnes com as cortantes lâminas do bico, que se crava mais fundo, e mais, cada vez mais, na proporção da certeza que tem na impunidade. Mas tudo é inútil. O negro lá continua de bruços sobre as ondas, hirtas as pernas, o cavername do tronco abroquelado em glaciais musculaturas, os ombros sempre unidos, a cabeça debaixo do peito, como em vivo fizera, quando o chicote do amo lhe arava as carnes, delas fazendo suar martírio e sangue. De roda, tudo agora se alarga sob a coral de luz que a manhã canta.

As nuvens foram-se: o sol rebenta afinal à boca do grande deserto d'água, e pacifica-lhe as fúrias coas refulgências geniais da sua claridade. E nada é mais doce do que esse murmúrio sem fim das grandes águas, horrísono ainda há pouco, agora lírico e profundo, como o *poean* entoado pelos efebos, na terra helena, depois duma batalha.

Só o corvo prossegue na sua tarefa exaustinada, e, imagem do ódio, ei-lo armando em força a cobardia, requintando a vingança, tripudiando sobre a impunidade — como esses vencidos que se desforram da humilhação sofrida, indo aos cemitérios esbofetear os cadáveres dos vencedores.*

(*O País das Uvas,* Lisboa, Clássica, 1946, pp. 167-171.)

Conquanto integre um livro de contos, "O Corvo" não é um conto. À semelhança de tanta prosa escrita na época, especialmente aquela contagiada pela moda simbolista, esquiva-se

---

* *goelano* = espécie de gaivota; *matrácula* = matraca; *repoupo* = salto, corcovo, pinote; *abroquelado* = em forma de broquel (escudo); *poean* = peã, hino em louvor de Apolo.

a qualquer classificação rígida e definitiva. Narrativa de nítidos acentos poéticos, pode ser rotulada de marinha, de cromo ou, ainda, de apólogo, pois de tudo isso possui um pouco. Na verdade, o ficcionista limita-se a pintar uma cena marítima entre um corvo e o cadáver de um escravo boiando à flor da água, e procede como de hábito entre os artistas impressionistas: ao ar livre, fixando os objetos como que dotados de relevo e cor por causa da luz solar que neles incide, o narrador acumula os pormenores plásticos a fim de apreender a impressão fugaz que as coisas, momentaneamente iluminadas, desencadeiam em sua sensibilidade. A pena funciona como um pincel, e a folha em branco equivale a uma tela onde o pintor fosse gravando aos poucos, em movimentos rápidos, um instante e uma paisagem plasticamente expressivos e efêmeros. Percebe-se, porém, que a técnica impressionista não mascara de todo a ortodoxia realista subjacente no fato de o corvo banquetear-se no cadáver de um negro. Aliás, a narrativa culmina numa "moral": o corvo atira-se ao festim macabro "como esses vencidos que se desforram da humilhação sofrida, indo aos cemitérios esbofetear os cadáveres dos vencedores". Pois essa "moral" é coerente com os assomos de indignação social, e revela uma frincha aberta numa prosa evidentemente esteticizante por onde penetra alguma coisa do azedume que enformava a mundividência de Fialho de Almeida. Afinal, é preciso entender "O Corvo" como alegoria dum estado de coisas injusto, o mesmo que lhe fornecia matéria para *Os Gatos* e colaborava para a hipocondria que o avassalava.

O Homem da Rabeca

A casa para onde me mudei nada tinha de confortável e resguardada. Somente alta e mais clara que o primeiro andar da rua do Sol.

Devia já ser velha; os tetos baixos e o soalho carunchoso tremiam em os chinelos arrastando. Pelos buracos do rodapé, as baratas saltavam de noite aos rebanhos, em cata de alimento. Mas de manhã a cousa mudava — rompia alegremente o sol, como um companheiro folgazão, e no parapeito da varanda, as pombas do marceneiro vinham arrulhar beijando-se, com esse movimento *coquette* de cabecinhas graciosas, em que parece viver todo um mundo de pequenos segredos de *boudoir*. Um pé de eloendro florido chamava as abelhas, abrindo-lhes as corolas róseas num cândido aroma de beijos, e em anfiteatro, alargando-se da Baixa ao cimo das colinas de uma banda, e até ao azul do rio da outra, a casaria da cidade, liberta dos últimos vapores da noite, expunha as suas fachadas brancas, monotonamente cortadas de janelas, sobre que os tetos caíam em pirâmides alongadas, e de que as chaminés furavam agressivamente aqui e além, fumando na risonha luz recém-nascida.

A primeira cousa que pude notar na vizinhança, foi que não havia uma cara bonita. Em baixo, na loja do prédio fronteiro, a mulher do lugar, suja e gasta, era repelente com os seus enormes sapatos de ourelo e o corpete do vestido constantemente descerrado, mostrando a carne trigueira e chuchada dos seios. No primeiro andar, engomadeiras com cara de homem, cabeludas e amarelas, vinham raro à janela para lançar olhares oblíquos sobre as casas alheias. Por cima era uma mestra — ao lado um veterano eternamente à janela, de barrete azul, fumando no seu cachimbo disforme. Na rua estreita e tortuosa, todos se conheciam; crianças brincavam descalças e ranhosas, tocando latas; de manhã era uma gralhada de janela para janela sobre a carestia das cousas e as carraspanas dos maridos — e o mesmo padeiro servia as famílias, demorando-se de palestra pelas escadas.

Às dez horas, enquanto fazia o almoço, sentia um rumor de passos cansados, e uma voz dizer de quando em quando — *espera, homem, vai devagarinho. Alguma vez dás comigo pela escada abaixo!*

Era o vizinho do lado, o cego da rabeca, descendo com o pequeno. Iam para o giro do dia, enquanto a velhota ficava enrolada em cobertores e meio paralítica das pernas. Sucedia topar com eles pelas ruas. O pai era velho, tipo comum dos cegos famintos, com a sacola pendente, rabeca a tiracolo por cordão verde e sujo, o chapéu amachucado, véstia de saragoça. O hábito de cantar para as janelas, havia-o deitado um pouco para trás, os olhos escancarados tinham uma serenidade vítrea, a boca era um nada atormentada nos cantos...

Em certos dias corriam a cidade inteira, becos lôbregos e ruas humildes dos antigos bairros, onde parece errar ainda agora uma legenda de facadas e a bulha de altercações vadias.

À noite, internavam-se pelos baixos cafés de operários, Alfama, Mouraria e Bairro Alto; e ali amachucados a um canto, em quanto gemia a rabeca, o rapaz erguendo a voz dizia as desgraças dos degredados e as lamentações do Vimioso, terminando por estender o chapéu à esmola dos que bebiam. Eram os únicos tristes da rua aqueles expulsos da fortuna, a velha que ninguém via, o cego e o rapaz macilento.

Voltavam tarde, extenuados.

— Vá homem, vá, parece que não tens força nas pernas! dizia o cego ao pequeno.

Sucedia, por vezes, Miguel recordar que não havia petróleo em casa, que as provisões estavam por pagar no João tendeiro, e não seria fiado real na manhã seguinte se não fosse de logo paga a pequena despesa. Detinham-se então na escada ou à boca de alguma loja. O pequeno estendia a mão tenra e roxa, e nela o pai ia deixando cair vagarosamente e com pena, uma a uma, num *tlin-tlin* metódico, as pobres moedas recolhidas no trajeto do dia.

Às vezes era pouco, três, quatro vinténs.

— Bendito seja nosso Senhor! suspirava o cego, e passavam sem luz essa noite.

Era nos domingos mais próspera a esmola e triplicava a receita.

Dizia o cego:

— Sempre é dia em que Deus Nosso Senhor descansou.

Por vezes, até, uma pobre senhora, compassiva ante a velhice daquele homem, sem queixa mordendo as misérias do desamparo, oferecia-lhe um pouco de fato, restos de refeição. Era um prazer, que se poupava o jantar daquele dia. E diante do pequeno Miguel, cujos olhos vagos e interiores pareciam absortos numa contemplação lunática, o cego desenrolava carinhos doces e meigas insistências para que trincasse os melhores bocados, perguntas repetidas sobre se tinha frio, dores de cabeça, os pés molhados... Rareavam de inverno as esmolas; mal se podia andar na rua, que a lama cuspida dos trens enchia tudo, e eram inclementes e eternas as goteiras dos telhados pingando sobre quem passava sem cobertura. Em tempos daqueles nem os garotos da rua queriam música — as crianças dos vários andares, as melhores fraquezas das pobres valsas e cantigas que o velho executava na rabeca não podiam chegar à janela; se pediam esmola, respondiam logo — Tenha paciência!

Além disso um horror que a polícia os fisgasse em flagrante mendicidade... que seria depois, da velhota? O asilo glacial em que as cabeças estão cheias de parasitas e os estômagos vazios de alimentos, seguir-se-ia enquadrado na pressão soberba e fria dos fiscais e administradores; separa-los-iam brutamente, o velho para a caserna com outros inválidos, como ele sem valia, a criança para a *Correção*, em que a lividez é patibular. Nesses amargurados dias era necessário comer a rações. Duma vez tinham feito um pataco. E a velhota, coitada, sem remédio!

A hora do jantar retardou-se naquele dia. Quando era noite, o velho falou em irem comer alguma cousa. Queixou-se de não ter vontade, e deu ao Miguel o dinheiro para que fosse comprar pão. A criança olhou-o com uma espécie de surpresa ingênua; à luz do gás duma loja viu lágrimas nos cílios trêmulos do pai, cuja face cavada tinha uma cor terrena de angústia.

E sem saber porque pôs-se a soluçar à esquina, longe dele, para que não fosse ouvido. Ah! Era bem negra aquela vida, era!*

(*A Cidade do Vício*, 8ª ed, Lisboa, Clássica, 1943, pp. 91-95.)

A Prosa Doutrinária

A prosa doutrinária foi muito cultivada durante a vigência do Realismo, por imposição mesma de seus postulados reformistas e polêmicos. Além de Antero de Quental, Oliveira Martins, Teófilo Braga e Eça de Queirós, que repetidas vezes atenderam ao chamado para as pugnas ideológicas em defesa do decálogo realista, salientaram-se dois panfletários de primeira ordem: Ramalho Ortigão e Fialho de Almeida, o primeiro com *As Farpas,* e o segundo com *Os Gatos.*

RAMALHO ORTIGÃO

José Duarte Ramalho Ortigão nasceu no Porto, em 24/11/1836. De família abastada, após os primeiros estudos ingressa na Universidade de Coimbra, mas não leva adiante o intento de bacharelar-se. Dedica-se ao ensino ginasial e ao jornalismo. Interfere na "Questão Coimbrã" dum modo conciliador, que o acaba arrastando a um duelo com Antero. Em 1870, publica em colaboração com Eça de Queirós, em folhetim, *O Mistério da Estrada de Sintra,* e no ano seguinte inicia *As Farpas,* que levará até 1882. As viagens para o estrangeiro atraem-no cada vez mais: é assim que visita a França, a Holanda, a Inglaterra e a Itália. Em 1887, participa do grupo "Os Vencidos da Vida". Com a instalação da República (1910), afasta-se de tudo e falece em Lisboa, em 27/9/1915. Deixou obra numerosa, para mais de quarenta volumes, dos quais vale salientar os seguintes: *As Farpas* (11 vols., 1887-1890), *Em Paris* (1868), *A Holanda* (1885), *John Bull* (1887), *As Praias de Portugal* (1876), *Literatura de Hoje* (1866), *O Culto da Arte em Portugal* (1896), *Figuras e Questões Literárias* (2 vols., 1945), etc.

---

* *Coquette* = que procura agradar; *boudoir* = sala em que as senhoras se reúnem; *Baixa* = parte central de Lisboa; *saragoça* = tecido grosseiro de lã preta.

As Farpas

Decerto inspiradas em *Les Guêpes* (1839-1849), de Alphonse Karr (1808-1890), *As Farpas* apareceram em 1871, assinadas por Ramalho Ortigão e Eça de Queirós até o ano seguinte, e somente pelo primeiro até o fim, 1882. Subintitulando-se "O País e a Sociedade Portuguesa", os folhetins mensais d*As Farpas* constituem um painel jornalístico da sociedade portuguesa nos anos posteriores a 1870, erguido com bonomia, sentido agudo das mazelas sociais, um alto propósito consciencializador, e uma linguagem límpida e variada. Eça publicou suas "farpas" em 1890, com o título de *Uma Campanha Alegre*. Ramalho reuniu grande parte de seus folhetins em 1887-1890 (11 vols.), e as páginas que relegou ao abandono foram enfeixadas nos dois volumes d*As Farpas Esquecidas* (1946-1947). Entre 1911 e 1915, Ramalho regressara ao combate com as *Últimas Farpas*, que foram publicadas em volume em 1946. A "farpa" que se vai ler, intitula-se "O Fadista" e foi publicada em maio de 1878:

Há dois meses que os periódicos anunciam quase cotidianamente os casos de espancamento, de ferimentos e de roubos cometidos em Lisboa e seu termo. De quando em quando a polícia, para o fim de dar uma espécie de satisfação à sociedade pela freqüência de tantos crimes, prende um fadista. O que temos que perguntar é: — Por que se não prendem os fadistas todos?

Em cidade nenhuma da Europa existe uma palavra de significação análoga a esta — *o fadista.* Ser fadista quer dizer: ser um criminoso tolerado, agremiado civilmente, constituindo uma classe. Pela sua genealogia social o fadista descende dos antigos espadachins plebeus que conquistavam, por meio de exame feito em valentia, o direito de cingirem a espada e de acompanharem com fidalgos bulhentos e tranca-ruas. No século passado existia ainda em toda a sua pureza esta raça de bravos de viela, sem ofício nem benefício, vivendo das espórtulas da nobreza, apadrinhados por ela, frecheiros com as mulheres, soberbões e insolentes com os mesteirais e com os mercadores, cobrindo as costas aos fidalgos nas excursões noturnas em que estes se divertiam espancando os transeuntes, escalando os muros dos quintais e dos conventos, desarmando as rondas, e açoitando os corregedores e os esbirros ao fundo dos becos tenebrosos e adormecidos.

Entre os aludidos fidalgos figurava como grão-mestre da ordem, como capitão da ala, o sereníssimo senhor infante D. Francisco, preclaro irmão do senhor rei D. João V, que Deus tenha em sua santa guarda. Desse interessantíssimo príncipe, cujas tropelias criaram, durante um século, em volta das suas terras do Infantado, em Queluz, uma lenda de terror, conta-se este belo feito histórico, que basta para mostrar o gênero dos divertimentos da sua roda: Vendo o augusto príncipe nas vergas de um navio um marinheiro que o saudava, quis o infante experimentar, por ser mui curioso de balística, se do lugar onde estava poderia alcançar com um tiro aquele homem que lhe fazia continência meneando alegremente o seu gorro. Fazendo em seguida a mais cuidadosa pontaria, e desfechando sobre o alvo, teve Sua Alteza o sumo gosto de ver que o marinheiro se despegara da verga, que dobrara no ar por entre as enxárcias, e caíra por fim estatelado no convés varado pela bala da sereníssima escopeta. Com o que o senhor infante houve um acesso de júbilo como nunca se lhe vira, e que Sua Alteza houve por bem desafogar batendo as palmas e dando muitos uivos e pinchos, inequívocos sinais de uma ilimitada alegria.

Mais tarde, com a iluminação de Lisboa, devida ao intendente Pina Manique, e com a criação da polícia moderna, cessaram os recontros, as arruaças, os combates noturnos da fidalguia com a vilanagem lisboeta.

Pela razão biológica de que toda a força orgânica que se não exerce se elimina, o antigo valentão plebeu deixou de ter valor mas continuou a conservar o espírito da façanha, de aventura, do amor ilícito, da tavolagem e da vadiice, e tomou então o nome de — fadista.

O fadista não trabalha nem possui capitais que representem uma acumulação de trabalho anterior. Vive dos expedientes da exploração do seu próximo. Faz-se sustentar de ordinário por uma mulher pública, que ele espanca sistematicamente. Não tem domicílio certo. Habita sucessivamente na taberna, na batota, no chinquilho, no bordel ou na esquadra da polícia. Está inteiramente atrofiado pela ociosidade, pelas noitadas, pelo abuso do tabaco e do álcool. É um anêmico, um cobarde e um estúpido. Tem tosse e tem febre; o seu peito é côncavo, os braços são frágeis, as pernas cambadas; as mãos, finas e pálidas como as das mulheres, suadas, com as unhas crescidas, de vadio; os dedos queimados e enegrecidos pelo cigarro; a cabeleira fétida, enfarinhada de poeira e de caspa, reluzente de banha. A ferramenta do seu ofício consta de uma guitarra e de um *Santo Cristo,* que assim chamam tecnicamente a grande navalha de ponta e tríplice calço na mola. É habitado por uma moléstia secreta e por vários parasitas da epiderme. Um homem de constituição normal desconjuntar-lhe-ia o esqueleto, arrombá-lo-ia com um soco. Ele sente isso e é traiçoeiro pelo instinto de inferioridade. Não ataca de frente como o espadachim ou o pugilista, investe obliquamente, tergiversando, fugindo com o corpo, fazendo fintas com uma agilidade proveniente de seu único exercício muscular — as *escovinhas.* Não há senão uma defesa para o modo como ele agride: o tiro ou a bengala, quando esta seja manejada por um jogador extremamente destro. A guitarra debaixo do braço substitui nele a espada à cinta, por meio da qual se acamaradavam com a nobreza os pimpões seus ascendentes do século XVII. É pela prenda de guitarrista que ele entra de gorra com os fidalgos, acompanhando-os ainda hoje nas feiras, nas touradas de Alhandra e da Aldeia Galega, e uma ou outra vez nas ceias da Mouraria, onde depois da meia-noite se vai comer o prato de desfeita, acepipe composto de bacalhau e grão-de-bico polvilhado de vermelho por uma camada de colorau picante.

Por efeito da tradição na orientação mental da sua classe ele procura ainda hoje como há duzentos anos parecer-se e confundir-se pelo modo de trajar com os fidalgos ou com os que julga tais. A classe dos fidalgos que tresnoitam hoje pelas tabernas e pelos alcouces de Alfama, que são levantados bêbados dos becos mal afamados, que falam em calão e que fazem troças no Colete Encarnado e na Perna de Pau, esta classe de fidalgos, dizemos, compõe-se hoje principalmente de jovens burgueses febricitantes, filhos de honestos lojistas ou de pacientes alfaiates, desencabrestados da rotina paterna pela educação do liceu e do colégio nacional, escalavrados pelo alcoolismo e pelo mercúrio, profundamente corrompidos. O fadista imita esses senhores na escolha que eles fazem dos seus trajos de pândega. Usa como eles a bota fina de tacão apiorrado ou o salto de prateleira, a calça estrangulada no joelho e apolainada até o bico do pé, a cinta, a jaleca de astracã e o chapéu arremessado para a nuca pelo dedo polegar, com o gesto clássico do grande estilo canalha. A guitarra, seu instrumento de indústria e de amor, dedilha-a ele com um desfastio impávido, deixando pender o cigarro do canto do beiço pegajoso, gretado e descaído; com um olho fechado ao fumo do tabaco e o outro aberto mas apagado, dormente, perdido no vago em uma contemplação imbecil; o tronco do corpo caído molemente para cima do quadril; a perna encurvada com o bico do pé para fora; o *cachucho* da amante reluzindo na mão pálida e suja. Também canta, algumas vezes, apoiando a mão na ilharga, suspendendo o cigarro nos dedos, de cabeça alta, esticando as cordoveias do pescoço e entoando a melopéia dos fados, em que se descrevem crimes, touradas, amores obscenos e devoções religiosas à Virgem Maria, com uma voz soluçada, quebrada na laringe, acompanhada da expressão fisionômica de uma sentimentalidade de enxovia, pelintra e miserável.

De resto o fadista não tem vislumbres de senso moral. Explica os seus meios de vida pelo prêmio tirado na cautela de pataco que lhe foi vista na algibeira sebosa do colete. Na batota concilia-se com o furto e com o roubo; na esquadra da polícia concilia-se com a mentira; nas suas convivências do bordel concilia-se com a infâmia; e as condições especiais em que ama e é amado acabam por dissolver nele os últimos restos dessa dignidade animal, para assim dizer anatômica, comum a todos os machos.

É da classe dos fadistas que saem para os tribunais e para as cadeias os incorrigíveis da criminalidade.

A propósito do direito de punir e do modo de aplicar a pena dizia recentemente ainda um escritor inglês, fundado nas informações de um antigo inspetor de cadeias, que todos os criminosos presos se podiam dividir em três categorias.

A primeira categoria é composta de indivíduos que verdadeiramente não deveriam ter entrado nunca na prisão. São lançados nas garras da lei por um acidente exterior ou por uma fraqueza de juízo ou de caráter, a qual não obsta a que eles tenham uma moralidade tão sã como a de qualquer de nós.

À segunda categoria pertencem indivíduos, mais numerosos que os primeiros, sem violentas tendências morais ou imorais, suscetíveis de serem dirigidos pelas circunstâncias e de se tornarem bons ou maus segundo a direção que recebam.

A terceira categoria, de um número de condenados felizmente restrito, é rebelde a toda a disciplina, insensível a toda a bondade, surda a todos os conselhos. Para estes a cadeia é um lugar impróprio; seria preciso confiná-los em uma ilha deserta, onde o contágio moral do seu exemplo não fizesse novas vítimas.

Segundo o aludido inspetor das cadeias inglesas, o qual tinha viajado muito e estudado atentamente todos os grandes estabelecimentos penitenciários do mundo, o Estado não teria senão proveito que tirar da maior soma de liberdade concedida aos presos da primeira dessas categorias; aos presos da segunda classe conviria principalmente dar instrução; enquanto aos terceiros o melhor expediente seria a morte.

É útil refletir nestas palavras e considerar uma coisa:

É ou não é da classe chamada fadista que procede a máxima parte dos criminosos que passam anualmente pelos bancos da Boa Hora, e cuja incorrigibilidade é em muitos deles atestado por vários julgamentos repetidos?

A história do foro lisbonense nos últimos tempos responde:

É.

Neste caso pergunta-se:

Pode a sociedade, sem incorrer em uma responsabilidade tremenda, continuar a manter pelo desleixo, a existência legalmente tolerada de uma categoria de indivíduos que há três séculos pervertem profundamente os nossos costumes populares, e de cujo grêmio saem os criminosos que a justiça mais dificilmente corrige e mais raramente regenera?

Não. Uma semelhante tolerância representa o mais grave dos atentados de que o Estado é cúmplice perante a ordem moral. Porque, se a sociedade é irresponsável da perversidade individual, não sucede o mesmo, e a sociedade deixa de poder ser absolvida, logo que é ela que sustenta, ao abrigo das leis, a concordância de todas as causas conhecidas e manifestas que produzem fatalmente um determinado número de perversos.

Dado o fadista, a sociedade não pode certamente evitar o criminoso. A sociedade, porém, pode evitar o fadista. De que modo? Procedendo a um inquérito rigoroso sobre a vadiagem e suprimindo, quanto antes, a instituição concomitante que a justifica e a consagra: a lotaria.

Desde que um cidadão deixa de poder explicar unicamente pelos suprimentos do jogo a posse legítima dos seus meios de subsistência, o Estado tem o dever de o prender, não para o encarcerar mas para o coagir ao trabalho, matriculando-o em qualquer das oficinas do Governo; na cordoaria, na fábrica da pólvora, no arsenal, na imprensa, etc.

O mais perigoso de todos os animais vadios é o homem. Comparado com ele o cão, ainda quando danado, pode-se considerar inofensivo. E todavia a polícia que tem para o cão que ainda se não danou as precauções da rede e da carroça, não tem para o vadio, em pleno exercício do seu contágio, senão um expediente repressivo: o de lhe arquivar a fotografia no comissariado geral.

Quer a polícia um bom conselho, que resume tudo? Inverta os seus meios de garantir a segurança pública: tire o retrato aos cães e deite a rede aos fadistas.*

(As *Farpas,* Lisboa, Clássica, 1948, vol. VII, pp. 173-181.)

Essa "farpa" reflete cristalinamente o espírito e os desígnios de Ramalho Ortigão. De um lado, observe-se a vernaculidade e a limpeza da expressão, que parece brotar espontaneamente da pena do escritor, sem descambar jamais para a enganosa prosa jornalística, e que mantém o *tonus* das idéias num nível quase de ensaio. De outro, note-se que a linguagem guarda os intuitos sadios e morigerantes de Ramalho, evidentes a cada linha do artigo: o

---

* *cachucho* = anel com grande diamante.

folhetinista não ataca com azedume, nem procura compensar-se psicologicamente agredindo o fadista; somente analisa, com objetividade e precisão, uma perigosa chaga social, perigosa ao menos no seu tempo. Ramalho prega a regeneração dos costumes pela extinção daqueles que infestavam o ar e impediam a outrem de respirar livremente, e em momento nenhum desce ao escárnio ou à biliosa ostentação de ira ou de ódio. Entretanto, note-se que sua visão das coisas longe está de ser ingênua, passiva ou conformada: o modo como narra o nefando exercício de pontaria do Príncipe se aproxima do de Fialho de Almeida em "O Corvo", revelando além de um pensamento antimonárquico, indignação contra o desprezo do fidalgo pela vida humana, ou contra o estúpido e desumano contraste entre um poderoso e um humilde marinheiro, entre o senhor e o escravo. Daí, no seu afã de justiça e de higiene, Ramalho reclamar a morte do fadista, que descreve magnificamente, mais com senso de ficcionista que de repórter. Repare-se que o prosador se dirige a um tipo social ainda hoje vivo, embora algo evoluído em relação ao antecessor descrito por Ramalho: na essência, todavia, continua válido o retrato do fadista, porque surpreende antes a personificação dum modo de ser que remonta aos princípios da nacionalidade (seria muito sugestivo estudar a presença da taverna na Literatura Portuguesa, desde os jograis até a atualidade, passando por Camões, Bocage, e outros), que um marginal condicionado pelas estruturas sociais predominantes nos últimos decênios do século XIX português.

FIALHO DE ALMEIDA

Os Gatos

Inspirados n*As Farpas,* os folhetins d*Os Gatos* começaram a ser publicados em agosto de 1889, e terminaram em janeiro de 1894. Subintitulando-se "publicação mensal, de inquérito à vida portuguesa", os panfletos possuíam objetivo certo, definido nas considerações introdutórias ao primeiro fascículo, que se transcrevem a seguir. Obra de ataque e sarcasmo, destila fel contra instituições e pessoas, e documenta flagrantemente não só a quadra em torno do "Ultimatum" inglês (1890), como os próprios transes do escritor nesses anos. Desiguais do ângulo literário, *Os Gatos* centram sua atenção em acontecimentos fugazes do dia-a-dia, a saber: "os roubos nos conventos", "Portugal governado pelas esposas e filhas dos ministros", etc. Apesar disso, como registro duma sociedade em determinado tempo histórico e dum temperamento, os folhetins de Fialho de Almeida somente encontram rival n*As Farpas:*

Deus fez o homem à sua imagem e semelhança, e fez o crítico à semelhança do gato.

Ao crítico deu ele, como ao gato, a graça ondulosa e o assopro, o ronrom e a garra, a língua espinhosa e a *câlinerie.* Fê-lo nervoso e ágil, refletido e preguiçoso; artista até ao requinte, sarcasta até à tortura, e para os amigos bom rapaz, desconfiado para os indiferentes, e terrível com agressores e adversários. — Um pouco lambareiro talvez perante as belas coisas, e um quase nada cético perante as coisas consagradas; achando a quase todos os deuses pés de barro, ventre de jibóia a quase todos os homens, e a quase todos os tribunais, portas travessas. — Amigo de fazer *jongleries* com a primeira bola de papel que alguém lhe atire, ou seja um poema, ou seja um tratado, ou seja um código. — Paciente em aguardar, manso e apagado, com um ar de mistério, horas e horas, a sortida dum rato pelos interstícios dum tapume, e pelando-se, uma vez caçada a presa, por fazer da agonia dela, uma distração; ora enrolando-a como um cigarro, entre as patinhas de veludo; ora fingindo que lhe concede a liberdade, e atirando-a ao ar, recebendo-a entre os dentes, roçando-se por ela e moendo-a, té a deixar num picado ou num frangalho.

Desde que o nosso tempo englobou os homens em três categorias de brutos, o burro, o cão e o gato — isto é, o animal de trabalho, o animal de ataque, e o animal de humor e fantasia — por que não escolheremos nós o travesti do último? É o que se quadra mais ao nosso tipo, e aquele que melhor nos livrará da escravidão do asno, e das dentadas famintas do cachorro.

Razão por que nos acharás aqui, leitor, miando pouco, arranhando sempre e não temendo nunca.

(*Os Gatos,* 6 vols., vol. I, Lisboa, Clássica, 1945, pp. 41-43.)

Essa breve página-programa d*Os Gatos* diz limpidamente dos propósitos que animavam Fialho de Almeida. Embora o texto fale por si, valia a pena frisar o quanto a escolha do gato como metáfora simboliza tríplice tendência: do escritor, da estética literária que assimilou e, mesmo, da Literatura Portuguesa no seu todo. Com efeito, o tom polêmico e azedo corria por conta da irritação pessoal do folhetinista, porventura despeitado com o prestígio alheio (sobretudo de Eça de Queirós), e ainda da própria essência do Realismo. Mas traduzia, igualmente, um pendor hipercrítico arraigado na Literatura Portuguesa desde os seus começos, com a cantiga de escárnio e maldizer. Apenas pode distinguir-se o teor sarcástico d*Os Gatos* naquilo em que nutria objetivos de reforma social; no fundo, porém, atendia ao apelo do português para a sátira e a crítica desaforada subjetiva e inconseqüente.

A Historiografia

A historiografia acompanha de perto o florescimento intelectual que se observa na época do Realismo. Um pouco na esteira de Herculano, um pouco refletindo a evolução das modernas correntes do pensamento historiográfico, a atividade nesse terreno é assinalada por uma série de obras escritas com precisão e rigor científicos, não raro convocando para a interpretação dos fatos o apoio da Economia, da Política, etc. Assinam-nas nomes como Antônio de Sousa da Silva Costa Lobo *(História da Sociedade em Portugal,* 1904), Henrique da Gama Barros *(História da Administração Pública em Portugal dos Séculos XII a XV,* 1895-1922), Alberto Sampaio *(Ensaios Históricos e Econômicos,* 1923), mas o grande historiador do último quartel do século XIX é Oliveira Martins, inclusive pela qualidade literária das páginas que deixou.

OLIVEIRA MARTINS

Joaquim Pedro de Oliveira Martins nasceu em Lisboa, em 30/4/1845. Órfão aos catorze anos, abandona os estudos para dedicar-se ao comércio e, mais tarde, para administrar as minas de Santa Eufêmia, em Córdoba, na Espanha, de onde transitou para a Companhia do Caminho de Ferro do Porto à Póvoa de Varzim. Pertenceu ao grupo do "Cenáculo" (1868) e "Os Vencidos da Vida" (1887), foi deputado e, após o "Ultimatum" inglês (1890), Ministro da Fazenda. Autodidata, dedicou-se a vida toda a um trabalho estafante, que acabou por exauri-lo e apressar-lhe a morte, ocorrida em 24/8/1894, na cidade natal. Escreveu: *Teoria do Socialismo, Evolução Política e Econômica da Sociedade Portuguesa e a sua Reorgani-*

zação pelo Socialismo (1872), *O Helenismo e a Civilização Cristã* (1878), *História da Civilização Ibérica* (1879), *História de Portugal* (1879), *Portugal Contemporâneo* (1881), *Os Filhos de D. João I* (1891), *Camões, Os Lusíadas e a Renascença em Portugal* (1891), etc. O trecho que se vai ler, pertence ao capítulo I ("O Gênio Peninsular") do livro IV ("O Império da Espanha"), da *História da Civilização Ibérica:*

Assistimos à demorada elaboração dos elementos trazidos ao corpo das nações espanholas pelos casos da história; e, combinando e aproximando o primordial e o posterior, o constitucional e o fortuito, vimos a formação de um novo ser, que partilha a um tempo desses elementos diversos congregados durante séculos e assimilados ao ponto de formarem um organismo tão perfeito — que no meio das nações da Europa tem o mérito de se diferençar de todas, e por isso a força para se lhes impor na sua grandiosa originalidade.

Até ao século XV a história peninsular apresenta o aspecto de movimentos coletivos e anônimos; as massas, as classes, confusamente baralhadas, indefinidamente movidas por sentimentos e aspirações indeterminados, chocam-se e penetram-se como elementos cosmológicos. As instituições esboçam-se de um modo indeciso, incoerente, rude, como todas as criações espontâneas da natureza. À confusão própria destes elementos vem juntar-se a maior confusão proveniente das tradições pervertidas de antigas civilizações, e os restos truncados e em ruínas das antigas instituições. A plasticidade social tem de congregar harmonicamente e de tornar orgânico, não só os incoerentes elementos naturais espontâneos, senão também os troços dispersos do organismo donde a vida fugiu. A elaboração é lenta, penosa e obscura. No meio dessas trevas onde se agitam mundos, do seio desse paul onde fermenta a vida, as forças criadoras da natureza rebentam produzindo tipos ingênuos, mas efêmeros na sua beleza; agora é a pitoresca figura do *Cid,* depois a lânguida imagem da *Virgem* nos poemas sagrados; agora são as *irmandades,* logo as *beetrias.* A alma popular tira de si os tipos que no fundo adora; e a sociedade busca, numa forma rudimentar de agregação, a organização fixa para onde caminha.

Tudo isso agora terminou. Satisfizeram-se as aspirações. Chegou a construir-se a unidade, nas idéias e nas instituições. O catolicismo e a monarquia, acabadamente formados, põem termo à elaboração que tendia à definição e construção desses tipos; e esta formação coincide com a final expulsão dos sarracenos de Granada. Os oito séculos de constituição são ao mesmo tempo oito séculos de guerra; porque, enquanto o muçulmano pisar a Espanha, a unidade nacional pode existir nas consciências, mas não se afirma geograficamente. Por livre que seja o espírito humano, jamais prescindiu de agüentar a sua fé com os fatos reais que transforma em símbolos.

Católica, monárquica, a constituição da Espanha, toda de espanhóis, está acabada. Cercada pelo Oceano e pelo Pirineu, a península é um gigante em cujo seio fermenta a vida: tem os braços vigorosos, a cabeça ardendo em Deus, o coração a pular de ambições. Oito séculos de meditação mostraram-lhe claramente uma fé para que ela é a verdade eterna. Oito séculos de guerras avigoraram-lhe os músculos, ensinaram-lhe a manejar as armas. Oito séculos de eterno e doloroso revolver encheram-na de ambições e de uma sede abrasadora de domínio, de gozo, de império. Sente-se forte, e julga-se senhora da Verdade.

Cada um dos seus membros é um grande homem. É Jiménez, é Loyola, é Camões, é Colombo, é Cortez, é Gama, é Pizarro, é Albuquerque, é Calderón, é Santa Tereza, é Lope, é Cervante, é Murilo, é Ribera, é Torquemada o feroz inquisidor, é o duque de Alba beato e desapiedado capitão — é Filipe II e é João III, temerários monarcas que reduziram seus reinos a cinzas, em holocausto à quimérica pureza da fé.

Diante da primeira explosão da força e do gênio espanhol tudo cede: nada pode resistir aos braços heróicos dirigidos pela crença ardente. A Europa curva a cabeça, e a natureza é obrigada a revelar os seus segredos. Dominam o mundo conhecido e descobrem o incógnito para o dominarem:

Se mais mundo houvera lá chegara!

Expulso de casa o muçulmano, passam a Marrocos, vão a Túnis, e, da Itália, defendem a Europa inteira contra o turco, mais afortunados do que os defensores desse baluarte oriental da Hungria. A França, Veneza, e até o Papado, curvavam-se perante a força dos novos bárbaros, estendiam-lhes a mão, pactuavam com eles: só a Espanha heróica era intransigente e o seu heroísmo teve uma apoteose no dia terrível de Lepanto (1571) em que a Europa ficou para sempre livre da ameaça pavorosa do turco.

Extraordinárias como foram as suas façanhas, excederam o limite que a natureza impõe à temeridade dos homens. A lenda dos titãs realizou-se mais uma vez; e ao rápido esplendor heróico do século XVI, sucedeu a ação surda das reações da fatalidade. Então a história voltou de novo a obedecer às antigas leis; e a sociedade peninsular, dissolvendo-se organicamente, veio de queda em queda chegar aos nossos dias em que o observador vê alguma coisa semelhante aos movimentos coletivos e anônimos da Idade Média.*

(*História da Civilização Ibérica,* Lisboa, Guimarães Ed., 1954, pp. 208-211.)

A primeira observação digna de nota refere-se ao estilo de Oliveira Martins: viril, terso, "forte", pessoal, inconfundível, provavelmente muito rebuscado, sob o aspecto estético, para ser o de um historiador. É que em Oliveira Martins a Arte e a Ciência se conjugavam de forma admirável, embora prevalecesse a primeira, o que o torna mais válido no setor literário

---

* *beetria* = "Cidade, vila ou povoação, que tinha direito de eleger e tomar por seus regedores e senhores, livremente, a quem melhor a defendesse e mais bem lhe fizesse e os amparasse de inimigos externos ou internos e das prepotências dos poderosos por ofício, jurisdição, estado, e podiam dar-se ao patrocínio de qualquer pessoa, ainda que estrangeira e de qualquer linhagem, e dizia-se *beetria de mar a mar;* ou escolhendo-as de entre as de certas famílias, e estas eram *beetrias de entre parentes."* (Morais, *Grande Dicionário da Língua Portuguesa,* 10ª ed., 12 vols., Lisboa, Confluência [1949-1958], vol. II, p. 431.)

que no historiográfico. Em segundo lugar, impõe-se considerar a concepção da História que está por detrás do fragmento citado: trata-se de uma questão complexa, porquanto Oliveira Martins possuía grande e variada informação científica, filosófica e estética. Entretanto, pode-se tentar uma simplificação do problema, lembrando que o escritor se baseava numa teoria evolucionista, biológica, da História, segundo a qual" as nações são, com efeito, seres coletivos, e o seu desenvolvimento é em tudo análogo ao dos seres individuais. A biologia, ou ciência da vida, abraça também a história dos povos" (*História da Civilização Ibérica,* ed. cit., p. 204). Tal concepção determinista e cíclica da História (filiada ao pensamento de Vico; cf. o último parágrafo do excerto), não significa, porém, impessoalidade ou redução do historiador ao papel de mero contabilista das seqüências de fatos e acontecimentos. Ao contrário, Oliveira Martins imprime o seu timbre indelével em todas as interpretações, e por isso "a obra tinha muito caráter pessoal, era coisa bem ensaística, não na extensão, mas nesse cunho das idéias próprias, do prejuízo pessimista e da preocupação prática de reforma política imediata" ou seja, a *História da Civilização Ibérica* "é um ensaio pessoal e uma obra de arte" (Fidelino de Figueiredo, prefácio à *História da Civilização Ibérica,* ed. cit., pp. XV e XVIII). Em suma, "o escopo principal [da obra] foi apresentar a visão de Oliveira Martins, visão que é também uma demonstração, a primeira que se produziu, de uma unidade típica e circunscrita à península hispânica, na qual se fundem as várias evoluções nacionais, contidas nesse quadro geográfico" (*idem, ibidem,* p. XIII). Tudo isso, ainda que encerre matéria discutível, constitui algumas das razões do fascínio de Oliveira Martins e explica o êxito do livro em terras de fala espanhola.

SIMBOLISMO

Preliminares

As primeiras manifestações concretas em favor da instalação do Simbolismo em Portugal ligam-se a duas revistas, *Os Insubmissos* e *Boêmia Nova,* fundadas por estudantes de Coimbra, em 1889. No ano seguinte, Eugênio de Castro, um dos mentores desses periódicos, publica um volume de versos, *Oaristos,* enquadrado na nova estética, importada da França. Correndo paralelamente com a última mutação realista (anunciada pelo grupo de "Os Vencidos da Vida", em 1887) e com o aparecimento do Naturalismo (na pena de Abel Botelho, autor d*O Barão de Lavos,* de 1891), o movimento simbolista estendeu-se até 1915, quando, com a revista *Orpheu,* tem início o Modernismo. Ao longo de seu percurso, o Simbolismo exprimiu-se em poesia, em prosa e em teatro, mas em verdade a prosa e o teatro devem ser entendidos como departamentos ou configurações da poesia (prosa poética e teatro poético). Além de Eugênio de Castro, merecem referência os seguintes nomes: Antônio Nobre, Camilo Pessanha, João Barreira, Manuel Teixeira-Gomes, Augusto Gil, Afonso Lopes Vieira, Antônio Patrício, Carlos Malheiro Dias, Manuel Laranjeira, Raul Brandão, Júlio Dantas.

EUGÊNIO DE CASTRO

Nasceu em Coimbra, em 4/3/1869. De 1885 a 1889, faz o Curso Superior de Letras, em Lisboa, e lança alguns livros de poemas sem maior relevância: *Cristalizações da Morte* (1884), *Canções de Abril* (1884), *Jesus de Nazaré* (1885), *Per Umbram* (1887), *Horas Tristes* (1888). Terminado o curso, vai a Paris e conhece a poesia decadente e simbolista, que opera uma reviravolta nos seus valores estéticos. De retorno à terra, lidera o grupo d*Os Insubmissos* (1889) e a seguir publica *Oaristos* (1890), antecedido dum prefácio polêmico em que formula o programa da nova corrente literária. Instalado o Simbolismo em Portugal, Eugênio de Castro continua a escrever poesia, mas evolui para caminhos pouco ortodoxos em relação com a tendência que introduzira. Ingressa no magistério (secundário e superior, este, na Faculdade de Letras de Coimbra, a partir de 1914). Falece, bafejado de largo prestígio, em 17/8/1944. Escreveu, além do *Oaristos,* os seguintes livros: *Horas* (1891), *Interlúnio* (1894), *Silva* (1894), *Belkiss* (1894), *Tirésias* (1895), *Sagramor* (1895), *Salomé e Outros Poemas* (1896), *A Nereide de Harlem* (1896), *O Rei Galaor* (1897), *Saudades do Céu* (1899), *Constança* (1900), *Depois da Ceifa* (1901), *A Sombra do Quadrante* (1906), *O Filho Pródigo* (1910), *O Cavaleiro das Mãos Irresistíveis* (1916), *Canções Desta Negra Vida* (1922), *Cravos de Papel* (1922), *Descendo a Encosta* (1924), *Chamas duma Candeia Velha* (1925) e *Últimos Versos* (1938).

Un autre, plus heureux, va unir son sort à celui de mon amie. Mais quoiqu'elle trompe ainsi mes plus chères espérances, dois-je la moins aimer?

Mackenzie.

Tua frieza aumenta o meu desejo:
Fecho os meus olhos para te esquecer,
Mas quanto mais procuro não te ver,
Quanto mais fecho os olhos mais te vejo.

Humildemente, atrás de ti rastejo,
Humildemente, sem te convencer,
Antes sentindo para mim crescer
Dos teus desdéns o frígido cortejo.

Sei que jamais hei de possuir-te, sei
Que *outro,* feliz, ditoso como um rei,
Enlaçará teu virgem corpo em flor.

Meu coração no entanto não se cansa:
Amam metade os que amam com esp'rança,
Amar sem esp'rança é o verdadeiro amor.

Um sonho

Na messe, que enlourece, estremece a quermesse...
O sol, o celestial girassol, esmorece...
E as cantilenas de serenos sons amenos
Fogem fluidas, fluindo à fina flor dos fenos...

As estrelas em seus halos
Brilham com brilhos sinistros...
Cornamusas e crotalos,
Cítolas, cítaras, sistros,
Soam suaves, sonolentos,
Sonolentos e suaves,
Em suaves,
Suaves, lentos lamentos
De acentos
Graves,
Suaves...

Flor! enquanto na messe estremece a quermesse
E o sol, o celestial girassol esmorece,
Deixemos estes sons tão serenos e amenos,
Fujamos, Flor! à flor destes floridos fenos...

Soam vesperais as Vêsperas...
Uns com brilhos de alabastros,
Outros louros como nêsperas,
No céu pardo ardem os astros...

Como aqui se está bem! Além freme a quermesse...
— Não sentes um gemer dolente que esmorece?
São os amantes delirantes que em amenos
Beijos se beijam, Flor! à flor dos frescos fenos...

As estrelas em seus halos
Brilham com brilhos sinistros...
Cornamusas e crotalos,
Cítolas, cítaras, sistros,
Soam suaves, sonolentos,
Sonolentos e suaves,
Em suaves,
Suaves, lentos lamentos
De acentos
Graves,
Suaves...

Esmaece na messe o rumor da quermesse...
— Não ouves este *ai* que esmaece e esmorece?
É um noivo a quem fugiu a Flor de olhos amenos,
E chora a sua morta, absorto, à flor dos fenos...

Soam vesperais as Vêsperas...
Uns com brilhos de alabastros,
Outros louros como nêsperas,
No céu pardo ardem os astros...

Penumbra de veludo. Esmorece a quermesse...
Sob o meu braço lasso o meu Lírio esmorece...
Beijo-lhe os boreais belos lábios amenos,
Beijo que freme e foge à flor dos flóreos fenos...

As estrelas em seus halos
Brilham com brilhos sinistros...
Cornamusas e crotalos,
Cítolas, cítaras, sistros,
Soam suaves, sonolentos,
Sonolentos e suaves,
Em suaves,
Suaves, lentos lamentos
De acentos
Graves,
Suaves...

Teus lábios de cinábrio, entreabre-os! Da quermesse
O rumor amolece, esmaece, esmorece...
Dá-me que eu beije os teus morenos e amenos
Peitos! Rolemos, Flor! à flor dos flóreos fenos...

Soam vesperais as Vêsperas...
Uns com brilhos de alabastros,
Outros louros como nêsperas,
No céu pardo ardem os astros...

Ah! não resistais mais a meus ais! Da quermesse
O atroador clangor, o rumor esmorece...
Rolemos, ó morena! em contactos amenos!
— Vibram três tiros à florida flor dos fenos...

As estrelas em seus halos
Brilham com brilhos sinistros...
Cornamusas e crotalos,
Cítolas, cítaras, sistros,
Soam suaves, sonolentos,
Sonolentos e suaves,
Em suaves,
Suaves, lentos lamentos
De acentos
Graves,
Suaves...

Três da manhã. Desperto incerto... E essa quermesse?
E a Flor que sonho? e o sonho? Ah! tudo isso esmorece!
No meu quarto uma luz com lumes amenos,
Chora o vento lá fora, à flor dos flóreos fenos...*

(*Obras Poéticas,* 10 vols., Lisboa, Lumen, vol. I [1927], pp. 53, 58-61.)

Estes dois poemas, pertencentes a *Oaristos*, registram algumas das inovações simbolistas que o seu autor assinalava no prefácio à primeira edição da obra. Entretanto, no soneto ainda ressoa a voz de Camões, seja no recorte discursivo do poema (arrematando com um autêntico "fecho de ouro"), seja no conteúdo, em que certo idealismo trovadoresco divide o terreno com um sensualismo nada disfarçado; ao mesmo tempo, lembra a postura parnasiana, assumida por tantos poetas coevos, e pelo próprio Eugênio de Castro nas obras seguintes a *Oaristos.* Quanto a "Um Sonho", já se enquadra mais nos postulados simbolistas defendidos

---

* *messe* = seara, colheita; *cornamusa* = gaita de foles; *crótalo* (e não *crotalo,* exigido pela rima) = espécie de castanholas; *cítola* = cítara, instrumento de cordas; *sistro* = antigo instrumento egípcio de percussão; *cinábrio* = cinabre, mineral trigonal vermelho.

pelo poeta: malgrado o sensualismo presente, a atmosfera do poema é rarefeita, própria do caos onírico que retrata. No tocante à expressão, observa-se variada gama de expedientes formais diletos dos simbolistas, como *ecos* ("enlourece, estremece a quermesse..."), *aliterações* ("Fogem fluidas, fluindo à fina flor dos fenos..."), *refrões* ("As estrelas em seus halos", etc.; "Soam vesperais as Vêsperas..." etc.), *emprego de maiúsculas* (Flor, Lírio, Vêsperas, etc.). Percebe-se, ainda, que a composição se desenvolve em melopéia, num ritmo cantante, murmurado, flébil, tipicamente simbolista (aliança entre a Poesia e a Música). Disso Eugênio de Castro tinha plena consciência, como revela o preâmbulo de *Oaristos:* "Este livro é o primeiro que em Portugal aparece defendendo a liberdade do Ritmo contra os dogmáticos e estultos decretos dos velhos prosodistas *(Oaristos,* ed. cit., p. 22). Note-se, por outro lado, que o poeta lança mão do alexandrino, nas quadras principais de "Um Sonho", segundo uma estrutura inusitada, que explica da seguinte forma: "As Artes Poéticas ensinam a fazer o alexandrino com cesura imutável na sexta sílaba. Desprezando a regra o poeta exibe alexandrinos de cesura deslocada e alguns outros sem cesura (...) "Os alexandrinos são lançados em parelhas, mas os últimos quatro versos de cada poema têm (tal se faz nos tercetos) suas rimas cruzadas. Salvo erro, é a primeira vez que assim se corta o alexandrino" *(ibidem,* p. 23). Ergue-se, por fim, um verdadeiro luxo de rimas, "rimas raras, rutilantes" *(ibidem,* p. 24), e de vocabulário, "escolhido e variado" *(ibidem,* p. 24). Claro que, a rigor, tais novidades não constituíam monopólio do Simbolismo, porquanto o Parnasianismo acolheu algumas delas. Mais ainda: o fato de Eugênio de Castro bater forte na tecla do formalismo denuncia o pendor classicizante mal desperto na altura do *Oaristos;* é preciso aguardar por Antônio Nobre e, mais adiante, por Camilo Pessanha, para se presenciar o aparecimento das facetas "internas" do Simbolismo.

Hoje o perfume que Ela traz é frangipana.
Tem o seu rosto o ar de um lírio que se fana,
Melancolicamente, à beira duma jarra;
Seu vestido talar, duma forma bizarra,
Torrente de veludo, afaga-lhe os artelhos,
E deixa ver os seus leves chapins vermelhos,
Complicados como os femininos embustes,
Donde emergem, sutis, dois delicados fustes
Duma graça tibial que me prende e deslumbra.

Sem par, assim de pé, imóvel, na penumbra...

Venho encontrá-lA hoje alegre como nunca:
O tédio habitual, que de ordinário junca
Os seus olhos hiemais de tristeza, e confrange
Seus lábios num sorriso irônico, em alfange,
O tédio que A faz triste, o tédio que quebranta
Seu corpo longo, fino e místico, de santa,
Esse tédio fugiu e em lugar dele vejo
A alegria, assim como um inseto ou como um beijo,
Pousar na sua boca em viva alacridade.
Fala-me mansamente e sem a má vontade
Que mostrava, que tinha há pouco tempo ainda;

E sua lenta voz duma doçura infinda,
Oleosa, cristalina, amolecida e calma,
É um veludo branco a agasalhar minh'alma.

Como eu me sinto bem, vendo-A sorrir-se, vendo-A
Com seus olhos niveais fendidos em amêndoas,
Que cantam a canção do amor ao desafio!
Aquele ar de desprezo enregelado e frio,
Com que Ela me cravava os seus desdéns, mudou-se,
Transformou-se no ar mais afável, mais doce...

Feliz de mim! Bem sei o que é que A faz contente!
Tudo nEla mo diz aberta e claramente:
Foi o Amor que enfim A subjugou, o Amor
Que nos perfuma como um limoeiro em flor,
E nos embala como as águas dum regato,
O Amor, diamante preto, o Amor, o aerostato
Que nos conduz ao céu distante da Quimera,
Galeota real ou rútila galera
Que no mar da Ilusão caminha a todo o pano,
Astro que Deus mudou em sentimento humano,
Grande libertador dos cárceres estreitos,
Trepadeira de luz que trepa em nossos peitos!

Foi ele e ele só que fez este milagre!
Ele que transformou o glacial vinagre
Da sua indiferença em saboroso mel,
Foi ele que mudou a minha Flor cruel,
Ele que me fez águia, a mim rasteiro verme!
E a minha Amada ri. Em breve vai fazer-me
As suas confissões mais íntimas, contar-me
A excitação, o susto, o delicioso alarme
Que sentiu quando o meu amor A surpreendeu,
E a atração que o seu negro olhar tem pelo meu;
Vai-me dar a razão do seu desprezo antigo,
Vai pousar sobre mim seus olhos, — céus de outono,
E abandonar, sorrindo, em lânguido abandono,
Aos meus beijos febris seus dedos fuselados...
Tudo isto vai fazer a Flor dos meus cuidados!

Mas vejo que Ela hesita em começar. Tem medo
De me confiar o seu recôndito segredo,
Segredo que lhe traz o espírito em reféns...
Assim lhe falo então:
— "Dize-me o que é que tens,
"O que é que te faz rir, o que tens hoje em ti,

"Porque te vejo, Flor! como nunca te vi!
"Fala-me com verdade, abre-me esse teu seio,
"Vamos, meu doce amor, fala-me sem receio,
"Ninguém nos ouvirá, esse teu susto, vence-o..."

Depois de me fitar um instante em silêncio,
Os seus lábios boreais entreabriram-se assim:

— "O meu tédio habitual teve hoje a sua pausa,
"E, em verdade, não sei o que é que sinto em mim...
"Mas eu costumo rir como choro... sem causa..."

(*Ibidem*, pp. 54-56.)

Soneto

Numa das margens do saudoso rio
Contemplo a outra que sorri defronte:
Lá, sob o sol que baixa no horizonte,
Verdes belezas, enlevado, espio.

— "Ali (digo eu), será menos sombrio
"O viver que me põe rugas na fronte..."
E, erguendo-me, atravesso então a ponte,
Onde o vento sibila, áspero e frio.

Chego. Desilusão! Da margem verde,
Eis que o encanto, de súbito, se perde:
Bem mais bela era a margem que eu deixei!

Quero voltar atrás. Noite fechada...
E a ponte, pelas águas destroçada,
Por mais que a procurasse, não a achei!

Soneto

Carregada de aromas, vem do Oriente
Garbosa nau, que as quinas traz nas velas,
E, sentindo-lhe o olor, nereides belas
Seguem da quilha o sulco refulgente.

Mas eis que o fogo pega de repente
No profundo porão, e eis que às estrelas
Chegam as flamas rubras e amarelas,
Das quais se evola um fumo rescendente.

Ardida a carga, o galeão salvou-se
E, arca de cinzas, por manhã bem doce,
Docemente aproou em lusa enseada...

Como essa nau, ó nau da minha vida,
De perfumes largaste bem provida
Mas chegas só de cinzas carregada.*

(*Sonetos Escolhidos*, Lisboa, Clássica, 1966, pp. 109, 113.)

ANTÔNIO NOBRE

Nasceu no Porto, em 16/8/1867. Feitos os estudos básicos, segue para Coimbra a fim de estudar Direito. Desgostoso com o ambiente estudantil, refugia-se em sua "Torre de Anto". Permanecendo o desalento, vai procurar em Paris paliativos para sua sensibilidade ferida e condições para levar avante o curso interrompido. Entra em contacto com o Simbolismo francês, o que será decisivo para sua carreira poética. As composições escritas nesse tempo, reúne-as no volume *Só* (1892), publicado ainda em Paris. Formado, e já sofrendo os primeiros achaques da tuberculose, volta à Pátria, em busca de saúde e dos mitos da infância. Em vão. Muda-se para a Madeira e, de lá, para a Suíça e Nova Iorque. Regressa por fim à terra natal e falece em 18/3/1900. Deixou, além do *Só,* dois livros de poesia: *Despedidas* (1902) e *Primeiros Versos (*1921).

Memória

Ora isto, Senhores, deu-se em Trás-os-Montes
Em terras de Borba, com torres e pontes.

Português antigo, do tempo da guerra,
Levou-o o Destino pra longe da terra

Passaram os anos, a Borba voltou,
Que linda menina que, um dia, encontrou!

Que linhas fidalgas e que olhos castanhos!
E, um dia, na Igreja correram os banhos.

Mais tarde, debaixo dum signo mofino,
Pela lua-nova, nasceu um menino.

Ó mães dos Poetas! sorrindo em seu quarto,
Que são virgens antes e depois do parto!

Num berço de prata, dormia deitado,
Três moiras vieram dizer-lhe o seu fado

(E abria o menino seus olhos tão doces):
"Serás um Príncipe! mas antes... não fosses".

Sucede, no entanto, que o Outono veio
E, um dia, ela resolve ir dar um passeio.

---

* *Nereide* = divindade mitológica marítima.

Calçou as sandálias, toucou-se de flores,
vestiu-se de Nossa Senhora das Dores:

"Vou ali adiante, à *Cova,* em berlinda,
Antônio, e já volto..." E não voltou ainda!

Vai o Esposo, vendo que ela não voltava,
Vai lá ter com ela, por lá se quedava.

Ó homem egrégio! de estirpe divina,
De alma de bronze e coração de menina!

Em vão corri mundos, não vos encontrei
Por vales que fora, por eles voltei

E assim se criou um anjo, o Diabo, o *lua;*
Ai corre o seu fado! a culpa não é sua!

Sempre é agradável ter um filho Virgílio,
Ouvi estes carmes que eu compus no exílio.

Ouvi-os vós todos, meus bons Portugueses!
Pelo cair das folhas, o melhor dos meses,

Mas, tende cautela, não vos faça mal...
Que é o livro mais triste que há em Portugal!

Viagens na Minha Terra

Às vezes, passo horas inteiras
Olhos fitos nestas braseiras,
Sonhando o tempo que lá vai;
E jornadeio em fantasia
Essas jornadas que eu fazia
Ao velho Douro, mais meu Pai.

Que pitoresca era a jornada!
Logo, ao subir da madrugada,
Prontos os dois para partir:
— Adeus! adeus! é curta a ausência,
Adeus! — rodava a diligência
Com campainhas a tinir!

E, dia e noute, aurora a aurora,
Por essa doida terra fora,
Cheia de Cor, de Luz, de Som,
Habituado à minha alcova
Em tudo eu via coisa nova,
Que bom era, meus Deus! Que bom!

Moinhos ao vento! Eiras! Solares!
Antepassados! Rios! Luares!

Tudo isso eu guardo, *aqui* ficou:
Ó paisagem etérea e doce,
Depois do Ventre que me trouxe,
A ti devo eu tudo que sou!

No arame oscilante do Fio,
Amavam (era o mês do cio)
Lavandiscas e tentilhões...
Águas do rio vão passando
Muito mansinhas, mas, chegando
Ao Mar, transformam-se em leões!

Ao Sol, fulgura o Oiro dos milhos!
Os lavradores mailos filhos
A terra estrumam, e depois
Os bois atrelam ao arado
E ouve-se além do descampado
Num ímpeto aos berros: — Eh! bois!

E, enquanto a velha mala-posta,
A custo vai subindo a encosta
Em mira ao lar dos meus Avós,
Os aldeões, de longe, alerta,
Olham pasmados, boca aberta...
A gente segue e deixa-os sós.

Que pena faz ver os que ficam!
Pobres, humildes, não implicam,
Tiram com respeito o chapéu:
Outros, passando ao nosso lado,
Diziam: "Deus seja louvado!"
"Louvado seja!" dizia eu.

E, meiga, tombava a tardinha...
No chão, jogando a vermelhinha,
Outros vejo a discutir.
Carpiam, místicas, as fontes...
Água fria de Trás-os-Montes
Que faz sede só de se ouvir!

E, na subida de *Novelas,*
O rubro e gordo Cabanelas
Dava-me as guias para a mão:
Isso... queriam os cavalos!
Que eu não podia chicoteá-los...
Era uma dor de coração.

Depois, cansados da viagem,
Repousávamos na estalagem
(Que era em *Casais,* mesmo ao dobrar...)
Vinha a Sra. Ana das Dores
"Que hão de querer os meus Senhores?
Há pão e carne para assar..."

Oh! ingênuas mesas, honradas!
Toalhas brancas, marmeladas!
Vinho virgem no copo a rir...
O *cuco* da sala, cantando...
(Mas o Cabanelas, entrando,
Vendo a hora: "É preciso partir").

Caía a noute. Eu ia fora,
Vendo uma estrela que lá mora,
No Firmamento português:
E ela traçava-me o meu fado
"Serás Poeta e desgraçado!"
Assim se disse, assim se fez.

Meu pobre Infante, em que cismavas,
Por que é que os olhos profundavas
No Céu sem par do teu País?
Ias, talvez, moço troveiro,
A cismar num amor primeiro:
Por primeiro, logo infeliz...

E o carro ia aos solavancos.
Os passageiros, todos brancos,
Ressonavam nos seus gabões:
E eu ia alerta, olhando a estrada,
Que em certo sítio, na *Trovoada,*
Costumavam sair ladrões.

Ladrões! Ó sonho! Ó maravilha!
Fazer parte duma quadrilha,
Rondar, à Lua, entre pinhais!
Ser Capitão! trazer pistola,
Mas não roubando, — dando esmolas
Dependuradas dos punhais...

E a mala-posta ia indo, ia indo,
O luar, cada vez mais lindo,
Caía em lágrimas, — e, enfim,
Tão pontual, às onze e meia,
Entrava, soberba, na aldeia
Cheia de guizos, tlim, tlim, tlim!

Lá vejo ainda a nossa Casa
Toda de lume, cor de brasa,
Altiva, entre árvores, tão só!
Lá se abrem os portões gradeados,
Lá vêm com velas os criados,
Lá vem, sorrindo, a minha Avó.

E então, Jesus! quantos abraços!
— Qu'é dos teus olhos, dos teus braços,
Valha-me Deus! como ele vem!
E admirada, com as mãos juntas,
Toda me enchia de perguntas,
Como se eu viesse de Belém!

— E os teus estudos, tens-me andado?
Tomara eu ver-te formado!
Livre de Coimbra, minha flor!
Mas vens tão magro, tão sumido...
Trazes tu no peito escondido,
E que eu não saiba, algum amor?

No entanto entrava no meu quarto:
Tudo tão bom, tudo tão farto!
Que leito aquele! e a água, Jesus!
E os lençóis! rico cheiro a linho!
— Vá, dorme, que vens cansadinho.
Não adormeças com a luz!

E eu deitava-me, mudo e triste.
(— Reza também o Terço, ouviste?)
Versos, bailando dentro em mim...
Não tinha tempo de ir na sala,
De novo: — Apaga a luz! — Que rala!
Descansa, minha Avó, que sim!

Ora, às ocultas, eu trazia,
No seio, um livro, e lia, lia,
Garrett da minha paixão...
Daí a pouco a mesma reza:
— Não vás dormir de luz acesa,
Apaga a luz!... (E eu ainda... não!)

E continuava, lendo, lendo...
O dia vinha já rompendo,
De novo: — Já dormes, diz?
— Bff!.. . e dormia com a idéia
Naquela tia Dorotéia,
De que fala Júlio Dinis.

Ó Portugal da minha infância,
Não sei que é, amo-te a distância,
Amo-te mais, quando estou só...
Qual de nós não teve na Vida
Uma jornada parecida,
Ou assim, como eu, uma Avó?*

Soneto

Ó Virgens que passais, ao Sol-poente,
Pelas estradas ermas, a cantar!
Eu quero ouvir uma canção ardente,
Que me transporte ao meu perdido Lar.

Cantai-me, nessa voz onipotente,
O Sol que tomba, aureolando o Mar,
A fartura da seara reluzente,
O vinho, a Graça, a formosura, o luar!

Cantai! cantai as límpidas cantigas!
Das ruínas do meu Lar desaterrai
Todas aquelas ilusões antigas

Que eu vi morrer num sonho, como um ai...
Ó suaves e frescas raparigas,
Adormecei-me nessa voz... Cantai!

(*Só*, 10ª ed., Porto, Tavares Martins, 1955, pp. 11-12, 73-79, 150.)

Estes três poemas nos habilitam a conhecer, se não todas, pelo menos algumas das facetas principais da cosmovisão de Antônio Nobre, e que fazem dele um poeta *sui generis* e precursor da poesia moderna (cf. João Gaspar Simões, *Antônio Nobre, Precursor da Poesia Moderna*, Lisboa, Inquérito, 1939). Note-se, em qualquer dos poemas, o tom coloquial, narrativo, equivalente ao que Garrett introduzira na prosa. A poesia, em Antônio Nobre, liberta-se do espartilhamento formalista, que constitui uma força de inércia atuante em toda a Literatura Portuguesa, e ganha um à-vontade próprio de quem obedecia ao pulsar da emoção. Com efeito, poeta emocional (mas levando a emoção a um grau antes desconhecido, ao menos em vernáculo), constrói os poemas segundo uma lógica psicológica, fruto de procurar exprimir o fluxo da consciência, ou já exercitar a "linguagem automática", que viria a tornar-se apanágio dos poetas da primeira metade deste século. Daí que o "corpo" dos poemas se nos afigure composto duma série de fragmentos, ou melhor, de "manchas" ou "impressões" que se justapõem num mosaico emotivo de variegada modulação. Tudo isso é moderno; quando pouco,

---

* *lavandisca* = ave; também conhecida por *lavandeira; tentilhão* = pássaro europeu de pequeno porte.

simbolista. Entretanto, o seu conteúdo poético orienta-se conforme um vetor de sentido contrário ou destoante. Explica-se: é patente, nos três exemplos oferecidos, que o poeta vive sob o signo da tristeza ("É o livro mais triste que há em Portugal!"), da desgraça ("Serás Poeta e desgraçado!"), da saudade da infância, do lar paterno, dos pais, etc.; que cultiva, masoquistamente, o sofrimento e o gosto de pressentir desventuras; que uma onda de sentimentalismo (quase raiando pelo patético) varre as três composições. Ora, tais ingredientes remetem de pronto para o Romantismo. Aqui está: Antônio Nobre é uma sensibilidade romântica, expressa de forma ao mesmo tempo simbolista e moderna. Acontece que o Simbolismo prolonga e desenvolve o Romantismo, como sabemos. E, neste caso, não haveria surpresa no fato de ele ser, na essência, um poeta romântico. Por outro lado, sua maneira de ser romântico tendia a repetir posições estéticas ultrapassadas, em vez de adaptá-las à conjuntura coeva e desdobrá-las (como faziam os simbolistas ortodoxos). Esclarecido este ponto, entende-se-lhe o garrettismo, patente em "Viagens na Minha Terra", que reproduz, liricamente, a obra homônima do autor de *Camões,* sobretudo na antepenúltima estrofe, quando confessa: "Ora, às ocultas, eu trazia / No seio, um livro e lia, lia, / Garrett da minha paixão...". Em suma: Antônio Nobre retrocedia ao Romantismo dos começos do século XIX, em razão da sua sensibilidade refinada, desconhecida durante aquela quadra; e avançava para o futuro, pela descoberta de formas novas para revestir o velho, ou para comunicar os aspectos novos que sua intuição descortinava no velho. É um poeta que emociona sempre, pelo drama e pelo modo, entre ingênuo e divinatório, como o transmite.

Purinha

O Espírito, a Nuvem, a Sombra, a Quimera,
Que (aonde ainda não sei) neste Mundo me espera;
Aquela que, um dia, mais leve que a bruma,
Toda cheia de véus, como uma Espuma,
O Senhor Padre me dará pra mim
E a seus pés me dirá, toda corada: *sim!*
Há de ser alta como a *Torre de David,*
Magrinha como um choupo onde se enlaça a vide
E seu cabelo em cachos, cachos d'uvas,
E negro como a capa das viúvas...
(À maneira o trará das virgens de Belém
Que a Nossa Senhora ficava tão bem!)
E será uma espada a sua mão,
E branca como a neve do Marão,
E seus dedos serão como punhais,
Fusos de prata onde fiarei meus ais!
E os seus seios serão como dois ninhos,
E os seus sonhos serão os passarinhos,
E será sua boca uma romã,
Seus olhos duas Estrelinhas da Manhã!
Seu corpo ligeiro, tão leve, tão leve,
Como um sonho, como a neve,
Que hei de supor estar a ver, ao vê-la,

Cabrinhas montesas da Serra da Estrela...
E há de ser natural como as ervas dos montes
E as rolas das serras e as águas das fontes,
E há de ser boa, excepcional, quase divina,
Mais pura, mais simples, que moça e menina.
Deus, pela voz dos rouxinóis há de gabá-la
E os Rios ao passar hão de cantá-la.
Seu virgem coração há de ser tão branquinho,
Que não há neste Mundo a que igualá-lo: o linho
Que, em roca de cristal, fiava a minha Avó
Parecerá de crepe, e a neve... far-me-á dó,
Mais a farinha do moleiro e a violeta,
E a Lua para mim será como uma Preta!
Mas em que Pátria, em que Nação é que me espera
Esta Torre, esta Lua, esta Quimera?
Fui ter com minha Fada e disse-lhe: "Madrinha!
Onde haverá na Terra assim uma Rainha?"
E a minha Fada, com sua vara de encantar,
Um reino me apontou, lá baixo, ao pé do mar ...

Meninas, lindas meninas!
Qual de vós é o meu Ideal?
Meninas, lindas meninas
Do Reino de Portugal!

E no dia do meu recebimento!
Manhã cedo, com luar ainda no Firmamento,
Quando ainda no Céu não bole uma Asa,
A minha Noiva sairá de casa
Mai-la sua Mãe, mai-los seus Irmãos.
E há de sorrir, e hão de tremer-lhe as mãos...
E a sua Ama há de segui-la até à porta,
E ficará, coitada! como morta!
E há de ser triste vê-la, ao longe, ainda... olhando,
Com o avental seus olhos enxugando...
E hão de cercá-la sete Madrinhas,
Que hão de ser sete virgens pobrezinhas,
Todas contentes por estrear vestido novo!
E, ao vê-las, suas mães sorrirão dentre o Povo...
E o povo da freguesia
Esperará mais eu, no adro de *Santa Iria.*
E hão de mirar-me com seu ar curioso,
E hão de cercar-me, num silêncio respeitoso,
E eu hei de lhes falar das colheitas, da chuva,
E dir-me-ão "que já vai pintando a uva..."

E animados então (o Povo é uma criança!)
Porque o Senhor Doutor lhes deu confiança,
"Que Deus o ajude" dirá um, e o Regedor:
"Vá coa Graça de Nosso Senhor!"
E eu hei de agradecer, sorrir, gostar.
Mas o Anjo, no entanto, não deve tardar...
E dentre o grupo exclamará um Velho, então:
"Já nasce o dia!" eu olharei... mas não:
É a minha Noiva que parece dia,
Luzente como a cal de *Santa Iria*!
E, ao vê-la tão branca, de branco vestida,
Ao longe, ao longe, hei de cuidar ver uma Ermida!
E dirá o Pastor, com espanto tamanho,
Que é uma Ovelha que fugiu do seu rebanho!
E o João Maluco dirá que é o Luar de Janeiro!
E o Pescador explicará ao bom Moleiro
Que é tal qualzinha a sua Lancha pelo Mar!
E o Moleiro dirá que é o seu Moinho a andar!
Que assim já foram as velhinhas cismarão,
E as netas, coitadas! que, um dia, o serão...
Mas o Anjo assomará, à porta da capela,
E eu branco e trêmulo hei de ir ter com ela.
E a Estrela deitar-me-á a bênção dos seus olhos
E uma aldeã deitar-lhe-á violetas, aos molhos!
E a Bem-Amada entrar na igreja há de...
E há de casar-nos o Sr. Abade.
E, em seguida, será a nossa boda,
E festas haverá, na aldeia toda.
E as mais raparigas do sítio, solteiras,
Hão de bailar bailados sobre as eiras,
Com *trinta moedas* de oiro sobre o peito!
E cantigas dirão a seu respeito.
E a Noiva em glória, perpassando nas janelas,
Sorrirá com simplicidade para elas.
E a noite, pouco e pouco, descerá...
E tudo acabará.
E depois e depois, o Anjo há de se ir deitar,
E a sua Mãe há de a abraçar... E hão de chorar!
E a sua alcova deitará sobre o jardim,
Onde uma fonte correrá, entre alecrim:
E, ao ouvi-la cantar, deitadinha na cama,
O Anjo adormecerá, cuidando que é a sua Ama...
Mas qual a vila, qual a aldeia, qual a serra
Que este Palácio de Ventura encerra?

Fui ter com minha Fada e disse-lhe: "Madrinha!
Acaso nunca te mentiu tua varinha?"
E a minha Fada com sua vara de condão
Nos ares escreveu com três estrelas: "Não!"

Meninas, lindas meninas!
Qual de vós é o meu Ideal?
Meninas, lindas meninas
Do Reino de Portugal!

O nosso Lar:
Minha Madrinha, ajuda-me a sonhar!
Que a nossa casa se erga dentre uma eminência,
Que seja tal qual uma residência,
Alegre, branca, rústica, por fora.
Que digam: "É o Sr. Abade que ali mora."
Mas no interior ela há de ser sombria,
Como eu com esta melancolia:
E salas escuras, chorando saudades...
E velhos os móveis, de antigas idades...
(E, assim, me iluda e, assim, cuide viver
Noutro século em que eu deveria nascer.)
E nas paredes telas de Parentes...
E janelas abertas sobre os poentes...
(E a Quimera lerá o seu livro de rezas...)
E cravos vermelhos por cima das mesas...
E o relógio dará as horas devagar,
Como as palpitações de quem se vai finar...
E, o dia todo, neste claustro e solidão,
Passarei a esquecer, ao canto do fogão;
E a cismar e a cismar sem que me veja alguém
Na Dor, na Vida, em Deus, nos mistérios do *Além*?
E eu o Astrólogo, o Bruxo, o Aflito, o Médio,
Rogarei aos Espíritos remédio
E um bom Espírito virá tratar do Doente
E há de fugir com susto a outra gente.
E a Noite descerá, pouco e pouco, no entanto,
E a Noite embrulhará o Aflito no seu manto!
Mas a Purinha, então, vindo da rua,
Toda de branco surgirá, como uma Lua!
E, ao vê-la, acordarei, meu Deus de França!
E pela mão me levará, como uma criança.
E eu pálido! e eu tremendo! e o Anjo pelo caminho,
"Não te aflijas..." dirá, baixinho...
E, assim, será piedosa para os mais:

E há de entrar na miséria dos casais,
Nos montes mais altos, nos sítios mais ermos,
E será a Saúde dos Enfermos!
E, quando pela estrada encontrar um velhinho
Todo suado, carregadinho,
(Louvado seja Nosso Senhor!)
Há de tirar seu lenço e ir enxugar-lhe o suor!
E às aves, em prisão, abrirá as gaiolas.
E, aos sábados, o dia das esmolas,
A Santa descerá ao patamar da escada,
(Envolta, sem saber, numa capa estrelada)
Esmolas distribuindo a este e àquele: e aos ceguinhos
E mais aos aleijadinhos,
Mais aos que deitam sangue pela boca,
Mais aos que vêm cantar, numa rabeca rouca,
Amores, Naufrágios e *A Nau Catrineta,*
Mais aos Aflitos que andam no Planeta,
Mais às viúvas dos Degredados...
E tudo seja pelos meus pecados!
E há de coser (serão os remendos de flores)
As velas rotas dos pescadores
E a luz do seu olhar benzerá essas velas
E nunca mais hão de rasgar-lhas as procelas!
E acenderá os círios ao Senhor,
(Que sejam como ela no talhe e na cor)
Quando houver temporal... e eu virei pra sacada
Ver os relâmpagos, ouvir a trovoada!
E nisto só resumir-se-á a sua vida:
Vestir os Nus, aos Pobres dar guarida,
Falar à alma que na angústia se consome,
Dar de comer a quem tem fome,
Dar de beber a quem tem sede...
E, lá, do Alto, Jesus dirá aos Homens: "Vede..."
E eu hei de em minhas obras imitá-la
E amá-la como à Virgem e adorá-la.
E a Virgem há de encher com a mesma paixão
As marés-vazas deste pobre coração
Que tanto teve e que hoje nada tem,
Nem mesmo aquilo que vós tendes, Mãe.
E será a Mamã que me há de vir criar,
Admirável Joaninha d'Arc,
Meu novo berço duma Vida nova!
E há de ir comigo para a mesma cova,
Pois que no dia em que eu morrer

Veneno tomará, numa colher...
Mas em que sítio, aonde? aonde, é que se esconde
Esta Bandeira, esta Índia, este Castelo, aonde? aonde?
Fui ter com minha Fada, e disse-lhe: "Madrinha!
Mas pode haver, assim, na Terra uma Purinha?"
E a minha Fada com sua vara de marfim
Nos ares escreveu com três estrelas: "Sim!"

Meninas, lindas meninas!
Qual de vós é o meu Ideal?
Meninas, lindas meninas
Do Reino de Portugal!

Menino e Moço

Tombou da haste a flor da minha infância alada.
Murchou na jarra de ouro o pudico jasmim:
Voou aos altos Céus a pomba enamorada
Que dantes estendia as asas sobre mim.

Julguei que fosse eterna a luz dessa alvorada,
E que era sempre dia, e nunca tinha fim
Essa visão de luar que vivia encantada,
Num castelo com torres de marfim!

Mas, hoje, as pombas de ouro, as aves da minha infância,
Que me enchiam de Lua o coração, outrora,
Partiram e no Céu evolam-se, a distância!

Debalde clamo e choro, erguendo aos Céus meus ais:
Voltam na asa do Vento os ais que a alma chora,
Elas, porém, Senhor! elas não voltam mais...

(*Ibidem,* pp. 43-49, 139.)

CAMILO PESSANHA

Nasceu em Coimbra, em 7/9/1867. Filho natural de um estudante e de uma moça do povo, escreve seu primeiro poema ("Lúbrica") em 1885. Entre 1887 e 1891 cursa Direito na Universidade de sua cidade natal. Formado, em 1894 segue para o Oriente (Macau), na qualidade de professor de liceu; trava amizade com Venceslau de Morais. Orientaliza-se, vicia-se em ópio. Ingressa no funcionalismo público (1900), como Conservador do Registro Predial. Publica poemas em jornais de província. Visita Portugal algumas vezes. Numa delas (1915), dita a João de Castro Osório composições suas, que viriam a ser coletadas no volume *Clépsidra,* aparecido em 1920. Falece em Macau, em 1/3/1926. Em 1944, é publicado um volume de artigos seus referentes à cultura chinesa, sob o título de *China.*

Inscrição

Eu vi a luz em um país perdido.
A minha alma é lânguida e inerme.
Oh! Quem pudesse deslizar sem ruído!
No chão sumir-se, como faz um verme...

Caminho

I

Tenho sonhos cruéis; n'alma doente
Sinto um vago receio prematuro.
Vou a medo na aresta do futuro,
Embebido em saudades do presente...

Saudades desta dor que em vão procuro
Do peito afugentar bem rudemente,
Devendo, ao desmaiar sobre o poente,
Cobrir-me o coração dum véu escuro!...

Porque a dor, esta falta d'harmonia,
Toda a luz desgrenhada que alumia
As almas doidamente, o céu d'agora,

Sem ela o coração é quase nada:
Um sol onde expirasse a madrugada,
Porque é só madrugada quando chora.

II

Encontraste-me um dia no caminho
Em procura de quê, nem eu o sei.
— Bom dia, companheiro — te saudei,
Que a jornada é maior indo sozinho.

É longe, é muito longe, há muito espinho!
Paraste a repousar, eu descansei...
Na venda em que pousaste, onde pousei,
Bebemos cada um do mesmo vinho.

É no monte escabroso, solitário.
Corta os pés como a rocha dum calvário,
E queima como a areia!... Foi no entanto

Que choramos a dor de cada um...
E o vinho em que choraste era comum:
Tivemos que beber do mesmo pranto.

III

Fez-nos bem, muito bem, esta demora:
Enrijou a coragem fatigada...
Eis os nossos bordões da caminhada,
Vai já rompendo o sol: vamos embora.

Este vinho, mais virgem do que a aurora,
Tão virgem não o temos na jornada...
Enchamos as cabaças: pela estrada,
Daqui inda este néctar avigora!...

Cada um por seu lado!... Eu vou sozinho,
Eu quero arrostar só todo o caminho,
Eu posso resistir à grande calma!...

Deixai-me chorar mais e beber mais,
Perseguir doidamente os meus ideais,
E ter fé e sonhar — encher a alma.

Soneto

Ó meu coração, torna para trás.
Onde vais a correr, desatinado?
Meus olhos incendidos que o pecado
Queimou... volvei; longas noites de paz.

Vergam da neve, os olmos dos caminhos.
A cinza arrefeceu sobre o brasido.
Noites da serra, o casebre transido...
— Cismai, meus olhos, como dois velhinhos...

Extintas primaveras evocai-as:
— Já vai florir o pomar das macieiras.
Hemos de enfeitar os chapéus de maias —

Sossegai, esfriai, olhos febris.
— E hemos de ir cantar nas derradeiras
Ladainhas... Doces vozes senis...

Soneto

Quem poluiu, quem rasgou os meus lençóis de linho,
Onde esperei morrer, — meus tão castos lençóis?
Do meu jardim exíguo os altos girassóis
Quem foi que os arrancou e lançou no caminho?

Quem quebrou (que furor cruel e simiesco!)
A mesa de eu cear, — tábua tosca de pinho?

E me espalhou a lenha? E me entornou o vinho?
— Da minha vinha o vinho acidulado e fresco...

Ó minha pobre mãe!... Não te ergas mais da cova.
Olha a noite, olha o vento. Em ruína a casa nova...
Dos meus ossos o lume a extinguir-se breve.

Não venhas mais ao lar. Não vagabundes mais.
Alma da minha mãe... Não andes mais à neve,
De noite a mendigar às portas dos casais.

Soneto

Foi um dia de inúteis agonias.
Dia de sol, inundado de sol!...
Fulgiam nuas as espadas frias...
Dia de sol, inundado de sol!...

Foi um dia de falsas alegrias.
Dália a esfolhar-se, — o seu mole sorriso...
Voltavam os ranchos das romarias.
Dália a esfolhar-se, — o seu mole sorriso...

Dia impressível mais que os outros dias.
Tão lúcido... Tão pálido... Tão lúcido!...
Difuso de teoremas, de teorias...

O dia fútil mais que os outros dias!
Minuete de discretas ironias...
Tão lúcido... Tão pálido... Tão lúcido!...

Soneto

Imagens que passais pela retina
Dos meus olhos, por que não vos fixais?
Que passais como a água cristalina
Por uma fonte para nunca mais!...

Ou para o lago escuro onde termina
Vosso curso, silente de juncais,
E o vago medo angustioso domina,
— Por que ides sem mim, não me levais?

Sem vós o que são os meus olhos abertos?
— O espelho inútil, meus olhos pagãos!
Aridez de sucessivos desertos...

Fica sequer, sombra das minhas mãos,
Flexão casual de meus dedos incertos,
— Estranha sombra em movimentos vãos.

*
* *

Chorai, arcadas
Do violoncelo!
Convulsionadas,
Pontes aladas
De pesadelo...

De que esvoaçam,
Brancos, os arcos...
Por baixo passam,
Se despedaçam,
No rio, os barcos.

Fundas, soluçam
Caudais de choro...
Que ruínas, (ouçam)!
Se se debruçam,
Que sorvedouro!...

Trêmulos astros...
Soidões lacustres...
— Lemes e mastros...
E os alabastros
Dos balaústres!

Umas quebradas!
Blocos de gelo...
— Chorai, arcadas,
Despedaçadas,
Do violoncelo.

(*Clépsidra,* Lisboa, Ática, 1945, pp. 31, 35-40, *Clepsydra,* Campinas, Unicamp, 1994, pp. 43-44, 65-66, 71-72, 77-78, 103-104.)

Se Antônio Nobre pode ser classificado de romântico retardatário, Camilo Pessanha é o exemplo acabado de poeta simbolista, como atestam limpidamente as peças transcritas. Embora se desligue de todo compromisso com o passado lusíada, continua profundamente preso às raízes étnicas e culturais. Por outras palavras, a tradição lírica de Portugal não o inibiu nem lhe condicionou a dicção. Esta, dir-se-ia brotar duma inconfundível fonte íntima e pessoal. Por certo que sua origem ("Quem poluiu, quem rasgou os meus lençóis de linho") e a vida no Oriente devem ter colaborado para que formulasse sua visão do mundo, mas são insuficientes para explicá-la totalmente: para tanto, há que recorrer às características peculiares à sua individualidade. Assim, a emoção não irrompe exclusiva nem predominante na poesia de Camilo Pessanha (como se verifica na de Antônio Nobre); ao contrário, enriquece-se com uma tensão de nervos, a que somente falta o pertinaz trabalho da inteligência para se tornar moderna de todo. De qualquer modo, o poeta progride no sentir e no esboçar um pensamento em torno das sensações, e na forma empregada para o dizer, a meio caminho para chegar a Fernando Pessoa e Mário de Sá-Carneiro, que, aliás, dele recolheram algumas lições (compare-se a sintaxe de "a mesa de eu cear" com o estilo desses dois poetas). Esse progresso se manifesta pela coerência entre o desconexo da forma e o desconexo da vida mental que nela se corporifica (note-se o soneto "Foi um dia de inúteis agonias"). Como que desintegrado interiormente, o poeta entrevê o Universo estilhaçado em espasmos de som, de luz, de cor, — de sensação —, ou como se o espaço fosse o reino do caos, onde bóiam farrapos de seres, coisas e sensações, tudo de mistura. Daí a Dor, "essa falta d'harmonia", ser-lhe o tema fundamental, pois "sem ela o coração é quase nada". Note-se, de um lado, que o pan-sofrimento pode estar vinculado ao pessimismo de Schopenhauer; e, de outro, que não se trata de dor amorosa, mas de dor existencial, madura, adulta, viril, — Dor com maiúscula. Ao mesmo tempo, repare-se que o poeta aprofunda a análise do órgão em que ela se localizaria, o coração, e procede dum modo que antecipa nitidamente Fernando Pessoa ("O meu coração, torna para trás"). É dessa Dor existencial que provém o horror, ou a náusea, ou medo da vida ("Sinto um vago receio prematuro. / Vou a medo na aresta do futuro"), que cedo se converte em niilismo, desgosto de viver, ânsia de evasão (para fugir à Dor), num aniquilamento búdico: "Oh! Quem pudesse deslizar sem ruído! / No chão sumir-se, como faz um verme... ". Tudo isso se ajusta como luva na estética simbolista; mas, como se não bastasse, ainda encontramos a musicalidade evanescente e pura, à Verlaine ("Chorai, arcadas") para completar o quadro. A guisa de conclusão: pelos poemas que acabamos de ler, parece imediato considerar Camilo Pessanha um dos principais poetas da Literatura Portuguesa.

Estátua

Cansei-me de tentar o teu segredo:
No teu olhar sem cor, — frio escalpelo, —
O meu olhar quebrei, a debatê-lo,
Como a onda na costa dum rochedo.

Segredo dessa alma e meu degredo
E minha obsessão! Para bebê-lo
Fui teu lábio oscular, num pesadelo,
Por noites de pavor, cheio de medo.

E o meu ósculo ardente, alucinado,
Esfriou sobre o mármore correto
Desse entreaberto lábio gelado...

Desse lábio de mármore, discreto,
Severo como um túmulo fechado,
Sereno como um pélago quieto.

Fonógrafo

Vai declamando um cômico defunto,
Uma platéia ri, perdidamente,
Do bom jarreta... E há um odor no ambiente
A cripta e a pó, — do anacrônico assunto.

Muda o registo, eis uma barcarola:
Lírios, lírios, águas do rio, a lua...
Ante o Seu corpo o sonho meu flutua
Sobre um paul, — extática corola.

Muda outra vez: gorjeios, estribilhos
Dum clarim de oiro — o cheiro de junquilhos,
Vívido e agro! — tocando a alvorada...

Cessou. E, amorosa, a alma das cornetas
Quebrou-se agora orvalhada e velada.
Primavera. Manhã. Que eflúvio de violetas!

Soneto

Desce em folhedos tenros a colina:
— Em glaucos, frouxos tons adormecidos,
Que saram, frescos, meus olhos ardidos,
Nos quais a chama do furor declina...

Oh vem, de branco, — do imo da folhagem!
Os ramos; leve, a tua mão aparte.
Oh vem! Meus olhos querem desposar-te,
Refletir-te virgem a serena imagem.

De silva doida uma haste esquiva
Quão delicada te osculou num dedo
Com um aljôfar cor de rosa viva!...

Ligeira a saia... Doce brisa impele-a...
Oh vem! De branco! Do imo do arvoredo...
Alma de silfo, carne de camélia...

Soneto

Desce por fim sobre o meu coração
O olvido. Irrevogável. Absoluto.
Envolve-o grave como véu de luto.
Podes, corpo, ir dormir no teu caixão.

A fronte já sem rugas, distendidas
As feições, na imortal serenidade,
Dorme enfim sem desejo e sem saudade
Das coisas não logradas ou perdidas.

O barro que em quimera modelaste
Quebrou-se-te nas mãos. Viça uma flor...
Pões-lhe o dedo, ei-la murcha sobre a haste...

Ias andar, sempre fugia o chão,
Até que desvairavas, do terror.
Corria-te um suor, de inquietação...

Soneto

Floriram por engano as rosas bravas
No inverno: veio o vento desfolhá-las...
Em que cismas, meu bem? Por que me calas
As vozes com que há pouco me enganavas?

Castelos doidos! Tão cedo caístes!...
Onde vamos, alheio o pensamento,
De mãos dadas? Teus olhos, que um momento
Perscrutaram nos meus, como vão tristes!

E sobre nós cai nupcial a neve,
Surda, em triunfo, pétalas, de leve
Juncando o chão, na acrópole de gelos...

Em redor do teu vulto é como um véu!
Quem as esparze — quanta flor! — do céu,
Sobre nós dois, sobre os nossos cabelos?

Soneto

Passou o outono já, já torna o frio...
— Outono de seu riso magoado.
Álgido inverno! Oblíquo o sol, gelado...
— O sol, e as águas límpidas do rio.

Águas claras do rio! Águas do rio,
Fugindo sob o meu olhar cansado,
Para onde me levais meu vão cuidado?
Aonde vais, meu coração vazio?

Ficai, cabelos dela, flutuando,
E, debaixo das águas fugidias,
Os seus olhos abertos e cismando...

Onde ides a correr, melancolias?
— E, refratadas, longamente ondeando,
As suas mãos translúcidas e frias...

Soneto

Tatuagens complicadas do meu peito:
— Troféus, emblemas, dois leões alados...

Mais, entre corações engrinaldados,
Um enorme, soberbo, amor-perfeito...

E o meu brasão... Tem de oiro, num quartel
Vermelho, um lis; tem no outro uma donzela,
Em campo azul, de prata o corpo, — aquela
Que é no meu braço como que um broquel.

Timbre: rompente, a megalomania...
Divisa: um ai, — que insiste noite e dia
Lembrando ruínas, sepulturas rasas...

Entre castelos serpes baralhantes,
E águias de negro, desfraldando as asas,
Que realça de oiro um colar de besantes!

Ao Longe os Barcos de Flores

Só, incessante, um som de flauta chora,
Viúva, grácil, na escuridão tranqüila,
— Perdida voz que de entre as mais se exila,
— Festões de som dissimulando a hora.

Na orgia, ao longe, que em clarões cintila
E os lábios, branca, do carmim desflora...
Só, incessante, um som de flauta chora,
Viúva, grácil, na escuridão tranqüila.

E a orquestra? E os beijos? Tudo a noite, fora
Cauta, detém. Só modulada trila
A flauta flébil... Quem há-de remi-la?
Quem sabe a dor que sem razão deplora?

Só, incessante, um som de flauta chora...

(*Ibidem*, pp. 41-42, 49-50, 51-52, 53-54, 63-64, 67-68, 73-74, 105.)

AUGUSTO GIL

Augusto César Ferreira Gil nasceu no Porto, em 31/7/1873. Formou-se em Direito, em Coimbra. Faleceu em Lisboa, em 26/3/1929. Escreveu prosa e poesia: *Versos* (1898), *O Canto da Cigarra* (1910), *Luar de Janeiro* (1910), *Gente de Palmo e Meio* (1913), *Sombra de Fumo* (1915), *Alba Plena, Vida de Nossa Senhora* (1916), *O Craveiro da Janela* (1920), *Avena Rústica* (1927), *Rosas Desta Manhã* (1930).

Luar de Janeiro

Luar de janeiro,
Fria claridade...

A luz dele foi talvez
Que primeiro
A boca dum português
Disse a palavra saudade...

Luar de platina;
Luar que alumia
Mas que não aquece,
Fotografia
De alegre menina
Que há muitos anos já... envelhecesse.

Luar de janeiro,
O gelo tornado
Luminosidade...
Rosa sem cheiro,
Amor passado
De que ficou apenas a amizade...

Luar das nevadas,
Álgido e lindo,
Janelas fechadas,
Fechadas as portas,
E ele fulgindo,
Límpido e lindo,
Como boquinhas de crianças mortas.
Na morte geladas
— E ainda sorrindo...

Luar de janeiro,
Luzente candeia
De quem não tem nada,
— Nem o calor dum braseiro,
Nem pão duro para a ceia,
Nem uma pobre morada...

Luar dos poetas e dos miseráveis...
Como se um laço estreito nos unisse,
São semelháveis
O nosso mau destino e o que tens;
De nós, da nossa dor, a turba — ri-se
— E a ti, sagrado luar... ladram-te os cães!

(*Luar de Janeiro*, 9ª ed., Lisboa, Ática, 1945, pp. 11-13.)

Poeta fácil e popular, como se nota neste poema, que é dos mais conhecidos de quantos escreveu, Augusto Gil representa, na ala poética que teve n*Os Simples* seu modelo próximo, a fusão entre o lirismo ingênuo, de remota raiz medieval, e a melopéia esvoaçante e translúcida procurada pelos simbolistas. A neve e a saudade, pólos líricos deste "Luar de Janeiro", constituem dois de seus motivos permanentes: o primeiro, sugerido pela moda decadente e simbolista, e o segundo, explicável pelo psiquismo português.

AFONSO LOPES VIEIRA

Nasceu em Leiria, em 26/1/1878. Após terminar o curso de Direito em Coimbra (1900), entrou a desenvolver campanhas civilistas, que lhe deram amplo renome (acerca do teatro de Gil Vicente, a educação infantil, etc.), ao mesmo tempo que ia publicando suas obras. Faleceu em Lisboa, em 25/1/1946. Escreveu: *Para quê?* (1897), *Náufrago* (1898), *Auto da Sebenta* (1899), *O Poeta Saudade* (1901), *O Encoberto* (1905), *Ar Livre* (1906), *O Pão e as Rosas* (1908), *Canções do Vento e do Sol* (1911), *Ilhas de Bruma* (1917), *País Lilás, Desterro Azul* (1922), *Onde a Terra se Acaba e o Mar Começa* (1940).

Onde a Terra se Acaba e o Mar Começa

Os Lusíadas, III, 20.

Onde a terra se acaba e o mar começa
é Portugal;
simples pretexto para o litoral,
verde nau que ao mar largo se arremessa.

Onde a terra se acaba e o mar começa
a Estremadura está,
com o Verde pino que em glória floresça,
mosteiros, castelos, tanta pátria ali há!

Onde a terra se acaba e o mar começa
há uma casa onde amei, sonhei, sofri;
encheu-se-me de brancas a cabeça
e, debruçado para o mar, envelheci...

Onde a terra se acaba e o mar começa
é a bruma, a ilha que o Desejo tem;
e ouço nos búzios, té que o som esmoreça,
novas da minha pátria — além, além!...

(*Onde a Terra se Acaba e o Mar Começa*, Lisboa, Bertrand, 1940, p. 11.)

Afonso Lopes Vieira representa, como se vê, a faceta nacionalista do Simbolismo português. Assim, as marcas da estética simbolista, como o gosto do vago, o pressentimento do transcendental, a musicalidade, etc., se esbatem sobre um painel psicológico composto pela tradição, aquela que o poeta considerava a mais autêntica tradição lusitana. Daí o glosar Camões e assumir uma extrema atitude patriótica e saudosista: na verdade, o "além" ansiado por ele situava-se atrás e não à frente. Em suma, Afonso Lopes Vieira alista-se entre os poetas da saudade que pontilham a evolução literária portuguesa, e leva adiante a sentimentalidade característica de Antônio Nobre.

ANTÔNIO PATRÍCIO

Nasceu no Porto, em 7/3/1878. Após estudos de Matemática e de cursar a Escola Naval (Lisboa), formou-se pela Escola Médica de sua cidade natal, em 1908, mas dedicou-se a vida toda à carreira diplomática. Faleceu em Macau, em 4/6/1930. Escreveu: *Oceano,* poesia (1905), *O Fim,* prosa e verso (1909), *Serão Inquieto,* contos (1910), *Pedro o Cru,* drama (1910), *Dinis e Isabel,* "conto de vitral em cinco atos" (1919), *D. João e a Máscara,* "fábula trágica" (1924), *Poesias* (1942), *Poesias Completas* (1989).

A Neve

Feeria nupcial! A neve, a neve,
alegrissimamente vai caindo.
A nossa dor é um elfo que nos segue:
tudo cristalizou num riso lindo.

Lembra um conto de fadas a paisagem:
jardins e parques, casas, estão dormindo;
e no seu sonho, pueril miragem,
a neve vai caindo, vai caindo.

Mas que jardins se esfolham pela altura? ...
É a espuma dum mar pr'além das nuvens
ou um Outono místico de alvura? ...

É um Abril de pureza: — é lindo, lindo,
Sinto-me estonteado de brancura:
os mortos mesmo devem estar sorrindo.

(*Poesias Completas*, Assírio e Alvim, 1989, p. 152.)

Antônio Patrício, cujo talento não alcançou ainda todo o reconhecimento que merece, acentua ainda mais que Augusto Gil a rarefação e o lirismo emocional típicos do Simbolismo. Efetivamente, este soneto, talvez sua obra-prima poética, diz bem da densidade lírica atingida: a neve, que vimos presente em Augusto Gil dum modo quase convencional, ganha agora uma como transcendência e luminosidade. Dir-se-ia que a neve se poeticiza, e o poema se arma em torno de uma série de "impressões" que a paisagem (a lembrar "um conto de fadas") lhe sugere. Um autêntico frêmito lírico percorre as quatro estrofes, que fluem como se as palavras se tornassem música de câmara. Guiado por uma visão estética do mundo, Antônio Patrício difere de Camilo Pessanha por falta de tensão de nervos, e de Augusto Gil por falta de popularismo, mas se perde ao primeiro em grandeza estética, sobreleva facilmente o segundo, e guarda condições reais para sair de vez do ostracismo em que jaz.

Certo Herói...

Não sei quem sou, e muitas vezes penso,
com uma tristeza, um desespero imenso,

em certo herói que tem o meu olhar,
e que me vem, e que me vem falar...

Dele sei tudo: diz-me a sua vida
numa noite de conto tão comprida,

com uma graça tal, e de tal sorte,
que o vem beijar, maravilhada, a Morte.

Mas ele volta e se esse beijo o gela,
renasce, e a fala é cada vez mais bela...

A Morte vem ouvir, nunca se cansa:
gosta de contos como uma criança...

E ao vê-lo partir, olhos em mim,
diz-me baixinho, e com doçura, assim:

— "Tu não sabes quem é: é a tua vida
que se prolonga sempre em despedida..."

Mas eu volvi-lhe: — "Não me lembro dela,
Não pode ser a minha assim tão bela.

Em que planeta foi, que Primavera,
em que reino de lúcida Quimera?...

E vive sempre, nem tu mesmo a gelas:
em que jardins, em que encantadas velas,

em que mar's em que mar's rolando espumas,
em que cidades místicas de brumas?...

Se é certo o que me diz aquela fala,
é esta vida então que é a minha vala."

A Morte não responde: aponta, lassa...
— Figura de vitral, ei-lo que passa!

Parsifal

Sinos de Monsalvat... É sexta-feira santa.
Oh! Como os oiço em mim repercutindo,
melodia de argento que mal canta
sobre o silêncio que se vai florindo.

Como os perfumes no ar pascal, rezar:
rezar, rezar: já Parsifal regressa;
negra armadura, vem como a sonhar,
a lança para o chão, viseira espessa.

Como um Quixote místico, estremece...

Crava a lança no chão e, extasiado,
tira os guantes férreos, cai em prece.

E Kundry a olhá-lo — já se transfigura —
tem bálsamo da Arábia ali guardado
com que há-de ungi-lo para a Vida pura.

Jardins de Klingsor

Wo ist mein Freund?
Die Blumen Mädchen.

Parsifal — WAGNER

Flores do jardim, oh! vinde vós ungir-me,
ungi-me para a vida e para a morte;
ó onda de perfume a diluir-me,
vaga do ar rolando a minha sorte.

Sonho os jardins de Klingsor... Bailando
vêm, sem pisar, as raparigas-flores...
E mais e mais: o ar vai-se espasmando
— Chovem pétalas sobre as minhas dores!

"O meu amigo?... O meu amor?... Aquele?..."
(a ronda dos perfumes vai dizendo.)
"vejo-o e não sei... não sei... Onde está ele?..."

E a cada instante mais, seios a arfar,
vão por entre as folhagens redizendo:
"O meu amigo?... Aquele?...", sem me olhar.

Regresso

As janelas da casa em que eu nasci
já não sabem quem sou, não me conhecem.
Há cem outonos de alma que parti:
os longes de paisagem reverdecem.

A um canto, como outrora, o meu espectro,
o meu espectro de criança ainda,
cisma em reinos de fadas, tem o cetro
contra a blusa de linho que o alinda.

Outros espectros vêm meigamente...
Mas só este agora me hipnotiza,
fechado em sua cisma, inconsciente.

E eu, que tinha vontade de beijá-lo,
quedo, gelado: temo até que a brisa
ou que um murmúrio de erva vá acordá-lo.

Noite

Devagarinho, vá, devagarinho,
Toma nas tuas mãos como num berço
O meu orgulho, e deita-o no bom linho
Dessa piedade em que me quero imerso.

Aqui tens o teu deus: — um pobrezinho...
Que importa! Um gesto teu é um lindo verso;
E o teu amor vai dar-lhe o pão e o vinho
E todo o oiro que há no céu disperso.

Aqui me tens à porta da tua alma...
Vem abrir, vem abrir: ia a passar
Quando senti na noite o teu perfume...

Aqui me tens à porta da tua alma.
Mas tu não ouves: só me entende o mar
E uma nuvem, além, naquele cume.

(*Ibidem*, pp. 77-78, 134, 135, 153, 158.)

MANUEL LARANJEIRA

Nasceu em Vergada (Vila da Feira, distrito de Aveiro), em 17/9/1877. Formou-se em Medicina pela Escola Médico-Cirúrgica do Porto (1904). Em 1907, defendeu tese com a *Doença da Santidade.* Já nos tempos de estudante se lhe havia revelado o temperamento polêmico combativo, que a sífilis, contraída nessa altura, progressivamente acentuou. Conferencista e jornalista aguerrido, foi-se deixando abater pela melancolia, até chegar ao suicídio, em Espinho, em 22/2/1912. De sua copiosa produção, em grande parte esparsa em jornais ou inédita, publicaram-se os seguintes volumes: *Comigo,* poesia (1912), *Cartas* (1943), *O Pessimismo Nacional,* ensaio (1955), *Diário Íntimo* (1957), *Prosas Perdidas* (1958) e *Amanhã,* teatro (1902).

Aos Amigos

Eis a verdade do que sinto e penso:
quero crer, quero amar a vida, alguém...
e (eis por que sou um desgraçado imenso)
não posso crer, nem posso amar ninguém.

Crer em quê? amar o quê?
Descrer é não poder amar...
A vida, pra vivê-la,
não deve nunca ser compreendida;
a vida, se chegamos a entendê-la,
até nos envenena com a própria fé...
Crer em quê? Amar o quê?
Não ama quem já não crê...

Eu tinha um'alma crente, a vida envenenou-a,
(deixá-la envenenar!):
o amor matou-me a fé no amor, matou-a...
— e já não posso crer, nem posso amar...
Às vezes quero amar, desejo crer
que a vida ainda é bela e justa e boa;
mas debalde... E, pra esquecer,
sofregamente ponho-me a viver
para que a Dor me esqueça,
— como alguém que bebe à toa
... para cair mais depressa.

Crer em quê? amar o quê?
se tudo quanto existe é imperfeito e vão?
Às vezes tento iludir-me;
mas, quando a minha fé parece firme,
reconheço que estou a amar sem fé...
É então
que me ponho a rezar esta oração
desesperada e triste (como aquela
que reza quem já não crê):
— Bendita seja a ilusão,
e bem-aventurados... os que crêem nela.

E eis aqui por que sou tão desgraçado:
— porque não posso amar, nem posso crer...
E vale a pena viver
assim envenenado,
sem uma gota d'água que conforte
tanta sede? Não vale... Mas enfim
que remédio senão viver assim,
se também... iá não tenho fé na morte!

(*Comigo*, Porto [1923], pp. 79-81.)

*

Quinta, 8 de Outubro.

Sinto a desolação horrível, trágica de quem já não pode iludir-se com nada e encontra em quanto existe a infinita miséria. E sinto a verdade daquelas palavras que às vezes digo como uma síntese do meu estado de espírito:

— Sofro da horrível desgraça do homem que olha para a vida e sente que já não pode ser enganado...

Sexta, 9 de Outubro.

A Augusta, disse-me hoje:

— Não estejas triste! — Sorrio-me com mais tristeza ainda e ela diz-me: — Ah! quem me dera entrar dentro desse coração e tirar-lhe toda a tristeza que ele lá tem! Beijar-te os olhos e beber-te toda essa tristeza que tanto tos enegrece! Tenho a impressão que esses olhos andam de luto pela que morreu... que a tens lá dentro no coração e que te lembras dela e que são essas recordações que tanto te entristecem. — Sorrio e digo:

— Não; cá dentro estás tu apenas...

Sábado, 10 de Outubro.

— Estás triste hoje?

— Não. E que o estivesse... ? Adormeço entre o teu seio e adormece-me tudo: desgostos, aborrecimentos, a vida até... Olhas-me e é como se um raio de sol me entrasse na alma; sorris-me e é como se no meu espírito atormentado caísse uma chuva de bálsamo e conforto. Ela sorri maternalmente como que se sente orgulhosa de ser necessária a alguém. E eu sorrio pela mesma razão, porque lhe dou a ilusão de que preciso dela e me sinto orgulhoso de me ver na vida necessário a um destino...

(*Diário Íntimo,* Lisboa, Portugália, 1957, pp. 120-122.)

Manuel Laranjeira personifica admiravelmente a crise de cultura e de valores instalada em Portugal entre 1890 e 1915, durante a vigência do Simbolismo. Está fora de dúvida que a doença contribuiu grandemente para o tédio que lhe ensombreceu a vida, mas não basta para explicar-lhe a obra e o suicídio. Há que considerar a transformação por que passava o País, às vésperas da República (1910) e respirando as emanações perigosas de uma Europa a se armar para a Guerra de 14. Por isso, seu drama é pessoal e simbólico ao mesmo tempo, visto representar um estado de espírito coletivo: em 1895, os jornais de Lisboa empenharam-se numa campanha de silêncio a fim de evitar que a onda de suicídios crescesse ainda mais. Daí o caráter desenganado de sua poesia e de sua prosa, e a angústia sem Deus que manifestam, constituir o ponto de chegada do niilismo iniciado por Antero, outro símbolo trágico de uma época conturbada. Em suma: pode-se discutir acerca da valia estética das páginas de Manuel Laranjeira, não da humanidade sofrida que nelas lateja; raros documentos humanos existem na Literatura Portuguesa que se lhes aparentam.

RAUL BRANDÃO

Raul Germano Brandão nasceu na Foz do Douro, em 12/3/1867. Entre 1888 e 1896 cursa no Porto a Escola do Exército. Terminados seus estudos, vai servir em Lisboa, mas encontra vagares para continuar sua carreira literária e dedicar-se ao jornalismo. Em 1912, reforma-se do serviço militar e regressa à Casa do Alto, uma quinta situada em seu rincão natal, onde passa o mais do tempo entre a literatura e a atividade agrícola. Faleceu em Guimarães, em 5/12/1930. Cultivou o conto (*Impressões e Paisagens,* 1890), o romance (*História de um Palhaço — Vida e Diário de K. Maurício,* 1896, mais tarde refundido com o título de *A Morte do Palhaço e o Mistério da Árvore,* 1926; *A Farsa,* 1903; *Os Pobres,* 1906; *Húmus,* 1917; *O Pobre de Pedir,* 1931), o teatro (*O Gebo e a Sombra,* 1923; *O Rei Imaginário,* 1923; *O Doido e a Morte,* 1923; *O Avejão,* 1929), as memórias (*Memórias,* 3 vols., 1919, 1925 e 1933), a historiografia (*El-Rei Junot,* 1912; *A Conspiração de Gomes Freire,* 1914), a literatura de viagens (*Os Pescadores,* 1923; *Ilhas Desconhecidas,* 1927).

Os Pobres

Praticamente sem enredo, *Os Pobres* (1906) compõem-se de uma seqüência de flagrantes, ou "impressões", em torno dos miseráveis que pululam na cidade grande (Lisboa), desde a meretriz por ingenuidade ou fome, até o sonhador e filósofo irremediável. O fragmento que se lê a seguir, reúne dois trechos do capítulo "O Gabiru" (nome de uma das personagens centrais), e de "Natal dos Pobres":

De que precisam os poetas para fazer uma obra de gênio? De dor. O sofrimento cria. Lembram-se das figuras de mármore, para sempre debruçadas sobre os túmulos antigos? O luar que vem pela rosácea tocando-as dá-lhes uma vida de sonho, fá-las todas de poalha: estremecem, levantam vôo, dir-se-ia. Pois a dor, fio a fio, como o luar, dá vida ao sonho.

Para se criar é preciso sofrer. Hoje e sempre só a dor é que dá vida às coisas inanimadas. Com um escopro e um tronco inerte faz-se uma obra admirável, se o escultor sofreu. Mais: com palavras, com sons perdidos, com imaterialidades, consegue-se este milagre: fazer rir, fazer sonhar, arrancar lágrimas a outras criaturas. Com as simples e secas letras do abecedário, um desgraçado com gênio, metido numa água-furtada, edifica uma coisa eterna, uma construção mais sólida e mais bela do que se fosse arrancar os materiais ao coração das montanhas.

O que é então a dor, milagre extraordinário, que consegue dar vida às fragas? o que é esse assombroso fluido, que se comunica, alma arrancada da própria alma e que se pode repartir como o pão? Nunca houve sob o sol criatura que sofresse da verdadeira dor, cujo sofrimento não consolasse ou salvasse. Até as mais humildes, como árvores que ainda depois de mirradas vão aquecer e alumiar os pobres.

A dor dá a vida e não é a própria vida: cria, redime, obra prodígios e nada há que se comunique, que convença, que torne os homens irmãos, como ela... Para onde vão pois todos esses gritos, unidos num só grito?

Visto que nada se perde, que é que se sustenta no infinito com essa enxurrada de lágrimas? Deus?

Por muito tempo escutei o ruído de vozes, de exasperos, de gritos de criaturas. Vinham da guerra, do Hospital, da miséria humana.

E desse mar espezinhado nasciam clarões, as nebulosas donde surgem mundos. Esse eterno rio de gritos, a correr desde que o homem existe, vai desaguar no infinito.

É que a dor é a única força que verdadeiramente cria e destrói: é a Força. Alimenta Deus e o limo. É um atlântico de fogo, é o espírito do Universo. Cria claridades na alma dos desgraçados e faz nascer montanhas.

As árvores são emoções da terra.

Sonhai! sofrei!

Este mundo é talvez, como disse um filósofo desconhecido, uma gota caída dum oceano infinito de beleza.

O universo é o sonho dolorido de Deus.

Nada se perde. A alma, as idéias e as emoções, fazem parte da força que faz florir o céu e os humildes pomares ignorados.

Eu coleciono a dor. Passo a vida a juntar farrapos desse manto em fogo.

O mundo é misterioso, cheio de gritos. A cada passo um túmulo donde renasce um amálgama, uma poeira verde, azul, doirada, cova onde o Desconhecido remexe formas: o mar, as criaturas, as pedras, as tempestades, tudo vivo e a falar! O homem passa inconsciente, mas eu tremo de pavor.

Estas pobres criaturas que vivem no mesmo prédio em que eu habito, ladrões, filósofos, coveiros, mulheres perdidas, são esmagadas para que alguma coisa se crie. Geram o mistério e o mar bravo da dor. Sob a nossa vista indiferente a cada passo se cumpre um milagre: sol, água a nascer, pinheiros bravios e vivos!...

Escutai... As coisas choram. Nesta noite de frio inverno — ventania — o que as coisas dirão!... — o vento despedaça-as e é sempre triste ouvir cair tantas lágrimas. Por momentos quedam-se numa quietação, como se ficassem a escutar ou a falar baixinho entre si...

. . . .

Meia-noite! Meia-noite!... Para que tudo se crie, para que o pó se transforme em vida, que é necessário? Torrentes de chuva, oceanos de água. Eis a vida... Para que do que é matéria algo de radioso irrompa, que é preciso? Um atlântico de lágrimas.

Da matéria tem nascido à custa de gritos, de fibras torcidas, o imorredoiro espírito. Através das idades ele se criou, através da dor veio surgindo. O mundo espiritual é já hoje mais vasto que o mundo material. A dor é a primavera da vida. Para se entrar na vida ou para se entrar na morte há sempre gritos. A dor ara o céu cheio de estrelas e os seres humildes.

Que se cria de tudo isto? que é que se alimenta no infinito? Destes pobres espezinhados, revolvidos, nascem as coisas eternas— húmus, amálgama, protoplasma, espírito lácteo, com que se constroem os mundos. Na vala comum os seus corpos, cansados de sofrer, são a vida da terra: as árvores, o pão, as formas, a seiva esplendente. No infinito é da sua dor que se sustenta Deus.

(*Os Pobres,* 7ª ed., Lisboa, Bertrand, 1925, pp. 76-80, 323-327.)

De pouco ou nenhum esforço precisamos para saber que os dois excertos d*Os Pobres* constituem prosa poética. Está certo que há outras passagens em que o aspecto lírico avulta menos, mas o tom geral da obra obedece a esse mesmo diapasão. Romance simbolista até onde pode ser, *Os Pobres* encerram o desalento que vimos noutros representantes do Simbolismo português: com efeito, Raul Brandão orienta-se por uma visão pessimista e sofredora do mundo. Para ele, como se observa, a dor é soberana universal. Cosmovisão schopenhaueriana, pressupõe a defesa da dor como base essencial do ato criador (v. o parágrafo iniciado por "Para se criar é preciso sofrer") e parece abrigar o conhecido aforismo goetheano ("Se a dor te incomoda, faze dela uma canção"), ou, pelo menos, aparenta-se à noção romântica de que o sofrimento condiciona a arte. As ligações entre Romantismo e Simbolismo são tantas e tais que não causaria espécie confirmar a origem romântica do pensamento de Raul Brandão. Corrobora essa impressão o fato de o prosador poeta elogiar o sonho como meio de fuga ou de compensação. A seu ver, tudo se resume em dor e sonho: tal crença identifica-se com o espírito simbolista e fundamenta-se num panteísmo evolucionista, que considera todas as coisas, entre "Deus e o limo", estarem alimentadas pela mesma força, a dor, e votadas ao mesmo destino, o sonho. Daí a visão magoada que tem da Humanidade, comprimida entre a dor e o sonho: o mundo povoar-se-ia de humilhados e ofendidos, "ladrões, filósofos, coveiros, mulheres perdidas", que "geram o mistério e o mar bravo da dor". É provável que essa concepção agônica da existência lhe fosse sugerida por Dostoievski, cuja tragicidade mística Raul Brandão seria dos primeiros a trazer para Portugal. Como se vê, além de ter sido dos que mais se aproximaram do ideal estético preconizado pelos simbolistas, o autor d*Os Pobres* emprestou à prosa portuguesa uma suavidade, um lirismo, que desde logo permite classificá-lo entre os principais ficcionistas de sua literatura.

O Enxurro

Vem o inverno e os montes pedregosos, as árvores despidas, a natureza inteira envolve-se numa grande nuvem úmida que tudo abafa e penetra. As coisas di-las-íeis recolhidas e cismáticas.

É um rolo misterioso e profundo que vem dum mar desconhecido. E a chuva começa, o ruído doce da chuva que faz sonhar em tantas coisas idas e tristes! Primeiro a terra embebe-se e incha. E, depois de cheia, a torrente jorra até polir as pedras: ara, põe raízes à mostra, arrasta na aluvião o húmus, as folhas secas das árvores, os cadáveres dos bichos, os detritos desagregados das rochas, que rola juntos, dispersa e reúne, atira, entre a baba da água, para um destino ignoto.

Assim a vida. É um rio de lágrimas, de brados, de mistério. A onda turva põe as mais fundas raízes à mostra, a torrente leva consigo de roldão a desgraça e o riso; sem cessar carreia este terriço humano para uma praia onde as mãos esquálidas dos que sofreram encontram enfim a mão que os ampara, onde os olhos dos pobres, que se fartaram de chorar, ficam atônitos diante da madrugada eterna, onde todo o sonho se converte em realidade...

É noite. A ventania redobra e nas lufadas que passam viajam gritos, catástrofes, lamentos. Sou pobre e transido e nada sei da vida, mas sou um príncipe. De que terra? direis. — Do sonho. E assim neste prédio revolvido me quedo, sozinho e triste, a escutar... Ouço um rio que os mais não sentem. Cada criatura nascida traz consigo uma fonte, fio de água umedecendo a frincha duma pedra ou levada impetuosa e aos jorros. É ela que tira à vida a sua secura. Em certos seres pobres e simples quase se ouve essa água correr tão amoravelmente, que dá vontade de nos chegarmos à sua beira. É emoção. Minai, não na deixeis secar.

Neste casarão onde moro a toda a hora se ouve o ruído da levada; corre sempre como as torrentes desordenadas e esplêndidas. Prega o inverno bravio, o vento e os aguaceiros passam, mas escutai, escutai!...

São meus vizinhos, lá em baixo mulheres perdidas, ao pé de mim dois casados, e na trapeira um gato-pingado, a quem chamam S. José. As mulheres passam às vezes na rua, com os xales a rasto; o gato-pingado só sai à noitinha, à hora dos morcegos. Mais tímido que eu, encontro-o nas escadas a tossir, com o peito escalavrado e roto.

Para que vive esta ralé? Levantam-se derreados, para cavar, para berrar, para que lhes dêem um pedaço de pão e só se deitam no sepulcro. Caminho sem sonho. Da vida coube-lhes este quinhão amargo: o cansaço, a humilhação e a fome.

Se passam pelas árvores num dia de primavera, tão lindo, que até as próprias macieiras de comovidas se desentranham em flor, sabeis o que acontece? As árvores retraem-se, as coisas calam-se, ao vê-los passar cobertos de suor, calcados e gastos. Para que é que vivem aos gritos ralé, pedras, sapos? Para que é que Deus os cria?

O gato-pingado... Ei-lo que sobe. Cada passo me lembra uma pazada de terra. E soturno este homem, esguio e magro, com o chapéu alto embrulhado no lenço do rapé e a casaca dobrada no braço. Nunca fala. Estou mesmo em dizer que não pensa, este avejão que só sai para os enterros. Deve ser mau, deve ser duro: nunca decerto chorou. Os garotos apedrejam-no quando passa pela rua, esguio, vesgo, de chapéu alto e casaca. Aposto que, quando arrancam das casas os caixões como quem arranca o coração dos vivos, ao ouvir gritos, tem o riso interior de quem está farto de viver só, arredado e humilhado... Gato-pingado! gato-pingado! Vive de lágrimas, sustenta-se de dores. E quando vai, de tocha acesa, esguio, a galgar atrás dum carro funerário, na reles mascarada em que irá ele a pensar, esbaforido e triste?...

. . . .

E como este, mais. A toda a hora vai o enxurro humano polindo as pedras. A ventania açouta o casarão e passa, levando poeira de cisma, ais, para outro mundo ignoto. Com a noite redobra a vida desta multidão feita de terriço: certos homens são sonhos, outros gritos. Põe-se o Gebo a contar a sua história, surge uma velha trágica, com o caio dos palhaços, e o Gabiru, filósofo esguio que tem descoberto mundos e ignora as coisas mais simples da vida. Remexe num brasido de idéias e nunca olhou cara a cara a existência. Anda atônito na rua, perdido num mundo que descobriu à proa do seu barco como um navegador. No subterrâneo do prédio mora — há quantos anos? — um homem que ninguém viu e de quem ninguém sabe a história. Emparedou-se. Odeia a luz: essa poeira azul, que embebe os seres e as coisas, março, a árvore, a vida tumultuária e larga como um rio, nunca mais a viu. Está vivo num túmulo: só as paredes esbraseadas, à força de sonhar, a rubro como as pedras duma forja, conhecem a sua dor. Pára no patamar o Gebo contando o que sofreu aos pobres que o querem ouvir. Muitos fazem roda e ele narra pedaços duma triste existência de humilhação e de esmola, sempre esbaforido e escorraçado, a filha a sustentar, o desprezo do mundo, as suas correrias, desorientado e com lágrimas, atrás do pão para os seus.

A ventania aumenta, abalando o prédio. De que é construída uma casa? De pedra. Todo o globo é revolvido para abrigar o homem. A árvore e a ossada da terra são arrancadas para o servirem. Juntem a isto gritos. De pedra, de árvores e de gritos foi construído o Prédio. Juntem a isto sonho, que transforma as coisas. Um sofre nos subterrâneos, outro de tanto sonhar empoeirou de oiro o granito. De forma que toda a casa, amolgada e revolvida, tomou alguma feição daquelas existências. É a habitação do Gebo, das prostitutas, do Gabiru, do Pita. Escancara-se o portão, caem-lhe os telhados, mas se, em cima, nas mansardas arrombadas dá de chapa o sol, acreditá-la-eis a cismar, a cantar. É efetivamente de pedra e de sonho.

Chove, mas a terra árida não tem água nem plantas. Em volta a cidade é odiosa, pedras sobre pedras, muros atrás de muros. O céu fica muito alto e só se vê das trapeiras. Há seres lá no fundo que nunca levantaram a cabeça... Andam-se léguas e a cidade não acaba, envolta em fumo cada vez mais negro e riscada de chaminés cada vez mais altas.

Só um simulacro de árvore cresceu naquele saguão infecundo. Sustenta-se de dor. As suas raízes foram minando até ao Hospital, construído em frente da casaria, para sugar a vida dos pobres. Se um raio de lua, escoado pelas nuvens, a toca — eis um fantasma de árvore todo de pó de luar...

Quedo-me sozinho nas noites estiradas, ouvindo o enxurro vivo. Muitas vezes são lágrimas que correm ou emoção que brota com o ruído dum fio de bica cheio de cintilações e rumores. O cair de lágrimas é sempre duma tristeza pacífica... Na noite negra o Hospital entaipa a cidade: árvores, noras umedecidas, montes solitários, parece que os proíbe aos desgraçados: como um velho sumidouro espera, guarda, construído de pedra e num brasido por dentro, todos os que sofrem, santos, pobres, mulheres perdidas e heróis.

O Pita, embrulhado no seu xale-manta, murmura às vezes ao contemplá-lo:

— A misericórdia humana constrói destes castelos, para que os ricos não assistam ao sofrimento dos pobres. E fê-los de pedra, de granito bem sólido, para que se não ouçam os gritos cá fora.

. . . .

Na escuridão as cinzas que restam num lar fazem tristeza e saudade. Brilham, esmorecem, vão-se apagar: são vidas que se extinguem, a alma da treva que em redor sufoca. Assim o Prédio ao abandono, sob a enxurrada, parecia cismar, como um rescaldo coberto de cinzas. Parará trágico defronte do Hospital, e cansado, tal como um pobre ao fim da vida, contempla o seu destino.

Natal dos pobres! Natal amargo dos que não têm pão e se ajuntam friorentos em torno dum lume que não aquece; natal dos seres que a desgraça usou... O vinho enregela, o pão é duro, mas resta ainda este lume, que jamais se apaga: — Amanhã! amanhã!...

Que poesia tão triste não vai caindo como um choro sobre aquelas almas de misérrimos, de gebos, de prostitutas, de desgraçados!

Numa trapeira o gato-pingado quer dizer: — Amo-te! — mas foi sempre tão nu que não sabe exprimir o que sente.

Na alma daquela criatura humilde, despida e escarnecida, que tinha medo de sonhar e até de chorar, fizera-se um clarão. Tal o espanto enternecido duma pedra a que uma raiz se apega, e que a olha deitar flor na primeira primavera. — Fui eu, apesar da minha secura, pensa o calhau, que a trouxe no ventre.

Sem falar, bebem juntos, ele e a pobre, o mesmo vinho. Ele diz:

— Ambos somos desgraçados e sozinhos.

O vinho que havia aquecido dá-lho com um pedaço de pão. Ela olha-o, tendo sempre crescido por acaso e piedade, rota e triste. Havia pois alguém que a amasse?...

— Bebe.

— É tão bom a gente estar junta.

— Não se tem frio.

— Esta noite, sabes?... Lembro-me de minha mãe... Por que seria que ela me enjeitou?

Fora choram. Ela ergue-se e vê no corredor uma rapariguinha que a mãe pôs fora da porta e que chora e pensa:

— E se eu me deitasse a afogar?

Dá-lhe do seu pão, reparte do seu vinho e, mísera, rota, ressequida, diz, pondo-lhe a mão na cabeça:

— Deus te crie para boa sorte...

Na terra só os pobres sabem ser desgraçados.

Meia noite! meia noite!... Para que tudo se crie, para que o pó se transforme em vida, que é necessário? Torrentes de chuva, oceanos de água. Eis a vida... Para que do que é matéria algo de radioso irrompa, que é preciso? *Um atlântico de lágrimas. Da matéria tem nascido à custa de gritos, de fibras torcidas, o imorredoiro espírito.* Através das idades ele se criou, através da dor veio surgindo. O mundo *espiritual é já hoje mais vasto que o mundo material. A dor é a primavera da vida.* Para se entrar na vida ou para se entrar na morte há sempre gritos. A dor ara o céu cheio de estrelas e os seres humildes.

Que se cria de tudo isto? que é que se alimenta no infinito? *Destes pobres espezinhados, revolvidos, nascem as coisas eternas — húmus, amálgama, protoplasma, espírito lácteo, com que se constroem os mundos.* Na vala comum os seus corpos, cansados de sofrer, são a vida da terra: as árvores, o pão, as formas, a seiva esplendente. *No infinito é da sua dor que se sustenta Deus.*

(*Ibidem.*, pp. 31-41, 323-327.)

JÚLIO DANTAS

Nasceu em Lagos (Algarve), em 19/5/1876. Formado em Medicina, em Lisboa, tornou-se médico do Exército, passando, mais adiante, a dedicar-se à política, à diplomacia e ao magistério, ao mesmo tempo que construía sua vasta e multímoda obra literária. Faleceu em Lisboa, em 15/5/1962. Embora cultivasse a poesia (*Nada,* 1897), a ficção (*A Severa,* 1901; *Pátria Portuguesa*, 1914; *Marcha Triunfal*, 1954); o ensaio cronístico (*Figuras de Ontem e de Hoje,* 1914; *O Amor em Portugal no Século XVIII,* 1915; *Galos de Apolo,* 1921; etc.), foi no teatro que alcançou nomeada: *A Severa* (1901), *A Ceia dos Cardeais* (1902), *Paço de Veiros* (1903), *Um Serão nas Laranjeiras* (1904), *Rosas de Todo o Ano (1907), O Reposteiro Verde* (1912), *Sóror Mariana* (1915), *Carlota Joaquina* (1919), *Frei Antônio das Chagas* (1947), etc.

A Ceia dos Cardeais

Publicada pela primeira vez em 1902, *A Ceia dos Cardeais* conheceu numerosas edições e foi levada à cena repetidas vezes. Peça em um ato, a ação transcorre numa sala do Vaticano, onde se reúnem para cear três cardeais, o Cardeal Gonzaga, português, o Cardeal Rufo, italiano, e o Cardeal de Montmorency, francês. Cada um, relembrando sua mocidade aos demais interlocutores, expõe sua particular concepção do amor. Até que chega a vez do Cardeal Gonzaga, como se segue:

Cardeal Rufo, acercando-se também do
Cardeal Gonzaga

Em que pensa, cardeal?

Cardeal Gonzaga, como quem acorda, os olhos cheios
de brilho, a expressão transfigurada

Em como é diferente o amor em Portugal!
Nem a frase sutil, nem o duelo sangrento...
É o amor coração, é o amor sentimento.
Uma lágrima... Um beijo... Uns sinos a tocar...
Um parzinho que ajoelha e que se vai casar.
Tão simples tudo! Amor, que de rosas se inflora:
Em sendo triste canta, em sendo alegre chora!
O amor simplicidade, o amor delicadeza...
Ai, como sabe amar, a gente portuguesa!
Tecer de Sol um beijo, e, desde tenra idade,
Ir nesse beijo unindo o amor com a amizade,
Numa ternura casta e numa estima sã,
Sem saber distinguir entre a noiva e a irmã...
Fazer vibrar o amor em cordas misteriosas,
Como se em comunhão se entendessem as rosas,
Como se todo o amor fosse um amor somente...
Ai, como é diferente! Ai, como é diferente!

Cardeal Rufo

Também Vossa Eminência amou?

Cardeal Gonzaga

Também! Também!

Pode-se lá viver sem ter amado alguém!
Sem sentir dentro d'alma — ah, podê-la sentir!
Uma saudade em flor, a chorar e a rir!
Se amei! Se amei — Eu tinha uns quinze anos apenas.
Ela, treze. Um amor de crianças pequenas,
Pombas brancas revoando ao abrir da manhã...
Era minha priminha. Era quase uma irmã.
Bonita não seria... Ah, não... Talvez não fosse.
Mas que profundo olhar e que expressão tão doce!
Chamava-lhe eu, a rir, a minha mulherzinha...
Nós brincávamos tanto! Eu sentia-a tão minha!
Toda a gente dizia em pleno povoado:
"Não havia noiva melhor para o senhor morgado,
Nem em capela antiga há santa mais santinha..."

E eu rezava, baixinho: “É minha! É minha! É minha!”
Quanta vez, quanta vez, cansados de brincar,
Ficávamos a olhar um para o outro, a olhar,
Todos cheios de Sol, ofegantes ainda...

Numa grande expressão de dor:

Era feia, talvez, mas Deus achou-a linda...
E, uma noite, a minha alma, a minha luz, morreu!

Numa revolta angustiosa:

Deus, se ma quis tirar, pra que foi que ma deu?
Para quê? Para quê?

Cardeal de Montmorency, ao vê-lo erguer-se, amparando-o:

Oh! Eminência...

Cardeal Rufo, curvando-se também para o amparar, comovido:

Então...

Cardeal Gonzaga

Ai! Pois não via, Deus, que eu tinha coração!

Cardeal Rufo

Eminência!

Cardeal Gonzaga, caindo sobre a cadeira, a soluçar

Não via, Ah!, não via! Não via!
Julgou que de um amor outro amor refloria,
E matou-me... E matou-me!

Cardeal de Montmorency

Eminência...

Cardeal Gonzaga

Afinal,
Foi esse anjo, ao morrer, que me fez cardeal!
E eu hoje sirvo a Deus, — A Deus, que ma levou...

Cardeal Rufo, a de Montmorency, limpando uma lágrima furtiva,
enquanto as onze horas soam no Vaticano

Foi ele, de nós três, o único que amou.

Cai o pano, lentamente.

(*A Ceia dos Cardeais*, 40ª ed., Lisboa, Clássica, 1950, pp. 41-45.)

Considerada a obra-prima de Júlio Dantas, *A Ceia dos Cardeais* apresenta inegáveis qualidades teatrais, mas seu êxito decorre de ingredientes cênicos e psicológicos um tanto fáceis. O fragmento transcrito, embora ápice e epílogo da peça, mostra-o claramente. Primeiro: a ação, reduzida a quase nada, cede vez ao diálogo, que, como se não bastasse, é reminiscente e desprovido de qualquer motivo de ação (ação presente, não rememorada) entre as três personagens. Segundo: o dramaturgo explora a sentimentalidade epidêmica e convencional, que atinge facilmente o espectador comum e pouco exigente, afeito às expansões comovidas e lacrimosas do Cardeal Gonzaga. Tudo isso, afinal, é muito simbolista e muito português: simbolista, porque rarefeita a ação em favor da sugestão e do poético (que resultam do próprio entrecho da peça e do emprego habilidoso de alexandrinos emparelhados); e português, porque o amor-ternura, o amor-sacrifício, vivido pelo Cardeal Gonzaga, constitui uma espécie de motivo-condutor na Literatura Portuguesa, desde o Camões de "Alma minha" até o Antônio Nobre da "Purinha". *A Ceia dos Cardeais gozou* de fama, a partir da primeira encenação, mas está longe da tensão dramática do teatro vicentino, do garrettiano, ou mesmo do que viria a ser elaborado por Bernardo Santareno.

SAUDOSISMO

Preliminares

O movimento saudosista tem início em 1910, com a fundação da revista *A Águia*, órgão da "Renascença Portuguesa", que circulou até 1932, ao longo de três fases. Teixeira de Pascoaes, que a dirigiu na segunda fase, iniciada em 1912, tornou-se o mentor e a figura mais relevante da sua geração. A saudade, preconiza ele, é palavra sem equivalente noutras línguas, e, por isso, é um "*sentimento-idéia*", "*emoção refletida*", "promessa de uma nova *civilização lusitana*", em suma, uma religião, uma filosofia, uma política tipicamente portuguesas. Partilharam de suas idéias, expressas em obras poéticas e em prosa, vários poetas, como Afonso Duarte, Jaime Cortesão, Augusto Casimiro e, notadamente, Mário Beirão, autor de *O Último Lusíada* (1913), *Ausente* (1915), *Lusitânia* (1917), etc.

TEIXEIRA DE PASCOAES

Teixeira de Pascoaes, nome literário de Joaquim Teixeira de Vasconcellos, nasceu em Gatão (freguesia do Concelho de Amarante, distrito do Porto), em 21/7/1877. De família abastada, estudou Direito em Coimbra, e formou-se em 1901. Inicia então sua carreira literária, com o livro *Sempre* (1898), seguido de *Terra Proibida*, publicado no ano seguinte. Terminado o curso, tenta a prática do Direito algum tempo, até que a atividade agrícola e a literária o absorvessem por completo. Em 1912, começa a dirigir *A Águia*, órgão da "Renascença Portuguesa", e em sua direção permanece até 1916, em meio à segunda fase da revista. A pouco e pouco vai abandonando a vida literária em favor de uma existência bucólica em sua vila natal, mas continua a escrever até o fim, em 14/12/1952. Deixou obra numerosa, dividida entre a poesia (*Sempre*, 1898; *Terra Proibida*, 1899; *Jesus e Pã*, 1903; *Para a Luz*, 1904; *Vida Etérea*, 1906; *As Sombras*, 1907; *Senhora da Noite*, 1909; *Marânus*, 1911; *Regresso ao Paraíso*, 1912; *Elegias*, 1913; *O Doido e a Morte*, 1913; *Cantos Indecisos*, 1921; *Cânticos*, 1925, etc.), e a prosa de vário tipo (*O Gênio Português na sua Expressão Filosófica, Poética e Religiosa*, 1913; *Arte de Ser Português*, 1915; *Os Poetas Lusíadas*, 1919; *S. Paulo*, 1934; *O Homem Universal*, 1937; O *Penitente — Camilo Castelo Branco*, 1942; *Santo Agostinho*, 1945).

Marânus

Publicado em 1911, *Marânus* constitui um vasto poema em dezenove cantos, composto em decassílabos brancos e rimados. Seu entrecho gira em torno de Marânus, figura mítica, entre visionário e iluminado, que trava contínuos diálogos com símbolos ou seres sobrenaturais, como Eleonor, a Saudade, a Primavera, a Montanha, o Outono, Apolo, os Deuses, o

Bruxo, a Paisagem, a Pastora, Jesus, D. Quixote. O fragmento que se vai ler, corresponde aos primeiros versos do poema, em que se dá o encontro entre Marânus e Eleonor:

Marânus e Eleonor

Marânus era o ser que divagava,
Consigo, pelo mundo solitário.
A sua própria alma o alimentava
E dava-lhe a beber das suas lágrimas.

Empecera-lhe a noite. E, desde então,
Rodeado de espantos e de assombros,
Vive numa perpétua inquietação.
Falho de ânimo e pobre de esperança,
Apenas o salvou da negra morte
Esta misteriosa simpatia,
Que, semelhante à tua lira, Órfeu,
As feras enternece e a luz do dia!
Atrai as selvas virgens que murmuram,
Os inertes penedos taciturnos
E as estrelas do céu que nos procuram,
Com seus olhos de eterna claridade.

Por isso, ele ia andando, neste doce
Enlevo da paisagem, neste encanto,
Que paira, magoado, sobre as cousas,
Onde, em silêncio, jaz divino canto...

Nos princípios do outono, quando as nuvens
Aparecem nos montes revestidos
De folhinhas doiradas, e, nos vales,
Há frios tons de cinza, umedecidos,
Chegou, já tarde, a um sítio, com pinheiros,
Fragas cheias de musgo, tojo bravo,
Que domina dois íngremes outeiros,
Um rio, verdes campos e a montanha.

Ali, parou Marânus. Do infinito,
Uma infinita lágrima descia
E lhe tomava o coração aflito
E perturbado de íntimos receios,
Quando viu, perto dele, uma Figura
Desenhar-se, no escuro do arvoredo,
Em diluídas formas e apagados
Contornos de esplendor e de segredo.

E, atônito e surpreso, olhava, olhava,
Aquela milagrosa aparição,

Que, em brumas transcendentes, disfarçava
Seu angélico rosto de mulher.

A lua, que era nova e ia espargindo
Um luminoso e vago encantamento,
Nas ermas cousas lívidas, sorrindo,
Mostrou-se, dentre as nuvens, que se abriram.
E Marânus, ao vê-la, mais perfeita,
Banhada em luz, lhe disse, de repente:

"Quem és tu? De onde vens? Não te conheço!
És da terra e da vida? Ou simplesmente
Ilusório fantasma de beleza?
Destas sombras que surgem, ao luar
E à superfície vã da Natureza?
Sentimentos aéreos, flutuantes,
Do coração da noite, esparso e oculto?"

E o silêncio gemia, trespassado
Pela voz de Marânus, que era um vulto
De som, alada sombra que se ouvia...

E a noturna Visão, aproximando-se
Do noturno Viandante:

"Eu sou aquela

Nuvem que teu espírito derrama,
Sobre o mundo, que a sente, como a estrela
Sente, de longe, os olhos que a contemplam.

"Eu sou a tua alma aparecida,
Criatura imortal da tua dor!
E vivo, como tu, mas outra vida,
E choro, como tu, mas outras lágrimas...

"Um mistério me encobre, e faz de mim
A sombra que te empece...

Muito em breve,

Tu saberás, Marânus, por que vim
À tua soledade..."

(*Obras Completas*, Lisboa, Bertrand, s.d., vol. II, pp. 165-167.)

Bastam esses poucos versos para se perceber o quanto Teixeira de Pascoaes está substancialmente vinculado à melhor tradição da poesia portuguesa, sobretudo a do século XIX, na sua faceta romântica (João de Deus), ou na realista (Guerra Junqueiro e Antero). Na verdade, o início de *Marânus*, conquanto breve, revela até que ponto seu autor era um romântico extemporâneo; aliás, os próprios poetas realistas que lhe marcaram a sensibilidade filiavam-se ao espírito instalado por Garrett em 1825. Mas tudo isso torna Teixeira de Pascoaes um poeta igualmente comprometido com o Simbolismo, ao menos na medida em que a estética romântica se prolonga nele. A rigor, seu enquadramento simbolista obedece também a outras forças, como, por exemplo, a presença do Vago, do Oculto, do Mistério, do Sobrenatural. É que a sua adesão à moda simbolista decorre da consangüinidade profunda entre sua constituição e aquela estética literária. Daí que apenas se pareça com Eugênio de Castro, Antônio Nobre e Camilo Pessanha de um modo geral e esquemático: dir-se-ia que o Simbolismo, trazia-o na linfa, e que ele seria simbolista em qualquer tempo e lugar. Por outro lado, vê-se que o poeta supera o "eu odioso", em cuja sondagem se comprazia Eugênio de Castro e Antônio Nobre, ou o "eu profundo", em que imergia doloridamente Camilo Pessanha. E com a superação, muda o "eu" para "ele", e caminha rumo do "ele" ou do "nós", isto é, para assumir a visão de poeta épico, a conceber sínteses do Universo. Note-se que Pascoaes o realiza sem abdicar um só momento de criar grande poesia. Pois bem: essa projeção do "eu" para fora de si anuncia o Orfismo, por exemplo, de Fernando Pessoa, em que pese às diferenças marcantes entre ambos. Assim, percebe-se, no encontro entre Marânus e Eleonor, um poeta de alto fôlego e vasta concepção do mundo, transitando do Simbolismo para a modernidade, ou seja, ultrapassando o plano da subjetividade simbolista para o da fusão entre o sujeito e o objeto, operada com o grupo de *Orpheu* e seguidores.

Marânus e a Saudade

Marânus, esse amante da montanha,
Ouvira aquela voz, e interpretava
O sentido da Vida que mais belo,
Mais claro e mais profundo se tornava.
O nosso velho *mundo-criatura*
Era um *mundo criador*; o ser humano
Um ser divino; e a terra, ingrata e dura,
Um céu verde, de flores esmaltado.

E via, além das almas sofredoras,
Esse inefável Reino espiritual...
E, deslumbrado, viu que a Natureza
Fez dele o Paraíso virginal,
Onde vive de amor e de harmonia
A criatura anímica e perfeita.
E viu seu frágil corpo de agonia
Ser o pomar do Fruto sempiterno.

E, pelos ermos cerros, divagando
No infinito silêncio e na infinita
Soledade, os seus olhos levantando
Para os astros, já próximos de nós,
Meditava e sentia o coração
No peito, alvoroçado! E tinha assim
Consciência de si própria e, ao mesmo tempo,
De outra existência trágica e sem fim.

E as nuvens lhe falavam, de passagem,
Os ventos e os rochedos lhe falavam.
E, entre ele e aquela mística paisagem,
A névoa da distância dissipou-se.
Ela estava integrada em seu espírito;
Seu espírito esparso através dela.
E, ao correr-lhe uma lágrima, na face,
Via também a pequenina estrela,
Que, dos confins da noite dolorida,
Voando, aflita, viera recolher-se
Ao seio dessa lágrima, onde a vida
É apenas humildade e comoção.
....
E Marânus, em cismas embebido,
Absorto em roxas brumas, contemplava
As distâncias do Limbo indefinido,
Onde, em segredo e sombra, os astros nascem.
E as quebradas, tão íngremes, dos montes,
E os casais, lampejantes e apagados,
Na poeira lilás dos horizontes,
Quando o sol-pôr incide nas vidraças.
O seu gosto era olhar, isto é, criar,
Converter em humano sentimento
A espiritualidade azul do ar,
Cores, perfumes, sons primaveris.
De noite, no luar, se refugiam
Seus olhos, como em templo recatado.
E seus ouvidos íntimos recolhem
Murmúrios do crepúsculo parado...
De dia, a luz ardente o embriagava;
E lhe beijava a face etérea brisa
Que nos longínquos mares se impregnava
De frescuras de espuma e alegres vôos
De gaivotas, pousando, em multidão,
No colo vivo e lúcido das ondas.

E ali, naquela amável solidão,
As horas conversavam com Marânus.

Uma vez, distraído e descansando,
Numa fraga musgosa, de repente,
Viu, diante dele, um vulto de mulher.
E, conhecendo-a, exclama, ansiosamente:

"Serás tu, na verdade? Ou refletida
Imagem que, em meus olhos, aparece,

Quando doirada sombra dolorida
Sobe dos ermos vales?

Mas, agora,
És tu, de mim tão perto! Como és bela!
Eu quero que repouse, no teu seio,
Esta fronte cismática..."

E a Donzela
Lhe diz, toda contida em seu olhar:

"Tu julgas ver aquela que cingiste
Nos teus braços humanos? E, depois,
Abandonada, além... ficou mais triste
Do que uma sombra morta caminhando?

"Oh, a doce quimera! Tenho pena
Que esta minha aparência imaginária,
Esta vida translúcida e serena,
Não seja o corpo em flor do teu desejo!

"Ah, quem sou eu? Apenas a saudade
Da Pastora que, um dia, te encantou,
À luz do sol, que mostra a realidade
Em que a ilusão noturna se converte.

"Sou a eterna saudade que levaste
Dessa pastora, simples e adorada.
E nela foi seu vulto mais perfeito
Do que Jesus na Hóstia consagrada!

"Toda ela existe e sonha, nesta imagem,
Que te contempla, sim! Mas que distância
Entre as formas inertes da paisagem
E a sua etérea sombra espiritual!

(*Ibidem*, pp. 210-211, 212-213.)

III

Sobre a paisagem erma, arrefecida e nua,
A muda ondulação da escuridão flutua.
Onde a treva é mais densa, há gestos doloridos
E vultos, a chorar, que perdem os sentidos.
Uma chuva, miúda e triste, nos beirais,
Põe murmúrios de dor, misteriosos ais...
De tudo a solidão extática dimana,
E parece que tem uma aparência humana
E uns olhos de terror, abertos, espantados...

As cousas são perfis apenas esboçados.
Entre elas e o Infinito há diálogos profundos,
Enche a noite sem fim a ignota voz dos mundos.

Os Rochedos

Há rochedos que são estátuas misteriosas.
Nós vemo-los, além nas serras arenosas,
Desenhados na tela em brasa do sol-pôr...
Ó frontes que enrugou e empederniu a dor!
Há rochedos que são perfis extraordinários.
Alguns, ao vir da lua, evocam os calvários.
Este, lembra dum Deus o mutilado torso;
Aquele, abre, de noite, uns olhos de remorso.
Outros, têm a atitude ideal de quem medita.
O rosto duns contrai uma expressão aflita.
E neles transparece um gesto de loucura.
A sombra duns, à tarde, é sombra de ternura.
Outros, rezam, ao vento as mágoas do lugar...
Outros, dum alto cerro, olham o céu e o mar.

A Sombra Humana

Quando passeio, ao longo dos caminhos,
Batem asas de medo os passarinhos;
Escondem-se os répteis, no tojo em flor.

Meu ser espalha um trágico pavor
Nas pobres criaturas,
Que, neste mundo, vivem, às escuras!

Avezinha fugindo ao ruído dos meus passos,
Se o que eu sinto por ti, acaso, pressentisses,
Tu virias fazer o ninho nos meus braços...

Virias ter comigo, ó pedra, se me ouvisses!

(*Ibidem,* pp. 167, 193, 198.)

ORFISMO

Preliminares

O Orfismo constitui o primeiro movimento propriamente moderno. Inicia-se em 1915, com a revista *Orpheu*, que aglutinou alguns jovens insatisfeitos com a estagnação da cultura portuguesa. De idéias futuristas, entusiasmados com as novidades trazidas pelas mudanças culturais postas em curso com o século XX, defendiam a integração de Portugal no cenário da modernidade européia. Para tanto, pregavam o inconformismo e punham a atividade poética acima de tudo. Fernando Pessoa é a grande figura da geração, seguido de perto por Mário de Sá-Carneiro, Alfredo Pedro Guisado, Santa Rita Pintor, Armando Cortes-Rodrigues e Almada Negreiros, autor de um romance, *Nome de Guerra*, uma das raras obras em prosa numa geração primordialmente poética. De *Orpheu* ainda sairia um segundo número, em 1915, mas o terceiro, anunciado para o ano seguinte, não chegaria a vir a público.

FERNANDO PESSOA

Fernando Antônio Nogueira Pessoa, nasceu em Lisboa, em 13/6/1888. Órfão de pai aos cinco anos, é levado para Durban (África do Sul), onde faz o curso primário e o secundário com excepcional brilho. Em 1905, regressa a Portugal e matricula-se na Faculdade de Letras de Lisboa; assiste às aulas por algum tempo, mas acaba abandonando os bancos escolares para se tornar correspondente comercial em línguas estrangeiras. Em 1912, está como crítico d*A Águia*, e três anos depois lidera o grupo de *Orpheu*. Extinta a revista, passa a colaborar em outras, como *Centauro*, *Athena*, *Contemporânea* e *Presença*. Na altura em que esta última apareceu, o seu nome já é considerado como o de um mestre. Em 1934, participa no concurso de poesia promovido pelo Secretariado Nacional de Informações, de Lisboa, e somente recebe o segundo lugar. Doente, recolhe-se ao hospital, e falece em 30 de novembro de 1935. Escreveu poesia (*Mensagem*, 1934; *Poesias* de Fernando Pessoa, 1942; *Poesias* de Álvaro de Campos, 1944; *Poemas* de Alberto Caeiro, 1946; *Odes* de Ricardo Reis, 1946; *Poemas Dramáticos*, 1952; *Poesias Inéditas*, 1955-1956; *Quadras ao Gosto Popular*, 1965; *Antinous*, 1918; *35 Sonnets*, 1918; *Inscriptions*, 1920: estes opúsculos de poemas ingleses foram reunidos sob o título de *English Poemas*, *I*, *II* e *III*, 1921) e prosa (*Páginas* de *Doutrina Estética*, 1946; *A Nova Poesia Portuguesa*, 1944; *Análise da Vida Mental Portuguesa*, s.d.; *Apologia do Paganismo*, s.d.; *Páginas Íntimas e de Auto-Interpretação*, 1966; *Páginas de Estética e Teoria e Crítica Literária*, 1966; *Textos Filosóficos*, 2 vols., 1968, etc.).

Hora Absurda

O teu silêncio é uma nau com todas as velas pandas...
Brandas, as brisas brincam nas flâmulas, teu sorriso...

E o teu sorriso no teu silêncio é as escadas e as andas
Com que me finjo mais alto e ao pé de qualquer paraíso...

Meu coração é uma ânfora que cai e que se parte...
O teu silêncio recolhe-o e guarda-o, a um canto...
Minha idéia de ti é um cadáver que o mar traz à praia..., e
[entanto
Tu és a tela irreal em que erro em cor a minha arte...

Abre todas as portas e que o vento varra a idéia
Que temos de que um fumo perfuma de ócio os salões...
Minha alma é uma caverna enchida p'la maré cheia,
E a minha idéia de te sonhar uma caravana de histriões...

Chove ouro baço, mas não no lá-fora... É em mim... Sou a
[Hora,
E a Hora é de assombros e toda ela escombros dela...
Na minha atenção há uma viúva pobre que nunca chora...
No meu céu interior nunca houve uma única estrela...

Hoje o céu é pesado como a idéia de nunca chegar a um porto...
A chuva miúda é vazia... A Hora sabe a ter sido...
Não haver qualquer coisa como leitos para as naus!... Absorto
Em se alhear de si, teu olhar é uma praga sem sentido...

Todas as minhas horas são feitas de jaspe negro,
Minhas ânsias todas talhadas num mármore que não há,
Não é alegria nem dor esta dor com que me alegro,
E a minha bondade inversa não é nem boa nem má...

Os feixes dos lictores abriram-se à beira dos caminhos...
Os pendões das vitórias medievais nem chegaram às cruzadas...
Puseram in-fólios úteis entre as pedras das barricadas...
E a erva cresceu nas vias férreas com viços daninhos...

Ah, como esta hora é velha!... E todas as naus partiram!
Na praia só um cabo morto e uns restos de vela falam
Do Longe, das horas do Sul, de onde os nossos sonhos tiram
Aquela angústia de sonhar mais que até para si calam...

O palácio está em ruínas... Dói ver no parque o abandono
Da fonte sem repuxo... Ninguém ergue o olhar da estrada
E sente saudade de si ante aquele lugar — outono...
Esta paisagem é um manuscrito com a frase mais bela cortada...

A doida partiu todos os candelabros glabros,
Sujou de humano o lago com cartas rasgadas, muitas...
E a minha alma é aquela luz que não mais haverá nos

[candelabros...
E que querem ao lado aziago minhas ânsias, brisas fortuitas?...

Por que me aflijo e me enfermo?... Deitam-se nuas ao lugar
Todas as ninfas... Veio o sol e já tinham partido...
O teu silêncio que me embala é a idéia de naufragar,
E a idéia de a tua voz soar a lira dum Apolo fingido...

Já não há caudas de pavões todas olhos nos jardins de outrora...
As próprias sombras estão mais tristes... Ainda
Há rastos de vestes de aias (parece) no chão, e ainda chora
Um como que eco de passos pela alameda que eis finda...

Todos os ocasos fundiram-se na minha alma...
As relvas de todos os prados foram frescas sob meus pés frios...
Secou em teu olhar a idéia de te julgares calma,
E eu ver isso em ti é um porto sem navios...

Ergueram-se a um tempo todos os remos... Pelo ouro das searas
Passou uma saudade de não serem o mar... Em frente
Ao meu trono de alheamento há gestos com pedras raras...
Minha alma é uma lâmpada que se apagou e ainda está quente...

Ah, e o teu silêncio é um perfil de píncaro ao sol!
Todas as princesas sentiram o seio oprimido...
Da última janela do castelo só um girassol
Se vê, e o sonhar que há outros põe brumas no nosso sentido...

Sermos, e não sermos mais!... Ó leões nascidos na jaula!...
Repique de sinos para além, no Outro Vale... Perto?...
Arde o colégio e uma criança ficou fechada na aula...
Por que não há de ser o Norte e o Sul?... O que está descoberto?...

E eu deliro... De repente pauso no que penso... Fito-te
E o teu silêncio é uma cegueira minha... Fito-te e sonho...
Há coisas rubras e cobras no modo como medito-te,
E a tua idéia sabe à lembrança de um sabor de medonho...

Para que não ter por ti desprezo? Por que não perdê-lo?...
Ah, deixa que eu te ignore... O teu silêncio é um leque —
Um leque fechado, um leque que aberto seria tão belo, tão belo,
Mas mais belo é não o abrir, para que a Hora não peque...

Gelaram todas as mãos cruzadas sobre todos os peitos...
Murcharam mais flores do que as que havia no jardim...
O meu amar-te é uma catedral de silêncios eleitos,
E os meus sonhos uma escada sem princípio mas com fim...

Alguém vai entrar pela porta... Sente-se o ar sorrir...
Tecedeiras viúvas gozam as mortalhas de virgens que tecem...

Ah, o teu tédio é uma estátua de uma mulher que há de vir,
O perfume que os crisântemos teriam, se o tivessem...

É preciso destruir o propósito de todas as pontes,
Vestir de alheamento as paisagens de todas as terras,
Endireitar à força a curva dos horizontes,
E gemer por ter de viver, como um ruído brusco de serras...

Há tão pouca gente que ame as paisagens que não existem!...
Saber que continuará a haver o mesmo mundo amanhã — como
[nos desalegra!...

Que o meu ouvir o teu silêncio não seja nuvens que atristem
O teu sorriso, anjo exilado, e o teu tédio, auréola negra...

Suave, como ter mãe e irmãs, a tarde rica desce...
Não chove já, e o vasto céu é um grande sorriso imperfeito...
A minha consciência de ter consciência de ti é uma prece,
E o meu saber-te a sorrir é uma flor murcha a meu peito...

Ah, se fôssemos duas figuras num longínquo vitral!...
Ah, se fôssemos as duas cores de uma bandeira de glória!...
Estátua acéfala posta a um canto, poeirenta pia batismal,
Pendão de vencidos tendo escrito ao centro este lema — *Vitória!*

O que é que me tortura?... Se até a tua face calma
Só me enche de tédios e de ópios de ócios medonhos...
Não sei... Eu sou um doido que estranha a sua própria alma...
Eu fui amado em efígie num país para além dos sonhos...*

(*Poesias* de Fernando Pessoa, 4ª ed., Lisboa, Ática, 1952, pp. 21-26.)

Ela canta, pobre ceifeira,
Julgando-se feliz talvez;
Canta, e ceifa, e a sua voz, cheia
De alegre e anônima viuvez,

Ondula como um canto de ave
No ar limpo como um limiar,
E há curvas no enredo suave
Do som que ela tem a cantar.

---

* *lictor* = "oficial que, na antiga Roma, acompanhava os magistrados com um molho de varas e uma machadinha para as execuções da justiça" (Aurélio Buarque de Holanda Ferreira, *Novo Dicionário da Língua Portuguesa,* Rio de Janeiro, Nova Fronteira, s.d., s.v.); *Apolo* = deus do Sol e da luz, das artes, das letras, da medicina.

Ouvi-la alegra e entristece,
Na sua voz há o campo e a lida,
E canta como se tivesse
Mais razões pra cantar que a vida.

Ah, canta, canta sem razão!
O que em mim sente 'stá pensando.
Derrama no meu coração
A tua incerta voz ondeando!

Ah, poder ser tu, sendo eu!
Ter a tua alegre inconsciência,
E a consciência disso! Ó céu!
Ó campo! Ó canção! A ciência

Pesa tanto e a vida é tão breve!
Entrai por mim dentro! Tornai
Minha alma a vossa sombra leve!
Depois, levando-me, passai!

(*Ibidem*, pp. 110-111.)

O que nós vemos das coisas são as coisas.
Por que veríamos nós uma coisa se houvesse outra?
Por que é que ver e ouvir seria iludirmo-nos
Se ver e ouvir são ver e ouvir?

O essencial é saber ver,
Saber ver sem estar a pensar,
Saber ver quando se vê,
E nem pensar quando se vê,
Nem ver quando se pensa.

Mas isso (triste de nós que trazemos a alma vestida!),
Isso exige um estudo profundo,
Uma aprendizagem de desaprender
E uma seqüestração na liberdade daquele convento
De que os poetas dizem que as estrelas são as freiras eternas
E as flores as penitentes convictas de um só dia,
Mas onde afinal as estrelas não são senão estrelas
Nem as flores senão flores,
Sendo por isso que lhes chamamos estrelas e flores.

(*Poemas* de Alberto Caeiro, 2ª ed., Lisboa, Ática, 1952, p. 48.)

Vem sentar-te comigo, Lídia, à beira do rio,
Sossegadamente fitemos o seu curso e aprendamos

Que a vida passa, e não estamos de mãos enlaçadas.
(Enlacemos as mãos).

Depois, pensemos, crianças adultas, que a vida
Passa e não fica, nada deixa e nunca regressa,
Vai para um mar muito longe, para ao pé do Fado,
Mais longe que os deuses.

Desenlacemos as mãos, porque não vale a pena cansarmo-nos.
Quer gozemos, quer não gozemos, passamos como o rio,
Mais vale saber passar silenciosamente
Em sem desassossegos grandes.

Sem amores, nem ódios, nem paixões que levantam a voz,
Nem invejas que dão movimento demais aos olhos,
Nem cuidados, porque se os tivesse o rio sempre correria,
E sempre iria ter ao mar.

Amemo-nos tranqüilamente, pensando que podíamos,
Se quiséssemos, trocar beijos e abraços e carícias,
Mas que mais vale estarmos sentados ao pé um do outro
Ouvindo correr o rio e vendo-o.

Colhamos flores, pega tu nelas e deixa-as
No colo, e que o seu perfume suavize o momento —
Este momento em que sossegadamente não cremos em nada,
Pagãos inocentes da decadência.

Ao menos, se for sombra antes, lembrar-te-ás de mim depois
Sem que a minha lembrança te arda ou te fira ou te mova,
Porque nunca enlaçamos as mãos, nem nos beijamos
Nem fomos mais do que crianças.

E se antes do que eu levares o óbolo ao barqueiro sombrio,
Eu nada terei que sofrer ao lembrar-me de ti.
Ser-me-ás suave à memória lembrando-te assim — à beira rio,
Pagã triste e com flores no regaço.

(*Odes* de Ricardo Reis, Lisboa, Ática, 1952, pp. 23-24.)

Lisbon Revisited
(1923)

Não: não quero nada.
Já disse que não quero nada.
Não me venham com conclusões!
A única conclusão é morrer

Não me tragam estéticas!
Não me falem em moral!
Tirem-me daqui a metafísica!
Não me apregoem sistemas completos, não me enfileirem
[conquistas
Das ciências (das ciências, Deus meu, das ciências!) —
Das ciências, das artes, da civilização moderna!

Que mal fiz eu aos deuses todos?

Se têm a verdade, guardem-na!

Sou um técnico, mas tenho técnica só dentro da técnica.
Fora disso sou doido, com todo o direito a sê-lo.
Cam todo o direito a sê-lo ouviram?

Não me macem, por amor de Deus!

Queriam-me casado, fútil, cotidiano e tributável?
Queriam-me o contrário disto, o contrário de qualquer coisa?
Se eu fosse outra pessoa, fazia-lhes, a todos, a vontade.

Assim, como sou, tenham paciência!
Vão para o diabo sem mim,
Ou deixem-me ir sozinho para o diabo!
Para que havemos de ir juntos?

Não me peguem no braço!
Não gosto que me peguem no braço. Quero ser sozinho.
Já disse que sou sozinho!
Ah, que maçada quererem que eu seja de companhia!

Ó céu azul — o mesmo da minha infância —,
Eterna verdade vazia e perfeita!
Ó macio Tejo ancestral e mudo,
Pequena verdade onde o céu se reflete!
Ó mágoa revisitada, Lisboa de outrora de hoje!
Nada me dais, nada me tirais, nada sois que eu me sinta.
Deixem-me em paz! Não tardo, que eu nunca tardo...
E enquanto tarda o Abismo e o Silêncio quero estar sozinho!

(*Poesias* de Álvaro de Campos, Lisboa, Ática, 1951, pp. 245-246.)

Fernando Pessoa é, como sabemos, o maior poeta português depois de Camões, tanto pela altura de suas intuições, como pela complexa mundividência que desenvolveu. De umas e de outra, os poemas transcritos, ainda que poucos, nos oferecem flagrante exemplo: por meio deles, conhecemos algumas das metamorfoses assumidas pelo poeta, e damo-nos conta do nível estético que atingiu. Partindo de um ponto pacífico, isto é, o de que estamos em face de textos poéticos de superior quilate, vejamos que idéias críticas nos sugerem. "Hora Absurda" apresenta Fernando Pessoa na fase inicial de sua carreira, em que, contagiado pelo

Saudosismo de Pascoaes mas querendo ultrapassá-lo, se entregava a experiências que rotulava de Sensacionismo, Paulismo (de "paul") e Interseccionismo. Os princípios do Sensacionismo, Fernando Pessoa resume-os nos seguintes: "1. Todo o objeto é uma sensação nossa. 2. Toda a arte é a conversão duma sensação em objeto. 3. Portanto, toda a arte é a conversão duma sensação numa outra sensação." (*Páginas Íntimas e de Auto-Interpretação,* Lisboa, Ática [1966], p. 168). Quanto ao Interseccionismo, seria "o Sensacionismo que toma consciência de cada sensação ser, na realidade, constituída por diversas sensações mescladas" (*ibidem,* p. 187). "Hora Absurda" é nitidamente um poema sensacionista e interseccionista, porquanto, ao predomínio da sensação "pura", se acrescenta a intersecção de planos, como se as sensações fundamentais do poeta convocassem para o âmbito do poema todas as sensações decorrentes e situadas nas mais díspares esferas. A atmosfera geral lembra Pascoaes — um Pascoaes lúcido, mais amplo e mais poeta, — e parece vaticinar o Surrealismo. Ao mesmo tempo, já se observa a fusão entre o real e o irreal, entre o concreto e o abstrato, que assinala a poesia pessoana. Resultado: é dos poemas mais altamente emotivos de quantos escreveu Fernando Pessoa; sem dúvida, uma de suas obras-primas. O poema seguinte ("Ela canta, pobre ceifeira") é ainda de Fernando Pessoa "ele-mesmo", como ele próprio se autodenominava, para diferençar dos heterônimos, os seus desdobramentos de personalidade que assinam as demais composições citadas. E nele vemos a nota que o caracteriza: a mágoa. Esta, que impregna todo o poema, coagula-se em dois pensamentos que se tornaram *clichês* e fundamentais para a compreensão do fenômeno pessoano: "O que em mim sente 'stá pensando"; "Ah, poder ser tu, sendo eu! / Ter a tua alegre inconsciência, / E a consciência disso!". Pelo primeiro, o poeta manifesta até que ponto havia dentro dele inextricável congruência entre sentir e pensar, ou, mais exatamente, a entidade ou faculdade que nele "sente 'stá pensando", está pensando *além* de sentir, ou está sentindo *e* pensando ao mesmo tempo; assim, sentir e pensar constituem atos indissociáveis de um órgão íntimo que só por absurdo poderia deixar de sentir e, portanto, de pensar simultaneamente: sentir *é* pensar, pensar *é* sentir. Pelo segundo, que completa o primeiro, o poeta confessa o recôndito desejo que lhe perpassa os poemas: sendo extremamente lúcido, sonha com ser inconsciente (tal como a ceifeira), mas sem perder a lucidez; aqui, o drama (se houve) imanente na poesia de Fernando Pessoa "ele-mesmo". O poema lembra o Antônio Nobre de "Ó Virgens que passais, ao Sol-poente" (cf. a última estrofe pessoana), mas enriquecido de análise e dialética. A composição iniciada com "O que vemos das coisas são as coisas" pertence a Alberto Caeiro, considerado mestre dos heterônimos. Vê-se bem o contorno psicológico: prega um naturalismo absoluto em que os verbos "ver" e "ouvir" ocupam lugar proeminente, e dos quais fica dissociado o "pensar", ou seja, abolir o "pensar" para apenas ver e ouvir. Valorização duma concepção ingênua e realista das coisas, nem por isso deixa de ser altamente intelectualizada e pensada: o poeta pensa o seu propósito de não pensar, ou antes, de limitar-se a ver e ouvir. Expressão de fuga para a simplicidade da Natureza (representada, no poema, pelas estrelas e pelas flores), ou duma ansiosa busca de conhecer todas as configurações do real, Alberto Caeiro completa-se com outros dois heterônimos, Ricardo Reis e Álvaro de Campos. O primeiro está voltado, como se vê ("Vem sentar-te comigo, Lídia, à beira do rio"), para a Antigüidade clássica, imbuído de uma visão estóica do mundo, visto ser ele e Lídia "pagãos inocentes da decadência": a mágoa de Fernando Pessoa "ele-mesmo" volve-se desencanto e a sensação de tudo ser inútil, pois "quer gozemos, quer não gozemos, passamos como o rio". Essa imagem heraclitiana serve de núcleo a um dos mais belos poemas de amor da Literatura Portuguesa, além de conter uma das forças-motrizes da cosmovisão pessoana. Álvaro de Campos representa-se com "Lisbon Revisited", no qual se estampam algumas de suas características básicas: heterônimo moderno, na linha de Walt Whitman, irritadiço, agressivo, simboliza a volúpia de libertação total num mundo impregnado de idéias-feitas, não raro provenientes da civilização da máquina. Um niilismo tenso e ofensivo ("Não: não quero nada. / Já disse que não quero nada.") ampara-lhe a visão das coisas, levando-o a irreverências perante tudo e todos: as ciências, a técnica, os deuses, Deus, o casamento, etc. Entretanto, a sua indignação abranda-se diante do "céu azul — o mesmo da minha infância — / Eterna verdade vazia e perfeita!", e ele se mostra dotado de uma essência idêntica à dos heterônimos e Fernando Pessoa "ele-mesmo": "Ó mágoa revisitada, Lisboa de outrora de hoje!". Uno e diviso a um só tempo, Fernando Pessoa criou poesia de alta tensão épica, que muito nos toca de perto, contemporâneos ou próximos do mundo em que viveu, mas que, por isso mesmo, somente será aquilatada em sua verdadeira grandeza quando pertencer ao passado remoto e tudo estiver mergulhado no Abismo e no Silêncio de que fala Álvaro de Campos.

Sol nulo dos dias vãos,
Cheios de lida e de calma,
Aquece ao menos as mãos
A quem não entras na alma!

Que ao menos a mão, roçando
A mão que por ela passe,
Com extremo calor brando
O frio da alma disfarce!

Senhor, já que a dor é nossa
E a fraqueza que ela tem,
Dá-nos ao menos a força
De a não mostrar a ninguém!

*
* *

Natal... Na província neva.
Nos lares aconchegados,
Um sentimento conserva
Os sentimentos passados.

Coração oposto ao mundo,
Como a família é verdade!
Meu pensamento é profundo,
'Stou só e sonho saudade.

E como é branca de graça
A paisagem que não sei,
Vista de trás da vidraça
Do lar que nunca terei!

*
* *

Dizem?
Esquecem.

Não dizem?
Dissessem.

Fazem?
Fatal.
Não fazem?
Igual.

Por que
Esperar?
— Tudo é
Sonhar.

Natal

Nasce um Deus. Outros morrem. *A* verdade
Nem veio nem se foi: o Erro mudou.
Temos agora uma outra Eternidade,
E era sempre melhor o que passou.

Cega, a Ciência a inútil gleba lavra.
Louca, a Fé vive o sonho do seu culto.
Um novo Deus é só uma palavra.
Não procures nem creias: tudo é oculto.

O Menino da sua Mãe

No plaino abandonado
Que a morna brisa aquece,
De balas traspassado
— Duas, de lado a lado —,
Jaz morto, e arrefece.

Raia-lhe a farda o sangue.
De braços estendidos,
Alvo, louro, exangue,
Fita com olhar langue
E cego os céus perdidos.

Tão jovem! que jovem era!
(Agora que idade tem?)
Filho único, a mãe lhe dera
Um nome e o mantivera:
"O menino da sua mãe".

Caiu-lhe da algibeira
A cigarreira breve.
Dera-lhe a mãe. Está inteira

E boa a cigarreira.
Ele é que já não serve.

De outra algibeira, alada
Ponta a roçar o solo,
A brancura embainhada
De um lenço... Deu-lho a criada
Velha que o trouxe ao colo.

Lá longe, em casa, há a prece:
"Que volte cedo, e bem!"
(Malhas que o Império tece!)
Jaz morto, e apodrece,
O menino da sua mãe.

Autopsicografia

O poeta é um fingidor.
Finge tão completamente
Que chega a fingir que é dor
A dor que deveras sente.

E os que lêem o que escreve,
Na dor lida sentem bem,
Não as duas que ele teve,
Mas só a que eles não têm.

E assim nas calhas de roda
Gira, a entreter a razão,
Esse comboio de corda
Que se chama coração.

(*Poesias* de Fernando Pessoa, pp. 100, 117, 213, 218, 219-220, 237.)

II

O meu olhar é nítido como um girassol.
Tenho o costume de andar pelas estradas
Olhando para a direita e para a esquerda,
E de vez em quando olhando para trás...
E o que vejo a cada momento
É aquilo que nunca antes eu tinha visto,
E eu sei dar por isso muito bem...
Sei ter o pasmo essencial
Que tem uma criança se, ao nascer,
Reparasse que nascera deveras...
Sinto-me nascido a cada momento
Para a eterna novidade do Mundo...

Creio no mundo como num malmequer,

Porque o vejo. Mas não penso nele
Porque pensar é não compreender...
O Mundo não se fez para pensarmos nele
(Pensar é estar doente dos olhos)
Mas para olharmos para ele e estarmos de acordo...

Eu não tenho filosofia: tenho sentidos...
Se falo na Natureza não é porque saiba o que ela é,
Mas porque a amo, e amo-a por isso,
Porque quem ama nunca sabe o que ama
Nem sabe porque ama, nem o que é amar...

Amar é a eterna inocência,
E a única inocência é não pensar...

*
* *

O mistério das coisas, onde está ele?
Onde está ele que não aparece
Pelo menos a mostrar-nos que é mistério?
Que sabe o rio disso e que sabe a árvore?

E eu, que não sou mais do que eles, que sei disso?
Sempre que olho para as coisas penso no que os
[homens pensam delas,
Rio como um regato que soa fresco numa pedra.

Porque o único sentido oculto das coisas
É elas não terem sentido oculto nenhum,
É mais estranho do que todas as estranhezas
E do que os sonhos de todos os poetas
E os pensamentos de todos os filósofos,
Que as coisas sejam realmente o que parecem ser
E não haja nada que compreender.

Sim, eis o que os meus sentidos aprenderam sozinhos: —
As coisas não têm significação: têm existência.
As coisas são o único sentido oculto das coisas.

(*Poemas* de Alberto Caeiro, pp. 22-23, 61.)

Segue o teu destino,
Rega as tuas plantas,
Ama as tuas rosas.
O resto é a sombra
De árvores alheias.

A realidade
Sempre é mais ou menos
Do que nós queremos.

Só nós somos sempre
Iguais a nós-próprios.

Suave é viver Só.
Grande e nobre é sempre
Viver simplesmente.
Deixa a dor nas aras
Como ex-voto aos deuses.

Vê de longe a vida.
Nunca a interrogues.
Ela nada pode
Dizer-te. A resposta
Está além dos deuses.

Mas serenamente
Imita o Olimpo
No teu coração.
Os deuses são deuses
Porque não se pensam.

*
* *

Tão cedo passa tudo quanto passa!
Morre tão jovem ante os deuses quanto
        Morre! Tudo é tão pouco!
Nada se sabe, tudo se imagina.
Circunda-te de rosas, ama, bebe
        E cala. O mais é nada.

*
* *

Quer pouco: terás tudo.
Quer nada: serás livre.
O mesmo amor que tenham
Por nós, quer-nos, oprime-nos.

*
* *

Não só quem nos odeiai ou nos inveja
Nos limita e oprime; quem nos ama
        Não menos nos limita.
Que os deuses me concedam que, despido
De afetos, tenha a fria liberdade
        Dos píncaros sem nada.
Quem quer pouco, tem tudo; quem quer nada
É livre; quem não tem, e não deseja,
        Homem, é igual aos deuses.

*
* *

Quero dos deuses só que me não lembrem.
Serei livre — sem dita nem desdita,
Como o vento que é a vida
Do ar que não é nada.
O ódio e o amor iguais nos buscam; ambos,
Cada um com seu modo, nos oprimem.
A quem deuses concedem,
Nada, tem liberdade.

(*Odes* de Ricardo Reis, pp. 68-69, 91, 124, 125, 166.)

Na véspera de não partir nunca
Ao menos não há que arrumar malas
Nem que fazer planos em papel,
Com acompanhamento involuntário de esquecimentos,
Para o partir ainda livre do dia seguinte.
Não há que fazer nada
Na véspera de não partir nunca.
Grande sossego de já não haver sequer de que ter sossego!
Grande tranqüilidade a que nem sabe escolher ombros
Por isto tudo, ter pensado o tudo
É o ter chegado deliberadamente a nada.
Grande alegria de não ter precisão de ser alegre,
Como uma oportunidade virada do avesso.
Há quantas vezes vivo
A vida vegetativa do pensamento!
Todos os dias *sine linea*...
Sossego, sim, sossego...
Grande tranqüilidade...
Que repouso, depois de tantas viagens, físicas e psíquicas!
Que prazer olhar para as malas fitando como para nada!
Dormita, alma, dormita!
Aproveita, dormita!
Dormita!
É pouco o tempo que tens! Dormita!
É a véspera de não partir nunca!

Aniversário

No tempo em que festejavam o dia dos meus anos,
Eu era feliz e ninguém estava morto.
Na casa antiga, até eu fazer anos era uma tradição de há séculos,
E a alegria de todos, e a minha, estava certa com uma religião qualquer.

No tempo em que festejavam o dia dos meus anos,
Eu tinha a grande saúde de não perceber coisa nenhuma,
De ser inteligente para entre a família,
E de não ter as esperanças que os outros tinham por mim.
Quando vim a ter esperanças, já não sabia ter esperanças.
Quando vim a olhar para a vida, perdera o sentido da vida.
Sim, o que fui de suposto a mim mesmo,
O que fui de coração e parentesco,
O que fui de serões de meia-província,
O que fui de amarem-me e eu ser menino,
O que fui — ai, meu Deus!, o que só hoje sei que fui...
A que distância!...
(Nem o acho...)
O tempo em que festejavam o dia dos meus anos!

O que eu sou hoje é como a umidade no corredor do fim da casa,
Pondo grelado nas paredes...
O que eu sou hoje (e a casa dos que me amaram treme através das
[minhas lágrimas),
O que eu sou hoje é terem vendido a casa,
É terem morrido todos,
E estar eu sobrevivente a mim-mesmo como um fósforo frio...

No tempo em que festejavam o dia dos meus anos...
Que meu amor, como uma pessoa, esse tempo!
Desejo físico da alma de se encontrar ali outra vez,
Por uma viagem metafísica e carnal,
Com uma dualidade de eu para mim...
Comer o passado como pão de fome, sem tempo de manteiga nos
[dentes!

Vejo tudo outra vez com uma nitidez que me cega para o que há aqui...
A mesa posta com mais lugares, com melhores desenhos na loiça, com
[mais copos,
O aparador com muitas coisas — doces, frutas, o resto na sombra
[debaixo do alçado —,
As tias velhas, os primos diferentes, e tudo era por minha causa,
No tempo em que festejavam o dia dos meus anos...

Pára, meu coração!
Não penses! Deixa o pensar na cabeça!
Ó meu Deus, meu Deus, meu Deus!
Hoje já não faço anos.
Duro.
Somam-se-me dias.
Serei velho quando o for.
Mais nada.
Raiva de não ter trazido o passado roubado na algibeira!...

O tempo em que festejavam o dia dos meus anos!...

(*Poesias* de Álvaro de Campos, pp. 61-62, 282-284.)

MÁRIO DE SÁ-CARNEIRO

Nasceu em Lisboa, em 19/5/1890. Filho único de um engenheiro, perdeu a mãe com dois anos de idade. Terminados os estudos secundários, segue para Paris em 1912, com o fito de seguir o curso de Direito. Nesse mesmo ano, publica um livro de contos, *Princípio,* e começa a escrever poesia. Em 1914, de férias em Lisboa, junta-se a Fernando Pessoa e aos demais jovens que viriam a lançar o *Orpheu* (1915), e publica *Dispersão* e *A Confissão de Lúcio.* De regresso a Paris, entra numa profunda crise financeira e moral que o acaba arrastando ao suicídio, em 26 de abril de 1916. Escreveu poesia *(Dispersão,* 1914; *Indícios de Oiro,* 1937), prosa poética *(Princípio,* 1912; *Céu em Fogo,* 1915; *A Confissão de Lúcio,* 1914) e teatro *(Amizade,* 1912, em colaboração com Tomás Cabreira Jr.).

Dispersão

Perdi-me dentro de mim
Porque eu era labirinto,
E hoje, quando me sinto,
É com saudades de mim.

Passei pela minha vida
Um astro doido a sonhar.
Na ânsia de ultrapassar,
Nem dei pela minha vida...

Para mim é sempre ontem,
Não tenho amanhã nem hoje:
O tempo que aos outros foge
Cai sobre mim feito ontem.

(O Domingo de Paris
Lembra-me o desaparecido
Que sentia comovido
Os Domingos de Paris:

Porque um domingo é família,
É bem-estar, é singeleza,
E os que olham a beleza
Não têm bem-estar nem família).

O pobre moço das ânsias...
Tu, sim, tu eras alguém!
E foi por isso também
Que te abismaste nas ânsias.

A grande ave doirada
Bateu asas para os céus,

Mas fechou-as saciada
Ao ver que ganhava os céus.

Como se chora um amante,
Assim me choro a mim mesmo:
Eu fui amante inconstante
Que se traiu a si mesmo.

Não sinto o espaço que encerro
Nem as linhas que projeto:
Se me olho a um espelho, erro
— Não me acho no que projeto.

Regresso dentro de mim
Mas nada me fala, nada!
Tenho a alma amortalhada.
Sequinha, dentro de mim.

Não perdi a minha alma,
Fiquei com ela, perdida.
Assim eu choro, da vida,
A morte da minha alma.

Saudosamente recordo
Uma gentil companheira
Que na minha vida inteira
Eu nunca vi... mas recordo

A sua boca doirada
E o seu corpo esmaecido,
Em um hálito perdido
Que vem na tarde doirada.

(As minhas grandes saudades
São do que nunca enlacei.
Ai, como eu tenho saudades
Dos sonhos que não sonhei! ...

E sinto que a minha morte —
Minha dispersão total —
Existe lá longe, ao norte,
Numa grande capital.

Vejo o meu último dia
Pintado em rolos de fumo,
E todo azul-de-agonia
Em sombra e além me sumo.

Ternura feita saudade,
Eu beijo as minhas mãos brancas...

Sou amor e piedade
Em face dessas mãos brancas...

Tristes mãos longas e lindas
Que eram feitas pra se dar...
Ninguém mas quis apertar...
Tristes mãos longas e lindas...

Eu tenho pena de mim,
Pobre menino ideal...
Que me faltou afinal?
Um elo? Um rastro?... Ai de mim!...

Desceu-me n'alma o crepúsculo;
Eu fui alguém que passou.
Serei, mas já não me sou;
Não vivo, durmo o crepúsculo.

Álcool dum sono outonal
Me penetrou vagamente
A difundir-me dormente
Em uma bruma outonal.

Perdi a morte e a vida,
E, louco, não enlouqueço...
A hora foge vivida
Eu sigo-a, mas permaneço...

. . . .

Castelos desmantelados,
Leões alados sem juba...

. . . .

Quase

Um pouco mais de sol — eu era brasa,
Um pouco mais de azul — eu era além.
Para atingir, faltou-me um golpe de asa...
Se ao menos eu permanecesse aquém...

Assombro ou paz? Em vão... Tudo esvaído
Num baixo mar enganador de espuma;
E o grande sonho despertado em bruma,
O grande sonho — ó dor! — quase vivido...

Quase o amor, quase o triunfo e a chama,
Quase o princípio e o fim — quase a expansão...
Mas na minh'alma tudo se derrama...
Entanto nada foi só ilusão!

De tudo houve um começo... e tudo errou...
— Ai a dor de ser-quase, dor sem fim... —

Eu falhei-me entre os mais, falhei em mim,
Asa que se elançou mas não voou...

Momentos de alma que desbaratei...
Templos aonde nunca pus um altar...
Rios que perdi sem os levar ao mar...
Ânsias que foram mas que não fixei...

Se me vagueio, encontro só indícios...
Ogivas para o sol — vejo-as cerradas;
E mãos de herói, sem fé, acobardadas
Puseram grades sobre os precipícios...

Num ímpeto difuso de quebranto,
Tudo encetei e nada possuí...
Hoje, de mim, só resta o desencanto
Das coisas que beijei mas não vivi...

. . . .
. . . .

Um pouco mais de sol — e fora brasa,
Um pouco mais de azul — e fora além.
Para atingir, faltou-me um golpe de asa...
Se ao menos eu permanecesse aquém...

A Queda

E eu que sou o rei de toda esta incoerência,
Eu próprio turbilhão, anseio por fixá-la
E giro até partir... Mas tudo me resvala
Em bruma e sonolência.

Se acaso em minhas mãos fica um pedaço de ouro,
Volve-se logo falso... ao longe o arremesso...
Eu morro de desdém em frente dum tesoiro,
Morro à míngua, de excesso.

Alteio-me na cor à força de quebranto,
Estendo os braços de alma — e nem um espasmo venço!...
Peneiro-me na sombra — em nada me condenso...
Agonias de luz eu vibro ainda entanto.

Não me pude vencer, mas posso-me esmagar,
— Vencer às vezes é o mesmo que tombar
E como inda sou luz, num grande retrocesso,
Em raivas ideais, ascendo até ao fim:
Olho do alto o gelo, ao gelo me arremesso...

. . . .

Tombei...

E fico só esmagado sobre mim!...

*

* *

Eu não sou eu nem sou o outro,
Sou qualquer coisa de intermédio:
Pilar da ponte de tédio
Que vai de mim para o Outro.

O Lord

Lord que eu fui de Escócias doutra vida
Hoje arrasta por esta a sua decadência,
Sem brilho e equipagens.
Milord reduzido a viver de imagens
Pára às montras de jóias de opulência
Num desejo brumoso — em dúvida iludida...
(— Por isso a minha raiva mal contida,
— Por isso a minha eterna impaciência.)

Olha as Praças, rodeia-as...
Quem sabe se ele outrora
Teve Praças, como esta, e palácios e colunas —
Longas terras, quintas cheias,
Iates pelo mar fora,
Montanhas e lagos, florestas e dunas...
(— Por isso a sensação em mim fincada há tanto
Dum grande patrimônio algures haver perdido;
Por isso o meu desejo astral de luxo desmedido —
E a Cor na minha Obra o que ficou do encanto...)

Aqueloutro

O dúbio mascarado, o mentiroso
Afinal, que passou na vida incógnito
O Rei-lua postiço, o falso atônito;
Bem no fundo o covarde rigoroso...

Em vez de Pajem bobo presunçoso...
Sua alma de neve asco de um vômito...
Seu animo cantado como indômito
Um lacaio invertido e pressuroso...

O sem nervos nem ânsia, o papa-açorda...
(Seu coração talvez movido à corda...)
Apesar de seus berros ao Ideal,

O corrido, o raimoso, o desleal,
O balofo arrotando Império astral,
O mago sem condão, o Esfinge Gorda...

Fim

Quando eu morrer batam em latas,
Rompam aos saltos e aos pinotes,
Façam estalar no ar chicotes,
Chamem palhaços e acrobatas!

Que o meu caixão vá sobre um burro
Ajaezado à andaluza...
A um morto nada se recusa,
E eu quero por força ir de burro!

(*Poesias,* Lisboa, Ática, 1946, pp. 61-65, 68-69, 79-80, 94, 140, 166-167, 168.)

Mário de Sá-Carneiro descreveu percurso diametralmente oposto ao de Fernando Pessoa: egocêntrico, em vez de multiplicar-se como fez o outro, dispersou-se no labirinto do próprio "eu" e acabou por desintegrar-se e desintegrá-lo (cf. "Dispersão" e "Eu não sou eu nem o outro"). Esse aspecto, evidente nos poemas escolhidos, marca-lhe indelevelmente a cosmovisão. Assim, o que se observa como nota indefectível é um doentio solipsismo, conduzido ao extremo da neurótica fragmentação do *ego.* Vê-se que as causas possíveis, ao menos aquelas situadas no interior dos versos, residem num idealismo infrene (cf. "Quase", dos gritos mais lancinantes que se podem encontrar em vernáculo), que acompanha uma vaidade de narciso irremediável, megalomaníaco e passivo (cf. "A Queda", "O Lord"), contrabalançada por uma correspondente e compensatória tendência para o autodesprezo (cf. "Aqueloutro" e "Fim"). Tal dilacerante ensimesmamento faz corpo com uma visão demasiado feminóide e estetizante das coisas: o poeta está à mercê dos perigos oferecidos pelo dédalo interior, precisamente porque encara a realidade sob o prisma emocional. Quer dizer: nele, o racionalismo não tem maior presença, e deixa o campo livre para a emoção reinar discricionariamente. Jogado por suas emoções, destituído de alicerces filosóficos, ou de ordem semelhante, é natural resvalasse para os profundos abismos do "eu". O resultado foi, no plano civil, o suicídio, em que mergulhou quando mal transpunha a adolescência; todavia, no plano literário, é uma poesia como raras em Literatura Portuguesa: indiscutivelmente, sua intuição, divinatória à Rimbaud e à Baudelaire, rasgou horizontes novos na poesia portuguesa, e dotou-a de temas e de fórmulas expressivas que fazem dele o grande alquimista verbal moderno, junto de Fernando Pessoa. Por certo, Mário de Sá-Carneiro deveu muito ao Simbolismo, ao Interseccionismo e Sensacionismo, ao Cubismo, ao Futurismo, e quiçá a Gomes Leal, mas o recheio de sua poesia nasce de uma intensa originalidade, vivida em seu grau máximo e comunicada duma forma nada vulgar em Literatura Portuguesa. E ainda que por vezes adotasse esquemas métricos tradicionais (como, por exemplo, o redondilho maior, em "Dispersão"), era essencialmente um poeta, e um poeta consciente e insatisfeito, para descobrir-lhes facetas novas ou inexploradas.

Partida

Ao ver escoar-se a vida humanamente
Em suas águas certas, eu hesito,

E detenho-me às vezes na torrente
Das coisas geniais em que medito.

Afronta-me um desejo de fugir
Ao mistério que é meu e me seduz.
Mas logo me triunfo. A sua luz
Não há muitos que a saibam refletir.

A minh'alma nostálgica de além,
Cheia de orgulho, ensombra-se entretanto,
Aos meus olhos ungido sobe um pranto
Que tenho a força de sumir também.

Porque eu reajo. A vida, a natureza,
Que são para o artista? Coisa alguma.
O que devemos é saltar na bruma,
Correr no azul à busca da beleza.

É subir, é subir além dos céus
Que as nossas almas só acumularam.
E prostrados rezar, em sonho, ao Deus
Que as nossas mãos de auréola lá douraram.

É partir sem temor contra a montanha
Cingidos de quimera e de irreal;
Brandir a espada fulva e medieval,
A cada hora acastelando em Espanha.

É suscitar cores endoidecidas,
Ser garra imperial enclavinhada,
E numa extrema-unção de alma ampliada,
Viajar outros sentidos, outras vidas.

Ser coluna de fumo, astro perdido,
Forçar os turbilhões aladamente,
Ser ramo de palmeira, água nascente
E arco de oiro e chama distendido...

Asa longínqua a sacudir loucura,
Nuvem precoce de sutil vapor,
Ânsia revolta de mistério e olor,
Sombra, vertigem, ascensão — Altura!

E eu dou-me todo neste fim de tarde
À espira aérea que me eleva aos cumes.
Doido de esfinges o horizonte arde,
Mas fico ileso entre clarões e gumes!...

Miragem roxa de nimbado encanto —
Sinto os meus olhos a volver-se em espaço!

Alastro, venço, chego e ultrapasso;
Sou labirinto, sou licorne e acanto.

Sei a distância, compreendo o Ar;
Sou chuva de oiro e sou espasmo de luz;
Sou taça de cristal lançada ao mar,
Diadema e timbre, elmo real e cruz...

. . . .
. . . .

O bando das quimeras longe assoma...
Que apoteose imensa pelos céus!
A cor já não é cor — som e aroma!
Vêem-me saudades de ter sido Deus...

*
* *

Ao triunfo maior, avante pois!
O meu destino é outro — é alto e é raro.
Unicamente custa muito caro:
A tristeza de nunca sermos dois...

Álcool

Guilhotinas, pelouros e castelos
Resvalam longemente em procissão
Volteiam-me crepúsculos amarelos,
Mordidos, doentios de roxidão.

Batem asas de auréola aos meus ouvidos
Grifam-me sons de cor e de perfumes,
Ferem-me os olhos turbilhões de gumes,
Descem-me a alma, sangram-me os sentidos.

Respiro-me no ar que ao longe vem,
Da luz que me ilumina participo;
Quero reunir-me, e todo me dissipo —
Luto, estrebucho... Em vão! Silvo p'ra além...

Corre em volta de mim sem me encontrar...
Tudo oscila e se abate como espuma...
Um disco de oiro surge a voltear...
Fecho os meus olhos com pavor da bruma...

Que droga foi a que me inoculei?
Ópio de inferno em vez de paraíso?...
Que sortilégio a mim próprio lancei?
Como é que em dor genial eu me eterizo?

Nem ópio nem morfina. O que me ardeu,
Foi álcool mais raro e penetrante:
É só de mim que ando delirante —
Manhã tão forte que me anoiteceu.

Estátua Falsa

Só de oiro falso os meus olhos se douram
Sou esfinge sem mistério no poente.
A tristeza das coisas que não foram
Na minh'alma desceu veladamente.

Na minha dor quebram-se espadas de ânsia,
Gomos de luz em treva se misturam.
As sombras que eu dimano não perduram,
Como Ontem, para mim, Hoje é distância.

Já não estremeço em face do segredo;
Nada me aloira já, nada me aterra:
A vida corre sobre mim em guerra,
E nem sequer um arrepio de medo!

Sou estrela ébria que perdeu os céus,
Sereia louca que deixou o mar;
Sou templo prestes a ruir sem deus,
Estátua falsa ainda erguida ao ar...

Distante Melodia

Num sonho de íris morto a oiro e brasa,
Vêm-me lembranças doutro Tempo azul
Que me oscilava entre véus de tule —
Um tempo esguio e leve, um tempo-Asa.

Então os meus sentidos eram cores,
Nasciam num jardim as minhas ânsias,
Havia na minha alma Outras distâncias —
Distâncias que o segui-las era flores...

Caía Oiro se pensava Estrelas,
O luar batia sobre o meu alhear-me...
— Noites-lagoas, como éreis belas
Sob terraços-lis de recordar-me!...

Idade acorde de Inter-sonho e Lua,
Onde as horas corriam sempre jade,
Onde a neblina era uma saudade,
E a luz — anseios de Princesa nua...

Balaústres de som, arcos de Amar,
Pontes de brilho, ogivas de perfume...
Domínio inexprimível de Ópio e lume
Que nunca mais, em cor, hei-de habitar...

Tapetes de outras Pérsias mais Oriente...
Cortinados de Chinas mais marfim...
Áureos Templos de ritos de cetim...
Fontes correndo sombra, mansamente...

Zimbórios-panteons de nostalgias,
Catedrais de ser-Eu por sobre o mar...
Escadas de honra, escadas só, ao ar...
Novas Bizâncios-Alma, outras Turquias...

Lembranças fluidas... Cinza de brocado...
Irrealidade anil que em mim ondeia...
— Ao meu redor eu sou Rei exilado,
Vagabundo dum sonho de sereia...

Taciturno

Há Oiro marchetado em mim, a pedras raras,
Oiro sinistro em sons de bronzes medievais —
Jóia profunda a minha alma a luzes caras,
Cibório triangular de ritos infernais.

No meu mundo interior cerraram-se armaduras,
Capacete de ferro esmagaram Princesas.
Toda uma estirpe real de heróis de outras bravuras
Em mim se despojou dos seus brazões e presas.

Heráldicas-luar sobre ímpetos de rubro,
Humilhações a lis, desforços de brocado;
Basílicas de tédio, arneses de crispado,
Insígnias de Ilusão, troféus de jaspe e Outubro...

A ponte levadiça e baça de Eu-ter-sido
Enferrujou — embalde a tentarão descer...
Sobre fossos de Vago, ameias de inda-querer —
Manhãs de armas ainda em arraiais de olvido...

Percorro-me em salões sem janelas nem portas,
Longas salas de trono a espessas densidades,
Onde os planos de Arrás são esgarçadas saudades,
E os divãs, em redor, ânsias lassas, absortas...

Há roxos fins de Império em meu renunciar —
Caprichos de cetim do meu desdém Astral...
Há exéquias de heróis na minha dor feudal —
E os meus remorsos são terraços sobre o mar...

O Fantasma

O que farei na vida — o Emigrado
Astral após que fantasiada guerra,
Quando este Oiro por fim cair por terra,
Que ainda é Oiro, embora esverdinhado?

(De que revolta ou que país fadado?)
Pobre lisonja a gaze que me encerra...
Imaginária e pertinaz, desferra
Que força mágica o meu pasmo aguado?

A escada é suspeita e é perigosa:
Alastra-se uma nódoa duvidosa
Pela alcatifa, os corrimões partidos...

Taparam com rodilhas o meu norte,
As formigas cobriram minha sorte,
Morreram-me meninos nos sentidos...

(*Ibidem* pp. 51-54, 58-59, 66-67, 98-99, 101-102, 162-165.)

ALMADA NEGREIROS

José Sobral de Almada Negreiros nasceu em Lisboa, em 7/4/1893. Terminados os estudos secundários, encetou uma intensa campanha cultural que visava colaborar para que Portugal se colocasse no nível das demais nações européias. Em 1915, integra o grupo de *Orpheu* e nele ocupa lugar de relevo. Inconformista, põe-se contra todas as modalidades de academicismo *(Manifesto Anti-Dantas e por Extenso,* 1915) e procura divulgar em sua pátria as modernas correntes estéticas (Cubismo, Futurismo, etc.). Em 1919, segue para Paris com o intuito de estudar pintura, e lá permanece até o ano seguinte. Ainda as artes plásticas o levarão à Espanha, onde vive de 1927 a 1932. De regresso à Pátria, continua sua campanha de esclarecimento e divulgação das vanguardas culturais. Dividiu-se entre a poesia, a pintura, o romance, o desenho, o teatro, a crítica de arte, as conferências, etc. Em todas essas atividades revelou um espírito criador incomum, por vezes chegando a rasgos de verdadeira genialidade. Escreveu: *O Moinho* (1913), *Os Outros* (1914), *23, 2º andar* (1914), *Manifesto Anti-Dantas e por Extenso* (1915), *K4, O Quadrado Azul* (1917), *Litoral* (1917), *A Engomadeira* (1917), *Invenção do Dia Claro* (1921), *Pierrot e Arlequim* (1924), *Deseja-se mulher* (1928), *S.O.S.* (1929), *Portugal, Direção Única* (1932), *Elogio de Ingenuidade* (1936), *Nome de Guerra* (1938), *Mito-Alegoria-Símbolo* (1948), *Orpheu* (1965). Faleceu em Lisboa, em 14/6/1970.

Nome de Guerra

Escrito em 1925, *Nome de Guerra* somente foi publicado em 1938. O romance, cuja ação transcorre em Lisboa, na década de 20, focaliza a história de um jovem provinciano,

Antunes, que muda para a Capital e em contacto com o meio urbano, sobretudo com Judite, a do "nome de guerra", se transforma e se encontra definitivamente. Dos sessenta e quatro capítulos em que o romance se fragmenta, escolheu-se o capítulo LVIII, intitulado "Os Novos Amigos do Protagonista Falam-lhe da Diferença entre Todos Juntos e cada Qual em Separado". Note-se que Maria era uma jovem que ele namorara em sua terra natal e que morrera "em menos de quinze dias durante a estada do Antunes em Lisboa, por ela não saber nem ter quem lhe explicasse aquela ausência" (capítulo LVI):

Cada um de nós não pode deixar de ser o próprio, e ainda que para isso lhe seja indispensável a maior das forças de vontade. Efetivamente, o que os astros mandam não é para ficar no céu. No céu ficam os astros apenas. Nós somos exatamente o que eles mandam. E, verdade verdadinha, antes obedecer aos astros do que a outros.

A nossa obediência aos astros é a um tempo involuntária e heróica. Involuntária, porque a vontade é a deles, e heróica, porque não há de ser vencida pela dos humanos. Há em cada pessoa um espírito de vitória e é o mais legítimo da sua vida íntima. Nenhuma alma em vida deixou de ser instada por este espírito de vitória. Ele é a mais bela expressão da cara humana, e a sua ausência a pior. O espírito de vitória é... o espírito de vitória não é..., e estes pensamentos gaguejavam na cabeça do Antunes como se ele fosse também gago da fala. Tinha-se-lhe ido de repente a idéia tão clara, e as palavras não tiveram tempo de a agarrar.

Quando se quer outra vez uma idéia que nos fugiu, deitamos mão de qualquer imagem que se nos apresente, a ver se ela se liga com a que tínhamos antes; assim também o Antunes reparava que nunca ninguém o tinha admirado. Foi tão sensacional para ele esta descoberta que se passou inteiro para o seu novo pensamento. Tirando os pais, naturalmente, só a Maria ficava diante dele como diante de um gênio. E então o Antunes ligou logo com a idéia perdida: o espírito de vitória tem um visor de referência imediata na admiração que inspiramos aos outros. Não há melhor compensação para a nossa vida do que a admiração dos outros pelo que merecemos, mas também não há pior momento humano do que aquele em que nos admiram sem acertar com o exato do nosso valor. A pessoa verdadeira prefere inimigos autênticos e admiradores sem pontaria. Pelo justo da admiração ou repulsa dos outros podemos verificar se vamos bem com os astros, por conseguinte se não deturpamos o sentido do espírito de vitória.

A comunicação entre humanos faz-se pela admiração. Não são as idéias o que a humanidade admira senão o próprio dos sentimentos. Ótimos ou péssimos, é relativo, e pouco importa para admirar, basta que se ajustem perfeitamente àquele que com eles se move. Nos fatos da nossa vida mandam os astros, nos nossos sentimentos mandamos nós e todos os que estiveram no nosso sangue, nas nossas idéias mandam os astros e os nossos sentimentos. Os fatos decidem, os sentimentos revelam-nos, as idéias são resultados de fatos e de sentimentos. Os fatos e os sentimentos não se podem sintetizar, como se faz com as idéias, mas admiráveis só os sentimentos.

O Antunes recordava a cara linda de Maria diante dele e ainda via que ela gostava dele a valer, que ela dava-se-lhe como se ele lhe correspondesse, que ele lhe correspondia de fato, mas apenas por causa dela, por causa daquela sua maneira de se dar total, leal, fatal, por ser impossível dissuadi-la disso, por ser assim precisamente que os astros mandavam a ambos. Não era por engano que ela o admirava com aquela paixão. Ele, pelo contrário, é que por engano esteve quase a receber aquela dádiva que sem dúvida alguma era a ele que se destinava. E se não fossem os astros aquilo tudo ia a caminho de um contrato legal, destes de que gosta a sociedade. Esteve quase a prevalecer o legal, isto é, conforme a lei para todos, sobre o leal, ou seja, conforme a lei para cada um.

(*Nome de Guerra, 2ª* ed., Lisboa, Ática, 1956, pp. 232-234.)

"Romance de uma aprendizagem, o único 'romance de aprendizagem' que se escreveu em Portugal" (José-Augusto França, "Nota de Releitura de *A Confissão de Lúcio* e de *Nome de Guerra*": *in Estrada Larga,* Porto, Porto Ed., s.d., vol. I, p. 495), *Nome de Guerra* é uma obra insólita e única na história da ficção em Portugal. Pena que, mutilada como deve ser para integrar-se nesta antologia, não se possa ter uma idéia global de seu conteúdo. Assim sendo, apenas cabe rastrear alguns de seus aspectos, e desejar que o leitor, acordado para a importância do romance, corra imediatamente a conhecê-lo na íntegra. Ligando-se à *A Confissão de Lúcio* somente na medida em que também reflete o espírito órfico, a narrativa de Almada-Negreiros impõe-se logo pelo seu primitivismo, no melhor sentido desta palavra. Ou seja: apesar de avizinhar-se da ficção francesa dos anos 20 (como acentua José-Augusto França no referido ensaio), *Nome de Guerra* parece escrito fora de qualquer condicionamento, como se o romancista estivesse realizando a arte de narrar em sua expressão mais ingênua e direta, sem participação do intelecto. Lembra a posição assumida por um Trancoso ou os velhos contadores de histórias e de fábulas. Aí está: *Nome de Guerra* constitui uma fábula, uma fábula dos tempos modernos, incluindo uma moralidade ("Não te metas na vida alheia se não queres lá ficar."). De onde o tom irônico e lúdico, evidente no capítulo transcrito; e tudo se passa como numa anedota, num à-vontade picaresco, numa disponibilidade sem angústia. A fabulação cresce por acúmulo de dados, por justaposição de minúcias, como uma bola de neve, ou se girasse em círculos concêntricos, e cada capítulo estivesse colocado naquela ordem por uma questão de mero arranjo gráfico. O próprio caráter do herói se nos revela lentamente, como se, soterrado num palimpsesto, fosse sendo desvendado aos poucos, pormenor a pormenor, nuança a nuança. É que a sondagem no "eu" de Antunes e nas situações se processa dum modo simples, quase geométrico, dando a impressão de ser a essência mesma da psicologia individual e coletiva que se concretiza aos nossos olhos. Dir-se-ia que *Nome de Guerra* contém o absurdo às claras, ou o claro cotidiano entrevisto em sua absurdidade. A estrutura do romance denota-o luminosamente: a ação decorre em dois planos principais, o do interior de Antunes, e o do seu relacionamento com Judite. Por fim, qualifica ainda mais o romance o fato de ser obra de linguagem estrita, uma rigorosa construção estética pela palavra, um organismo verbal coeso e completo em si, como se as palavras fossem tão pesadas, fortes e concretas quanto as arquitraves e as abóbadas duma catedral.

Finalmente o Protagonista toma o Partido das Estrelas

O Antunes sentia o prazer do seu entendimento e estava contente consigo mesmo por causa da vibração da sua presença à janela daquela água-furtada aberta para o ar.

Não eram programas futuros que o animavam daquela maneira, mas sim, exatamente, o profundo sentido daquele momento da sua vida ali àquela janela sobre a noite, entre o seu passado, que ele conhecia como ninguém, e o seu futuro, que não necessitava de saber por enquanto. Tanto era assim que se desencostou do parapeito, acertou-se bem perpendicularmente ao chão, içou o mais que ia o corpo todo sobre si mesmo, ajustou bem as plantas dos pés ao solo, como as das estátuas nos seus pedestais, com ambas as mãos vibrou umas másculas palmadas no tórax, para lhe tirar o som, e não pôde resistir à tentação de dizer em voz alta, acompanhada de gestos dos braços estendidos para fora da janela por cima do telhado:

— As ocasiões não se procuram, encontram-se. E quem é, além de nós mesmos, que lhe há de dar o a propósito? Só quem não há de encontrar-se antes de chegar ao fim é que foge da realidade com medo de ser mordido por ela! Mas eu não tenho medo de viver. O meu medo é incomparavelmente maior do que esse: tenho medo de não viver!

Os olhos ficavam-lhe no céu. Por que não lhe teriam falado disto há mais tempo?! Oh, admirável destino: poder obedecer sem ser a homens!

O infinito era-lhe acessível. Via ao longe. O Antunes perguntava-se se seria o mesmo: ver ao longe e ver o longe.

Ver ao longe é um dom especial de certas pessoas, sobretudo daquelas que não é pelas realidades alheias que caminham. Não pode por conseguinte ver ao longe aquele que põe a sua vontade ao serviço de qualquer ato imediato que caiba dentro do espaço de tempo da sua própria existência. A nossa existência pessoal fica abrangida pelo campo de ação das vontades que nos precederam. O nosso verdadeiro campo de ação está para além da nossa existência, no futuro. Pôr a nossa vontade ao serviço do imediato servirá apenas para que nos tire ainda mais tempo do pouco de que já dispomos para atendermos ao nosso caso pessoal. A realidade, sendo de fato o que já existe feito, não deixa por isso de ser quase sempre um empecilho. Em vez de passagem é muro, não se pode transpor sem agilidade. E quando o fato real é um resultado da nossa vontade, que a tanto se empenhou, de empecilho pode facilmente transformar-se em muralha opaca que nos não deixe ver a nós mesmos do lado em que ficamos. Chama-se a isto não saber ver ao longe. Quem não sabe ver ao longe levanta muros em redor de si e muralhas que lhe tapem o horizonte. Se não sabe ver ao longe tanto lhe faz como não que exista o longe, por isso tapa-o. Isto é, inventa-se um buraco para si, por cobardia de não ter ido a passo acertar-se com a sua própria estatura. Apressa-se para que a sua autobiografia não fique desmerecida aos olhos dos presentes, fabrica coerência para todos os seus atos e esquece só que tudo partiu afinal de não ter podido prosseguir na lealdade que se devia a si mesmo.

Todos quantos intervêm na vida dos outros quer seja em seu favor ou contra, são afinal de uma cobardia que escapa à observação dos melhor atentos. Cobardes por duas razões: primeira, por serem incapazes de se reconhecerem e darem a conhecer o seu próprio caso pessoal para a aceitação geral; segunda, porque, ao intervirem na vida dos outros, quer seja em seu favor ou contra, são incapazes também de abnegar da sua própria pessoa. Se alguém decide da sua vida para servir os outros e não renuncia a si mesmo, em que poderá então ser equânime e admirável, justo e elucidativo? Respeitemos os que a tanto se afoitaram e se decidiram, mas desprezemos os que o fingem.

A condição para saber ver ao longe é estarmos dentro de nós se se trata do próprio, ou de ter renunciado a si mesmo se se trata dos outros.

MORALIDADE DESTE ROMANCE:

Não te metas na vida alheia se não queres lá ficar.

(*Ibidem*, pp. 248-251.)

O Cágado

Havia um homem que era muito senhor da sua vontade. Andava às vezes sozinho pelas estradas a passear. Por uma dessas vezes viu no meio da estrada um animal que parecia não vir a propósito — um cágado.

O homem era muito senhor da sua vontade, nunca tinha visto um cágado; contudo, agora estava a acreditar. Acercou-se mais e viu com os olhos da cara que aquilo era, na verdade, o tal cágado da zoologia.

O homem que era muito senhor da sua vontade ficou radiante, já tinha novidades para contar ao almoço, e deitou a correr para casa. A meio caminho pensou que a família era capaz de não aceitar a novidade por não trazer o cágado com ele, e parou de repente. Como era muito senhor da sua vontade, não poderia suportar que a família imaginasse que aquilo do cágado era história dele, e voltou atrás. Quando chegou perto do tal sítio, o cágado, que já tinha desconfiado da primeira vez, enfiou buraco abaixo como quem não quer a coisa.

O homem que era muito senhor da sua vontade pôs-se a espreitar para dentro e depois de muito espreitar não conseguiu ver senão o que se pode ver para dentro dos buracos, isto é, muito escuro. Do cágado, nada. Meteu a mão com cautela e nada; a seguir até ao cotovelo e nada; por fim o braço todo e nada. Tinham sido experimentadas todas as cautelas e os recursos naturais de que um homem dispõe até ao comprimento do braço e nada.

Então foi buscar auxílio a uma vara compridíssima, que nem é habitual em varas haver assim tão compridas, enfiou-a pelo buraco abaixo, mas o cágado morava ainda muito mais lá para o fundo. Quando largou a vara, ela foi por ali abaixo, exatamente como uma vara perdida.

Depois de estudar novas maneiras, a ofensiva ficou de fato submetida a nova orientação. Havia um grande tanque de lavadeiras a dois passos e ao lado do tanque estava um bom balde dos maiores que há. Mergulhou o balde no tanque e, cheio até mais não, despejou-o inteiro para dentro do buraco do cágado. Um balde só já ele sabia que não bastava, nem dez, mas quando chegou a noventa e oito baldes e que já faltavam só dois para cem e que a água não havia meio de vir ao de cima, o homem que era muito senhor da sua vontade pôs-se a pensar em todas as espécies de buracos que possa haver.

— E se eu dissesse à minha família que tinha visto o cágado? — pensava para si o homem que era muito senhor da sua vontade. Mas não! Toda a gente pode pensar assim menos eu, que sou muito senhor da minha vontade.

O maldito sol também não ajudava nada. Talvez que fosse melhor não dizer nada do cágado ao almoço. A pensar se sim ou não, os passos dirigiam-se involuntariamente para as horas de almoçar.

— Já não se trata de eu ser um incompreendido com a história do cágado, não; agora trata-se apenas da minha força de vontade. É a minha força de vontade que está em prova, esta é a ocasião propícia, não percamos tempo! Nada de fraquezas!

Ao lado do buraco havia uma pá de ferro, destas dos trabalhadores rurais. Pegou na pá e pôs-se a desfazer o buraco. A primeira pazada de terra, a segunda, a terceira, e era uma maravilha contemplar aquela majestosa visibilidade que punha os nossos olhos em presença do mais eficaz testemunho da tenacidade, depois dos antigos. Na verdade, de cada vez que enfiava a pá na terra, com fé, com robustez, e sem outras intenções a mais, via-se perfeitamente que estava ali uma vontade inteira; e ainda que seja cientificamente impossível que a terra rachasse de cada vez que ele lhe metia a pá, contudo era indiscutivelmente esta a impressão que lhe dava. Ah, não! Não era um vulgar trabalhador rural. Via-se perfeitamente que era alguém muito senhor da sua vontade e que estava por ali por acaso, por imposição própria, contrafeito, por necessidade do espírito, por outras razões diferentes das dos trabalhadores rurais, no cumprimento de um dever, um dever importante, uma questão de vida ou de morte — a vontade.

Já estava na nonagésima pazada de terra; sem afrouxar, com o mesmo ímpeto da inicial, foi completamente indiferente por um almoço a menos. Fosse ou não por um cágado, a humanidade iria ver solidificada a vontade de um homem.

A mil metros de profundidade a pino, o homem que era muito senhor da sua vontade foi surpreendido por dolorosa dúvida — já não tinha nem a certeza se era a qüinquaségima milionésima octogésima quarta. Era impossível recomeçar, mais valia perder uma pazada.

Até ali não havia indícios nem da passagem da vara, da água ou do cágado. Tudo fazia crer que se tratava de um buraco supérfluo; contudo, o homem era muito senhor da sua vontade, sabia que tinha de haver-se de frente com todas as más impressões. De fato, se aquela tarefa não houvesse de ser árdua e difícil, também a vontade não podia resultar superlativamente dura e preciosa.

Todas as noções de tempo e de espaço, e as outras noções pelas quais um homem constata o quotidiano, foram todas uma por uma dispensadas de participar no esburacamento. Agora, que os músculos disciplinados num ritmo único estavam feitos ao que se quer pedir, eram desnecessários todos os raciocínios e outros arabescos cerebrais, não havia outra necessidade além da dos próprios músculos.

Umas vezes a terra era mais capaz de se deixar furar por causa das grandes camadas de areia e de lama; todavia, estas facilidades ficavam bem subtraídas quando acontecia ser a altura de atravessar uma dessas rochas gigantescas que há no subsolo. Sem incitamento nem estímulo possível por aquelas paragens, é absolutamente indispensável recordar a decisão com que o homem muito senhor da sua vontade pegou ao princípio na pá do trabalhador rural para justificarmos a intensidade e a duração desta perseverança. Inclusive, a própria descoberta do centro da Terra, que tão bem podia servir de regozijo ao que se aventura pelas entranhas do nosso planeta, passou infelizmente desapercebida ao homem que era muito senhor da sua vontade. O buraco do cágado era efetivamente interminável. Por mais que se avançasse, o buraco continuava ainda e sempre. Só assim se explica ser tão rara a presença de cágados à superfície devido à extensão dos corredores desde a porta da rua até aos aposentos propriamente ditos.

Entretanto, cá em cima na terra, a família do homem que era muito senhor da sua vontade, tendo começado por o ter dado por desaparecido, optara, por último, pelo luto carregado, não consentindo a entrada no quarto onde ele costumava dormir todas as noites.

Até que uma vez, quando ele já não acreditava no fim das covas, já não havia, de fato, mais continuação daquele buraco, parava exatamente ali, sem apoteose, sem comemoração, sem vitória, exatamente como um simples buraco de estrada onde se vê o fundo ao sol. Enfim, naquele sítio nem a revolta servia para nada.

Caindo em si, o homem que era muito senhor da sua vontade pediu-lhe decisões, novas decisões, outras; mas ali não havia nada a fazer, tinha esquecido tudo, estava despejado de todas as coisas, só lhe restava saber cavar com uma pá. Tinha, sobretudo, muito sono, lembrou-se da cama com lençóis, travesseiro e almofada fofa, tão longe! Maldita pá! O cágado! E deu com a pá com força no fundo da cova. Mas a pá safou-se-lhe das mãos e foi mais fundo do que ele supunha, deixando uma greta aberta por onde entrava uma coisa de que ele já se tinha esquecido há muito — a luz do sol. A primeira sensação foi de alegria, mas durou apenas três segundos, a segunda foi de assombro: teria na verdade furado a Terra de lado a lado?

Para se certificar alargou a greta com as unhas e espreitou para fora. Era um país estrangeiro; homens, mulheres, árvores, montes e casas tinham outras proporções diferentes das que ele tinha na memória. O sol também não era o mesmo, não era amarelo, era de cobre cheio de azebre e fazia barulho nos reflexos. Mas a sensação mais estranha ainda estava para vir: foi que, quando quis sair da cova, julgava que ficava em pé em cima do chão como os habitantes daquele país estrangeiro, mas a verdade é que a única maneira de poder ver as coisas naturalmente era pondo-se de pernas para o ar...

Como tinha muita sede, resolveu ir beber água ali ao pé e teve de ir de mãos no chão e o corpo a fazer o pino, porque de pé subia-lhe o sangue à cabeça. Então, começou a ver que não tinha nada a esperar daquele país onde nem sequer se falava com a boca, falava-se com o nariz.

Vieram-lhe de uma vez todas as saudades da casa, da família e do quarto de dormir. Felizmente estava aberto o caminho até casa, fora ele próprio quem o abrira com uma pá de ferro. Resolveu-se. Começou a andar o buraco todo ao contrário. Andou, andou, andou; subiu, subiu, subiu...

Quando chegou cá acima, ao lado do buraco estava uma coisa que não havia antigamente — o maior monte da Europa, feito por ele, aos poucochinhos, às pazadas de terra, uma por uma, até ficar enorme, colossal, sem querer, o maior monte da Europa.

Este monte não deixava ver nem a cidade onde estava a casa da família, nem a estrada que dava para a cidade, nem os arredores da cidade que faziam um belo panorama. O monte estava por cima disto tudo e de muito mais.

O homem que era muito senhor da sua vontade estava cansadíssimo por ter feito duas vezes o diâmetro da Terra. Apetecia-lhe dormir na sua querida cama, mas para isso era necessário tirar aquele monte maior da Europa, de cima da cidade, onde estava a casa da sua família. Então, foi buscar outra pá dos trabalhadores rurais e começou logo a desfazer o monte maior da Europa. Foi restituindo à Terra, uma por uma, todas as pazadas com que a tinha esburacado de lado a lado. Começavam já a aparecer as cruzes das torres, os telhados das casas, os cumes dos montes naturais, a casa da sua família, muita gente suja da terra, por ter estado soterrada, outros que ficaram aleijados, e o resto como dantes.

O homem que era muito senhor da sua vontade já podia entrar em casa para descansar, mas quis mais, quis restituir à Terra todas as pazadas, todas. Faltavam poucas, algumas dúzias apenas. Já agora valia a pena fazer tudo bem até ao fim. Quando já era a última pazada de terra que ele ia meter no buraco, portanto a primeira que ele tinha tirado ao princípio, reparou que o torrão estava a mexer por si, sem ninguém lhe tocar; curioso, quis ver porque era — era o cágado.

(*Contos e Novelas*, Lisboa, Estampa, 1970, pp. 111-116.)

INTERREGNO

Preliminares

Entre o Orfismo e a literatura presencista, uma poetisa e um prosador se impunham com valor próprio. Embora sensíveis às novidades em curso, Florbela Espanca e Aquilino Ribeiro ainda refletiam valores culturais dos começos do século, notadamente aqueles de extração simbolista ou decadentista. Constituem, por isso, uma espécie de interregno, sem vínculo maior com as tendências em voga.

FLORBELA ESPANCA

Florbela de Alma da Conceição Espanca nasceu em Vila Viçosa (Alentejo), em 8/12/1894. Seus primeiros versos datam dos anos em que fez o curso secundário em Évora, e que somente viriam a ser reunidos em volume depois de sua morte, com o título de *Juvenília* (1931). Malogrado seu casamento, vai para Lisboa com o fito de seguir Direito, e nesse mesmo ano (1919) publica *Livro de Mágoas*, que passa despercebido. Igual destino teve a obra seguinte, *Livro de Sóror Saudade*, dado a lume em 1923. Novamente infeliz no casamento, retira-se do convívio social, embora continue a escrever poesia e a publicá-la ao acaso. Recolhe-se a Matosinhos, já agora estimulada pelas renovadas esperanças de felicidade conjugal, mas seus nervos entram a dar sinal de exaustão. Morre, talvez de suicídio, em 8/12/1930. Escreveu poesia (*Juvenília*, 1931; *Livro de Mágoas*, 1919; *Livro de Sóror Saudade*, 1923; *Reliquiae*, 1931; *Charneca em Flor*, 2ª ed., 1931) e contos (*As Máscaras do Destino*, 1931; *Dominó Negro*, 1931).

Eu

Eu sou a que no mundo anda perdida
Eu sou a que na vida não tem norte,
Sou a irmã do Sonho, e desta sorte
Sou a crucificada... a dolorida...

Sombra de névoa tênue e esvaecida,
E que o destino amargo, triste e forte,
Impele brutalmente para a morte!
Alma de luto sempre incompreendida!...

Sou aquela que passa e ninguém vê...
Sou a que chamam triste sem o ser...
Sou a que chora sem saber por quê...

Sou talvez a visão que Alguém sonhou,
Alguém que veio ao mundo pra me ver
E que nunca na vida me encontrou!

Sóror Saudade

A Américo Durão

Irmã Sóror Saudade me chamaste...
E na minh'alma o nome iluminou-se
Como um vitral ao sol, como se fosse
A luz do próprio sonho que sonhaste.

Numa tarde de outono o murmuraste;
Toda a mágoa do outono ele me trouxe;
Jamais me hão de chamar outro mais doce:
Com ele bem mais triste me tornaste...

E baixinho, na alma de minh'alma,
Como bênção de sol que afaga e acalma,
Nas horas más de febre e de ansiedade,

Como se fossem pétalas caindo,
Digo as palavras desse nome lindo
Que tu me deste: Irmã Sóror Saudade...

Noitinha

A noite sobre nós se debruçou...
Minha alma ajoelha, põe as mãos e ora!
O luar, pelas colinas, nesta hora,
É a água dum gomil que se entornou...

Não sei quem tanta pérola espalhou!
Murmura alguém pelas quebradas fora...
Flores do campo, humildes, mesmo agora,
A noite, os olhos brandos, lhes fechou...

Fumo beijando o colmo dos casais...
Serenidade idílica de fontes,
E a voz dos rouxinóis nos salgueirais...

Tranqüilidade... calma... anoitecer...
Num êxtase, eu escuto pelos montes
O coração das pedras a bater...

Amar!

Eu quero amar, amar perdidamente!
Amar só por amar: Aqui... além...

Mais Este e Aquele, o Outro e toda a gente...
Amar! Amar! E não amar ninguém!

Recordar? Esquecer? Indiferente!...
Prender ou desprender? É mal? É bem?
Quem disser que se pode amar alguém
Durante a vida inteira é porque mente!

Há uma primavera em cada vida:
É preciso cantá-la assim florida,
Pois se Deus nos deu voz, foi pra cantar!

E se um dia hei de ser pó, cinza e nada
Que seja a minha noite uma alvorada,
Que me saiba perder... pra me encontrar...

Ambiciosa

Para aqueles fantasmas que passaram,
Vagabundos a quem jurei amar.
Nunca os meus braços lânguidos traçaram
O vôo dum gesto para os alcançar...

Se as minhas mãos em garra se cravaram
Sobre um amor em sangue a palpitar...
— Quantas panteras bárbaras mataram
Só pelo raro gosto de matar!

Minha alma é como a pedra funerária
Erguida na montanha solitária
Interrogando a vibração dos céus!

O amor dum homem? — Terra tão pisada,
Gota de chuva ao vento baloiçada...
Um homem? — Quando eu sonho o amor dum Deus!...

(*Sonetos Completos*, Coimbra, Gonçalves, 1952, pp. 35, 69, 120, 130, 132.)

Florbela Espanca é das poucas autoras de poesia que se incluem na presente antologia: a qualidade de sua obra justifica-o plenamente, e os cinco sonetos que acabamos de ler, exemplificam-no à perfeição. Vê-se que pode ser aproximada dos grandes sonetistas da Língua (Camões, Bocage, Antero), embora deles difira numa série de pontos (resultantes, no geral, de ser uma mulher e, por isso, cantar apenas o Amor). Ao apuro formal, que avulta na carreira da poetisa conforme os poemas iam sucedendo, junta-se uma temática nova, ao menos na pena de uma representante do sexo feminino. O seu lirismo oscila entre um auto-enternecimento e uma explosão erótica que tudo avassala. Na verdade, a tristeza decorrente da primeira atitude ("Sóror Saudade"), sobre parecer um tanto "literária", dissimula a outra: a propósito de Florbela Espanca pode-se falar perfeitamente em donjuanismo feminino ("Amar!", "Ambiciosa"). Quer dizer: o seu sensualismo desconhece grilhões ou limites, e espraia-se, cálido e franco, no magma dos poemas; o seu erotismo supera as hipocrisias e as convenções pequeno-burguesas, e cumpre-se direto e natural, livre de intelectualização ou mentalização deformadora. A poetisa confessa os transportes dos sentidos sem trava alguma, mas alcança conferir grandeza ética e estética aos sonetos precisamente porque os transfunde com sua riquíssima sensibilidade e imaginação. Noutras palavras: a febre dos sentidos encontra uma alta expressão literária e torna-se arte da melhor categoria, assim evitando a possibilidade de reduzir-se a uma confidência equívoca de sentimentos que o pudor feminino reclamaria fossem mantidos secretos: o lastro da experiência mais o impulso da fantasia deram-se as mãos para gerar uma poesia de primeira água, como raras representantes do sexo feminino criaram em Literatura Portuguesa.

Noite de Saudade

A Noite vem pousando devagar
Sobre a terra que inunda de amargura...
E nem sequer a bênção do luar
A quis tornar divinamente pura...

Ninguém vem atrás dela a acompanhar
A sua dor que é cheia de tortura...
E eu ouço a Noite imensa soluçar!
E eu ouço soluçar a Noite escura!

Porque és assim tão 'scura, assim tão triste?
É que talvez, ó Noite, em ti existe
Uma Saudade igual à que eu contenho!

Saudade que eu não sei donde me vem...
Talvez de ti, ó Noite!... Ou de ninguém!...
Que eu nunca sei quem sou, nem o que tenho!!

Languidez

Tardes da minha terra, doce encanto,
Tardes duma pureza d'açucenas,
Tardes de sonho, as tardes de novenas,
Tardes de Portugal, as tardes d'Anto,

Como eu vos quero e amo! Tanto! Tanto!...
Horas benditas, leves como penas,
Horas de fumo e cinza, horas serenas,
Minhas horas de dor em que eu sou santo!

Fecho as pálpebras roxas, quase pretas,
Que pousam sobre duas violetas,
Asas leves cansadas de voar...

E a minha boca tem uns beijos mudos...
E as minhas mãos, uns pálidos veludos,
Traçam gestos de sonho pelo ar...*

Esfinge

Sou filha da charneca erma e selvagem:
Os giestais, por entre os rosmaninhos,
Abrindo os olhos d'ouro, p'los caminhos,
Desta minh'alma ardente são a imagem.

E ansiosa desejo — ó vã miragem —
Que tu e eu, em beijos e carinhos,
Eu a Charneca, e tu o Sol, sozinhos
Fôssemos um pedaço da paisagem!

E à noite, à hora doce da ansiedade,
Ouviria da boca do luar
O *De Profundis* triste da saudade...

E, à tua espera, enquanto o mundo dorme,
Ficaria, olhos quietos, a cismar...
Esfinge olhando, na planície enorme...

Espera

Não me digas adeus, ó sombra amiga,
Abranda mais o ritmo dos teus passos;
Sente o perfume da paixão antiga,
Dos nossos bons e cândidos abraços!

Sou a dona dos místicos cansaços,
A fantástica e estranha rapariga
Que um dia ficou presa nos teus braços...
Não vás ainda embora, ó sombra amiga!

Teu amor fez de mim um lago triste:
Quantas ondas a rir que não lhe ouviste,
Quanta canção de ondinas lá no fundo!

Espera... espera... ó minha sombra amada...
Vê que p'ra além de mim já não há nada
E nunca mais me encontras neste mundo!...

VIII

Abrir os olhos, procurar a luz,
De coração erguido no alto, em chama,

---

* *Anto* = Antonio Nobre.

Que tudo neste mundo se reduz
A ver os astros cintilar na lama!

Amar o sol da glória e a voz da fama
Que em clamorosos gritos se traduz!
Com misericórdia, amar quem nos não ama.
E deixar que nos preguem numa cruz!

Sobre um sonho desfeito erguer a torre
Doutro sonho mais alto e, se esse morre,
Mais outro e outro ainda, toda vida!

Que importa que nos vençam desenganos,
Se pudermos contar os nossos anos
Assim como degraus duma subida?

A Morte

Morte, minha Senhora Dona Morte
Tão bom que deve ser o teu abraço,
Lânguido e doce como um doce laço
E como uma raiz, sereno e forte.

Não há mal que não sare ou não conforte
Tua mão que nos guia passo a passo,
Em ti, dentro de ti, no teu regaço
Não há triste destino nem má sorte

Dona Morte dos dedos de veludo,
Fecha-me os olhos que já viram tudo!
Prende-me as asas que voaram tanto!

Vim da Mourama, sou filha de rei,
Má fada me encantou e aqui fiquei
A tua espera... quebra-me o encanto!

(*Ibidem*, pp. 47, 55, 86, 134, 162, 194.)

AQUILINO RIBEIRO

Nasceu em Carregal da Tabosa (Beira Alta), em 13/9/1885. Em Viseu, segue cursos de Filosofia e Teologia, com vistas a abraçar a carreira eclesiástica, mas abandona-os a meio do caminho e translada-se para Lisboa (1907). Envolve-se na corrente anarquista, e depois de um atentado a mão armada, é obrigado a fugir para Paris, onde estuda na Sorbonne e inicia sua vida literária (*Jardim das Tormentas*, 1913). No ano seguinte, volta a Portugal, e, após dedicar-se ao magistério por algum tempo, entra para conservador da Biblioteca Nacional, onde permanece até 1927, ao mesmo tempo que prossegue publicando suas obras. Envolvido em novo movimento conspirador, é preso e foge. No regresso, continua sua trajetória de escritor de idéias republicanas, numa intransigência que não se alterou até sua morte, ocorrida em Lisboa, em 27/5/1963. Prosador fecundíssimo, deixou obra volumosa, repartida entre o conto (*Jardim das Tormentas*, 1913; *Estrada de Santiago*, 1922), o romance (*A Via Sinuosa*, 1918; *Terras do Demo*, 1919, *Andam faunos pelos bosques*, 1926; *O homem que matou o Diabo*, 1930, *Batalha sem Fim*, 1931; *As Três Mulheres de Sansão*, 1932; *Maria Benigna*, 1933; *S. Banaboião, Anacoreta e Mártir*, 1937; *Mônica*, 1937; *Volfrâmio*, 1944; *A Casa Grande de Romarigães*, 1957; *Quando os lobos uivam*, 1958, etc.), a biografia e a crônica histórica (*O Galante Século XVIII*, 1936; *Anastácio da Cunha, O Lente Penitenciado*, 1936; *Luís de Camões, Fabuloso e Verdadeiro*, 1950; *O Romance de Camilo*, 1956), a literatura infantil, etc.

O Malhadinhas

Inserta na *Estrada de Santiago* (1922), a novela *O Malhadinhas* pode ser considerada a obra-prima de Aquilino Ribeiro. O entrecho gira em torno do Malhadinhas de Barrelas, almocreve de muitas andanças, que no fim da vida se põe a contá-las "perante escrivães da vila e manatas":

Danado aquele Malhadinhas de Barrelas, homem sobre o meanho, *reles de figura, voz tão untosa e tal ar de sisudez que nem o próprio Demo o julgaria capaz de, por um nonada, crivar à naifa o abdômen dum cristão. Desciam-lhe umas farripas ralas, em guisa de suíças, à borda das orelhas pequeninas e carnudas como cascas de noz; trajava jaleca curta de montanhaque; sapato de tromba erguida; faixa preta de seis voltas a aparar as volutas dobradas da corrente de muita prata — e, Aveiro vai, Aveiro vem, no ofício de almocreve, os olhos sempre frios mas sem malícia, apenas as mandíbulas de dogue a atraiçoar o bom-serás, as suas façanhas deixaram eco por toda aquela corda de povos que anos e anos recorreu. Na velhice, o negócio tilintado através de gerações, as andanças de recoveiro, o ver e aturar mundo, tinham-no provido de lábia muito pitoresca, levemente impregnada dum egoísmo pândego e glorioso. Nas tardes de feira, sentado na banda de fora do Guilhermino, ou num dos poiais de pedra, donde já tivessem erguido as belfurinhas, alegre do verdeal, desbocava-se a desfiar a sua crônica perante escrivães da vila e manatas, e eu tinha a impressão de ouvir a* gesta *bárbara e forte dum Portugal que morreu.*

. . . .

Ora! Vai-se para o mercado de S. Francisco, que se faz no tempo do mosto à sombra do convento da Ordem Terceira, de que há vinte anos sou irmão pagante, sem grande esperança de os meus pecados pesarem menos na balança do Paraíso — que aquilo não é confraria, mas falperra de cordão — vai-se, ia dizendo, para o mercado de S. Francisco, e com quem dou eu de cara ao pisar na feira das bestas? Com o birbantão do Tenente.

O homem deita-me o rabo de olho e muito na sua compostura — estou a vê-lo de botas altas à Frederica, jaleca curta de alamares, um chapéu branco de muita aba, com um vergalho na cova do braço, alto, garboso, que era moço alentado e bem-parecido, lá isso era, meter pelo meio da ciganada e sumir-se-me da vista. "Hum! — funguei eu — o Diabo feito ermitão! Estás a pregá-la." Desço para a feira do linho, e ponho-me a amarrar o machito ao toro dum castanheiro. E, estava eu a dar a laçada, de olhos nos senhores padres que lá iam levados em suas garnachas pretas a esfolar o geral, pumba! desce um açoite sobre as ancas do animal, como se fosse a tornar-lhe o troco de tropelia, e oiço:

— Estupor, ensinou-te o amo a coicinhar!?

Boi mau em corno cresce. Era o Tenente, pois quem havia de ser. Sem me bulir, contestei-lhe:

— Que febre que lhe faz o machinho?... Olhe que também lhe dói como a nós.

— Apanhou ele e apanha você...

— E por quê, se não fica mal o perguntar?

— Porque sim! Você é o pedaço dum velhaco...

Dei-lhe salto à garganta mais ligeiro que uma onça — contava depois o Afrânio — e, em menos dum amém, estava tombado por terra e eu de joelhos em cima, na arca do peito... Varreu-se-me a luz dos olhos e já a faca vinha largada quando atalharam o golpe. Foi o miraculoso Padre Santo Antônio, pelo braço, já não sei de que bom burgesso, que se meteu de permeio.

Apartaram-nos... e antes assim. Dorido, envergonhado, mais amarelo que a cera, a sacudir os argalhos da roupa, bem embora foi-me jogando:

— Se és homem, ó Malhadas, vem à feira de Lamas, na quinzena...

— Pois não faltes, que eu não falto! Nem que o diabo dê estoiro...

. . . .

Lá levou o chincaravelho e com isso se quebrou duma vez para sempre a minha lida de almocreve. Mas tenho saudades, tantas, que às vezes me parece ter no peito um ninho de lacraus. Quando por aqui me vêem abordoado a este pauzinho de marmeleiro — já tem um bom par de anos... a certidão de idade trá-la na cor, esta bela cor de vinho palhete que eu tanto apreciava — quando por aqui me vêem de taverna em taverna a matar o bicho ou com ares de andar à sirga, é a safar-me do vespeiro das saudades, muito mais se me ponho a contar o que eram os tempos do meu tempo.

E a vida lá vai... ligeira como uma galga doida, esparvada. Já noutro diaço, julguei que era chegada a minha hora. Uma febre que abrasava, o fôlego difícil, muitas dores pelos lombos como se os lódãos que defrontei em trinta anos de almocreve me caíssem a uma voz sobre o corpo todo — meti-me na cama. Mandei chamar o padre, que me ouviu de confissão e me trouxe o Viático a casa, com toda a pompa, honra lhe seja. Depois a Brízida enviou um próprio ao barbeiro do Touro, o Afonso Lajas, que apareceu sem tardança e à vista do meu nariz torceu o dele. Em voz muito presa, tão presa que até a mim se me afigurou de moribundo, pedi que me desenganasse do meu estado... não tivesse medo de dizer a verdade, pois queria ajustar de vez todas as contas com o mundo.

Aquilo, lá que se afoitasse com o silêncio dos meus herdeiros, que não podia deixar de ser consentidor, rendido também ao entono da minha voz proferida no traço da vida para a morte, o barbeiro declarou que eu devia estar por horas, visto ter já no peito o roncadoiro da agonia.

— Bem haja o amigo Lajas — disse-lhe eu. — Bem haja... e Deus lhe pague o bem que me fez... descobrindo-me a verdade!

Despedi-me duns e doutros e roguei que me deixassem a sós com Brízida. Depois de muito lhe apertar as mãos e a considerar, reloucado de todo, falei-lhe assim, por modos, na minha maluqueira:

— Mulher da minha alma, deixa-me ver a espingarda, aquela leal companheira, que também lhe quero dizer adeus. Deixa-me cá ver...

A escopeta, lazarina de dois canos, estava a ouvir-nos pendurada do frontal pela bandoleira, junto à bolsa do chumbo e o polvorinho. Só faltava o podengo. Sempre ali a tive carregada, pronta ao que desse e viesse, um tiro às perdizes ou num mariola. Mas não me esquecia, um sarrafo de papel entre o cão e o fulminante açaimava-a contra jeito desastrado ou hora do Porco-Sujo.

Brízida ainda alçou o braço para ma dar, mas ou porque lhe acudisse ao pensamento que tresloucado como estava era por lá capaz de atentar, antes da hora cheia, contra a alminha que Deus me deu, o não sei por quê, disse-me:

— Olha que coisas! Vais à caça? Deixa a arma... Encomenda-te mas é à Virgem Santíssima que te receba em seus divinos braços.

Bem me carpi, pelo que ela depois me contou:

— Diabos te levem mais ao amor que me tens. Nem da espingardinha me deixas despedir. Olha que a não levo para a tumba, alma de Barbazu! Cá te fica! Podes fazer do cano uma roca.

Estive dois dias à água do cantar o cozido em febre, uma cantilena zaranza nos lábios, nos ouvidos os zunzuns das comadres que se punham de cara encapuchada à volta da cama, às vezes tantas que nem gralhas num vidoeiro: *está a passar! está a passar!* Qual o quê, na manhã do terceiro dia, quando já ninguém me julgava, dou um pulo da cama. Ao contrário dos prognósticos do barbeiro, preguei um senhor pontapé na Morte.

M'amigos, vi-me entre as quatro tábuas! É verdade! Não dei fé do Diabo, mas, isso vos juro eu, cheguei a avistar o outro mundo e Nosso Senhor, sentado numa cadeira de oiro maciço, a acenar-me com a mão: — Chega-te cá, Malhadinhas, chega-te cá, não tenhas medo. Olha que tenho cá dentro ovelhas mais tinhosas do que tu!

Deitei os olhos à roda e não avistei ninguém de Barrelas. Mau negócio. Sim, senhores, e não se admirem. A Ana Malaia, que morreu santa como Vossorias sabem, tanto assim que o seu corpo está inteirinho na sepultura, teve um dia uma visão. S. Ludovico, o santinho de quem era devota e que desceu ao inferno enquanto vivo, alcançou-lhe licença do Senhor para ver os três reinos do outro mundo. Começou pelo Céu. Que beleza! Eram tudo músicas e cânticos, pivetes, manjares do fino, passeatas. Nada de fome, de frio, de ralhos e maus-tratos, e muito menos de pontapés na bunda de ricos e tiranos. Quem a dera lá!

— E os da minha terra?

O santo apontou a criançada, mais basta que as areias do mar, que ocupava uma grande parte do reino da glória.

— A gente grada?

— Não sei. Estarão por lá no purgatório...

— Coitados, se estão no purgatório desde que Barrelas é Barrelas, é uma tal chusma de gente! A estas horas hão de custar a reconhecer, estorricadinhos que nem torresmos!

— A ver vamos, como dizia o cego de Nacomba.

Levantaram-se umas telhas da segunda mansão: o purgatório, para a Ana Malaia esgrelhar. Os caldeirões com as almas a nadar no pez e no azeite a ferver e as fogueiras em que eram assados, grelhados, fritos, de escabeche, só à vista. Nem as cozinhas de todos os regimentos, de todos os colégios, de todos os asilos, de todas as maltesias e todo o farrobodó das fábricas e forjas de Alemanha davam idéia do que aquilo era. Ainda lá não tinha chegado o carvão nem a eletricidade, de modo que todo o aquecimento era a lenha e demandava muito braço. A Ana Malaia de princípio muito se confrangeu, mas à vista das almas, todas de mãos postas a dar graças ao Altíssimo e umas com um olho a rir, outro a chorar, conformou-se com a dureza daquela purificação necessária à glória de Deus.

— Estão próximos a ter alta! — segredou-lhe S. Ludovico ante os tais de dois rostos.

— E os da minha terra?

— Apresentem-se as almas de Barrelas! — bradou o forneiro-mor.

Saíram então dos caldeirões e fornalhas uma meia dúzia de almas macarenas, muito rotinhas, muito acanaveadas, umas tristes da maleita. Quem eles eram? Uma era o pai da Ana Malaia, um bom-serás, cosedor de panelas, que levava a sua menina às costas de terra em terra com os utensílios do ofício. Outra — ela assim mo jurou — era a minha santa mãe. Pobrezinha, fartou-se de carretar molhos da lenha, de dar o dia, para eu não ter fome, que meu pai, o malvado, não quis saber de mim. Outra era um pobre cego que cantava pelas portas, de quem os rapazes faziam gato-sapato.

— Só estas? — atalhou a Ana Malaia.

— E viva o velho! — respondeu o S. Ludovico — Vamos adiante...

A Ana Malaia não quis ir mais longe com medo de que lhe caísse a alma aos pés.

Mas, como eu ia dizendo, não cheguei para junto de Deus daquela vez, e cá ando com a cruz às costas até quando os seus altos desígnios haviam decretado. Mas campa quebrada nunca sara. Estou no fim dos dias. Pouco faltou para dar o tombo. Escapei por um cabelo. A que pontos a minha imaginação andava desgovernada, eu lhes conto: Quando pedi a lazarina à Brízida, sabem Vossorias para que era? Para lhe malhar um tiro e ela ir dormir comigo na mesma cova. Tinha o Demônio a chocalhar-me nos miolos, mais quentes que as papas quando fervem na caçoila, esta de ela quedar para aí toda lépida, ainda frescalhota, a gozar-se com outro do que levei a amanhar com tanto trabalhinho. A viúva rica com um olho chora, com o outro repica. E sendo certo que à minha Brízida para rica falta-lhe muito, mas também não precisa de andar às côdeas, ninguém me garantia que a coisa não levasse as mesmas voltas. Mas a criatura lá desconfiou e bem haja ela. Se me passa a canifrecha para as unhas, com o delírio que me tomara e o Diabo à travesseira, era milagre se não estivesse hoje viúvo. Seja pelos tormentos que Nosso Senhor padeceu! Mas aquele Afonso do Touro precisava a bochada arrancada pelas costas e deitada aos cães. Um salafrário que me dá por morto e eu ainda para lavar e durar!

Provecto dos anos, uma tarde, ergueu-se do borralho e saiu a porta para fora, amparado ao porretinho de marmeleiro. Andava há dias a chocar a morte e deixaram-no ir, que era relapso a prevenções e cuidados. Sentou-se no poial de pedra, que servia de amassadoiro do linho. Com mão incerta aconchegou as abas da capucha contra os joelhos regélidos. Nevara, codejara, e as árvores, com o sincelo, estalavam ao peso das candeias. Antônio Malhadinhas fechou os olhos à semelhança do romeiro que torna de Santiago, farto de correr léguas, ver terras, passar pontes e vaus, enxotar cães que arremetem ameaçadores de currais e quintãs, e adormece a sonhar com o céu num recosto do caminho. Vergou brandamente a cabeça para o peito, ao tempo que os dedos lhe pendiam para o chão como vagens maduras. E — o Justo Juiz lhe perdoe as facadas que as não deu em nenhum santo — nem se sentiu atravessar as alpodras duma margem para a outra do negro rio.

(*O Malhadinhas. Mina de Diamantes*, Lisboa, Bertrand [1958], pp. 11, 80-81, 154-161.)

O trecho lido compõe-se de três fragmentos, separados por duas seqüências de pontos de suspensão, que representam o começo, uma aventura de Malhadinhas, e o término de sua história. Verdadeira saga, ou "gesta bárbara e forte", esculpida com "lábia muito pitoresca, levemente impregnada dum egoísmo pândego e glorioso", *O Malhadinhas* enquadra-se nitidamente na melhor tradição picaresca. Com efeito, seu herói é um autêntico pícaro, desde sua bondade natural, umedecida duma ingenuidade de homem primitivo e instintivo, até sua astúcia e valentia de animal selvagem, mas diferença-se do pícaro espanhol pela ausência de maior cinismo e amoralidade em suas ações. O seu retrato, logo à entrada, di-lo às claras, a sua façanha na feira de S. Francisco, ao enfrentar um desafeto, exemplifica-o, e o derradeiro episódio de sua vida, ao pregar "um senhor pontapé na Morte", confirma-o plenamente. O resultado é o Malhadinhas ser já hoje uma figura incorporada à mitologia literária portuguesa: espécie de D. Quixote às avessas, constitui algo como a contraface do espírito cavaleiresco (tradicionalmente lusitano), que Miguel de Cervantes satirizou, quem sabe a mostrar que a cosmovisão típica do português comporta ao mesmo tempo a heroicidade cavaleiresca e a virilidade natural e picaramente desafetada. O estilo, ostentando toda a riqueza vocabular e sintática de que Aquilino era detentor, ampara de modo lapidar o incomum nível literário d*O Malhadinhas*.

PRESENCISMO

Preliminares

A revista *Presença*, iniciada em 1927 e encerrada em 1940, não só continuava como renovava o pensamento órfico. José Régio, Branquinho da Fonseca e João Gaspar Simões foram seus primeiros diretores. Com o afastamento de Branquinho da Fonseca, Edmundo de Bettencourt e Miguel Torga, entra Adolfo Casaes Monteiro para a sua direção. Elegendo seus mestres os poetas de *Orpheu*, os integrantes da *Presença*, particularmente José Régio, defendiam uma "*literatura viva*", espontânea, original, pessoal, contra a "*literatura livresca*" acadêmica, ou com outros fins que não os estéticos. E abriam-se ao convívio com as tendências literárias européias ou escritores mais afinados com a sua proposta, como Dostoievski, Proust e Gide, não sem examiná-los à luz dum padrão crítico rigoroso e vigilante. Além dos nomes citados, outros participam dos ideais presencistas, como Irene Lisboa, José Rodrigues Miguéis e Vitorino Nemésio.

JOSÉ RÉGIO

Pseudônimo de José Maria dos Reis Pereira. Nasceu em Vila do Conde (distrito do Porto), em 17/11/1901. Iniciou sua carreira literária quando ainda estudante da Faculdade de Letras de Coimbra, publicando *Poemas de Deus e do Diabo* (1925). Em 1927, fundou em companhia de João Gaspar Simões e Branquinho da Fonseca, a revista *Presença*, que inaugurou o segundo período da modernidade em Portugal. Formado, ingressou no magistério secundário, primeiro no Porto e depois em Portalegre, onde permaneceu até à morte, ocorrida em 22/12/1969. Escreveu poesia (*Poemas de Deus e do Diabo*, 1925; *Biografia*, 1929; *As Encruzilhadas de Deus*, 1936; *Fado*, 1941; *Mas Deus é Grande*, 1945; *A Chaga do Lado*, 1955; *Filho do Homem*, 1961), teatro (*Jacob e o Anjo*, 1941; *Benilde ou a Virgem-Mãe*, 1947; *El-Rei Sebastião*, 1949; *A Salvação do Mundo*, 1954; *Três Peças em um Ato*, 1957), conto (*Histórias de Mulheres*, 1946; *Há mais mundos*, 1962), romance e novela (*Jogo da Cabra-Cega*, 1934; *O Príncipe com Orelhas de Burro*, 1952; o ciclo d*A Casa Velha: Uma Gota de Sangue*, 1945; *As Raízes do Futuro*, 1947; *Os Avisos do Destino*, 1953; *As Monstruosidades Vulgares*, 1961, *Vidas são Vidas*, 1966), crítica (*Críticos e Criticados*, 1936; *Antônio Botto e o Amor*, 1938; *Em Torno da Expressão Artística*, 1940; *Pequena História da Moderna Poesia Portuguesa*, 1941), em tudo se revelando uma das maiores vocações literárias aparecidas depois de 1925, e já dono de um lugar certo no panorama da Literatura Portuguesa deste século.

Cântico Negro

"Vem por aqui" — dizem-me alguns com olhos doces,
Estendendo-me os braços, e seguros

De que seria bom que eu os ouvisse
Quando me dizem: "vem por aqui"!
Eu olho-os com olhos lassos,
(Há, nos meus olhos, ironias e cansaços)
E cruzo os braços,
E nunca vou por ali...

A minha glória é esta:
Criar desumanidade!
Não acompanhar ninguém.
— Que eu vivo com o mesmo sem-vontade
Com que rasguei o ventre a minha Mãe.

Não, não vou por aí! Só vou por onde
Me levam meus próprios passos...

Se ao que busco saber nenhum de vós responde,
Por que me repetis: "vem por aqui"?
Prefiro escorregar nos becos lamacentos,

Redemoinhar aos ventos,
Como farrapos, arrastar os pés sangrentos,
A ir por aí...

Se vim ao mundo, foi
Só para desflorar florestas virgens,
E desenhar meus próprios pés na areia inexplorada!
O mais que faço não vale nada.

Como, pois, sereis vós
Que me dareis machados, ferramentas, e coragem
Para eu derrubar os meus obstáculos?...

Corre, nas vossas veias, sangue velho dos avós,
E vós amais o que é fácil!
Eu amo o Longe e a Miragem,
Amo os abismos, as torrentes, os desertos...

Ide! tendes estradas,
Tendes jardins, tendes canteiros,
Tendes pátrias, tendes tetos,
E tendes regras, e tratados, e filósofos, e sábios.
Eu tenho a minha Loucura!
Levanto-a, como um facho, a arder na noite escura,
E sinto espuma, e sangue, e cânticos nos lábios...

Deus e o Diabo é que me guiam, mais ninguém.
Todos tiveram pai, todos tiveram mãe.
Mas eu, que nunca principio nem acabo,
Nasci do amor que há entre Deus e o Diabo.

Ah, que ninguém me dê piedosas intenções!
Ninguém me peça definições!
Ninguém me diga: "vem por aqui"!
A minha vida é um vendaval que se soltou.
É uma onda que se alevantou.
E um átomo a mais que se animou...
Não sei por onde vou,
Não sei para onde vou,
— Sei que não vou por aí!

(*Poemas de Deus e do Diabo*, 4ª ed., Lisboa, Portugália, 1955, pp. 108-110.)

Embora pertença à obra inicial de José Régio, o "Cântico Negro" oferece-nos uma síntese quase completa da mundividência do poeta. Entretanto, fujamos de concluir que não haja evoluído: evoluiu, e muito, mas os fundamentos de sua dicção já se encontram solidificados no livro de estréia. O que salta logo à vista é que o poeta retoma certas atitudes líricas em voga nos fins do século XIX e que o *Orpheu* subestimara, notadamente as assumidas por Guerra Junqueiro. O tom grandiloqüente, que persiste em todo o poema, lembra o autor d*A Morte de D. João*. Por outro lado, "Cântico Negro" reafirma posições órficas: o clima do poema lembra o Álvaro de Campos de, por exemplo, "Lisbon Revisited": a idéia de não ser de companhia é semelhante, e o erguer o estandarte da Loucura, idêntico ("Eu tenho a minha Loucura!"). Também Pascoaes, com o seu mundo de espectros e abstrações e o seu pan-psiquismo, comparece no substrato lírico de José Régio: "Eu amo o Longe e a Miragem, / Amo os abismos, as torrentes, os desertos... " Tudo isso caldeado por uma poderosa imaginação e um amplo fôlego poético (para não falar no "caso" ético que a informa), acabou dando poesia de primeira grandeza. Para tanto, José Régio teve de insuflar-lhe cargas pessoais e obsessivas, que, aliás, lhe marcam a trajetória poética até o fim. Egolátrica, individualista, intransigente, viril, contundente, sua poesia, como se nota em "Cântico Negro", focaliza o drama do Homem em face de sua condição e de Deus e o Diabo: o conflito básico nasce da coexistência, em seu espírito, de forças onipotentes que parecem neutralizar-se mutuamente, representadas por Deus e o Diabo. Assim, sua poesia move-se entre o deísmo e o demonismo, não para optar por um deles, mas porque a oscilação simboliza a consciência, no poeta, de o Homem arrastar-se, *aqui,* à mercê de seu destino (ou seja, perante Deus e o Diabo): "Deus e o Diabo é que me guiam, mais ninguém" / "Nasci do amor que há entre Deus e o Diabo" Com essa equação, típica do lirismo presencista, José Régio estabelece uma ponte entre a tradição e a modernidade, e cria uma das mais válidas obras poéticas da Literatura Portuguesa deste século. É o que se pode inferir, ao menos parcialmente, de "Cântico Negro".

Ícaro

Ao Fernando Lopes Graça

A minha Dor, vesti-a de brocado,
Fi-la cantar um choro em melopéia,
Ergui-lhe um trono de oiro imaculado,
Ajoelhei de mãos postas e adorei-a.

Por longo tempo, assim fiquei prostrado,
Moendo os joelhos sobre lodo e areia.
E as multidões desceram do povoado,
Que a minha Dor cantava de sereia...

Depois, ruflaram alto asas de agoiro!
Um silêncio gelou em derredor...
E eu levantei a face, a tremer todo:

Jesus! ruíra em cinza o trono de oiro!
E, misérrima e nua, a minha Dor
Ajoelhara a meu lado sobre o lodo.

Lázaro

Por damascos e púrpuras de rei
Despi, lá fora, os meus vestidos velhos;
E entre o tumulto, as luzes, os espelhos,
Insólito conviva, me assentei.

Erguendo a taça de cristal, brindei;
Quebrei a taça de cristal nos joelhos...
E, apertando nas mãos lírios vermelhos,
Ensaiei risos fúteis e cantei.

Assim vós me julgastes um dos vossos,
E a mesa do festim me recebeu,
E me coroaram de hera em flor os moços.

E, quando toda a orgia adormeceu,
Só eu!, só eu me vi roendo os ossos
Desse banquete que não era meu!

(*Ibidem*, pp. 97, 107.)

Experiência

Ao João Gaspar Simões

Minh'alma ergueu-se e declamou: — "Reviva,
Mais uma vez, o meu Desejo! Quero,
No fim dos fins, donde já nada espero,
Cantar a derradeira tentativa!

Por quanto longo tempo andei cativa
Dum sonho ou doutro, e qual mais doce ou fero...!
Alcanço hoje o sereno desespero:
Só de si própria a minha sede viva!"

Assim minh'alma declamou. Julgava
Que era a única vez que assim falava...
E outra vez ébria, inda outra vez partia.

— Vai, frio manto de brocado gasto,
Vai atrás dela, pérfido, e de rasto,
Meu sinistro sorriso de ironia!

Melancolia

Ao Fausto José

Basta, meu coração! nada de esperanças!
Desesperança extrema, altiva, e crua.
Silêncio sobre uma grande álea nua,
Com troncos sem folhagens, como lanças.

Nenhum lenço a acenar frágeis lembranças.
Espaços baços, amplos, e sem lua.
Um vento igual, rasteiro, e que insinua
Resignações que fingem de bonanças.

O chão varrido e bem pisado, espesso
Como um peito esmagado em cujo avesso
Congelem subterrâneos de soluços.

E ao fundo, um pobre corpo abandonado...
Abandonado e a apodrecer, de bruços,
Com feridas que vão de lado a lado.

Cristo

Quando eu nasci, Senhor! já tu lá estavas,
Crucificado, lívido, esquecido.
Não respondeste, pois, ao meu gemido,
Que há muito tempo já que não falavas...

Redemoinhavam, longe, as turbas bravas.
Alevantando ao ar fumo e alarido.
E a tua benta Cruz de Deus vencido,
Quis eu erguê-la em minhas mãos escravas!

A turba veio então, seguiu-me os rastros;
E riu-se, e eu nem sequer fui açoitado,
E dos braços da Cruz fizeram mastros...

Senhor! eis-me vencido e tolerado:
Resta-me abrir os braços a teu lado,
E apodrecer contigo à luz dos astros!

Novo Soneto de Amor

Numa volta qualquer do redondel
Nosso olhar se encontrou, longo e seguro.

Tu seguias teu fado amplo e cruel;
Eu sonhava o meu sonho imenso e obscuro.

Pousada a esponja de vinagre... e mel
No meu sôfrego lábio seco e duro,
Logo, ao teu fado de emigrar fiel,
Me deixaste ao dobrar de qualquer muro.

Adeus, pois, neste mundo, se te apraz!
Parte!... mas eu irei aonde vás,
Como tu ficarás onde eu ficar.

Deus fez-te minha a fez-me teu, bem sabes:
A vida em que não caibo, nem tu cabes,
Nada pode, entre nós, senão passar...

Soluço na Noite

Piedade, vento! Cala essa canção soturna
Uivando ao longo dessa interminável furna...
Cala-te! eu fico a ouvir-te e a ouvir-me em teu lamento,
E vou contigo, atrás do teu fadário, vento!

Mas sobre a grande, velha e rude casa, rouco,
O vento sarabanda o seu bailado louco,
E o casarão, que estala em plena escuridade,
Lembra uma velha nau entregue à tempestade...

Piedade, vento! Em vão me encolho neste leito!
Levas atrás de ti meu pobre ser desfeito...
E em trapos, já sou eu, já não és tu quem chora
Por esses becos ruins, por essa noite fora...

Mas a janela treme, o solho geme, e a chuva
Contra as vidraças bate os negros véus de viúva,
Estorce a cabeleira, ergue caudais de lágrimas,
E quantas aflições eu tento arredar, abre-mas...

Piedade, chuva! Eu sei que não resistiria
A um não sei quê de imenso, e informe, que me espia,
(O medo da Loucura ou o simples Medo!) só
No meu palácio em ruína alcatifado a pó...

Mas sobre a grande, velha e rude casa, crescem
As bátegas dum mar que os ventos enfurecem,
E, de roldão, em mim, do abismo das idades,
Vêm à tona avós gritar nas tempestades...

Piedade, chuva! Inerme ao fundo deste quarto,
Eu já nem sou senão o mal que herdei de parto:

Sangue de santos, vis, aflitos, doidos... , — coro
Que se me evoca, chuva, em teu medonho choro...

Mas pelos muros nus escorre a chuva, alaga
O quarto em que agonizo, e a pouco e pouco, vaga,
A *Sombra* que me espreita e me persegue — avança
A imensa espectral mão na noite sem esperança...

Piedade, noite! Abrindo a imensa espectral mão
Que me sufoca como a tampa dum caixão,
Aquela *Sombra* agarra a tua sombra, e vem
Sugar-me em seu feroz tentáculo de além...

Mas sobre a grande, velha e rude casa, a noite
Só solidão me dá por seio a que me acoite,
E eu luto sem saber com quê, com quem, eu morro
Sabendo que ninguém me há-de vir dar socorro...

Ora que mal!, que mal fiz eu à vida, aos céus,
Aos homens meus irmãos, à natureza, a Deus,
Para que lute assim a vida inteira, só
No meu palácio em ruína alcatifado a pó?

Ode

Nuvens tocadas pelos ventos, ide!
Lá para além de vós, o céu não passa.
Contra as rochas erguidas e paradas,
Desfazei-vos na vossa eterna lide,
Ondas!, flocos de espumas encrespadas...

Que a praia, não há onda que a desfaça.

Desfolhai-vos nas asas do tufão,
Rosas inda em botão esta manhã,
Folhas aos velhos troncos arrancadas!
Cinzas levais, só cinza!, em vossa mão,
Tempestades futuras e passadas!

Sobre a semente, a vossa fúria é vã.
Decorrei, dias meus já sem sentido
Senão o de ficar, que não é vosso.
Dissolvei-vos no ar, mãos revoltadas!
Gestos, formas, visões, sons, pó erguido,
Voltai ao pó das tumbas ignoradas!...

Que não se apaga a luz de além do poço.

Sou, como as nuvens sou que nada são,

E as ondas frágeis como vãs quimeras,
E as pétalas e as folhas desfolhadas,
E as formas fogos-fátuos da ilusão...
Correi, lágrimas fúteis enganadas!

Mas tu canta, minh'alma!, enquanto esperas.

(*Biografia*, 2ª ed., Coimbra, Armênio Amado, 1939, p. 41; *Mas Deus é grande*, 2ª ed., Lisboa, Portugália, 1961, pp. 46-48, 53-54.)

MIGUEL TORGA

Pseudônimo literário de Adolfo Correia da Rocha. Nasceu em S. Martinho de Anta (Trás-os-Montes), em 12/8/1907. Na adolescência, passou cinco anos numa fazenda de Minas Gerais. Formou-se em Medicina pela Universidade de Coimbra. Durante os anos de estudante, fez parte do grupo da *Presença*. Desligando-se da revista, juntamente com Edmundo de Bettencourt e Branquinho da Fonseca, lançou nesse mesmo ano (1930) os periódicos *Sinal* e *Manifesto*. Terminados os estudos superiores, entrou a dedicar-se à clínica e à obra literária. Cultivou a poesia (*Ansiedade*, 1928; *Rampa*, 1930; *Tributo*, 1931; *Abismo*, 1932; O *Outro Livro de Job*, 1936; *Lamentação*, 1943; *Libertação*, 1945; *Odes*, 1946; *Nihil Sibi*, 1948; *Cântico do Homem*, 1950; *Alguns Poemas Ibéricos*, 1952; *Penas do Purgatório*, 1954; *Orfeu Rebelde*, 1958; *Câmara Ardente*, 1962; *Poemas Ibéricos*, 1965), prosa de ficção (*Pão Ázimo*, 1931; *A Terceira Voz*, 1934; *A Criação do Mundo*, 3 vols., 1937-1939; *Bichos*, 1940; *Contos da Montanha*, 1941; *Novos Contos da Montanha*, 1944; *Vindima*, 1945; *Pedras Lavradas*, 1951), diário em poesia e prosa (*Diário*, 16 vols., 1941-1995), viagens (*Portugal*, 1950), teatro (*Terra Firme e Mar*, 1941; *Sinfonia*, 1947; *O Paraíso*, 1949). Faleceu em Coimbra, em 17/1/1995.

Livro de Horas

Aqui, diante de mim,
eu, pecador, me confesso
de ser assim como sou.
Me confesso o bom e o mau
que vão ao leme da nau
nesta deriva em que vou.

Me confesso
possesso
de virtudes teologais,
que são três,

e dos pecados mortais,
que são sete,
quando a terra não repete
que são mais.

Me confesso
o dono das minhas horas.

O das facadas cegas e raivosas,
e o das ternuras lúcidas e mansas.

E de ser de qualquer modo
andanças
do mesmo todo.

Me confesso de ser charco
e luar de charco, à mistura.
De ser a corda do arco
que atira setas acima
e abaixo da minha altura.

Me confesso de ser tudo
que possa nascer em mim.
De ter raízes no chão
desta minha condição.
Me confesso de Abel e de Caim

Me confesso de ser Homem.
De ser um anjo caído
do tal céu que Deus governa;
de ser um monstro saído
do buraco mais fundo da caverna.

Me confesso de ser eu.
Eu, tal e qual como vim
para dizer que sou eu
aqui, diante de mim!

(*O Outro Livro de Job*, 4ª ed., Coimbra, Coimbra Ed.. 1958. pp. 83-86.)

De pouco ou nenhum esforço necessita o leitor para dar-se conta da similitude patente entre "Livro de Horas" e "Cântico Negro", que acabou de ler. E tal similitude se explica pelo fato de ambos os poemas, tanto quanto seus autores, estarem situados na corrente presencista. Percebe-se que o problema posto pela consciência de cada indivíduo ser um microcosmos fechado e "caído", de ser a expressão singular do "homem em situação", — percorre os dois poemas. Sucede, porém, que diversa é a mola propulsora e o mecanismo que os movimenta: Miguel Torga revela-se atraído pela visão do transcendental, mas não como um plano a que pretendesse emigrar; ao contrário, sente-se esmagado, "anjo caído / do tal céu que Deus governa". Quer dizer: o poeta assume a "fatalidade" de ser homem, e assume-a integralmente, mas não esconde a ira titânica que perpassa a confissão. Assim, o dualismo em que se mortifica, deixa de ser a certeza de que o destino humano é regido por Deus e o Diabo (como em José Régio), para se transformar na grave consciência de ser, a um só tempo, "o bom e o mau", Abel e Caim. Na verdade, seu dilema propõe-se existencialmente, como se de repente, acicatado pela fruição total da liberdade, se descobrisse "anjo caído" ou "monstro saído / do buraco mais fundo da caverna". Note-se o tom de ênfase posto na confissão e o vigor e felicidade da expressão, denunciando um poeta de amplitude universal, ou ao menos ibérica, na medida em que funde, dum modo superior, a sentimentalidade lusíada e a dramaticidade castelhana.

Orfeu Rebelde

Orfeu rebelde, canto como sou:
Canto como um possesso
Que na casca do tempo, a canivete,
Gravasse a fúria de cada momento;
Canto, a ver se o meu canto compromete
A eternidade no meu sofrimento

Outros, felizes, sejam rouxinóis...
Eu ergo a voz assim, num desafio:
Que o céu e a terra, pedras conjugadas
Do moinho cruel que me tritura,
Saibam que há gritos como há nortadas,
Violências famintas de ternura.

Bicho instintivo que adivinha a morte
No corpo dum poeta que a recusa,
Canto como quem usa
Os versos em legítima defesa.
Canto, sem perguntar à Musa
Se o canto é de terror ou de beleza.

Guerra Civil

É contra mim que luto.
Não tenho outro inimigo.
O que penso,
O que sinto,
O que digo
E o que faço,
É que pede castigo
E desespera a lança no meu braço.

Absurda aliança
De criança
E adulto,
O que sou é um insulto
Ao que não sou;
E combato esse vulto
Que à traição me invadiu e me ocupou.

Infeliz com loucura e sem loucura,
Peço à vida outra vida, outra aventura,
Outro incerto destino.

Não me dou por vencido,
Nem convencido.
E agrido em mim o homem e o menino.

(*Orfeu Rebelde*, Coimbra, s.c.p., 1958, pp. 10-11, 58-59.)

Pergunta

Duna que o vento ergueu, monte de vento,
Onde tudo que nasce é movediço:
Versos aqui?, ou sigo o movimento,
E sou mais uma areia ao teu serviço?

Duna em que sou arado
À procura da terra da firmeza:
Versos aqui?, ou vou melhor calado,
Cheio de desespero e de certeza?

Regresso

Regresso às fragas de onde me roubaram.
Ah! minha serra, minha dura infância!
Como os rijos carvalhos me acenaram,
Mal eu surgi, cansado, na distância!

Cantava cada fonte à sua porta:
O poeta voltou!
Atrás ia ficando a terra morta
Dos versos que o desterro esfarelou.

Depois o céu abriu-se num sorriso,
E eu deitei-me no colo dos penedos
A contar aventuras e segredos
Aos deuses do meu velho paraíso.

Desgarrada

Na sina que me foi lida,
Este dia é sempre assim:
Sol na paisagem da vida,
E sombra dentro de mim.

Fé

Venha o sol que vier, é uma promessa
O que a manhã nos traz na sua alvura.
É outra vez a vida que começa
Aberta de inocência e de frescura.

Cipreste, frio, a noite! Cor impura.
Triste alegria a tinta negra impressa.
Venha o sol que vier, tem mais altura
O sonho que se veja e que se meça.

Claro como a verdade — diz o povo.
Doce como um começo, o fruto novo
Onde reluz o laivo que o pintou.

Venha o sol que vier, é outro dia
No límpido país da fantasia
Que a nossa escuridão iluminou.

Provérbio

O que vier com alma nova, fique.
Deite a sua raiz,
Cresça, floresça, frutifique,
E morra se outra seiva o contradiz.

(*Diário*, vol. III, 2ª ed., Coimbra, 1954, p. 102; vol. VI, Coimbra, 1953, p. 62; vol. X, Coimbra, 1968, p. 59; *Libertação*, 2ª ed., Coimbra, 1952, pp. 50-51, 82.)

Jesus

Comiam todos o caldo, recolhidos e calados, quando o menino disse:

— Sei um ninho!

A Mãe levantou para ele os olhos negros, a interrogar. O Pai, esse, perdido no alheamento costumado, nem ouviu. Mas o pequeno, ou para responder à Mãe, ou para acordar o Pai, repetiu:

— Sei um ninho!

O velho ergueu finalmente as pálpebras pesadas, e ficou atento também.

A criança, então, um tudo-nada excitada, contou. Contou que à tarde, na altura em que regressava a casa com a ovelha, vira sair um pintassilgo de dentro dum grande cedro. E tanto olhara, tanto afiara os olhos para a espessura da rama, que descobrira o manhuço negro, lá no alto, numa galha.

A Mãe bebia as palavras do filho, a beijá-lo todo com a luz da alma. O Pai regressou ao caldo.

Mas o menino continuou. Disse que então prendera a cordeira a uma giesta e trepara pela árvore acima.

De novo o Pai levantou as pálpebras cansadas, e ficou tal e qual a Mãe, inquieto, com a respiração suspensa, a ouvir.

E o pequeno ia subindo. O cedro era enorme, muito grosso e muito alto. E o corpito, colado a ele, trepava de vagar, metade de cada vez. Firmava primeiro os braços; e só então as pernas avançavam até onde podiam. Aí paravam, fincadas na casca rija.

A subida levou tempo. Foi até preciso descansar três vezes pelo caminho, nos tocos duros dos ramos. Por fim, o resto teve de ser a pulso, porque eram já só vergônteas as pernadas da crista.

Transidos, nem o Pai nem a Mãe diziam nada. Deixavam, apavorados, mudos, que o pequeno chegasse ao cimo, à crista e pusesse os olhos inocentes no ovo pintado. O ninho tinha só um ovo.

Aqui, o menino fez parar o coração dos pais. Inteiramente esquecido da altura a que estava, procedera como se viver ali, perto do céu, fosse viver na terra, sem precisão dos braços cautelosos agarrados a nada. E ambos viram num relance o pequeno rolar, cair do alto, da ponta do cedro, no chão duro e mortal de Nazaré.

Mas a criança, apesar de mostrar, sem querer, que de todo se alheara do abismo sobre que pairava, não caiu. Acontecera outra coisa. Depois de pegar no ovo, de contente dera-lhe um beijo. E, ao simples calor da sua boca, a casca estalara ao meio e nascera lá de dentro um pintassilgo depenadinho.

E o menino contava esta maravilha com a sua inocência costumada, como quando repetia a história de José do Egito, que ouvira ler a um vizinho.

Por fim pôs amorosamente o passarinho entre a penugem da cama, e desceu. E agora, um nada comprometido, mas cheio da sua felicidade, sabia um ninho.

A ceia acabou num silêncio carregado. Só depois, à volta do lume quente do cepo de oliveira toda em brasido, é que os pais disseram um ao outro algumas palavras enigmáticas, que o pequeno não entendeu. Mas para que entender palavras assim? Queria era guardar dentro de si a imagem daquele passarinho depenado e pequenino. Isso, e ao mesmo tempo olhar cheio de deslumbramento os dedos da Mãe, que, alvos de neve, fiavam linho.

E tanto se encheu da imagem do pintassilgo, tanto olhou a roca, o fuso, e aqueles dedos destros e maravilhosos, que daí a pouco deixou cair a cabeça tonta de sono no regaço virgem da Mãe.

(*Bichos*, 5ª ed., Coimbra, 1954, pp. 79-83.)

BRANQUINHO DA FONSECA

Antônio José Branquinho da Fonseca nasceu em Mortágua, em 4/5/1905. Formado em Direito por Coimbra (1930), integrou, ainda estudante, a direção da *Presença*, da qual se afastou, juntamente com Miguel Torga e Edmundo de Bettencourt, por julgar que a revista havia repudiado seus ideais primitivos. Estreou com *Poemas* (1926). À poesia ainda dedicaria um volume, *Mar Coalhado* (1932). Em 1931 publicou seu primeiro livro de contos, *Zonas*, a que se seguiriam outros no gênero: *Caminhos Magnéticos* (1938), *O Barão* (1942), *Rio Turvo e Outros Contos* (1945), *Bandeira Preta* (1957). Ainda publicou romances (*Porta de Minerva*, 1947; *Mar Santo*, 1952) e teatro (*Posição de Guerra*, 1929; *Teatro I*, 1939). Faleceu em Lisboa, em 16/05/1974.

O Barão

Narrado na primeira pessoa, por um "inspetor das escolas de instrução primária" que sai para visitar uma escola encravada numa aldeia de serra, o conto tem como personagem central a figura que empresta título à narrativa. O narrador, hospedado no solar do Barão, ouve-lhe confidências e presencia cenas que aos poucos vão compondo o perfil do misterioso senhor feudal. Uma delas é precisamente o espetáculo da Tuna, que se lê a seguir:

E caminhando para mim, agarrou-me por um braço, levantou-me da cadeira onde eu me tinha sentado e levou-me até junto de uma das portas. Não sei onde queria ir ou o que tencionava fazer, porque neste momento ouvimos ao fundo do corredor, ainda longe, um barulho como o rolar de um trovão que se aproxima. Ele estacou com um sorriso satisfeito. Eu fiquei atônito e imóvel. Recuou de repente e, puxando-me, levou-me arrastado até ao outro extremo da sala de jantar. Eu não sabia que barulho era aquele nem percebia estes vaivéns em que o Barão me trazia. O ruído aumentava como uma grande trovoada que desabasse sobre nós. Não tive medo mas perguntei-lhe o que era. Como viu que eu estava surpreendido (assustado não estava), não me explicou nada. Mas logo percebi que era um matraquear de tamancos. Tínhamos recuado e estávamos encostados à parede, calados, à espera do que ia entrar por ali dentro. Até que surgiu, num passo lento, um indivíduo magro, com um pano preto sobre o olho esquerdo, embuçado num grande capote negro, semelhante ao do Barão. Este fez-lhe um sinal brusco, apontando a testa, e o homem pôs a carapuça que tinha tirado da cabeça. Trazia-a na mão, debaixo do varino. Logo entraram mais homens, uns cobertos com aqueles longos capotes, outros embrulhados em mantas. Percebi que o Barão não queria que tirassem os barretes nem os chapéus. Não sei por quê. Talvez para dar àquilo tudo um aspecto ainda mais estranho. Eles já sabiam deste capricho. Iam entrando um a um, em fila, embrulhados, embuçados, com um ar friorento e estremunhado. Que vinha fazer ali aquela gente toda àquela hora, sei lá que horas da noite? Eu estava um pouco embriagado e fazia um esforço inútil para compreender o que via. E entravam, um a um, lentos, sonolentos, de todos os tamanhos, uns magros, outros gordos, uns de grandes bigodes tártaros, outros de barba à passa-piolho, dois ou três de grandes barbas, como profetas, envolvidos nas mais variadas mantas e capotes. Parecia-me um pesadelo aquele desfile de figuras tão estranhas, que formavam um friso diante de mim e continuavam a passar interminavelmente, fazendo uma vênia até ao chão.

Os tamancos soltos nos pés faziam-nos caminhar balançando como ursos. Alguns tinham, na verdade, a cara coberta de pêlos hirsutos. Eram ursos. Olhei para o Barão como quem implora uma palavra tranqüilizadora. Estava com o olhar distante e a expressão parada. O barulho dos socos ensurdecia-me. Já não sabia o que devia pensar daquilo. O salão estava cheio de homens, que se iam arrumando em filas, diante de nós. A alguns mal se lhes via a cara, porque tinham a cabeça metida dentro de enormes capuzes, como frades. Procurei ler qualquer coisa na fisionomia do Barão. Por fim olhou-me e sorriu, com um sorriso de prazer. Eram mais de cinqüenta, formando um semicírculo diante de nós. E, de repente, fez-se um grande silêncio. Eu sentia a cabeça cada vez mais pesada do álcool e tentava, num esforço inútil, compreender. Pareceu-me que aqueles homens nos olhavam com medo. Depois vi que era também com desprezo e ódio. Como se um duplo tivesse saído de mim e estivesse a observar-me de fora, eu via-me melhor a mim próprio do que via os outros. A criada tinha posto sobre a mesa três grandes copos, de litro cada um, e umas três ou quatro broas. Pôs também duas facas. Depois encheu os três copos com vinho tinto, de um garrafão que estava debaixo da mesa e saiu. Tudo isto fora feito num silêncio absoluto, como um ritual respeitado.

Até que, por fim, ouvi a voz do Barão, de quem já me tinha esquecido, quebrar o silêncio e com o braço estendido, num gesto pesado e largo, fazer a apresentação:

— A Tuna.

Julguei que estava a troçar comigo e com aqueles pobres campônios de aspecto tão estranho e selvático. Mas não. Comecei a reparar num homenzinho que, na minha frente, me espreitava com um sorriso de escárnio. O Barão apresentava-me o tal homem que trazia um pano preto sobre o olho esquerdo:

— Aqui tem o senhor Alçada, mestre da Tuna.

O senhor Alçada dobrou-se numa vênia exagerada e, pondo-se outra vez direito, perguntou com entoação ridiculamente solene, orgulhoso da sua arte, desenrolando a língua travada pela gaguez ou pelo medo:

— Senhor Barão, às suas ordens.

— O Verde-Gaio! — gritou o Barão numa voz fora de tom, como se estivesse a pensar noutra coisa e de repente ouvisse aquela pergunta do mestre da Tuna.

A um aceno do mestre, como num espetáculo de mágica, debaixo de todos aqueles capotes saíram os mais variados instrumentos: violinos, flautas, violões, guitarras, ferrinhos, tambores, bandolins, harmônios, gaitas de beiço e berimbaus. Eu não contava com aquilo. Saiu-me uma gargalhada que não consegui dominar. O Barão deitou-me um olhar de censura, sorrindo com uma frieza cortante. Voltando-se para o tal senhor Alçada repetiu, agora numa voz serena:

— O Verde-Gaio.

O outro virou-se para a multidão dos seus músicos dispostos em meia lua e, quando eu esperava um estrondo, uma dessas barulheiras infernais, rompe dali uma marcha vibrante e alegre, cheia de vivacidade e emoção lírica, num conjunto de quase perfeita afinação. O Barão, inesperadamente, deu um salto para o meio da sala e, plantado com as pernas abertas, curvado para a frente, com os punhos cerrados, os braços fletindo em movimentos rápidos e firmes como se batesse no peito, entoava um regougar rouco como urros de guerra africana. Senti-me também arrebatado. Era admirável como tudo se tinha transformado subitamente ao som daquela fanfarra imensa. Ergueu-se, não sei donde, uma voz de fino timbre a cantar num ritmo longínquo e saudoso e os instrumentos foram-se calando até que ficaram só os tambores e os violões batendo de um modo abafado, lento e estranho. Veio outra voz atrás daquela, em contracanto. E um coro de baixos, numa toada profunda e distante, insistia em não sei que estribilho, como um eco.

Até que o Barão fez um gesto e tudo parou repentinamente. Um dos tocadores aproximou-se da mesa, como se fosse agora aquilo a continuação do programa, e agarrou numa broa. Cortou uma fatia e passou ao vizinho. Depois, com as mãos ambas, pegou num dos grandes copos de vinho donde bebeu uns golos e passou. E assim fizeram todos. As broas foram correndo de mão em mão: cada um cortava uma fatia e passava, cada um bebia um golo de vinho e passava o copo. O Barão quis saber as minhas impressões. Não sei o que disse, mas elogiei, decerto, com sinceridade. Até que ele, vendo que todos os homens tinham comido a fatia e bebido o vinho, gritou:

— O Tum-Tum!

E seguiu-se outra toada regional. Eu estava maravilhado. Ainda hoje conservo nítida essa sensação de estranheza que me deu a sessão da Tuna. De súbito, eu, o Barão e a criada começamos a dançar no meio da sala. A Tuna sempre tocando e nós a andar de roda, com a cabeça a andar de roda, do vinho e da música. Mas, por fim, ele caiu a arfar, para um canto, como um monstro ferido. A melodia não se interrompeu nem nós, que continuávamos a dançar um bailado de ursos em pé. A criada caiu também no meio da casa e ficou com as saias para cima, mostrando as pernas até às coxas. Naquela posição começou a cantar ao som da música, que continuava inalterável, já insensível a estas coisas, pela força do hábito. Encostei-me a um lado a olhar e a rir: escorreguei contra a parede, devagar, e fiquei também sentado no chão. Via andar tudo à roda, como se estivesse a adormecer num desses baloiços em que as crianças brincam. O Barão, sentado no chão atrás de mim, cantava em espanhol... Mas levantou-se e voltou para o meio da sala. Chamou um criado que lhe trouxe um grande garrafão e, levantando-o ao alto, começou lentamente a despejar sobre a cabeça uma cascata de vinho branco que me fazia inveja. Porém já nada me admirava. Podiam fazer o que quisessem que tudo acharia natural. E comecei a rir às gargalhadas, com o exagero dum completo desmoronar de todas as minhas limitações e preconceitos.

O Barão, a pingar e a patinhar, com os pés a colarem-se ao sobrado inundado de vinho, avançou para mim, frangalho bêbedo sentado no chão a rir, a rir, a rir-me dele e de mim e de tudo; ria-me sem saber já de quê, caído ali para um canto como um boneco a que tivesse desandado de repente a corda toda até ao fim. Mas vi-o crescer como um gigante e reparei que ele tinha na cara e no fato uns estranhos reflexos metálicos. Já não era o Barão, era o seu fantasma, um autômato de ferro e lata que me fazia calafrios de terror. Baixou-se sobre mim, pegou-me por um braço e levantou-me do chão tão facilmente como se eu fosse um boneco de papel. E colado ao fato dele, lustroso e molhado, que exalava um cheiro forte a vinho, fiquei em pé, a ouvi-lo dizer:

— Estou purificado!...

— Pois estás...

— O batismo purifica!...

— Pois purifica...

— Vem!... Vou ao castelo da Bela-Adormecida...

Enfiou o braço no meu e desaparecemos no corredor escuro. Eu ia arrastado não sabia para onde, ele ia levado lá para onde o chamava a obsessão. Ouvi ainda, atrás de nós, o barulho dos tamancos dos homens da Tuna que saíam por outra porta. Mas já estávamos no meio da quinta e os cães vinham todos atrás de nós.*

(*O Barão*, 5ª ed., Lisboa, Portugália, 1969, pp. 52-65.)

Apesar de a apreensão de toda a densidade da cena da Tuna depender do contexto geral d*O Barão*, aí temos alguns tópicos da magnitude do conto, a obra-prima do autor e das mais relevantes criações do Presencismo (1927-1940). Com efeito, se há narrativa em que a doutrina presencista se manifesta com superior equilíbrio, gerando um dos momentos mais altos da moderna ficção em Portugal, é essa singular história de uma insólita e forte personagem. Em meio a uma atmosfera impregnada de psicologismo, abstração, toques surrealistas, pulsões oníricas, vai-se desenhando o drama amoroso de "um homem de enorme estatura (...), de ombros largos, com um grande chapéu na cabeça", mas de "sorriso tímido e quase ingênuo, como uma criança", loucamente apaixonado por sua Bela-Adormecida. O episódio da Tuna avulta no desenrolar da narrativa pelo seu tom teatral, protagonizado por "figuras tão estranhas", grotescas, de pesadelo. Funcionando como uma espécie de coro de fantasmas para a tragédia afetiva do Barão, a Tuna ainda ressoa, na partilha da broa e do vinho, o milagre cristão dos pães e do vinho. O clima é de êxtase melódico e demência, de irrupção das forças represas do inconsciente e de magia, como se trazendo à luz do dia os tenebrosos conflitos íntimos do Barão. A linguagem, de poética cintilação, não é a menor das qualidades desse inquietante peregrinar pelo universo do sonho e do mito, que, sendo uma das metas da Presença, constitui a tendência marcante da melhor ficção de Branquinho da Fonseca.

Passado algum tempo acordei sobressalto por um grande barulho. Eram uns berros que atroavam o velho palácio, era a voz do Barão e ele aos encontrões e às patadas à porta do meu quarto, tentando arrombá-la. Quando compreendi, levantei-me, mas comecei a tossir, a tossir, e ardiam-me tanto os olhos que não podia abri-los. Vi a chama da vela esbatida numa densa nuvem de fumo. Ergui-me com dificuldade e atravessei o quarto a cambalear como se estivesse para perder os sentidos, sem poder responder ao Barão que continuava aos murros e aos pontapés à porta, com ameaças e insultos que eu ouvia como se fosse muito longe, ou como se estivesse ainda a dormir. Mas, de repente, compreendi o que se passava. Era fogo! Gritei. O fumo asfixiava-me. Lancei-me contra a porta, mas não consegui abri-la. Queria gritar, mas já não podia. Devia ter sido eu quem a tinha fechado por dentro, mas, forçada pelos pontapés, agora não desandava. Do lado de fora, o Barão continuava aos urros. Tive medo. Corri para a janela, para fugir como pudesse. Mas, de repente, fez-se um silêncio e ouvi a voz da criada, numa entoação violenta:

— Saia daí! Deixe o homem dormir!

Corri outra vez para a porta e gritei que era fogo e não podia abrir. Então, com um grande estrondo, a porta veio dentro e vi o Barão na minha frente. Atirei-me para o corredor e a criada entrou logo sem fazer perguntas inúteis, com decisão,

---

* *varino* = capote, com capuz e mangas; *barba à passa-piolho* = barba que vai de uma orelha à outra, por sob o queixo.

procurando a origem da fumarada que enchia o quarto. Trazia o mesmo candeeiro na mão e abriu a janela, antes de mais nada. Vi-a ir ao lavatório e pegar no jarro da água, avançar para a minha cama e despejá-lo sobre a colcha. E o Barão sacudia-me por um braço, a perguntar-me o que é que eu estava a fazer, e a empurrar-me na sua frente, pelo corredor adiante. Entramos na sala de jantar. Ele insistia e eu respondia que não tinha feito nada, que não sabia nada.

. . . .

E o champanhe continuava a transbordar das taças e a erguer-se em brindes a tudo o que nos lembrou, a todos os nossos desejos, sonhos, ambições, a todas as nossas saudades, desilusões, a todos os nossos amigos, a tudo quanto nos ocorreu naquele momento de sinceridade. Esses brindes foram verdadeiras confissões, como o abrir das nossas almas. E, na verdade, a quem podemos falar com mais franqueza do que a um desconhecido que nunca mais veremos? Além de que estes momentos de espontânea revelação em que abrimos quanto podemos todas as portas e alçapões de nós próprios, estes momentos são tão difíceis de atingir, por cobardia e por orgulho e pela incompreensão que nos rodeia, que, quando se consegue assim uma hora dessas, não devemos perdê-la, embora se fique, no fim, arrependido e triste como quem fez uma traição a si próprio. Mas, ao mesmo tempo, dá o alívio de quem abre uma válvula de escape quando a pressão por dentro é já de mais. Entre outras coisas contei-lhe uma melancólica história de amor, que era a minha. Foi a primeira pessoa a quem a confessei, dez anos depois de ela ter passado e aniquilado a minha vida. E nunca mais, a ninguém. Creio que, naquele momento, principalmente, a recordava a mim próprio. Revivi essa história triste como se fossem os melhores dias de minha vida, que eu não quisesse deixar esquecer, recordando-a em voz alta, ouvindo-me a mim próprio, como se outro ma contasse. O Barão, imóvel, olhava-me com o olhar muito fixo. No fim vi-lhe os olhos cheios de lágrimas. Também os meus estavam rasos de água. E afinal um caso tão simples e tão vulgar.

Calei-me e ficou um grande silêncio na sala. Depois ele quis pôr-se de pé. Mas tornou a deixar-se cair na cadeira. Levou mais uma taça à boca e despejou-a de um trago. Isto deu-lhe novas forças. Levantou-se lentamente, vi-o subir, pareceu-me que crescia, que aumentava de altura e largura, tornando-se espantoso como um gigante. A cadeira caiu para trás. Ficara com o olhar distante e fixo. Deu uns passos para mim, enfiou o braço no meu e disse, como quem obedece a um pensamento a que sempre tivesse conseguido furtar-se, mas que tinha agora de cumprir:

— Vamos.

Já estávamos calmos ou cansados. Pisamos um cão que fugiu num ganir lancinante, pela casa silenciosa, com uns gritos que arrepiavam.

Saímos da sala de jantar, mas depois voltamos ao mesmo sítio, entrando por outra porta, sem sabermos por onde andávamos, de braço dado, calados e inseparáveis. Por fim descemos uma escada e abrimos uma porta que estava fechada com uma grande tranca de ferro. Veio de fora o ar frio da noite. Os outros cães passaram à nossa frente. Fomos caminhando entre árvores baixas, talvez macieiras, pelo meio das quais havia umas plantas rastejantes. Andávamos em volta da casa, sempre silenciosos, como se houvesse um entendimento entre nós. Eu não sentia necessidade de lhe perguntar nada. Ele, curvado, procurava qualquer coisa. Reparei que pisávamos os canteiros de um jardim. Eram flores, rosas, grandes jarros brancos e maciços de sardinheiras. O Barão, por fim, ajoelhou-se e começou a apanhar violetas. Os cães lambiam-lhe a cara e ele cuspia, sem nojo, e empurrava-os, meigamente. Eram, na verdade, violetas.

. . . .

E mostrou-me a rosa que continuava intacta na mão. Eu estava já suficientemente lúcido para aquilo começar a parecer-me ridículo. E atirei-lhe uma gargalhada na cara. Deu-me um empurrão e caí de costas no meio dos cães. Enquanto procurava levantar-me, eles lambiam-me piedosamente a cara e eu atirava violentos insultos ao Barão, que já não estava ali. Levantei-me e corri atrás dele. Então pareceu-me ouvir, do lado de trás do muro da quinta, vozes misturadas com o ladrar dos cães. Eu andava já fora da estrada a procurar o Barão como quem caça uma fera, correndo, tropeçando nos torrões da terra lavrada, nas valas, caindo, levantando-me, numa espécie de furiosa sede de vingança. Mas em vão: tudo eram sombras fugidias, ramos de árvores que me fustigavam a cara onde o suor corria em grandes bagas, ou folhas que me acariciavam ironicamente a face. Bufava como um toiro. De repente lembrei-me do revólver e tirei-o do bolso: estaquei a meditar, a estabelecer um plano, ofegante, sem poder andar mais. Nem sei já se era de fúria contra o Barão ou se estaria apenas com medo. Reparei que estava outra vez ao pé da estrada. Dei mais uns passos, sentei-me na valeta e resolvi esperar. Poisei a arma na relva, a meu lado, e com o lenço fui limpando o suor que me alagava a testa. Estava cansado. Tirei outro cigarro do bolso e comecei a fumar. Soube-me mal; atirei-o fora e fiquei com o olhar fixo na brasa vermelha que parecia um olho na escuridão a fitar-me. E afundava-me num adormecimento dos sentidos. Olhava sem ver, ouvia sem ouvir, as idéias tumultuavam-me na cabeça sem as compreender nem as poder dominar. Era uma cavalgada de clarões e sombras, entre visões nebulosas ou de uma nitidez que feria, mas num outro *eu* libertado deste que ali tinha caído, sonâmbulo e atônito. E ouvia ao longe um confuso ladrar de muitos cães ao mesmo tempo. Isto, pouco a pouco, foi-me chamando à realidade. Senti que começava a pensar com clareza. Fiz uma revisão mental do que se tinha passado até ali e compreendi que estava a exagerar e a deturpar os fatos, que era tudo uma brincadeira.

E onde estaria o Barão? Andava talvez a procurar-me, já aflito. Lembrei-me daquela rosa branca, erguida na sua mão como um símbolo de pureza e vi a beleza de tal gesto, cujo destino eu ignorava, mas para o qual ele me tinha pedido auxílio. E eu tinha-o atraiçoado e andava a persegui-lo com um revólver na mão. Tive remorsos. Levantei-me e comecei a caminhar, num passo apressado, pela estrada adiante. Naquele momento eram para mim muito confusas as intenções do meu companheiro com uma rosa na mão, mas aquele gesto, agora, parecia-me admirável. Não me tinha dito para quem era... Ah! chamou-lhe a Bela-Adormecida!... Como esta frase teve a beleza de um sonho!

Por fim esqueci-me do Barão e, a cantar, no profundo silêncio da noite, continuei a caminhar pela estrada. O céu estava cheio de estrelas e a minha voz subia até elas.

Àquela hora o Barão saltava o grande muro, aproximava-se do castelo e escalava as paredes, até a janela da Bela-Adormecida...

Eu lá ia pelos caminhos desconhecidos e sem fim, erguendo os meus cânticos à noite e às estrelas.

Só o romper da manhã me chamou à realidade. Senti arrepios de frio e doíam-me as pernas. Na meia-luz do alvorecer, procurei em volta, com a vista, o solar do Barão. Só vi uns vales profundos, envolvidos em sombra e neblina. Onde estaria eu? Quanto teria andado? Calculei que não podia ter percorrido grande distância. Voltei para trás, num passo apressado. E caminhei, caminhei, já exausto e desanimado, sem encontrar o palácio, nem outra casa qualquer, nem uma aldeia, nem ninguém. Era como se tivesse caído na Lua. Só montes desertos, numa luz cinzenta, e a estrada branca sem fim, fazendo curvas na minha frente. Caminhei durante algumas horas. Até que não pude mais. Doíam-me os pés, doía-me o corpo todo, tinha tonturas e a cabeça parecia apertada num capacete que abrasava. E queimava-me uma sede torturante, que aumentava a cada passo. Sentei-me, ou caí, na borda da estrada que descia da montanha coberta pela névoa matutina. Depois, ao longe, o céu tomou uns tons cor-de-rosa, com laivos violetas. Era um espetáculo belo e novo. Um pequeno pássaro escuro surgiu ao pé de mim, sobre o ramo seco dum tojo, deu um "piu" triste e voou, desaparecendo. Levantei-me para continuar a marcha, porém custou-me a endireitar as pernas e as costas. Era como se tivesse os ossos partidos. Mas a Providência existe. Apareceu na curva da estrada um moleiro com o burro carregado de sacos de farinha. Fui ao seu encontro e pedi-lhe que me alugasse o jumento. Não queria. Foi difícil convencê-lo. Teimava que o animal não agüentava comigo, que não podia deixar ali os taleigos da farinha, que o deixasse "pelo Santíssimo Sacramento". Perguntei-lhe quanto valiam a farinha e os taleigos. — "Mais de cinqüenta mil-réis." Tirei da carteira uma nota de cem escudos e meti-lha na mão. Contente, mas sem o querer mostrar, tirou os sacos ainda com uma lamúria, "seja em desconto dos meus pecados", mas que era só até não sei onde e depois lá se arranjava uma carroça, pois não queria rebentar o burro. Foi esconder os taleigos atrás de uma silveira e voltou. Como o burro não tinha estribos e o albardão era muito largo, o moleiro ajudou-me a subir. Logo que me instalei, deu um estalido com a língua e o simpático animal começou a bater a estrada no seu chouto miúdo. Eu, escarranchado em cima da enorme albarda de palha, olhava o pobre homem como quem contempla o seu verdadeiro anjo da guarda.

Estava o Sol já alto quando chegamos ao solar. O criado que veio abrir o portão, ao ver-me, exclamou com surpresa:

— Ah!... V. Ex.ª!... Ainda bem...

— Ainda bem, o quê?...

— Quero dizer... Peço desculpa... Estávamos com medo de que também... como o senhor Barão...

— Já veio?

— Está livre de perigo.

— De perigo?!... Que perigo?

— Então V. Ex.ª não sabe?... Teve um desastre...

— Um desastre?!...

— Sim, senhor. V. Ex.ª não andava com o senhor Barão?...

— Andava... Mas... Sim... E como foi?

— Eu não sei mais nada. Quem pode explicar é a senhora Idalina...

Fui ao quarto do Barão. Estava estendido na cama, com um tiro num ombro e fratura do crânio. Percebi que queria dizer-me qualquer coisa e aproximei-me do leito. Ciciou com dificuldade, entre dentes:

— Mas ficou... na janela...

E cerrou os olhos, como se tivesse feito um grande esforço. O médico puxou-me pelo braço, pedindo que saísse do quarto, para que ficasse em completo repouso.

Mais tarde tive notícias dele. Mandava-me dizer que lá me esperava.

Sim, Barão!... Hei-de voltar, um dia. E havemos de tornar a perder-nos pelos caminhos sombrios do nosso sonho e da nossa loucura; e mais uma vez havemos de cantar às estrelas, e dar a vida para ires depor outro botão de rosa lá na alta janela da tua Bela-Adormecida!...

(*Ibidem*, pp. 72-75, 77-81, 97-107.)

IRENE LISBOA

Nasceu em Casal da Murguinheira, Concelho de Arruda dos Vinhos, em 25/12/1892, e faleceu em Lisboa, em 25/11/1958. Professora primária, com especialização no estrangeiro, iniciou-se em 1926, com *13 Contarelos*. Escreveu poesia, com o pseudônimo de João Falco (*Um Dia e Outro Dia...*, 1936; *Outono, havias de vir*, 1937), obras de Pedagogia, com o pseudônimo de Manuel Soares, ou de doutrina (*Solidão*, 1939; *Solidão II*, 1975, etc.), mas foi na ficção, oscilante entre a crônica e o conto ou o romance, que se notabilizou: *Começa uma vida* (1940), *Lisboa e quem cá vive* (1940), *Esta Cidade!* (1942), *Uma Mão Cheia de Nada, Outra de Coisa Nenhuma* (1955), *O Pouco e o Muito* (1956), *Voltar atrás para quê?* (1956), *Título, qualquer serve* (1958), *Queres ouvir? eu conto* (1958). Postumamente saiu *Crônicas da Serra* (1961).

Alexandrino

As duas irmãs eram mal vividas, como muitas vezes acontece.

Uma gostava de versos, de leituras e a outra de namorar. A mais nova é que era a namoradeira, e quinze anos ainda não tinha. Não se sabia que chiste, que graça lhe achavam os rapazes! Era baixa, de peito levantado. E de pele muito fina, sobrancelhas e nariz igualmente finos, bem desenhados, e olhos alegres.

A outra, alta, sem carnes, tinha a pele mais escura e mais grossa, mas o mesmo tom de olhos. Levava a vida com os livros e a sonhar, enquanto a mais nova nem num pegava. Pouco se falavam. Por dá cá aquela palha discutiam e depois amarravam o burro.

A mais velha, no seu silêncio, andava trabalhada por grandes problemas, que a desassossegavam e faziam chorar a ocultas. O nascimento, a procriação e a morte laboravam-na como pecados mortais em que tivesse incorrido ou de fatalmente incorrer. Chorava, confrangia-se de se considerar capaz de crimes e de incestos, e só desejava morrer. Morrer inconsideradamente, morrer para acalmar. As suas aflições e as suas vergonhas, o seu incompreensível desassossego viviam com ela, reprimidos mas extraordinariamente vivos. Andando, mesmo, a não largavam. E nem os versos que lia, nem o ar da noite alta, que respirava levantando-se devagarinho da cama, nem sequer a luz dos poentes, que ela achava o que de mais maravilhoso se produzia na terra, lhe açaimavam o espírito inquieto. Que era a vida? Como era a vida? Como se vivia? O que eram os homens para as mulheres? Tudo isto lhe parecia confuso e penoso, inquietante, e a enchia de inconfessáveis ansiedades.

A irmã, se tinha curiosidades e problemas também, não os deixava transparecer. Enfim, uma da outra nada sabiam. A mais nova, porém, era alegre, estúrdia e dissipada. A mais velha severa e recalcada, bisonha até.

Ambas comiam juntas com a família, que pouca era e com ar de morta, mas durante o dia cada uma girava para o seu lado. Viviam elas quase a fugir da cidade, numa rua de casas só de um lado. Das janelas da frente via-se campo e oliveiras, mas aquele campo que nada ensina, apagado, das pequenas quintas suburbanas, em que não há lavras nem ranchos de trabalho. Das janelas de trás viam-se casotas de pobres, alinhadas. Estes pobres, de meio recato, qualquer coisa lá iam deixando transparecer de si: havia a menina fulana, que se dava ares, com os seus sapatos de verniz e um namorado.. . e o canário de uma velhota. .. (com a gaiola saía um braço, nunca uma cara, que o punha de manhã ao sol e o retirava à tarde), e a costureira de calças, que habitava num quarto e vinha gritar para a porta que a roubavam... e um coxinho que *abafava* os berlindes de toda a outra garotada...

Mas os dias e as noites eram tão grandes! E uniformes. Assim se afiguravam à mais velha das duas irmãs. Quer ela olhasse pelas janelas da frente, quer pelas de trás.

Um dia as duas raparigas tiveram uma visita, expressa para elas.

Oh! exclamou a mais velha. Alexandrino!

E a mais nova:

Olha, olha, olha, quem ele é!

O Alexandrino entrou. Novo e engraçado, cheio de vivacidade, ainda aquém dos vinte, pouco mais velho que elas, era um vizinho de outro prédio, em que já tinham morado.

A mais nova das raparigas, ladina como era, tinha-se tornado logo familiar das irmãs dele. Uma caterva de raparigas, grandes e pequenas. Uma, dona de casa, outra literata (de treze anos), outra miudinha e bonita, Délia chamada, que a tuberculose instantaneamente ceifou, outra... E havia ainda os pequerruchos, sem importância, e um mais velho, ajavardado e trigueiro.

Nesta família existia um piano onde todos tocavam, uns de ouvido, outros só para fazer bulha.

O Alexandrino entrou logo para a casa de jantar, mas pedindo desculpa da sua visita, por cortesia.

Correspondendo-lhe logo a mais velha das duas irmãs: Oh! Alexandrino, ainda bem, ainda bem... E a mais nova: esteja lá calado...

Ambas o assediaram imediatamente de perguntas: que é que a Emília andava a ler, como se tinham divertido no Carnaval, sempre ia para fora o Januário?

Passaram a tarde de conversa e o Alexandrino ficou para jantar. No fim, sorridente, com a sua cara pequenina em que os óculos avultavam, disse que estava repleto.

Uma e outra tinham-no, de fato, empanturrado. Mas a mais velha das irmãs chocou-se; repleto, que feia palavra! No entanto, sorriu-lhe e talvez lhe tivesse dito: por quem é, Alexadrino... enquanto a outra, como de costume, gritava, muito mais do que ria e que falava.

Passados dias o Alexandrino tornou a dar sinal de si, escreveu à mais nova e não à mais velha das raparigas. Que lhe respondeu ou não, sem isso aqui importar. Mas a outra sentiu-se.

E calou, como em tantas histórias, até numa de R. Kipling, passada na Índia, entre irmãs inglesas.

Feridas superficiais, desconsolo, despeito? Feridinhas destas podem ficar de lembrança, mas nem se contam.

Por que lhe preferiam sempre a irmã, as amigas, todas as outras raparigas? Era feia, era tristonha, era magra? A juntar a outros, não menos agudo, ainda mais este problema.

O Alexandrino não tornou a visitá-las e o caso ficou arrumado. Todos os três iam correr naturalmente os seus destinos, naquela ocasião ainda encobertos mas que, ao cabo, se dispersaria como o vento faz às nuvens e às areias. Que os chegaria mesmo a tornar tão estranhos uns aos outros que nunca mais se reconheceriam senão de memória. Fugidiamente...*

(*Título, qualquer serve*, Lisboa, Portugália, 1958, pp. 45-49.)

A bússola inventiva de Irene Lisboa pende entre a crônica e a ficção, aquela, denotando o apego ao cotidiano nas suas modalidades mais simples, mas nem por isso isentas de conflitos, a outra, dando largas a uma imaginação de poéticas ressonâncias, sempre ancorada na realidade concreta. "Alexandrino" é um exemplo flagrante desse binômio estético e ético, logo tornado unidade em razão de uma secreta harmonia, de fundas raízes anímicas. Num estilo descarnado, que se diria de uma velha contadora de histórias dos serões de antigamente, flui a narrativa de Alexandrino, o vizinho que chega ao mundo das "duas irmãs (...) mal vividas" como o anjo exterminador, para lavrar, ou ampliar ainda mais, o dissídio entre elas e desaparecer como veio. Crônica? Conto? Onde se passa a ação, aliás reduzida a um fio débil? Crônica, pelo tom desafetado, conto pelo enredo, transcorre em Lisboa ou em qualquer cidade do planeta. A vaga definição no quadro dos gêneros — evidente no fato de a autora rotular seus textos de "crônicas", "reportagens", "historietas", "contarelos", "novelas", "noveletas" — ainda corre por conta da presença, como música em surdina, de uma brisa de lirismo. E a indeterminação do espaço aponta a universalidade do drama: ambas, a notação lírica, com

---

* *berlinde* = bolinha de gude; *R. Kipling* = Rudyard Kipling, escritor inglês (1865-1936), autor de narrativas de aventuras, como *The Jungle Book* [O Livro da Selva] (1894), *The Second Jungle Book* (1895), etc.

o seu travo de melancolia e pungente sentimento de solidão, e a universalidade do entrecho, fundidas, remetem para um clima de prosa poética que lembra o Decadentismo e o Simbolismo, e para o universo do apólogo ou da fábula, característica peculiar da autora e uma das marcas de seu relevo no panorama da ficção dos anos 30 em Portugal.

Desenlace

Quando ela partiu já o Sol tinha rompido à esquerda de Palmela. No tempo frio. Com o Inverno à porta. Um tempo muito frio e muito claro.

Frio... Sabia ela lá se fazia frio ou se fazia calor! Partiu de casa, de uma casa que ninguém soube onde ficava. Partiu...

E quando chegou à Fonte da Telha já era tarde. Uma tarde calma e clara, muito clara até. A areia lisa e calcada da água, que ia recuando, recuando, brilhava. E agradava caminhar, avançar sempre sobre aquele chão batido. Agradaria aos outros! A ela... Oh! Pequenas bolhas de espuma rebentavam por aqui e por ali.

Quem a viu passar, o Faustino, o Eliseu, o Caniço, todos eles disseram que ela ia depressa e que era magra e baixa.

Sozinha àquela hora e naquela época? Quando já não havia banhistas, gente da Costa, à toa, desgarrada, como às vezes se via? Mas não se importaram mais com ela. Que fosse, que andasse...

Só no outro dia, de manhãzinha, é que todos eles se espantaram quando um homem dos Olhos de Água, um marisqueiro, chupado, de pouca roupa, os veio chamar: que armassem duas estacas porque havia uma mulher morta na praia. E eles armaram a padiola e foram-na buscar.

De onde teria ela vindo? De véspera passara, todos eles se lembravam, com certeza já com aquela metida na cabeça... magrinha, baixa...

Os dois da padiola, friorentos, conversando, iam largando pequenos ditos, observações.

Gente doida! esta que se mete pela água dentro! Aquilo, história de homens... ou pobreza... podia-se lá saber! mas rota não parecia ela. Coisas más que passam pela cabeça das criaturas! Só o que ela tinha andado... O tio Faustino, quando a viu passar, estava em baixo. E disse qualquer coisa, como ele dizia sempre. Estava em baixo, dentro do caniçado, a rapar uma areiazita que lhe comia as últimas couves, enquanto a mulher, áspera e sempre atrevida, o descompunha de cima, meio encoberta por umas boiças de sargos e de camarinhas. Aquela língua, aquela língua! Mulher brava.

As pequenas dos Labujas lidavam dentro das barracas delas, a mãe tinha subido ao Posto, os irmãos andavam no mar.

E a criaturinha passou, tic, tic, tic... Era mais uma, lá ia. Levava pressa, ao que parecia. E toda a noite ela andou no mar!

Na carteira, que foi a primeira coisa que o mar arremessou à praia, se na praia ela a não tinha deixado, pouca coisa havia, uns níqueis, um lenço... Como é que se havia de saber de onde vinha e quem era?

O Eliseu até fez um remesso com a carteira escorrida. O companheiro é que lhe segurou a mão. Depois poisaram-na na padiola. E lá foi levada aos ombros. Que pesava aquilo, uma penazita? Pesaria tanto como uma gaivota.

Meter-se assim pela água dentro, parecia impossível! Não era a primeira, verdade seja... Doidas!

Quando eles passaram, de padiola erguida, apressados, o Candeia, da porta da sua venda onde fazia fortuna sem se saber como nem com quê — sabia-se, eram os domingos e as camoecas dos marisqueiros e dos homens do arrasto, poucos mas esbanjadores e brandos, como o mar os torna, e as pedrinhas raras dos Olhos de Água, que ele vendia à coroa aos banhistas gulosos de novidades — o Candeia, sujo e malandro, gritou-lhes de longe:

Limpai bem o anzol ao depois, ó gente!

Isto disse-o ele com uma gargalhada.

Cala-te, meu fuinha, ladrão dos pobres! tornou-lhe em grita um dos dois. E o outro:

Tu nunca soubeste o que é respeito! Olha, tu...

E sem lhe darem mais troco continuaram em passo certo e curto, um dianteiro, outro traseiro, calcando a areia úmida e rija da vasante. Um mar muito doce e enganador, como a luz do Sol, que também brilhava já mas não aquecia, os acompanhava. Tinham de caminhar bem. Em terra, pelos altos sinuosos, ora mais próximos, ora mais afastados, pairava um leve nevoeiro. Que lhes importava a eles? Iam ao que iam. E agora um, logo outro, soltavam o seu dito:

Ainda era nova...

Olha, olha, a novidade! Se fosse velha...

Deixava-se estar quieta.

Vinha do norte, aquilo é que ela caminhava, descalcinha, não na viste?

Os sapatos...

Levava-os na mão, lá ficaram para os peixinhos.

Elas são umas doidas!

Não parece feia.

Uma noite inteira às voltas com a água e ainda falas... qual feia nem qual bonita! que é da feição dela?

Entretanto a suicida, que surdira não se sabia de onde, resoluta, desesperada, e tinha caminhado sem descanso sobre a areia rija, incansável, pertinaz, sufocada (tão longe se tinha atirado ao mar!) e agora voltava, muda e indiferente, apagada, inerte, aos ombros daqueles dois homens simples, devia ter tido uma vida! Oh, uma vida afinal consentânea com o seu pobre vestuário e a sua malinha vazia! uma vida triste, que os dois marítimos não sabiam recompor. As filhas da Labuja, a mulher do Mau Tempo, a amiga do André, eram os padrões femininos que eles melhor conheciam.

Aquela, franzina, de olhos fechados, de mãos engadanhadas e, apesar de morta, pesando tanto como uma gaivota, em vida... teria bordado talvez, com obstinação, os seus tapetes de ponto de cruz e os seus *napperons*... para a casa de jantar e para o quarto, enquanto o infiel namorava, afinal, a datilógrafa do escritório, com quem veio a casar. E a iludi-la sempre, até o último dia. Ou então cosia a roupa de toda a família, engomava, encerava, ia à praça e fazia o comer para que os irmãos e a mais nova, que, aliás, a tratava de resto, andassem nos estudos. Ou então o marido, um pândego, a deixava sozinha noites inteiras e domingos. Ou então, não seria um caso novo, o padrasto a perseguia e a mãe, ciumenta, a maltratava. E também se podia dar o caso de a *madame* suspeitar dela. Não costumava a *madame* atribuir às suas costureiras a sífilis de que o filho andava sempre atacado? E ela repelira-o, mas ele nunca deixava de a importunar.

Pobrezinha, pobrezinha! O certo era que, numa manhã clara e fria, a da véspera, ela se tinha erguido pouco depois de o Sol despontar à esquerda de Palmela, avermelhado, esgazeado, empolgante, e ter abandonado a sua casa. Sem destino. E sem destino ter percorrido a cidade até ir dar a Belém. E de lá ter embarcado e depois desembarcado e caminhado tanto, tanto que o dia declinou. Sem que fome nem sede lhe viessem, nem a alma se lhe abrisse.

O resto, o epílogo sugeriu-lho o mar fatigante, insistente, batalhador. Apaziguador.

(*Ibidem*, pp. 243-247.)

JOSÉ RODRIGUES MIGUÉIS

Nasceu em Lisboa, em 9/12/1901. Formado em Direito. Estudou Pedagogia na Bélgica, tendo-se licenciado pela Universidade de Bruxelas. Emigrou para os EUA em 1935, onde se tornou redator do *Reader's Digest*. Esteve algum tempo no Brasil (1949-1950). Visitou a terra natal várias vezes, por breves períodos, a partir de 1957. Faleceu em Nova York, em 1980. Publicou contos (*Onde a noite se acaba*, 1946; *Saudades para a Dona Genciana*, 1956; *O Natal do Clandestino*, 1957; *Léah e Outras Histórias*, 1958; *Gente da Terceira Classe*, 1962; *Comércio com o Inimigo*, 1973), romances (*Páscoa Feliz*, 1932; *Uma Aventura Inquietante*, 1958; *A Escola do Paraíso*, 1960; *Nikalai! Nikalai!*, 1971; *O Milagre Segundo Salomé*, 1974), crônicas (*O Espelho Poliédrico*, 1973), *"narrativa autobiográfica" (Um homem sorri à morte com meia cara*, 1959), ensaios (*É proibido apontar. Reflexões de um Burguês — I*, 1964; *As Harmonias do "Canelão" Reflexões de um Burguês — II*, 1974), teatro (*O Passageiro do Expresso*, 1960).

Páscoa Feliz

Publicado em 1932 e reeditado em 1958, em forma definitiva, é dos romances mais importantes do autor e dos anos 30 em Portugal. Narrado na primeira pessoa, gira em torno do relato que um esquizofrênico, Renato Lima, faz do seu passado, notadamente do crime contra o patrão, que o arrastou ao cárcere, onde ainda se encontra. A cena que se vai ler surpreende o momento em que o narrador, já apresentando sinais de grave perturbação mental, visita um clube noturno.

Uma noite, depois da genebra e do café, um grupo de companheiros lá consegue arrastar-me a um clube.

— ... O *jazz*?

— Que horas são?

— Meia-noite.

— Não hesites!

O *jazz*! Resisto:

— Mas eu nunca lá entrei! Vocês são doidos! Eu...

— ... Só para ver! Entras e sais!

Deixo-me levar. É-me impossível resistir. Meia embriaguez. (— Bebe outro copo!) Atmosfera doirada. Fecho os olhos, e o meu corpo foge, voa através das coisas, do espaço, para além do tempo. Alegria! Alegria! Oh, que vertigem!

— A mesa dança! A mesa dança! Acendam a luz!

— Está doido, ele é doido. Ninguém apagou a luz!

— Abre os olhos...

Tantos olhos que me fitam! Luz de incêndio... Meu Deus, agora rompe a madrugada... Violetas, violetas num prado verde... Desço ao fundo do mar... Algas, flutuo... É de ouro a luz... Meu Deus! que tristeza, essa voz não se cala! As minhas mãos, mãos de defunto, perderam a força... Se eu pudesse erguer o copo até à boca! Tenho as unhas roxas.

— Não te levantes. Segura-o tu!

— Eu quero... Não... Quem são eles? Também quero dançar...

— É doido, quer agora dançar! Bebe outro copo. Não o deixes.

E a luz... É luz, ou são miosótis que chovem? A brasa do meu cigarro agora é branca, lívida, evanescente, na luz vermelha que reaparece. O luar! que luar! As minhas mãos são azuis — e as unhas roxas... Não pode ser! basta! Que orquestra, senhor! despedaça-me o coração... Oh, que desejo de rir... e de chorar! — O Oriente: bailadeiras, tendas, minaretes, — que céu fulvo! — e os corpos quebrados!... Ah, ah! Agora! Já não tenho forças para rir. My heart is now waiting for you...

— Sossega! Tu partes isso!...

— Luz viva! luz branca!

— Deita mais, enche-me o copo! Isto é alegria, isto vibra, isto grita-me aos ouvidos! It's a long, long way to Tipperary... Que riso! que alegria! Tinir de copos no compasso... Tira a mão! E o desejo de aventuras boçais! O mar! O mar! Viajo a bordo... Música de arranha-céus! Olha o negro, aquela besta! Quem é o tipo? Eh, rei-preto! Eh, bobo! Olha, atira a batuta, palhaço!

Rio perdidamente, num arrepio de alegria louca... Tenho que fazer-lhe alguma coisa. Rio-me... A taça! A minha taça... Estilhaço-a no chão...

— Vocês não viram? Ah! Ah! Ah! ninguém repara no meu gesto no meio do tumulto. Ninguém... Não sei se falo alto. Eu atirei realmente o copo? Eu grito?

— Vê se te calas!... Este gajo é doido!

— Ninguém! Quero lá saber! Pro raio que os parta... Eu também os não vejo.

Rio, rio idiotamente, amarfanhado no meu banco de veludo. Sou um farrapo. — Como é bom! como é bom libertar-me do corpo... Fitas multicores, enroladas a mim como serpentes... As imagens disformes, hilariantes... Os meus gestos, lentos, incompletos... Meu Deus! que dissonâncias na cabeça... Aperto-a... Cerro os olhos e parto, num declive, à desfilada... — Oh, que prazer, que alegria, que alegria! e que medo... Segurem-me! Segurem-me! Eu vou cair, EU CAIO! Ah!

— Acorda lá!

Transpus a forma, a luz, a cor.

Que é isto? — Dois braços brancos rodeiam-me o pescoço. Oh, deixa-me roçar os lábios — que frescura! — na tua pele! Como tu és linda... (Ela ouve? não sei.) Os teus braços refrescam-me a cabeça e os olhos, ... fechar os olhos e roçar as pálpebras nesta coisa branca e macia... Assim... Assim... O meu rosto queima, hein? Oh, que frescura... Suave, incomparável vertigem!... — Segura-me! segura-me... — Oh, como eu estou bem... assim... assim... Oh, Senhor! é possível sentir-me tão feliz?! Aperta-me... Não me largues mais... Oh, meu Deus! Parece que me abismo, que caio indefinidamente... *(No teu seio redondo, nessa boca a mord...*) — É de veludo negro, o teu vestido? Luto...

— Não durmas. Tu vai adormecer. Vamos embora, trouxa!

— O teu perfume! Eu já não sei dizer palavras... Penso-as, balbucio... Como é bom! como é bom! (Eu sou pequeno, pequenino.. .) Que suave balanço, dir-se-ia que vôo. Doido? que me importa? Bebi demais... Calem-se vocês, eu não durmo, sinto-me feliz... Se soubessem como... Ah! Ah! e agora? e agora? (Eles podem lá saber!) — Segura-me! segura-me!

De novo deslizo, mansamente, velozmente... Ah, que susto!

— Levanta-te !

Obedeço. Vou-me sem vontade, feliz, outro.

— Ela... (já não me lembro).

Não tenho pernas. Sonambulamente, deslizo no parquê polido; levam-me seguro sob os braços. Todos me olham. Vejo risos. Que bom, sentir-me assim levado, sem forças... O meu corpo? Eu rio (— Põe-te em pé) eu rio perdidamente, um riso inextinguível, sobre-humano, doloroso, que no fundo me entristece...

Que horas serão? O tempo não existe. E vou...

De madrugada, menos embriagado, ao enfiar na cama o corpo ainda oscilante, batido pelo ritmo bárbaro do *jazz* — que silêncio espantoso agora, o desta casa! — compreendo definitivamente o odioso da minha vida sempre igual, junto desta fêmea indiferente à minha carne. Esta mulher, que não diz uma palavra de protesto, acabou por me irritar. Nem sequer me pergunta a razão da minha extravagância, dos *confetti*, dos restos de serpentinas agarrados ao casaco e ao peitilho da camisa. A minha raiva surda recobra fulgor no seu ar humilde e resignado, nos olhos pisados pelo choro e a longa insônia — os olhos que exprimem dolorosas, mudas perguntas. Antes ela me interrogasse... (Atravessam-me a retina as imagens da noite.) Intimida-me. Não quero dar contas dos meus atos a ninguém. Se ela chorasse ao pé de mim, era capaz até de lhe bater. Estou farto de escravidão! Mas ela não me diz nada. As *outras* ao menos não querem saber da nossa vida. E são novas, são diferentes. Quero eu lá saber do cansaço e do deboche! São interessantes, que me importa o mais!

Não me desculpo, nem lhe dou a mais leve explicação:

— Boa noite.

Amanhece, por sinal. E adormeço profundamente.*

(*Páscoa Feliz*, Lisboa, Estúdios Cor, 1958, pp. 75-80.)

Publicando *Páscoa Feliz* em 1932, depois de reescrevê-la por sete vezes, José Rodrigues Miguéis punha para o leitor ou crítico de hoje o problema de suas relações com o Presencismo então florescente. Em posfácio à edição definitiva (1958), diz-nos ele, entre outras observações relevantes, não só para o entendimento dessa obra como ainda de todo o seu espólio, que a concebeu "entre 1924 e 1926, como reação contra a tendência polêmica e ultra-realista que então por vezes me dominava superficialmente". E mais adiante assevera não ser "neo-realista, nem humano nem nacionalista, nem moderno nem antigo", o que levanta não poucas questões, obviamente à margem deste comentário, acrescentando não satisfazer "nenhum *standard*, nem padrão, nenhuma idéia esquemática e preconcebida". Se tudo isso, traduzindo inabalável honestidade e sinceridade, lhe confere independência e originalidade, ao mesmo tempo o aproxima, por coincidência, dos presencistas. E a coincidência, que por certo não lhe rouba o mérito, nem mesmo compromete a rebelde autonomia que lhe escora a visão das coisas, ainda resulta de ele beber, por conta própria, é claro, nas mesmas fontes de seus contemporâneos: os ficcionistas russos, como Tolstói, Dostoievski e outros, e Raul Brandão, Mário de Sá-Carneiro. O próprio autor ainda admite a influência, de todo imprevista, de um poeta brasileiro, o simbolista gaúcho Marcelo Gama. O clima alucinado de *Páscoa Feliz* atinge o apogeu no fragmento transcrito: loucura, embriaguez, delírio cromático e musical, que se diria de um Mário de Sá-Carneiro menos derramado, mas não menos lírico, com laivos de teatralidade que traem uma vocação em parte realizada. Fundem-se, desse modo, poesia e romance, realidade e fantasia, psicose e corrosiva lucidez, com traços decadentistas que o insólito, de franco odor surrealista, transforma em modernidade do mais alto nível, como raras vezes na ficção entre 1930 e 1940.

Eu tenho febre, delirei. Desde manhã que não como, e perdi os sentidos. Foi o que foi. Mas agora estou senhor de mim. Graças a Deus!

Que é? Ouço música... Tem graça! Apetece-me ouvir. Alguns homens estão parados à porta duma loja. Como fico na sombra, ninguém repara em mim e espreito lá para dentro, por baixo dum braço apoiado à ombreira da porta. É um bazar onde se vende de tudo — bugigangas e postais, livros e brinquedos, guloseimas. Como é tempo de festa, o dono instalou no balcão, sobre uma pilha de caixas, um velho gramofone que abre para a porta uma goela avermelhada, com estrias brancas, como uma grande flor exótica, absurda. Para além, na sombra, o lojista espreita os fregueses.

---

* *My heart is now waiting for you* = meu coração está esperando agora por você; *It's a long, long way to Tipperary* = é um longo, longo caminho até Tipperary; "It's a long way to Tipperary" é o título de uma canção inglesa, muito popular durante a I Guerra Mundial; foi composta em 1912, por Harry J. Williams, de parceria com Jack Judge, em uma taverna inglesa. (Agradeço à Prof.ª Nancy Isabel Campbell Buyno pela informação.)

E ali fico a escutar, feito pató.

Um som áspero e rouco sai daquela flor. Bem sei: é um dado antigo, marialva, que ressurge num andamento de galope. Uma mulher canta, mas não se percebem as palavras que diz. Ouve-se o martelar confuso do acompanhamento num piano aguitarrado, que as mãos dum louco tocam. Conheço-o bem, este fadinho. O que isto me faz lembrar! Sinto a vida correr velozmente para longe, e uma dor, um remorso inexplicável. O fio dos meus pensamentos parte-se de novo e, quando volto a mim, calou-se a voz. O grupo dispersou. Dois homens conversam baixo, ao pé de mim, fumando, e cospem no empedrado do passeio.

Recomeço a vaguear.

"Paizinho, paizinho! não se esqueça!"

Que hei-de eu fazer? Sinto que a vida me vai abandonar. Se me dá outra coisa e digo tudo? Reajo. Não quero ser olhado com piedade. Isso não! Paro. As luzes formam linhas sinuosas nos passeios desertos. Dou balanço às algibeiras e reúno alguns tostões. Não chega para nada. Como vai ser isto? Abotôo o paletó e ponho-me a andar depressa, cheio de temores.

Se amanhã... Mas a voz não me deixa, murmura nos meus ouvidos, tão próxima, tão viva, que sinto um hálito tépido, quase um roçar de lábios numa orelha... "Paizinho... Paizinho..." Que vai ser de mim! Não posso mais, não posso. Como hei-de eu tornar a vê-lo, se já não sei ser alegre? E que dizer-lhe, a ela?

Deito a correr ao acaso nas ruas molhadas de chuva, e, de repente, dou comigo em frente do escritório, ao Cais da Areia. Estou doido: a esta hora! Está tudo deserto. Não compreendo nada. E, nisto, a imagem duma gota de sangue, que atravessa qualquer coisa e cai, faz-me estremecer de frio.

Volto à Baixa. As amêndoas! Mas o dinheiro? o dinheiro? Não hei-de ir roubá-lo! Mordo angustiosamente os dedos. Onde está a coragem que eu tive?...

O rio. A idéia de me ir deitar ao Tejo cor de tinta, que corre ali a pouca distância, calado, ameaçador, dá-me vertigens voluptuosas. A quem hei-de eu ir pedir! Sinto bem até que ponto estou só na vida, na solidão que voluntária, gostosamente edifiquei.

É tarde, a Luísa há-de estranhar esta demora. O pequeno adormeceu já, com certeza, depois de ter perguntado muitas vezes em vão: "E o paizinho, não vem?"

Não poder eu ao menos acabar com isto!

Remexo nos bolsos do colete, e descubro a caneta, o único bem que me resta além da roupa do corpo. Mas espera! O coração bate-me de alegria. Volto ao café de há pouco, e faço a proposta a um criado:

— O senhor não me conhece, já lá vão muitos anos... O Bento, sim. Ele não está cá?

Olha-me desconfiado:

— Não há cá Bento nenhum. Pode ser que o gerente...

Este vem, ar cético, experimenta o aparo: escreve bem. Não tem uso quase nenhum.

— Foi um caso urgente, é só até amanhã, dez ou quinze escudos...

— Sim senhor... Eu tenho uma idéia, a sua cara não me é estranha.

Agarro o dinheiro e saio como um louco. Algumas lojas fecham. Entro numa a correr e peço amêndoas finas:

— Quero das melhores, olhe que são para um doentinho!...

Meto na algibeira o troco, sem contar. Oh, que alegria, meu Deus! Não penso noutra coisa: vê-lo sorrir é o meu único desejo. Quem sabe se depois terei coragem?... Vou ansioso e contente. A casa fica lá tão longe! Salto para um elétrico que vai com um vagar desesperador. Uma carroça atravessada na linha, em frente do carro, decide-me a pular para a calçada. É melhor ir a pé. Irei a correr — o movimento acalma os nervos. Com a boca aberta e o coração desvairado, corro ao longo das avenidas, como se os lobos me perseguissem. Os meus pés mal tocam no empedrado. Sou a projeção do meu desejo. Não vejo quem passa por mim, esbarro, não sei se derrubo alguém. É o instinto do perigo iminente que me leva. Mas Lisboa parece interminável! "Meu pai, meu paizinho..."

Dobro a última esquina...

Estaco. Uma angústia horrível esmaga-me o coração, como se alguém mo segurasse, fendendo-me o tronco pelas costas. A minha vida neste instante é um esforço decisivo. Olho a casa de longe: tudo escuro. É tarde. Por que parei? E por que tenho tanta pressa? Entro e galgo a escada estreita. Maquinalmente, como sempre, vou contando os degraus, os lanços — "primeiro... segundo..." — e respiro alto, como um cão esfalfado.

"Terceiro!" — Só mais um andar e...

Mas nisto o meu pé não se firma, o corrimão foge-me, escorrego para baixo — é um relance — e caio desamparadamente contra os ferros da balaustrada, deslizando de bruços nos degraus. O pequeno cartucho escapa-me da mão, e o peso do meu corpo esmaga-o na queda, contra a grade... Fico estendido um instante e, enquanto procuro apoiar-me e levantar-me, atordoado, ouço pela escada abaixo um crepitar de amêndoas.

Um rumor de vozes, de passos, na casa dum vizinho. Ponho-me de pé. O meu desejo seria lançar-me de cabeça para baixo, no poço negro da escada. A minha dor é tão grande, que dou punhadas no rosto e mordo os dedos, sem poder gritar nem chorar. O pequeno sonho... "Paizinho, não se esqueça..." Sufoco de raiva, gemo surdamente. Tento acender fósforos, não sei para quê, mas o tremor das mãos não mo consente. Encosto-me à parede e baixinho, desalentado, peço-lhe perdão: "Meu filho, meu filhinho..." As lágrimas correm-me em fio.

Mas que é? Estremeço. Alguma coisa roça por mim. Sinto, sinto nitidamente que duas mãozinhas me acariciam com meiguice o rosto... Uma voz próxima e distante, doce e triste, diz-me aos ouvidos:

"Paizinho, deixa, não te importes..."

O quê? Não pode ser! Meu Deus, que significa isto? Eu estou doido? Um momento de espanto doloroso. Os arrepios correm-me a pele como descargas elétricas. Um poder sobrenatural permite que eu me transcenda... Tudo isto é rápido. Ouço vozes, um murmúrio confuso de passos, soluços e gemidos... No mesmo instante, toda a memória do meu dia se desenrola em mim, e vejo o meu crime. Alguma coisa me vai esmagar — agora... Espero... É agora! *Um grito.* Foi lá em cima. Um grito estrídulo e agudo rompe, varando as trevas duma luz estranha, um grito dilacerado, que sobe como o jacto dum repuxo, e logo decresce devagar, desfeito, quebrado, soluçado, como a água que tomba repartida em gotas. Depois, um estertor enrouquecido. Alguém desmaia... Reconheço aquela voz que nunca ouvi gritar: é ela! Compreendo. Já não tenho que fazer lá em cima. Tudo é duma espantosa evidência.

O Nogueira... Bem, acabou-se. É extraordinária a minha serenidade diante da catástrofe. Antes que se abram portas é melhor descer. Parece que nem me sinto. Nunca mais voltarei a subir estas escadas.

Desço aos tropeções, entre a gente que acorreu com luzes aos patamares e me olha em silêncio. Alguma coisa estala debaixo dos meus pés. Saio à rua e respiro fundo. Ponho-me a caminhar sem destino, sem lágrimas, sem dor, como se realmente já tivesse morrido, e conservasse por milagres a consciência fria do que se passa à minha volta. Neste momento não desejo nada. Nem morrer.

Não voltei mais a casa.

Não me lembro de mais nada, senão disto: alguns dias depois fui preso numa estrada, a caminho de Mafra, seminu, esfomeado, sem opor resistência.

O resto já o doutor o sabe.

Não me pergunte mais nada, foi exatamente assim que tudo se passou — nem podia ser de outra maneira, embora eu próprio duvide algumas vezes, e o senhor possa julgar que eu não passo dum pobre alucinado.

(*Ibidem*, pp. 161-167.)

VITORINO NEMÉSIO

Nasceu na Ilha Terceira (Açores), em 19/12/1901; faleceu em Lisboa, em 20/2/1978. Estudou Direito e Letras em Coimbra e Lisboa. Foi professor na Faculdade de Letras da Universidade de Lisboa. Ensinou em universidades francesas e brasileiras, em meio a intensa atividade literária, dispersa pela poesia (*Canto Matinal*, 1916; *Nave Etérea*, 1923; *La Voyelle Promise*, 1935; *O Bicho Harmonioso*, 1938; *Eu, Comovido a Oeste*, 1940; *Festa Redonda*, 1950; *Nem Toda a Noite a Vida*, 1952; *O Pão e a Culpa*, 1955; *O Verbo e a Morte*, 1959; *Poesia* /1935-1940/, 1961; *O Cavalo Encantado*, 1963; *Andamento Holandês e Poemas Graves*, 1965; *Canto de Véspera*, 1966; *Sapateia Açoriana, Andamento Holandês e Outros Poemas*, 1976), o conto (*Paço do Milhafre*, 1924; *A Casa Fechada*, 1937; *O Mistério do Paço do Milhafre*, 1949), o romance (*Varanda de Pilatos*, 1926; *Mau Tempo no Canal*, 1944), ensaio, crítica e historiografia literária (*Sob os Signos de Agora*, 1932; *A Mocidade de Herculano até a Volta do Exílio*, 1934; *Relações Francesas do Romantismo Português*, 1937; *Conhecimento de Poesia*, 1958), a historiografia, a crônica, viagens, etc.

Mau Tempo no Canal

Publicado em 1944 e saudado pela crítica com entusiasmo, *Mau Tempo no Canal* é das mais bem concebidas e arquitetadas obras romanescas da contemporaneidade portuguesa.

Tendo no primeiro plano a história do conflitivo namoro entre João Garcia e Margarida, a narrativa é uma reconstituição proustiana do arquipélago dos Açores, banhada de saudade e melancolia. Os excertos transcritos pertencem ao capítulo XXX, 5. Noturno (Numa Furna).

E agora? !... Molhada até aos ossos, reduzida àquele casaquinho de malha que mal lhe cobria o seio, a disfarçar a froca que tivera de aceitar de um remador para não enregelar no fundo da canoa... Sentada ali numa pedra daquele surgidoirinho de São-Jorge, entre a Ponta Ruiva e as Velas, no meio de baleeiros, de penedos e de dois grandes cachalotes estiraçados de barriga de rã...

O que havia de ser dela?... Que pensaria a família? a cidade alarmada (um escândalo!)?... dez... vinte binóculos assestados das traseiras da rua do Mar e dos altos da Horta sobre o Canal de São-Jorge...?

E ali sentada na pedra, com a face no punho esquerdo, — sintoma de "veneta", — Margarida tinha um prazer doentio em descobrir os gestos alvissareiros das lambisgóias das "torrinhas", todo o aflorar do vasto sistema mexeriqueiro da Horta ao seu Setor Nordeste de Observação Marítima. — E surpreendia-se a inventar: "Ah, menina! tu não queres ver que a Bida Dulmo perdeu o juízo!? Imagina que se meteu num bote, sozinha com os homens, à baleia!..."

Esta idéia, enchendo Margarida de orgulho, divertia-a. Mas reparava na escuridão que embebia insidiosamente aquela pouca de terra espaldada de falésias, reduzida a um ciscalho de calhaus-rolados e a um carreiro que se perdia numa dobra de lavas e de barreiras para o interior da ilha; via os cascos daquelas duas canoas varadas em tanta solidão, os homens já embriagados por aqueles monstros fétidos, subindo-os e descendo-os por degraus cavados no toucinho e gizando nos seus flancos medonhos os futuros caminhos das chipeiras* e dos mancins**.

Um vago resto de dia convertera o mar num imenso pano de angrim, como se um gigante tivesse enfiado um par de alvaróses e se preparasse para dormir, — pernada ao Canal de São-Jorge... pernada ao Canal do Faial... O farol da Ponta da Ribeirinha já dava corpo ao anoitecer. Se não fosse aquele rápido estrangulamento do Canal, via-se toda a rede de iluminação da Horta, desde o Monte das Moças e do palacete do Pilar até às mais desgraçadas casinhas da rua do Cano e da rua Velha.

Mas o tio Roberto?... o tio Roberto?!... Sozinho na lancha em *panne*, já fora da linha de cabotagem da Madalena, sem ninguém que pudesse acudir-lhe!... Como é que ela se deixara arrastar naquela loucura?... sem ver que, à distância a que iam, já ele nunca mais os alcançava?!...

Então apoderou-se de Margarida uma espécie de íntimo terror, uma impressão de que fora abandonada ao mais apartado de si mesma — àquela zona de imagens, sensações, pensamentos, em que o sentimento da sua própria unidade não conseguia juntar os pedaços doloridos em que se sentia destroçada. E, lembrando-se de que

---

* Ingl. *spades*: instrumentos cortantes empregados para decepar as baleias. (N.A.)

** Ingl. *sawing-machine*?: cutelo com dois cabos no prolongamento das costas da lâmina. (N.A.)

fora ela própria cúmplice daquela fuga absurda, senão quem a inventara do primeiro ao último pormenor com uma astúcia diabólica, concebeu um horror quase físico da sua pessoa: do jeito que tinha para levar criados, pescadores, velhas e velhos pitorescos; da sua resistência às privações; da sua atração pelos perigos; de não haver quilha ou quadrante que a fizessem enjoar...

Mas o motor teria parado mesmo?... ou o tio Roberto, desapontado e ofendido com aquele disparate dela metida na canoa fugida, deixara cair os braços resolvendo aproar à Horta, amarrar a lancha a uma boiazinha da Doca, recolhê-la talvez no fundo do Granel de onde a desencantara, e fazer as malas à pressa, dobrar a sua roupa, fechar o violino e os livros no malão de *state-room,* resolvido a abalar para Inglaterra no primeiro vapor?

O Pico estirava no negrume a sua enorme massa de lavas, que o dia costumava pintar docemente de lilás e de azul. Uma ou outra luzinha acusava agora na costa e nas vertentes da montanha as calhetas adormecidas, a porta de um botequim, a janela de algum pescador doente ou de um sr. Laurianino da Terra-Alta ou de Santo-Amaro, entretido a fazer as contas do vinho, da fruta e da lenha, à mesa patriarcal, com a ponta da coberta arredada. O Pico era aquilo: aquela Terra Santa aproada a sueste e carregada de vinhas, de baldios, de barcos-de-boca-aberta, de bofage e de iscalho de baleia, com gentinha ainda a pé, mães ainda firmes e belas para lá do oitavo filho, velhos com barba de metro, rapazes prontos para uma cana de leme ou para um báculo de bispo no Padroado do Oriente e felizes com qualquer destes destinos... — tudo isto debaixo de 3.000 metros "mistério" coroados de uma agulha de neve... E o Faial, em frente da grande curva que a costa da ilha sagrada começava a descrever à altura da Ponta Cabrita, e que ia morrer do outro lado, adiante do Espartel, no esboço de península onde ficava São-Mateus, aparecia baixo, negro, picado dos seus faróis e semáforos de terra cosmopolita, mas também carregado de uma humanidade pachorrenta e pobre, que conservava a sua fala e suas coisinhas "semenos" nos montes de cárdite dos depósitos da FAYAL COAL & SUPPLY Co. LTD. e de BENSAÚDE & CO.'S COALING STATION, e nas cifras do Cabo das três línguas.

Luzes mais vivas em vidraças de casas de Santo-Antônio-do-Pico puseram diante de Margarida a imagem dos aparelhos Hughes e das fitinhas azuis que dão ali o nó das comunicações entre as ilhas. Se telegrafasse ao pai?... *"Diogo Dulmo — Horta — Arribados Ponta Ruiva depois lamentável caso canoas sigo hotel Velas espero ordens"...*

. . . .

Escurecera de todo. Do lado da terra, enrugada e quase a pino sobre aquela nesguinha de litoral abordável, tinha-se a impressão de um ermo, uma promessa de chão ainda por firmar, — quem sabe se até por descobrir... ? Só do lado do mar um vago clarão de águas e de estrelas amparava esses dezasseis homens acolhidos com uma mulher e duas canoas àquele canto do mundo, para onde os tinham rebocado com a sua força pelágica cetáceos nascidos antes de haver fôlego vivo em todas as ilhas de Oeste.

Os baleeiros tinham acendido fogueiras de urzela e cana seca à entrada da furna. Era uma única cavidade aberta numa assentada de rocha que ia morrendo para o interior e cobrindo-se de estratos traquíticos acavalados uns nos outros, seguros por plantas rastiças — canaviais, bacelo — e formando escaleiras naturais. Mas, a meio da abóbada, um desabamento qualquer formara uma espécie de pano interrompido por buracos, fendas, montões de lava, — de modo que parecia a cave de um prédio fantástico, com teto de forno de pão, aproveitada com um biombo de entulho para habitação cavernícola. No chão havia algumas pedras soltas, restos de ossada de baleia, penugens de cagarra e uma fímbria de avencas delicadas que tremeluziam à vaga claridade do mar.

Os remadores tinham-se agrupado instintivamente por companhas, e, de cócoras, com os abeiros derrubados, abriam as sacas do pão trazidas das canoas. Alguns levantavam-se para ir buscar mais lenha. O ti Amaro de Mirateca, o João da Cezilha e o Intavante vigiavam as fogueiras. Alguns pares de calças e frocas molhadas da água salgada secavam enfiados numa cana.

. . . .

Um grande fragor abalara as águas vergastadas por uma cauda medonha; vira-se um corpo fantástico descer ao fundo do mar como um cruzador torpedeado. Depois, aninhada e a tremer no fundo da canoa, com as mãos nos ouvidos como se se preparasse para assistir a uma batalha naval, Margarida só vira levantar-se um fumozinho dourado da linha girando no choque, correndo nos miténes de sola que abraçavam a mão do ti Amaro, desfazendo laças da selha colada à proa, onde jazia acamada e tornada a acamar como um queijo de fôrma de São-Jorge ou uma grande rosquilha de bodo.

Os homens encarniçavam-se despejando baldes de água nas braçadas da linha desdobada, para a não deixar arder; um remador, de facalhão nas unhas, preparava-se para cortar aquele cordão umbilical da vida ou da morte, à primeira coca* ou excesso de fundura tomado pelo monstro na agonia; a canoa, fina e aguda na água, com as pazinhas aladas como uma vespa suspensa, vogava coroada por grandes salseiros de espuma, de popa quase no céu.

Assim Margarida atravessara, transida, mais de meio canal de São-Jorge, vendo voar a estibordo as últimas aparências nítidas de terra conhecida: — Cais do Merato... Porto Cachorro... Ponta Cabrita... Ponta Queimada... Depois, a bombordo e como que em sentido contrário, as primeiras formas acusadas daquela ilha alheia, que algum baleeiro apontava com um rápido sinal de queixo: — Ponta dos Rosais... Rosalina... Ponta do Trigo... Enfim: aquele grande lago de sangue que enodoava a água e ia invadindo tudo: — mãos, homens, canoa, o monstro e o mar, e que lhe entrava pelos olhos dentro como se visse de repente golfar o coração de tudo o que tinha amado no mundo.

Dali tinham levado à força de pulso aquele grande cadáver das águas ao portinho da Ponta Ruiva, seguido de um cardume de marraxos de bocarras submissas às canoas e cercado das gaivotas palreiras e ágeis no ar que perdia a última luz. Num raio de sangue do mar e do sol-posto, — a noite que vinha aí.

---

* Laça ou prisão da linha. (N.A.)

O ti Amaro de Mirateca, ajeitando discretamente o seu molho de maravalhas contra um canto da furna, acomodara-se e dormia, de nariz e barba ao céu. O silêncio que fechava uma vaga... Depois, do outro lado, um ruído seco, timpânico, cortou o ressonar dos baleeiros.*

(*Mau Tempo no Canal*, 3ª ed., Lisboa, Bertrand, 1944, pp. 341-344, 347-348, 352-353.)

O primeiro aspecto a chamar a atenção nesses fragmentos de *Mau Tempo no Canal* é o da riqueza do estilo, onde se discernem traços de barroquismo e de entonação poética. A opulência verbal deriva do enlace entre o vernáculo mais castiço e o linguajar praticado no arquipélago açoriano. O tempo narrativo é o do passado, a indicar o tom de saga rememorativa do *habitat* nativo do narrador, como se em regresso, por meio da memória empapada de nostalgia, ao seu "tempo perdido". Observe-se, ainda, a atmosfera de romance inglês, que a própria ambiência dos Açores, impregnada de valores britânicos, ajuda a explicar. Margarida, cuja personalidade voluntariosa se distingue nitidamente no primeiro excerto, é um figura feminina de vívida presença, espécie de símbolo das Ilhas para a memória do narrador. De onde a universalidade do relato: o quadro do arquipélago desponta, como por entre as brumas da reminiscência, em suas cores mais impressivas e em seus relevos mais salientes; as personagens, seja a heroína em sua audácia juvenil, sejam os baleeiros em sua rusticidade de homens afeitos aos perigos do mar, não escondem que representam seres vivos que a imaginação do narrador transfigurou e modelou. E todos exalam um sentimento de pungente humanidade, que constitui uma das marcas desse romance singular no panorama da ficção portuguesa posterior à II Guerra Mundial.

Pastoral

Os primeiros dias de desterro de Margarida correram suaves na Urzelina. Bem na Urzelina, não. A casa do Capitão José Urbanino — como a conheciam ainda — ficava um pouco retirada da linha da povoação, apontando com os telhados baixos e longos, com a sua eira e o engenho, na direção da "Serra", — a Serra vaga e toda lombar de São-Jorge, mãe de milhares de vacas que parecem encarregadas de berrar de dor por ela e de milhões de vitelas enterradas no seu seio de fogo, virgens do garfo do *gourmet.*

Construída numa leve ondulação do terreno, a vivenda do Barão via em baixo a chamada Torre Velha e a casa que servira de passal, relíquias dos rastos humanos que a grande erupção de 1808 soterrara na lava.

Margarida lembrava-se de ter encontrado um dia no Granel, entre os papéis do tempo do avô Roberto velho, um número amarelado das *New-York Philosophical*

---

* *froca* = camisa de cetim; *veneta* = acesso de loucura, impulso repentino, capricho, mania; *pano de angrim* = tecido de brim, de cor azul, usado por marinheiros e camponeses nos Açores; *alvarós* = macacão (vestimenta de trabalho); *state room* = cabina de navio; *bofage* = palavra não dicionarizada; *cárdife* = carvão de pedra, proveniente de Cardiff, Inglaterra; *bacelo* = vara de pé de uva, com que se forma uma nova planta; vinha nova; *abeiro* = chapéu de aba larga; *miténe* = meia luva, que deixa os dedos de fora; *selha* = vaso redondo, de madeira, com bordas baixas; *marraxo* = peixe pequeno, voraz e agressivo; *maravalhas* = gravetos para fogo.

Transactions, de 1815, em que o Cônsul da América no Faial, John Bass Dabney, narrava ao Presidente Madison os estragos do cataclismo. E, mostrando-lhe uma meda de escrituras dos bens que tinham acompanhado a casa do Capitão José Urbanino D. Petronilha Teixeira Borges Acompanhado, morgada do Norte-Grande, o Barão passou-lhe a cópia de um registro de correspondência dirigida pelo Governador Militar da ilha, José de Bettencourt de Sousa e Silveira, ao Capitão-General dos Açores, e remetida de Angra ao Governo Supremo no Rio, a dar conta do caso. Mas o manuscrito da Urzelina, lavrado na crusta da ilha a tinta de fogo e enxofre, desdobrava-se ali à vista, mais claro e eloqüente que todos os relatórios possíveis e imagináveis.

Ao poente estendia-se a terra lambida e negra que o grande respiradoiro de repente aberto na ilha amontoara ali, — a Queimada, — com um ar de capuz de penitente envolvido num crime fantástico, e que por isso mesmo o povo, que também tem olhos na cara e massa cinzenta na cabeça para filosofar, chama nas Ilhas "mistério", pois todas elas são dadas a esse fadário telúrico que não teve Abel nem Caim. A vegetação, porém, começava a ganhar o duelo travado há mais de um século entre aquele borralho negro e as forças escondidas no chão; e a urzela, o pinheiro, a ruivinha que pinta os queijos e as saias, o incenseiro de florinha cerosa e de baga melada vestiam de folhas e de pássaros a desesperada solidão.

A nascente, aquele atrevimento de Cíbele queimada ia muito mais longe, e floria laranjeiras, enchia de ouriços os pequenos soutos de castanheiros serviçais, estendendo-se, para o norte, em folhas de terras de semeadura e, depois dos "roedoiros" ou pascigos mais pobres, nos pastos dormentes que alimentam de queijo a rua da Prata. Ao sul, para variar, — as vinhas dos Casteletes, naquela quadra do ano já sem um bago ou uma folha, reduzidas a um fio de seiva adormecida nas varas agarradas aos bicos sangrentos do "biscoito".

Os velhos do lugar ainda tinham recolhido o eco das lástimas da catástrofe: — cabreiros surpreendidos com meia dúzia de cabras que desciam da Serra e que a vaga de lava enterrara. Alguns, de surrão a arder, tinham conseguido escapar, cheios de queimaduras. Um casal de velhos ficara debaixo do teto sobre que desabara um morro; — o fogo e a morte acasalavam nas luras do chão os que a vida fizera bem-amados...

Um velho rendeiro do Barão contou a Margarida que seu pai, garoto de dez anos, guardava uma lembrança viva daquela grande desgraça, como se a erupção fosse um painel do Purgatório e ao fundo houvesse uma amostra do Inferno com os sofrimentos principais. Uma fumarada de enxofre subia da terra arregoada, como de um lençol encharcado sobre que alguém passasse um ferro de engomar. Pelas fendas abertas no chão percebia-se um urro longínquo, troado, que o mar, de crista rente às falésias, vinha tornar mais próximo. E a lava ardente, pastosa, gorgolava devagar como um rio de lamas guardadas nas fossas do Atlântico para recordação do dilúvio.

Era esse plasma infernal que Margarida via esfriado nos pedregulhos da vinha justamente afamada do Barão, depois de ter deixado os sítios mais altos cobertos de cinza e pedra-pomes. Torcidos e bicudos, de base favada e negra, iam arroxeando e avermelhando para as pontas. Quando se quebrava algum, ficava muito tempo no ar um cheiro a fogo e a enxofre. E, uma vez que Margarida, sentada num curral a cismar, com uma pedra na mão, lhe tirou uma lasca como quem afeiçoa material para uma construção que não existe, ligou a causa daquele perfume vulcânico ao cheiro um pouco acre que já notava há dias na sua roupa branca. Era de as camisas e de os lençóis ficarem a corar de noite estendidos nas pedras da vinha.

Enfim, na dispensa do "império" do Espírito Santo mostraram-lhe algumas varas da mordomia velha, enconteiradas de uma massa que parecia a das "sortes" de chumbo derretido na noite de S. João. Durante a erupção, os homens mais afoitos seguiam o curso da lava que ameaçava engolir a Urzelina, e, metendo-lhe cacetes e as varas do pálio que cobria o Santíssimo passeado em procissão, tiravam-nos protegidos por aquela camada rija e cínzea de pasta de fogo. Outros acendiam os círios na própria chama da lava. Margarida, inclinada a superstições e a símbolos, lá teve artes de arrancar aos mordomos um daqueles paus ferrados, para varinha de condão.

Mas as seivas da terra tinham vencido pouco a pouco o sudário de horror da Queimada. Parecia que Plutão encarregara Ceres e algumas dríades amigas de apagarem o mais que pudessem de vestígios das cóleras passadas. Um pinhal denso e dócil à bafagem do Atlântico aconselhava já aos olhinhos espertos do Barão que lhe metessem o machado; as terras de semeadura empurravam o "mistério" para cima da Torre Velha; e grandes hortas, tratadas a esterco e a sementes ensacadas, pareciam saborear a própria verdura das couves e dos repolhos perlados da água do outono. Depois, um pomar indefinido estendia-se quase até ao fio de água que, para o lado das Manadas, além de vimes e hortenses tirara já um verdadeiro barão do seu chamadoiro anônimo: o Barão do Ribeiro. Sempre que se lembrava dessa concorrência desleal do seu antigo vizinho, o nosso Barão ficava satisfeito consigo. A parte sumia-se no todo: a Urzelina sempre era mais do que o Ribeiro.

Dos regueirões de uma grota brotavam largas folhas de um veludo verde-alga, destas plantas pelas quais ninguém dá quando aparecem nalgum jardim botânico ou particular do Continente, — onde são curiosidade, — mas que nas Ilhas gozam do privilégio do úmido, engrossando na terra basáltica os seus farinhentos tubérculos, — os "inhames". A sua abundância em São Jorge (a força dos inhamais é nas ribas do Norte da ilha e para os lados da Calheta) deu origem ao nome gracioso que designa os habitantes da ilha pastoril na boca dos outros ilhéus. O jorgense é — o "inhameiro".

Nos seus longos passeios solitários pelo pomar e pelas terras, Margarida cortava às vezes uma folha de inhameiro, e, afunilando-a na mão, chegando-a a uma bica de rega, bebia grandes goladas daquele líquido macio e pesado, que ficava no veludo da folha com o aspecto de prata ou de mercúrio. As laranjas já estavam grossas e douradas nas árvores. Algum botãozinho de uma floração temporã alternava com os ramos vergados ao peso dos frutos que um sol de pouca dura ia adoçando e adelgaçando. Margarida rondava as laranjeiras quase pé ante pé, pesquisando aquela frutificação bela e ardente na manhã que subia emborralhada, contando as laranjas milagrosamente acamadas numa pernada só, tirando-lhes uma ou outra cochonilha com a ponta da unha, — enfim, como que lendo, criticando as páginas daquele laranjal da Urzelina, autêntica biblioteca sem leitores.

Às vezes, algum tentilhão ou vinagreira esvoaçava entre as folhas; um botão de flor de laranjeira, rijo e encerado, ficava a tremer da fuga da ave assustadiça. Margarida suspendia a respiração, à espreita; e, nas pontas dos pés, calcando o húmus grosso e escuro de São Jorge engordado pelo trevo e a alfavaca, ficava ali... ficava... até que os olhinhos de outro pássaro se atreviam a vir considerar o botão pequenino e assanhado como uma espinha brava. O tentilhão, ou lá o que era, batia outra vez a asa; e Margarida largava a correr para o lado dos cerrados de milho e das hortas, onde as cameleiras redondas ("roseiras do Japão" lhes chamam nalgumas ilhas) abriam o seu véu de flores brancas ou a nódoa de sangue das camélias vermelhas e geladas.

Agora era fácil: deixar passar o tempo até chegar o vapor. O telegrama do pai dava por liquidado aquele mísero incidente das canoas e, com ele, arrumado de vez o caso do negócio das baleias, pela entrada de André Barreto como sócio principal da firma. O tio Roberto não pudera tomar conta daquilo. Paciência... Não tinha dinheiro que chegasse. Ela, também, embora compreendendo que a instalação definitiva do tio na Horta seria a grande solução para tudo e para todos, ajudara-o a inclinar-se para o lado mais fácil das suas hesitações, — as saudades e hábitos de longe aconselhando prudência.

(*Ibidem*, pp. 368-373.)

NEO-REALISMO

Preliminares

Com o romance *Gaibéus*, de Alves Redol, posto em circulação nos começos de 1940, inicia-se o Neo-Realismo. O seu programa de ação opõe-se frontalmente ao da *Presença*. Desenvolvendo aspectos realistas da obra de Ferreira de Castro, visíveis já na década de 30, os seus adeptos propunham por uma literatura engajada, de ação social, visando à transformação da sociedade com a denúncia das iniqüidades sociais. Alves Redol oferece uma síntese do ideário neo-realista ao dizer, na epígrafe de *Gaibéus*, que "este romance não pretende ficar na literatura como obra de arte. Quer ser, antes de tudo, um documentário humano fixado no Ribatejo. Depois disso, será o que os outros entenderem". Vergílio Ferreira (no começo da sua carreira), Fernando Namora, Manuel da Fonseca, Carlos de Oliveira, Augusto Abelaira, Urbano Tavares Rodrigues, José Cardoso Pires, são outros nomes relevantes do Neo-Realismo.

FERREIRA DE CASTRO

José Maria Ferreira de Castro nasceu em Salgueiros (vila de Oliveira de Azeméis, distrito de Aveiro), em 24/5/1898. Órfão de pai em tenra idade, aos doze anos emigra para Belém do Pará, de onde segue para o interior da Amazônia, a trabalhar num seringal: de sua experiência como seringueiro, tirará motivo para o romance *A Selva*, publicado em 1930. Em 1914, abandona a mata e volta para Belém do Pará, onde se dedica a vários misteres e inicia sua carreira literária com um romance, *Criminoso por Ambição* (1916), cujos fascículos ele próprio distribuía. De regresso à Pátria, continua a escrever e a publicar romances, todos de duvidosa valia, a tal ponto que mais tarde o escritor os renegaria: *Carne Faminta* (1922), *O Êxito Fácil* (1923), *Sangue Negro* (1923), *A Morte Redimida* (1925), etc. Com a publicação de *Emigrantes* (1928), começa a parte válida de sua trajetória literária, que se prolonga até a morte. Escreveu ainda: *Eternidade* (1933), *Terra Fria* (1934), *A Tempestade* (1940), *A Lã e a Neve* (1947), *A Curva da Estrada* (1950), *A Missão* (1957), *O Instinto Supremo* (1968). Faleceu em 29/6/1974.

A Selva

Publicado pela primeira vez em 1930, o romance *A Selva* talvez seja a obra mais importante de Ferreira de Castro. O entrecho resume-se no seguinte: Alberto, português e estudante de Direito de 26 anos, é obrigado, por causa de suas idéias políticas, a emigrar para Belém do Pará. Depois de morar com seu tio algum tempo, embrenha-se na floresta amazônica a fim de viver como seringueiro. E no seringal "Paraíso", às margens do Rio Madeira, vive uma série de aventuras propiciadas pela mata virgem e pelo açodamento do sexo. O trecho que se vai ler, pertencente ao capítulo IV, narra os primeiros contactos da personagem com os mistérios amazônicos:

E por toda a parte o silêncio. Um silêncio sinfônico, feito de milhões de gorjeios longínquos, que se casavam ao murmúrio suavíssimo da folhagem, tão suave que dir-se-ia estar a selva em êxtase.

Às vezes, era certo, uma imprevista e pânica restolhada de folhas e asas levava Alberto a parar e a agarrar-se, instintivamente, ao braço do companheiro.

— É uma inhambu — explicava Firmino, sorrindo.

Mais adiante, um lagarto, correndo repentinamente sobre a folhagem morta, de novo o galvanizava.

Mas o silêncio volvia. E, com ele, uma longa, uma indecifrável expectativa. Dir-se-ia que a selva, como uma fera, aguardava há muitos milhares de anos a chegada de uma presa maravilhosa e incognoscível.

Passavam, no ar, bandos palradores de papagaios e maracanãs; agora e logo o grito agudo duma ave — grito de pavão em parque abandonado — caía de árvore distante e vinha reboando até cá baixo. Mas tudo isso era relâmpago em dia de sol, porque o silêncio e a expectativa voltavam com rapidez, numa imposição que devia ser eterna.

— Isto faz medo! — confessou Alberto.

Firmino sorriu, de novo:

— Agora não é nada. Quando os índios chegavam até aqui, então é que um homem tinha de andar sempre com um olho à frente e outro atrás.

— Ah, mas aqui houve índios?

— Houve e há. Você não sabia mesmo?

E ao gesto negativo de Alberto:

— Lá em Todos os Santos, para onde nós vamos, ainda os cavalheiros vêm passear...

— São mansos?

— Mansos? Ui, minha gente! A estrada que você vai cortar era do Feliciano. O mês passado, os índios vieram ao centro e levaram a cabeça dele... É por isso que a estrada está sem freguês e você vai para ela. E aqui há uns quinze dias foi um estrago em Popunhas. Os parintintins chegaram e, como não tinham cabeça para cortar, foram à roça e quebraram tudo.

Ante a estupefação do "brabo", Firmino continuava a sorrir. Mas Alberto, pressentindo em tanto perigo simples motejo à sua ignorância do meio, nada mais perguntou.

Erguia-se agora, à margem do "varador", alta gruta de raízes, que uma só árvore lançava. Templo imaginário de povo que inspirasse a sua estética arquitetônica em bizarros monumentos orientais, oferecia a quem nele se recolhesse postigos inumeráveis, portas de linhas irregulares e salas onde seis homens podiam estender a toalha e almoçar, ou puxar de cartas para jogo que ludibriasse as horas, em dias de chuva.

— É uma sapopema — explicou Firmino, vendo Alberto a observar o raizedo enorme, que se espalmava em lâminas, que eram como paredes, e se retorcia além, decorativamente, em cordame manuelino. — Se um dia você se perder, bata neste pau, que logo algum seringueiro lhe responde.

Tirando da bainha o seu facão, o mulato deu com ele algumas pancadas no monstro vegetal. O som repercutiu-se nas galerias interiores e, em eco surdo, foi traspassando a selva e alarmando o silêncio por léguas e léguas sem fim.

Recolhido o terçado, Firmino voltou aos índios ferozes:

— É nestas sapopemas que os parintintins se escondem quando vão frechar um homem. Nós vamos a passar, eles dão um assobio e quando voltamos o peito para eles — zás!

Alberto não o quis melindrar, mas não quis também mais sorrisos irônicos. Mudou de assunto:

— Para onde vão os outros homens que vieram comigo?

— Vão para os centros que há por aí. Para o Laguinho, Paraisinho ou Buiaçu... Para onde houver estradas sem seringueiros.

— E esses lugares são muito longe de Todos-os-Santos?

— Muito longe, não, mas só mateiro sabido pode ir dum para o outro lado. É preciso atravessar igapós, lagos e restingas para burro. Cada um tem seu varador para o barracão de seu Juca.

— E quantos homens tem cada centro?

— Ih! — conforme as estradas. Todos-os-Santos, depois que os índios levaram a cabeça de Feliciano, tem dois: eu e o Agostinho; agora, com você, três. Igarapé-açu, uns dez. Popunhas, uns cinco. Laguinho não tem mais de quatro. E conforme. — E, reparando na luz do dia, acrescentou: — Vamos, vamos! Senão, temos que andar por essa noite fora.

A selva escurecia rapidamente. O entrançado inferior diluía-se, perdia contornos e volumes na negridão nascente. Cresciam os recantos onde havia eterna sombra e iam envolvendo, tragando, os caules grossos e centenários. O verde rasteiro fora já absorvido e, cá em baixo, só pardejava a folhagem que a morte desprendera. A luz beijava agora apenas as franças mais altas, que, finalmente, se mostravam em toda a fantasia do seu recorte, sob um céu de azul morno e baço.

O silêncio tinha, enfim, uma síncope. A selva começava a falar no ouvido da noite. Surgiam, por toda a parte, vozes estranhas e imprecisas — um rala-rala sem nexo a encher os ouvidos de Alberto.

Não dava melancolia o lusco-fusco; abafava como se fosse um cobertor incomensurável estendido sobre a mata.

Firmino preveniu:

— Tenha cuidado, seu moço!

Alberto olhou e viu que tinham encontrado de novo o igarapé, agora com uma ponte: dois toros duma margem à outra e meia dúzia de tábuas presas com cipó.

Quando, do outro lado, retomaram o "varador", já a senda adquiria escuridão de túnel.

Firmino ajoelhou-se, pousou o farol em terra, tirou-lhe a chaminé, passou os dedos sobre o morrão do pavio e, riscando um fósforo, acendeu-o. Depois, a mão trouxe da serapilheira a garrafa de cachaça, que ele ofereceu a Alberto.

— Muito obrigado.

— Só um porre...

— Não, não.

Mas como Firmino insistisse, com visível sinceridade, levou o gargalo aos lábios. Retirou-o logo. Desde que tomara, em criança, forte embriaguez de aguardente, nada podia beber que cheirasse à perturbadora.

Firmino, porém, demorou a garrafa na boca. E depois, soprando com volúpia e ardor, levantou-se, agarrou no farol e pôs-se a marchar à frente.

Andaram mais uma hora, mais duas, zape-zape, no caminho intérmino, com aquela luz mortiça que fazia bailar fantásticas sombras nos troncos das árvores, criando, por onde passava, angulos, galerias e planos irnaginários.

Cansado da marcha, de perguntas e respostas, Alberto calara-se. O peso dos utensílios e dos víveres fazia-lhe doer os ombros, marcando cada passo por vivo sofrimento. Mas resistia sem queixa, como se o seu amor-próprio houvesse de tirar, da lição, íntima desforra. Às vezes, fechava os olhos, no desejo de ir assim, semi-dormindo em pé, pela selva além. Logo, a idéia dos troncos mortos que se atravessavam no caminho, forçava-o a abri-los, ferindo as pupilas na luz do farol. O pensamento não tinha continuidade: fragmentava-se, tudo atraía e tudo abandonava à fadiga mental. Era Balbino, era o tio Macedo, os batelões de Três Casas, o perfil de dona Iaiá e o fardo de carne-seca na loja de Juca Tristão. "E se fosse verdade? Se os índios existissem e ele tivesse sido mandado para Todos-os-Santos por vingança de Balbino?" Vinha, depois, Portugal, com Maciel, a Universidade, a fuga para Espanha e a mãe. "Se ela soubesse o que ele sofria agora, morreria de desgosto!"

(*A Selva*, 14ª ed., Lisboa, Guimarães Ed., 1952, pp. 101-105.)

Note-se, primeiro que tudo, a clareza da fabulação: o diálogo, entremeado de ligeiras descrições e narrações, escorre com naturalidade e espontaneidade. O tom é de quem simplesmente conta uma história, despreocupado de realizar complexas indagações psicológicas. Ao invés, a simplicidade com que flui a narrativa também se estampa no desenho das personagens, mais ou menos estratificadas por causa de ambas se empequenecerem diante da mata bruta e de representarem tipos humanos definidos, um, o europeu civilizado e culto, o outro, o caboclo endurecido na lida com a selva. Entretanto, essa simplicidade geral, que torna o romance acessível ao leitor médio, prende-se estreitamente a uma característica fundamental d*A Selva*, tanto mais fundamental quanto mais consideramos o ano em que a obra foi publicada (1930); deliberadamente ou não, o ficcionista procurou fazer "realismo" ao narrar as vicissitudes de Alberto no coração da mata amazônica. A narrativa pode ser considerada autobiográfica, ao menos naquilo em que reflete a própria experiência de Ferreira de Castro: Alberto é seu *alter-ego*. Todavia, o caráter autobiográfico poderia comprometer a obra, e somente não chega a isso porque o romancista transmutou sua experiência vivida em experiência imaginada e rememorada: a própria distância geográfica e temporal que medeia entre sua estada na Amazônia e a redação do romance, esclarece a deformação artística operada. *A Selva* é um romance realista em que os dados concretos surgem modificados pela memória, à semelhança dos primeiros romances de José Lins do Rego. Não obstante, o realismo decorre menos do fundo verídico das experiências de Alberto que da tendência de Ferreira de Castro para o realismo em arte, que se tornaria preponderante no resto de sua obra: daí que *A Selva* prenunciasse, como literatura social e documental, o advento do Neo-Realismo; e daí o seu renome, já que Alberto personifica a luta do homem contra os elementos da Natureza e a injustiça social.

ALVES REDOL

Antônio Alves Redol nasceu em Vila Franca de Xira (distrito de Lisboa), em 29/12/1911. De família humilde, desde cedo teve de empregar-se para ganhar a vida, inclusive em Luanda (África), onde permaneceu algum tempo. Em 1930, regressou a Portugal, e em 1940, com a publicação de *Gaibéus,* inicia sua carreira literária e o Neo-Realismo. Faleceu em Lisboa, em 29/11/1969. Escreveu teatro (*Maria Emília,* 1945; *Forja,* 1948), contos (*Nasci com passaporte de turista,* 1940; *Espólio,* 1943; *Constantino, Guardador de Vacas e de Sonhos*, 1962; *Histórias Afluentes,* 1963), romances (*Gaibéus,* 1940; *Marés,* 1941; *Avieiros,* 1942; *Fanga,* 1943; *Anúncio,* 1945; *Porto Manso,* 1945; *Horizonte Cerrado,* 1949; *Os Homens e as Sombras,* 1951; *Vindima de Sangue,* 1953; *Olhos de Água,* 1954; *A Barca dos Sete Lemes,* 1958; *Uma Fenda na Muralha,* 1959; *Cavalo Espantado,* 1960; *Barranco de Cegos,* 1963; *O Muro Branco,* 1966).

Gaibéus

Vindo a público no início de 1940, *Gaibéus* teve o condão de introduzir o Neo-Realismo na Literatura Portuguesa, que, como vimos, vinha sendo anunciado desde 1930, com *A Selva.* O título resume-lhe o enredo: *gaibéus* são modestos camponeses do Ribatejo, cuja vida, apagada, sofrida e injustiçada, o romancista delineia em episódios justapostos, formando "manchas" que parecem simbolizar a própria existência opaca de criaturas sem nome nem esperança. O trecho que se vai ler, corresponde aos parágrafos iniciais do capítulo intitulado "Mensagem da Nuvem Negra":

Pareciam cercados no trabalho pelo braseiro de um fogo que alastrasse na Leziria Grande. Como se da Ponta de Erva ao Vau a leiva se consumisse nas labaredas de um incêndio que irrompesse ao mesmo tempo por toda a parte.

O ar escaldava; lambia-lhes de febre os rostos corridos pelo suor e vincados por esgares que o esforço da ceifa provocava. O Sol desaparecera há muito, envolvido pela massa cinzenta das nuvens cerradas. Os ceifeiros não o sentiam penetrar-lhes a carne abalada pela fadiga. Lento, mas persistente, parecia ter-se dissolvido no ar que respiravam, pastoso e espesso. Trabalhavam à porta de uma fornalha que lhes alimentava os pulmões com metal em fusão.

Quase exaustos, os peitos arfavam num ritmo de máquinas velhas saturadas de movimento.

A ceifa, porém, não parava, e ainda bem — a ceifa levava o seu tempo marcado. Se chovesse, o patrão apanharia um boléu de aleijar, diziam os rabezanos na sua linguagem taurina. Eles próprios não a desejavam; se as foices não cortassem arroz, as jornas acabariam também. E se ao sábado o apontador não enchesse a folha, as fateiras não trariam pão e conduto da vila.

Então os dias tornar-se-iam ainda mais penosos e o degredo por terras estranhas mais insuportável.

Vencidos pelo torpor, os braços não param. Lançam as foices no eito, juntando os pés de arroz na mão esquerda, e o hábito arrasta-os em gestos quase automáticos, mais um passo e outro, a caminho da maracha que fecha o extremo de cada canteiro. Caminham sempre no mesmo balouçar de ombros; as pegadas do seu esforço ficam marcadas na resteva lodosa.

Talvez muitos deles pensem que o arroz deitado nas gavelas repousa primeiro do que os seus corpos. Se pudessem deter-se também, por instantes, e descansarem depois a cabeça nos montes de espigas que deixam atrás de si, a ceifa poderia animar.

Mas o bafo que vem da seara queima mais em cada minuto e as cabeças dos alugados pesam já tanto como o cabo das foices nos braços esgotados. Estão atafulhadas de amarelo, de pensamentos e de grãos de fogo que a canícula doente lhes insuflou no sangue.

Ninguém entoa cantigas para animar, embora os capatazes tenham incitado as raparigas cantaroleiras para o fazer. Nos ranchos não há agora quem saiba cantar.

Como podem as cachopas entrar em cantos ao desafio, se os peitos parecem fendidos pela fadiga e o ar que respiram se tornou lava do vulcão da planície?! . .

— Auga!... Auga!... — gritam os rapazes aguadeiros.

Os seus brados parecem vogar sobre o rancho e não se dissolvem. Ficam a boiar na massa espessa da lava de fogo e angústia que cobre as searas. As palavras não naufragam.

Talvez por isso também as raparigas não cantem. Agora só sabem canções tristes que lhes recordassem a sua condição de alugadas.

— Auga!... Auga!...

Os três gaibéus andam numa roda viva a encher os cântaros e a entregá-los às mãos suplicantes dos ceifeiros. As gorjas agitam-se na sofreguidão da sede, mas o travo amargo da boca não desaparece com a água choca e morna. O sol amolece tanto a água como os corpos dos ceifeiros.

— Auga!... Auga!...

Os rapazes vão de fila em fila e recordam-se da história do pai do Cadete. Só agora compreendem as suas aventuras de ladrão.

Para o ceifeiro rebelde os brados dos aguadeiros assemelham-se a gritos de socorro no meio do incêndio. Sente-se mais abatido do que os outros, porque compreende as causas da angústia do rancho e sabe que os outros sofrem mais. Ele tem um norte. E os camaradas ainda não encontraram bússola.

"Se todos a tivessem..."

O ceifeiro rebelde pende mais a cabeça para a seara, como se as torturas e as esperanças lhe pesassem.

As camisas e as blusas estão empapadas de suor. Os homens trabalham com as camisas abertas e mostram a cabelugem crespa dos peitos afogueados. As mulheres gostariam agora, mais do que nunca, de ser homens também.

A espaços metem as mãos nas golas das blusas e sacodem-nas, para que o ar, mesmo quente, lhes refresque os seios.

— Eh, lá!... Essas mãos!...

— Eh, gente!...

O ar fica a repetir aquela chicotada no silêncio opressivo.

Nem um pássaro anda no ar. Não conseguem singrar agora naquele céu de metais em fusão.

Os pássaros não voam. Mas os ceifeiros trabalham.

A ceifa não pára — a ceifa não pára nunca.

O Agostinho Serra tem os seus encargos, fala deles a toda a hora, e se começa a chover apanha um boléu dos grandes. A Senhora Companhia não perdoa a renda da terra, haja o que houver.

De quando em quando, um deixa a foice e vai saltando as travessas para se ir abaixar a boa distância do olhar dos capatazes.

E procuram todos o mesmo rumo. É que um deles passou ao companheiro do lado que na regadeira do meio a água ainda corre para os canteiros mais rezentos.

A notícia correu de ceifeiro em ceifeiro. Por isso levam todos o mesmo rumo quando largam a foice nas travessas.

Deitados de borco na linha que faz berço às águas, podem refrescar o rosto e molhar a cabeça à vontade. Um deles atirou-se para dentro da regadeira, querendo apagar a chama que lhe consumia o corpo. Quando voltou ao rancho, disse ao capataz que caíra à regadeira, numa explicação tola.

— Empeci num almeirão, seu Francisco.

— Vais fresco, vais. Largas-te aí com algumas sezões que não te ajudas com elas. Vai lá mudar de fato, homem.

— Obrigado, seu Francisco! Não vale a pena. . .

Pouco imaginativos, houve mais dois que tropeçaram no almeirão. E logo os capatazes se puseram à espreita.

— Nem mais um vai àquele lado. Quem se quiser abaixar, não passa do canteiro desta ponta. Ninguém os cobiça... Se o patrão soubesse desta paródia, era eu que o ouvia.

— Raio de danados!... Tenho aqui uma carga de abusões... — acrescenta outro.

A lâmina das foices vai cega de todo. Os punhos não lhe podem dar luz, pois o vigor já morreu de há muito. Só o impulso dos braços tomba as espigas.

A ceifa corre lenta. Dolorosa e lenta.

E os capatazes bramam.*

(*Gaibéus*, 6ª ed., Lisboa, Publs. Europa-América, 1965, pp. 155-159.)

---

* *boléu* = pancada; *rabezano* = camponês; *fateira* = vendedora de miúdos de animais; *eito* = porção de trabalho realizada por uma pessoa ou grupo, no campo; roça; *maracha* = muro; *resteva* = terreno em que há restolho, parte inferior das plantas, que fica enterrada após a ceifa; *gavela* = feixe de espigas; *rezento* = mal seco; *empecer* = tropeçar; *almeirão* = hortaliça; *paródia* = pândega, estroinice; *abusão* = engano.

Conquanto breve, o fragmento de *Gaibéus* retrata fielmente o estágio inicial da carreira literária de Alves Redol e a fase ortodoxa do Neo-Realismo. Percebe-se que o trecho possui fisionomia polêmica: o romancista revolta-se contra o estado de coisas em foco e prega, ao menos indiretamente, uma revolução social que lhe pusesse paradeiro. Assim, o tom é de reportagem, mas de reportagem interessada: o narrador, que se coloca fora do plano das personagens, limita-se a enumerar os fatos e a descrever-lhes os protagonistas; vê-se que os gaibéus carecem de vida própria, seja por causa de sua condição degradante, seja porque o ficcionista faz questão de assumir a atitude de repórter. Quer dizer: os pobres camponeses constituem exemplos para a denúncia social implícita ou explícita no romance; daí que se aponte, como um "acuso!" zolaiano, o drama dos míseros gaibéus. A atmosfera, parada e sufocante, adensa-se em patético, quase apocalíptico, marcado pelo estribilho pungente e trágico ("— Auga!... Auga!...") que pontilha a cena focalizada. Depreende-se que, para Alves Redol, bem como para outros escritores nos primeiros anos de evolução do Neo-Realismo, o problema do gaibéu reside em trabalhar sem descanso para matar a fome, sob as ordens dum senhor prepotente e injusto que, além de o escravizar, lhe recusa o mínimo de dignidade e o pão do seu sustento. Luta de classes, ânsia de transformar o mundo para conceder justiça a todos, — eis o lastro doutrinário de *Gaibéus* e do próprio Neo-Realismo. Por fim, observe-se a linguagem, expressionista, rica de imagens plásticas, visando oferecer ao leitor um quadro fidedigno da ambiência em que ocorre "a história do campino bom, que se fizera ladrão" e dos "camaradas que não têm bússola", impelidos pela fome para roubar e desgovernados como animais sem rumo. Este o sentido do trecho lido, da obra toda e, por extensão, da estética literária em que Alves Redol se insere.

FERNANDO NAMORA

Nasceu em Condeixa (distrito de Coimbra), em 15/4/1919. Formado em Medicina pela Universidade de Coimbra, dedicou-se à clínica e à atividade literária. Estreou em 1938, com um volume de versos *(Relevos)* e um romance (*As Sete Partidas do Mundo),* situados na confluência do Presencismo agonizante e do Neo-Realismo emergente. Mais adiante, decidiu-se pelo último, mas com independência. Além daquelas duas obras, publicou poesia (*Terra,* 1940; *As Frias Madrugadas,* 1959), contos (*Retalhos da Vida de Um Médico,* duas séries, 1949 e 1963; *Cidade Solitária,* 1959), romances (*Fogo na Noite Escura,* 1943; *Casa da Malta,* 1945; *Minas de San Francisco,* 1946; *A Noite e a Madrugada,* 1950; O *Trigo e o Joio,* 1954; *O Homem Disfarçado,* 1957; *Domingo à Tarde,* 1961), biografia (*Deuses e Demônios da Medicina,* 1952), crônica romanceada (*Diálogo em Setembro,* 1966; *Um Sino na Montanha,* 1968; *Os Adoradores do Sol,* 1971; *Estamos no vento,* 1974; *A Nave de Pedra,* 1975; *Cavalgada Cinzenta,* 1977). Faleceu em Lisboa, em 31/1/1989.

O Homem Disfarçado

Publicado pela primeira vez em 1957, O *Homem Disfarçado,* decerto a obra mais importante de Fernando Namora, conheceu já várias edições. Basta esse fato para dizer da sua receptividade junto ao público. O entrecho gira em torno do seguinte: João Eduardo, médico de província, alcança em Lisboa, através duma série de manobras comprometedoras, fama e riqueza. Mas ao mesmo tempo que progride na profissão, vai-se desintegrando moralmente, mercê duma esposa frágil e das concessões que se vê compelido a fazer. O desmoronamento culmina com a morte de Jaime, seu velho amigo. O trecho que se vai ler, surpreende o problema básico do romance (capítulo III):

João Eduardo abriu a porta do automóvel, mas decidiu, de súbito, ir a pé até o Hospital, oferecendo-se espontaneamente a um remoer do problema de que se afastara por uma hora e do qual de modo nenhum deveria esquivar-se. Era muito importante encontrar uma solução urgente, uma linha de conduta segura e oportuna que lhe restabelecesse a atmosfera superficial de confiança — e para isso a fúria do volante não estaria indicada. Uma linha de conduta oportuna! Saberia ele descobri-la, identificá-la, por entre os embustes das relações humanas? Difícil não era a vida, mas sim o convívio com as pessoas. Eram, afinal, as pessoas, e não as tarefas e os seus objetivos, que o obrigavam a uma tensão exaustiva, a uma permanente e amedrontada vigilância. Nervos, sempre os danados nervos, que pareciam estoirar no minuto seguinte, de tal modo os sentia em iminente erupção! A odiosa cidade, onde até os amigos participavam do festim que deixava as pessoas retalhadas! Mas quando decidia fugir dela por uns dias, assaltava-o uma espécie de pânico, como se o amedrontassem o repouso, as sombras, os ecos que delas se levantavam, como se o seu sangue se tivesse habituado a girar numa tal aceleração que, serenada ou interrompida, ficasse prestes a parar definitivamente.

Ao passar rente à tabacaria, o empregado veio à porta saudá-lo.

— E essa bronquite? — interessou-se João Eduardo.

— Muito melhor, senhor doutor. A si o devo.

— Cuidado com as cigarradas. . .

— Agora só os vendo!

— É o melhor que faz. . .

Lembrou-se que teria de passar junto de três ou quatro casas conhecidas, cumprimentar, dizer coisas amáveis necessárias ao seu prestígio de pessoa sem prosápias e, daí, afastou-se para o centro da avenida. Estava a saber-lhe bem esse pedaço de ar livre, sob a tranqüilidade das árvores, e de tal modo que começava a desprender-se da órbita opressiva dos seus problemas, embora não se tivesse esforçado por consegui-lo. Por isso, olhou com ternura as folhas verdes, que, sem pressas, o acompanhavam ao longo da avenida e sorveu-lhes profundamente o hálito. Uma árvore, um arbusto, mesmo quando plantados à força entre as grades de uma cidade, como um animal de grandes espaços encarcerado num jardim zoológico, desoprimiam a atmosfera, oferecendo-lhe limpidez e amplidão. E esse desafogo comunicava-se às pessoas.

Luísa andava de mau parecer, precisava também de ar livre. E até os garotos. Talvez necessitassem de passar os domingos no campo. No próximo domingo... Oxalá lhe fosse possível! Às vezes perguntava a si próprio por que não reduziria as suas ocupações a um limite compatível com uma vida que não fosse escravizada, tanto mais que já não se justificavam os velhos argumentos de que o nível da família, já que estavam perigosamente adaptados à prosperidade, tinha de ser mantido. Não, o dinheiro crescia-lhe. E parecia-lhe agora tão fácil consegui-lo que deixara de lhe encontrar significação. Surpreendia-se mesmo de como dantes o valorizava tanto, apesar de haver sentido na sua carne e na carne dos camponeses com quem se misturara na luta pela sobrevivência o que exprimia a sujeição e a instabilidade econômica, a monstruosa desigualdade social. Todos os dramas lhe tinham parecido desprezíveis em face desse drama maior, ou todos lhe tinham parecido, de longe ou de perto, dele dependentes. Depois, dia a dia, achava-se a encarar essa realidade absonente através de um imenso deserto, após o qual só poderia ser captada como um tema intelectual já monótono e fastiento. O que tinha agora diante de si era outra odisséia, eternamente repetida e eternamente renovada: a do homem em competição com o ambiente e, por isso mesmo, consigo próprio, inadaptado, furioso, desagregado, perseguindo um alvo nebuloso, abrindo à doida uma clareira na selva da sua desorientação.

Noutros tempos, o dinheiro tinha o valor do esforço, sabia-lhe a uma tradução imediata da sua perseverança. Media-o ainda pelos sacrifícios de quem lhe entregava e por uma crescente segurança no caminho do futuro. Libertava-o de uma espécie de terror. Mas o dinheiro, por fim, deixara de lhe importar, precisamente porque não era obrigado a pensar nele. O motivo da sua sofreguidão era outro. Continuava cobiçoso de tarefas, de clientes, por lhe ser muito mais difícil recuar do que manter essa agitação. Sabia que o cercava uma gulosa espionagem: não lhe poupariam o mais breve sinal de renúncia ou de fracasso. O triunfo escravizava. O triunfo tinha um preço. Era o seu crime perante todos os que o rodeavam. Os que o haviam acompanhado desde o primeiro dia, dantes generosos e solidários, espreitavam-no agora de caninos arreganhados: estamos à espera que tropeces. Os vitoriosos não podem tropeçar.

Era justamente por isso que andava de nervos tensos. Condoía-se do Jaime, é certo, não deixava de se ralar com a situação do amigo, embora o saturasse já tanta lamúria, tanta desgraça a desnudar-se como quem estende chagas à sensibilidade pública, — mas, de momento, preocupava-o muito mais um assunto reles, destas cobrazinhas que se poderiam esborrachar com um pé, mas que, escorregadias e venenosas, conseguem vir morder-nos um órgão vital. A tal luta cobarde em que as emboscadas se sucedem. Era isso que odiava na sua profissão! Todos os dias se pisava um terreno arenoso, por debaixo do qual poderia ocultar-se indiferentemente um pântano ou rocha firme. De cada vez que deixava um imprevisto arrumado, um maçador convencido, um doente salvo do perigo, à vasta sensação de alívio juntava-se sempre a convicção de que nunca mais esses dissabores ou angústias se repetiriam. Como se, enfim, fosse dormir e trabalhar tranqüilamente o resto da vida, com horas livres, sedimentadas, sem aqueles sobressaltos que lhe revolviam todos os instantes da existência. Mas logo se levantava uma surpresa ainda mais desgastadora.

(*O Homem Disfarçado*, 4ª ed., Lisboa, Arcádia [1962?], pp. 52-55.)

Neste trecho se focaliza o problema nuclear d*O Homem Disfarçado* e a síntese da tendência seguida por seu autor dentro das coordenadas neo-realistas. No parágrafo que se inicia com "Noutros tempos, o dinheiro tinha o valor do esforço", etc., vê-se que importância possui o dinheiro (e o que ele determina) na vida de João Eduardo e no mundo ficcional de Fernando Namora. Para a personagem, é tudo, a ponto de levá-la ao naufrágio interior. Para o romancista, serve de indício duma situação social que procura caracterizar e denunciar: a alienação da burguesia ascendente e, por tabela, das classes dominantes. Sem dificuldade nenhuma, nota-se que esses dados constituem uma equação peculiar ao Neo-Realismo, ainda mais que o ficcionista não esquece de fornecer o tradicional contraste do camponês espezinhado e triste (cf. o parágrafo que principia com "Luísa andava de mau parecer", etc.). Trata-se, porém, de um Neo-Realismo crítico, na medida em que busca romper os esquemas prévios e estratificados, de exclusiva base econômica, e encontrar tanto causas individuais, psicológicas, como coletivas para a injustiça social. Em suma: Fernando Namora diligencia penetrar nos escaninhos onde moram as causas, econômicas, psicológicas, etc. capazes de sugerir uma visão ampla da desigualdade social. Percebe-se, ainda, que o escritor está aderido ao drama de João Eduardo, ao contrário de Alves Redol de *Gaibéus:* tal adesão se explica pelo realismo crítico e, hipoteticamente, por uma dose de empatia que se diria autobiográfica. *O Homem Disfarçado* pode ser considerado das obras mais significativas do Neo-Realismo português.

MANUEL DA FONSECA

Nascido em Santiago do Cacém, Baixo Alentejo, em 15/10/1911, Manuel da Fonseca estudou em Lisboa. Um dos fundadores do Neo-Realismo, estreou com um livro de poemas *(Rosa dos Ventos,* 1940), a que se seguiu outro no gênero *(Planície,* 1941), mais tarde reunidos em *Poemas Completos* (1958). Foi na ficção, porém, que alcançou nomeada: *Aldeia Nova,* contos (1942), *Cerromaior,* romance (1943), *O Fogo e as Cinzas,* contos (1951), *Seara de Vento,* romance (1958), *Um Anjo no Trapézio,* contos (1968), *Tempo de Solidão,* contos (1973). Faleceu em 11/3/1993.

O Largo

Antigamente, o Largo era o centro do mundo. Hoje, é apenas um cruzamento de estradas, com casas em volta e uma rua que sobe para a Vila. O vento dá nas faias e a ramaria farfalha num suave gemido, o pó redemoinha e cai sobre o chão deserto. Ninguém. A vida mudou-se para o outro lado da Vila.

O comboio matou o Largo. Sob o rodado de ferro morreram homens que eu supunha eternos. O senhor Palma Branco, alto, seco, rodeado de respeito. Os três irmãos Montenegro, espadaúdos e graves. Badina, fraco e repontão. O Estroina, bêbado, trocando as pernas, de navalha em punho. O Má Raça, rangendo os dentes, sempre enraivecido contra tudo e todos. O lavrador de Alba Grande, plantado ao meio do Largo com a sua serena valentia. Mestre Sobral. Ui Cotovio, rufião, de caracol sobre a testa. O Acácio, o bebedola do Acácio, tirando retratos, curvado debaixo do grande pano preto. E, lá ao cimo da rua, esgalgado, um homem que eu nunca soube quem era e que aparecia subitamente à esquina, olhando cheio de espanto para o Largo.

Nesse tempo, as faias agitavam-se, viçosas. Acenavam rudemente os braços e eram parte de todos os grandes acontecimentos. À sua sombra, os palhaços faziam habilidades e dançavam ursos selvagens. À sua sombra batiam-se os valentes; junto do tronco de uma faia caiu morto Antônio Valmorim, temido pelos homens e amado pelas mulheres.

Era o centro da Vila. Os viajantes apeavam-se da diligência e contavam novidades. Era através do Largo que o povo comunicava com o mundo. Também, à falta de notícias, era aí que se inventava alguma coisa que se parecesse com a verdade.

O tempo passava, e essa qualquer coisa inventada vinha a ser a verdade. Nada a destruía: tinha vindo do Largo. Assim o Largo era o centro do mundo.

Quem lá dominasse, dominava toda a Vila. Os mais inteligentes e sabedores desciam ao Largo e daí instruíam a Vila. Os valentes erguiam-se no meio do Largo e desafiavam a Vila, dobravam-na à sua vontade. Os bêbados riam-se da Vila, cambaleando, estavam-se nas tintas para todo o mundo, quem quisesse que se ralasse, queriam lá saber — cambaleavam e caíam de borco. Caíam ansiados de tristeza no pó branco do Largo. Era o lugar onde os homens se sentiam grandes em tudo que a vida dava, quer fosse a valentia ou a inteligência, ou a tristeza.

Os senhores da Vila desciam ao Largo e falavam de igual para igual com os mestres alvanéis, os mestres-ferreiros. E até com os donos do comércio, com os camponeses, com os empregados da Câmara. Até, de igual para igual, com os malteses, os misteriosos e arrogantes vagabundos. Era aí o lugar dos homens, sem distinção de classes. Desses homens antigos que nunca se descobriam diante de ninguém e apenas tiravam o chapéu para deitar-se.

Também era lá a melhor escola das crianças. Aí aprendiam as artes ouvindo os mestres artífices, olhando os seus gestos graves. Ou aprendiam a ser valentes, ou bêbados, ou vagabundos. Aprendiam qualquer coisa e tudo era vida. O Largo estava cheio de vida, de valentias, de tragédias. Estava cheio de grandes rasgos de inteligência. E era certo que a criança que aprendesse tudo isto vinha a ser poeta e entristecia por não ficar sempre criança e aprender a vida — a grande e misteriosa vida do Largo.

A casa era para as mulheres.

No fundo das casas, escondidas da rua, elas penteavam as tranças compridas como caudas de cavalos. Trabalhavam na sombra dos quintais sob as parreiras. Faziam a comida e as camas — viviam apenas para os homens. E esperavam-nos, submissas.

Não podiam sair sozinhas à rua porque eram mulheres. Um homem da família acompanhava-as sempre. Iam visitar as amigas, e os homens deixavam-nas à porta e entravam numa loja que ficasse perto, à espera que saíssem para as levarem para casa. Iam à missa, e os homens não passavam do adro. Eles não entravam em casas onde fossem obrigados a tirar o chapéu. Eram homens que, de qualquer modo, dominavam no Largo.

Veio o comboio e mudou a Vila. As lojas encheram-se de utensílios que, antes, apenas se vendiam nos ferreiros e nos carpinteiros. O comércio desenvolveu-se, construiu-se uma fábrica. As oficinas faliram, os mestres-ferreiros desceram a operários, os alvanéis passaram a chamar-se pedreiros e também se transformaram em operários. Apareceu a Guarda, substituiu os pachorrentos cabos de paz, e prendeu os valentes. As mulheres cortaram os cabelos, pintaram a boca e saem sozinhas. Os senhores tiram agora os chapéus uns aos outros, fazem grandes vênias e apertam-se as mãos a toda a hora. Vão à missa com as mulheres, passam as tardes no Clube, e já não descem ao Largo. Apenas os bêbados e os malteses se demoram por lá nas tardes de domingo.

Hoje, as notícias chegam no mesmo dia, vindas de todas as partes do mundo. Ouvem-se em todas as vendas e nos numerosos cafés que abriram na Vila. As telefonias gritam tudo que acontece à superfície da terra e das águas, no ar, no fundo das minas e dos oceanos. O mundo está em toda a parte, tornou-se pequeno e íntimo para todos. Alguma coisa que aconteça em qualquer região todos a sabem imediatamente, e pensam sobre ela e tomam partido. Ninguém já desconhece o que vai pelo mundo. E alguma coisa está acontecendo na terra, alguma coisa terrível e desejada está acontecendo em toda a parte. Ninguém fica de fora, todos estão interessados.

A Vila dividiu-se. Cada café tem a sua clientela própria, segundo a condição de vida. O Largo que era de todos, e onde apenas se sabia aquilo que a alguns interessava que se soubesse, morreu. Os homens separaram-se de acordo com os interesses e as necessidades. Ouvem as telefonias, lêem os jornais e discutem. E, cada dia mais, sentem que alguma coisa está acontecendo.

Também as crianças se dividiram: brincam em comum apenas as da mesma condição, param às portas dos cafés que os pais ou irmãos mais velhos freqüentam. O Largo, agora, é todo o mundo. É lá que estão os homens, as mulheres e as crianças. No outro Largo, só os bêbados e os madraços dos malteses — e aqueles que não querem acreditar que tudo mudou. O certo é que ninguém já liga importância a esta gente e a este Largo.

As grandes faias ainda marginam o Largo como antigamente e, à sua sombra, João Gadunha ainda teima em continuar a tradição. Mas nada é já como era. Todos o troçam e se afastam.

João Gadunha, o bêbado, fala de Lisboa, onde nunca foi. Tudo nele, os gestos e o modo solene de falar, é uma imitação mal pronta dos homens que ouviu quando novo.

— Grande cidade, Lisboa! diz ele. — Aquilo é gente e mais gente, ruas cheias de pessoal, como numa feira!

Gadunha supõe que em Lisboa ainda há largos e homens como ele conheceu, ali, naquele Largo marginado pelas velhas faias. A sua voz ressoa, animada:

— Querem vocês saber? Uma tarde, estava eu no Largo do Rossio...

— No Largo do Rossio?

— Sim, rapaz! — afirma Gadunha erguendo a cabeça, cheio de importância. — Estava eu no Largo do Rossio a ver o movimento. Vá de passar o pessoal para baixo, famílias para cima, um mundo de gente, e eu a ver. Nisto, dou com um tipo a olhar-me de esguelha. Cá está um larápio, pensei eu. Ora se era!... Veio-se chegando, assim como quem não quer a coisa, e meteu-me a mão por baixo da jaqueta. Mas eu já estava à espera!... Salto para o lado e, zás, atiro-lhe uma punhada nos queixos: o tipo foi de gangão, bateu com a cabeça num eucalipto e caiu sem sentidos!

Uma gargalhada acolhe as últimas palavras do Gadunha.

— Um eucalipto?

Apenas por um pormenor, estragou uma tão bela história. Fosse antigamente, todos ouviriam calados. Agora, sabem tudo e riem-se. Mas Gadunha teima. Diz que sim, que já esteve no Largo do Rossio, lá em Lisboa.

— Vocês já viram um largo sem eucaliptos, ou faias, ou outra árvore qualquer? — pergunta ele, desnorteado.

Todos se afastam, rindo.

João Gadunha fica sozinho e triste. Os olhos arrasam-se-lhe de água, a bebedeira dá-lhe para chorar. Agarra-se às faias, abraça-as, e fala-lhes carinhosamente. Aperta-as contra o peito, como se tentasse abarcar o passado. E as suas lágrimas molham o tronco carunchoso das faias.

Vai morrendo assim o Largo. Aos domingos, é ainda maior a dor do Largo moribundo. Vão todos para os cafés, para o cinema ou para o campo. O Largo fica deserto sob a ramaria das faias silenciosas.

É nesses dias, pelo fim da tarde, que o velho Ranito sai da venda rangendo os dentes. Outrora, foi mestre-artífice; era importante e respeitado. Hoje, é tão pobre e sem préstimo que nem sabe ao certo o número dos filhos. Apenas sabe embebedar-se. Pequeno e fraco, o vinho transforma-o. Entesa-se, ergue o cacete e, sem dobrar os joelhos, apenas com um golpe de pés, pula para o ar e dá três cacetadas no pó do Largo antes de tocar de novo com os pés no chão. Ergue a cabeça e grita, estonteado:

— Se há aí algum valente, que salte para aqui!

Mas já não há nenhum valente no Largo, já não há ninguém no Largo. Ranito olha em volta com o olhar espantado.

A vista turva-se-lhe, range os dentes:

— Ah vida, vida!...

Volteia o cacete sobre a cabeça. Vai de roda, feroz, pelo Largo ermo de vida, atirando cacetadas contra o chão. Vai, de cinta solta rojando, ágil e ridículo, a desafiar homens que já morreram.

Até que se cansa naquela luta desigual. O cacete despega-se-lhe das mãos e ele fica lasso, desequilibrado. Aos tropeções, pende para a frente e cai, tem que cair, o Largo já morreu, ele não quer, mas tem de cair. Pesado de bebedeira e de desgraça, cai vencido.

Uma nuvem de poeira ergue-se; depois, tomba vagarosa e triste. Tomba sobre o Ranito esfarrapado e tapa-o.

Ele já não pode ver que o Largo é o mundo fora daquele círculo de faias ressequidas. Esse vasto mundo onde qualquer coisa, terrível e desejada, está acontecendo.*

(*O Fogo e as Cinzas*, 6ª ed., Lisboa, Caminho, 1981, pp. 23-30.)

"O Largo" abre *O Fogo e as Cinzas*, sem dúvida o livro de contos mais bem realizado de Manuel da Fonseca. Entretanto, o texto não se enquadra no perímetro do conto, inclinando-se mais propriamente para a crônica, ou para o capítulo de romance. Funciona, assim, como a abertura simbólica da obra e, quiçá, de toda a produção ficcional do autor. Ali se estampa o seu "programa", a sua profissão de fé como escritor, ao menos enquanto durou o

---

* *telefonia* = rádio, aparelho receptor de sinais radiofônicos; *gangão* = camboleio de bêbado.

engajamento neo-realista e o culto à vertente regionalista desse movimento. "O Largo era o centro do mundo", recorda o narrador, empregando a maiúscula, sinal de um espaço fora do comum, quase mítico, a ponto de ser "o centro do mundo", à maneira de um Guimarães Rosa ("O sertão é o mundo.") que habitasse uma vila alentejana. No outro pólo, formando parelha dialética, situa-se a fatal verificação: "O comboio matou o Largo", ou seja, o progresso, expressão de forças opressoras, destruiu o Largo, conquista do povo. Equação neo-realista típica, de fundamento marxista, conduz o relato, assim como as demais narrativas que compõem o volume: "Veio o comboio e mudou a Vila", também em caixa alta, por não se tratar de uma vila específica, mas de qualquer uma. Com efeito, "a Vila dividiu-se", gerando dois Largos, um, que "agora, é todo o mundo", e o outro, que o comboio matou, freqüentado por bêbados, madraços e malteses. Um, converge para a utopia de um Largo, "lugar dos homens, sem distinção de classes", ampliado aos confins do mundo e com ele identificado; o outro, rebaixou-se a um espaço onde convivem os que foram produzidos ou estimulados pela vinda do comboio. Ainda que explícitas as chaves da tensão dialética que permeia o texto, este não tomba no panfletário em conseqüência da geral sobriedade, que o estilo depurado acentua, e de o conflito entre o progresso e o Largo se processar numa dimensão simbólica, razão suficiente para explicar por que o autor se tornaria dos nomes marcantes do Neo-Realismo português.

CARLOS DE OLIVEIRA

Nasceu em 10/08/1921, em Belém do Pará, e faleceu em Lisboa, 1981. Filho de portugueses, em tenra idade foi levado a Portugal, onde se formou em Ciências Históricas e Filosóficas pela Universidade de Coimbra. Cultivou a poesia: *Turismo* (1942), *Mãe Pobre* (1945), *Colheita Perdida* (1948), *Descida aos Infernos* (1949), *Terra de Harmonia* (1950), *Cantata* (1960), *Sobre o Lado Esquerdo* (1968), *Micropaisagem* (1968), *Entre Duas Memórias* (1971); romance: *Casa na Duna* (1943), *Alcatéia* (1944), *Pequenos Burgueses* (1948), *Uma Abelha na Chuva* (1953), *Finisterra* (1978); crônica: *Aprendiz de Feiticeiro* (1971).

Uma Abelha na Chuva

Publicado em 1953, gravita ao redor do casal Silvestre: ela, Maria dos Prazeres, fidalga decadente; ele, Álvaro, burguês endinheirado, mas bronco. *"Sangue por dinheiro"* (cap. IV). Cedo o ódio, ocupando o lugar do interesse, afasta os dois, e Maria dos Prazeres entra a devanear com o cocheiro da casa, Jacinto. Numa certa madrugada, vagando pela propriedade rural, Álvaro descobre Jacinto em companhia de Clara, moça do campo. Pondo-se a escutá-los, sabe que se amam, que se prometem em casamento e que esperam um filho. Ouve, ainda, que o moço conhecia as intenções secretas de sua patroa. E corre avisar o pai da moça. Arma-se um emboscada e Jacinto é morto. Clara, em desespero, suicida-se.

Fechou a janela e ia tentar a travessia da sala até ao meiple de couro, largo e repousante, que ficava do outro lado, debaixo do elmo dos Pessoas, quando a viu no limiar da porta.

A luz da vela deixava o aposento meio escuro, mas acendia o fulgor puído dos velhos reposteiros, uma centelha fosca e trêmula no verniz do piano. A noite de outono entrara à larga pelas vidraças abertas. Apesar disso, sentiu na meia confusão em que estava quanto era acolhedor o seu escritório, móveis pesados, veludos, o tapete espesso, os quadros, as paredes forradas de colchas. O pior foi dar de caras com ela. Teve outro arrepio e continuou a bater os dentes. Pareceu-lhe que nunca a mulher o fitara com tamanha frieza, pareceu-lhe até que não era ela quem se aproximava deslizando suavemente pela tapete. Alta, quase aérea. Levou a mão à cabeça dorida e fechou os olhos talvez que a morte a tenha já colhido, a morte é a fraqueza de tudo, do orgulho, da vaidade, quem ali vem mal tocando no chão como um fantasma talvez não seja mais que a alma dela, condenada. De pálpebras fechadas entreviu de novo o fogo do serão, o perpétuo terror. E nisto, ouviu-a gritar:

— Bêbedo!

Não quis abrir os olhos. Com certeza as chamas envolviam-na já e ela gritava, a insultá-lo, mas eu amo-a apesar de tudo, amo-a tanto que não posso vê-la no inferno, sufocada, perdida. Foi com espanto que ouviu outra vez o insulto, num tom frio, quase ciciado:

— Bêbedo.

Ocorreu-lhe então esta idéia, que o gelou de pavor: quem sabe se ela não é a própria morte a insinuar-me dia a dia a miséria de viver, uma missão de Deus junto de mim para que eu entenda que tudo é passageiro e inútil e de livre vontade renuncie a tudo. Lembra-te que és pó. Bem se cansara o padre Abel nos sermões a despenhar-lhe sobre a alma o aviso mortal. Nunca entendera verdadeiramente. Mas Deus tinha tomado providências. A morte entrara disfarçada na sua própria casa. Sentiu que ia chorar por fim e então abriu os olhos. A figura álgida, terrível, fitava-o agora do meio do escritório.

Viu-o cambalear. Reparou-lhe nas lágrimas, na camisa babada, nas mãos trêmulas à procura de apoio. Adiantou-se mais um passo. Ele estendeu os braços, aflito, e segurando uma cadeira interpô-la entre os dois. Lutava com a morte. Arranjou forças para se esgueirar por trás da secretária, disposto a vencer a distância do escritório, mas tropeçou no piano, foi de encontro à parede, os pés enrodilharam-se-lhe na franja do tapete e caiu:

— Ainda não, ainda é cedo.

Procurou ajudá-lo. Ele esperneou algum tempo, mas cedeu por fim deixando-se arrastar para o meiple; ficou meio deitado à espera do golpe misericordioso: minha Nossa Senhora do Montouro, perdão pelo milho roubado, entrego-me nas tuas mãos. Sentiu uma picada fria pelas narinas dentro, depois outra, ainda outra. De cada vez, afastava a cabeça num movimento brusco, é a morte, é o fim, e no entanto uma clareza gradual começava a contornar-lhe as idéias emaranhadas, a separá-las uma a uma, a deixar-lhas mais nítidas. Percebeu que a insistência das estranhas guinadas não era de todo alheia ao equilíbrio que os seus pensamentos recuperavam lentamente. Piscou os olhos, o escritório pareceu-lhe mais nítido que há pouco. E de súbito um véu rasgou-se dentro dele. Não, não era ainda a morte; era apenas um frasco de amoníaco encostado ao nariz. Emergia da bebedeira pela mão da mulher, com o amor-próprio em frangalhos, mais humilhado do que nunca: lá continua ela, de pedra e cal no seu orgulho; com a idéia da declaração na Comarca quebrei o nariz a julgar que me benzia. Juro também que foi a instigações de D. Maria dos Prazeres Pessoa de Alva Sancho Silvestre, minha mulher, que andei de roubo em roubo, ao balcão, nas feiras, na soldada dos trabalhadores, na legítima de meu irmão Leopoldino. Pois sim, mas o golpe falhara, a machadada pública naquela pesporrância fidalga não passara da casca. Ali estava, nas ruas da amargura, reduzido à ignomínia do amoníaco que ela o obrigava a cheirar. Sem saber bem o que fazia, empurrou-lhe o braço, o frasco, e revoltou-se:

— Larga-me !

— Quando estiveres menos bêbedo.

— Bêbedo? Quem é que está bêbedo, sua fidalga de trampa?

Talvez as palavras se fizessem ouvir mais tempo do que o necessário. Tanto pior. Abrira-se nele um cachoar de coisas recalcadas e entregou-se à força da corrente:

— Para saberes que me fartei de nobrezas, de brasões, de parvoíces.

Vendo-se espapaçado no meiple, endireitou o corpo, procurou uma posição mais digna:

— Muito conde, muita léria, mas há vinte anos que me comes as sopas. Quando houve fome lá pelos palácios, foi aqui que a vieste matar, com a família atrás. E vinham todos mais humildes, vinham quase de rastos. Nesse tempo o que a prosápia queria era broa.

Tornou a passar-lhe o amoníaco pelo nariz e declarou na sua voz um pouco velada:

— Havia em Alva um cocheiro que falava mais ou menos assim e certo dia meu pai não teve outro remédio senão chicoteá-lo.

O rosto dela, espantosamente pálido, abria um fulgor ácido na penumbra da sala:

— Mas não tenhas medo, Silvestre, podes insultar-me à vontade. Os mortos não empunham chicotes.

Não? Os retratos dos nobres Pessoas pendem solenes das paredes do escritório. Olhe para eles, D. Maria dos Prazeres. Os mortos estão dentro desta sala, com um chicote implacável. O orgulho de velhos senhores, as carrancas severas, o pó das calendas, as tretas do costume. O seu marido tem de destruir os mortos. De tentar, pelo menos. Que outra coisa pode ele fazer? Deixe-o experimentar. Ou eu me engano muito ou vai sair-se mal. Ora repare.

Ergueu-se com dificuldade e apanhando pela sala tudo o que lhe veio à mão decidiu espatifar os retratos. Uma fúria trêmula de bêbedo. Ali tinham os Alvas, os Pessoas, os Sanchos, livros e garrafas nas trombas, copos e tinteiros nas fuças, jarras, cinzeiros, lixaria nas ventas. Vidros estilhaçados acordavam um som agudo pela sombra, coisas pesadas tombavam surdamente no tapete.

— Os cocheiros estão fartos, caramba.

Um arremesso mais violento fê-lo perder o equilíbrio. Rodou sobre si mesmo, deu alguns passos desastrados, e afundou-se de cabeça no meiple.

De cabeça, D. Maria dos Prazeres. Que lhe dizia eu?

— Não era preciso tanto caco. Os cocheiros conhecem-se bem pelas palavras.

Bravo. Essa deu cabo dele.

Muito a custo conseguiu levantar-se. Um último vômito levou-lhe ao corpo todo a maré sarrosa do brandy, e babou-se outra vez:

— Um pouco de piedade, Maria.

Ela tornou à sala de jantar, onde a lareira morria num montão de cinza. Ao entrar no escritório, não queria provocar a altercação que acabava de dar-se, nem vê-lo cair no desespero habitual: queria apenas saber o que o levou a Corgos, a conversa com o jornalista, que papel foi aquele escondido tão à pressa no bolso da samarra, porque talvez seja preciso mandar alguém ao homem da Comarca (o padre Abel, está claro) para remediar os dislates deste louco. No entanto ao dar com ele imundo, sujo dos próprios vômitos, que remédio senão perder a paciência e depois serenar, assistir ao entremez do medo. Lá vai ele do medo à grosseria, da grosseria ao desalento: um pouco de piedade; ora essa, Silvestre, para amigos mãos rotas; e pegando no candeeiro de petróleo dirigiu-se ao quarto, fechou a porta à chave.*

(*Uma Abelha na Chuva,* 20ª ed., Lisboa, Sá da Costa, 1980, pp. 71-78.)

De notar, nas páginas selecionadas desse romance que talvez seja a obra mais representativa do autor, a linguagem despojada, duma silhueta que lembra Graciliano Ramos, mestre de tantos integrantes da geração neo-realista de Carlos de Oliveira. A guerra conjugal nela focalizada esconde outra, uma luta surda de classes, por vezes refletida e ampliada na que, dramaticamente situada no meio da cena, se organiza entre o par de labregos, Jacinto e Clara, e os patrões. Ali, o conflito entre marido e mulher aponta a decadência da aristocracia rural às mãos da burguesia inculta, ou, na verdade, de ambas. Aqui, o confronto entre o casal de amantes e os senhores da terra degenera numa injustiça de trágicas conseqüências, cujo contraponto é a esperança de um mundo em que, vencidos os Álvaros e as Marias dos Prazeres, os Jacintos e as Claras pudessem amar-se livremente. Tese neo-realista, sem dúvida, mas arquitetada com finura, graças a extrair da realidade viva no campo os argumentos de prova: é a situação no mundo rural que inspira as idéias de transformação de valores, para que as iniqüidades no gênero não sejam mais cometidas. E a ideologia, inscrita no âmago dessa óptica implacável, mas umedecida pela emocionada adesão do autor, funciona como instrumento para melhor se perscrutar a realidade já de si contraditória. A Álvaro Silvestre não adianta confessar de público que andara "de roubo em roubo...", nem o lembrar-se de que era pó, nem a invocação à Nossa Senhora do Montouro: não se ilibara nem lograra o objetivo de vingar-se da mulher. A tese embutida nessa equação concede espaço, como se nota, às motivações psicológicas dos atores sociais, com isso ultrapassando o esquematismo em que não raro incorriam os adeptos do Neo-Realismo ao assumir-lhe os fundamentos doutrinais ao pé da letra e em termos absolutos.

XXXV

Na manhã seguinte, com o largo da aldeia coalhado de povo, os comentários fervilhavam. Grande novidade: Álvaro Silvestre é que dera a notícia do namoro ao cego, do namoro e do resto, porque o ruivo e a rapariga, enfim, tinham-se adiantado, mas que diabo era lá com eles ou não era? O Silvestre apanhara-os no palheiro da

---

* *meiple* = forma aportuguesada de *maple,* madeira de que se fazem móveis; poltrona; *trampa* = excremento; *samarra* = vestuário de pele de ovelha.

olaria, sexta de madrugada, é boa, que terá o Silvestre ido fazer à olaria a essa hora?, apanhara-os com a boca na botija e depois...

— Depois?

— Homem, mandou chamar o cego e contou-lhe tudo. O Lourenço, o caixeiro, ouviu-lhes a conversa, que foi no escritório da mercearia, e ontem à noite, estavam lá o Torreira, o Albano barbeiro, o Guedes e outros a falar do crime, vai o rapaz e abriu-se. Aí tem vosmecê.

— Por isso nos correram do pátio. Era a consciência a morder-lhes.

— Nem mais. E o Lourenço que trate de arranjar emprego.

— Sim, que trate de o arranjar, e longe.

Domingo, dia de missa, consultório e chinquilho nas tascas, dia de levar a garotada à malga do barbeiro: enfia-se a malga pela cabeça dos rapazes e o Albano faz a tosquia circular ao longo do rebordo; vem depois o disfarce, operação de pente e tesourada larga, que só não acaba de tornar o cachopo num verdadeiro urso, porque a cabeça dos ursos não é às escadinhas, como dizia depreciativamente o Rocha, que trazia um filho, em Corgos, a aprender o ofício na Barbearia Perfeição.

No adro, nas tabernas, o Guedes, o Torreira, os da conversa com o Lourenço, confirmavam a história. Debaixo do grande ulmeiro que servia para afixar os editais da Junta, o Albano, perante a curiosidade dos fregueses, e enquanto aplicava a malga ao filho do sacristão, anuía também:

— Foi o Lourenço que nos disse, almas de Deus, foi o Lourenço, e tu vê se me tens a cabeça firme. Ou ele se agüenta, Antunes, ou eu não me responsabilizo pelo trabalho. Freguesia desta é que faz o palerma do Rocha andar-me com graçolas.

— Não tarda muito vai lambada, assegurava o sacristão.

O padre Abel, após o missa est, valeu-se da prédica dominical para fazer o que podia por Álvaro Silvestre:

— O boato é um vício detestável, sobre ser pecado de arrastar as almas às portas do inferno. E por quê? Porque gera a calúnia e a calúnia engendra a infâmia e das infâmias há de Deus pedir-nos contas quando chegar a hora. Ver para crer, dizia S. Tomé, e se o dizia de santíssimas verdades, que razões temos nós para o não dizer da primeira atoarda que nos murmuram aos ouvidos?

No consultório, quando o último doente saiu, o dr. Neto encostou-se à janela a enrolar o cigarro. Também ele tinha ajudado, anos e anos, aquela obra de pintar, repintar, a colmeia dos Silvestres, sem atender a que lá dentro o enxame apodrecia. Riscou um fósforo, acendeu o cigarro. Pensaria nisso mais tarde. Agora, preocupava-o a situação de Clara: pobre rapariga.

Uma noite longínqua que lha tinham trazido quase morta, sufocada pelo garrotilho, o rosto aflito, o olhar com pouca luz; uma festa escolar que a D. Cláudia organizara e a moça, no bibe de riscado azul, a adiantar-se para entregar um ramo de rosas ao senhor Inspector (o momento solene), quando o diabo do pé se lhe prende no degrau do estado: chorou toda a manhã.

Acendeu o cigarro outra vez. Atravessou a casa, saiu pelo quintal, metendo ao caminho da olaria. Estugou o passo entre silvas e fundões barrentos. Ao dobrar as enormes moitas de espinheiros, esbarrou num grupo de mulheres que vinham à procura dele:

— Acuda, senhor doutor, a Clara atirou-se ao poço da olaria.

Arredou-as e largou a correr. Gente excitada rodeava a oficina. Acabavam de tirar a rapariga do poço. Rompeu o ajuntamento e foi para com ela no poial da cozinha. Roxa, desfigurada; um certo halo de distância, que ele conhecia bem. Mesmo assim, tentou reanimá-la, farto de saber que era inútil. Tentou, como da outra vez, quando havia ainda alguma luz no olhar assustado. Virou-a de bruços, comprimiu-lhe as espáduas para aliviar os pulmões carregados de água. Inútil, mas continuou até o suor lhe correr pela cara. E as lágrimas também, apesar da sua velha convivência com a morte. Em volta, os homens rosnavam pragas ao acusa-cristos do Silvestre, as mulheres lamuriavam o responso.

De regresso a casa, ao entrar no quintal, começou a chover. Acolheu-se às ramagens da laranjeira grande. Cigarro sobre cigarro; difíceis de acender: tabaco úmido, muito vento. A chuva luminosa parecia deslizar numa superfície de cinza.

A noite longínqua, o rosto aflito; o bibe de riscado, as rosas, o diabo do pé; o chocalho da água nos pulmões.

Desfigurados, verdadeiros, sob o reflexo das chamas. A D. Claúdia, não: incorruptível, pura, não lhe toca o fogo.

Por hábito, lançou os olhos às colmeias, que lhe ficavam mesmo em frente, dez ou doze metros, se tanto, e viu uma abelha voar da Cidade Verde. Batizava as colmeias conforme a cor de que as pintara, Cidade Verde, Cidade Azul, Cidade Rosa. A abelha foi apanhada pela chuva: vergastadas, impulsos, fios do aguaceiro a enredá-la, golpes de vento a ferirem-lhe o vôo. Deu com as asas em terra e uma bátega mais forte espezinhou-a. Arrastou-se no saibro, debateu-se ainda, mas a voragem acabou por levá-la com as folhas mortas.

(*Ibidem*, pp. 175-180.)

URBANO TAVARES RODRIGUES

Nasceu em Lisboa, em 6/12/1923. Infância e adolescência no Alentejo. Formou-se pela Faculdade de Letras da Universidade de Lisboa (1949), onde ensinou Literatura Francesa. Foi leitor em Montpellier (1949-1952) e em Paris (1952-1955). A intensa militância jornalística e política não o tem impedido de produzir uma obra copiosa, dividida pelo ensaio: *Manuel Teixeira Gomes* (1950), *Ensaios de Escreviver* (1971), *Um Novo Olhar sobre o Neo-Realismo* (1981), etc.; livros de viagens; *Jornadas na Europa* (1958), *De Florença a Nova Iorque* (1963), etc.; ficção: *A Porta dos Limites* (1952), *Vida Perigosa* (1955), *A Noite Roxa* (1956), *Uma Pedrada no Charco* (1958), *Bastardos do Sol* (1959), *Os Insubmissos* (1961), *Imitação da Felicidade* (1966), *Fuga Imóvel* (1982), *A Vaga de Calor* (1986), etc.

O Grifo

Vinha eu, estropiado, da Póvoa de S. Miguel, quando tornei a ver o Grifo, perto do Monte das Eirinhas. Pelo carreiro da encosta, a chouto, a Cereja, que fizera nessa tarde trinta quilômetros, tropeçava em cada pedregulho. Espantamos uma rebanhada de cerdos, que recolhia em desordem, adiantando uma poeira seca no caminho. O porqueiro, desconfiado, afirmou-se, deu um jeito ao pelico e salvou, entre dentes.

No topo é que vi o Grifo, de borco, fazendo saltar na mão bolotas caídas de uma azinheira, com um cigarro apagado ao canto dos lábios. Veio para mim de sorriso aberto, estendendo a mão muito suja. Todo ele era um farrapo. Já nem trazia aqueles safões que nunca deixara de pôr desde que a patroa lhe amealhara para eles na herdade.

Andava sem trabalho. Perguntei-lhe por que deixara o "monte". Sorriu. E era toda a sua explicação. Sorria sempre. Só na diversidade do sorriso podia transparecer alguma coisa do seu mistério. Mas para falar de caçadas e passeios, dos sítios onde apontam os patos bravos nas noites de lua cheia ou do ninho das cegonhas, o pego da ribeira em que se pode mergulhar sem receio — então era outro. Explicar-se, não. Se ele próprio não entendia o motivo que o fazia largar as herdades, sempre, aos quinze dias, ao mês, contrafeito, mas ansioso de liberdade, deixando uma simpatia! Dantes, podia andar um dia à rabiça do arado, cantando saudades, se à noite esperava acompanhar-nos em cavalgada, no machinho ruço, que cangochava.

Era um cavaleiro, o Grifo. Pela madrugada, tropeávamos na calçada das aldeias desertas, ou detínhamo-nos ao alto dum cerro, em frente do Guadiana, por onde esvoaçava uma névoa fria.

Se o meu irmão deixava cair o chapéu, logo ele desmontava, ia apanhá-lo e vinha, à carga, juntar-se a nós, agitando o sombreiro, num grande orgulho da proeza, queixando-se das furtas do mulo para que víssemos como, sem estribos, o sujeitava.

Depois eram as corridas, ao desafio; e quando ele mudava para o cavalo e ganhava lia-se-lhe nos olhos o canto heróico da sua alma simples, aventureira.

Ele é que escolhia os passeios e espreitava a lua, numa grande ansiedade. À tarde, quando acabava de carregar a luzerna ou tornava do bebedoiro com as bestas, esquivando-se do caseiro, que o não levava muito às boas, chamava-nos de parte, excitado, com um brilho de alegria nos olhos escuros em amêndoa: "Hoje é lua cheia. As bestas? Não, não estão cansadas."

Era o seu ponto de honra, o saber lidar com bestas.

Chamávamos-lhe o Cavaleiro da Távola Redonda. Ia nos dezoito anos. Embeiçara-se pela filha dum seareiro, dali perto, mas quando a via, quedava-se mudo. atrapalhado, e mal lhe saíam ao fim três palavras.

Quando partíamos, era certo: poucos dias depois o Grifo despedia-se. Decorriam seis meses, um ano. Assim que voltávamos, rondava a herdade. Não resistia: vinha falar-nos. E geralmente ficava — mais uma vez.

Contava sítios que havia visto. Para lá da Toutalga. . . subir às rochas. . . os freixos ao pé duma ribeira, onde dormira uma vez com um rebanho, os loendreiros. um "monte" para a banda do Degebe, onde andara ao carvão. . .

— Hão-de ver!

Se lhe dizíamos que podia atrelar o mulo à carrinha, deixava tudo. Os patos grasnavam, fugindo, com um arrastar assustado das asas, em frente da charrette, que fazia um alegre estrépito na calçada.

O Grifo esticava as rédeas, em pé, derrubando o tronco para trás, e fazia estalar o chicote, insultando o Espanhol.

Era à hora em que os olivais brilhavam e os campos, a desenrolarem-se muito iguais, cheiravam ainda ao rocio. O macho ia a trote. Ultrapassávamos os pesados churriões, muito secretos. Os cimos do Vale da Parra clareavam. Das estevas emergia um cavaleiro, que trepava lentamente; ia de longada, alforge ao ombro, relaxado, tocando apenas a alimária com as pernas bambas. Cruzávamos bandos de ciganos, de manta curta ao pescoço, poeirentos, olhando com curiosidade. E passavam também os guardas, a quem o Grifo era pouco afeto, como dono que se sentia a seu modo de todas as terras livres, do grande espaço.

Parávamos. Ele ficava de guarda, com um cigarro que lhe dávamos, mas demorava-nos a explicar o caminho: "Por ali é mais seguro, mor das lamas; se quiserem assumir ao cabeço, vão a ver o chaparro torto, a azenha. . . e depois podíamos ir ao Ameixial". Conhecia também as tocas dos coelhos. Andava às vezes com os três cães, que lhe queriam bem.

Incapaz de se exprimir, tinha um sentido espontâneo das coisas belas, sabia escolher as perspectivas; ensinou-nos a serra de palha, de onde se podia avistar muito da várzea; as amendoeiras do valado, onde poisavam à tardinha os zurzais.

Quando o mandavam de guardador com as ovelhas, no grande silêncio dos pastos sonhava por certo belas aventuras, jornadas, outros "montes" caiados, outros chaparros e planícies mais lindas, coutadas, lebres, manadas e rebanhos, varas de porcos em campos sem fim, que o mundo todo se lhe figurava um Alentejo maior. Íamos às vezes dar com ele, estendido, a cantar as suas melopéias vagas — até a um fado emprestava a toada do Sul — e não sabíamos, não podíamos repreendê-lo por deixar as ovelhas comerem os rebentos das oliveiras novas. Se o Grifo era assim!

Desta última vez que o vi estava magro das fomes. Parecia menos senhor dos horizontes. Um secreto desgosto o pungia: ou a filha do seareiro, a quem não soubera falar, ou talvez a perda dos safões, que eram todo o seu orgulho. . . Falou-me, nostálgico, das cavalgadas. Há muito que não lidava com cavalos, nem montava um macho como o Ruço. Perguntou pelo meu irmão, que era o seu ídolo, o Amadis daquele escudeiro antigo, e lamentou que se deixasse ficar por Lisboa.

— Talvez um dia vá lá vê-lo. Há de me levar ao futebol, ao teatro, aos toiros.

Lembrava-se de tudo.

Era isto em setembro. As perdizes, ainda confiantes, nem fugiam da égua: passavam em fila, muito leves e graciosas, a menos de cinco metros. De vez em quando, saía um coelho duma bouça.

Punha-se o sol sobre o rio ainda morno, numa doçura rara de ametista e violetas macias.

Ainda teimei com o Grifo para que fosse à quinta jantar. Tinha coisa importante a fazer: um mistério dos seus.

— Amanhã apareço — assegurou.

Havia de ficar, com certeza. Alentejano de raiz, sentia já doer o seu orgulho. Era agora quase preciso pedir-lhe que aceitasse um favor.

Mas eu partia dentro em breve para França. Já pouco o poderia ouvir.
Disse adeus ao Grifo — adeus ao Alentejo moribundo da minha fantasia.*

(*A Porta dos Limites*, 2ª ed., Lisboa, Arcádia, 1960, pp. 237-242.)

Pertencente a um volume em que se recolhem narrativas curtas, "O Grifo" escapa, no entanto, dos limites do conto. Página de memória é que é, mas de memória tingida pela imaginação, ou em que esta, na verdade, transborda, toma os freios à reminiscência e transfigura-a, a ponto de tornar irreal (ou quase) o quadro do passado. O cenário é o do Alentejo, recorrente, na pena do escritor, porém com menos freqüência do que a paisagem citadina, de Lisboa, Paris ou outra no gênero. O autor, aqui perfeitamente identificado com o narrador, despede-se do "Alentejo moribundo da minha fantasia" e de um tipo humano popular, o Grifo, jovem Cavaleiro da Távola Redonda, apaixonado por uma dama esquiva, "dono (...) a seu modo de todas as terras livres, do grande espaço", e que "sonhava por certo belas aventuras, jornadas, outros 'montes' caiados", etc. Nessa figura de folclóricas reverberações esboça-se um herói de lendárias ressonâncias do gênero que a ficção regionalista portuguesa dos anos 40 em diante se dispunha a retratar como espelho duma força telúrica superior às coerções do ambiente. Símbolo de resistência contra um *status quo* iníquo? É bem provável. De onde o texto parecer mais um capítulo de romance ou de novela rural que acabou por ficar no tinteiro. Note-se que o estilo, descarnado, direto, como pedia a matéria da memória e certa modalidade de Neo-Realismo então em voga, não é o típico do ficcionista, marcado por uma opulência que aqui mal se adivinha. Mas é, sem dúvida, indicativo dum prosador vigoroso, ágil, plástico, capaz de manusear com a mesma habilidade a linguagem que reveste um caso existencial, os conflitos da eroticidade exacerbada, como a que fixa traços de lirismo detectados no cotidiano mais cinzento. Move-se, assim, entre um realismo espontâneo, por vezes atravessado por apelos de denúncia social, e certo idealismo que se diria de ascendência romântica.

JOSÉ CARDOSO PIRES

Nasceu em Peso, Trás-os-Montes, em 2/10/1925. Estudou Matemática por algum tempo na Faculdade de Ciências de Lisboa. Exerceu várias funções, dentre as quais a de piloto da Marinha e jornalista. Tem-se dedicado exclusivamente à sua obra literária, onde se alinham os seguintes títulos: *Os Caminheiros e Outros Contos* (1946), *História de Amor,* contos (1952), *O Anjo Ancorado,* romance (1958), *Cartilha do Marialva,* ensaio (1960), *O Render dos Heróis,* teatro (1960), *O Hóspede de Job,* romance (1964), *Jogos de Azar,* contos (reunião seletiva das duas primeiras obras, 1963), *O Delfim,* romance (1968), *Dinossauro Excelentíssimo,* sátira política (1972), *E Agora José?,* crônicas (1977), *Balada da Praia dos Cães,* romance (1982), *Alexandra Alpha,* romance (1988), etc.

---

* *a chouto* = a trote; *pelico* = traje de pastor, de pele de carneiro; *azinheira* = árvore do gênero dos carvalhos; *safão* = agasalho das pernas, de pele de ovelha ou de cabrito; *monte* = propriedade rural; *seareiro* = lavrador; *loendreiro* = arbusto; *churrião* = carruagem pesada; *esteva* = planta que segrega resina aromática, *mor = (por)* amor, causa (de); *chaparro* = sobreiro novo; *azenha* = moinha de água; *zurzal* = pássaro (?); o vocábulo não está dicionarizado.

O Delfim

Publicado e republicado em 1968, *O Delfim* gozou de imediata notoriedade, apesar da sofisticação do enredo. José Cardoso Pires imagina um "autor" numa pensão de aldeia nos arredores de Lisboa, onde se hospedam caçadores. Cruzando fontes escritas e orais, põe-se a desenterrar a história, controvertida, do triângulo amoroso constituído por Tomás Manuel da Palma Bravo, engenheiro, de cepa fidalga, sua mulher, Maria das Mercês, e seu criado, Domingos. Numa trama em que não se sabe precisamente como as coisas aconteceram, e em que o passado se mescla e se confunde com o presente, desenvolve-se o conflito, que termina pela morte de Domingos por causas naturais ou às mãos de Maria das Mercês, e esta, às mãos de seu marido, ou por suicídio.

Alguém ressona. Não no infinito, não num inocente telheiro ao relento, mas no quarto aqui ao lado: um caçador. Ressona em paz e com largueza. Não tem o vício de soletrar pessoas e casos, não alimenta o tão falado "demônio interior" de que se gabam, regra geral, os furões da literatura. Não se enreda, dorme — que mais pode ele ambicionar? Assim, é um caçador em estado de inocência, dom precioso. Um hóspede comandando o repouso dos outros hóspedes que sonham, como ele, com a lagoa. Provavelmente já se vêem todos a atravessá-la...

Sono amplo, cavado; movimento de mar sob as enxergas ancoradas ao longo dum corredor. E os caçadores da Pensão, embalados nas vagas perdem-se num esplendor de névoa. Não descobrem água nem margens, vogam sobre a brancura que rasa a lagoa e que faz dela uma planície de fumos, e, todos em linha, numa frota de colchões invencíveis, aproximasse do oceano que respira tranqüilamente sobre o leito de areia, por detrás das dunas de estuque e de tabique.

Qualquer coisa me segreda que há alguém encoberto naquela inundação de bruma. Alguém especado no areal, e a vigiar. Só à claridade da antemanhã (que mal se lê ainda nos vidros da janela) posso saber se estou certo ou errado, mas, para já, arrisco um nome — Tomás Manuel. E é isto, suspiro. Lá voltamos nós.

Viro a almofada. Escalda. Inútil mudar de posição ou procurar tolher o pensamento quando os cavalos da insônia tomam conta de nós. Galopam, esvoaçam por cima de abismos e atiram-nos infalivelmente para o fosso da tentação (que é a lagoa, claro, a lagoa, a lagoa, a estuporada lagoa) e fixamos um pressentimento, uma sombra que, com o levantar da madrugada, tão depressa tem forma humana como dá a idéia de um monte de palha a apodrecer. A umidade escorre por ele abaixo, o vulto continua de guarda, impreciso. Mas é ele, é o Engenheiro, não há que ver. Deve estar enregelado.

De roupão pelas costas (pelo menos é assim que se me representa), camisa ensangüentada e sapatos sem meias, segura os cães pela coleira, um em cada mão. Os três fazem um corpo único, um escolho sombrio apontado para o braço do pântano que arrebatou Maria das Mercês e donde sai um queixume frágil a tremular pelo vale:

"Morrer afogada. . . Que desgosto, que infelicidade. . ."

A dona da lagoa ficou agarrada pelos pés ao lodo do fundo, hirta, inclinada para a frente como se fosse em marcha por baixo de água e tivesse sido detida de surpresa. Vêem-se-lhe os cabelos a ondular na corrente e, por cima, a pouca altura, sobrevoa-a um bando de pássaros, sempre o mesmo. Mergulhões, verifico com pasmo. Aqueles são os mergulhões de que falava o Engenheiro e o fulgor que o cadáver irradia vem do nylon da camisa de dormir. Atenção: solta faíscas, a eletricidade do nylon. O melhor será assinalar esse ponto do mapa do Automóvel Clube para aviso dos caçadores que dormem. Tracemos-lhe uma cruz, Abade Doutor: *"Requiem aeternam dona eis, Domine. . ."*

Tento localizar a Urdiceira nos confins do pantanal. Há, desde a casa até às dunas, farrapos de roupa pendurados no tojo e nos ramos, bandeiras de seda e de renda comemorando o roteiro de Maria das Mercês. Sigo-os. A cem metros do pátio deixou o lenço e sangue — foi a primeira queda; à saída dum valado aparece um rasto de corpo, terra arranhada, fetos quebrados — teria ajoelhado aqui pela segunda vez?; mais adiante um fojo de silvas emaranhou-se-lhe nas pernas e comeu-lhe um pedaço da camisa; nos espinhos das acácias perdeu as rendas, nas tramagueiras retalhou os pés; uma ponta de eucalipto esbofeteou-a à passagem e ficou-lhe com um lacinho de seda a acenar ao vento como uma vitória. De rasgão em rasgão, foi dar à corda das dunas que separa a lagoa do oceano, ali onde desemboca uma estrada natural lavrada pelos carros de bois que vêm carregar areia para uma fabriqueta de blocos. É trilho apenas, não chega a ser caminho. Nasce a meia encosta, nuns barracões enevoados de pó e cimento, desce a vertente salpicada de bosta e de fanicos de cabra e entra na água por um prado de juncos submersos. Urdiceira, ponto final. Ouve-se o mar.

À hora em que o corpo foi descoberto, hora do nascer do sol ("quando o pessoal que trabalhava na Vila interrompeu a viagem para tomar parte na busca" — palavras do Regedor), a lagoa estaria toldada por um céu fosco. Seria o despertar habitual daquelas paragens, com os cumes arredondados das dunas a recortarem-se no horizonte e um lençol de nuvens estendido de margem a margem, furado pelas hastes dos juncais.

Mas num recanto ignorado um pato deu o grito de alarme: coin, coin! De cada ninho mais próximo surgem pescoços. Silêncio, tempo de confirmação. O pato vigilante corre sobre a linha de água a ganhar altura, voa por cima do areal e repete o aviso à comunidade: coin, coin! Então as aves estremunhadas desertam para os mouchões do lago. Deste lado, à saída da mata, dezenas de bicicletas ("mais de trinta", pelos cálculos do Regedor) estão estendidas no chão e junto de cada uma delas há um homem de pé. Ninguém tem boca, só olhos. Entre eles, que são uma cortina de nervos a enfrentar a lagoa, e as bateiras que sulcam as trevas brancas, ergue-se a figura do Engenheiro ladeado por dois guardas a cavalo. O pato calou-se. Tchape... — fazem as barcaças, avançando. Tchape...

Tomás Manuel domina os cães com pulso forte, tem-nos colados a ele. Tremem os três, presos ao chão. Dois mastins e um homem que acende cigarros uns nos outros e que mostra às dunas um rosto devastado, uma máscara de adesivos e de nódoas saída de um montão de roupa em frangalhos e de lama. (É lama, estou vendo. Calças, canelas e sapatos são uma casca cinzenta e pesada — a famosa "massa da lagoa composta de lodo e baba de peixe" que a *Monografia* apregoa como remédio dos antigos contra as chagas da lepra. E como matéria de luxúria. Se a memória me não falha, era com esta mesma lama que as ociosas romanas faziam as suas máscaras de beleza. Ou será confusão minha?)

Tchape... As bateiras vão circulando. Roupão a pingar, camisa ensangüentada, o Engenheiro parece um salteador escoltado por dois guardas a cavalo. Tchape... tchape...

A dado momento, os vultos esfiapados das barcaças convergem de todas as direções sobre um ponto distante. Os cães agitam-se, mas o dono cala-os com um esticão violento e cerra os dentes. "Encontraram-na", concluem os ciclistas — e dominam-se igualmente, porque tudo se passa ainda no segredo da neblina. Mal imaginam eles que, umas dezenas de metros adiante, já um bombeiro da Vila se debruça sobre as águas e, afastando o fumo, como que a aflorar a boca duma cisterna, ampara nos dedos uma mancha de cabelos.

Chegam mais barcos, fazendo círculo, e em tudo isto há um não sei quê de cerimônia, uma conspiração da madrugada posta em movimento por pesquisadores que se reuniram em torno de um enigma. Lentamente, com suavidade, o cerco vai-se apertando e daquela grinalda de mãos começa a despontar o corpo de Maria das Mercês. (Não tem de modo algum a serenidade que a lenda anunciava, mas também não está ainda roxo e inchado como depois o verá o médico na autópsia.)

Lorde e Maruja puseram-se a gemer; empinam-se, contorcem-se. Os cavalos sacodem o pescoço e parecem querer recuar, sentindo o cortejo de bateiras que se aproxima. Remada após remada, as proas sombrias rompem a neblina e o barco capitão toca a terra com o seu terrível troféu.

Então o Engenheiro estica-se todo, como se acabasse de levar punhalada nas costas, e abre-se em urros que estremecem o vale:

"Enterrem-me essa cabra! Enterrem-me essa cabra!"*

(*O Delfim,* 5ª ed., Lisboa, Moraes, 1972, pp. 353-360.)

Romance de um enigma, de um enigma que permanece indecifrado, romance de uma lenda que se esfuma em neblina, *O Delfim* é uma narrativa *sui generis* nos quadros da contemporaneidade portuguesa e na trajetória do autor. E ao mistério que envolve a aldeia de caçadores onde se passam os crimes corresponde a estrutura da teia romanesca: perpassa-a uma brisa à *nouveau roman,* com os seus cortes súbitos do fluxo verbal a superposição de planos em *mise en abîme,* e a rarefação do universo psicológico dos protagonistas; nela intervém um autor implícito, igualmente "caçador em estado de inocência, [que] ressona em paz e com largueza". Mas a empresa fabular fica por conta de um narrador que parece o *alter ego* do autor verídico, de nome José Cardoso Pires, ou é ele próprio investido daquelas funções, de modo que o autor implícito se torna uma personagem dentre outras no cenário em que se esbate o assassínio/suicídio na lagoa. Truque, o recurso à *Monografia do Termo da Gafeira,* do Abade Agostinho Saraiva? Truque, o desfiar das versões desencontradas, para

---

* *Requiem aeternam dona eis, Domine* = Ó Deus, dá-lhes eterno descanso.

que a lenda se adensasse e se perpetuasse, convertendo-se no romance que lemos, pois que também do que não se sabe ao certo se fabricam histórias de encantar e edificar? Nem por isso sai diminuída a força desse singular romance: a realidade, que a fábula romanesca pretende capturar e refletir, não está menos ali pelo fato de emoldurá-la a névoa do mistério, a incerteza acerca da maneira como tudo transcorreu. O intuito que aciona o narrador é o de ser fiel aos acontecimentos: realista sem ser neo-realista, em que pese à circunstância de podermos entrever, no drama amoroso, laivos de uma virtual luta de classes. O traço dominante neste capítulo, bem como no conjunto da narrativa, é oferecido pela verossimilhança da ambigüidade, e essa renega por si só o esquematismo em que costumava despencar a ficção neo-realista quando guiada por pressupostos rigidamente ortodoxos. A linguagem, reduzida a seus elementos essenciais, sem adiposidades retóricas, faz coro com esse propósito de captar as linhas cruzadas que agitam o dia-a-dia sombrio de uma aldeia de caçadores quando abalada por crimes passionais de nebulosa exumação e autoria.

VII

Os cães. (Entraram dois no café, levados por uma jovem de calças de amazona.) "Os cães são a memória dos donos."

Nós, em face desta afirmação dos entendidos (entre esses o cauteleiro da Gafeira), pomo-nos a idealizar os bons animais como mandam as gravuras escolares: salvando o afogado, rondando o enfermo ou a pressentirem a morte, entristecidos. Passado tempo vamos encontrá-los de guarda a uma cama vazia, em longos jejuns que são o seu luto magoado, e mais tarde começam a correr notícias de uivos e de fugas, por ocasião desta ou daquela data, deste ou daquele acontecimento relacionado com a vida do falecido. É assim a saudade nos fiéis companheiros do homem, os cães. É assim que eles prolongam a lembrança dos mortos na sociedade dos vivos. Aprendei, crianças do meu país.

Mas antes de serem memória, recordação, os cães são a assinatura do amo, de quem imitam a autoridade e os vícios. Os lulus de laço ao pescoço, iguaizinhos na expressão às velhas pintadas que os embalam. Os cães-polícias da G.N.R., insaciáveis e sanguinários. Os vira-latas, sempre ladinos e imaginativos. O perdigueiro do Batedor, certíssimo com as botas cardadas do dono e com os remendos das calças de cotim. Tal senhor, tal cão — está farto de ser dito e redito.

Como verifiquei no café, à medida que o Velho-dum-Só Dente fazia a narrativa dos crimes da lagoa, o perdigueiro do Batedor era um animal sem vaidades que tinha nos olhos conformados a fome e o receio dos humildes. E no entanto havia bons sinais nele, era evidente. A pata sólida de esforçado caminhador, a coluna escorreita, uma cabeça quadrada e ossuda. Bela cabeça, na verdade, infeliz mas bela; uma valiosa caixa de faros servida por um nariz fendido, de dois canos. Diante de uma perdiz, tenso e de rabo esticado, este cão seria uma linha a prolongar a arma do caçador pelos dois tubos do focinho. Certo com o Batedor, ligado a ele.

Assim, também perante os mastins do Engenheiro (e sem dúvida perante os dois setters que estão no café com a jovem amazona), o que intriga é o instinto de classe dos cães das casas abastadas, a maneira como escorraçam o pobre e como emparceiram com o rico, ainda que o não conheçam. Avaliam o suor da miséria pelo faro, é o que se depreende. E pelo olhar a timidez. (Como se comportarão os dois setters ali, diante do perdigueiro do Batedor?) Até entre os cachorros a lei geral é simples, acompanhando-se ou repelindo-se conforme a autoridade de que vêm dotados, porque todos são portadores dos cheiros da fome ou da abundância dos patrões. Razão tinha o Engenheiro em desconfiar de quem não gostasse dos cães dele. E eu ainda mais razão em me interessar pelo assunto, porque foram os cães que me chamaram pela primeira vez a atenção para o casal Palma Bravo, acolá, no largo; foram eles também (opinião do Velho) as últimas personagens a desistir da lagoa. Por algum motivo aturei eu hoje tantas histórias sobre fantasmas e cachorros manetas.

"Uma vez a casa fechada, alguém levou os animais para a fábrica. Possantes como são e, para mais, saudosos dos donos, era de esperar que, à primeira aberta, voltassem à lagoa. Não vejo onde possa estar o mistério das aparições, como por aí se diz." — Relato da Dona da Pensão.

"Veneno é o que esses mostrengos têm nas entranhas. Só a baba deles é capaz de desfazer as cadeias mais valentes." — Batedor.

Cães de mil diabos, que tão depressa aparecem na ponta dos telhados como andam lá em baixo às dentadas à água." — Velho-dum-Só Dente.

"Quer-se dizer, à falta dos Palmas Bravo, foram eles que tomaram conta da lagoa... Também não está mal, não senhor." — Dono do Café.

"Fala-se em fantasmas..." — Velho.

"Em cães-fantasmas. Quem podia ser o cão-maneta que lá aparece senão o Domingos mestiço?" — Batedor.

Nesta confusão de almas penadas, o rosto do Engenheiro apagou-se — "levou sumiço", como me foi dito logo à chegada — deixando o Lorde e a Maruja a cumprir penitência pelos desvarios que o dono e os seus antepassados praticaram. E se realmente Tomás Manuel não está a esta hora em Lisboa, das duas uma: ou "se espatifou com o carro nalguma ribanceira..." — hipótese do Dono do Café — ... ou "fugiu para o estrangeiro." — Velho-dum-Só Dente.

Fiz, e continuo a fazer, que sim a tudo. O cauteleiro pregava injúrias, o Batedor punha-lhe o âmen. Descreviam e interrogavam com voltinhas de velhacos, com traquinices de pura diversão. Abrindo muito os braços, o Velho fazia esvoaçar as duas tiras de lotaria (a sua estola de celebrante) e o amigo, fiel acólito, quando não confirmava por palavras, baixava a cabeça: âmen, âmen. Se calhar é o que estão a fazer ainda, para muita indignação da minha hospedeira e para divertimento dos outros caçadores. Mas, pelos vistos, a jovem das calças de amazona enfastiou-se. Saiu, rua acima, e os dois setters que a acompanham dizem bem com ela, são um prodígio de beleza tranqüila.

Lá vai, fumando para o alto, desinteressada e cada vez mais distante dos ódios que porventura ficaram a tecer-se no café. Guerra é guerra, bradará, se é que ainda brada, o Velho. E nesta batalha de tão loucas proporções — avós contra netos, fidalgos contra fidalgos e um lobisomem mestiço de permeio — os setters de bom figurino estão a mais. A jovem amazona fez bem em se afastar. Cães aqui são lobos domésticos, mais nada; afeto, servidão, não é com eles. O afeto vem nas cartilhas de infância que o cauteleiro mal teve a honra de soletrar, para muita infelicidade sua, e nas quais não têm cabimento um Lorde ou uma Maruja que são polícias-alemães e não cães de cartilha. Para isso, antes os pachorrentos são-bernardos que patrulham as neves com uma barriquinha de conhaque ao pescoço ou o podengo corajoso que salva a criança desprevenida da corrente do ribeiro. Aqui, como em tudo, cada coisa em seu lugar. Pastores e são-bernardos nos livros de infância, cães-polícias num manual de linchamentos. (E, já agora, os setters ao lado da rapariga de calças de amazona.)

Acontece ainda que entre cachorro e amo não contam apenas os sentimentos. Há serviço, propriedade, demonstração de poder, como provam (entre as anotações do meu caderno):

a) o caso de um Palma Bravo, um dos mais antigos, não sei qual, ensinando que pelo ladrar dos cães se conhece o respeito da casa. Sublinhado *pelo ladrar dos cães;*

b) padre Benjamim Tarroso, prior da Gafeira, declarando que preferia caçar de salto com o criado a levar com ele o mais fino cachorro (apoiava-se em Bergson e, se não estou em erro, tomava o instinto como uma forma primária de dedicação);

c) a parábola da filha desobediente, contada pelo Engenheiro com as sábias palavras do tio Doutor Gaspar, pai desventurado: "Um homem dá tudo menos os cães e os cavalos";

finalmente d) a definição de Domingos: um indivíduo que tratava as máquinas como se fossem animais e que dominava os cães como se fossem máquinas. "A precisão requer um instinto especial, e este tipo tem-no. Se formos a ver bem, a fidelidade dos cães avalia-se pela prontidão, i.e., pela precisão como reagem aos estímulos" — comentário (aproximado) de Tomás Manuel no dia em que Domingos lavava o motor do Jaguar.

Podia juntar mais. Enchi páginas e páginas com lembranças da lagoa, e até pedaços de livros antigos copiei, sentado a esta mesa. Mas eis que, quando trago de Lisboa o meu caderno e me preparo para recomeçar a preenchê-lo como dantes, com prazer e meditação, eis que o mundo antigo desaparece e me deixa a uma janela, de braços caídos, atordoado. Já não tenho Tomás Manuel como modelo vivo, como pão da minha curiosidade.

Nem Maria das Mercês. Nem o Domingos, que se transformou em cão-maneta. Nunca mais as noitadas da lagoa terão aquele deslizar brando e espesso — o travo macio do gin, como eu dizia tantas vezes.

Por isso, se pretender juntar aos meus apontamentos a menor idéia, a menor palavra, serei, como o abade da *Monografia,* narrador de tempos mortos. Falarei obrigatoriamente de ruínas, misturarei ditos e provérbios, pondo-os na boca do filho quando pertenciam ao pai ou ao tetravô, numa baralhada de espectros em rebelião. E se, para completar, invento uma legenda do tipo *Ad Usum Delphini,* pior. Mais me aproximo da toada dos doutores de água benta, à cabeça dos quais se coloca o sempre respeitado Dom Agostinho Saraiva, meu precursor nas memórias da Gafeira. *Miserere mei.**

(*Ibidem*, pp. 87-95.)

---

* *Âmen* = variante de amém; *Miserere mei* = tem piedade de mim (ó Deus).

AUGUSTO ABELAIRA

Nasceu em Ançã (Coimbra), em 18/3/1926. Formou-se em Ciências Histórico-Filosóficas pela Universidade de Lisboa. Exerceu várias atividades, incluindo o magistério e o jornalismo. Estreou em 1959, com o romance *A Cidade das Flores,* que lhe projetou de imediato o nome, seguido de *Os Desertores,* romance (1960), *A palavra é de oiro,* teatro (1961), O *Nariz de Cleópatra,* teatro (1962), *As Boas Intenções,* romance (1963), *Enseada Amena,* romance (1966), *Bolor,* romance (1968), *Ode (Quase) Marítima,* teatro (1968), *Quatro Paredes Nuas,* contos (1972), *O Triunfo da Morte,* romance (1981), *O Bosque Harmonioso,* romance (1982), *O Único Animal Que?*, romance (1985), *Deste Modo ou Daquele*, romance (1990), etc.

A Cidade das Flores

Saudada entusiasticamente por ocasião do seu aparecimento, *A Cidade das Flores* é uma narrativa de complexa trama, ambientada em Florença. Tendo por fulcro a relação amorosa entre Rosabianca e Giovanni, espraia-se por questões políticas ou ideológicas em mescla com o problema afetivo. De caráter alegórico, onde está "Itália" pode-se ler "Portugal"; e a Cidade das Flores referida no texto é o reino da utopia: participando da ficção engajada, aproveita uma situação real (a II Guerra Mundial), transfigurando-a simbolicamente a fim de abranger o fenômeno da opressão, da ditadura, com destaque para a portuguesa, então vigente. A estrutura é teatral, como evidencia a divisão em quadros, dos quais se vai ler o sexto da segunda parte.

Sexto Quadro

Não, não — pensou Domenico — , é preciso que eu os procure, que diretamente lhes pergunte o que pensam, que os ouça. Procedera assim com Clara, mas talvez tivesse agido sem inteligência. Marta amava-o, mas não era o amor, o amor duma mulher que ele procurava. Curioso: de princípio supusera que sim, mas agora sabe que não. O amor de Marta bastar-lhe-ia — acreditara. Não, esse não era o seu objetivo. O amor era pouco; era como a arte abstrata: uma pura forma cheia de beleza, mas desprovida de qualquer evocação da realidade. Domenico olha para um quadro de Mondrian, olha para uma porcelana Ming e sente o que há aí de proporcionado, de harmônico. Nessas formas simples sem nenhum conteúdo emotivo exterior a elas está, talvez, a arte pura. A outra arte não põe apenas à prova a capacidade de emoção estética; recorre a outros elementos, a muletas extra-artísticas, a expedientes emotivos muito respeitáveis, mas que nada têm a ver com a sensibilidade estética. É certo, pensa. Mas não é menos certo que a pintura abstrata não lhe basta e que necessita de outro tipo de arte (talvez menos artística), uma arte que não se sirva apenas do jogo das formas e das cores. E assim com o amor — o amor em si mesmo. O amor é o amor e as conversas sobre isto ou aquilo são andaimes, muletas não afetivas, expedientes para sustentarem o amor. Marta é o amor, como Mondrian é a pintura. Não lhe basta. Para que o seu amor viva precisa de outras coisas além do amor. Não; nem arte pela arte, nem amor pelo amor.

Domenico mudou de pensamentos. A idéia era esta: falar com todos os velhos amigos. Obrigá-los a dizer o que pensavam. E começar:

— Alberto: sabes o que se passou. Que pensas de mim?
— Tinhas cometido um erro, mas o erro está emendado. Que queres que te diga?
— És meu amigo como eras dantes?
— Sou.

— Renatta: sabe o que se passou. Que pensa de mim?
— Não sei ainda, Domenico. Deixarei correr o tempo. Depois digo-lhe.
— Depois por que, Renatta?
— Posso ter a certeza de que você não voltará atrás?
— Ao menos é sincera. (Mas o tempo nunca passa; pelo menos o tempo suficiente para que se tenham certezas.)

— Soldati: sabes o que se passou. Que pensas de mim?
— Tu perturbas-me, Domenico.
— E então?
— Não sei. Cometeste um erro, mas descobriste que o cometeste.
— E depois?
— Depois, como?
— Tu eras meu amigo. Deixaste de me falar. Por quê? — Não concordei com o teu procedimento e tu mesmo...
— Fazio não deixou de me falar, Soldati.
— Critiquei-o por isso.
— Deixaste de me falar. Não teria sido preferível falares, criticares-me?
— Não sei. Valeria a pena?
— Tomaste-me por um criminoso, por um homem que se vendeu.
— E não é verdade em parte?
— Ao menos és sincero.
— Sou.
— Mas não, sabes? Apesar do emprego, apesar de tudo, não me vendi. Acreditei (terei errado, mas acreditei) que era possível não sermos todos inimigos.
— Sabias que era impossível.
— Não sei, não sei, ainda hoje não sei. Às vezes penso: o mundo tem girado mal porque odiamos o inimigo. E se o amássemos, se tentássemos compreendê-lo?
— Idéias que a experiência mostrou serem inadequadas, ou, melhor, que foram sugeridas para uma vida de salão em meios mais ou menos aristocráticos ou burgueses. Graças a elas podemos conviver com indivíduos que pertençam a clubes de futebol diferentes dos nossos, que prefiram outros livros, que tenham religiões diversas. Mas não servem quando se trata de problemas fundamentais. Penso se a pregação da tolerância pelas classes privilegiadas não é um modo hábil de dominar as outras... A vós a liberdade de pensar, a nós a liberdade de agir — propõem-nos.
— Por que não uma tentativa? Amar o inimigo...
— Ele não nos amará.
— Talvez — disse Domênico, com um gesto de desilusão. — Agora sei, agora talvez saiba: ele não nos amará. Mas como sabê-lo antes de experimentar?

— Era evidente.

— Não, não era evidente, não há coisas evidentes, Soldati.

Deixaram que o ruído aflitivo de uma ambulância se desvanecesse. — Continuas meu amigo?

— Continuo — respondeu Soldati com os olhos distantes.

— Não, não continuas. Explica-me por que não continuas...

— Tens razão. Qualquer coisa se quebrou, mas não sei o que foi.

— Espera, Soldati: alguma vez foste meu amigo, sofreste verdadeiramente por mim?

— Que pergunta!

— Talvez o problema esteja aí. Não tinha ainda pensado: sabemos, sabíamos nós o que era a amizade?

— Já não és amigo de Domenico — perguntou Fazio a Arnolfo Soldati. — Por quê?

— Tenho estado a pensar, Giovanni. Não sei. Há certas coisas que se passam e que não podem ser apagadas.

— Verdadeiramente: considerá-lo um traidor?

— Que palavra! — disse Rosabianca, entrando com uma bandeja na mão.

— Creio que foi — respondeu Arnolfo, soerguendo-se, levemente, num gesto de amabilidade que pretendia, por um lado, mostrar que se levantava e, pelo outro, que não, dada a intimidade existente entre ambos.

— Nunca! — Rosabianca poisou a bandeja e Renatta quis ajudá-la a tirar as chávenas.

— Foi um fraco — disse, pondo o açucareiro na mesa.

— Que significa: um fraco? — perguntou Giovanni, notando que a costura de uma das meias de Renatta não estava direita.

— Um homem que fraqueja; mas as circunstâncias dele não eram as mesmas que as nossas. — Deitou chá numa xícara.

— Mais açúcar? — E depois, Rosabianca: — Como é que podemos condená-lo? — Virando-se para Renatta: — Gostas do chá forte ou fraco?

— Assim — disse Arnolfo e estendeu o braço em busca do açúcar.

— Estás influenciada por Fazio — insinuou Renatta, cobrindo com a voz as palavras de Soldati.

— Não, sempre pensei assim — defendeu-se Rosabianca, atravessando o quarto para levar o chá a Giovanni.*

(*A Cidade das Flores*, 2ª ed., Lisboa, Bertrand, s.d., pp. 231-235.)

---

* *Mondrian* = Piet Mondrian, pintor holandês (1872-1944), um dos fundadores do abstracionismo geométrico; *porcelana Ming* = cerâmica de grande beleza, produzida durante a dinastia chinesa Ming, que reinou entre 1368 e 1644.

A Cidade das Flores é uma narrativa política ou de idéias, sem prejuízo do lastro propriamente dramático, emprestado pelo caso amoroso, em conflito com a militância partidária. Romance de tese, ancora-se, como declara o autor em posfácio à edição compulsada, na crença "no progresso, na justiça, na paz, na possibilidade real de os homens serem todos iguais". Inscreve-se, assim, no Neo-Realismo, como testemunha o trecho selecionado: Domenico não acredita que lhe basta o amor, assim como a arte abstrata, pois "precisa de outras coisas além do amor". E acrescenta: "Não; nem arte pela arte, nem amor pelo amor", porquanto "o amor era pouco; era como a arte abstrata: uma pura forma cheia de beleza, mas desprovida de qualquer evocação da realidade". No entanto, a seqüência do quadro nos mostra que o diálogo se desenrola, contraditoriamente, em torno da amizade, do binômio amor e ódio, o que apenas desloca para o "outro" indeterminado o problema afetivo entre Rosabianca e Giovanni. Fala-se até em "amar o inimigo", evidenciando que a atividade política, vital para as personagens, não pode excluir, porque identicamente fundamental, a questão amorosa. Limitada, como literatura *engagée,* por subordinar a liberdade ideativa e inventiva a postulados inamovíveis, aceitos sem questionamento, *A Cidade das Flores* nem por isso deixou de revelar, como opina um crítico insuspeito por ocasião do seu aparecimento, um "excepcional talento de escrever" (João Gaspar Simões, *Crítica. III,* Lisboa, Delfos, s.d., p. 445), que as obras posteriores viriam a confirmar plenamente.

SURREALISMO

Preliminares

Em meio à corrente neo-realista, e reagindo contra ela, surge a literatura surrealista, entroncada no movimento que André Breton lançara em 1924. Em 1947, organiza-se o Grupo Surrealista de Lisboa, integrado por Antônio Pedro, José-Augusto França, Alexandre O'Neill, Mário Cesariny de Vasconcelos. Este, no ano seguinte afasta-se do grupo, e à sua roda vêm associar-se outros nomes, como Antônio Maria Lisboa. Outras figuras deixarão transparecer o contágio dos ideais surrealistas, como Jorge de Sena, Manuel de Lima, Ruben A., Natália Correia, Herberto Helder. O Surrealismo defendia uma concepção de literatura fundada nos conteúdos oníricos e do inconsciente, que seriam expressos livremente, sem trava nenhuma, por meio de uma "linguagem automática".

MÁRIO CESARINY DE VASCONCELOS

Nasceu em Lisboa, em 9/8/1923. Estudou música e artes plásticas. Em 1947 tomou parte no Grupo Surrealista de Lisboa. Dedica-se ao jornalismo. Escreveu: *Corpo Visível* (1950), *Discurso sobre a Reabilitação do Real Cotidiano* (1952), *Louvor e Simplificação de Álvaro de Campos* (1953), *A Afixação Proibida* (1953), *Manual de Prestidigitação* (1956), *Pena Capital* (1957), *Alguns Mitos Maiores Alguns Mitos Menores Propostos à Circulação do Autor* (1958), *Nobilíssima Visão* (1959), *Poesia* (1961), *Planisfério e Outros Poemas* (1961), *Burlescas Teóricas e Sentimentais* (1972), etc. É a figura mais importante do Surrealismo em Portugal.

Parada

Com um grande termômetro no chapéu
e um certo ar marcial de gênero eqüidistante
todos saíram hoje das suas casas na duna
para a rua a soprar o vento que vem de longe
a certeza que há de vir de longe
a formiga que vem de muito muito longe
Os prisioneiros polícias dos polícias prisioneiros
nas montras nos passeios por baixo dos bancos
passam os pontos escuros para o outro lado
sem esquecer o espelho
sem esquecer o aranhiço meticulosamente pequenino

para fazer a surpresa
sem esquecer a borboleta tonta que sobe no horizonte
da cor do sol
o pescoço da nossa felicidade.

(*Poesia*, Lisboa, Delfos [1963], pp. 146-147.)

Em que pese ao vago indício de qualquer nota neo-realista (cf. "Os prisioneiros polícias dos polícias prisioneiros"), "Parada" é um poema exemplarmente surrealista: o poeta dá largas à sua imaginação e estabelece analogias e aproximações insólitas ("Com um grande termômetro no chapéu", etc.), dum tal modo que o mundo se lhe afigura imerso num formidável pesadelo ou ele houvesse aberto as comportas que preservam o inconsciente de vir à luz. Percebe-se, contudo, que o caos do poema é aparente: no fundo, guarda uma ordem, ordem poética decerto, como se a realidade estivesse sendo vista de cabeça para baixo. Ao mesmo tempo, uma brisa de emoção varre o poema todo, denotando um poeta autêntico que do real cotidiano extrai cargas, para todos insuspeitas, de lirismo imanente. Da melhor poesia surrealista, sem dúvida alguma.

Discurso. VII

Queria de ti um país de bondade e de bruma
queria de ti o mar de uma rosa de espuma

You are Welcome to Elsinore

Entre nós e as palavras há metal fundente
entre nós e as palavras há hélices que andam
e podem dar-nos morte violar-nos tirar
do mais fundo de nós o mais útil segredo
entre nós e as palavras há perfis ardentes
espaços cheios de gente de costas
altas flores venenosas portas por abrir
e escadas e ponteiros e crianças sentadas
à espera do seu tempo e do seu precipício

Ao longo da muralha que habitamos
há palavras de vida há palavras de morte
há palavras imensas, que esperam por nós
e outras, frágeis, que deixaram de esperar
há palavras acesas como barcos
e há palavras homens, palavras que guardam
o seu segredo e a sua posição

Entre nós e as palavras, surdamente,
as mãos e as paredes de Elsenor

E há palavras noturnas palavras gemidos
palavras que nos sobem ilegíveis à boca
palavras diamantes palavras nunca escritas
palavras impossíveis de escrever

por não termos conosco cordas de violinos
nem todo o sangue do mundo nem todo o amplexo do ar
e os braços dos amantes escrevem muito alto
muito além do azul onde oxidados morrem
palavras maternais só sombra só soluço
só espasmo só amor só solidão desfeita

Entre nós e as palavras, os emparedados
e entre nós e as palavras, o nosso dever falar

Exercício Espiritual

É preciso dizer rosa em vez de dizer idéia
é preciso dizer azul em vez de dizer pantera
é preciso dizer febre em vez de dizer inocência
é preciso dizer o mundo em vez de dizer um homem

É preciso dizer candelabro em vez de dizer arcano
é preciso dizer Para Sempre em vez de dizer Agora
é preciso dizer O Dia em vez de dizer Um Ano
é preciso dizer Maria em vez de dizer aurora

Cena de Libertação nos Jardins do Palácio de Epaminondas Imperador

Como um vasto programa contra a poeira
contra a erosão das operações da noite
um braço
apenas um braço
sai em liberdade
a parte útil rodeada de escombros
os dispositivos especiais dissimulados atrás
de misteriosas armas incorporadas
Nada que se pareça com centenas de escudos
ou com a sensação de segurança
essa forma de anel sobre as melhores cidades
que estrangula não mata aperta não afoga
um braço
apenas um braço
hábil solução do conjunto
um braço sai em liberdade

(*Ibidem*, pp. 101, 167-168.)

ALEXANDRE O'NEILL

Alexandre Manuel Vahia de Castro O'Neill nasceu em Lisboa, em 19/2/1924, e na mesma cidade faleceu em 22/8/1986. Não fez estudos superiores. Participou do Grupo Surrealista de

Lisboa (1947), do qual ainda faziam parte Mário Cesariny de Vasconcelos, Antônio Pedro e José-Augusto França. Estreou com o "poema gráfico" *Uma Ampola na Cabeça* (1948), de recorte nitidamente surrealista. Com *Tempo de Fantasmas*, livro de poemas de 1951, afasta-se do movimento surrealista. Outros livros de poesia se seguiram: *No Reino da Dinamarca* (1951), *Abandono Vigiado* (1960), *Poemas com Endereço* (1962), *Feira Cabisbaixa* (1965), *Portogallo Mio Rimorso* (1966), *De Ombro na Ombreira* (1969), *Entre a Cortina e a Vidraça* (1972), *Made in Portugal* (1978), *A Saca de Orelhas* (1979), além de dois livros de crônicas: *As andorinhas não têm restaurante* (1970), *Uma Coisa em Forma de Assim* (1980).

Canção

Que saia a última estrela
da avareza da noite
e a esperança venha arder
venha arder em nosso peito

E saiam também os rios
da paciência da terra
É no mar que a aventura
tem as margens que merece

E saiam todos os sóis
que apodreceram no céu
dos que não quiseram ver
— mas que saiam de joelhos

E das mãos que saiam gestos
de pura transformação
Entre o real e o sonho
seremos nós a vertigem

Soneto

Tempo das cerejeiras agressivas
A avançar pelo meu quarto dentro.
Velho tempo das noites explosivas
Em que o sangue crescia como o vento!

Tempo — aproximação das coisas vivas,
Do seu hálito doce, violento.
Tempo — horas e horas convertidas
No ouro raro e inútil dum lamento...

Tempo como uma ferida no meu lado,
Coração palpitando sobre a lama.
Tempo perdido, sangue derramado,

Resto de amor que se deixou na cama,
Horizonte de guerra atravessado
Pelo corpo audacioso duma chama.

Quatorze Versos

Un soneto me manda hacer Violante...

LOPE DE VEGA

O primeiro é assim: fica de parte.
No segundo já posso prometer
que no terceiro vai haver mais arte.
Mas afinal não houve... Que fazer?

Melhor será calar, pois que dizer
nem no sexto conseguirei destarte.
Os acentos errados é favor não ver;
nem os versos errados, que também sei *hacer*...

Ó nono verso por que vais embora
sem que eu te sublime neste décimo?
Ao décimo-primeiro dediquei uma hora.

Errei-o. Mas que importa se a poesia,
mesmo que o não errasse, já não vinha?
É este o último e, como os outros, péssimos...

Elegia

Dor de ver-te
amor morto

Dor de amar-te
morto amor

Dor a morte
dor o amor

Dorme

Presságio

A caminho dum olho (por sinal bem bonito!)
aguça-se um estilhaço de contente,
como um dente que vê um manjar "esquisito"...

Leva anos, ainda, a assassina viagem:
o estilhaço, por enquanto, é só um mito,
e, plácido, o olho deixa entrar a paisagem...

(Alexandre O'Neill, *Poesias Completas.* 1951/1981, Lisboa, Imprensa Nacional/Casa da Moeda, 1982, pp. 34, 71, 166, 171, 210.)

Alexandre O'Neill começou a sua trajetória literária dentro do movimento surrealista. Pouco depois, afastou-se para singrar caminhos próprios, mas permaneceu até o fim preso a alguns dos estilemas surrealistas. Mais do que impregnação de uma tendência literária voltada para o sonho e o absurdo irradiado pelo inconsciente, tal filiação correspondia ao mais íntimo da sua visão das coisas. Seria surrealista ainda que a corrente deflagrada por André Breton na França dos anos 20 não houvesse existido. Os poemas transcritos são exemplos acabados desse pendor de raiz para as associações imprevistas, incoerentes até, postas em moda pelo Surrealismo. "Canção", apesar da sua simetria formal e do compasso regular dos versos, serve como emblema de uma poesia "entre o real e o sonho", de que "seremos nós a vertigem". O mesmo se observa nos sonetos, cuja forma fixa se diria inadequada para abrigar imagens ditadas pelas pulsões oníricas ou inconscientes. Nem falta, ao segundo ("Quatorze Versos"), uma nota característica do poeta: um humor fino, que convida mais ao sorriso que à gargalhada, voltado para a própria criação, uma espécie de autocrítica que se tornaria marca registrada do autor. Ao humor espirituoso soma-se o gosto de jogar habilmente com a linguagem, inclusive pelo emprego do expediente fácil, e por isso mesmo perigoso, do trocadilho. É o caso de "Elegia", onde o jogo verbal, em torno das duas pulsões vitais, "amor" e "morte", revela uma aguda percepção da realidade humana. Certo sentido trágico da existência, que lateja no interior dos poemas, não vem à tona graças a esses recursos que denotam uma atenta vigilância do pensamento sobre a emoção. De onde um surrealismo *sui generis*, onde o aspecto lúdico, evidente em "Presságio", descortina inusitados liames entre as coisas, dignos de um poeta cuja originalidade, exigindo uma absorção menos imediata do leitor, é suficiente para o destacar entre os mais bem realizados da sua geração.

Soneto Inglês

Como o silêncio do punhal num peito,
O silêncio do sangue a converter
Em fio breve o coração desfeito
Que as padras acaba de morrer,

Vive em mim o teu nome, tão perfeito
Que mais ninguém o pode conhecer!
É a morte que vivo e não aceito;
É a vida que espero não perder.

Viver a vida e não viver a morte;
Procurar noutros olhos a medida,
Vencer o tempo, dominar a sorte,
Atraiçoar a morte com a vida!

Depois morrer de coração aberto
E no sangue o teu nome já liberto...

Soneto

No céu duma tristeza cor de farda,
Uma angústia de nuvens se desenha.
O amor já morreu: que o tempo venha
Desmantelar o que a memória guarda.

Jogai!, jogai! Quem não jogar não ganha
Nem perde. É a última cartada.
Eu aposto na vida, mesmo errada.
Talvez outro destino me sustenha.

Avião de Lisboa para o mundo,
Apaga-me a tristeza com as asas,
Tão nítidas no céu em que me afundo!

Depois desaparece atrás das casas
E deixa-me o azul, o azul profundo,
E duas nuvens de razão tocadas.

Dores

Às dores inventadas
Prefere as reais.
Doem muito menos
Ou então muito mais...

De Porta em Porta

— Quem? O infinito?
Diz-lhe que entre.
Faz bem ao infinito
estar entre gente.

— Uma esmola? Coxeia?
Ao que ele chegou!
Podes dar-lhe a bengala
que era do avô.

— Dinheiro? Isso não!
Já sei, pobrezinho,
que em vez de pão
ia comprar vinho...

— Teima? Que topete!
Quem se julga ele
se um tigre acabou
nesta sala em tapete?

— Para ir ver a mãe?
Essa é muito forte!
Ele não tem mãe
e não é do Norte...

— Vítima de quê?
O dito está dito.

Se não tinha estofo
quem o mandou ser
infinito?

VI

A que vens, solidão, com teu relógio
de ponteiros de visgo, de bater de feltro?
Ombro nenhum ao meu ombro encostado,
a que vens, ó camarada solidão?

Companheira, amiga, até amante,
até ausente, ó solidão, te amei,
como se ama o frio até o frio dar
a chama que tu dás, ó solidão!

A que vens, enfermeira? Não sabes que estou morto,
que se digo o meu sim ou o meu não
é só para que os outros me julguem mais um outro,
é só para que um morto não tire o sono dos outros?

A que vens, solidão? Vai antes possuir
os que amam sem esperança e sem saber esperam,
dá-lhes o teu conforto, encosta-lhes ao ombro
o teu ombro nenhum, ó solidão!

(*Ibidem*, pp. 65, 80, 85, 146, 187-188.)

ANTÔNIO MARIA LISBOA

Nasceu em Lisboa, em 1/8/1928, e lá faleceu, em 11/11/1953. Estudou por algum tempo numa Escola Industrial. Em 1949, vai a Paris, onde entra em contato com artistas plásticos e com práticas ocultistas. Ao regressar, aproxima-se do grupo dissidente de Mário Cesariny de Vasconcelos. Voltará a Paris em 1950 e 1951, mas logo adoece gravemente. Deixou os seguintes livros de poesia: *Ossóptico* (1952), *Isso Ontem Único* (1953), *A Afixação Proibida* (em colaboração com Mário Cesariny de Vasconcelos, 1953), *A Verticalidade e a Chave* (1956), *Exercício sobre o Sonho e a Vigília de Alfred Jarry*, seguido d*O Senhor Cágado e o Menino* (1958), e dois manifestos: *Erro Próprio* (1952) e *Aviso a Tempo por Causa do Tempo* (1959).

Uma Vida Esquecida

Para o Fernando Alves dos Santos

Eu conheço o vidro franja por franja
meticulosamente
à porta parado um homem oco
franja por franja no espaço
meticulosamente oco uma porta parada.

Um relógio dá dez badaladas ininterruptamente
dez badaladas por brincadeira dança
Um homem com pernas de mulher
e um olhar devasso no Marte
passo por passo uma criança chora
uma águia e um vampiro recuados no tempo.

Comutador

Para o Pedro Oom

Ergo-me de ii no zimbório
de folhas na penedia do castelo medieval
de limos na umidade da praia
de cristais entre os rochedos do Cabo Horn

Caminho de gelo na floresta
de sôfrego na vastidão do deserto
de louco na brancura do hospício
Eu abismo, eu cratera
inclinei-me e vi um espetáculo caprichoso: uma
    unha branca
uma unha branca a viver assim despreocupada

OGIVA-BORBOLETA
Arco-de-Cor caído muito triste
Casulo de quem ninguém falou
Teia-de-Aranha exposta à loucura e ao tempo
Andorinha-Azul de chapéu mole e baratas na cama
VENTOINHA.

Conjugação

Para o A. Cruzeiro Seixas

A construção dos poemas é uma vela aberta ao meio
    e coberta de bolor
é a suspensão momentânea dum arrepio num dente
    fino
Como Uma Agulha

A construção dos poemas

A CONS
TRU
ÇÃO DOS
POEMAS

é como matar muitas pulgas com unhas de oiro azul

é como amar formigas brancas obsessivamente junto
ao peito
olhar uma paisagem em frente e ver um abismo
ver o abismo e sentir uma pedrada nas costas
sentir a pedrada e imaginar-se sem pensar de repente

NUM TÚMULO EXAUSTIVO

Poema do Começo

Eu num camelo a atravessar o deserto
com um ombro franjado de túmulos numa mão muito
aberta

Eu num barco a remos a atravessar a janela
da pirâmide com um copo esguio e azul coberto
de escamas

Eu na praia e um vento de agulhas
com um Cavalo-Triângulo enterrado na areia

Eu na noite com um objeto estranho na algibeira
— trago-te Brilhante-Estrela-Sem-Destino coberta
de musgo

Rêve Oublié

Neste meu hábito surpreendente de te trazer de costas
neste meu desejo irrefletido de te possuir num trampolim
nesta minha mania de te dar o que tu gostas
e depois esquecer-me irremediavelmente de ti

Agora na superfície da luz a procurar a sombra
agora encostado ao vidro a sonhar a terra
agora a oferecer-te um elefante com uma linda tromba
e depois matar-te e dar-te vida eterna

Continuar a dar tiros e modificar a posição dos astros
continuar a viver até cristalizar entre neve
continuar a contar a lenda duma princesa sueca
e depois fechar a porta para tremermos de medo

Contar a vida pelos dedos e perdê-los
contar um a um os teus cabelos e seguir a estrada
contar as ondas do mar e descobrir-lhes o brilho
e depois contar um a um os teus dedos de fada

Abrir-se a janela para entrarem estrelas
abrir-se a luz para entrarem olhos
abrir-se o teto para cair um garfo no centro da sala
e depois ruidosa uma dentadura velha

E no CIMO disto tudo uma montanha de ouro

E no FIM disto tudo um Azul-de-Prata.

Sétimo Poema

No pátio de astros calcetados abriu-se uma leve fenda muito parecida com um arranhão de mulher feito na mão esquerda. Poderemos chamar Azul de Prata a uma dentadura velha esculpida num horizonte suspenso em enormes braços.

Ando isolado na planície. Os cadáveres passam e erguem-se muitos direitos num cumprimento militar. Sento-me na Torre Gelada.

Com um aquário e um pequeno peixe dourado, Eu-Pedra das regiões do Lusco-Fusco, retirado dos horrores, em qualquer tarde, por exemplo, sobre planos preconcebidamente dispostos, para dar resultado, evocarei:

"— ILHA DE ESTRELA
sai
decepa ao longe
atira o novo crime para a rua
aluga o céu convulso dum deus terrível
esmaga a estrela de través e fria
a flor muda sobre o leito de pedra preciosa

em cada pérola — num vôo solitário
no cristal — o grito duma cidade arruinada"

A chave de pedra desceu suspensa do alto da torre por um cabelo. Nele existe um orifício fino e longo por onde passa um Mar e moram Montanhas e Abismos. Apenas um Bicho povoa o Tempo rodando até à fascinação.

(Antônio Maria Lisboa, *Poesia de...*, Lisboa, Assírio e Alvim, 1977, pp. 146, 147-148, 150, 150-151, 152-153, 187-188.)

Falecido precocemente, deixando no ar a impressão de um talento eruptivo interrompido em pleno vôo, Antônio Maria Lisboa tem feito a crítica lembrar, com justa razão, Rimbaud e Lautréamont. Mário Cesariny de Vasconcelos chega mesmo a considerá-lo o "mais importante poeta nosso depois de Fernando Pessoa" ("Nota Prévia" à *Poesia de Antônio Maria Lisboa*, p. 8). Exageros à parte, estamos perante uma das mais autênticas e altas vocações poéticas de natureza surrealista. No essencial, a sua dicção segue nas trilhas descortinadas por Breton. Mas é no apuro da linguagem, na inesperada regularidade estrófica de alguns poemas, nas associações e imagens, na tensão do pensamento, que a sua poesia se distingue e se impõe à leitura. A construção dos poemas sugere-lhe a comparação com "matar muitas pulgas com unhas de oiro azul" ou com "matar formigas brancas obsessivamente junto ao peito". Como uma lucidez não provinda do sonho ou do inconsciente lhe norteasse o olhar, o ato criador parece-lhe menos um mistério que uma atividade plástica, voltada sobretudo para as notações de cor. Visualista por excelência, o poeta descobre metáforas insólitas na paisagem contemplada. Numa espécie de delírio de olhos abertos, sempre vigiado por uma consciência livre de racionalismos, tira ele o melhor partido das intuições. Olhando "o vidro franja por franja", erguido num "zimbório / de folhas na penedia do castelo medieval", ou "num camelo a atravessar o deserto", como que pervaga os mundos oníricos ou do inconsciente. Mas sem perder o caráter visual, aliás próprio dos sonhos ou das camadas intrapsíquicas. Tanto assim que, ao debruçar-se sobre o abismo ou a cratera do "eu", divisa "um espetáculo caprichoso: uma unha branca", dando assim curso ao seu gosto pelos aspectos plásticos da realidade. Ainda é de notar o aproveitamento de experiências ocultistas, gerando paradoxos que não escaparam à retina do poeta, cujas composições contêm "a Lei e contêm o que destrói a Lei", pois "é o Paradoxo a forma do Saber Oculto", diz ele n*A Verticalidade e a Chave*. Adepto de uma estética que poderia dar margem ao gratuito, Antônio Maria Lisboa não se deixou levar pelas facilidades do seu talento: um elo de necessidade, ainda que paradoxal, liga os vários níveis de realidade convocados para os poemas, marca de um poeta maduro e original, surrealista mais por vocação do que por apego à moda vigente.

“A POESIA É SÓ UMA”

Preliminares

Da mesma forma que o Surrealismo irrompe nos anos 40, em meio ao entusiasmo dos neo-realistas, uma atividade poética intensa se organiza, já a partir de 1940, quando se publica em Lisboa o primeiro número dos *Cadernos de Poesia*. Os seus dirigentes, após declararem que o periódico visava "arquivar a atividade da poesia atual sem dependência de escolas ou grupos literários, estéticas ou doutrinas, fórmulas ou programas", proclamam exclamativamente o seu lema: "A Poesia é só uma!" Retomando, até certo ponto, os ideais órficos e os presencistas, desejam-se independentes, abertos a toda sorte de influência, sem preconceito algum, "contra quaisquer idealismos, mesmo os que se rotulam de realistas", e sempre tendo em mira "a poesia [que] é só uma (...), porque afinal não há outra". Em suma, o seu escopo é "servir a Poesia. Porque a Poesia é servida, não serve". Outras revistas, como a *Távola Redonda* (1950-1954), *Árvore* (1951-1953), defenderam, mais aquela que esta, é certo, os princípios de independência e abertura a todas as soluções poéticas, que marcaram os *Cadernos de Poesia*. A partir dos anos 60, surgem várias revistas que igualmente justificam que se pense numa corrente estética com relativa autonomia em face das tendências hegemônicas do tempo.

JOSÉ GOMES FERREIRA

Nascido no Porto, em 9/6/1900, iniciou-se com *Lírio do Monte* (1918) e *Longe* (1921), que depois excluiria de sua obra definitiva. Formou-se em Direito (1924), pela Universidade de Lisboa. Ingressa na carreira diplomática no ano seguinte, indo para a Noruega, onde permanece até 1930. Ao regresso, dedica-se ao jornalismo. Somente muitos anos mais tarde voltaria a publicar poesia. Faleceu em Lisboa, em 8/2/1985, deixando ainda os seguintes volumes no gênero: *Poesia,* 6 vols. (1948-1975), *Poeta Militante,* 3 vols., reunindo sua poesia completa (1977-1978). Ainda escreveu prosa: O *Mundo dos Outros (Histórias e Vagabundagens),* (1950), *A Memória das Palavras (ou O Gosto de Falar de mim),* (1965), *Imitação dos Dias (Diário Inventado),* (1966), *Tempo Escandinavo,* contos (1969), *Aventuras de João sem Medo (Panfleto Mágico em Forma de Romance),* (1963), *O Irreal Quotidiano (Histórias e Invenções),* (1971), *Gaveta de Nuvens (Tarefas e Tentames Literários),* (1975), *Revolução Necessária,* crônica (1975), *O Sabor das Trevas,* "romance-alegoria" (1976), *Intervenção Sonâmbula,* crônica (1977), *O Enigma da Árvore Enamorada. Divertimento em Forma de Novela Quase Policial,* (1979).

XL

Homens: na noite do desânimo (Madri rendeu-se. Ranjo os dentes.)
levanto a minha voz
para pregar o ódio.

Um ódio total e violento
a todos os narcóticos
que adormecem a realidade
com neblinas de música.

Ódio às lágrimas mal choradas diante dos poentes,
à alegria das crianças mortas que teimam em rir nos olhos
[dos velhos,
às noites de insônia por causa duma mulher,
às flores que iluminam os mortos de alma,
ao álcool da arte-pura-para-esquecer,
aos versos com túneis acesos por dentro das palavras,
aos pássaros a cantarem os perfumes das árvores secas,
às valsas com vôos de tule
— e até ao sol
que diminui o mundo
em indiferença de continuar.

Ódio ao mar a modelar deuses
nos nossos corpos feios de tanto se julgarem belos,

Ódio à primavera
— essa mulher voadora
que entra pelas janelas
com asas azuis
para que a nossa dor
pareça preguiça de existir.

Ódio às serenatas que o luar faz do céu à terra,
às pétalas nos cabelos dos fantasmas ao vento,
às mãos-dadas nas sendas brancas dos idílios,
à pele de frio doce que completa o fogo dos amantes,
aos colos das mães a embalarem futuro,
às crianças com céus do tamanho dos olhos,
às cartas de paixão a prometerem suicídios (para beijos mais
[fundos),
às insinuações de paraíso nas vozes de pedir esmola,
às escadas de corda nos olhos das noivas das trapeiras,
às danças a perfumarem de sexo a derrota,
às ninfas disfarçadas em canteiros de jardins,
e aos recantos foscos

onde escondemos a Verdade
em galerias de evasão
— só para que os nossos olhos continuem límpidos
a ignorarem todos os negrumes
com escadas até o centro da terra.
e chagas verticais.

Ódio ao disfarce, às máscaras, ao "falemos noutra coisa",
aos desvios, às fontes dos claustros, ao "vamos logo ao
[cinema",
aos problemas de xadrez, aos dramas de ciúme, às infantas
[do fogo das lareiras,
e aos que não têm a coragem
de estacar, pálidos,
com unhas na carne
a olhar de frente,
sem arrancar os olhos,
os caminhos dos mortos sagrados
até os horizontes onde os homens se ofuscam das manhãs
[virgens.

Ódio a todas as fugas, a todos os véus,
a todas as aceitações, a todas as morfinas,
a todas as mãos ocas das prostitutas,
a todas as mulheres nuas em coxins de afagos,
para nos obrigarem a esquecer...

Mas eu não quero esquecer, ouviram?
Não quero esquecer!

Quero lembrar-me sempre, sempre e sempre
deste minuto de abismo,
para transmiti-lo de alma em alma,
de treva em treva,
de corvo em corvo,
de escarpa em escarpa,
de esqueleto em esqueleto,
de forca em forca,
até ao Ranger do Grande Dia
para a Salvação do Mundo
sem anjos
nem demônios
— mas só homens e Terra.

(*Poeta Militante*, 1º vol., Lisboa, Moraes, 1977, pp. 115-117.)

Pertencente a "Heróicas", reunião de poemas de 1936 a 1938, destinado ao volume *Líricas e Heróicas,* que não chegou a ser publicado como tal, o poema "XL" dá bem uma idéia da poesia engajada de José Gomes Ferreira. Escrita no fragor da Guerra Civil Espanhola, como denota a epígrafe entre parênteses, a composição transpira aversão ao lirismo comedido, compassivo, de que é feita a poesia recheada de boas intenções. O ódio serve-lhe de estribilho e sustentáculo, um ódio espesso e universal — "às lágrimas mal choradas diante dos poetas (...), ao mar a modelar deuses (...), à primavera (.. .), às serenatas (...), etc. — , apenas remediado pela esperança na "Salvação do Mundo / sem anjos / nem demônios / — mas só homens e Terra". Poesia de forte acento cotidiano e humanista, aproxima o autor do Neo-Realismo, por coincidência de atitudes e não de programa, como reconhecem os filiados a essa corrente dos anos 40 e seguintes. Poesia irrompida aos jactos, aos gritos, como em praça pública, perante um auditório que pode ser toda a Humanidade, num andamento ora whitmaniano, em versos de sinfônica cadência, ora contido, quase murmurado, como a reprimir um lamento, — não esconde o sentimento romântico que a impulsiona. Ainda é de notar a metaforização, de recorte surrealista, igualmente por espontânea convergência, fruto de uma sensibilidade aberta a tudo, inclusive ao onírico, ainda que o sonho mais acalentado fosse o "Ranger do Grande Dia". As pulsões romântico-surrealistas é que preservam o poema de resvalar no prosaísmo vizinho do panfleto, freqüente na poesia militante desse tempo, e explicam por que, retornando tão tarde para a poesia em livro, José Gomes Ferreira conquistou logo um espaço destacado na modernidade literária portuguesa do pós-guerra de 39.

XXXIX

Entrei no Café com um rio na algibeira
e pu-lo no chão,
a vê-lo correr
da imaginação...

A seguir, tirei do bolso do colete
nuvens e estrelas
e estendi um tapete
de flores
— a concebê-las.

Depois, encostado à mesa,
tirei da boca um pássaro a cantar
e enfeitei com ele a Natureza
das árvores em torno
a cheirarem ao luar
que eu imagino.

E agora aqui estou a ouvir
a melodia sem contorno
deste acaso de existir
— onde só procuro a Beleza
para me iludir
dum destino.

(*Poesia — III*, Lisboa, Portugália, 1961 pp. 101-102.)

VII

(Junto a minha voz ao coro dos poetas mais novos. Recuso-me a ter mais de vinte anos.)

Não, não queremos cantar
as canções azuis
dos pássaros moribundos.

Preferimos andar aos gritos
para que os homens nos entendam
na escuridão das raízes.

Aos gritos como os pescadores quando puxam as redes
em tardes de fome pitoresca para quadros de exposição.
Aos gritos como os fogueiros que se lançam vivos nas fornalhas
para que os navios cheguem intactos aos destinos dos outros.
Aos gritos como os escravos que arrastaram as pedras no
[Deserto
para o grande monumento à Dor Humana do Egito.
Aos gritos como o idílio dum operário e duma operária a
falarem de amor
perto duma máquina de tempestade
a soluçar cidades de fome
na cólera dos ruídos...

Aos gritos, sim, aos gritos.

E não há maior orgulho
do que o nosso destino
de nascer em todas as bocas...

... Nós os poetas viris
que trazemos nos olhos
as lágrimas dos outros.

XX

(Regresso ao cenário do cais donde nunca partiu qualquer navio.)

Não choro.

Eu
para aqui escondido no século XX,
enviado especial do Pesadelo a mim mesmo,
sozinho,
vigilante,

vejam:
Testemunha de olhos secos.
Eu
no cais do tempo,
os dedos dissolvidos,
bocas de pedras trituradas,
a minha missão é o frio
contra a sedição das lágrimas.

Eu
para aqui misturado com olhos de cadáveres,
raiva a despir-me no chão de luto,
cavalgada
de sangue e penumbra.

Eu
o espião do Futuro-Nada
— do Futuro-Nunca.

XXVI

Então, as pedras aproveitaram a solidão
do tempo sem recuos
para parecerem cabeças
com pensamentos da faúlhas mortas
— e perfis aparentados
com a luz.

(*Poeta militante*, 1º vol., Lisboa, Moraes, 1977,
pp. 81-82; 3º vol., 1978, pp. 23, 123.)

JORGE DE SENA

Nasceu em Lisboa, em 2/11/1919. Após formar-se em Engenharia no Porto (1944), ingressou, em 1947, na Junta Autônoma de Estradas, onde permaneceu até 1959, quando se mudou para o Brasil, na qualidade de professor universitário. Em 1965, já naturalizado brasileiro, emigrou para os EUA, onde continuou sua carreira de professor e escritor. Faleceu na Califórnia, em 4/6/1978. Deixou vasta obra, repartida pela poesia: *Perseguição* (1942), *Coroa da Terra* (1946), *Pedra Filosofal* (1950), *As Evidências* (1955), *Fidelidade* (1958), *Poesia-I* (reunião dos quatro primeiros livros e mais um volume inédito, *Post-Scriptum,* 1961), *Metamorfoses* (1963), *Arte de Música* (1968), *Peregrinatio ad Loca Infecta* (1969), *Exorcismos* (1972), *Conheço o Sal . . e Outros Poemas* (1974), *Sobre Esta Praia* (1977), *Poesia-II* (reunião de *Fidelidade, Metamorfoses, Arte de Música,* 1978), *Poesia-III,* reunião de *Peregrinatio ad Loca Infecta, Exorcismos, Camões dirige-se aos seus contemporâneos, Conheço o Sal... e Outros Poemas, Sobre Esta Praia, Quarenta Anos de Servidão* (1979), *Seqüências* (1980), *Visão Perpétua* (1982); teatro: *O Indesejado (Antônio Rei)* (1951), *Amparo de Mãe* (1951), *Ulisséia Adúltera* (1952), *Amparo de Mãe e Mais Cinco Peças em Um Ato* (1974); ficção: *Andanças do Demônio,* contos (1960), *Novas Andanças do Demônio,* contos (1966),

Os Grão-Capitães, contos (1976), *Sinais de Fogo,* romance (1979); crítica e historiografia literária: *A Poesia de Camões* (1951), *Da Poesia Portuguesa* (1959), *A Sextina e a Sextina de Bernardim Ribeiro* (1963), *Os Sonetos de Camões e o Soneto Quinhentista Peninsular* (1969), *Dialéticas da Literatura* (1973), etc.

Passeio

Que tarde e gente as ruas do jardim,
por grupos de abandono e solidão;
foi mar tranqüilo que passou por mim
... E quem foi mar tranqüilo ou sim ou não?

A porta aberta a gelo quando vim
para junto de vós? A minha mão
estendida com a música, e, enfim,
tardia, ausente, livre de perdão?

Desarticulo a mágoa à dor mais vasta,
e juro-me que a névoa não se gasta
ao dar-se, de anjo em anjo, sobre o mal...,

nem Deus! — de incúria tanta nos meus braços,
como se a curva lenta dos espaços
não fosse a agilidade temporal.

Soneto a Muitas Vozes

Por quantos campos tenho na tristeza
que mansas vêm as águas devagar...
Tão rasteiras... e já da cor do mar!
Rasteiras sobre a erva antiga e presa

que, para um lado só, fazem curvar...
E doem mais as fibras da incerteza,
enquanto cresce a tentação da reza
e diminui o falso verde-mar.

Águas do largo ao Sol das velas altas!...
...E tu?... Também me lembro e também faltas!...
Adeuses pelo cais... tudo se cala...

A Terra teima ainda nos escolhos.
E se ela é de eu erguer de mais os olhos?
Se o Céu, depois, resulta de lembrá-la?

Exorcismo

Amor que desce, amor que nem procura
de um a ser mundo o sopro repetido;

amor em quem não vive o quanto dura,
no morto antes de tempo, o não vivido;

amor, a quem não resta a fonte obscura
daqueles cujo peso foi perdido;
amor que não conhece mais ternura
além da que não quis sangue vertido:

(Anjo que passas no desdém da terra,
que terra não existe em tuas penas?
Que sol, de iluminá-las tão serenas,
se perdera das órbitas que encerra?)

amor vidente que o olhar tritura;
amor — saudade pura sem sentido.

Independência

Recuso-me a aceitar o que me derem.
Recuso-me às verdades acabadas;
recuso-me, também, às que tiverem
pousadas no sem-fim as sete espadas.

Recuso-me às espadas que não ferem
e às que ferem por não serem dadas.
Recuso-me aos eus-próprios que vierem
e às almas que já foram conquistadas.

Recuso-me a estar lúcido ou comprado
e a estar sozinho ou estar acompanhado.
Recuso-me a morrer. Recuso a vida.

Recuso-me à inocência e ao pecado
como a ser livre ou ser predestinado.
Recuso tudo, ó Terra dividida!

Humanidade

Na tarde calma e fria que circula
por entre os eucaliptos e a distância,
olhando as nuvens quase nada rubras
e a névoa consentida pelos montes,
névoa não subindo por não ser
fumo da vida que trabalha e teima,
e olhando uma verdura fugitiva
que a noite no céu queima tão depressa,
esqueço-me que há gente em cada parte,
gente que, de sempre, sofre e morre,

e agora morre mais ou sofre mais,
esqueço-me que a esperança abandonada,
a não ser de ninguém, é sempre minha,
esqueço-me que os homens a renovam,
que o fumo de seus lares sobe nos ares...
Esqueço-me de ouvir cheirar a Terra,
esqueço-me que vivo... E anoitece.

(*Poesia-I*, 2ª ed., Lisboa, Moraes, 1977, pp. 43, 70-71, 98, 114-115, 125-126.)

Sempre empenhando sólida erudição e aguda sensibilidade em suas múltiplas facetas de escritor, Jorge de Sena considerava, no entanto, "a atividade poética primacial entre todas, menos porque me sinta mais à vontade nela, do que por uma questão de precedência genérica" (O *Tempo e o Modo*. Lisboa, nº 59, abril 1968, p. 420). Talvez nela vislumbrasse a expressão mais adequada, mais próxima, desse anseio de unidade na variedade que subjaz à multímoda dispersão. Seja como for, sua "obra lírica", como sublinha um dos críticos que se têm debruçado mais longamente sobre o espólio do autor, "singulariza-se desde logo (...) e há de continuar a singularizar-se até ao fim por nela *não estar* (e por um modo muito explícito de lá não estar) aquilo que supostamente deveria encontrar-se numa poesia dita lírica" (Eugênio Lisboa, prefácio a *Jorge de Sena,* Lisboa, Presença, 1984, p. 17). E isso é visível nos poemas selecionados, pertencentes, no geral, por uma escolha atenta ao valor e representatividade, à estrutura do soneto; a emoção, se presente e quando presente, cede o passo ao intelecto, que lança mão do arsenal imagético como se buscasse surpreender um limiar em que o lirismo se avizinha do universo dos conceitos, ou com ele se confunde. Barroquizante nesse percurso elíptico e no culto das parelhas dialéticas, é clássico no recorte sentencioso do verso (para não falar no gosto do soneto), e ainda surrealista na visão de mundos ocultos ao olhar menos atilado, franqueando o recesso das coisas ou o inconsciente e suas antinomias simbólicas. Poesia intelectualizada, mas nem por isso menos comunicante, embora numa esfera em que o interlocutor deve estar preparado para o diálogo entre sensibilidades, bem como, e precipuamente, entre inteligências e culturas. O resultado é "a densidade compacta da sua escrita: uma escrita elipticamente articulada, manipulando arrogantemente o hipérbato, enchendo de sentido as curvas e vazios da frase, pretendendo, num único verso, meter o universo inteiro...", como bem assinala o mesmo crítico (*ibidem,* p. 32), testemunho, ressalta o estudioso, "da sua violenta originalidade, que o distingue nitidamente entre os poetas surgidos após a revolução pessoana na arte do verso".

Valor

Tira de mim os anjos que souberes;
inventa mais para tirá-los todos!
E haverá em ti anjos a rodos.
Tira de mim os anjos que souberes.

A sua paz palpitará nos lodos
em que moldaste os corpos com que os feres.
Inventarás os membros que quiseres
— a minha paz será a deles todos.

E afirmação dos astros contra a inveja,
enquanto gotejasse a outra igreja
e os braços se alongassem: nós primeiro.

Certo de aquém adormecer de espanto.
O vento sob nós soprará tanto!
— ao ar do tempo sustentando-o inteiro.

Âmago

Perpétua a juventude, se morrermos
no dia em que um de nós a consagrar.
E vamos consagrá-la até descrermos
de não podermos construir um lar!

Para as minhas idéias outros termos
que não aqueles que lhes devo dar...
Avive-se a distância! Isto de sermos
é suspender o abismo e vê-lo arfar.

Toda a miséria viva que alimento,
saiba ou não saiba a cáustico do vento,
irá em poeira pelas nuvens fora.

Chuva tão doce enlameará teu seio!
Ouço-a correr... não amo nem odeio.
Respira devagar... Sinto-te agora.

Seara

E se ouço reformar a minha vida
ao ódio amigo dos que a tornam estreita,
logo a defendo de se crer perdida
— mostrando-lhe a extensão da vã colheita,

que, mesmo vã, no mundo está contida,
e menos vã será, porque foi feita
com Deus erguendo a meta indefinida
onde um navio ganha o pó que deita.

Do tempo todo eu próprio adormecer
a permanência eterna — é bem saudade.
E vida repartida. Mas criou-se

uma ciência nova de morrer
e já, sobre ela, a nova eternidade
resplende um halo intuitivo e doce.

Metamorfose

Para a minha alma eu queria uma torre como esta,
assim alta,
assim de névoa acompanhando o rio.

Estou tão longe da margem que as pessoas passam
e as luzes se refletem na água.

E, contudo, a margem não pertence ao rio
nem o rio está em mim como a torre estaria
se eu a soubesse ter...

uma luz desce o rio
gente passa e não sabe
que eu quero uma torre tão alta que as aves não passem
as nuvens não passem
tão alta tão alta
que a solidão possa tornar-se humana.

(*Ibidem*, pp. 45-46, 61, 64, 102.)

EUGÊNIO DE ANDRADE

Nasceu em 19/1/1923, na Póvoa de Atalaia (Beira Baixa). Estudos secundários em Lisboa e Coimbra. De volta a Lisboa ingressa nos Serviços Médico-Sociais em 1946, de onde se transfere, em 1950, para o Porto, e lá permanece até hoje. Estreou com *Adolescente* (1942), a que se seguiram outros livros de poesia: *Pureza* (1945), *As Mãos e os Frutos* (1948), *Os Amantes sem Dinheiro* (1950), *As Palavras Interditas* (1951), *Até Amanhã* (1956), *Coração do Dia* (1958), *Mar de Setembro* (1961), *Antologia* (1961), *Ostinato Rigore* (1964), *Poemas* (1966), *Eros de Passagem* (1968) *Obscuro Domínio* (1972), *Véspera da Água* (1973), *Escrita da Terra e Outros Epitáfios* (1974), *Limiar dos Pássaros* (1976), *Memória Doutro Rio* (1978), *Poesia e Prosa* (1980), *Poesia em Verso e Prosa* (1980), *Matéria Solar* (1980), O *Peso da Sombra* (1982), *Branco no Branco* (1984); prosa: *Os Afluentes do Silêncio* (1968), O *Rosto Precário* (1979), *Poesia e Prosa* [1940-1979], 2 vols. (1980), etc.

2

Cantas. E fica a vida suspensa.
É como se um rio cantasse:
em redor é tudo teu;
mas quando cessa o teu canto
o silêncio é todo meu.

5

Nos teus dedos nasceram horizontes
e aves verdes vieram desvairadas
beber neles julgando serem fontes.

A Uma Cerejeira em Flor

Acordar — ser na manhã de abril
a brancura desta cerejeira,
arder das folhas à raiz,
dar versos ou florir desta maneira.

Abrir os braços, acolher nos ramos
o vento, a luz, o que quer que seja,
sentir o tempo, fibra a fibra,
a tecer o coração de uma cereja.

24

Somos folhas breves onde dormem
aves de silêncio e solidão.
Somos só folhas ou o seu rumor.
Inseguros, incapazes de ser flor,
até a brisa nos perturba e faz tremer.
Por isso a cada gesto que fazemos
cada ave se transforma noutro ser.

Os Frutos

Assim eu queria o poema:
fremente de luz, áspero de terra,
rumoroso de águas e de vento.

Epitáfio

Barcos ou não
ardem na tarde

No ardor do verão
todo o rumor é ave.

Voa coração.
Ou então arde!

(*Poemas*, Lisboa, Portugália, 1966, pp. 18, 21, 42, 43, 219, 233.)

Green God

Trazia consigo a graça
das fontes quando anoitece.
Era o corpo como um rio
em sereno desafio
com as margens quando desce.

Andava como quem passa
sem ter tempo de parar.
Ervas nasciam dos passos,
cresciam troncos dos braços
quando os erguia no ar.

Sorria como quem dança.
E desfolhava ao dançar
o corpo, que lhe tremia
num ritmo que ele sabia
que os deuses devem usar.

E seguia o seu caminho,
porque era um deus que passava.
Alheio a tudo o que via,
enleado na melodia
de uma flauta que tocava.

Rumor

Acorda-me
um rumor de ave.
Talvez seja a tarde
a querer voar.

A levantar do chão
qualquer coisa que vive,
e é como um perdão
que não tive.

Talvez nada.
Ou só um olhar
que na tarde fechada
é ave.

Mas não pode voar.

(*Antologia Breve*, 3ª ed., Lisboa, Moraes, 1980, pp. 21, 36.)

Se há poeta na modernidade portuguesa de quem se pode dizer que se aproxima do velho sonho da "poesia pura", no que esta expressão tem de melhor, é Eugênio de Andrade. Nos seus poemas, geralmente curtos, como se fruto de um hausto breve, a imagem predomina a ponto de constituir um espaço autônomo, em que se gera e se multiplica, aparentemente sem vínculo com a realidade exterior. A música, que se esperaria estar associada às palavras para criar essa poesia tecida de transparente evocação, em meio a atmosferas rarefeitas, está ausente: o canto é do (a) interlocutor (a), lembra o poeta na composição "2", pois que seu é o silêncio, todo o silêncio. Aqui, silêncio e ausência se miscigenam, como a fonte geratriz das metáforas, suspensas tão logo começam a proliferar-se por um encadeamento interminável e retomado a cada poema. Compondo sua poesia de silêncio e ausência, como a dimensão oculta do que se vê e se ouve, nem por isso vira as costas ao real: sua aspiração é um poema "fremente de luz, áspero de terra, / rumoroso de águas e de vento" ("Os Frutos"), originário, pois, dos *elementos* da Natureza, como a crítica já assinalou (Antônio Ramos Rosa). Poesia antidiscursiva (Vergílio Ferreira), radicada na "condição angélica" (Eduardo Lourenço), (V. *21 Ensaios sobre Eugênio de Andrade, Porto,* Inova, s. d.) nela se processa, como reconhece o autor na "Poética" que lhe inaugura a recolha de poemas, "o empenho total do ser para a sua revelação". E prossegue, falando de seu lirismo com a mesma lucidez inspirada que pratica na armação de seus versos, "afluentes do silêncio" como que brotados do ato de respirar, tornando o crítico simples leitor ou seu cúmplice, mais do que intérprete: "na verdade, ele nega onde outros afirmam, desoculta o que outros escondem, ousa amar o que outros nem sequer são capazes de imaginar". Aí está tudo que em síntese se pode afirmar dessa poesia de fina e sussurrante limpidez, feita de "silêncio e solidão", hoje merecidamente colocada entre as mais altas surgidas depois de Fernando Pessoa.

Noturno de Lisboa

Pela noite adiante com a morte na algibeira,
cada homem procura um rio para dormir,
e com os pés na lua ou num grão de areia
enrola-se no sono que lhe quer fugir.

Cada sonho morre às mãos doutro sonho.
Dez-réis de amor foram gastos a esperar.
O céu que nos promete um anjo bêbado
é um colchão sujo num quinto andar.

Pequena Elegia de Setembro

Não sei como vieste,
mas deve haver um caminho
para regressar da morte.

Estás sentada no jardim,
as mãos no regaço cheias de doçura,
os olhos poisados nas últimas rosas
dos grandes e calmos dias de setembro.

Que música escutas tão atentamente
que não dás por mim?
Que bosque, ou rio, ou mar?
Ou é dentro de ti
que tudo canta ainda?

Queria falar contigo,
dizer-te apenas que estou aqui,
mas tenho medo,
medo que toda a música cesse

e tu não possas mais olhar as rosas.
Medo de quebrar o fio
com que teces os dias sem memória.

Com que palavras
ou beijos ou lágrimas
se acordam os mortos sem os ferir,
sem os trazer a esta espuma negra
onde corpos e corpos se repetem,
parcimoniosamente, no meio das sombras?

Deixa-te estar assim,
ó cheia de doçura,
sentada, olhando as rosas,
e tão alheia
que nem dás por mim.

Despedida

Colhe
todo o oiro do dia
na haste mais alta
da melancolia.

Lamento de Luís de Camões na Morte de Antônio, seu Escravo

... viveu em tanta pobreza, que se não tivera um jau, chamado Antônio, que da Índia trouxe, que de noite pedia esmola para o ajudar a sustentar, não pudera aturar a vida. Como se viu, tanto que o jau morreu, não durará ele muitos meses.
Pedro de Mariz

Devias estar aqui rente aos meus lábios
para dividir comigo esta amargura
dos meus dias partidos um a um

— eu vi a terra limpa no teu rosto,
só no teu rosto e nunca em mais nenhum.

XLV

Chove, é o deserto, o lume apagado,
que fazer destas mãos, cúmplices do sol?

(*Ibidem*, pp. 38, 72-73, 108, 142, 237.)

SOFIA DE MELO BREYNER ANDRESEN

Nasceu no Porto, em 6/9/1919. Freqüentou por algum tempo o curso de Filologia Românica da Faculdade de Letras da Universidade de Lisboa, cidade onde ainda vive. Além de escrever ficção *(Contos Exemplares,* 1962; *Histórias da Terra e do Mar,* 1984), tem-se sobressaído como uma das vozes mais representativas do lirismo português do pós-guerra. Publicou: *Poesia* (1944), *Dia do Mar* (1947), *Coral* (1950), *No Tempo Dividido* (1954), *Mar Novo* (1958), *O Cristo Cigano* (1961), *Livro Sexto* (1962), *Geografia* (1967), *Grades* (1970), *Dual* (1972), *O Nome das Coisas* (1977), *Navegações* (1983), *Ilhas* (1989), etc.

Noite

Mais uma vez encontro a tua face,
Ó minha noite que eu julguei perdida.

Mistério das luzes e das sombras
Sobre os caminhos de areia,

Rios de palidez em que escorre
Sobre os campos a lua cheia,

Ansioso subir de cada voz,
Que na noite clara se desfaz e morre.

Secreto, extasiado murmurar
De mil gestos entre a folhagem,

Tristeza das cigarras a cantar.

Ó minha noite, em cada imagem
Reconheço e adoro a tua face,
Tão exaltadamente desejada,
Tão exaltadamente encontrada,
Que a vida há-de passar, sem que ela passe,
Do fundo dos meus olhos onde está gravada.

Em Todos os Jardins

Em todos os jardins hei-de florir,
Em todos beberei a lua cheia,
Quando enfim no meu fim eu possuir
Todas as praias onde o mar ondeia.

Um dia serei eu o mar e a areia,
A tudo quanto existe me hei-de unir,
E o meu sangue arrasta em cada veia
Esse abraço que um dia se há-de abrir.

Então receberei no meu desejo
Todo o fogo que habita na floresta
Conhecido por mim como num beijo.

Então serei o ritmo das paisagens,
A secreta abundância dessa festa
Que eu via prometida nas imagens.

VI

Vi florestas e danças e tormentos,
Cantavam rouxinóis e uivavam ventos
Nos céus atravessados por cometas.

Vi luz a pique sobre faces nuas,
Vi olhos que eram como fundas luas
Magnéticas suspensas sobre o mar.

Vi poentes em sangue alucinados
Onde os homens e as sombras se cruzavam
Em gestos desmedidos, mutilados.

Levada por fantásticos caminhos
Atravessei países vacilantes,
E nas encruzilhadas riam anjos
Inconscientes e puros como estrelas.

Soneto à Maneira de Camões

Esperança e desespero de alimento
Me servem neste dia em que te espero
E já não sei se quero ou se não quero
Tão longe de razões é meu tormento.

Mas como usar amor de entendimento?
Daquilo que te peço desespero
Ainda que mo dês — pois o que eu quero
Ninguém o dá se não por um momento.

Mas como és belo, amor, de não durares,
De ser tão breve e fundo o teu engano,
E de eu te possuir sem tu te dares.

Amor perfeito dado a um ser humano:
Também morre o florir de mil pomares
E se quebram as ondas no oceano.

Meditação do Duque de Gandia Sobre a Morte de Isabel de Portugal

Nunca mais
A tua face será pura limpa e viva

Nem o teu andar como onda fugitiva
Se poderá nos passos do tempo tecer.
E nunca mais darei ao tempo a minha vida.

Nunca mais servirei senhor que possa morrer.
A luz da tarde mostra-me os destroços
Do teu ser. Em breve a podridão
Beberá os teus olhos e os teus ossos
Tomando a tua mão na sua mão.

Nunca mais amarei quem não possa viver
Sempre,
Porque eu amei como se fossem eternos
A glória, a luz e o brilho do teu ser,
Amei-te em verdade e transparência
E nem sequer me resta a tua ausência,
És um rosto de nojo e negação
E eu fecho os olhos para não te ver.

Nunca mais servirei senhor que possa morrer.

Nunca mais te darei o tempo puro
Que em dias demorados eu teci
Pois o tempo já não regressa a ti
E assim eu não regresso e não procuro
O deus que sem esperança te pedi.

(*Poesia*, 2ª ed., Lisboa, Ática, 1959, pp. 12-13, 62-63; *Antologia,* 2ª ed., Lisboa, Moraes, 1970, pp. 68, 89; *Mar Novo*, Lisboa, Guimarães, 1958, pp. 31-32, 33.)

Os excertos da obra poética de Sofia de Melo Breyner Andresen, posto que reduzidos, assinalam com vigor suas vigas mestras. Lirismo em feminino, que em momento nenhum cede ao fascínio da intelectualização, é a nota mais relevante a registrar. O amor, que constitui assunto habitual dessa espécie poética, está ausente ou transfigurado. Se um "outro" o merece, a sutilização ocupa o lugar do derramamento confessional, ora sublimando o sentimento, notadamente se a morte interrompe os tormentos da paixão, como em "Meditação...", ora traduzindo-o em reflexões de sentencioso contorno, como no "Soneto à Maneira de Camões". As mais das vezes, o interlocutor é a Natureza, entrevista como cenário em perpétuo dinamismo de cores e do "mistério das luzes e das sombras", numa profusão de metáforas, onde se diria morar uma sensibilidade barroca de agônica vocação à espera de ser encorajada a transformar o poema numa explosão de imagens para todos os sentidos. E o narcisismo que latejaria nesse diálogo renuncia ao imperativo de tornar a paisagem natural — em especial o mar, de obsessiva presença — em mero espelho onde o "eu" se duplicasse. Ao contrário, a Natureza, se não é o objeto desse lirismo ardente, pulsando de emoção contida pelos freios do decoro, é pelo menos o parceiro privilegiado dum encontro amoroso renovado a cada momento, duma interminável sede de comunhão. A forma que reveste esse intercurso é o da melhor tradição lírica: como se perseguisse, ou captasse, a harmonia das coisas da Natureza, os poemas preferem as estruturas regulares aos versos livres. Em qualquer caso, porém, ressalta a impressão de estarmos ante a voz feminina mais sonora da modernidade em Portugal.

Eurydice

A noite é o seu manto que ela arrasta
Sobre a triste poeira do meu ser
Quando escuto o cantar do seu morrer
Em que o meu coração todo se gasta.

Voam no firmamento os seus cabelos
Nas suas mãos a voz do mar ecoa
Usa as estrelas como uma coroa
E atravessa sorrindo os pesadelos.

Veio com ar de alguém que não existe,
Falava-me de tudo quanto morre
E devagar no ar quebrou-se, triste
De ser aparição, água que escorre.

Nevoeiro

Quem poderá saber que estranha bruma
Brotou caladamente em minha volta
Pra que eu perdesse as horas uma a uma
Sem um gesto, sem gritos, sem revolta.

Quem poderá saber que estranhos laços
E que sabor de morte lento e amargo
Sugaram todo o sangue dos meus braços —
O sangue que era sede do mar largo.

Quem poderá saber em que respostas
Se quebrou o subir do meu pedido
Para que eu bebesse imagens decompostas
À luz dum pôr de sol enlouquecido.

Inscrição

Quando eu morrer voltarei para buscar
Os instantes que não vivi junto do mar

Eurydice

O teu rosto era mais antigo do que todos os navios
No gesto branco das tuas mãos de pedra
Ondas erguiam seu quebrar de pulso
Em ti eu celebrei minha união com a terra

*
* *

Eis aqui o país da imanência sem mácula
O reino que te reúne
Sob o rumor de folhagem que há nos deuses

A Paixão Nua

A paixão nua e cega dos estios
Atravessou a minha vida como rios

(*No Tempo Dividido*, Lisboa, Guimarães Ed., 1954, pp. 16, 18; *Livro Sexto*, 2ª ed., Lisboa, Moraes, 1964, p. 44; *Dual,* Lisboa, 2ª ed., Lisboa, Moraes, 1977, pp. 14, 55; *O Nome das Coisas*, Lisboa, Moraes, 1977, p. 52.)

TENDÊNCIAS CONTEMPORÂNEAS

Preliminares

Após a revolução de 25 de abril de 1974, que deu fim ao regime salazarista, as letras portuguesas conhecem um período de efervescência, sobretudo na área da prosa. Novos valores despontam, como Lobo Antunes, José Saramago, Lídia Jorge, Teolinda Gersão, Mário de Carvalho, Mário Cláudio, Albano Martins, Vasco Graça Moura, Nuno Júdice, enquanto outros se firmam ou continuam a sua trajetória, como Vergílio Ferreira, Agustina Bessa-Luís, José Cardoso Pires, Antônio Ramos Rosa, Urbano Tavares Rodrigues, Almeida Faria, Bernardo Santareno, Eugênio de Andrade, David Mourão-Ferreira, Maria Judite de Carvalho, Augusto Abelaira, Herberto Helder e tantos outros.

VERGÍLIO FERREIRA

Nasceu em Melo (distrito da Guarda, relação de Coimbra), em 28/11/1916. Em Coimbra, formou-se em Filologia Românica pela Faculdade de Letras. A seguir, ingressa no ensino secundário oficial, e assume cadeira em Faro e Évora, sucessivamente, até que se translada para Lisboa, onde permaneceu até a morte. Iniciou cedo sua carreira literária (O *caminho fica longe,* 1943), com um romance em que, para além dos titubeios próprios de um estreante, já revelava embrionariamente as qualidades que fariam dele um dos mais importantes ficcionistas da moderna Literatura Portuguesa. Escreveu romances *(Onde tudo foi morrendo,* 1944; *Vagão "J",* 1946; *Mudança,* 1949; *Manhã Submersa,* 1955; *Aparição,* 1959; *Cântico Final,* 1960; *Estrela Polar,* 1962; *Apelo da Noite,* 1963; *Alegria Breve,* 1965; *Nítido Nulo,* 1971; *Rápida, a Sombra,* 1975; *Signo Sinal,* 1979; *Para Sempre,* 1983; *Até ao Fim*, 1987; *Em Nome da Terra*, 1990; *Na Tua Face*, 1993), contos *(A Face Sangrenta,* 1953; *Apenas Homens,* 1972; *Contos,* 1976), ensaios *(Do Mundo Original,* 1957; *Carta ao Futuro,* 1959; *Malraux,* 1963; *Espaço do Invisível,* 1965; *Invocação ao Meu Corpo,* 1969; *Espaço do Invisível II e III,* 1976 e 1977) e diário (*Conta-Corrente,* 5 vols., 1980-1987). Faleceu em Lisboa, em 1/3/1996.

Aparição

Publicado primeiramente em 1959, e desde então reeditado várias vezes, *Aparição* confirmou e avultou o prestígio de que gozava Vergílio Ferreira a partir de *Mudança.* Tanto é assim que o romance lhe trouxe o "Prêmio Camilo Castelo Branco" do mesmo ano em que surgiu. O enredo gravita em torno de Alberto Soares, professor do Liceu de Évora. Abismado em denso drama existencial, trava contínuos contactos com pessoas da cidade, sempre no intuito de revelar-lhes a "aparição", que recebera depois de uma longa caminhada de angústia sem eco. Em vão: seus interlocutores (Sofia, Ana, Cristina, Dr. Moura, Bexiguinha e outros) não lhe escutam a voz. Tudo culmina com a morte de Cristina, a selar tragicamente a presença de Alberto em Évora. Os trechos que se vão ler, correspondem a uma espécie de prólogo do narrador e a um fragmento do capítulo III:

Sento-me aqui nesta sala vazia e relembro. Uma lua quente de verão entra pela varanda, ilumina uma jarra de flores sobre a mesa. Olho essa jarra, essas flores, e escuto o indício de um rumor de vida, o sinal obscuro de uma memória de origens. No chão da velha casa a água da lua fascina-me. Tento, há quantos anos, vencer a dureza dos dias, das idéias solidificadas, a espessura dos hábitos, que me constrange e tranqüiliza. Tento descobrir a face última das coisas e ler aí a minha verdade perfeita. Mas tudo esquece tão cedo, tudo é tão cedo inacessível. Nesta casa enorme e deserta, nesta noite ofegante, neste silêncio de estalactites, a lua sabe a minha voz primordial. Venho à varanda e debruço-me para a noite. Uma aragem quente banha-me a face, os cães ladram ao longe desde o escuro das quintas, fremem no ar os insetos noturnos. Ah, o sol ilude e reconforta. Esta cadeira em que me sento, a mesa, o cinzeiro de vidro, eram objetos inertes, dominados, todos revelados às minhas mãos. Eis que os trespassa agora este fluido inicial e uma presença estremece na sua face de espectros... Mas dizer isto é tão absurdo! Sinto, sinto nas vísceras a aparição fantástica das coisas, das idéias, de mim, e uma palavra que o diga coalha-me logo em pedra. Nada mais há na vida que o sentir original, aí onde mal se instalam as palavras, como cinturões de ferro, aonde não chega o comércio das idéias cunhadas que circulam, se guardam nas algibeiras. Eu te odeio, meu irmão das palavras que já sabes um vocábulo para este alarme de vísceras e dormes depois tranqüilo e me apontas a cartilha onde tudo já estava escrito... E eu te digo que nada estava ainda escrito, porque é novo e fugaz e invenção de cada hora o que nos vibra nos ossos e nos escorre de suor quando se ergue à nossa face.

A mancha da lua fosforesce como o vapor de uma lenda. Um bafo quente sobe dessa água, sagra-me de silêncio como um dedo na fronte. E outra vez agora me deslumbra, em alarme, a presença iluminada de mim a mim próprio, o eco longínquo das vozes que me trespassam. Como é difícil, miraculoso, pensá-lo. Quanta coisa aprendi e sei e está aí à minha disposição quando dela preciso. Mas esta simples verdade de que estou vivo, me habito em evidência, me sinto como um absoluto divino, esta certeza fulgurante de que ilumino o mundo, de que há uma força que me vem de dentro, me implanta na vida necessariamente, esta totalização de mim a mim próprio que me não deixa ver os meus olhos, pensar o meu pensamento, porque ela é esses meus olhos e esse meu pensamento, esta verdade que me queima quando sei o absurdo da morte, se pretendo segurá-la em minhas mãos, revê-la nas horas do esquecimento, foge-me como fumo, deixa-me embrutecido, raivoso de surpresa e de ridículo... E todavia, sei-o hoje, só há um problema para a vida, que é o de saber, saber a minha condição, e de restaurar a partir daí a plenitude e a autenticidade de tudo — da alegria, do heroísmo, da amargura, de cada gesto. Ah, ter a evidência ácida do milagre do que sou, de como infinitamente é *necessário* que eu esteja vivo, e ver depois, em fulgor, que tenho de morrer. A minha presença de mim a mim próprio e a tudo o que me cerca *é de dentro de mim* que a sei — não do olhar dos outros. Os astros, a terra, esta sala, são uma necessidade, existem, mas é através de mim que se instalam em vida: a minha morte é o nada de tudo. Como é possível? Conheço-me o deus que recriou o mundo, o transformou, mora-me a infinidade de quantos sonhos, idéias, memórias, realizei em mim um prodígio de invenções, descobertas que só eu sei, recriei à minha imagem tanta coisa bela e inverossímil. E este mundo complexo, amealhado com suor, com o sangue que me aquece, um dia, um dia — eu o sei até à vertigem — será o nada absoluto dos astros mortos, do silêncio. Mas tudo isto é quase falso, é quase estúpido só de estar a pensá-lo, a dizê-lo, porque a sua evidência é um milagre instantâneo.

A lua subiu ao céu quente, a sua água escorre-me agora pelo corpo. Lavo nela as minhas mãos e é como se me purificasse num tempo anterior à vida, num luminoso halo de coisas por nascerem. Súbito, neste silêncio mineral, a porta da sala range e o vulto de minha mulher, o seu corpo franzino, esfuma-se na sombra. Senta-se a meu lado, estende os pés ao luar sem dizer nada: ao fim de muitos anos aprendemos a verdade, na aparição da graça, num limiar de presença, antes que sobre a terra fosse pronunciada a primeira palavra. Tomo as suas mãos nas minhas e no deslumbramento da noite abre-se, angustiada, a flor da comunhão...

. . . .

Então, bruscamente ataca-me todo o corpo, as vísceras, a garganta, o absurdo negro, o absurdo córneo, a estúpida inverossimilhança da morte. Como é possível? Onde a realidade profunda da tua pessoa, meu velho? Onde não os teus olhos mas o teu olhar?, não a tua boca, mas o espírito que a vivia? Onde não os teus pés, ou tuas mãos mas *aquilo* que eras *tu* e se exprimia aí? Vejo, vejo, céus, eu *vejo aquilo* que te habitava e eras tu e *sei* que isso não era nada, que era um puro arranjo de nervos, carne e ossos agora a apodrecerem. Mas o que me estrangula de pânico, me sufoca de vertigem é teres sido *vivo* e tu estares ainda todo uno para mim, na memória do teu riso, no tom da sua voz, que era lenta, sossegada, nas idéias que punhas a viver entre nós, na realidade fulgurante de seres uma pessoa. Recordo-te totalizado, olho-te. Que é que te habita, que é que está em ti e és tu? Não, não é a carne, não é o corpo: é aquilo que lá mora, aquilo que ainda dura de ti nestas salas, nesse ar, *aquilo que eras tu,* o teu modo único de ser, aquilo a que nós falávamos, atravessando a tua parte visível. E, no entanto, sei, sei que esse tu real que te habitava não era senão a sua morada; como o espaço de uma casa, a intimidade do *home,* são as paredes que o fazem: derrubada a casa, a intimidade que lá havia morre...

E desde quando o sei, desde quando? A verdade aparece e desaparece. Deus, a imortalidade de uma ideologia política e a sedução de uma obra de arte e a sedução de uma mulher — onde começam?, onde findam? Sou um indizível equilíbrio interior. Vivi, agi, toquei com as mãos tanta ilusão consistente. Depois a ilusão desfez-se. Ficou, porém, o rasto do que toquei, o gesto das minhas mãos — essa última união com o que quis, acreditei. Então descobri que as mãos estavam impuras. Lavar-me, renascer. Deus está morto *porque sim.* A imortalidade morreu *porque sim.* Não foi bem, meu velho, porque me ensinaste a história da terra e do homem e dos bichos que já não há e de que há seres humanos desde há dois dias, isto é, desde há um breve milhão de anos, se tanto. Não foi por isso, não foi por isso. Foi porque Deus se me gastou. Sei só que não está certo que ele viva. Sei que ele é absurdo, *porque o é.* Sei que ele está morto, porque não cabe na harmonia do que sou. Não cabe. Como não cabe a simpatia das mulheres que aborreci. Como não cabem as anedotas da infância, que já não têm graça nenhuma. Como não cabe nada do que já não sou eu. Não discuto irra!, não discuto! Sei lá por que é que uma anedota de que ri não tem hoje para mim graça nenhuma! Sei só que a não tem.

E, todavia, pesa-me como uma pata de violência a realidade da pessoa que somos. Há muita coisa a arrumar, a harmonizar, muita coisa ainda a morrer. Mas por enquanto está viva. Por enquanto sinto a evidência de que sou eu que me habito, de que *vivo,* de que sou uma entidade, uma presença total, uma necessidade do que existe porque só há eu a existir porque eu estou aqui, arre!, estou aqui, EU, este vulcão sem começo nem fim, só atividade, só estar sendo EU, esta obscura e incandescente e fascinante e terrível presença que está atrás de tudo o que digo e faço e vejo e onde se perde e esquece. EU! Ora este "eu" é para morrer. Morre como a intimidade de uma casa derrubada. Sei-o com a certeza absoluta do meu equilíbrio interior. Mas como é possível? Agora eu sou essa intimidade, agora eu sou o seu espírito, a sua evidência.

(*Aparição*, 3ª ed., Lisboa, Portugália, 1960, pp. 11-14, 45-47.)

Nestes dois fragmentos, encontramos o fulcro de *Aparição* e uma das forças-motrizes da cosmovisão de Vergílio Ferreira. O lirismo, que perpassa as palavras e atinge o leitor mais distraído como se o despertasse dum torpor milenar, emoldura primorosamente a problemática existencial que informa o romance e seu autor. Vê-se que, no prólogo, o narrador declara que "só há um problema para a vida, que é o de saber, saber a minha condição, e de restaurar a partir daí a plenitude e a autenticidade de tudo — da alegria, do heroísmo, da amargura, de cada gesto". E no segundo trecho, assevera que "Deus está morto *porque sim.* A imortalidade morreu *porque sim",* e que ele traz dentro de si um "eu" que "é para morrer". Isso, unido à consciência do "absurdo negro, o absurdo córneo, a estúpida inverossimilhança da morte", permite enquadrar o conteúdo de *Aparição* dentro do Existencialismo. Fujamos, porém, de simplificar demasiado a questão: o existencialismo de Vergílio Ferreira tinha raízes na sua própria experiência de vida, era fruto de um "caso" pessoal e não do afeiçoamento a qualquer moda filosófica ou literária. Prova-o plenamente o exame de suas obras iniciais: nelas, surpreendemos, ainda que em gérmen, a equação existencialista que viria a predominar a partir de *Aparição.* Desde o começo de sua carreira, Vergílio Ferreira manifestou pendores para a análise da condição do homem em face do "mistério" da vida e da morte. Ocorre, todavia, que até *Aparição* a vertente existencialista dividia o terreno com o Neo-Realismo polêmico ou sócio-econômico-político, de mistura com outros ingredientes derivados de seu "caso" pessoal. Daí que Vergílio Ferreira ocupe lugar especial no panorama do Neo-Realismo, no qual se inscreve ao menos numa fase de sua trajetória. E se encontramos, de *Aparição* para a frente, rasgos que lembram a filiação estética dos princípios, é preciso entendê-los não como volta à ré, mas como evolução da própria doutrina neo-realista. Assim, Vergílio Ferreira representaria uma espécie de Neo-Realismo existencialista, caso o Neo-Realismo não estivesse tão comprometido com anseios de reforma das instituições sociais. Quando não, temos de vê-lo autônomo, alheio a correntes estanques ou rigidamente definidas.

Alegria Breve

Publicado em 1965, *Alegria Breve* gira ao redor dum entrecho que é mais sugerido que narrado: numa aldeia de montanha, em Portugal, durante uma guerra (a II Guerra Mundial?), o professor Jaime Faria enfrenta a crise de seu destino, a solidão cósmica que o acomete e a todos, ao mesmo tempo que vê a pequena localidade ser abandonada a pouco e pouco por seus habitantes. Até que restaram ele e a mulher, e esta acaba falecendo. As páginas transcritas correspondem ao primeiro capítulo:

Enterrei hoje minha mulher — porque lhe chamo minha mulher? Enterrei-a eu próprio no fundo do quintal, debaixo da velha figueira. Levá-la para o cemitério, e como? Fica longe. Ela pedira-me uma vez, inesperadamente, acordando-me ao meio da noite. Queria que a enterrasse junto ao muro que dá para o caminho, porque se vê daí a casa dela. Habituara-se a olhar para aquele sítio depois que ficou só. E pensava: "verei dali a janela do meu quarto". Mas teria de transportá-la para lá. Não tenho forças e cai neve. A quantos estamos? É inverno, dezembro, talvez, ou janeiro. Tiro a neve com uma pá, traço o retângulo e cavo. Dois cães assomam à porta do quintal, chupados de ódio e de fome. Ainda há cães pela aldeia? Babam-se e uivam sinistramente. Tomo uma pedra, disparo-a contra um, desaparecem ambos a ganir. E de novo o silêncio cresce a toda a volta, desde a montanha que fico a olhar até me doerem os olhos. Olho-a sempre, interrogo-a. Quando estou cansado de cavar, enxugo o suor e olho-a ainda. Um diálogo ficou suspenso entre nós ambos, desde quando? — desde a infância talvez, ou talvez desde mais longe. Um diálogo interrompido com tudo o que aconteceu e que é necessário liquidar, saldar de uma vez. Estou só, horrorosamente só, ó Deus, e como sofro. Toda a solidão do mundo entrou dentro de mim. E no entanto, este orgulho triste, inchando — sou o Homem! Do desastre universal, ergo-me enorme e tremendo. Eu. Dois picos solitários levantam-se-me adiante, lá longe, trêmulos no silêncio. Entre eles e a aldeia há um vazio escavado na montanha, donde sobem as sombras e a neblina. Pela manhã a neve infiltra-se pelos desfiladeiros, e toda a serra e a aldeia flutuam. Então é como se o tempo se esvaziasse e a vida surgisse fora da vida. Mas agora o ar é puro, transparente, como um sino na manhã. Só as sombras se erguem desde o fundo. Com a neve acumulada tomam um tom violáceo. Mas é um tom nítido como no espectro solar. Os dois picos, de arestas limpas, vibram imperceptivelmente no céu úmido e já escuro.

Trago o corpo de minha mulher embrulhado num lençol. É estranho como pesa. Dir-se-ia que a terra o exige com violência. Gostaria de a olhar pela última vez, e no entanto não é fácil. O lençol branco confunde-se com a neve. Assim é como se o corpo se confundisse também. A toda a borda da cova, a neve ficou suja da terra acumulada. Será a fundura bastante? Metro e meio, talvez. De comprimento está bem. Encosto-me ao cabo da enxada e é estranho que não reconheça em mim um sentimento distinto. Cansaço, decerto, e o orgulho e o medo. Será tudo o mesmo? E a resignação, talvez, ou mesmo a plenitude. Estás velho, como o não sabes? estás velho. Talvez seja assim a velhice: um esgotamento longo de tudo. E, no centro, breve, uma verdade final. Como um objeto precioso que se tira da terra e se limpa — qual a tua verdade final? Mas estou tão cansado. Agora não. Olho a aldeia abandonada, perdida na montanha, ouço o silêncio. E sinto-me aí disperso, irisado em espaço, íntegro e puro. E nu. Mas quando vou erguer o corpo, não resisto: sutilmente afasto as dobras do lençol. Então Águeda aparece-me à última luz da tarde de inverno.

Magra, sisuda, indignada com a vida. Pus-lhe o terço nas mãos, um pouco talvez para a reconciliar consigo, para ter um sono mais fácil. Mas a face agreste de boca cerzida, as mãos quase enclavinhadas fixaram para sempre a imagem do seu desespero.

— Dorme.

Cubro-a de novo, suspendo-a a custo. Afinal a cova ficou curta: os joelhos soerguem-se-lhe um pouco. Uma das dobras do lençol deslizou e tenho de me debruçar para a compor. Baixo-me, tremente, uma onda de suor vem bater-me em todo o corpo — que é que me assusta? Onde é que? É tudo tão grande. A noite cresce no céu, é necessário acabar tudo depressa. Sobre nós, os ramos nus da figueira começam a apagar-se na sombra. A terra cai na cova com um rumor fofo. Vou à loja buscar estacas para fazer uma cercadura. Um dia ponho-lhe uma lápida, talvez, ou alinho à volta lascas de pedra como se faz nos canteiros. Possivelmente cairá neve de noite e apagará aquelas manchas de terra. Mas é preferível cobri-la já com neve limpa do quintal. Com a pá vou apanhando pequenos blocos brancos que espalho sobre a sepultura. Depois aliso a superfície para que tudo fique perfeito. Entro enfim em casa e estiro-me num sofá, voltado para a janela de portadas abertas. Para lá do grande vazio, os dois morros sobem pelo céu com uma alvura pálida. Ligeiramente parece-me que se movem quando os fito intensamente.

Mas de súbito ergo-me, percorro a casa escura no prazer e no medo de ouvir os meus passos. Ouço-os. São fortes, ó tu — tu quem? São fortes, ressoam pela noite, são os passos do primeiro homem do mundo. Uma alegria terrível inunda-me. É uma alegria absoluta, imperiosa e todavia calma como a lentidão da terra. Armo o gira-discos, abro as janelas e saio.

Absurdamente, não cortaram a energia elétrica para a aldeia. Há mesmo três ou quatro lâmpadas que ainda acendem. Decerto, as outras fundiram-se. Fora, o ar nítido corta-me, filtrado, branco. Pureza do limite, é recomeço perfeito. Passo pelas ruas abandonadas, de casas mudas. Fitam-me, rondam-me, coalhadas de vozes e de sombras. Sou eu, estou aqui — se gritasses? Quase todas caem aos bocados, as janelas desconjuntadas, algumas de portas abertas. Se gritasses? Certa noite Águeda e eu ouvimos um grande estrondo como de tremor de terra: um telhado que abatera. Mas agora, nenhum rumor. Só a música. Vem pela janela, multiplica-se nos ocos da serra, avoluma-se no espaço. Mas é uma música suave, direi mesmo delicada. Lembra-me os veios de água pela primavera, as flores alegres dos campos. Estarei alegre? Um acesso de ternura. Passa como onda na aragem fria. De quem esta paz? Música triste como uma alegria desesperada.

— Se for capaz de ouvi-la e ficar sereno...

Deu-ma Ema há muito tempo — num tempo que é já do limiar da memória. Porque o antigo e o novo não são os anos que os medem mas o vazio que os afasta dentro de nós.

Subitamente, um uivo subiu longo, angustiado. Vem dos fundos da serra, serpeia à sua volta, sobe ainda por sobre mim, em espiral. Outro uivo respondeu de longe, torneando pelo ar. Os cães, os cães. Deviam ter abalado há muito, como os outros que se foram. Mas estes ficaram ainda, à espera do impossível. Agora os uivos multiplicam-se, enovelando-se na música. Em giros lentos, sobem da fundura dos córregos, circulam em torno da montanha, erguem o desespero até às estrelas. É uma noite sem lua, plácida e nítida, verdade simples. Estrelas, uivos e música. Que é que isto quer dizer? Dou a volta à aldeia toda — supõe que os cães te assaltavam. Desvairados de fome. Tu, despedaçado às dentadas. E só. Mas seria absurdo que isso acontecesse, porque só agora nasceste. Subo ao adro da igreja, olho-a. E, repentinamente, absurdamente, ressoa no adro deserto uma forte badalada. Estremeço: a aprendizagem é difícil. Algum pássaro noturno que embateu no sino? Já não ouço ali a música. Um gato bufou, uma ave, uma sombra, grifando o largo em diagonal como uma seta. Os cães sossegaram: possivelmente a música parou. Na fímbria branca dos telhados, nas árvores ossificadas, no ar imóvel — o silêncio. Vibra, retine como um cristal, ouço-o. Então abruptamente atiro uma patada violenta: para desentorpecer um pé? para tomar posse do mundo: um estrondo reboa com o anúncio de um Deus. Sou eu, ó noite. Trêmulo olhar de lágrimas, na solidão astral, e o frio, o frio, adstringente e nulo, restrito em mim, pequeno, tão só. Terei divindade que chegue? — tão grande o universo. Pequeno e medroso aqui. Atiro a minha patada violenta, respiro até aos ossos o universo inteiro. Sou eu. Regresso, enfim, a casa, acendo o lume. Terei de ir à mata cortar lenha. Amanhã? Talvez amanhã. Dorme. Estás tão cansado. Amanhã é um dia novo.

(*Alegria Breve*, Lisboa, Portugália, 1965, pp. 9-13.)

Para Sempre

Publicado em 1983, depois de outras obras premiadas e festejadas, esta narrativa tornou-se em pouco tempo um dos marcos distintivos da carreira do autor. O entrecho resume-se no seguinte: Paulo, o narrador, retorna à aldeia serrana de nascimento. Na cidade, ficara-lhe enterrada a mulher, Sandra. A filha, Xana, dispersa pelo mundo. Está só na casa da infância, à mercê das lembranças. O passado desponta-lhe em súbitos relâmpagos, ou como estilhaços dum barco naufragado, em mescla com cenas do presente, palco onde a memória entretece os fiapos de uma existência agora às vésperas do fim.

XXXVII

Levanto-me do sofá, atravesso o corredor. Mas quando entro na sala da escada para o andar de cima. A um canto está a máquina de costura, tia Luísa senta-se-lhe em frente. Está imóvel, um pouco dobrada. À luz dúbia da tarde que entra pela janela, vejo-lhe a face de cera, os óculos partidos, na ponta do nariz. Da tábua da máquina cai-lhe em pregas para o chão um lençol todo em folhos. Deve estar a remendá-lo, mas não se move. Tem as mãos paradas junto à agulha no acerto do trabalho. Ficou decerto assim desde sempre, parada na eternidade. A casa adormece no silêncio, só de vez em quando passa uma ave com o seu grito no esquadriado da janela. Ao lado, encostado à parede, está um grande baú de couro. É um baú de pêlo amarelo, corrido de pregaria nas arestas, assente em dois suportes de madeira. Nos sítios mais manuseados o pêlo raspou-se, ficou só o couro à mostra. É um baú onde se guardavam as grandes roupas das camas, lençóis, cobertas de malha com relevos. Por cima, na parede, há uma imagem do Coração de Maria colada num rendilhado de papel já a desfazer-se. E de repente reparo que há um vulto sentado no baú — conheço-te, conheço-te, desde quando? minha imagem de outrora, de um tempo perdido na memória. Veste o seu fato de veludo preto, os calções desajeitados até abaixo dos joelhos. O casaco prende por um cinto com um botão, a camisa abre numa gola branca saída do casaco. Está sentado no baú de couro, as mãos inertes no colo, os joelhos unidos de um encolhimento interior, os olhos perdidos no chão. Sapatos e meias pretas até abaixo dos joelhos, é um fato de luto. Conheço-te, fito-te ainda um pouco na hesitação de te ver aqui, estás só.

— Paulinho — digo-lhe a medo:

— Que é que queres?

Ergue a face devagar — que é que queres? Tens o cabelo corrido para a testa, mas a um canto arrepiava-se, formando ninho.

— Que é que tens? — pergunto-lhe ainda.

— Ainda perguntas?

Ao lado, tia Luísa imóvel. Tem as mãos paradas no tampo da máquina. Tinham-nos avisado do asilo, minha mãe ia morrer. Quando chegamos e me reconheceu, toda a boca se lhe contorceu num sorriso, fez-me um sinal para eu me aproximar.

— Tu sabes o que foi que ela disse?

Uma palavra, o ruído de um sopro, tinha a face encrespada do esforço.

— ... uma coisa que não entendi. Tu sabes o que foi?

Então ia explicar-lhe o que foi, o que nunca podia ter entendido, o que misterioso e impossível numa face de loucura, ia dizer-lhe, Paulinho não estava, só o baú encostado à parede, picotado de pregaria reluzente, e ao lado, a máquina de costura abandonada desde a eternidade. Subo a escada, os meus passos ressoam no silêncio. Nos dedos da mão esquerda que puxa o corrimão sinto as arestas dos buracos dos bichos da madeira. Cá em cima, o cheiro a mofo clareou. Mas há ainda o odor forte à sombra e ao tempo, sinal de abandono e solidão, que se não desvaneceu. Caminho devagar pelo corredor, rodo ao centro sobre mim, olho as quatro janelas de espaço. Suspendo-me à escuta de um imperceptível rumor, o rumor que sobe sempre das eras acumuladas e anuncia uma invisível aparição. Tudo quieto e definitivo como um túmulo esquecido. Só de vez em quando um breve estalido de madeira no forro, avivando o silêncio. A janela do poente dá para o cemitério. Vejo-o ao longe, marmoreado de branco entre os fusos dos ciprestes. Vejo-o minúsculo, apagado entre os campos, um pouco confundido nas sombras do entardecer, irmanado em indiferença ao que em mim desistiu. Estou aqui. Restos de ser eu, que é que sou eu? Estou aqui e a fadiga comigo e as lembranças que se apagam até serem apenas recordação. Detenho-me um pouco a olhar o horizonte, fecho a janela, o quarto fechou-se mais sobre si. Depois venho ao meu quarto da varanda, Sandra e eu dormíamos ali. Xana dormia também quando pequenina, uma vez fez um desenho, está ainda na parede. Então cheguei à varanda que dá para a montanha, se Sandra estivesse em baixo? um dia vi-a lá, eu estava em cima, ela regava as plantas com um regador, o sol irisava as gotas de água num festival de colorido. E olho realmente para baixo, não estava.

Mas nesse instante, pelo portão de madeira ao fundo do arruamento — quem era? Era um velho magro encurvado, trazia um bordão. Com a mão livre fazia gestos atirando ao lado o braço como se estivesse a explicar.

— Eh, pregador!

Mas ele não se interrompeu. Veio vindo até debaixo da varanda, eu atirei-lhe uma moeda, a moeda rolou no passeio. Segui-a com os olhos para a não perder de vista, ela rolou bastante tempo, depois olhei atrás, não estava ninguém. Junto ao portão os dois choupos estremecem na folhagem ao breve sopro da tarde. O caminho está deserto, não vejo mesmo ninguém em frente das casas. Adiante começa o núcleo compacto da aldeia. Olho os planos dos telhados embrechados uns nos outros atés ao arranque da montanha. Daqui donde a vejo, desdobra-se até ao alto em vagas de montes. A cada nova subida, a massa alastra para os lados, concentra-se em amontoados para ganhar ascensão até ao pico mais alto. Subo com ela ao apelo de altura, demoro-me no pico cimeiro onde o sol me parece atardar-se ainda um pouco. Ou é só o clarão do céu que o rodeia do seu halo. Esqueço-me aí um pouco, irmanado ao espaço da amplidão que se abre em mim. Depois desço para o outro lado da aldeia, a minha casa era aí. A empena mais alta reveste-se de lousas como escamas, minha mãe vinha à janela, os braços estendidos fora, o carteiro nem a olhava, erguia ao alto um dedo a dizer que não. A pedra da varanda sobressai do quarto, estou suspenso sobre o jardim abandonado. A vegetação cresceu inculta e os canteiros não se distinguem. Fecho a janela, recolho-me a mim, tenho ainda de fechar as duas que faltam. A da casa de banho está perra, dá para dois vãos de sótão a casa de banho. É preciso entestar os dois batentes um ao outro e fazer força depois para os repor na posição certa. Agora há só que fechar a do outro quarto que dá para o vale e uma serra longínqua. Toda a face da serra está já na sombra, breves manchas brancas assinalam aldeias de que não sei o nome. A um canto há um cubículo com restos de almofadas, cruzetas partidas, um bocado de espelho. E encostada a um ângulo, a caixa do violino. Tomo a caixa, abro-a devagar sobre o colchão de folhelho da cama. Tem ainda as cordas todas, deixei-o definitivamente quando concluí os estudos. Tem resina ainda no sítio do cavalete, as cordas estão ainda afinadas desde há pouco. E de novo tento nele uma melodia. Só me lembro de uma, é na quarta corda, a corda de *sol*. Ou lembro ainda mais alguma mas só esta sobe da minha memória obscurecida. *Dó... ó... si, dó, mi...* A melodia enche o silêncio da casa, enche todo o meu passado que a procura. Toda a terra vibra nela, todo o universo se explica numa palavra final. A mais alta, a mais profunda. Mas não sou eu que a faço vibrar, é ela só que a si mesma se diz. Música áspera a minha, na dificuldade dos dedos, da arcada certa e nítida, outra música para lá dela se sutiliza ao meu ouvido até ao silêncio final onde se perde a aspereza da minha execução. Que palavra se diz neste dizer? não a sei. Sei apenas que esse silêncio se preenche de tudo o que não sei dizer nem sobretudo me apetece dizer. Como uma rede que sustivesse todas as impurezas, o fio da água passa e a sua pureza me comove e só ela me existe. Fecho a caixa do violino, fecho a janela. Desço de novo à sala, olho ainda a tarde que se apaga. E é como se eu próprio me evolasse com essa tarde e de mim ficasse o que útil e necessário me sustentasse o viver. Tudo tão pouco — que é que resta sempre de uma vida humana? Mesmo a dos heróis, dos grandes gênios da arte e do saber. Depositaram a grandeza que foi sua, o que lhes fica é o nada que os sustenta, a miséria de um corpo que se extingue. Toda a convulsão de uma vida, agüentada agora com uma breve idéia, um frágil apoio, o vazio de si. A vida realiza-se multiplicadamente com a realização de quem a realiza. Com esse nada ou esse tudo se colabora na sua diversificação. Estou só — estás só. Não penses. Não fales. És em ti apenas o máximo de ti. Qualquer coisa mais alta do que tu te assumiu e rejeitou como a árvore que se poda para crescer. Que te dá pensares-te o ramo que se suprimiu? A árvore existe e continua para fora da tua acidentalidade suprimida. O que te distingue e oprime é o pensamento que a pedra não tem para se executar como pedra. E as estrelas, e os animais. Funda aí a tua grandeza se quiseres, mas que reconheças e aceites a grandeza que te excede. Há uma palavra qualquer que deve poder dizer isso, não a sabes — e por que queres sabê-la? É a palavra que conhece o mistério e que o mistério conhece — não é tua. De ti é apenas o silêncio sem mais e o eco de uma música em que ele se reabsorva. Pensa-o ardentemente, profundamente, absolutamente. Não és grande, terás apenas a mania das grandezas? Como queres igualar-te ao imenso e imperscrutável? O dia acaba devagar. Assume-o e aceita-o. É a palavra final, a da aceitação. Só os loucos e os iludidos a não sabem. Não sou louco. Não são horas da ilusão. Vou fechar a varanda. Tenho de ir avisar a Deolinda. É uma tarde quente de agosto, ainda não arrefeceu. Pensa com a grandeza que pode haver na humildade. Pensa. Profundamente, serenamente. Aqui estou. Na casa grande e deserta. Para sempre.

(*Para Sempre*, 2ª ed., Lisboa, Bertrand, 1984, pp. 301-306.)

AGUSTINA BESSA-LUÍS

Maria Agustina Bessa-Luís nasceu em Vila Meã (Concelho de Amarante, distrito do Porto), em 15/10/1922. Tem feito viagens pelo estrangeiro. Iniciou-se em 1948, com o romance *Mundo Fechado,* mas sem chamar sobre si maior atenção. Entretanto, em 1953, com a publicação d*A Sibila,* que mereceu o "Prêmio Delfim Guimarães" de 1953, e o "Prêmio Eça de Queirós" de 1954, entrou a gozar de um prestígio que não tem cessado de crescer, mercê da qualidade literária que consegue infundir em suas obras. Além das obras referidas, tem publicado *Os Super-Homens* (1950), *Contos Impopulares* (1951), *Os Incuráveis* (1955), *A Muralha* (1957), *O Susto* (1958), *O Inseparável* (teatro, 1958), *Ternos Guerreiros* (1960), *O Manto* (1961), *Embaixada a Calígula* (viagens, 1963), *O Sermão do Fogo* (1963), *As Relações Humanas: Os Quatro Rios* (1965), *Canção Diante de uma Porta Fechada* (1966), *A Dança das Espadas* (1966), etc. Sua obra máxima continua sendo *A Sibila.*

A Sibila

Publicado em 1953, este romance trouxe para sua autora, como se viu, dois prêmios literários seguidos. Seu enredo move-se em torno duma família de província, encabeçada por Maria e Francisco. De seu casamento nascem duas filhas, Estina e Quina, e três rapazes. Num dinamismo quase sem acontecimentos, ou em que os acontecimentos são vistos do lado de dentro, transcorre a narrativa, centrada mais nas personagens femininas que nas masculinas, sobretudo em Quina, a sibila do título. Os trechos escolhidos surpreendem a psicologia complexa da heroína, conforme se encontra nos capítulos III e IV:

Quina não era bonita. Tinha de seu pai a estatura, que era pequena, e as falas um tanto capciosas, o gênio profundamente equilibrado. Possuía a virtude de ser frívola apenas com as coisas frívolas, e, o que era mais, compreender exatamente onde havia, de fato, frivolidade. Todos os seus defeitos eram, um por um, os de tia Balbina, sua madrinha. Era, como ela, mentirosa e chicaneira, gostava de grandes relações e não tolerava tudo quanto não conseguia obter. O apuro de educação com que fora criada Estina faltou-lhe a ela, e Quina empenhava-se em demonstrar que superaria sempre essa ou qualquer educação. A mãe habituara-se a vê-la acudir a todas as lidas, presente nas sachas, nas lavouras, nas regas, e na casa, vacilante já, faziam falta braços ativos e o feitio esfogueteado da moça. Mas às vezes pensava que Quina estava feita mulher, chamando já as falas dos casadoiros, e que não fazia honra especial à casa da Vessada, cujas raparigas primavam pelos dons de tecedeiras, com bom conhecimento de caligrafia para tecer "saudade", "felicidade", "lembrança", nas barras das toalhas com efeitos de puxados muito artísticos. Ora, Quina não era, pela instrução, mais do que qualquer moça que se aluga por salário anual, com os "usos", isto é, determinadas mudas de roupa de estamenha e de linho. "Tenho que mandá-la ensinar" — prometia, a si mesma, Maria. Entretanto, a casa viu-se envolvida numa dessas querelas, história terrível, de águas, de justiça, e que o povo parece tomar como um derivativo do vício do jogo. Maria, e logo depois Quina, litigavam como se jogassem. A primeira ficava reduzida a um farrapo, cegava-se, estorcia-se de paixão, morria e revivia a cada contestação e a cada minuto. Esquecia a razão, e arruinava-se prazenteiramente até ao último ceitil; até ao último momento esperava vencer e recuperar tudo, e, se lhe explicavam miudamente as impossibilidades desse resultado, não compreendia. Quina era diferente. Tinha grande fé nas artimanhas dos advogados, achava que sempre, sem exceção, se pode iludir a lei. Cultivava-se em coisas do foro, fazia-se importuna, corria de um juiz a um influente e deste a um delegado, agia de moto próprio, desejava precipitar o lento esmoer da burocracia judicial, comprava testemunhas, impunha teorias, desprezava os legistas que não a favoreciam, e considerava letra morta os seus artigos. Era, enfim, calamitosa e insuportável. De qualquer modo, a questão ficou perdida; a casa da Vessada definitivamente soçobrava.

. . . .

Na casa, a situação de Quina sofrera uma profunda reforma. Isto já antes da morte do pai. Uma vez, tinha ela não mais de quinze anos — estava espigada, pálida, com achaques de cansaço, desvanecimentos muito atalhados com cozeduras de arruda — quando foi acometida duma síncope mais grave. Era em Agosto, e ela acabara de pular da presa onde estivera a desencardir-se da terra, depois das regas, quando caiu para o lado, desacordada, muito gelada, os lábios cinzentos. Foi o prelúdio duma longa doença. Durante um ano não deixou o leito; habituaram-se todos a considerá-la inválida, muito sujeita a breves desmaios a que chamavam ataques, branca, escoada, falando baixo e sorrindo inesperadamente para o vazio, e segurando tardes inteiras um rosário cujas contas, de modo um tanto febril, repassava. Achavam que morria. Choravam-na muito, atrás das portas, o pai trazia-lhe sempre um mimo particular, um lenço de seda, um pacote de lérias, e sentava-se à sua beira para lhe dizer que partiriam ambos um dia, para ver a festa dos Remédios em Lamego, levando um farnel de bolos de bacalhau, em cujo preparo Maria era perita, esmoendo o peixe seco a golpes de martelo, na pedra da lareira. Quina sorria sem ânimo.

— Está no fim — diziam as vizinhas, com a regência de Narcisa Soqueira, que aparecia, compungida, segredando receitas, e vagamente descoroçoada, pois ela pretendia Quina para seu filho Augusto, um pingão, muito sujo de língua, com tino para a escolha de bácoros e para enxertia de pomares. Porém, o mal de Quina estacionava. Nos primeiros tempos, teve delírios, parecia agonizar recitando adeuses, palavras de conformação, ou apenas movia os lábios num colóquio infinito, suave. Isto aterrorizava as mulheres, depois encheu-as duma devoção recolhida, acreditando a moça possuída de sobrenatural, vítima ou eleita, não sabiam. A mãe, sobretudo, mudou a sua conduta de repelões, de azedume, passou a servi-la com uma deferência dir-se-ia que entusiasta e cheia de orgulho, se alguma coisa se pudesse traduzir da sua concisão de falas e de maneiras. A enferma foi cercada de mimos, de mal disfarçadas venerações. Da parte de Maria, talvez houvesse somente esse abalo de ternura que se experimenta por um filho cujo sofrimento nos faz conhecer a intensidade do nosso amor. Mas, em Quina, essa atitude agiu num sentido que foi definitivo para a sua vida inteira. Ela, tão pouco acostumada a afagos que acabava por se sentir vexada quando motivo deles, um tanto escorraçada de confidências e da intimidade do coração materno, e relegada para um plano quase de serva, considerada um número mais na família, ela que continha elementos duma tremenda personalidade, reagiu da única forma que seria de esperar — a sua típica reação de "pega ou larga", a conquista da ocasião, usando para isso de todos os talentos de convicção e até charlatanismo. A paixão desenfreada pelo primeiro plano, fosse ele num âmbito familiar, deu-se então a conhecer. Ela, que até ali julgara prescindir dos respeitos, das atenções, do amor, que apenas fora uma rapariguinha ativa na obediência, apagada mesmo por ser demasiado exata, por temer salientar-se, incorrer em faltas, suscitar uma crítica, um reparo nem que fosse de louvor, compreendeu como a sua natureza vibrava com o afeto, a admiração, e como se expandia em energias apaixonadas, até derramar em volta uma influência de simpatia, de força, de irrecusável imperativo. Ela compreendeu isto, não pela razão, mas pelo sentimento. Sentiu que não podia perder jamais aquele privilégio que subitamente a revelava como algo de distinto e à parte de todos os outros. A doença fez-se invalidez, estorvo para o regresso à vida normal que a devolveria à mediocridade e à sombra; adquiriu uma forma de se expressar sibilina e delicada, que deixava suspensos os ouvintes, as almas estremecendo numa volúpia de inquietação, curiosidade e esperança. Vinham vê-la amigos chegados somente, pois o seu estado mal transpirava, na cautela de não atrair maledicências, interpretações pejorativas. E todos experimentavam um descontentamento de si próprios, um desejo de esquecimento, de frugalidade, de paz, ao entrarem naquela sala que cheirava a maçã e a folhelho, e onde Quina estava deitada, olhando o relógio de pesos cujo pêndulo de cobre oscilava lento, dentro da velha caixa verde e doirada. Pensavam que ela não se levantaria mais.

(*A Sibila*, 2ª ed., Lisboa, Guimarães Ed., 1956, pp. 42-44, 52-54.)

O tempo transcorrido após a publicação d*A Sibila* confirmou tratar-se de uma das obras-primas da moderna ficção portuguesa. Os fragmentos transcritos atestam-no cristalinamente, além de revelar algumas das qualidades literárias da autora. De propósito, as páginas selecionadas incidiram sobre o retrato psicológico de Quina, a sibila, pois a mestria romanesca da ficcionista se evidencia sobretudo na acuidade com que sonda os desvãos interiores das personagens. Contrariamente aos postulados neo-realistas, o tom empregado é o de quem não define nada, apenas sugere ou insinua, como se a narradora apalpasse o terreno movediço das psicologias individuais, quem sabe cônscia de que somente assim poderia ir desvendando suas nuanças e peculiaridades. Tal sutileza no esquadrinhamento do "eu" das personagens aborrece qualquer forma de realismo exterior ou de objetividade esquemática, e justifica-se pela linhagem introspectivista de que participa Agustina Bessa-Luís. Por isso, tem-se a impressão de que a ficcionista emprega a terceira pessoa como simples truque narrativo, e que o romance (ao menos nas passagens em que a heroína absorve a atenção) não passa de um longo monólogo de Quina, mas um monólogo em que ela falasse de si como de um terceiro (à semelhança das projeções infantis, da alogicidade dos delírios ou da heteronímia pessoana). Mais ainda: o desvelamento da complexa individualidade de Quina, dotada de "elementos duma tremenda personalidade", ou seja, dissimulada, enigmática, fingida, "bruxa", processa-se lentamente. Dir-se-ia que a riqueza e a multiplicidade psicológicas de Quina se manifestam pela ação, à medida que o tempo passa, e que, portanto, sua personalidade vai-se moldando, desenvolvendo e completando, à proporção que a vida lhe transcorre; em vez de pronta, sua personalidade desnuda-se no curso da fabulação, como se a narradora a fosse descobrindo pouco a pouco. Ao contrário, as personagens secundárias são descritas com breves pormenores, e externos quase sempre: "Augusto, um pingão, muito sujo de língua, com tino para a escolha de bácoros e para a enxertia de pomares". Assim, a evolução da psicologia da protagonista identifica-se com o próprio andar das coisas: a doença marcou-lhe inapagavelmente o caráter e determinou-lhe o futuro, como se entre sua personalidade e as ocorrências de sua vida se estabelecesse um nexo inextricável de necessidade e causalidade. Por último, note-se que a grande força de Agustina Bessa-Luís concentra-se em sua fecunda imaginação, mas esta não aparece sozinha: a observação e a memória auxiliam-na freqüentemente, desse modo condicionando uma das mais poderosas aparelhagens ficcionais da moderna Literatura Portuguesa.

Assim decorria a velhice de Quina. Isolava-se muito, ainda que toda ela fosse uma dádiva, um imperativo de generosidade e até desse sacrifício cotidiano que ressalta de todas as pequenas abdicações. O seu egoísmo era em proporção ao seu amor pela vida; a sua abnegação era o desprendimento da mesma vida, o orgulho de quem a própria paixão submete e vence. Não parecia de todo uma criatura nem admirável, nem sábia, pois não passava duma mulher cujos defeitos eram expressivamente evidentes e cuja alma era, talvez, demasiado intrínseca para ser recortada em síntese. Possivelmente, era Quina uma destas pessoas de quem se diz não terem caráter, significando com isto todo o turbilhão de aspirações, desejos, fraquezas, perversidades, mentira, audácia, medo e loucura, que pode ser encontrado no coração humano. A fibra mais recôndita do seu ser era a ternura — a mais bela e mais rara ternura.

Em tempos, bastava apenas aquele sorriso ambíguo e irônico com que seu pai a saudava, para que uma torrente de emoção lhe transbordasse do peito. Mas o pudor impedia-a de dar à sua voz um tom mais vivo, de a fazer pronunciar uma dessas palavras impulsivas e doces e tão banais em que se comunica o fulgor dum sentimento. O pudor é, talvez, a mais violenta, a mais iniludível das manifestações de sexualidade. Há grandes amorosas que envelhecem sem que o pudor deixe jamais de lhes transtornar a cor do rosto, ou de as obrigar a recato de virgens prudentes. Eis por que Quina, com os seus belos bandós brancos, curvada pela idade, ainda provocava em Inácio Lucas, o estranho e terrível marido de sua irmã, uma sensação de amenidade e de consolo inigualáveis. Perante ela, as suas cóleras demoníacas quebravam-se e eram vencidas, e ele ficava um tanto vexado até; se ocultava com maldades e brusquidões a sua perturbação, era já inofensivo.

Em Quina, mesmo as suas brutalidades de linguagem, quando presa duma grande ira, traziam consigo o acento de exagero a que a obrigava o pudor, porque, se o exagero é a arma branca dos tímidos, é igualmente a mais desesperada das reações do pudor.

A sua confiança nas criaturas foi sempre demasiado precária para que ela ousasse demonstrar inteiramente o seu amor por elas. A sua infância excluída de carinhos, dessas imponderáveis minudências de coração, esses supérfluos de sensibilidade que valem como o pão para uma pequena alma incerta de si mesma, deixara-lhe uma cicatriz profunda. Na sua afeição arrebatada e delicada por Custódio, estava a mesma gratidão, a mesma humildade apaixonada que dedicara ao próprio pai. Mas o pudor de não ser correspondida com igual soma de pura sinceridade, fazia com que ela jamais lhe pudesse revelar toda a intensidade da sua ternura e chegasse a desprezá-lo mesmo quando mais o favorecia. Aquela situação de subordinado era para ela a garantia de que Custódio não teria nunca a audácia de a julgar vinculada a si. E, contudo, como ela daria as suas rendas todas, tão laboriosamente acumuladas, para ter sobre o seu regaço a cabeça daquele adolescente, nas noites de serão em que os ventos zunem nas chaminés e a luz da candeia dobra como uma lâmina e vibra como o penacho verde e doirado das searas! Poder confiar-lhe as palavras simples e cheias duma eloqüência primitiva e quente, e que fazem a linguagem do coração materno ou coração de amante! Dizer-lhe que o amava, que o mundo todo era como uma taça esgotada e atirada longe, enquanto ele era a luz, a presença sempre apreensiva e ansiosa da felicidade, a paz e o terror da morte, e até a solidão que o homem busca na angústia de ser só. Mas a vergonha de suspeitar no olhar dele uma indiferença, um interesse, uma tirania de oportunidade, gelava-a. Um dia, com a sua bruta inconveniência, Custódio perguntou-lhe, sem propósito, denunciando-se, assim, industriado pela curiosidade de estranhos:

— O que me deixa vossemecê quando morrer?

— Que me és tu? — disse Quina. — Criei-te e dou-te de comer. Que esperas mais?

— Então que estou aqui a fazer? — bradou o moço, com escândalo. E ela riu-se, ainda que a desajeitada punhalada, por muito tempo ou para sempre, tivesse de sangrar dentro de si.

Aquela ingenuidade, aquela falta de arteirice e de dissimulação, eram, de resto, menos desfavoráveis para Custódio do que a astúcia mais consumada. Mesmo quando a sua ambição eclodiu e se fez apresentar com fatores de malícia, uma ou outra inesperada argúcia, ela acreditava-o apenas instrumento de conselheiros mais hábeis, e não impulso da sua própria natureza tão singela.

(*Ibidem.*, pp. 190-193.)

DAVID MOURÃO-FERREIRA

Nasceu em 24/2/1927, em Lisboa, onde se licenciou em Filologia Românica pela Faculdade de Letras da Universidade local. Além da docência universitária naquela instituição, exerceu grande atividade cultural, como Secretário da Cultura (1976-1979) e dirigente do Setor de Bibliotecas Itinerantes da Fundação Calouste Gulbenkian. Dirigiu a revista *Colóquio/Letras* da mesma fundação. Publicou poesia (*A Secreta Viagem,* 1950; *Tempestade de Verão,* 1954; *Os Quatro Cantos do Tempo,* 1958; *A Guitarra e a Viola,* 1960; *Infinito Pessoal,* 1962; *In Memoriam Memoriae,* 1962; *Do Tempo ao Coração,* 1966; *A Arte de Amar,* reunião dos cinco primeiros livros, 1967; *Cancioneiro de Natal,* 1971; *Matura Idade,* 1973; *Órfico Ofício,* 1978; *Entre a Sombra e o Corpo,* 1980; *Ode à Música,* 1980; *Antologia Poética,* 1983; *Os Ramos/Os Remos,* 1985; *Obra Poética*, 1988), ficção *(Gaivotas em Terra,* 1959; *Os Amantes e Outros Contos,* 1968; *As Quatro Estações,* 1980; *Um Amor Feliz,* 1986), ensaio *(Vinte Poetas Contemporâneos,* 1960; *Hospital das Letras,* 1966; *Tópicos de Crítica e de História Literária,* 1969; *Sobre Viventes,* 1976; *Lâmpadas no Escuro* 1979), teatro (*O Irmão,* 1965). Faleceu em Lisboa, em 16/6/1996.

Inscrição sobre as Árvores

A secreta viagem foi aquela
por entre estrelas verdes esboçada...

Chamei, a cada fruto, verde estrela.
Tombei, ébrio de estrelas, sobre a estrada...

Minuto

O amor? Seria o fruto
trincado até mais não ser?
(Mas para lá do prazer
a Vida estava de luto...)

Fui plantar o coração
no infinito: uma flor...
(Mas para lá do fervor
a Vida gritou que não!)

O amor? Nem flor nem fruto.
(Tudo quanto em nós vibrara
parecia pronto a ceder...)

Foi apenas um minuto:
a fome intensa, tão rara!,
de ser criança, ou morrer...

Lápide

Sortílego castelo pardacento,
por onde as pombas ágeis se extasiam
em curvas que são delas, e do vento...
— Castelo onde os teus gestos se mediam

pela graça que os deuses consentiam
às deusas que faziam seu tormento...

Epitáfio

Cada sorriso teu agora só desperta
este remorso vil que a minha vida tem:

— A tua alma estava à minha espera, aberta...
Repousei no teu corpo e não fui mais além.

Soneto Amargo de Convívio Humano

A Teixeira de Pascoaes

A pouco se reduz esta aventura:
rio sombrio de palavras feito,
onde cada garganta é um parapeito
sobre o líquido engano que murmura...

De pedra, de silêncio e hostilidade,
somos estátuas verdes mas esquivas.
Odiar? Amar? — Apenas tentativas
falhadas nas esquinas da saudade.

E já nenhuma esp'rança nos consegue
manter o morto corpo desatento:
somente partilhamos o tormento
a que vai cada um de nós entregue.

Que no entanto o rio nos iluda,
com sua eterna melopéia aguda.

Duna

Rio, pinheiro, vento — qualquer coisa
que surja de repente no caminho!
Rio, pinheiro, vento — qualquer coisa
que detenha este sonho movediço!
E vento ou rio, vento ou verde pinho
— tudo há-de ser melhor que este destino.

Soneto de Áspera Resignação

Não me digas segredos nessa voz
em que dizes também o que não dizes.
Fica o silêncio ainda mais atroz
depois de entremostradas as raízes.

Prefiro que não digas nada, nada.
Que não sejas arbusto nem canção,

mas sombra entreaberta, recortada
por um lívido e breve coração.

Já que não podes dar-me o que eu sonhara
— inteireza de ramos e raiz —,
ao menos dá-me, intacta, a sombra clara
onde se esbatam vultos e perfis.

Pois nesta solidão melhor é ter
a sombra que um segredo de mulher.

Soneto do Amor Difícil

A praia abandonada recomeça,
logo que o mar se vai, a desejá-lo:
é como o nosso amor, somente embalo
enquanto não é mais que uma promessa...

Mas se na praia a onda se espedaça,
há logo a nostalgia duma flor
que ali devia estar para compor
a vaga em seu rumor de fim de raça.

Bruscos e doloridos, refulgimos
no silêncio de morte que nos tolhe,
como entre o mar e a praia um longo molhe
de súbito surgido à flor dos limos.

E deste amor difícil só nasceu
desencanto na curva do teu céu.

Porta do Inferno

Numa cidade azul, aberta cruamente
aos desenhos do Sol, aos desvios da Lua
— aí me espera a forma ausente
que nos meus sonhos se insinua.

Amei, mais do que tudo, a morte que sonhara
ir encontrar em ti, fatal e apetecida.
Num círculo de luz impetuosa e clara
teremos o estertor que nos faltou em vida.

Numa cidade azul, antiga e duvidosa,
onde morreu Narciso à míngua de frescura,
hão-de nos dar enfim uma sangrenta rosa
— essa que mereceu a nossa vida impura!*

---

* *Narciso* = figura mitológica de grande beleza que, atraído por sua imagem refletida na água, nela se atira e morre.

Ao Verão

De frutos e de azul, que doirada mistura!
Eu já vira este corpo... Aonde, se não fora

a minha juventude? Assim eu a sonhara:
quisera, em sua face, a minha, transmudada!

Quão errado cresci! Outra foi a escultura
que o destino preferiu... — Mas o Verão continua

a criança que fui, paciente, a exumar
o templo da Beleza, oculto ao pé do mar.

Maria Lisboa

É varina, usa chinela,
tem movimentos de gata,
Na canastra, a caravela;
no coração, a fragata.

Em vez de corvos, no xaile
gaivotas vêm pousar.
Quando o vento a leva ao baile,
baila no baile co'o mar.

É de conchas o vestido;
tem algas na cabeleira;
e nas veias o latido
do motor de uma traineira.

Vende sonho e maresia,
tempestades apregoa.
Seu nome próprio, Maria.
Seu apelido, Lisboa.

Delfos

É o centro do mundo... É o reino de Apolo
Quem foi que pôs aqui Afrodite em *blue-jeans*
subindo o anfiteatro ao encontro do Sol
depondo na penumbra o esplendor das ruínas

Como galga os degraus... Lá em cima é o estádio
Eu encosto o ouvido ao umbigo da Terra
É para mim agora a sentença do oráculo
que sem eu perguntar me responde Mulher

Mas sei... dentro de mim... e sei que não me iludo
que vim dizer adeus à minha juventude*

Escolha

Entre vento e navalha escolho o vento
Entre verde e vermelho aquele azul
que até na morte servirá de espelho
ao vento que por dentro me deslumbra

Entre ventre e cipreste escolho o Sol
Entre as mãos que se dão a que se oculta
Entre o que nunca soube o que já sobra
Entre a relva um milímetro de bruma

Os Remos

Que rumor de remos
De que negra barca

Ouve-se tão perto
sem se ver a água

Vem Caronte ao leme
Ou tudo uma farsa

que ninguém encena
que ninguém aplaude

Em torno parece
adensar-se o nada

O que mais inquieta
já não tem palavras

Mas ainda resta
saber de que margem

ouvimos os remos
não vemos a água**

(*Obra Poética,* Lisboa, Presença, 1988, pp. 33-34, 34, 36, 56, 68, 80, 103, 161, 211; *Os Ramos/Os Remos,* Porto, Areal, 1985, pp. 89-90.)

---

* *Apolo* = deus do Sol, da luz, das artes, das letras, da medicina e dos oráculos (realizados em Delfos); *Afrodite* = Vênus, deusa do amor e da fecundidade.

** *Caronte* = barqueiro do Inferno.

Poeta e ensaísta, além de ficcionista e dramaturgo, David Mourão-Ferreira quase dispensa o crítico ao falar de seus poemas. A lucidez que põe no exame da obra alheia ainda se mantém ao divisar a própria, como se não o fosse. Mas a percuciência analítica, longe de roubar às construções poéticas sua natural ambigüidade e força expressiva, alarga-lhes os domínios conceptuais e as sugestões rítmicas. A tensão lírica alojada nos versos prolonga-se nos ensaios, ou, mais precisamente, nos comentários do poeta à sua produção. No posfácio à *Arte de Amar,* diz ele, em auto-análise que, abrangendo os seus primeiros livros de poesia, serve como chave interpretativa das composições transcritas: "Fusão do amor e da poesia; ou da procura do amor da procura da poesia; ou procura da fusão dessas duas procuras, — aí está, se mo permitem, o sentido em que me atrevo a sugerir que se interprete (quer negativamente, quer com sinal positivo) tudo aquilo que em poesia tenho feito". *Arte de Amar* chama ele ao "primeiro ciclo" de sua poesia, pois que de amor se trata, mesmo quando, como admite, outros assuntos lhe ocupam a mente. A ponto de concluir: "E creio, por vezes, que não tenho feito outra coisa senão escrever indefinidamente o mesmo poema. Sim, é um poema de amor: de amor incessantemente ameaçado". Amor que é enlace, êxtase, mas é também desencanto e promessa irrealizada, aberto a uma transcendência que não se cumpre, expresso em versos de fina e persistente melodia, sustentada por uma "doentia claridade" (observa o autor, em "Serenata do Adolescente"), marca de um poeta exigente, que sabe como poucos traduzir em luminosa escrita as várias facetas da complexa "arte de amar".

Inscrição sobre as Ondas

Mal fora iniciada a secreta viagem,
um deus me segredou que eu não iria só.

Por isso a cada vulto os sentidos reagem,
supondo ser a luz que o deus me segredou.

Libertação

Fui à praia, e vi nos limos
a nossa vida enredada.
Ó meu amor, se fugirmos,
ninguém saberá de nada!

Na esquina de cada rua,
uma sombra nos espreita;
e nos olhares se insinua,
de repente, uma suspeita.

Fui ao campo, e vi os ramos
decepados ou torcidos.
Ó meu amor, se ficamos,
pobres dos nossos sentidos!

Hão-de transformar o mar
deste amor numa lagoa:
e de lodo hão-de a cercar,
porque o mundo não perdoa.

Em tudo vejo fronteiras,
fronteiras ao nosso amor!
Longe daqui, onde queiras,
a vida será maior.

Nem as esp'ranças do céu
me conseguem demover.
Este amor é teu e meu:
só na terra o qu'remos ter.

Ilha

Deitada és uma ilha E raramente
surgem ilhas no mar tão alongadas
com tão prometedoras enseadas
um só bosque no meio florescente

promotórios a pique e de repente
na luz de duas gêmeas madrugadas
o fulgor das colinas acordadas
o pasmo da planície adolescente

Deitada és uma ilha Que percorro
descobrindo-lhe as zonas mais sombrias
Mas nem sabes se grito por socorro

ou se te mostro só que me inebrias
Amiga amor amante amada eu morro
da vida que me dás todos os dias

30

Ah Quem te contivesse
ó diverso Universo
em três versos

Vela

Consuma-se o eterno em cada instante
na crença de reservas infinitas

Importa mais o vértice da chama
que a cera a consumir ou consumida

XII

Irrompe do teu corpo iluminado
toda a luz de que o mundo sente a falta

Não a que mais reluz Só a mais alta
Só a que nos faz ver o outro lado

do bosque onde o Futuro e o Passado
defrontam o Presente que os assalta
num combate indeciso a que nem falta
o sabor de saber-se ilimitado

Irrompe assim a luz entre os extremos
da mesma renovada madrugada
E vibra a cada instante um novo grito

Com essa luz do grito é que nós vemos
que Passado e Futuro não são nada
apenas o Presente é infinito

Reinscrição sobre as Ondas

Só comigo me encontro enquanto me concentro
nas ancas de Afrodite ou nos olhos das Parcas

Mas sei que sou assim desde há imenso tempo
mal fora iniciada a secreta viagem

(*Obra Poética*, 27, 153-154, 266-267, 313, 331, 354, 385, 409.)

BERNARDO SANTARENO

Nome literário de Antônio Martinho do Rosário, nascido em Santarém, em 19/11/1924, e falecido em 1980. Médico de profissão, especializado em Psiquiatria, cultivou a poesia e a prosa, mas foi o teatro que lhe garantiu o nome nos quadros da modernidade portuguesa, como o dramaturgo talvez de mais alta inspiração, com as seguintes peças: *Teatro — 1º volume (A Promessa, O Bailarino, A Excomungada,* 1957), *O Lugre* (1959), *O Crime da Aldeia Velha* (1959), *Antônio Marinheiro (O Édipo de Alfama)* (1960), *Os Anjos e o Sangue* (1961), *O Duelo* (1961), *O Pecado de João Agonia — Irmã Natividade* (1961), *Anunciação* (1962), *O Judeu* (1966), *O Inferno* (1967), *A Traição do Padre Martinho* (1969), *Português, Escritor, Quarenta e Cinco Anos de Idade* (1974).

Antônio Marinheiro (O Édipo de Alfama)

Numa taberna, o marido de Amália morre às mãos de um marinheiro, de nome Antônio, com o qual se desentendera. Passado algum tempo, Amália se enamora do assassino, um rapaz de vinte anos, e com ele se casa, contrariamente à vontade da mãe, Bernarda. Os meses correm felizes, até que Amália descobre que Antônio é seu filho, enjeitado ao nascer, e cujo paradeiro era desconhecido. Tivera-o de José, aos quinze anos, com o qual mais tarde se casa e que é esfaqueado por Antônio, numa arruaça, sem saber que era seu filho. O trecho selecionado pertence à Cena XII do Terceiro Ato.

Cena XII

BERNARDA. Tenho frio. Amália! tenho frio!...

AMÁLIA (*brutal.*) Cale-se!

ANTÔNIO (*idem.*) Cale-se!

AMÁLIA (*abraçando-se a Antônio: terror.*) Que foi isto, Antônio?... o que é que nos aconteceu?! Ai, tenho medo! tenho muito medo!! (*Tomando, ansiosamente, a cabeça de Antônio entre as mãos, a observar-lhe o rosto, sôfrega:*) Tu já não gostas de mim?... (*Antônio cerra mais o abraço.*) Seja o que for, vem lá! vem lá, Antônio!! (*Gesto negativo de Antônio, apenas esboçado.*) Vem! e tu bem o sentes: tens medo... tens medo como eu!!... (*A olhar em redor:*) Sei que estas paredes se vão apertar... mais, cada vez mais... aqui, à nossa volta, até nos tirarem o ar... até nos sufocarem, Antônio!!?

ANTÔNIO (*reagindo, abanando Amália com violência.*) Não sejas tonta, Amália: tudo isso são sonhos... sombras ruins... São, digo-te eu! vozes que vêm no vento, e com o vento se vão... Abre os olhos, Amália: afinal de contas, o que é que sucedeu? Nada, nada, nada!...

AMÁLIA (*encolhendo-se em Antônio.*) E o almur?...

ANTÔNIO. Um pássaro como outro qualquer!...

AMÁLIA. E a Louca? aquelas palavras?...

ANTÔNIO. Palavras de louca!...

AMÁLIA (*calafrio.*) E esse homem?... esse Rui?...

ANTÔNIO. Ora, um tipo raivoso — como eu já fui, Amália! — uma espécie de doente, que não é capaz de agüentar a nossa felicidade...

AMÁLIA (*os braços em torno do pescoço de Antônio; ansiosa sempre.*) Não sei, Antônio... não sei, mas... Deus te oiça. Deus te oiça! (*Frenesim:*) Diz-me: gostas de mim? muito, Antônio, muito?... (*Terror; voz rouca, desfibrada:*) Não me deixes, não me deixes, não me deixes nunca!!! (*Beijam-se na boca: violência desesperada.*)

BERNARDA (*que se sentou a um canto, na cadeirinha baixa; sem olhar para Antônio e Amália. Voz gemida.*) Tenho frio.. . tenho tanto frio!... (*Amália e Antônio, desfazendo um pouco o abraço, miram Bernarda com hostilidade.*)

ANTÔNIO (*contemplando, apaixonadamente, o rosto de Amália.*) És tão linda, Amália!

AMÁLIA (*ternura, ansiedade.*) Não me achas velha, Antônio?!...

ANTÔNIO. De dia pra dia, tu apareces mais nova, mais limpinha de cara... são tão mansos, tão frescos os teus olhos!...

AMÁLIA. És tu, és tu que me mudas assim: é este desejo que eu sinto de me tornar igual a ti, nova como tu, bonita como tu, Antônio!... (*Grito profundo:*) Não te vás embora, não me deixes!!

ANTÔNIO (*estreitando o abraço.*) Ficarei sempre contigo: aconteça o que acontecer!

AMÁLIA. Tenho medo, Antônio, que queres tu?! Reparaste bem nos olhos daquele pássaro maldito? Por que, por que razão ele veio morrer à nossa porta e não em qualquer outra casa? Por que, Antônio?!!

BERNARDA (*queixume.*) Dói-me aqui (*indica o peito.*)... Tenho frio?!...

AMÁLIA (*crispação nervosa.*) Cale-se, mãe!

ANTÔNIO. Mau! então voltas à mesma conversa?!

AMÁLIA (*espécie de frenesim.*) Não posso, não sou capaz de me separar de ti!: cada manhã, quando sais pro trabalho, parece-me sempre que tu nunca mais voltas, que... Jesus! olha que eu, às vezes, sigo-te, vou atrás de ti, sem tu dares por isso... E já tenho ficado horas escondida, a ver-te trabalhar! ...

ANTÔNIO (*espanto.*) Ó Amália?!!... (*Ternura, beijando-a:*) Amália...

AMÁLIA (*tortura.*) Queria abraçar-te tanto, tanto, que tu... Queria poder ter-te aqui, dentro de mim, como a gente tem Nosso Senhor quando comunga: que nada, nem mesmo o que tu pensas, ficasse fora de mim!... Isto é esquisito, bem sei, mas... (*verdade feroz:*) eu gosto tanto de ti, Antônio!!! (*Muito doce, como que dominada:*) Que feliz é a mãe que traz o seu filhinho, o seu amor, escondido nas entranhas!: ninguém lhe toca, ninguém lhe fala, ninguém o vê!!... (*Violência crispada:*) Era assim... era assim que eu te queria, Antônio! Quem me dera, quem me dera que tu te fizesses pequeno, pequenino, até caberes todo aqui, no meu ventre!...

ANTÔNIO (*terno sempre, rindo.*) Pois, o teu menino! Tu tens cada uma, Amália?! E eu a pensar que já te tinha passado essa mania, de me tratares como se eu fosse um miúdo! ... (na *realidade fica infantil, como uma criança.*)

AMÁLIA (*estranha, dorida, como que nostálgica.*) O meu menino!... Às vezes, quando vou arranjar a tua roupa, quando a estendo e lhe vejo o tamanho, fico tão admirada que...: Meu Deus, que grande, que grande já está a tua roupa!!!?...

ANTÔNIO (*a rir.*) Sabes o que tudo isso quer dizer? Que tu gostavas de ter um filho, que estás morta por ser mãe...!

AMÁLIA (*estranheza súbita, afastando-se logo de Antônio.*) Um filho meu e... teu?!

ANTÔNIO Então?! ...

AMÁLIA (*nebulosamente; pavor.*) Talvez, talvez... Não, acho que não!... Um filho nosso? meu e teu?!... Muitas vezes, em sonho, sinto os meus seios vivos, corridos por dentro, nem que estivessem cheios de leite: então vou buscar o meu menino e dou-lhe de mamar... Ai, Antônio, nesses bocadinhos de sonho, parece que morro de alegria! (*Adoração:*) E queres saber como eu vejo o meu filho? És tu: os teus olhos, a tua boca, o teu riso... és tu!!

ANTÔNIO (*tomando, com certa violência, Amália entre os braços. Dominador, viril.*) Eu sou o homem! o teu homem. *(Amália tem uma reação de repulsa: Antônio mantém-na apertada, impedindo que se afaste.*) Sim, o teu homem, Amália!... (*Aos poucos, Amália abandona-se: desejo, paixão.*) E hás-de ter o filho que queres, um filho nosso, juro-te eu! Metes-te em sonhos, em imaginações, porque morres por ter um menino, porque nunca foste mãe!...

(BERNARDA *que, penosamente, se levantou e foi beber água, entorna parte desta no chão, deixando-a extravasar do púcaro e da bilha.*)

AMÁLIA (*nervosa, com rancor.*) Você tem as mãos rotas, mãe?! Bem a entendo, eu bem a entendo! (*Uns passos para Bernarda:*) Ou julga que não?!... (*Bernarda pára de beber e olha intensamente para Amália que, após uns segundos, não agüentando mais os olhos da mãe, tapa os seus com ambas as mãos:*) Se os seus olhos fossem balas... se fossem balas, você matava-me, que eu bem o sei!

ANTÔNIO (*censura.*) Ó Amália, deixa-te de... !?

AMÁLIA. Eu conheço-a, Antônio: conheço-a muito bem! O que ela quer é... (*Crispação nervosa, descontrolada, para Bernarda:*) Diga-lhe, diga-lhe, diga-lhe!!! (*Bernarda, sempre em silêncio, fica de pé, imóvel, num canto.*)

ANTÔNIO (*carinhoso.*) Dizer-me, o quê?... (*Ouve-se um grito de criança, na rua.*)

AMÁLIA (*correndo para Antônio: terror.*) O almur... é o grito do pássaro!...

ANTÔNIO (*a dominar-se.*) Tem juízo, Amália: foi um miúdo, ali na rua...

AMÁLIA. Tenho medo, tenho medo!!... Eu sei que hoje... (*Feroz, para Bernarda:*) Diga-lhe, diga-lhe você!!? (*Bernarda continua hirta, calada, seguindo-a com os olhos.*)

ANTÔNIO. Deixa-a, Amália! Que diabo, tu hoje parece que...

AMÁLIA. Ela é ruim, Antônio! é má, digo-te eu!... (*Torturada, quase a chorar:*) Segredos, todos têm... todos têm os seus segredos, não é?! *(Revolta:)* Não tive culpa! eu não tive culpa!! (*Apontando para Bernarda:*) Ela é que... ! (*De repente, quebrada, frágil, para Antônio:*) Quem há que não esconda qualquer coisa?: uma vergonha, uma... Até tu, Antônio, até tu! (*Abraçando-se a Antônio:*) Mas pra que precisa a gente de vasculhar no fundo do poço? Pra quê?! Ficamos sujos, mais feios, mais... mais velhos! Não é, Antônio, não tenho razão?!!

BERNARDA (*sem paixão: voz descolorida, monocórdica.*) O pecado pesa... pesa como chumbo, o pecado!

ANTÔNIO (*já ansioso, em expectativa.*) Mas... ? (*Para Bernarda:*) Um segredo qualquer, nem sempre é um pecado!? ...

BERNARDA (*imóvel*) É. É sempre o pecado de alguém: seja de quem for, seja de quem for...

AMÁLIA (*cobarde.*) Pronto, cale-se p'r'aí, mãe! Vamos jantar?...

ANTÔNIO (*dorido.*) Cada um tem o seu segredo: é bem verdade! Os segredos envenenaram a mente: temos que os confessar. Isso faz bem! Até eu...

AMÁLIA (grito.) Não digas!! Sei tudo, eu já sei tudo de ti, Antônio...

ANTÔNIO Quase, quase tudo: sabes que eu não conheci pai, nem mãe...

AMÁLIA (*descontrolada.*) Sei, sei, sei!!

ANTÔNIO (*sombrio.*) Mas não sabes como eles me enjeitaram — porque eles abandonaram-me, assim *(gesto:)*, pequenino de dias! — não sabes em que sítio, não te disse ainda quem tomou conta de mim, nem como passei o tempo de criança... E eu quero que saibas tudo, tudo!

AMÁLIA (*torturada.*) Por quê? pra quê?! Não quero saber, não quero saber nada disso! Só a gente, eu e tu, me interessa... *(beija Antônio.)* Só a gente, os dois... agora, agora, Antônio! O passado não... (*De súbito, agressiva, quase inimiga:*) Então queres ficar tu lavado, limpo, e deixares-me a mim suja?! Não hás-de ser melhor que eu, não hás-de!! Também eu queria confessar-te uma...

BERNARDA (*enorme fadiga.*) Não mintas, Amália: ou calas-te, ou contas a verdade toda!

AMÁLIA (*em fúria.*) A senhora é pior que... ! (*Desesperada, para Antônio:*) Ela quer separar-nos: ela tem-te raiva, nunca te perdoou aquela morte, nunca! Do outro, do velho é que ela gostava... Não a escutes, Antônio!! *(Para Bernarda:)* Pois você quer que eu diga...?!

BERNARDA... A verdade. Antes que esse pecado cresça mais e te mine toda, antes que fiques podre... podre, podre!

AMÁLIA. A culpada foi você!!

BERNARDA. Deus é que sabe.

AMÁLIA (*desesperada.*) Eu era uma criança, Antônio: tinha... ai, tinha só quinze anos!...

ANTÔNIO *(medo súbito.*) Cala-te, Amália: não quero saber, não quero saber disso! (*Brutal, para Bernarda:*) Vá buscar o jantar, senhora! O que é que está pr'aqui a fazer?!... *(Bernarda baixa a cabeça e fica imóvel.*)

(*Antônio Marinheiro* [*O Édipo de Alfama*], Porto, Divulgação, 1960, pp. 86-90.)

Calcada no *Édipo-Rei,* de Sófocles, a peça de Bernardo Santareno alinha-se inequivocamente entre as tragédias, com a diferença de que, ambientada em Lisboa, os traços míticos cedem vez aos sociais. Já não é pela vontade dos deuses que o filho mata o pai e liga-se em matrimônio com a mãe, mas, sim, por circunstâncias de ordem puramente humana, ou seja, social. Nesta adaptação do tema helênico não é demais entrever o intuito de pôr em xeque o contexto histórico em que vivia o dramaturgo, caracterizado pelo governo discricionário de Salazar. A cena transcrita corresponde ao clímax da peça: nela ocorre o reconhecimento, por parte dos protagonistas, da prisão em que se meteram a contragosto e da qual apenas se esquivariam pela loucura ou pelo suicídio. O diálogo é repassado de horror e terror, como reclamava a tragédia clássica, assim propiciando a catarse expiadora e a tomada de consciência dos males a evitar, se possível. A hipérbole, visível no emprego de sinais reiterativos de pontuação, notadamente a exclamação e a interrogação, não raro em parelhas, as reticências, e na expressão do *pathos,* por meio de sinais de terror físico (calafrio, voz rouca, espanto, etc.), corre por conta desse clima de ápice dramático num universo moral sem saída. Não obstante a ênfase sugerir certo pendor para o melodrama, de modo a substituir a gravidade trágica pelo derramamento sentimental, é notória a força dramática da cena, protagonizada por pessoas de carne e ossos, habitantes de uma "casa pobre de Alfama", que se exprimem à sua maneira. Abandonadas pelos deuses, entregues à própria sorte, acossadas pelo medo e por maus presságios (as palavras da Louca, o almur, "pássaro raro", no dizer de Rui, embarcadiço como Antônio: "vive toda a vida no mar; mas, quando sente que vai morrer, voa pra costa: morre sempre em terra. Dizem também que campo onde ele caia morto, é campo seco que nunca mais dá grão..." Cena IV, Ato III), somente lhes resta carpir da fatalidade, não sem lutar, até o fim, pelos sonhos desfeitos.

Cena II

AMÁLIA (*levanta Antônio, com um carinho infinito; doçura rasgada na voz.*) Vai, filho.. vai... vai-te embora!...

BERNARDA (*sempre enrodilhada penosamente.*) Vá-se embora... vá-se embora!...

RUI (*que tem seguido as falas anteriores como observador ardente um pouco separado: cada vez mais perceptível, uma alegria ferozmente livre.*) Vem, Antônio... vem comigo!...

ANTÔNIO (*que por momentos, fixa os olhos de Rui.*) Como tu estás contente!... (*Raiva:*) Estás contente, anh?!...

RUI (*cortante.*) Sim, estou contente.

ANTÔNIO (*meia volta brusca, outra vez desesperado, a arranhar a parede.*) Não há ninguém como eu! ninguém... ai, ninguém, ninguém!!... (*Virando-se de súbito para Rui, agarrando-o pelos ombros; sangrento, estilhaçado:*) Tu ouves? entendeste bem?!: Eu... matei o meu próprio pai! dormi com a minha mãe!!!... Ri-te, homem, ri-te!! Ah, que eu... (*Volta-se de novo para a parede. Começa a ouvir-se, cada vez mais nitidamente, o tumulto das gentes, lá fora, em frente da casa. Estranhamente, Amália aproxima-se de Rui.*)

RUI (*ardência felina, abraçando Antônio por detrás.*) Estás livre, Antônio! estás outra vez livre!!...

ANTÔNIO (*reação frágil, nervosa.*) Eu queria... ser como toda a gente... (*a gritar:*) Queria ser igual aos outros!!!

RUI (*violência de faca.*) Mas não és. Queres provas?... mais provas ainda?! Eles, os bons, (*indica vagamente as duas mulheres.*) correram contigo logo, desde o princípio, desde o dia em que nasceste: enxotaram-te, cuspiram-te, não te mataram porque... não tiveram coragem!!

BERNARDA (*sem se voltar, a voz rouca, agitando-se torturadamente.*) É falso... isso, é falso!...

RUI (*implacável.*) Tu não tiveste pai, nem mãe!!!

ANTÔNIO (*dilacerado, indicando Amália com o olhar e um débil gesto.*) Não tive?!...

RUI. Quando eles, os bons, te deixaram conhecer o teu pai... já tu o tinhas liquidado, por tuas próprias mãos! Quando eles te deram a tua mãe, já tu... (*Uma pedra, arremessada da rua, parte a vidraça da janela e vem cair no meio da cena; gritos, alarido do povo. Bernarda levanta-se assustada; Antônio e Rui olham para a pedra, sobressaltados; só Amália se mantém indiferente, abismada na contemplação dos olhos de Rui, junto do qual se encontra.*)

RUI. Vem comigo, Antônio!: Nem tu, nem eu, somos deste mundo... eles têm-nos raiva... (*indica a populaça:*) matam-te! eles matam-te!!

UMA MULHER (*na rua, só a voz.*) Arrombem a porta! Partam tudo!!...

UM HOMEM (*idem.*) Deitem fogo à casa! Deitem-lhe fogo!!...

ANTÔNIO (*tapando a cara com os braços.*) Não quero! não quero que eles me vejam: tenho vergonha, tenho vergonha!!

RUI (*ódio.*) Todo o mal... todo o mal que a gente lhes faça, não vale o que eles nos deram! o que eles te fizeram a ti! (*Violência:*) As leis deles não servem pra gente, não servem!!: Quero enganá-los, estragá-los... quero roubar-lhes tudo, tudo!... quero mijar-lhes em cima!!

ANTÔNIO Ai, ceguem-me, tirem-me os olhos! não posso, não sou capaz de ver mais ninguém!... (*Para Amália, infantil:*) Tenho vergonha, tenho vergonha... Ceguem-me! ceguem-me!!!

UMA MULHER (*na rua, aos gritos.*) Prendam essa maldita! Tragam-na cá pra fora!!!...

RUI (*para Antônio: gelo ardente.*) Daqui por diante, até ao fim, até morreres — juro, Antônio! — hás-de viver cego pra tudo isto: nem mãe, nem pai, nem casa, nem trabalho, nem... nada, nada!! A noite é negra, e não tem fundo: esconde tudo... põe todos iguais... Pro diabo, as leis deles!!! Temos a noite, a nossa riquinha noite, Antônio! A liberdade, a nossa liberdade!! Todo o mundo é nosso, todo!: um tesoiro em cada porto... Xangai, Buenos Aires, Hamburgo... todo o mundo é nosso! (*Mimando, terrivelmente:*) Eu passava, e olhava... Depois vinhas tu, e sorrias...: e elas — as velhas carcaças, pintadonas, carregadinhas de jóias! — cada vez mais ougadas, ougadas!... (*riso cruel. Depois, com fervor:*) Vamos ser felizes... vamos ser outra vez felizes. Antônio! (*Sombras, mistério:*) No meio da noite, um homem pode crescer... crescer... até chegar às estrelas! Lembras-te, Antônio? ainda te lembras?: A noite aqui é morna, sempre clara... Noite negra, negra! só lá, no meio do mar!!... Vamos ser felizes, Antônio!!!

AMÁLIA (*terror místico, a ler nos olhos de Rui.*) Já sei... já sei o que tu tens nos olhos... descobri, descobri! Almur... almur maldito!!! (*A recuar, transida:*) Já sei... agora, já sei!!!...

UMA MULHER (*lá fora.*) Cortem-lhe os seios! Rasguem-lhe as entranhas!!!...

ANTÔNIO (*calafrio*) Amália!?... (*corre, num impeto, para Amália: abraça-a e beija-a desesperadamente.*)

AMÁLIA (*os olhos sempre fixos nos de Rui.*) Agora já sei... descobri o segredo do almur, descobri!... (*Frenesim, para Antônio:*) Vai... foge... vai com ele!! (*Para Rui:*) Maldito! almur maldito: leva-o... leva-mo!!! (*Implorante, para Antônio:*) Vai... vai com ele, Antônio!!...

VOZ DE HOMEM (*na rua.*) Marquem-na! Queimem-lhe a barriga com chumbo a ferver!!! (*Pancadas na porta.*)

ANTÔNIO (*outra vez abraçado a Amália.*) Eles matam-te, eles...!? (*Beija-a na boca, apaixonadamente.*)

AMÁLIA (*num grito, empurrando Antônio a mão na boca.*) Não!!!...

BERNARDA (*quase ao mesmo tempo: medo e rancor.*) Não!!!

AMÁLIA (*impulso desesperado, incontrolável.*) Antônio?!! *(Corre para ele e beija-o por sua vez na boca: fúria de desejo e de angústia. Bernarda e Rui, ao mesmo tempo, saltam para junto de Amália-Antônio, separando-os: Rui diante de*

Amália face com face, agarrando-a pelos braços: Bernarda em frente de Antônio. Mais alta a vozearia do povo).

BERNARDA (*ódio.*) Vá-se embora!

RUI (*feroz.*) Quer que ele morra?!

AMÁLIA (*para Rui.*) Agora sei... sei o que dizem os teus olhos!... Descobri o teu segredo, almur!... (*Revolta:*) Por que não li neles mais cedo, por quê?!... (*Desalmada, frágil:*) Agora, já não posso nada... nada! (*Com uma espécie de raiva mística, percorrendo com os dedos os olhos de Rui:*) Os teus olhos, almur!... ai, os teus olhos!? Estes olhos dizem que... *(Outra pedra, quebrando os vidros, vem cair aos pés de Amália-Rui.*)

UMA VOZ DE HOMEM (*lá fora.*) Assassino! Sai daí! Sai daí!!!...

OUTRA VOZ DE HOMEM. Mataste o teu pai! o teu próprio pai!!!

UMA VOZ DE MULHER. Casaste com a mãe! com a tua mãe!!!

MUITAS VOZES. Morra! Morra! Morra!!!...

AMÁLIA *(olha por momentos em silêncio, desvairada, para Rui e depois para Antônio; de repente, corre para a porta da rua, abrindo-a de par em par: horda de povo excitada, durante segundos em silêncio. Para Rui: rouca, desgrenhada, horrível.*) Leva-o!... (*Rui, num salto, apanha do chão a navalha, empunhando-a ameaçador. As gente recomeçam o alarido: gritos de "morra! morra!...*")

RUI (*para Antônio, como um chicote de fogo:*) Antônio?!! *(Antônio, de súbito retesados todos os músculos, num instante desembainha a sua própria navalha, indo colocar-se ao lado de Rui: Ambos investem contra a populaça, concentrada em frente da porta.*)

AMÁLIA (*a gritar, inumana, encostada ao umbral da porta.*) Leva-o, almur! leva-o contigo!!!... Leva-o, maldito!!!... (*Lado a lado, as navalhas em riste, poderosos de força ágil, saem Rui e Antônio: as gentes, assustadas, abrem alas. Ansiedade profunda em Amália e Bernarda. Silêncio do povo. De repente, gritos de "Fugiram! Fugiram!!!...", recomeçando a vozearia. De baldão, entram muitos Homens e Mulheres: Amália recua até junto do laço-forca; Bernarda encolhe-se num canto.*)

(*Ibidem*, pp. 103-107.)

ANTÔNIO RAMOS ROSA

Nascido em Faro, em 17/10/1924, mudou-se para Lisboa, onde vive, entregue à atividade literária em tempo integral. Tem publicado ensaios, marcados sempre de uma fina percuciência *(Poesia, Liberdade Livre,* 1962; *A Poesia e a Interrogação do Real,* 2 vols., 1979-1980), mas é a poesia que lhe granjeou larga e merecida notoriedade: *O Grito Claro* (1958), *Viagem Através de uma Nebulosa* (1960), *Voz Inicial* (1960), *Sobre o Rosto da Terra* (1961), *Ocupação do Espaço* (1963), *Terrear* (1964), *Estou vivo e escrevo sol* (1964), *A Construção do Corpo* (1969), *Nos seus Olhos de Silêncio* (1970), *A Pedra Nua* (1972), *O Ciclo do Cavalo* (1975), *Boca Incompleta* (1977), *A Nuvem sobre a Página* (1978), *As Marcas do Deserto* (1978), *Círculo Aberto* (1979), *O Incêndio dos Aspectos* (1980), *O Centro na Distância* (1981), *Dinâmica Sutil* (1984), etc. Vários desses livros foram reunidos nos volumes *Não posso adiar o coração* (1974), *Animal Olhar* (1975), *Respirar a sombra viva* (1975).

De escadas insubmissas
de fechaduras alerta
de chaves submersas
e roucos subterrâneos
onde a esperança enlouqueceu
de notas dissonantes
dum grito de loucura
de toda a matéria escura
sufocada e contraída
nasce o grito claro

*
* *

Não posso adiar o amor para outro século
não posso
ainda que o grito sufoque na garganta
ainda que o ódio estale e crepite e arda
sob montanhas cinzentas
e montanhas cinzentas

Não posso adiar este abraço
que é uma arma de dois gumes
amor e ódio

Não posso adiar
ainda que a noite pese séculos sobre as costas
e a aurora indecisa demore
não posso adiar para outro século a minha vida
nem o meu amor
nem o meu grito de libertação

Não posso adiar o coração

*
* *

No coração da neve
e no espaço
no silêncio e na infância
no amor na solidão na liberdade
na gentileza na fraternidade
o mesmo puro delírio
de iluminar as trevas
sem diminuir o sonho
e fazê-las cantar
à luz do dia

*
* *

Esta luz súbita
que nasce das raízes
onde o implacável vive

Homens
tímidos passageiros
eu rangerei os dentes
até à violência extrema
em que a paz me aniquilará

No Vagar da Terra

Serão nossos os nomes nesta pausa,
mas ela é a própria luz do campo que persiste
com sua seiva concentrada em nós tranqüilos,
a madeira em que silêncio e força se conjugam
para a dicção diurna das fragrâncias visíveis.

Voz Inicial

Quem sou já não interessa
se o disse na certeza
que começa outro ser

Atlan

Estas cores livres
em que o sonho é sol
homem ouve o dia
que há nos teus olhos

Estas cores bruscas
de quinas de pedras
homem vê os ossos
da tua alegria

Estas cores negras
de cílios de vespas
homem olha o centro
da loucura certa

Árvore

Forço e quero ao fundo delicadamente
como subindo no sentido da seiva

espraiar-me nas folhas verdejantes,
espaçado vento repousando em taças,
mão que se alarga e espalma em verde lava,
tronco em movimento enraizado,
surto da terra, habitante do ar,
flexíveis palmas, movimentos, haustos,
verde unidade quase silenciosa.

A Felicidade Viva

Qual é a cor que dou à pedra imóvel
ao animal, à forma que suspeito
sob a água sem lastro? Uma figura
como um círculo pura e grande espaço,
um esforço alegre, ó inviolável página!

Não há terror nem surpresa, reconheço
a ausência, um sorriso de começo,
uma vontade de ajudar talvez a flor,
ou antes a raiz, o gérmen, o romper
das folhas e corolas, largas faces,
que são mãos e punhos desatados,
ao rosto de ar, à felicidade viva!

*
* *

É terra vitoriosa e são as cascas
da árvore que tombou sobre o telhado
e a pedra do mar vertida em tempo
e a palavra de um bicho que acordou

São duras retas vertigens trucidadas
que em feixe a mão desalinhou
e sob graves pentes desnudada
a matéria casta ser e nada

Assim a terra dormida despertou
e subiu de nós um mar de coisas vivas
num arremesso de forças despejadas

Parede e altamente a luz soou
de pedras de silêncios terras vozes
As mãos duras detonaram sol

A Construção do Corpo

Sempre a tentativa nunca vã...
O equilíbrio musical dos instrumentos,

a paciência do teu pulso suave e certo,
o teu rosto mais largo e a calma força
que sobe e que modelas palmo a palmo,
rio que ascende como um tronco em plena sala.
A tua casa habita entre o silêncio e o dia.
Entre a calma e a luz o movimento é livre.

Acordar a leve chama veia a veia,
erguê-la do fundo e solta propagá-la
aos membros e ao ventre, até ao peito e às mãos
e que a cabeça ascenda, cordial corola plena.
Todo o corpo é uma onda, uma coluna flexível.
Respiras lentamente. A terra inteira é viva.
E sentes o teu sangue harmonioso e livre
correr ligado à água, ao ar, ao fogo lúcido.

No interior centro cálido abre-se a flor de luz,
rigor suave e óleo, música de músculos, roda
lenta girando das ancas ao busto ondeado
e cada vez mais ampla a onda livre ondula
a todo o corpo uno, num respirar de vela.
Sobre a toalha de água, à luz de um sol real,
dança e respira, respira e dança a vida,
o seu corpo é um barco que o próprio mar modela.

A Face do Ar

O rosto nu perante o mar
Uma cortina de árvores corta o vento.
Um abrigo no extremo, a face do ar.
Onde sossega a sede, um pássaro arde.
O corpo encontra o côncavo do grito.
A pedra une-me à sombra do silêncio.

(*Não posso adiar o coração,* Lisboa, Plátano, 1974, pp. 57, 58, 81, 97, 151, 165, 177; *Animal Olhar,* Lisboa, Plátano, 1975, pp. 48, 135, 187; *Respirar a sombra viva,* Lisboa, Plátano, 1975, pp. 71-72,105.)

Estreando em 1958 e prosseguindo até hoje numa rara constância de qualidade e presença, a poesia de Antônio Ramos Rosa mostra-se a um só tempo una e vária no decurso dessa longa e profícua trajetória. Ao iniciar, evidenciava a assimilação do lirismo anterior e contemporâneo, inclusive na vertente surrealista, deflagrada nos fins dos anos 40, e o arremesso para o futuro, que faria do autor um dos mestres de poesia para os jovens aparecidos na década de 60. Os poemas transcritos dão uma idéia desse "caminho de palavras" (como intitula uma composição de *Não posso adiar o coração),* notadamente o primeiro ("De escadas insubmissas"), espécie de arte poética ou profissão de fé expressa pelos meios indiretos da metáfora. Sua poesia é um "grito claro", um alçar de voz que nitidamente se anuncia e se capta, ao contrário do que seria de esperar dum lírico, tradicionalmente de voz abafada ou em surdina. A claridade, atirada contra o mundo, como um canto em solo, é o seu forte, mas é a claridade do grito, do impulso ambíguo que, de resto, se encontra na raiz de todo projeto poético. Dois pólos, antagônicos e ocasionalmente interagentes, formam essa dualidade essencial, primeiro, o das "chaves submersas/e roucos subterrâneos" — que aponta, em quase sinonímia, para o que escapa à sondagem dos olhos —, e o segundo, o da loucura, presente em tudo o mais ("a esperança enlouqueceu / de notas dissonantes / dum grito de loucura"), ambos fundidos na "matéria escura / sufocada e contraída". Aí reside o âmago da poesia de Antônio Ramos Rosa, visível, posto que subjacente, nos versos selecionados. Com o tempo, tal binômio foi perdendo seu grão de cólera, para transformar-se numa serenidade cristalina, não menos vinculada, porém, a esse mito das conciliações impossíveis, a esse percorrer "um intervalo entre tudo e eu" ("Um Caminho de Palavras"), a esse anseio de uma transparência absoluta, de uma "unidade quase silenciosa" ("Árvore"), que preside a evolução do poeta, a ponto de quase se converter em plenitude, que seria mortal ao lirismo, mas de que nasce um novo sopro de dinamismo e dilaceração, sinal luminoso de que o ciclo de agonia recomeça, num eterno retorno: "O corpo encontra o côncavo do grito. / A pedra une-me à sombra do silêncio" ("A Face do Ar").

MARIA JUDITE DE CARVALHO

Nasceu em Lisboa, em 1921. Casada com Urbano Tavares Rodrigues. Freqüentou o curso de Filologia Românica da Universidade de Lisboa. Viveu no estrangeiro por seis anos. Estreou com *Tanta Gente, Mariana...* (1959), que logo chamou a atenção para o seu nome, mas a consagração veio com outro livro de contos, *As Palavras Poupadas* (1961), ganhador do prêmio "Camilo Castelo Branco" daquele ano. Posteriormente foram saindo outros volumes: *Paisagem sem Barcos,* contos (1963), *Os Armários Vazios,* romance (1966), *Flores ao Telefone,* contos (1968), *Os Idólatras,* contos (1969), *O seu Amor por Etel,* romance (1969), *Tempo de Mercês,* contos (1973), *A Janela Fingida,* crônicas (1975), *0 Homem no Arame,* crônicas (1979), *Além do Quadro,* contos (1983).

A Vida e o Sonho

Podia ter sido caixeiro-viajante, maquinista de comboios ou marinheiro. Não era porém nenhuma dessas coisas porque nós não nos fazemos, somos construídos pelas circunstâncias. O pai, naturalmente à força de muitos pedidos, conseguira que logo aos treze anos o metessem numa casa bancária importante onde lhe tinham dado uma farda cinzenta e um lugar de futuro. "Menino, então esse cheque?", "Menino, leve esta letra ao senhor Silva!", "Então, menino?", "Meni-i-no!". Ele afadigava-se, muito zeloso, já sério, ansioso por cumprir, e sem compreender ainda que o seu desembaraço e o seu zelo começavam já a enleá-lo todo naquela engrenagem de que nunca mais saberia libertar-se. À noite, em casa, devorava os livros de Emílio Salgari que um colega, mais abonado do que ele, lhe ia emprestando. Outras vezes folheava um velho atlas roído e vomitado já por várias guerras, que o pai comprara em tempos num alfarrabista. Mas o que podiam significar para o Adérito as linhas das fronteiras?

A ele bastavam-lhe aquelas vastas extensões azuis, aquelas cidades de nomes exóticos que lia (mal) em voz alta, para se ouvir, quase com volúpia.

Depois os anos tinham passado quase sem ele dar por que passavam, cheios de dias longos, todos iguais, sem interesse. Começou a atender ao balcão, teve secretária própria com pasta e com esponja (era um lugar de futuro), conheceu mulheres — poucas — , casou. Era agora ele quem chamava "Menino! Menino!" E sentia sempre ao fazê-lo, como que um aperto na garganta, uma espécie de vergonha que ele próprio não saberia explicar e também de culpa, principalmente de culpa para com aqueles rapazinhos sérios, ativos, muito zelosos.

Pensava raramente (para que ir até ao fundo das coisas?), mas às vezes achava-se a dizer a si próprio que não tinha nascido para aquilo e que talvez ainda estivesse a tempo de fugir. Mas fugir de quê? Para onde? Gostava do seu trabalho. Gostaria de fato? A verdade é que não sabia fazer outro. Números, números, dias, meses, anos de números, anos terrivelmente abstratos para ele e concretos, estava bem de ver, para muitas outras pessoas. Não tinha nascido para aquilo, era possível. Mas quem é que nasce para o que é? — refletia a querer consolar-se. Era um homem plácido, habituado a suportar as contrariedades da vida. Um homem para quem os prazeres não eram muito fortes nem os desgostos muito intoleráveis. Um homem metódico, com sonhos impossíveis mas nenhumas ambições.

Vestia todos os domingos o seu melhor fato, o azul, punha a gravata do dia dos anos e saía para o futebol. A mulher também se preparava e ia à casa da mãe. Às vezes saíam juntos, só se despediam ao fim da rua, beijavam-se sem dar por isso. Era um costume antigo que tanto um como o outro sempre tinham achado natural aquele de se separarem ao domingo à tarde. Tão natural e imutável como irem ao sábado à noite ao cinema do bairro ver uma fita qualquer, a que andasse ao sábado à noite, e irem ao domingo à missa das onze a São Domingos.

Às vezes, ao jantar, a mulher perguntava-lhe:

— Correu mal, o jogo?

O Adérito respondia-lhe que assim assim ou então que não tinha prestado. E corava sempre ao de leve porque era um homem a quem toda a mentira desagradava. Se mentia era só por sentir que a mulher compreendia mais facilmente as mentiras que ele lhe dizia do que as verdades que pudesse dizer-lhe. Não conseguia imaginar — e muitas vezes tinha pensado nisso — qual seria a reação dela se lhe dissesse onde passava, há quantos anos, as tardes de domingo. Todas. Quer chovesse, quer fizesse sol. Não o acreditava talvez, as mulheres têm sempre dificuldade em crer nas coisas simples, transparentes. Sim, ela nunca acreditaria que ele fosse para os cais ver os barcos que partiam ou então para o aeroporto olhar os aviões que deixavam a terra. Um dia tinha falado ao Costa, seu colega do Banco, dessa sua predileção e o Costa tinha sorrido com um pequeno ar superior. Se o Costa não podia compreendê-lo, como havia a mulher, uma pobre rapariga oca... O Costa ainda tinha perguntado:

— Mas que interesse é que pode ter para ti essa gente que vai de avião ou de barco?

E isso é que era estranho. O Adérito não ia ao aeroporto nem aos cais para ver as pessoas que partiam. Também não ia ver o barco nem o avião. Era mais complexo.

Nem ele próprio sabia — era um homem simples que procurava nesses momentos, sem dúvida os mais felizes, os mais cheios, os mais completos da sua existência sem vida. Era tudo e não era nada ao mesmo tempo. O cheiro forte, levemente podre daquela água próxima, escura, já misteriosa, o ar salgado a bater na pele, as vozes enervadas, as corridas, os gritos, uma ou outra lágrima, aquelas palavras de aventura calma, organizada, a encherem todo o campo. Vai partir com destino a Karachi... Ou com destino ao Brasil... ou para Nova Iorque... Depois, e isso era maior do que tudo, o grande pássaro a rugir, a arrastar-se pelo chão, depois a rasgar o espaço ou então o barco enorme a correr quieto como o tempo sobre as ondas ligeiras do rio quase oceano.

Às vezes deixava-se ficar até o barco desaparecer. Experimentava uma espécie de angústia, qualquer coisa como se alguém muito querido se tivesse ido embora para sempre. Mas não era bem isso. O que ele sentia era uma grande dor por essa pessoa, ele próprio, ter ficado.

Punha-se então a caminhar ao longo dos cais e havia sempre homens muito sujos ou talvez queimados do sol, ele não sabia, que tiravam ou punham fardos em navios de carga que tinham chegado ou que iam partir. Homens com caras de aventura. Homens. Às vezes parava a olhar para outros barcos, pequenos e de ar antigo, que a água apodrecera, sempre em movimento e sempre parados, presos com cordas grossas a postes de ferro. Presos para não irem água fora. Presos como ele.

Regressava sempre à casa melancólico. Via a mesa posta para o jantar, o abajur encarnado, a estatueta do rapaz a comer cerejas (as cerejas balouçavam quando ele entrava), a própria mulher já gorda e amolecida da idade, com outros olhos, os olhos novos de alguém que regressou de longe e caiu de repente, sem preparação, na vida quotidiana, na vida antiga, na vida que estava à sua espera, na *sua* vida afinal.

A mulher perguntava enquanto servia a sopa:

— Correu mal, o jogo?

Ele corava.

— Assim assim. E a tua mãe, como está?

Às vezes, à noite, chovia. Os pingos batiam com força na vidraça, o vento varria a rua toda. Ela deixava cair o trabalho no solo, enrolava-se mais no xaile porque era muito friorenta.

— Sabe bem estar em casa, dizia. — Sabes onde eu me sentia feliz? Na África...

Ele sorria ao de leve, ia até à estante, abria o Robinson Crusoé ou um livro qualquer de Júlio Verne, tantas vezes lido que já lhe sabia passagens de cor.

Na manhã seguinte voltava ao Banco e somava e multiplicava e dividia. "Menino!", "Então, menino?" Mas tinha um ar culpado e os garotos não o respeitavam. Era sempre ele o último a ser servido.

Certo dia um dos diretores chamou-o, fê-lo sentar numa daquelas poltronas de cabedal verde que até então ele só conhecia de vista. Era um homem gordo, muito aromático, sorridente, com brilhantes nos dedos. Olhou para o Adérito com intensidade, como se quisesse ler-lhe os pensamentos.

— Sabe por que o mandei chamar?

Mas o Adérito não sabia. Também não tinha pensamentos. Estava sentado na borda da poltrona e tinha as mãos sobre os joelhos unidos, respeitosamente unidos. Esperava.

O diretor pôs-se a falar. Que a direção reconhecia o seu valor, a sua dedicação à casa, o seu amor ao trabalho. Como já devia ter ouvido, o Banco ia ter uma sucursal em Lourenço Marques. O caso era que a direção tinha pensado nele, Adérito, para a dirigir, enfim, para gerir. Seria, claro, aumentado. Atrevia-se mesmo a assegurar-lhe que teria um aumento considerável... Considerável... Enfim, uma situação muitíssimo vantajosa. Sem falar no prestígio. Mas que pensasse, que pensasse, depois lhe diria se aceitava ou não.

O Adérito não pensou, ou melhor, pensou muito pouco. Também não falou daquilo à mulher porque ela não saberia compreender a resolução que tinha tomado, ainda o diretor lhe estava a expor o caso. Sempre sonhara ser uma senhora, coitada. Uma senhora como ela era capaz de ambicionar. Com muitos chapéus, muitos vestidos e muitos bolos para oferecer às visitas. Mulher dum gerente numa cidade colonial... Nunca lhe perdoaria a recusa, claro. Falou ao diretor na saúde da mulher, no seu próprio fígado, muito sensível. Tudo mentira, naturalmente. Por que então, por quê? Nem ele próprio sabia. E daí talvez, pensando bem. Talvez porque havia pessoas que sonhavam e viviam ao mesmo tempo, os homens negros dos barcos, os atores e as atrizes que ele via ao sábado à noite no cinema do bairro, e ele se habituara a sonhar e a viver. Talvez fosse por isso. Agora era tarde, demasiado tarde. Já não saberia viver um sonho. Sentia-se velho, horrivelmente velho e cansado, muito, muito cansado. Muito triste também.

Foi o Costa quem um dia partiu, num bonito paquete. No cais, o Adérito tinha os olhos bem abertos e sentia uma grande, uma enorme angústia. Deixou-se ficar até o barco se diluir todo no nevoeiro espesso que nessa manhã cobria o Tejo. Depois ainda deu um salto ao aeroporto a ver sair os aviões.*

(*Tanta Gente, Mariana...*, Lisboa, Arcádia, 1959, pp. 61-69.)

Maria Judite de Carvalho é, na Literatura Portuguesa, a introdutora, ou a mais talentosa representante, da "arte do implícito", que remonta a Katherine Mansfield. E "A Vida e o Sonho" é, com emitir fortes sinais do vigor criativo da autora, flagrante exemplo disso. Apontando logo à entrada o poder das circunstâncias sobre o destino, a contista dá a impressão de

---

* *Emílio Salgari* = escritor italiano (1862-1911), conhecido por suas histórias de aventuras no mar; *Robinson Crusoé* = nome do herói e título abreviado da narrativa *The Life and Strange Surprising Adventures of Robinson Crusoe, of York, Mariner* [A Vida e as Estranhas e Surpreendentes Aventuras de Robinson Crusoé, de York, Marinheiro, 1719], do escritor inglês Daniel Defoe (1660-1731); *Júlio Verne* = escritor francês (1828-1905), autor de narrativas de ficção científica, como *Voyage au centre de la terre [Viagem ao Centro da Terra]*, 1864/, etc.; *Lourenço Marques* = atual Maputo, capital de Moçambique.

perfilhar um determinismo que a seqüência da narrativa põe em dúvida. Um funcionário de banco, devorador das aventuras de Emílio Salgari, Júlio Verne, Robinson Crusoé e outros no gênero, entrega-se ao sonho, em que consolidaria seu desgosto pelo aqui e agora, mas recusa-o quando se lhe torna possível. Posto entre a vida — que lhe permite, afinal, realizar o acarinhado desejo de evasão — e o sonho — que projetava num futuro distante e indiscernível a fuga para o desconhecido — , Adérito prefere o sonho. "Agora era tarde, demasiado tarde. Já não saberia viver um sonho. Sentia-se velho, horrivelmente velho e cansado, muito, muito cansado. Muito triste também.", esclarece a narradora, fazendo suas as palavras mudas do protagonista. Na verdade, porém, tal justificativa era mais uma mentira do zeloso bancário, a fim de proteger-se da frustração que viria de empreender a quimérica viagem. Melhor é o sonho que a vida, parece dizer o pobre anti-herói; melhor ficar em Lisboa, a devanear, que em Lourenço Marques, a amargar a irreparável perda. Episódio comovente, desentranha-se de uma situação *exemplar* e da sondagem no mais íntimo da alma da personagem, assim convertida em paradigma de todos quantos vacilam entre extremos, como se o mal de viver não tivesse remédio. Introspecção e melancolia, intimismo e atmosfera poética, onde se diria pairar uma leve brisa à Raul Brandão, se aliam para fornecer uma amostra das qualidades dessa ficcionista com justiça situada entre os mestres da arte do conto na moderna Literatura Portuguesa.

Desencontro

Tinha gasto muito do seu entusiasmo e perdido muitas das ilusões que ainda lhe restavam, naqueles últimos dez anos em que andara lá por fora e voltava pela primeira vez cansado e triste, mas ainda, desconsolado de tudo. Ao atravessar a fronteira, verificara com espanto que não experimentava afinal a alegria que sentira ou julgara sentir sempre que vinha como agora passar as férias com a família. Em vez dessa sensação, tivera outra, quase física e quase dolorosa de tão direta — a de quem está doente e entra num hospital onde tudo é branco e silencioso, muito limpo, próprio para um tratamento.

Duarte deixou-se tratar. Talvez no fim de contas fosse melhor assim. Entregou-se à sua vida antiga, incrivelmente a mesma depois de tanto tempo, fazendo o possível por esquecer a outra, mais próxima, que começava a aparecer-lhe esbatida e flutuante, como que sonhada. Fez tudo por se adaptar, ainda que nesse esforço houvesse uma certa dose do abandono e do "será o que Deus quiser" de quem se deita numa marquesa. A criada, bonita e sempre muito séria, trazia-lhe todas as manhãs o pequeno almoço. A mãe, às nove e meia, aparecia muito bem disposta e fresca, a cheirar a sabonete, e beijava-o na testa. Ele sorria à mãe e não sorria à criada. Era tudo uma questão de pôr as coisas no seu devido lugar e também de boa vontade. O ambiente da casa ia atuando, envolvia-o como dantes, era como se nunca dali tivesse saído. Uma casa onde tudo e todos estavam como deviam estar, no lugar que lhes competia. Fora isso precisamente que havia talvez quinze ou mesmo vinte anos lhe dera pela primeira vez o desejo de fugir para longe, mas que ele agora, de tão desiludido, considerava de certo modo reconfortante e quase doce. O pai continuava a ir todos os sábados ao campo, à casa duma irmã viúva passar o fim-de-semana. A Luísa vinha ao domingo tomar chá, agora sem a mãe que tinha morrido nesse inverno duma angina de peito. Era um hábito de há muitos anos. Quantos? Ele fugira sempre aos hábitos ou talvez depois se habituasse a não os ter, não sabia bem. Agora, porém, era como se se entregasse sem luta. No primeiro domingo deixou-se ficar em casa a olhar para Luísa que achou quase interessante, quase bonita, e a ouvir os silêncios dela subitamente cheios de recordações. Quantos anos teria? perguntou a si próprio. Trinta e dois, trinta e três?... Sim, devia ser isso, uns trinta e três anos. Por que não se teria casado? Não era feia, nada feia vendo bem... Era rica, o que simplificava até as situações complicadas quanto mais as simples como a dela... Devia haver um motivo... Qual seria? Um amor não correspondido? Mas ainda se usaria tal coisa? Talvez afinal não fosse nada disso, talvez ela fosse simplesmente uma daquelas mulheres frias que não se interessam pelos homens, que a bem dizer não se interessam por nada, uma daquelas mulheres que se deixam viver. Nos quinze dias que todos os anos vinha passar a Lisboa, Duarte mal a vira, sempre apressado, com mil assuntos a tratar, com os amigos que de manhã à noite o arrastavam dum lado para o outro. Só agora notava a grande diferença que ela fazia da rapariga de dezassete ou dezoito anos, muito pintada e sempre com olhares requebrados, a encher as casas onde entrava de lufadas de perfume e com quem tinha tido um vago *flirt* sem conseqüências. A mulher que ali estava na sua frente não tinha nada dessa Luísa que Duarte tinha conhecido. Havia uma grande serenidade no seu rosto comprido, de feições quietas, nos seus largos olhos castanhos que tinham um brilho parado de lume sem vento.

A mãe perguntou-lhe no dia seguinte:

— Nunca reparaste que Luísa tem uma paixão por ti?

— O quê?

— Isso mesmo, claro. Todos sabem, todos souberam sempre. Só tu é que nunca deste por isso. Vem-lhe de pequena, enfim, de novita. Nunca te falei em tal coisa porque sabia que não te querias casar. Mas agora...

Duarte olhava-a espantado. Que queria ela dizer com aquilo? Teria planeado casá-lo com Luísa? Que, pensando bem, não era coisa para o espantar muito. Era mesmo da mãe sair-se com as idéias mais inesperadas, já completas e muito bem construídas pela sua imaginação demasiado fértil.

— Previno-a de que não me quero casar, declarou friamente, para lhe cortar as possíveis e mais que prováveis ilusões.

— Pois devias fazê-lo. Essa vida de estudante que levas já não é para a tua idade. Credo, não ter casa, viver por hotéis... A Luísa é uma boa rapariga, nem parece deste tempo. Gosta de ti... E séria? Como poucas, podes crer.

Mas Duarte não quis ouvir mais. Saiu de casa aborrecido, com vontade de fugir, como dantes. Aquilo nele era antigo, ficar furioso sempre que a mãe lhe falava na seriedade desta ou daquela mulher. Havia muitas coisas que estavam dentro de si, bem escondidas, que ele julgava pessoais e que o indispunham sempre que as ia encontrar bem claras e bem nítidas na boca da mãe e compreendia que as aprendera dela e as sentia como ela, ainda que dum modo menos rude. Assim aquela eterna preocupação da honestidade que toda a vida a levara a exigir que as suas amigas e as suas criadas "não tivessem histórias". Quando as opiniões da mãe o não aborreciam, Duarte ria-se delas. Às vezes irritava-a dizendo-lhe que achava preferível uma mulher que tem aventuras a outra que apregoa a sua honestidade aos quatro ventos.

Gostava de dizer muita coisa que no fundo não sentia, porque era e seria sempre um resultado da educação que tivera. Mas não se dava conta disso. Ainda na véspera dissera a Luísa que as mulheres portuguesas negociavam com o casamento. Ela sorria o seu vago sorriso sem calor, dizia:

— Talvez, é possível... Há muita verdade nisso.

A mãe punha as mãos na cabeça.

— Luísa, não lhe dês atenção! Que mais ouvirei, meu Deus?

Durante toda a semana que se seguiu, Duarte fugiu aos amigos e ficou mais em casa a pensar em Luísa. Recordou episódios da sua juventude que julgava esquecidos e nos quais ela tinha um lugar. E notou que sentia por ela uma grande ternura como nunca sentira por ninguém. No domingo esperou-a mas ela não apareceu. Duarte pôs-se então a pensar seriamente na possibilidade de casar com ela. Não era um grande amor, decerto, mas antes um desejo muito forte e muito sincero de descansar à luz daqueles olhos calmos e repousantes. Juntamente com essa idéia veio-lhe também a de ficar, de não voltar a partir, de abandonar para sempre as malas, os comboios, os quartos de hotel. De ter uma casa que fosse sua, com dois *fauteils* ao pé do lume. Estaria a ficar velho? Refletiu. Talvez, era possível. Só o que sabia é que se pusera de súbito a precisar daquela mulher. A mãe, a meio duma conversa, dissera-lhe onde ficava o emprego de Luísa e também a hora a que ela saía. Duarte fez-se encontrado com ela.

— Não sabia que estavas empregada.

— É verdade, estou. Arranjei isto há quase seis anos. Precisava de uma coisa para matar o tempo. Sabes o que é isto, matar o tempo? És capaz de não saber, homem feliz...

— Tenho uma idéia desde que cheguei. Se queres matá-lo mais um bocado, ao tempo, vamos tomar qualquer coisa.

— Acho bem. Estou com sede. A minha repartição não dá que fazer aos empregados mas ainda não atingiu o grau de perfeição de lhes fornecer chá e bolos à saída. Uma gente sem educação, que queres!

Quando se sentou em frente dela numa pastelaria da Baixa, esteve um momento a olhá-la em silêncio. Luísa disse na sua voz um pouco arrastada:

— Desculpa se não estou suficientemente elegante. Se soubesse que te encontrava, teria posto um chapéu de plumas.

— Em minha honra?

— Em honra de me teres convidado para tomar chá. Das outras vezes falavas-me como se mal te lembrasses de mim.

Duarte desculpou-se com as suas muitas ocupações.

— Então viva a preguiça! Sempre fui pela preguiça. É mesmo essa uma das razões que me fazem continuar a ir à repartição. Já reparaste que as pessoas que trabalham pouco, são quase sempre imensamente simpáticas?

Pôs-se a rir, depois trincou um bolo devagar.

— Ficas ou voltas para Paris?

— Não sei ainda. Tudo depende de conseguir ou não uma coisa que pretendo.

— Ah!

Um *ah* que era quase um ponto final. Mas Duarte sabia que isso não queria dizer que ela o desejasse em absoluto, a esse ponto final. Lembrava-se de que fora sempre difícil conversar com Luísa porque de vez em quando ela alheava-se, deixava perder sem as agarrar as coisas que os outros diziam e que ainda há pouco parecia considerar interessantes. Os seus olhos pareciam de repente vazios de olhar.

Foi então que Duarte lhe perguntou:

— Luísa, queres casar comigo?

O olhar voltou para se fixar nele.

— Quero — disse com simplicidade. — Mas tu, quererás de fato casar comigo?

Duarte pôs-se a falar. Da sua vida passada, principalmente da que tinha diante de si. Esperava triunfar depois daquele longo estágio no estrangeiro. Claro que havia muitos engenheiros, mas não com as suas possibilidades. E, se não triunfasse, paciência. Tudo era viver.

Luísa ouvia-o com atenção aparente mas não percebia o sentido das palavras que ele dizia com entusiasmo.

— Lembras-te porque acabou o nosso namoro dos dezassete anos? — perguntou por fim.

Duarte esperava que ela dissesse outra coisa e aquela pergunta deixou-o perplexo.

— Por isso mesmo, porque tínhamos dezassete anos.

— Eu. Tu tinhas vinte e três.

— É o mesmo.

— É muito diferente. Tu tinhas vinte e três anos e parecias mais velho. Já tinhas andado lá por fora e para a tua idade tinhas vivido bastante. Eu, pelo contrário, acabava de sair do colégio e ainda que isso te pareça impossível, ignorava tudo da vida. Não rias... Claro que sabia teoricamente como os meninos se fazem. Sabia também algumas anedotas escabrosas que as colegas me tinham contado. Mas isto não é conhecer a vida. As idéias que eu tinha acerca dela eram muito gerais e muitíssimo falsas.

A sua voz perdera o tom arrastado, era agora serena, muito calma.

— Tu não pensavas em te casar e hoje dou-te razão. Terias comprometido a tua carreira. No entanto, achavas-me agradável e no fundo talvez te divertisse a minha fase ridícula de mulher saída do forno. Tenho retratos dessa época. Pintava-me estupidamente e esforçava-me por olhar para os homens como a Joan Crawford porque num baile me tinham dito que os meus olhos eram parecidos com os dela. E eu acreditei, calcula tu! O que nós acreditamos aos dezassete anos! Creio que todas as raparigas têm uma fase semelhante. A minha caiu um pouco tarde. Em geral é aos quinze.

Duarte olhava-a sem compreender. Luísa interrompera-se para beber um golo de chá. Depois prosseguiu:

— Como havias tu de descobrir que eu era cheia de ilusões se imitava em tua intenção as poses da última capa do *Cinéfilo* e mudava de penteado todos os quinze dias? Sugeriste então uma vez em ar de graça, que fosse contigo a Sintra onde os teus pais tinham uma casa. Vazia, naturalmente. Daí a dias insististe e zangaste-te mesmo porque eu recusei. Lembro-me perfeitamente de que me chamaste "bota de elástico" e de que isso me vexou muitíssimo. Disseste que lá fora não se encontravam, felizmente, raparigas como eu, que era ridícula, que ainda estava agarrada a um estúpido complexo de virgindade. Eu não quis ir apesar de tudo o que disseste e foi por isso que acabamos.

— É também por isso que venho agora, Luísa. Eu sempre desejei...

Ela continuou sem o ouvir:

— Muitas vezes mais tarde me arrependi de não ter ido contigo a Sintra naquele dia. A vida ensinou-me que *isso* tem afinal pouca importância e muita ao mesmo tempo. Creio que não era isto que esperavas que eu dissesse mas é verdade. Durante anos esperei por ti, Duarte. Não sei já quantos mas foram muitos. Levava meses a pensar nos quinze dias que tu vinhas passar com os teus pais. Talvez seja desta vez, dizia a mim própria. Mas nunca era. Tu chegavas e partias, era como se passasses por mim sem me veres. Uma das vezes cruzamo-nos na escada da tua casa e nem me reconheceste. É verdade que eu estava muito desfigurada, tinha estado doente. Ia a estender-te a mão mas tu baixaste-me a cabeça, muito cerimonioso. Creio que nesse dia chorei muito e que levei a noite a verificar que falhara a minha vida por tua causa. Ia a fazer trinta anos daí a dois meses. Os trinta anos são tão tristes, tão desconsoladores nas mulheres que ficaram solteiras... Eu tinha ficado solteira à tua espera e esquecera-me de que tinha direito a um marido, a filhos, a uma existência normal. Resolvi nessa noite pensar em mim, seguir um caminho diferente, interessar-me por alguém. Talvez que o amor nas mulheres seja mais elástico e mais passivo do que nos homens. Eles escolhem, nós quase sempre vimos a gostar de quem nos escolheu. Creio que gostei muito do Francisco...

Ele interrompeu-a:

— Crês?

— Sim. Os anos passam e nós perdemos a certeza das coisas. Já lá vão quatro anos... não sei ao certo o que pensei e o que senti. Ele era casado mas vivia separado da mulher. Queria divorciar-se para casar comigo. Tenho a certeza de que o faria. Morreu, infelizmente, num desastre. A nossa ligação durou quase um ano. Tive um grande desgosto e pensei suicidar-me.

Encolheu os ombros.

— Mas estou aqui na tua frente a tomar chá.

Houve um silêncio. Duarte perguntou:

— E depois?

— Depois houve outro. Um homem mais novo do que eu. Tinha um feitio difícil, complicava a vida duma maneira doentia. Tudo acabou por si, sem que nenhum de nós tivesse dado voluntariamente um passo para o fim. Ouvi dizer que casou, que foi para a África. E é tudo. Era só isto que te queria dizer. Porque estás a olhar para mim, Duarte?

Ele arriscou:

— Ouve, eu...

Estacou a meio da frase sem a acabar.

Luísa pôs-se a sorrir. Era um sorriso leve, sem alegria, que não lhe chegava aos olhos. Por fim levantou-se, pegou na mala sem deixar de sorrir e de olhar para ele.

— Eu sabia. É engraçado, Duarte, tenho levado a vida a saber as coisas antes de mas dizerem. Eu sabia que mais tarde ou mais cedo isto havia de acontecer. É esquisito, não achas? Obrigada pelo chá. Foi bom não ter posto o chapéu de plumas. Não valia a pena...

— Ouve Luísa...

Ouvir o quê? Dizer o quê? Ela saía de cabeça alta, muito depressa, quase a correr por entre as mesas e perdia-se já na multidão da rua.

Duarte partiu ainda nessa semana para Paris.

(*Ibidem*, pp. 127-136.)

HERBERTO HELDER

Nasceu na Ilha da Madeira, em 23/11/1930. Estudou Letras por algum tempo. Além de poesia: *O Amor em Visita* (1958), *A Colher na Boca* (inclui o anterior, 1961), *Poemacto* (1961), *Lugar* (1962), *Eletronicolírica* (título posteriormente mudado para *A Máquina Lírica,* 1964), *Húmus* (1967), *Retrato em Movimento* (1967), *Ofício Cantante* (antologia, 1967), *O Bebedor Noturno* (1968), *Vocação Animal* (1971), *Poesia Toda,* (1973; red., 1981); *Cobra* (1977), *O Corpo O Luxo A Obra* (1978), *Photomaton & Vox* (1979), *Flash* (1980), *A Cabeça entre as Mãos* (1982), publicou contos de superior qualidade ideativa e lingüística *(Os Passos em Volta,* 1963) e uma "biografia romanceada" *(Apresentação do Rosto,* 1968).

Amor em Visita

Dai-me uma jovem mulher com sua harpa de sombra
e seu arbusto de sangue. Com ela
encantarei a noite.
Dai-me uma folha viva de erva, uma mulher.
Seus ombros beijarei, a pedra pequena
do sorriso de um momento.
Mulher quase incriada, mas com a gravidade
de dois seios, com o peso lúbrico e triste
da boca. Seus ombros beijarei.

Cantar? Longamente cantar.
Uma mulher com quem beber e morrer.
Quando fora se abrir o instinto da noite e uma ave
o atravessar traspassada por um grito marítimo
e o pão for invadido pelas ondas —
seu corpo arderá mansamente sob os meus olhos palpitantes
Ele — imagem inacessível e casta de um certo pensamento
de alegria e de impudor.
Seu corpo arderá para mim
sobre um lençol mordido por flores com água.

Em cada mulher existe uma morte silenciosa.
E enquanto o dorso imagina, sob nossos dedos,
os bordões da melodia,

a morte sobe pelos dedos, navega o sangue,
desfaz-se em embriaguez dentro do coração faminto.
— Ó cabra no vento e na urze, mulher nua sob
as mãos, mulher de ventre escarlate onde o sal põe o espírito,
mulher de pés no branco, transportadora
da morte e da alegria.

Dai-me uma mulher tão nova como a resina
e o cheiro da terra.
Com uma flecha em meu flanco, cantarei.
E enquanto manar de minha carne uma videira de sangue,
cantarei seu sorriso ardendo,
suas mamas de pura substância,
a curva quente dos cabelos.
Beberei sua boca, para depois cantar a morte
e a alegria da morte.

Dai-me um torso dobrado pela música, um ligeiro
pescoço de planta,
onde uma chama comece a florir o espírito.
À tona da sua face se moverão as águas,
dentro da sua face estará a pedra da noite.
— Então cantarei a exaltante alegria da morte.

Nem sempre me incendeia o acordar das ervas e a estrela
despenhada de sua órbita viva.
— Porém, tu sempre me incendeias.
Esqueço o arbusto impregnado de silêncio diurno, a noite
imagem, pungente
com seu Deus esmagado e ascendido.
— Porém, não te esquecem meus corações de sal e de brandura.
Entontece meu hálito com a sombra,
tua boca penetra a minha voz como a espada
se perde no arco.
E quando gela a mãe em sua distância amarga, a lua
estiola, a paisagem regressa ao ventre, o tempo
se desfibra — invento para ti a música, a loucura
e o mar.

Toco o peso da tua vida: a carne que fulge, o sorriso,
a inspiração.
E eu sei que cercaste os pensamentos com mesa e harpa.
Vou para ti com a beleza partida,
os ombros violados,
o sangue penetrado de paredes nuas.
Digo: eu sou a beleza, seu rosto e seu durar. Teus olhos

transfiguram-se, tuas mãos descobrem
a sombra da minha face. Agarro tua cabeça
áspera e luminosa, e digo: ouves, meu amor?, eu sou
aquilo que se espera para as coisas, para o tempo —
eu sou a beleza.
Inteira, tua vida o deseja. Para mim se erguem
teus olhos de longe. Tu própria me duras em minha velada
beleza.

Então sento-me à tua mesa. Porque é de ti
que me vem o fogo.
Não há gesto ou verdade onde não dormissem
tua sombra e loucura,
não há vindima ou água
em que não estivesses pousando o silêncio criador.
Digo: olha, é o mar e a ilha dos mitos
originais.
Tu dás-me a tua mesa, descerras na vastidão da terra
a carne transcendente. E em ti
principiam o mar e o mundo.

Minha memória perde em sua espuma
o sinal e a vinha.
Plantas, bichos, águas cresceram como religião
sobre a vida — e eu nisso demorei
meu frágil instante. Porém,
teu silêncio de fogo e leite repõe a força
maternal, e tudo circula entre teu sopro
e teu amor. As coisas nascem de ti
como as luas nascem dos campos fecundos,
os instantes começam da tua oferenda
como as guitarras tiram seu início da música noturna.

Mais inocente que as árvores, mais vasta
que a pedra e a morte,
a carne cresce em seu espírito cego e abstrato,
tinge a aurora pobre,
insiste de violência a imobilidade aquática.
E os astros quebram-se em luz sobre
as casas, a cidade arrebata-se,
os bichos erguem seus olhos dementes,
arde a madeira — para que tudo cante
por teu poder angélico e fechado.

Com minha face cheia de teu espanto e beleza,
eu sei quanto és o íntimo pudor

e a água inicial de outros sentidos.
Começa o tempo onde a mulher começa,
é sua carne que do minuto obscuro e morto
se devolve à luz.
Na morte referve o vinho, e a promessa tinge as pálpebras
com uma imagem.
Espero o tempo com a face espantada junto ao teu peito
de sal e de silêncio, concebo para minha serenidade
uma idéia de pedra e de brancura.
És tu que me aceitas em teu sorriso, que ouves,
que te alimentas de desejos puros.
E une-se ao vento o espírito, rarefaz-se a auréola,
a sombra canta baixo.

Começa o tempo onde a boca se desfaz na lua,
onde a beleza que transportas como um peso árduo
se quebra em glória junto ao meu flanco
martirizado e vivo.
— Para consagração da noite erguerei um violino,
beijarei tuas mãos fecundas, e à madrugada
darei minha voz confundida com a tua.
Oh teoria de instintos, dom de inocência,
taça para beber junto à perturbada intimidade
em que me acolhes.

Começa o tempo na insuportável ternura
com que te adivinho, o tempo onde
a vária dor envolve o barro e a estrela, onde
o encanto liga a ave ao trevo. E em sua medida
ingênua e cara, o que pressente o coração
engasta seu contorno de lume ao longe.
Bom será o tempo, bom será o espírito,
boa será nossa carne presa e morosa.
— Começa o tempo onde se une a vida
à nossa gratidão.

Felizmente estás na pedra e a pedra em mim, ó urna
salina, imagem fechada em sua pungência e castidade
E o que se perde de ti, como espírito de música estiolado
em torno das violas, a morte que não beijo,
a erva incendiada que se derrama na íntima noite
— o que se perde de ti, minha voz o renova
num estilo de angústia e prata viva.

Quando o fruto empolga um instante a eternidade
inteira, eu estou no fruto como sol

e desfeita pedra, e tu és o silêncio, a cerrada
matriz de sumo e vivo gosto.
— E as aves morrem para nós, os luminosos cálices
das nuvens florescem, a resina tinge
a estrela, o aroma distancia o barro vermelho da manhã.
E estás em mim como a flor na idéia
e o livro no espaço triste.

Se te aprendessem minhas mãos, forma do vento
na cevada pura, de ti viriam cheias
minhas mãos sem nada. Se uma vida dormisses
em minha espuma,
que frescura indecisa ficaria no meu sorriso?
— No entanto és tu que te moverás na matéria
da minha boca, e serás uma árvore
dormindo e acordando onde existe o meu sangue.

Beijar teus olhos será morrer pela esperança.
Ver no aro de fogo de uma entrega
tua carne de vinho roçada pelo espírito de Deus
será criar-te para luz dos meus pulsos e instante
do meu perpétuo instante.
— Eu devo rasgar minha face para que a tua
se encha de um minuto sobrenatural,
devo murmurar cada coisa do mundo
até que sejas o incêndio da minha voz.

As águas que um dia nasceram onde marcaste o peso
jovem da carne aspiram longamente
a nossa vida. As sombras que rodeiam
o êxtase, os bichos que levam ao fim do instinto
seu bárbaro fulgor, o rosto divino
impresso no lodo, a casa morta, a montanha
inspirada, o mar, os centauros
do crepúsculo
— aspiram longamente a nossa vida.

Por isso é que estamos morrendo na boca
um do outro. Por isso é que
nos desfazemos no arco do verão, no pensamento
da brisa, no sorriso deserto, no peixe,
no cubo, no linho,
no mosto
— no amor mais impossível do que a vida.
Beijo o degrau e o espaço. O meu desejo traz
o perfume da tua noite.

Murmuro os teus cabelos e o teu ventre, ó mais nua
e branca das mulheres. Corre em mim o lacre
e a cânfora, descubro tuas mãos, ergue-se tua boca
ao círculo de meu ardente pensamento.
Onde estará o mar? Aves bêbedas e puras que voam
sobre o teu sorriso imenso.
Em cada espasmo eu morrerei contigo.

E eu peço ao vento: traz do espaço a luz inocente
das urzes, um silêncio, uma palavra;
traz da montanha um pássaro de resina, uma lua
vermelha.
Ó amados cavalos com flor de giesta nos olhos novos,
casa de madeira do planalto,
rios imaginados,
espadas, danças, superstições, cânticos, coisas
maravilhosas da noite. Ó meu amor,
em cada espasmo eu morrerei contigo.

De meu recente coração a vida inteira sobe,
o povo renasce,
o tempo ganha a alma. Meu desejo devora
a flor do vinho, envolve tuas ancas com uma espuma
de crepúsculos e crateras.
Ó pensada corola de linho, mulher que a fome
encanta pela noite equilibrada, imponderável —
em cada espasmo eu morrerei contigo.

E à alegria diurna descerro as mãos. Perde-se
entre a nuvem e o arbusto o cheiro acre e puro
da tua entrega. Bichos inclinam-se
para dentro do sono, levantam-se rosas respirando
contra o ar. Tua voz canta
o horto e a água — e eu caminho pelas ruas frias com
o lento desejo do teu corpo.
Beijarei em ti a vida enorme, e em cada espasmo
eu morrerei contigo.

(*Poesia Toda,* Lisboa, Assírio e Alvim, 1981,
pp. 30-39.)

Amor em Visita é, provavelmente, a obra-prima de um dos poetas mais densos e inspirados das últimas décadas em Portugal. À tensão da forma, reproduzindo, ou revelando, a tensão do sentimento que permeia as estrofes, corresponde um jogo em que a experiência amorosa concreta, evocada/invocada, se casa a uma abstração de vigília ainda habitada pelas imagens dum sonho, que perdurará para além dos versos. Lirismo elíptico, sutil, arma-se sobre uma equação surrealista, mas dum surrealismo congenial à visão caleidoscópica que enforma os versos; surrealismo imanente no próprio ato de criar metáforas para exprimir a inquietude poética. O tom da composição, dado pelos versos longos e por uma linguagem de barroquizante impetuosidade, de quem traz "uma flecha em / seu / flanco", é sinfônico, de ode exaltativa, entre hedonista e estóica. Os protagonistas desse canto de amor heróico, que se diria pertencente a um poema épico incompleto ou cujos episódios restantes houvessem desaparecido, são um homem e uma mulher, revivendo o mito edênico das origens, ou antes, o Amor e a Morte, confundidos, inextricavelmente solidários: "Dai-me uma jovem mulher com sua harpa de sombra (...) / — Então cantarei a exaltante alegria da morte". Seu confronto, perenemente renovado a cada geração, e sempre inédito, é um "minuto sobrenatural" que envolve as forças cósmicas, como se o ato genesíaco, início e fim dos seres nele implicados, refletisse o movimento vital que propulsiona todas as coisas. O resultado é um dos mais belos poemas de amor da modernidade poética portuguesa.

Em Silêncio Descobri essa Cidade no Mapa

Em silêncio descobri essa cidade no mapa
a toda a velocidade: gota
sombria. Descobri as poeiras que batiam
como peixes no sangue.
A toda a velocidade, em silêncio, no mapa —
como se descobre uma letra
de outra cor no meio das folhas,
estremecendo nos ulmos, em silêncio. Gota
sombria num girassol —
essa letra, essa cidade em silêncio,
batendo como sangue.

Era a minha cidade ao norte do mapa,
numa velocidade chamada
sombria europa. Seus peixes estremeciam
como letras no alto das folhas,
poeiras de outra cor: girassol que se descobre
como uma gota na europa.
Descobri essa cidade, aplainando tábuas
lentas como rosas vigiadas
pelas letras dos espinhos. Era ao norte
do silêncio, como uma gota
de seiva lenta numa tábua aplainada
em silêncio.

Descobri que tinha asas como uma pêra
que desce. E a essa velocidade
voava para mim aquela cidade do mapa.
Eu batia como os peixes batendo
dentro do sangue — peixes
em silêncio, cheios de folhas. Eu escrevia,
aplainando na tábua

todo o meu silêncio. E a seiva
sombria vinha escorrendo do mapa
desse girassol, no mapa
dessa europa. Na sombra do sangue, estremecendo
como as letras nas folhas
de outra cor.

Cidade que aperto, batendo as asas — ela —
no ar do mapa. E que aperto
contra quanto, estremecendo em mim com folhas,
escrevo na europa.
Que aperto com o amor sombrio contra
mim: peixes de grande velocidade,
letra monumental descoberta entre poeiras.
E que eu amo lentamente até ao fim
da tábua, por onde escorre
em silêncio aplainado noutra cor:
como uma pêra voando,
um girassol da europa.

IV

Vou chamar-te vagarosa deambulação, também há lugares para estrelas dromedárias, tu porém és a magnólia no trapézio, e há o belo salto mortal, inclinas-te, caminhas pela pista como uma magnólia indubitável, as pessoas vivem depressa no teu perfume, e agora o que fazes é andar sobre o teu perfume vivo, depois tornas-te interior, ouve-se a água atravessando o teu campo de silêncio, e é quando empunhas o arco-íris, é difícil acordar, sabe-se no sono que absorveste a força e a delicadeza da terra, entras e sais das estações, os animais acompanham-te no seu clima de ouro, eu digo: metamorfose, os pescadores lançam as redes e apanham a lua, então ficas direita e começas a falar, e eu por mim julgo que é o vinho e então embriago-me para ti, cada vez és mais extensa e profusa, os violinos levitam e pensam todos ao mesmo tempo, depois é preciso nada esquecer nem lembrar os dias que se atrasaram, e de novo abres a porta para contares como é o silêncio — eu vou sabendo que já usamos uma arte insensata, assim como as aldeias do trigo propagando-se pelo ar, tu emigras também nas minhas vozes que na américa ganharão a sua morte: perfume de magnólia implacável.

V

O mês de março vem ver como é e toca em tudo, e as montanhas descem pela tarde íngreme, nos espelhos tu serás daqui em diante todo o meu braço esquerdo, porque eu vou levantar vôo com o braço direito na camisa demasiado azul, meu amor a espuma é uma pressa das águas que chegam à alvorada, nascidas num centro noturno onde os animais estremecem e dormem — nunca mais terei sono, vou despir-te tão lentamente quanto se tece uma estação, e arderá nos meus dedos uma doçura negra, só depois eu saberei como é leve toda essa roupa exaltada, na atmosfera que treme dás um passo com os teus cabelos, e a paisagem ergue-se e respira, com a cor toda na voz procuro o nosso silêncio, como tu és uma criança passa a sombra do vento, e passa porque estás nua uma vertigem de sal, e ouve: o teu país é pimenta, e então é a noite pintada ao fundo e a lua senta-se, meu amor como um cardume livremente branco, e olhar é um modo de crescer em silêncio, respiras elevada até ser teu corpo um grande pensamento, e tudo se cala para termos muitas mãos por onde compreender, o mês de março está no meio e não se move, sentimos apenas os seus pulmões ardentes na matéria delicada que ferve atrás dos séculos.

(*Ibidem,* pp. 329-331, 419, 420.)

ALBANO MARTINS

Nasceu em 1930, nos arredores do Fundão, na Beira Baixa. Licenciado pela Faculdade de Letras da Universidade de Lisboa, foi professor do ensino secundário por vários anos. Exerceu ainda funções administrativas ligadas à Educação. Lançou sua primeira obra em 1950, sob o título de *Secura Verde*, uma espécie de signo icônico da sua dicção poética. A seguir, publicou *Coração de Bússola* (1967), *Em Tempo e Memória* (1974), *Paralelo ao Vento* (1979), *Inconcretos Domínios* (1980), *A Margem do Azul* (1982), *Os Remos Escaldantes* (1983), *Sob os Limos* (1986), *Poemas do Retorno* (1987), *A Voz do Chorinho ou os Apelos da Memória* (1987), *Vertical o Desejo* (1988), *Rodomel, Rododentro* (1989), *Os Patamares da Memória* (1990), *Entre a Cicuta e o Mosto* (1992), *Uma Colina para os Lábios* (1993).

Meus versos, gritos do vento nas ramagens,
são a minha própria alma angustiada
a refletir imagens
duma lenda, em mim iniciada.

São a ternura destas mãos que escrevem
desatinadas palavras de ansiedade.
Meus versos são a voz da minha voz, a margem
que há entre o sonho e a realidade.

Meus versos
são encontros da sombra com a luz.
São perfis irregulares, talhados
na emoção que os revela e os traduz.

Meus versos
são distâncias várias dum único caminho.
Pássaros que abandonaram
o calor e o âmbito do ninho.

*
* *

Não forces a tua inspiração.
Deixa a poesia vir naturalmente
e não obrigues a mentir o coração.

Procura ser espontâneo.
A verdadeira beleza
está no que o homem tem de semelhante
com a natureza.

Sugestão

Tinha a voz do trigo,
ondulada
e fresca.
Seu corpo era
uma espiga aberta,
um arco tenso,
dúctil e tenso,
uma corda
de violino
sequiosa
de música

— ávida
e expectante.

*
* *

O ritmo
do universo
cabe,
inteiro,
na pupila
dum verso.

Basta uma Flor

Basta uma flor,
basta uma asa
para saber que a primavera
entrou em nossa casa.

*
* *

Andaimes
para o vento:

nuvens.

*
* *

Buganvília:
coágulo
de sangue
e maravilha.

*
* *

O nosso tempo, amor. Tempo
líquido sulcado
de submarinas galeras e corvetas.

(*Vocação do Silêncio*, poesia (1950-1985), Lisboa, Imprensa Nacional-Casa da Moeda, 1990, pp. 41, 78, 138, 169, 189, 201, 296.)

Albano Martins pertence ao rol seleto de poetas que cultivam o silêncio e a concisão, em busca duma poesia pura, ideal supremo dos líricos ansiosos de perfeição. A sua concepção de arte poética delineia-se nas primeiras composições transcritas, ao confessar que os seus versos são "gritos do vento nas ramagens", a sua "própria alma angustiada", etc., a voz da sua voz, "a margem / que há entre o sonho e a realidade", "encontros da sombra com a luz". E ainda ao sugerir ao leitor, ou jovem poeta, que não force a inspiração, que ouça o coração, seja espontâneo, pois "a verdadeira beleza / está no que o homem tem de semelhante / com a natureza". Aí se enlaçam, como se vê, a liberdade criadora, de romântica extração, e a contensão clássica. O resultado é a brevidade quase sentenciosa dos poemas, como se o autor quisesse captar nas suas malhas todo "o ritmo do universo". Eis por que o microcosmos poético, refletindo a natureza e o cosmos, não raro se converte em haikais, como "Andaimes / para o vento: / nuvens", ou de análoga estrutura, como "Basta uma Flor" ou os dois poemas restantes. No primeiro deles, insinua-se uma aragem barroquizante — "Buganvília: / coágulo / de sangue / e maravilha" —, fruto de uma concentração verbal repassada de cromatismo, que é outra das marcas deste poeta exigente, de formação clássica e ampla cultura moderna, afeito à música em surdina e às cores vivas. Aí também se entremostra outra característica sua: o erotismo. Um erotismo silente, mas não menos fogoso, contido em versos de apertado recorte mas de vasto horizonte, como é "Sugestão", onde parecem reunir-se as várias tonalidades desse poeta minimalista que já tem "o seu lugar exato (...) na poesia portuguesa dos últimos trinta anos", como assinala justamente Eduardo Lourenço no prefácio à *Vocação do Silêncio* (1990), título emblemático do volume em que Albano Martins recolheu a sua produção entre 1950 e 1985.

*
* *

Abarco todo o horizonte.
Dentro de mim há só água,
água estagnada, dos charcos
represos da minha mágoa.

Tenho tudo nos meus olhos,
as cores todas, e ponho
um leve acento de angústia
nas margens tristes do sonho.

Dentro de mim só há sombra.
O que possa acontecer
vai rasgando espaços brancos
nas fronteiras do meu ser.

*
* *

Altas
e solitárias voam
as montanhas e as águias.

"Rosa de Guadalupe"
de Manuel Ribeiro de Pavia

Os olhos, luas breves
de esmeralda. Lua
de sombra, o rosto.

Rosa, a sua boca.

Cruzeiro Seixas: os dedos filtram a sombra

Entre o real e o sonho,
o sonho do real,
a realidade do sonho.

Entre a luz e a parede
oblíqua, os dedos
filtram a sombra estagnada.

Entre o disforme e o informe,
a forma
solenemente exata.

*
* *

Há uma orquídea
florindo — teu
sorriso. Alegre
emanação da terra, folha
do vento, súplice
auréola do sangue, doce
colina e anêmona
do mar.

*
* *

Num cálice me ofereces
todo o teu vinho, ó ânfora.

(*Ibidem*, pp. 52, 190; *Entre a Cicuta e o Mosto*, Lisboa, Átrio, 1992, pp. 8, 11. *Uma Colina para os Lábios*, Porto, Afrontamento, 1993, pp. 17, 47.)

ALMEIDA FARIA

José de Almeida Faria nasceu no Concelho de Montemor-o-Novo em 4/5/1943. Licenciou-se em História e Filosofia pela Faculdade de Letras da Universidade Clássica de Lisboa. Atualmente exerce funções docentes na Universidade Nova de Lisboa. Freqüentou também o curso de Direito. Estreou auspiciosamente com *Rumor Branco* (1962), galardoado com o "Prêmio Revelação" da Sociedade Portuguesa de Escritores daquele ano. Publicou ainda outros romances: *A Paixão* (1965), *Cortes* (1978), *Lusitânia* (1980), *Cavaleiro Andante* (1983), *O Conquistador* (1990).

Rumor Branco

Composto em 7 fragmentos (e não em capítulos), que somam pouco mais de 100 páginas, *Rumor Branco* praticamente não tem enredo ou conflito. "Mas este livro sem história tem uma história", diz Vergílio Ferreira no prefácio, acrescentando: "É a história de uma *aprendizagem*". A fragmentação geral reflete uma técnica narrativa em mosaico, por meio da qual os estilhaços vão compondo lentamente a figura do herói (se assim se pode dizer), de nome Daniel João, que aparece e reaparece em lugares diferentes (Lisboa, Paris, Alentejo), com uma personalidade diversa, ora pequeno-burguês, ora filho de proletários. Abraçando o experimentalismo de certas correntes da ficção moderna, *Rumor Branco* é uma narrativa tanto mais desconcertante quanto mais nos ofusca com o seu intenso brilho, como se pode ver no "IV Fragmento":

Hoje no começo dos séculos Daniel o profeta o batista João aguarda cedo e sempre aguardará só até breve o fim deste seu canto que há tanto dura já quase há segundos: se não puderes vir ao tênue calor do sol-pôr deves vir à comovida hora da aurora mas se houveres de vir durante o dia vem ao meio-dia e se tiveres de vir durante a noite vem à meia-noite estas são as horas em que te espero se porém vieres a outras horas eu mesmo assim te quero nada sei de ti não sei quem és diz-me quem és ouço teus passos não vejo teus pés vento no mar soprando águia no ar voando árvore na serra tremendo homem na terra sofrendo que mensagem me trazem dela não sabemos quem é só sabemos que é ela nada nihil nichts niente nothing nada é o que sou nada exprime aquilo que sou nada me exprime do que é nada me é como posso esperar se nada me diz o que espero com desesperançada esperança mas espero com esperança ou sem ela espero pela esperança espero por ela anônimo meu rosto procura teu rosto no anônimo rosto da multidão assim talvez passe por ti talvez esteja ao pé de ti e apesar de tudo não te vi e o zero que vou na minha origem caminhando às cegas para um zero igual apodera-se de mim numa vertigem vertiginosamente viva vertical e de tudo que sou e que me falta ser resta-me só esta cadenciada vil respiração a que por convenção ouso chamar viver a minha voz tentando superar o peso esquizotímico dos passos ergue-se a custo contra o tempo mudo em seus gritos agudos e em tudo me mudo no átomo no corpúsculo na onda nos quanta nos protões nos eletrões nos neutrões nas explosões E = mc2 E = mc2 E = mc2 em tudo me reconheço recomeço não me digam que tudo isso é inútil porque sei que inútil é dizerem-me isso o que me disserem será dito e esquecido logo inútil é tentarem abrandar o meu furor se o cimo da árvore se agita na tapada é porque o vento só lhe bate no topo e os ramos embaixo adormecem de tédio não me venham dizer que o alto é incômodo eu sei a alegria do gajeiro que da ponta do mastro grita TERRA porque foi o primeiro e a tripulação no fundo do porão mais não pode fazer que se entregar quando aberta a comédia forçada onde passo posta a máscara hipócrita na cara tenho vontade de gritar que basta tenho receio de sentir o medo tenho medo sim vou ter frio sinto que vou ter frio sinto já o que vou ter esta noite frio do corpo que me corta sinto já o frio do corpo sinto o meu corpo frio sinto o meu frio corpo frio do frio que me faz suar frio do corpo só com frio de respirar de esperar frio de esperar por nada frio de nada frio de mim sim frio de mim frio do sim frio da tua mão frio sim assim de ti frio do não quando me olho na indiferença dos outros quando sobre os meus olhos a barreira é um aborto quando se torna impossível qualquer fim as doze horas do meu velho relógio avariado desde sempre a que mãos misteriosas alteraram a ordem dos números ou mudaram os números por letras cujo soletrar é impossível porque desconhecidas e minúsculas a que partiram os pesados ponteiros deixando-os como setas de silêncio descobrindo sempre o mesmo vácuo apontando a mesma esgotada desgraça a que sujaram de sangue o mostrador sangue humano de remotas origens a que arrancaram a corda substituindo-a por ossos sim não duvidem por ossos-ternura as doze imaginadas horas do meu relógio sem horas nunca meus passos puderam guiar nunca me definiram o tempo do amor e do ódio talvez porque amor e ódio desconhecem tempo mas também nunca me marcaram o compasso da espera e no entanto sei que a espera tem compasso um compasso lento muitas vezes quaternário nunca souberam evitar que o dilúvio calasse sobre mim abruptamente e me apertasse o coração até o grito e me violasse o segredo mantido há tantos séculos vividos por mim e meu relógio emperrado riscando o desconcerto de pesados sofrimentos que sinto no sangue frio das manchas do meu corpo recordadas desde que me conheço como gente os enigmáticos sinais do meu hermético relógio do meu rumor eternamente branco nada me regularam nem o tempo por isso ele desconheceu em mim significado e tive de construir-me templo deste confuso tempo e assim será metamorfose que se segue perante vossos olhos (sss isto é: sempre e só se o vosso imaginar for igual ou maior que muito e assim consiga mudar o mundo)*

(*Rumor Branco*, 2ª ed., rev., Lisboa, Portugália, 1970, pp. 77-81.)

---

* E = mc2 = teoria da relatividade de Albert Einstein (1879-1955), segundo a qual a energia (e) é igual a massa (m) multiplicada pela velocidade da luz ao quadrado (c^2).

O primeiro aspecto digno de nota nesse fragmento é a linguagem: liberta das coerções da gramática tradicional, cumpre-se como um jorro sem começo nem fim. Tudo se passa como se o texto pertencesse a uma continuidade fora dele, identificada com o mundo, que jamais estanca, iniciada num tempo imemorial, ou em que se fundem todas as categorias cronológicas, engolfado "na onda nos quantas nos protões nos eletrões nos neutrões nas explosões E = mc2 E = mc2 E = mc2". Presente? Passado? Futuro?: as coordenadas temporais desvanecem-se ante o "rumor eternamente branco" dessa figura humana em perene metamorfose, transcendente às demarcações físicas ou sociais. Um segundo equivale a milênios, e estes a um piscar de olhos. Quem vive tais lampejos fugazes de auroras, pulsões de um calendário sem rosto, Babel de horas sem pouso? É "Daniel o profeta", é "o batista João". Dois em um, um que são dois, a um tempo solidários e díspares, reencarnados quando a aprendizagem se configura, mas sem finalizar, pois nunca se fecha o circuito: provindo de eras ancestrais, antes que a memória se instalasse no mundo, encaminha-se para um mundo desconhecido ulterior à morte, num vir-a-ser infinito, alegoria ou símbolo que é da peregrinação humana. Por isso o narrador pulveriza-se: Daniel João é simultaneamente protagonista e rapsodo de sua história, como se narrasse a sua odisséia a um espelho sempre vário, que lhe devolvesse a imagem em perpétua mudança, ou a um interlocutor no qual ele próprio se convertesse, ou que é, verdadeiramente, o seu duplo, porque é seu igual: "nada é o que sou nada exprime aquilo que sou", etc., "em tudo me reconheço recomeço". Essa fonte continuamente a manar, esse infindável fluxo da consciência, ou antes, de um inconsciente que se desabotoa para melhor se conhecer no próprio ato de se desnudar, evoca a revolução estilística operada por Joyce e outros prosadores avançados do século, como lembra, com proverbial acuidade, o prefaciador deste romance, hoje incorporado, com justiça, no rol das obras mais bem realizadas da ficção moderna em Portugal.

O homem imóvel fechou os olhos, desequilibrou-se ligeiramente para a frente, susteve-se a tempo, ficou de novo hirto, em pé, por momentos o fluir de imagens baralhou-se no cérebro, logo abriu os olhos à claridade da janela de grades viu que estava ali fechado pensava passeava há horas, desde o nascer do indeciso dia, último dia de prisão e respirava tão cansado, senforças quase para dar um passo, revolução abortada e ele, que queria com seus braços construir algum pouco da futura harmonia do mundo, destruído como os camaradas, vencido na carne, tantos anos tinham-no acabado, brancos cabelos no começo brilhando só aquialém, mais e mais apareceram todas as manhãs até que a cabeça se tornou de neve, o pequeno espelho irregular diadia emagreceu o rosto de desgosto, fizeram-se os membros fracos de inacção, no corredor arrastado o guarda passa de chaves em punho corre-as pelas grades com o prazer de quem se vê de fora, um prisioneiro antigo canta na cela ao lado a rastejante desiludida canção dos despertares desertos, velha, aquela canção, sempre mais réptil com o sabor dos anos dos ódios das saudades do sol ele estava parado, olhando enferrujadas grades sem as ver, formulou um curto passo, distendeu a mão, ficou incertamente apoiado à parede, seria libertado dentro de algumas horas, ao anoitecer e tanto que precisava de luz, saía daí a horas, a cabeça parecia despedida de tudo, de palavras de gestos de idéias de tudo, ou cheia talvez demais, sem lugar onde um só sentimento penetrasse, tantos anos, a revolta esmagada, amigos presos exilados mortos, ele na solidão anoitecida sem parente ou mulher à sua espera, sem abrigos, deslizou dobrado sobre a tarimba baixa, assentou-se com dificuldade sacou de sob o enxergão um volume de papéis amarrotados, baços, diário de vintecinco séculos, diário não de todos os dias, muitos se sucederam iguaisiguais aos outros, à massa informemente cinzenta dos outros, sem que qualquer verdade ou breve evento viessem visitá-lo, diário enfim de alguns poucos raros dias em que talvez tenha valido a pena estar atento, dias que contaram para ele e teriam contado para os mais se não estivesse preso e assim por tanto tempo, há vários anos já que não escrevia, estava morto, tinham-no condenado à morte lenta, sabiam que um homem não podia viver numa tal jaula durante cegos anos, os sacristas sicofantas sabiam que não seria necessário matá-lo, que bastaria aquilo, e trebastou, o resto dele agora era esse corpo definitivo gasto não das estações, porém de sofridão, velho de dias não só, mas de derrota, folheou umaúma as cartas que escrevera a ninguém nem a si mesmo, leu-as por alto com medo de ler mais temendo entender tudo, leu devagar a última, entrou o carcereiro com a marmita do almoço, o preso teve um indício de sorriso, pediu fósforos, tinha frio e lá fora a primavera estava verde de vontade de vencer, porque era aquele o derradeiro dia o guarda deu-lhos em segredo e ele fez em cinzas o maço das cartas que escrevera ao vazio, comeu os feijões frios e ficou pensativo sentado na tarimba, dentro de poucas horas era de novo livre, livre, que cômica palavra colorida, livre, com poder para, mas poder para que, agora que tudo foi? livre, consciente da sua liberdade, da liberdade próxima, o momento era que julgara nunca, mas sim, e no entanto, um apático olhar coisas que as torna cruas duras, o tempo, navio fantasma, a princípio medido a golpes de ansiedade dia antes de dia, embrulhado não recorda quando, num inverno escuro houvera avisos que delonge vinham, e o muito que lhe não fora dado dar e os jornais clandestinos cuja distribuição punha em perigo vidas e tudo a correr bem até ao fim e só no fim, mesmo no fim, já quase no princípio, um camarada preso torturado, a família denunciando para salvá-lo, a derrota e a morte dos raros que ficaram, pois a prisão era apenas prelúdio, o exílio era também alguma morte e a morte era a morte mais idônea, primeiro um ódio verde inchou, inchou por dentro dele e odiou o velho ódio deles, só depois, quando não distinguia já nem antes nem depois, nasceu esta apatia, luar estéril, esta queda de tudo por que lutara e falhara, no mais espesso de si só impiedade, indiferença às horas já não dele e sim dos que o mataram e se mascaravam com a morte dele, as pernas estavam fracas como a querer fugir aos passos, no espelho viu a sua face, a barba parda, nariz agudo magro, deserta a testa e o pescoço flácido, tudo nele confusão e esquecimento, idéias galopantes vagueantes vazias associando-se no sufocado vácuo da máquina de projeção sob o cabelo, impossível pará-las, não podia e se tentasse voltaria ao começo, repetir-se-ia, impossível pensar, um susto imenso, vontade inútil dum inútil sono, vaga música vinda de tão longe, perdida no campo-santo da memória cansada corroída da consciência cativa, tudo destruído, até só recordar custava muito, a cabeça cheia de chumbo ou fumo e o peso das paredes que limitavam os seus anos, das grades que separavam os seus dos outros anos, esse peso sobre os olhos e ombros, pior que na cadeira elétrica, na câmara de gás, num pátio de fuzilamentos lentescente e pútrido, pior que a guilhotina, a fogueira ou a forca, pior aquele peso morto, morte lenta corrompendo o tempo como lâmina cortante sob a carne, como cana nas unhas mergulhando, de tal modo que se se suicidasse nem se suicidava, apenas completava aperfeiçoava tornava decisivo e absoluto o fim, todo ele decadência senilidade massa intermitente de fogos momentâneos logo apagados mudos idos, a sua vida fora quase vida mas não pensava nisso, o corpo amolecera amachucado ferido e nesse mesmo momento quis ver-se livre disto e o rosto deslizou pela face do espelho recordou que o vidro corta o vidro corta as veias corta a vida corta a vista e nisto reparou soltara o sangue do seu pulso e estava sentado na tarimba e depois deitado na tarimba mal o guarda da tarde veio trazer-lhe a roupa de há vintecinco anos o bilhete de identidade com o nome Daniel João de há vintecinco anos a fotografia de outro homem de há vintecinco anos.

(*Ibidem*, pp. 99-105.)

JOSÉ SARAMAGO

Nasceu em 16/11/1922, em Azinhaga, Concelho da Golegã. Autodidata, tem apenas o curso industrial. Sua carreira percorreu duas fases: a primeira, em que publica poesia (*Os Poemas Possíveis,* 1966; *Provavelmente Alegria*, 1970), crônica (*Deste Mundo e do Outro*, 1971; *A Bagagem do Viajante*, 1973), teatro (*A Noite*, 1979; *Que farei com este livro?*, 1980), romance (*O Ano de 1993*, 1975; *Manual de Pintura e Caligrafia*, 1977) e conto (*Objecto Quase*, 1978); a segunda, encetada em 1980, em que produziu o melhor de sua obra, uma série de romances que lhe granjearam o renome de que desfruta atualmente: *Levantado do Chão* (1980) *Memorial do Convento* (1982), O *Ano da Morte de Ricardo Reis* (1984) *Jangada de Pedra* (1986), *História do Cerco de Lisboa* (1989), *O Evangelho segundo Jesus Cristo* (1991), *Ensaio sobre a Cegueira* (1995).

O Ano da Morte de Ricardo Reis

Dos romances mais imaginosos do autor, gira em torno do regresso de Ricardo Reis a Lisboa, após o longo exílio no Brasil. Imerso numa persistente melancolia, o protagonista, heterônimo de Fernando Pessoa, que também contracena com ele, envolve-se amorosamente com Lídia, criada do hotel onde se hospeda por algum tempo. A narrativa é sustentada pela história dessa plácida relação afetiva. O fragmento que se vai ler, pertence ao capítulo final do romance.

Não volto aqui, dissera Lídia, e é ela quem neste momento bate à porta. Traz no bolso a chave da casa, mas não se serve dela, tem os seus melindres, disse que não voltaria, mal parecia agora meter a chave à porta como em casa sua, que nunca foi, hoje ainda menos, se esta palavra nunca admite redução, admitamo-la nós, que das palavras não conhecemos o último destino. Ricardo Reis foi abrir, disfarçou a surpresa, e como Lídia se mostrava hesitante, se entraria no quarto, se iria para a cozinha, decidiu passar ao escritório, ela que o seguisse, se quisesse. Lídia tem os olhos vermelhos e inchados, talvez depois de grande luta com o seu nascente amor de mãe tenha acabado por resolver fazer o desmancho, pela expressão da cara não parece ser causa do desgosto ter caído Irun e estar cercado San Sebastian. Ela diz, Desculpe, senhor doutor, não tenho podido vir, mas quase sem transição emendou. Não foi por isso, pensei que já não lhe fazia falta, tornou a emendar, Sentia-me cansada desta vida, e tendo dito ficou à espera, pela primeira vez olhou de frente para Ricardo Reis, achou-o com um ar envelhecido, estará doente, Tens-me feito falta, disse ele, e calou-se, dissera tudo o que havia para dizer. Lídia deu dois passos para a porta, irá ao quarto fazer a cama, irá à cozinha lavar a louça, irá ao tanque pôr a roupa em sabão, mas não foi para isto que veio, ainda que tudo isto venha a fazer, mais tarde. Ricardo Reis percebe que há outras razões, pergunta, Por que é que não te sentas, e depois, Conta-me o que se passa, então Lídia começa a chorar baixinho, É por causa do menino, pergunta ele, e ela acena que não, lança-lhe mesmo, em meio das lágrimas, um olhar repreensivo, finalmente desabafa. É por causa do meu irmão. Ricardo Reis lembra-se de que o Afonso de Albuquerque regressou de Alicante, porto que ainda está em poder do governo espanhol, soma dois e dois e acha que são quatro, O teu irmão desertou, ficou em Espanha, O meu irmão veio com o barco, Então, Vai ser uma desgraça, uma desgraça, Ó criatura, não sei de que estás a falar, explica-te por claro, É que, interrompeu-se para enxugar os olhos e assoar-se, é que os barcos vão revoltar-se, sair para o mar, Quem to disse, Foi o Daniel em grande segredo, mas eu não consigo guardar este peso para mim, tinha de desabafar com uma pessoa de confiança, pensei no senhor doutor, em quem mais havia de pensar, não tenho ninguém, a minha mãe não pode nem sonhar. Ricardo Reis espanta-se por não reconhecer em si nenhum sentimento, talvez isto é que seja o destino, sabermos o que vai acontecer, sabermos que não há nada que o possa evitar, e ficarmos quietos, olhando, como puros observadores do espetáculo do mundo, ao tempo que imaginamos que este será também o nosso último olhar, porque com o mesmo mundo acabaremos, Tens a certeza, perguntou, mas disse-o somente porque é costume dar a nossa cobardia ao destino essa última oportunidade de voltar atrás, de arrepender-se. Ela acenou que sim, chorosa, esperando pelas perguntas apropriadas, aquelas a que só podem ser dadas respostas diretas, se possível um sim ou um não, mas trata-se de proeza que está acima das humanas capacidades. Na falta, sirva-nos, por exemplo. Qual é a intenção deles, com certeza não contam sair para o mar acreditando que será bastante para fazer cair o governo. A idéia é irem para Angra do Heroísmo, libertar os presos políticos, tomar posse da ilha, e esperar que haja levantamentos aqui, E se não os houver, Se não houver, seguem para Espanha, vão juntar-se ao governo de lá, É uma rematada loucura, nem conseguirão sair a barra, Foi o que eu disse ao meu irmão, mas eles não dão ouvidos a ninguém, Para quando será isso, Não sei, ele não mo disse, é um destes dias, E os barcos, quais são os barcos, É o Afonso de Albuquerque, mais o Dão e o Bartolomeu Dias, É uma loucura, repete Ricardo Reis, mas já não pensa na conspiração que com tanta simplicidade lhe foi descoberta. Recorda-se, sim, do dia da sua chegada a Lisboa, os contratorpedeiros na doca, as bandeiras molhadas como trapos pingões, as obras mortas pintadas de morte-cinza, O Dão é aquele mais perto, dissera o bagageiro, e agora o Dão vai sair para o mar, em rebeldia, deu por si Ricardo Reis a inspirar fundo, como se ele próprio fosse na proa do barco, recebendo em cheio na cara o vento salgado, a amarga espuma. Tornou a dizer, É uma loucura, mas é a própria voz que desmente as palavras, há nela um tom que parece de esperança, foi ilusão nossa, seria absurdo, não sendo esperança sua, Enfim, talvez tudo venha a correr bem, sabe-se lá se não acabarão por pôr de parte o projeto, e se teimarem talvez consigam chegar a Angra, veremos o que acontece, e tu não chores mais, lágrimas não adiantam, porventura mudarão de idéias, Não mudam, não, o senhor doutor não os conhece, tão certo como chamar-me eu Lídia. Ter dito o seu próprio nome chamou-a ao cumprimento dos deveres, Hoje não lhe posso arrumar a casa, tenho de ir a correr para o hotel, foi só o tempo de desabafar, talvez nem tenham dado pela minha falta, Não te posso ajudar em nada, Eles é que vão precisar de ajuda, com tanto rio para navegar antes de passarem a barra, o que mais lhe peço, por alma de todos os seus, é que não conte nada a ninguém, guarde-me este segredo que eu não fui capaz de calar só para mim, Fica descansada, que a minha boca não se abrirá. Não se abriu a boca, mas descerraram-se os lábios, o suficiente para um beijo de consolação, e Lídia gemeu, porém da mágoa que tem, embora não fosse impossível encontrar nesse gemido um outro som profundo, nós, humanos, é assim que somos, sentimos tudo ao mesmo tempo. Lídia desceu a escada, contra o costume foi Ricardo Reis ao patamar, ela olhou para cima, ele fez-lhe um gesto de aceno, ambos sorriram, há momentos perfeitos na vida, foi este um deles, como uma página que estava escrita e aparece branca outra vez.

Ao outro dia, quando Ricardo Reis saiu para almoçar, parou no jardim a olhar o quadro dos navios de guerra, além, em frente do Terreiro do Paço. Entendia pouco de barcos em geral, apenas sabia que os avisos são maiores que os contratorpedeiros, mas a distância todos lhe pareciam iguais, e isto exasperava-o, aceitava que não fosse capaz de identificar o Afonso de Albuquerque e o Bartolomeu Dias, em que nunca reparara, mas ao Dão conhecia-o desde que chegara a Portugal, o bagageiro dissera-lhe, É aquele, palavras perdidas foram, lançadas ao vento. Lídia deve ter sonhado, ou divertiu-se o irmão à custa dela, com uma incrível história de conspiração e revolta, saírem os barcos para o mar, três daqueles que ali estão, nas suas bóias, tão por igual sossegados sob a brisa, e as fragatas de água-acima, e os cacilheiros no seu incessante ir e voltar, e as gaivotas, o céu azul, descoberto, e o sol, que tanto refulge lá onde está como sobre o rio expectante, afinal é mesmo verdade o que o marinheiro Daniel contou à irmã, um poeta é capaz de sentir a inquietação que há nestas águas, Quando será que eles saem, Um destes dias, respondeu Lídia, uma tenaz de angústia aperta a garganta de Ricardo Reis, turvam-se-lhe os olhos de lágrimas, também foi assim que começou o grande choro de Adamastor. Vai para retirar-se quando ouve vozes excitadas, Além, além, são os velhos, e outras pessoas perguntam, Onde, o quê, e uns rapazitos que saltavam ao eixo param e gritam, Olha o balão, olha o balão, enxugou Ricardo Reis os olhos com as costas da mão e viu que surgia da Outra Banda um enorme dirigível, devia ser o Graf Zepellin, ou o Hindemburgo, vinha largar correio para a América do Sul. No leme a cruz suástica, com as suas cores de branco, vermelho e negro, poderia ser um daqueles papagaios que as crianças lançam ao ar, emblema que perdeu o sentido primeiro, ameaça que paira em vez de estrela que sobe, estranhas relações são estas entre os homens e os sinais, lembremo-nos de S. Francisco de Assis atado pelo sangue à cruz de Cristo, lembremo-nos da cruz do mesmo Cristo nos braços dos bancários que vão ao comício, de pasmar é que não se perca uma pessoa nesta confusão de sentidos, ou em verdade perdida está e nessa mesma perdição se reconhece todos os dias. O Hindemburgo, com os motores rugindo nas alturas, sobrevoou o rio para os lados do castelo, depois desapareceu por trás das casas, aos poucos foi-se apagando o som, o dirigível vai largar o correio à Portela de Sacavém, quem sabe se o Highland Brigade lhe levará depois as cartas, pode muito bem ser, que as andanças do mundo só nos parecem múltiplas porque não reparamos na repetição dos trânsitos. Os velhos voltaram a sentar-se, os rapazes regressaram ao jogo do eixo, as correntes do ar estão quietas e caladas, não sabe agora Ricardo Reis mais do que sabia, os barcos lá ficam sob o calor da tarde que começa, de frente para a maré, devem ser horas do almoço dos marinheiros, hoje como todos os dias, exceto se for este o último. No restaurante, Ricardo Reis encheu o seu copo de vinho, depois o do convidado invisível, e quando pela primeira vez o levou aos lábios fez um gesto como um brinde, não estamos dentro da cabeça dele para saber a quem ou a quê brindou, façamos como os criados da casa, já mal reparam, que este cliente, ainda assim, não é dos que mais dão nas vistas.

(*O Ano da Morte de Ricardo Reis*, 6ª ed., Lisboa, Caminho, 1985, pp. 403-407.)

Reconstituição imaginária de uma situação já de si fruto do desdobramento fictício do "eu" de um poeta, onde intervêm a fantasia e o inconsciente, aberto à indiscrição do olhar, — *O Ano da Morte de Ricardo Reis* não dispensa, como se de um intertexto se tratasse, o conhecimento desse quadro de origem, nele inserindo-se o diálogo amoroso travado entre Ricardo Reis e Lídia em odes de helênico e sentencioso recorte. O romancista, tomando o "drama em gente" pessoano como uma história "verídica", resolve atualizá-la, por meio da "biografia" de Ricardo Reis em mistura com a matéria de seus poemas. E o resultado é uma narrativa que se lê, porque assim se dispõe, em dois planos, o da mancebia dos protagonistas, transcorrida em 1935-1936, ano do falecimento do herói, e o do pano de fundo composto pelo universo pessoano. O leitor afeito à dimensão subjacente ao texto não tem como escapar à admiração pela engenhosidade do artifício, que dá origem a um romance de intensa força verbal, como se o ficcionista extraísse, por um desses rasgos de intuição divinatória, a equação romanesca ínsita nos poemas de Ricardo Reis e na sua condição de médico e poeta classicizante, exilado no Brasil por suas idéias monarquistas. Ao achado ficcional soma-se o impacto da linguagem, marcada por uma quase imperceptível brisa de lirismo e por signos de oralidade que, talvez aproveitando a experiência de jornalista e o descompromisso com os padrões escolares, desembaraçam a frase, tornando-a desenvolta, elástica, apta a exprimir sutilezas de sentido e de forma. Reside aí, como a crítica reconhece, um dos pontos de resistência do autor. De notar, porém, a inclinação manifesta para divisar o relacionamento entre os amantes de uma perspectiva ideológica ou política, o que, é de convir, empana o brilho do achado, conduzindo o leitor a indagar se a equação erótica não se destina simplesmente a provar uma tese, um pressuposto, palpável no fato de transformar Lídia, a musa longínqua e cauta do poeta das odes, numa criada de quarto, e, como se não bastasse, "usada" por um monarquista desiludido, à beira da morte.

O besouro tem um som mais rouco, ou foi a memória que se transviou desde então. O pajem levanta o seu globo apagado, afinal em França também havia pajens assim, não chegará a saber-se, de certeza certa, donde este veio, o tempo não deu para tudo. Ao cimo da escada aparece o Pimenta, vai para descer julgando que é um cliente com bagagem, então ficou à espera, ainda não reconheceu quem sobe, pode-se ter esquecido, são tantas as caras que entram e saem da vida de um mandarete de hotel, e há o contraluz, devemos sempre contar com o contraluz nestas ocasiões, mas agora está tão perto, mesmo vindo de cabeça baixa, que se acabam as dúvidas, É o senhor doutor Reis, como está, senhor doutor, Bons dias, Pimenta, aquela criada, como é que ela se chama, a Lídia, está, Ah, não, senhor doutor, não está, saiu e ainda não voltou, acho que o irmão estava metido na revolta, ainda bem não tinha Pimenta acabado a última palavra apareceu Salvador no patamar, fez-se de novas. Oh, senhor doutor, que grande alegria vê-lo por cá, e o Pimenta disse o que ele já sabia, O senhor doutor queria falar com a Lídia, Ah, a Lídia não está, mas se eu puder ser útil, Queria apenas saber o que se passou com o irmão, coitada da rapariga, ela tinha-me falado de um irmão que estava na marinha de guerra, vim só para ajudar em alguma coisa, como médico, Compreendo, senhor doutor, mas a Lídia não está, saiu assim que começaram os tiros e não voltou, e Salvador sorria, sempre sorri quando dá informações, é um bom gerente, digamo-lo pela última vez, mesmo tendo razões de queixa deste antigo hóspede que ia para a cama com a criada, e se calhar ainda vai, agora aparece-me aqui, feito inocente, se ele julga que me engana, muito enganado está, Sabe aonde é que ela terá ido, perguntou Ricardo Reis, Andará por aí, capaz de estar no ministério da Marinha, ou em casa da mãe, ou na polícia, que este caso deve meter polícia, é mais do que certo, mas fique o senhor doutor descansado que eu digo-lhe que o senhor doutor esteve cá, ela depois procura-o, e o Salvador tornava a sorrir, como quem acaba de armar um laço e já vê a caça presa pelo jarrete, mas Ricardo Reis respondeu, Sim, ela que me procure, tem aqui a minha morada, e escreveu num papel a inútil indicação. Salvador desfez o sorriso, despeitado pela resposta pronta, não se chegou a saber que palavras iria dizer, do segundo andar desciam dois espanhóis em acalorada conversa, um deles perguntou, Señor Salvador, los ha levado el diablo a los marineros, Si, don Camilo, los ha levado el diablo, Bueno, entonces es hora de decir arriba España viva Portugal, Arriba, don Camilo, e o Pimenta acrescentou, por conta da pátria, Viva. Ricardo Reis desceu a escada, o besouro zumbiu, em tempos tinha havido aqui uma sineta, mas os hóspedes de então protestaram, diziam que parecia portão de cemitério.

Durante toda a tarde, Lídia não apareceu. Na hora da distribuição dos vespertinos Ricardo Reis saiu para comprar o jornal. Percorreu rapidamente os títulos da primeira página, procurou a continuação da notícia na página central dupla, outros títulos, ao fundo, em normando, Morreram doze marinheiros, e vinham os nomes, as idades, Daniel Martins, de vinte e três anos, Ricardo Reis ficou parado no meio da rua, com o jornal aberto, no meio de um silêncio absoluto, a cidade parara, ou passava em bicos de pés, com o dedo indicador sobre os lábios fechados, de repente o barulho voltou ensurdecedor, a buzina dum automóvel, o despique de dois cauteleiros, o choro duma criança a quem a mãe puxava as orelhas. Se tornas a fazer outra, deixo-te sem conserto. Lídia não estava à espera nem havia sinal de que tivesse passado. É quase noite. Diz o jornal que os presos foram levados primeiro para o Governo Civil, depois para a Mitra, que os mortos, alguns por identificar, se encontram no necrotério. Lídia andará à procura do irmão, ou está em casa da mãe, chorando ambas o grande c irreparável desgosto.

Então bateram à porta. Ricardo Reis correu, foi abrir, já prontos os braços para recolher a lacrimosa mulher, afinal era Fernando Pessoa. Ah, é você, Esperava outra pessoa, Se sabe o que aconteceu, deve calcular que sim, creio ter-lhe dito um dia que a Lídia tinha um irmão na Marinha, Morreu, Morreu. Estavam no quarto, Fernando Pessoa sentado aos pés da cama, Ricardo Reis numa cadeira. Anoitecera por completo. Meia hora passou assim, ouviram-se as pancadas de um relógio no andar de cima, É estranho, pensou Ricardo Reis, não me lembrava deste relógio, ou esqueci-me dele depois de o ter ouvido pela primeira vez. Fernando Pessoa tinha as mãos sobre o joelho, os dedos entrelaçados, estava de cabeça baixa. Sem se mexer, disse, Vim cá para lhe dizer que não tornaremos a ver-nos, Porquê, O meu tempo chegou ao fim, lembra-se de eu lhe ter dito que só tinha para uns meses, Lembro-me, Pois é isso, acabaram-se. Ricardo Reis subiu o nó da gravata, levantou-se, vestiu o casaco. Foi à mesa-de-cabeceira buscar The god of the labyrinth, meteu-o debaixo do braço, Então vamos, disse, Para onde é que você vai, Vou consigo, Devia ficar aqui, à espera da Lídia, Eu sei que devia, Para a consolar do desgosto de ter ficado sem o irmão, Não lhe posso valer, E esse livro, para que é, Apesar do tempo que tive, não cheguei a acabar de lê-lo, Não irá ter tempo, Terei o tempo todo, Engana-se a leitura é a primeira virtude que se perde, lembra-se. Ricardo Reis abriu o livro, viu uns sinais incompreensíveis, uns riscos pretos, uma página suja, Já me custa ler, disse, mas mesmo assim vou levá-lo, Para quê, Deixo o mundo aliviado de um enigma. Saíram de casa, Fernando Pessoa ainda observou, Você não trouxe chapéu, Melhor do que eu sabe que não se usa lá. Estavam no passeio do jardim, olhavam as luzes pálidas do rio, a sombra ameaçadora dos montes. Então vamos, disse Fernando Pessoa, Vamos, disse Ricardo Reis. O Adamastor não se voltou para ver, parecia-lhe que desta vez ia ser capaz de dar o grande grito. Aqui, onde o mar se acabou e a terra espera.

(*Ibidem*, pp. 412-415.)

LOBO ANTUNES

Antônio Lobo Antunes nasceu em Lisboa, em 1942. Médico psiquiatra, ainda serviu em África, durante a guerra colonial. A atividade literária, na qual se iniciou com *Memória de Elefante* (1979), definiu-lhe uma vocação e um destino, notadamente a partir d*Os Cus de Judas,* publicado no mesmo ano de 1979, e que logo lhe granjeou vasto renome, confirmado e alargado pelos romances seguintes: *Conhecimento do Inferno* (1980), *Explicação dos Pássaros* (1981), *Fado Alexandrino* (1983), *Auto dos Danados* (1985), *As Naus* (1988), *Tratado das Paixões da Alma* (1990), *A Ordem Natural das Coisas* (1992), *A Morte de Carlos Gardel* (1994), *O Manual dos Inquisidores* (1996), e por um livro de *Crônicas* (1995).

Auto dos Danados

Publicado em 1985, e vencedor do "Grande Prêmio de Romance e Novela da Associação Portuguesa de Escritores", o *Auto dos Danados* gira em torno de um casal (Nuno e Ana) que foge de Lisboa para a Espanha em setembro de 1975, em meio à instabilidade geral provocada pela revolução de abril do ano anterior. A narrativa da viagem, entrecortada por *flashbacks* que remontam ao passado recente, desenrola-se segundo a perspectiva de cada um dos protagonistas principais. O fragmento transcrito pertence à personagem feminina.

Só depois de fechar a porta do quarto, a seguir a desfazer as malas e alinhar os frascos de creme no tampo de pedra da cômoda, ao voltar da retrete ainda com a fita de retirar a maquilagem no cabelo, quando já o meu marido se estendera na cama, de barriga para cima, de sapatos tombados no chão, a fumar, é que dei pelo odor de gado morto dos lençóis, e talvez não só dos lençóis, dos móveis também, e da noite no peitoril da janela como um gato que dorme, ressonando a música e os altifalantes de uma feira próxima.

Tínhamos chegado uma hora antes a Évora e principiado a apodrecer na primeira pensão que encontramos, uma residencial com um televisor apagado, sofás de napa e bandeirinhas de diversos países cravadas numa rodela de madeira, ao lado de um velhote zarolho que recebia as inscrições e fornecia as chaves, provido de falanges mais compridas do que as batutas dos maestros ou as pupilas das lagostas. Arrastamos a bagagem dois andares seguidos, guiados pelo zarolho que trotava à nossa frente numa ligeireza de barata, entramos, o xilofone dos pulinhos do velhote diminuiu no corredor a protestar contra a gorjeta, e passados minutos descobríamos que um dos candeeiros das mesas de cabeceira se fundira, que o trinco da janela emperrara, que se puxava a correntezinha metálica e o estômago vazio do autoclismo deglutia em vão a sua bóia, e que dezenas de insetos marchavam no rodapé, a tatearem as frinchas da madeira com as hastes.

Foi no Brasil, um ou dois anos depois da revolução, que percebi que Portugal, tal como os comboios do meu pai, não existia. Era uma ficção burlesca dos professores de Geografia e de História, que criaram rios e serras e cidades governadas por sucessivas dinastias de valetes de cartas, a que se sucederam, após meia dúzia de estampidos chochos de barraca de tiro sujeitos de barbicha e lunetas aprisionados em retratos ovais, observando o Futuro na miopia severa dos eleitos, para tudo se diluir na branca paz sem relevo nem contornos do salazarismo, durante o qual a minha família prosperou como o caruncho no pau, devorando a serradura de fábricas e montes. Entendi no Brasil que as pessoas geralmente pobres, baixas e escuras, que se exprimiam da mesma forma que eu falo, não passavam afinal dos valetes dos professores de História despidos da sua colorida condição de baralho, transportando em São Paulo, sob o braço, atados com cordéis, os embrulhos das suas minúsculas esperanças. De modo que a infância e as recordações dela (jantares, carrosséis, bronquites de adultos, enormes medos) deram lugar à saudade imprecisa de uma orla de lodo e de água, na qual o Guadiana depositava delicadamente suicidas e barcos, sob a fúria pontiaguda dos pássaros. E agora, de novo no Alentejo tantos anos após, o odor de gado morto trouxe-me de súbito à idéia a minha absurda condição de dama de copas, sem ossos, sem tendões, sem carne, a estender o ouvido, sobre as pedras velhas da cidade, numa expectativa de ondas.

— Como é que você disse que isto se chamava?, perguntou o meu marido numa balida, esguia voz de cordeiro defunto, à medida que do seu corpo subia um relento insuportável de intestinos. Assim deitado na cama, naquela postura e com aqueles olhos baços e moles, aparentava-se ao cadáver de um novilho em que uma ocasião, a passear com a minha mãe e a minha prima de que ninguém fala nunca, por vergonha de que uma mongolóide a parisse, tropeçamos entre o rio e a colina do castelo, um novilho com os dentes de leite dos cornos despontando, coberto de moscas de asas cruzadas e desses repugnantes vermezinhos brancos que a terra segrega, a aparecerem, a retorcerem-se e a desaparecerem no interior da carcaça, um novilho desprezado pelos cães, de cigarro na boca, a coçar o umbigo e a conversar comigo. Qual é o nome desta cidade, Ana?, ao mesmo tempo que o fedor de cada sílaba me inchava, como os ventres incham de gases, nos ouvidos.

— Évora, disse eu, desiludida porque a água do rio não tremia nas paredes, porque o enfisema do zarolho afogava as ladainhas das oliveiras e dos choupos, porque, em lugar de um horizonte de Espanha, prédios cor-de-rosa me cercavam de varandas de cimento, e azulejos de retrete substituíam a igreja e as muralhas. Respondi Évora, e os carneiros finados ordenaram do colchão, cada vez mais putrefactos e líquidos:

— Quero voltar amanhã no máximo para Lisboa. Com sorte conseguem-se na agência dois lugares para São Paulo.

Arrumei o maço de algodão no nécessaire, encaixei o frasco do leite de limpeza num buraco vazio, no meio de dezenas de garrafas e de potes, e olhei-o com inveja: levara anos e anos a ansiar fugir destes sobreiros e dos lobisomens destas noites, e apenas a revolução, sei lá quanto tempo depois, me empurrou aos baldões para Madrid, enxotada pelas espingardas dos comunistas.

— Vamos cedinho a Monsaraz, disse eu, assino a escritura à minha mãe, e aposto que às três ou quatro da tarde estamos no balcão do aeroporto a despachar as malas.

— Já ando cansado de antigüidades, Ana, protestaram as ovelhas mortas num tom que se dissolvia na fronha como os finados nos colchões. Cansado de mosteiros e de castelos em ruína, com rolas a chiarem nas ameias.

O meu marido despira-se, e encontrava-se, agora, nu sobre o lençol, como o novilho nas ervas junto ao rio. Lagartas e moscas entravam-lhe e saíam-lhe do corpo fedorento. O hálito do Guadiana assobiava nas gretas do moinho. A minha mãe, a minha prima eu observávamos assustadas os arcos das costelas, recheados da lama dos pulmões. Um homem passou a vinte metros de nós, com uma cesta ao ombro.*

(*Auto dos Danados*, 9ª ed., Lisboa, Publs. Dom Quixote, 1986, pp. 145-148.)

Lobo Antunes é unanimemente considerado uma das mais fulgurantes estréias ocorridas na Literatura Portuguesa no período pós-revolução de 1974. O trecho do *Auto dos Danados,* ainda que breve, oferece uma idéia das razões desse prestígio, já agora também no estrangeiro.

---

* *residencial* = pensão, *autoclismo* = caixa de descarga de água de um vaso sanitário; *retrete* = vaso sanitário; banheiro; *nécessaire* = bolso ou estojo com utensílios de toalete; *sobreiro* = árvore de que se extrai a cortiça.

A começar pela escrita, vigorosa, direta, com um realismo que não cede ante minúcias desagradáveis, sem temor de repelir a metáfora edulcorante ("odor de gado morto dos lençóis", "apodrecer"), às vezes recorrendo a símiles de imprevista ou zoomórfica natureza ("falanges... lagostas", "ligeireza de barata"). Linguagem "clínica", põe-se a serviço da radiografia impiedosa da realidade portuguesa contemporânea, palco onde todos estariam representando, segundo o autor do *Auto dos Danados.* É de notar, no parágrafo iniciado por "Foi no Brasil", a imagem que a narradora tem de Portugal: "não existia. Era uma ficção burlesca dos professores de Geografia e de História". O tom, manifestamente antinacionalista, ressuma de azedume crítico, decorrente de a personagem estar no Brasil, sujeita a diversa condição de espaço e de tempo histórico: imagem a distância, o que não lhe retira, é óbvio, o caráter amargo. O intuito é o de assumir perante o universo português uma atitude lúcida, raciocinante, que poderia denunciar no autor intenções de engajamento se o substrato ideológico prevalecesse na armação da trama. Sublinhe-se, ainda, que ao fator histórico da fuga dos protagonistas se associa a "guerra conjugal" entre eles, deste modo atribuindo à viagem para fora do país um sentido doméstico, que funciona, ao fim de contas, como sustentáculo da narrativa. Esta dupla articulação, denotadora de um romance de atualidade, evidencia a destreza do ficcionista na condução do enredo, para quem o "outro" é presa não só da circunstância histórica como também de seus demônios interiores.

LÍDIA JORGE

Nasceu em Boliqueime, no Algarve, em 1946. Formada em Filologia Românica, dedica-se ao ensino secundário. Estreou em 1980, com *O Dia dos Prodígios,* romance que lhe trouxe o imediato aplauso de leitores e críticos, que viam nela uma das maiores revelações dos últimos anos. Os romances seguintes confirmaram os bons inícios: *O Cais das Merendas* (1982), *Notícia da Cidade Silvestre* (1984), *A Costa dos Murmúrios* (1988), *A Última Dona* (1992), *A Instrumentalina* (1992).

O Dia dos Prodígios

A narrativa decorre em Vilamaninhos, aldeia do Algarve (Boliqueime?), e gravita ao redor de uma cobra, que desaparece tão logo é morta. Instala-se o prodígio de que fala o título, enquanto se desenrola outro acontecimento não menos prodigioso, a revolução de 25 de abril de 1974. Até que a passagem dos revoltosos pela aldeia evidencia que o seu povo ainda está preso ao mistério da serpente, "habituado que anda às coisas sobrenaturais. Quem não se alembra da cobra? Esse maldito bicho que aí veio espavejar-se por cima da gente como se viesse fazer pouco das pessoas desta terra?" (p. 162).

Pode-se pensar que em terra seca nunca é demais chover, porque a água pode desaparecer da vista da gente, mas lá fica em algum lugar preciso. E que preciso não seja. E que venha a sumir-se e a evaporar-se. Só a visão por si, tapa uma falta. A primeira água, arrebatada, essa solta-se em cachão para o fundo da ampulheta. Vinda dos telhados sujos do verão, das aves e dos gatos. E sai pela boca aberta dos seus baixos, ruas fora, até sumir na terra. Manso lastro de água. Mas depois vem o dono da cisterna, põe-se de cócoras junto da ampulheta com uma rolha na mão. Envolve-a num pano de camisa rasgada, tapa-lhe a boca de saída, e a cachoeira produz-se em bolhas transparentes e brancas. Faz um remoinho de leve espuma como se procurasse saída, e o som da fartura líquida é um gozo de alma. Pode entrar na cisterna de alvenaria, e subir durante os dias e as noites até ao nível do eirado. Aí chegando já está. Mas as fendas com o passar dos anos, os abalos de terra, são uma porta aberta. E depois os escorropichos do céu no mês de maio apenas chegarão para pintar o cimento de manchas espalmadas. José Jorge Júnior mete a cabeça dentro. Agora sim. Pode Maria Rebôla vir destapar as ampulhetas. Está feita a reserva da casa. O meu juízo ainda dá para isso. Oh gente. Encapotado e sentado de encontro ao tronco da palmeira da sua rua. Passando uma mão sobre a outra. Chova que chova. Se não corre pelo leito, nem se vê nascer do chão, que caia do céu e se derrame pela terra, ensopando-a. Nem que para isso seja preciso este bolor nas barbas.

Branca estende a colcha sobre a cama. No olho esquerdo apenas já uma sombra de negra verde e violácea. Mal se adivinhando. Como se por aí tivesse passado um dedo sujo de tinta. Leve dedada. Agora que apenas falta uma cercadura em ponto cadeia de seda lilás e verde-salsa, acontece-lhe ter de recuar até à porta. Receia e não receia que o bicho se solte do pano, levante vôo, e batendo-lhe com a barriga de escamas, na cara, a faça cair desamparada no chão. No entanto ele saiu dos dedos. Estes. Branca estende as palmas das mãos, viradas para baixo e para cima. Mas os filhos dizem. Avoa, mãe? Que disparate. Então não o viram bordar? Se passarem a mão por cima, não encontram debaixo de cada dedinho de vocês, as linhas e as missangas iguais às que estão ali dentro do saco da costura? Que espantação é essa? Avoa agora. E Branca desmente. Pelas madrugadas úmidas e bafientas do inverno longo, Branca acorda com os rumores distantes. Da água caindo nas folhas muito antes da nuvem chegar. Do ruído das ondas das praias. Branca ouve, mas nunca viu. Um tumulto alagado. Dizem. Às vezes ela dá com uma faísca de olho a perpassar-lhe na cara. É Pássaro. Um relampejo. Como se desde então receasse as pastilhas brancas. E diz-lhe. Peça inteira de um pescado a saltar na areia. A cavalgar em osso. Por que não abanas? Não abano como? Perdi o uso, Pássaro. Antes sempre abanavas. Isso era o vento que me dava na espinha. Pássaro fez relampejar o olho pela cabeceira da cama. Brilha assim desde que foi da pastilha. Mas Branca fica com o corpo pegado ao colchão. Mesmo que o sol se levante. Uma colcha acabada. Onde colocá-la senão na arca? Senão na arca? Um bicho de penas de missanga, língua de oiro, a voar no pano cru? Como se fosse desalvorado numa carreira de assombro? Avejão de garras? Recruta de fastio e nojo?

. . . .

Desde esse dia o renascer começou a desabar verde e luminoso. Havia um atrevimento de sol no ar, e então foi dito em Vilamaninhos ser a natureza uma realidade muito diferente da vida dos homens e das mulheres. E isso porque nunca ninguém vira a erva renovar-se e recompor-se em tão pleno esplendor. Na verdade a terra amarelejava de ponta à ponta. E um vizinho disse a seu vizinho, limando a mortalha de papel com a borda da língua. Não há memória de tanto enfeite, desde que se inventou o arado. E outro respondeu. De qualquer forma cheira bem. E isso se repetiu de portal em portal. E alguém acrescentou. Então a primavera não é uma estação. É uma forma de ser, uma beleza da alma. Mais. Muito mais do que um verdadeiro rebentar das ervas. É verdade, amigos. Na casa de Carminha Rosa a primavera fez-se anunciar quando uma cadeira de tampo de boquete se quebrou pela perna, e a mãe disse para a filha. Mexe-te e anima-te. Já se desconjuntou a cadeira onde o Marinho se sentava e punha os cheiros. Dentro de dias não vai haver memória de tal pessoa. Tanto é o perfume das flores. Na casa da taberneira Matilde, quando o azeite pingou no chão e a nódoa se fez verde e alastrou até à porta. Na casa de João Martins quando se perdeu um canivete e alguém disse que deveria estar debaixo da moita das maravilhas. Na casa de Branca Volante quando um filho imitou o cuco, e passados dois dias ainda o imitava. Na casa de Macário quando o seu dono afastou os cabelos da testa e disse. Que mudança se fez em catorze dias. Alguém levantou vôo deste povo. Na casa de Jesuína Palha quando ela própria atirou uma pedra à chaminé da casa fechada da falecida Rosa Governa, e a pedra levou à frente de si o último redondel do bico. Puxou o braço, olhou a mão, o punho fechado. Só na casa de José Jorge Júnior a primavera entrava escondida na lenha. Por isso foi anunciada com sobressaltos e gritos de grande anúncio. E mereceu uma pausa. Ele próprio, antes do sol ter restituído as sombras pela rua. Vivificante e criador. Foi buscar um braçado de lenha ao monturo. Passando pela palmeira de braços verdes e badalantes. É para que acendas um fogo. Em maio, José Jorge? Em maio, Esperancinha. Desde o dia em que muito morto, se saíra para a rua esgargalado e quase nu, e vira os filhos aparecerem e sumirem-se pelas paredes, o fogo. Oh o foguinho. Era a melhor companhia. Crepitando dava luz, e as coisas iluminadas ficavam visíveis e muito reais. Podia pôr a mão. Por apalpadelas conseguia ver que as formas eram essas. Esperança Teresa pusera os cavacos cruzados em pilha sobre o tojo. Dez fósforos por uma chama, e fora-se a cirandar os passos para o quarto de dormir. Cabeça entre as mãos, ia ouvindo. Oh memória pronta. Era só mergulhar. Os filhos saíam da ponta das chamas, e enterravam as pernas nas searas do passado para separar o joio. E as vozes sobre os ninhos das felosas, dependurados das abas. Atiçava os galhos e os cavacos apanhados por Maria Rebôla. Só por baixo, só por baixo. Apenas os que o vento e Deus fazem abanar de vez em quando. Onde está um madeirinho, a que um homem atice fogo e dure pela noite inteira? Agarrava em dois ou três com a mão direita, cruzava-os sobre a chama, até que se incendiavam, ardiam e se separavam por um tição incandescente. E nada disso. Nem gestos nem pensamentos. Tinham a ver com a monda, nem com o trigo, nem com as sombras do bom tempo, fortes e nítidas, para quem viesse a olhar sem pressa. Nem com os ninhos dos animais voadores. Mas a certa altura, diante da fogueira, José Jorge Júnior teve o primeiro sobressalto, porque ao cruzar dois lenhos compridos e delgados sobre a labareda, percebeu que um deles teimava em desviar-se do fogo. O segundo sobressalto saiu do primeiro, porque a espinha do corpo se lhe gelou de medo todo-poderoso. Mas buscando forças num reduto de misteriosa coragem. Ainda. Segurou o tronco entre o indicador e o polegar. Alto, diante dos olhos. Tendo assim erguida a mão contra a chama, pareceu-lhe sustentar entre as polpas dos dedos um objeto mais mole e mais frio do que a lenha. E pousou-o no chão. Reolhou. As labaredas faziam línguas fugidias no vão da chaminé e o solo aquecia sob as botas. O pau porém não ardia, e então José Jorge Júnior experimentou o terceiro sobressalto. Dobrado pela espinha. Conseguia ver o tronco mover-se, primeiro como se apenas um sopro de boca o desviasse. E depois. Ondulou nítido sobre a cinza do fogo. E José Jorge Júnior encheu-se de certezas. Segurava aquilo nos dedos da sua própria mão. Os dedos da mão direita. E levantada, começou a sacudi-la no ar como se a quisesse despegar do pulso e de todo o braço. O alarido que fez foi grande. Tão grande, rouco e estridente, que Esperança Teresa, muito mouca dos ouvidos, e separada da cozinha por várias paredes de pedra, entendeu perfeitamente o que se passava em sua casa. Aqui del-rei. Arregaçou as saias e pôs-se na porta. Aqui del-rei, Maria Rebôla. Aqui, aqui, quem acode. A vizinhança veio e entreolhou-se. Como se vai encontrar semelhante animal. Tão delgadinho e veloz, numa casa tão grande, com tanta fenda, e tão povoada de móveis? Coisas descomunais? Pegaram por isso em réstias vazias de alho, a que juntaram barrinhas de enxofre, e chegando-lhes fogo, iniciaram o defumadoiro. De grande fedor e fumo. Os velhos viam. Amedrontados da tragédia, dos seus assentos de espaldar de pau. Viam os vizinhos de narizes tapados e bacias de esmalte na mão, saírem e entrarem pelas portas, trazendo atrás de si um rasto de fumo oblíquo. Maria Rebôla disse. Tó diabo, parece uma esconjuração. E Jesuína Palha entrou de um pulo, e de punho fechado. Onde? Onde se meteu a fera? E Esperança Teresa disse. Confundiu-a o meu marido com um pauzinho. Um pauzinho de figueira, julgava ele. Um pauzinho de figueira? Então deve ser filhote da que voou. Vou-me embora porque eu espero pela mãe das crias. Deve ser grande, e a esta hora, deslizar pelo chão como uma corda de carne. Descerrando os punhos. A Manuel Gertrudes também o renascer do tempo se fez anunciar. Mas de forma sutil e pacífica. Chegou pouco depois duma sobremesa de figos enxários, secos e enfarinhados, de olho aberto. O guerreiro dormitava sobre o estômago, e ao acordar, arrotou a rábano.*

(*O Dia dos Prodígios*, 4ª ed., Lisboa, Publs. Europa-América, 1982, pp. 103-104, 125-127.)

Como se pode ver nos dois excertos selecionados, a ficção de Lídia Jorge distingue-se, antes de tudo, pela escrita. Desempenada, como pediam os novos ares que sopravam desde 1974, mas também como determinava a vocação de ficcionista que devia à terra de origem a força de sua inventividade. Entre coloquial e erudita, na verdade mais aquela que esta, sua linguagem flui como se escorresse de uma fonte incessante, ou antes, de uma voz a desfiar uma história de encantar em sucessivos serões. Daí a naturalidade de linfa irrompendo da terra, que o convívio com outros prosadores não esgotou; antes pelo contrário. E é tal fidelidade às raízes a primeira característica a registrar nesta romancista de lei. Compreende-se, assim, que buscasse um assunto inspirado na superstição e o cercasse de um evento histórico de ampla repercussão: o enlace das soluções estilísticas populares e literárias expressa o encontro dos temas postos lado a lado, com o objetivo de sugerir o retrato de um povo suspenso entre a crença no sobrenatural, ainda à espera de D. Sebastião, e o abalo histórico que lhe reclama atenção para o urgente imperativo de modernizar-se, acertar o passo com a Europa e o mundo. No primeiro fragmento, a superstição ganha acentos mágicos, fazendo pensar no apelo do realismo maravilhoso da ficção contemporânea se não traísse um modo

---

* *boquete* = diminutivo de "boca"; *felosa* = pequeno pássaro; *mouca* = surda, ou que ouve mal; *enxário* = figo do Algarve; *rábano* = legume, de que o rabanete é uma variedade.

de ser substancialmente português. “Avoa, mãe?”, pergunta o infante. “Que disparate”, retruca a mãe, pouco ou nada convicta, envolta numa atmosfera de enigmática e poética vibração, como todos os moradores da vila. Afinal, Vilamaninhos é o símbolo, a síntese, de Portugal. O segundo fragmento reafirma-o plenamente — “Que mudança se fez em catorze dias. Alguém levantou vôo deste povo.” —; os prodígios estão em toda a parte: Vilamaninhos povoa-se deles; todos os presenciam, extasiados, incluindo neles a passagem dos homens da revolução, sem saber que anunciavam um prodígio maior. Sabe-o a ficcionista, que tem distância para ver com nitidez os acontecimentos na aldeia arcaica; e, ao narrar a sua fábula, anseia que Vilamaninhos o saiba também: engajada, sim, mas no esforço de colaborar para o alargamento da consciência do seu povo, para que este reencontre a sua verdadeira fisionomia, olhando-se no espelho de sua autenticidade, e não na crendice enganadora.

ÍNDICE DE NOMES

ÍNDICE DE OBRAS

A LITERATURA BRASILEIRA ATRAVÉS DOS TEXTOS

Massaud Moisés

Colocando ao alcance do estudante e do professor, didaticamente articulados num mesmo contexto, o excerto antológico, o comentário crítico e a informação histórica, este volume oferece-lhes um panorama do que a nossa literatura ostenta de melhor e de mais representativo ao longo de sua evolução histórica. Dentro de cada uma das sete épocas em que se divide nossa história literária — Época de Formação e Origens, Barroco, Arcadismo, Romantismo, Realismo, Simbolismo e Modernismo —, são focalizados os autores de maior importância, apresentando-se de cada um deles um ou mais excertos antológicos, os quais são precedidos de uma notícia que os situa cronologicamente no quadro de nossas letras e seguidos de um comentário crítico que lhes destaca os principais pontos de interesse, orientando assim a atenção do estudante para a correta apreciação do texto antológico.

Em A LITERATURA BRASILEIRA ATRAVÉS DOS TEXTOS estão reunidos excertos de obras de historiografia, epistolografia, romance, conto, poesia, teatro etc., de cerca de uma centena de autores, compondo um painel altamente representativo da diversidade, riqueza e valia das manifestações do gênio literário do Brasil.

O autor deste livro é professor-titular da Faculdade de Filosofia, Letras e Ciências Humanas da Universidade de São Paulo. Tem-se dedicado ao ensino e à pesquisa na área da Teoria da Literatura, da Literatura Portuguesa e da Literatura Brasileira, sobre as quais escreveu numerosas e importantes obras.

EDITORA CULTRIX

LITERATURA: MUNDO E FORMA

Massaud Moisés

Situado na fértil confluência da Teoria Literária com a Lingüística, a Psicologia, a Filosofia e a Estética, este brilhante ensaio constitui um balanço necessário e oportuno do estado atual da crítica (sobretudo depois do avanço do estruturalismo lingüístico e da Semiótica), bem como o descortínio de novas perspectivas para o estudo da obra literária. Ao mesmo tempo em que aponta os embaraços e impasses das correntes da atualidade — no que não teme atravessar fronteiras nem criticar "feudos" intocáveis, como o de uma certa semiótica —, o Autor de LITERATURA: MUNDO E FORMA nele oferece novas propostas de análise literária.

Movimentando-se em livre trânsito pelas diversas áreas disciplinares abrangidas no seu enfoque, e utilizando e confrontando com desembaraço conceitos e instrumentos teóricos de diferentes modelos e correntes, Massaud Moisés, após discutir as relações entre a crítica literária, a realidade, a neurose e o dogmatismo, propõe se encare o texto literário como "a forma assumida pelo ser na visão do sujeito", pelo que importa conhecer-lhe a cosmovisão específica, já que a forma literária é uma mímese icônica de uma cosmovisão. A partir desse fecundo eixo de raciocínio, revê e amplia ele, na parte final do livro, a perspectiva que a crítica deve ter a respeito de questões como realidade, estilo e gênero, oferecendo por fim, ao leitor, sobretudo ao professor e estudante de Letras, novos parâmetros de avaliação da obra literária como uma forma/fôrma de percepção e cognição.

EDITORA CULTRIX